C000080871

1 MONTH OF FREE READING

at

www.ForgottenBooks.com

By purchasing this book you are eligible for one month membership to ForgottenBooks.com, giving you unlimited access to our entire collection of over 1,000,000 titles via our web site and mobile apps.

To claim your free month visit:
www.forgottenbooks.com/free466917

* Offer is valid for 45 days from date of purchase. Terms and conditions apply.

ISBN 978-0-331-82038-6
PIBN 10466917

This book is a reproduction of an important historical work. Forgotten Books uses
state-of-the-art technology to digitally reconstruct the work, preserving the original format
whilst repairing imperfections present in the aged copy. In rare cases, an imperfection in
the original, such as a blemish or missing page, may be replicated in our edition. We do,
however, repair the vast majority of imperfections successfully; any imperfections that
remain are intentionally left to preserve the state of such historical works.

Forgotten Books is a registered trademark of FB &c Ltd.
Copyright © 2018 FB &c Ltd.
FB &c Ltd, Dalton House, 60 Windsor Avenue, London, SW19 2RR.
Company number 08720141. Registered in England and Wales.

For support please visit www.forgottenbooks.com

114

JAHRESHEFTE

des

Vereins für vaterländische Naturkunde

in

Württemberg.

———

Herausgegeben von dessen Redaktionskommission

Prof. Dr. **O. Fraas,** Prof. Dr. **F. v. Krauss,** Prof. Dr. **C. v. Marx,**
Prof. Dr. **P. v. Zech** in Stuttgart.

———

SECHSUNDVIERZIGSTER JAHRGANG.

Mit 3 Tafeln.

❖

Stuttgart.
E. Schweizerbart'sche Verlagshandlung (E. Koch).
1890.

In der E. Schweizer........................... Stuttgart ist erschienen:

DIE A

SCHWÄ................................RA

Fried...

Band I.
Mit ein

Ba
Mit ei

Ba
Mit e

Geogn........................e

Württemb........................llern.

Nach

Dr. Osca.......
Massstab 1 : 280 000.
Vier Blätter.
Zweite Auflage.
Preis roh M. 12.—, auf Leinwand aufgezogen in Mappe M. 14.—, auf Leinwand
lackiert mit Stäben M. 15.—

Geognostischer Wegweiser
durch Württemberg.

Anleitung zum Erkennen der Schichten und zum Sammeln der
Petrefakten
von
Dr. Theodor Engel,
Pfarrer in Klein-Eislingen.

Mit VI Tafeln, vielen Holzschnitten und einer geognostischen Uebersichtskarte.
Preis Mk. 7. 60.

JAHRESHEFTE

des

Vereins für vaterländische Naturkunde

in

Württemberg.

Herausgegeben von dessen Redaktionskommission

Oberstudienrat Dr. **O. Fraas**, Prof. Dr. **C. Hell**, Prof. Dr. **O. Kirchner**, Prof. Dr. **K. Lampert**, Prof. Dr. **E. v. Reusch**.

SIEBENUNDVIERZIGSTER JAHRGANG.

Mit 8 Tafeln
und dem Porträt des Direktors Dr. Ferd. v. Krauss.

Stuttgart.

E. Schweizerbart'sche Verlagshandlung (E. Koch).

1891.

Die Autoren sind allein verantwortlich für den Inhalt ihrer Mitteilungen.

Von Abhandlungen und Sitzungsberichten erhalten die Autoren auf Verlangen 25 Separat-Abzüge gratis; eine grössere Zahl auf Wunsch gegen Erstattung der Herstellungskosten.

Die verehrlichen Mitglieder des

Vereins für vaterländische Naturkunde

in Württemberg

sind höflich ersucht, behufs richtiger Zusendung der „Jahreshefte" der Verlagshandlung von jedem Wechsel des Wohnortes Anzeige zu machen.

Einband-Decken zu den Jahresheften.

Auf mehrfaches Verlangen haben wir zu den Jahresheften

Einband-Decken in brauner Leinwand à 70 Pf.

herstellen lassen, und zwar von Jahrgang 1884 an (mit Beginn des vergrösserten Formates).

Falls Sie die Decken zu haben wünschen, so bitte gef. zu verlangen.

Nach Wunsch können auch von **1892** an die Jahreshefte **gleich gebunden** zum Preise von M. 6.— geliefert werden.

E. Schweizerbart'sche Verlagshandlung (E. Koch).

Direktor Dr. Ferd. v. Krauss.

JAHRESHEFTE

des

Vereins für vaterländische Naturkunde

in

Württemberg.

———

Herausgegeben von dessen Redaktionskommission

Oberstudienrat Dr. **O. Fraas**, Prof. Dr. **C. Hell**, Prof. Dr. **O. Kirchner**,
Prof. Dr. **K. Lampert**, Prof. Dr. **E. v. Reusch**.

———

SIEBENUNDVIERZIGSTER JAHRGANG.

Mit 8 Tafeln
und dem Porträt des Direktors Dr. Ferd. v. Krauss.

———————

Stuttgart.
E. Schweizerbart'sche Verlagshandlung (E. Koch).
1891.

K. Hofbuchdruckerei Zu Guttenberg (Carl Grüninger) in Stuttgart.

Inhalt.

I. Angelegenheiten des Vereins.

Bericht über die fünfundvierzigste Generalversammlung vom 24. Juni 1890 in Esslingen. Von Oberstudienrat Dr. v. Krauss. S. I.

1. Rechenschaftsbericht für das Jahr 1889—1890. Von Oberstudienrat Dr. v. Krauss. S. VI.
2. Zuwachsverzeichnisse der Vereinssammlungen:
   A. Zoologische Sammlung. Von Oberstudienrat Dr. v. Krauss. S. XIII.
   B. Botanische Sammlung. S. XV.
   C. Vereinsbibliothek. Von Oberstudienrat Dr. v. Krauss. S. XVI.
3. Rechnungsabschluss für das Jahr 1889—1890. Von Hofrat Ed. Seyffardt. S. XXVI.
4. Wahl der Beamten und des Versammlungsorts. S. XXIX.

Nekrolog des Grafen Karl v. Waldburg-Syrgenstein. Von Dr. Freiherr R. Koenig-Warthausen. S. XXXIII.

Nekrolog des Dr. Ferdinand v. Krauss. S. XXXV.

Nekrolog des Prof. Friedrich Aug. Quenstedt. Von Dr. Oscar Fraas. S. XXXIX.

Nekrolog des Prof. Albert Steudel. Von K. Miller. S. XLV.

Sitzungsberichte.

Sitzung vom 9. Oktober 1890. Hofmann, Prof. E.: Über das Auftreten der Nonne bei Wolfegg. S. LI. — Schmidt, Prof. O.: Über Mineralwasser. S. LV.

Sitzung vom 13. November 1890. Nies, Prof.: Die Überschätzung der Neigung bei Böschungen. (Mit Taf. I.) S. LXVI. — Hell, Prof.: Die Grenze der Verbindungsfähigkeit der Kohlenstoffatome. S. LXVII.

Sitzung vom 11. Dezember 1890. Kirchner, Prof. O.: Das Programm einer botanischen Durchforschung des Bodensees. S. LXVIII. — Rosenfeld, Dr. med.: Über Koch's berühmte Entdeckung. S. LXXII.

Sitzung vom 8. Januar 1891. Fünfstück, Dr. M.: Beobachtungen an Kalkflechten. S. LXXIV. — Philip, Dr. M.: Über Zuckersynthesen. S. LXXIV. — Schmidt, Prof. A.: Über die Erdbeben im Oktober 1890 in Württemberg. S. LXXV.

Sitzung vom 12. Februar 1891. Nies, Prof.: Über HILLEBRAND's Analysen des Uranpecherzes. S. LXXV. — Schmidt, Prof. A.: Was folgt aus den neuesten Beobachtungen der Axendrehung der Sonne? S. LXXVII. — Hofmann, Prof. E.: Über springende Bohnen. S. LXXXVI.

Sitzung vom 12. März 1891. Hell, Prof.: Über neuere Methoden der Molekulargewichtsbestimmung. S. LXXXVII. — Mack, Prof.: Über elektrische Wellen. S. LXXXIX.

Sitzung vom 9. April 1891. Eichler, J.: Über die Stickstoffquellen der
Pflanze S. XCII. — Schmidt, Prof. A.: Über das Charlestoner Erdbeben. S. XCIII.

II. Vorträge und Abhandlungen.

1. Zoologie.

Seite

Buchner, O.: Beiträge zur Kenntnis des Baues der einheimischen Planor-
biden. (Mit Taf. IV—VI.) 35
Hofmann, E.: Über einige dem Getreide schädliche Thripse 24
Hüeber, Th.: Roser's Württembergische Hemipterenfauna 149
Koenig-Warthausen, Freih. Rich.: Eine oologische Merkwürdigkeit 130
— Naturwissenschaftlicher Jahresbericht 1889 175
Zeller, Ernst: Über Triton viridescens. (Mit Taf. VII.). 170

2. Botanik.

Rieber, X.: Über den gegenwärtigen Stand der Flechtenkenntnis in
Württemberg 15
— Beiträge zur Kenntnis der Lichenenflora Württembergs und Hohen-
zollerns 246
Wurm, W.: Zur Geschichte und Naturgeschichte des Crocus vernus um
Zavelstein 135

3. Mineralogie, Geologie und Palaeontologie.

Eck, H.: Bemerkungen zu Herrn von Sandberger's Abhandlung „über
Steinkohlenformation und Rotliegendes im Schwarzwald und deren
Floren" 119
— Notiz über das Bohrloch bei Sulz. 224
Engel: Bemerkungen zu etlichen Typen aus Quenstedt's Ammoniten des
schwäbischen Jura. (Mit Taf. III.) 29
Fraas, O.: Die Bahnlinie Tuttlingen—Sigmaringen 20
Hedinger, A.: Die Höhlenfunde im Heppenloch. (Mit Taf. II.) . . . 1
Probst, J.: Über den kritischen Läuterungsprozess im Gebiete der Phyto-
palaeontologie 141

Erdbebenkommission.

Schmidt, A.: Übersicht und Besprechung der in Württemberg und Hohenzollern in der Zeit vom 1. März 1889 bis zum 1. März 1891 wahrgenommenen Erderschütterungen 228
Regelmann, C.: Geognostische Betrachtung des Schüttergebiets. (Mit
Taf. VIII.). 243

Katalog der Vereinsbibliothek. Von Prof. Dr. E. Hofmann 271

Kleinere Mitteilungen.

Riesenammoniten. Von Dr. O. Fraas 441
Triphosa Sabaudiata Dup. in der schwäb. Alb. Von Dr. Binder in Neuffen 442
Leuchtende Pilze. Von Kollaborator Offner in Wildbad 443
Bücheranzeigen. 444

I. Angelegenheiten des Vereins.

Bericht über die fünfundvierzigste Generalversammlung

vom 24. Juni 1890 in Esslingen.

Von Oberstudienrat Dr. **F. v. Krauss**.

In der vorjährigen Generalversammlung in Urach war an den Verein keine Einladung für den Versammlungsort im Jahre 1890 eingelaufen; es wurde daher auf den Vorschlag einiger Mitglieder die Stadt Esslingen und Dr. Salzmann sen. als Geschäftsführer gewählt. Leider war es diesem langjährigen und eifrigen Mitgliede nicht mehr vergönnt, den Verein in den Mauern seiner Vaterstadt zu begrüssen, da er im Januar d. J. der tückischen Influenza erlag; an seiner Statt hatten Rektor Müller und· Buchhändler Max Schreiber in Esslingen die Güte, die Geschäftsführung zu übernehmen.

Die besonders von Stuttgart aus gut besuchte Versammlung fand in der stattlichen Aula der Realschule statt, die in freundlichem Entgegenkommen von der Stadtgemeinde zur Verfügung gestellt und im Auftrag der Stadt durch Stadtbaumeister Schiller in geschmackvollster Weise mit Fahnendraperien und Zierpflanzen geschmückt worden war. An den Wänden hatte ausserdem noch eine Ausstellung mannigfacher naturwissenschaftlicher Gegenstände Platz gefunden, um deren Zustandekommen sich die beiden Geschäftsführer besonderes Verdienst erworben hatten. Wir heben die hauptsächlichsten Ausstellungen hervor:

Reallehrer Gräter, Prof. Dietz, Hilfslehrer Seefried und Weikart hatten zur Orientierung über die Lokalflora ein Herbarium ausgestellt nebst dazu gehörigem Verzeichnis aller in der Umgegend Esslingens vorkommenden Pflanzen,

Schullehrer W i t t l i n g e r von Holzheim stellte eine Reihe ausge-
zeichneter Ammoniten aus,

Fräulein S a l z m a n n hatte drei Kästen mit Fossilien und Mineralien,
hauptsächlich aus der Umgegend Esslingens, ausgestellt, sowie ferner
eine Pflanzengruppe aus lebenden Alpinen arrangiert,

Apotheker R. B l e z i n g e r aus Crailsheim gab einen Hinweis auf
praktische Verwertung gewisser Fossilien durch Ausstellung verschiedener Gegenstände, wie Briefbeschwerer, Vorstecknadeln, Kästchen u. dergl., die aus versteinertem geschliffenem Koniferenholz
gearbeitet waren und in ihrem Äusseren lebhaft an Achatfabrikate
erinnerten,

O f f i n g e r hatte 5 Kästen geschmackvoll gruppierter, zum Teil einheimischer Insekten ausgestellt, sowie getrocknete gruppierte Alpenpflanzen.

Mittelschullehrer G e y e r von Neckarthailfingen stellte Mollusken aus.

Rektor M ü l l e r von Esslingen legte u. a. die interessante Kopie
einer von 1748 stammenden Karte der „Silber- und Kobold-Fund-
grube Sankt Drey Königstern" vor und

Werkmeister B r i n t z i n g e r von Esslingen stellte eine Reihe von
Knochenfunden aus, die bei der Anlage eines in Bau genommenen
Ziegelwerkes bis 3 m unter der Oberfläche zu Tag kamen.

Ausserdem war die mineralogisch-geologische Sammlung der
Realanstalt, welche die von K. Deffner geschenkte Sammlung enthält, dem Besuch der Teilnehmer geöffnet.

Die V e r h a n d l u n g e n begannen kurz nach 10 Uhr und wurden
vom Geschäftsführer, Rektor M ü l l e r von Esslingen, mit folgender Ansprache eröffnet:

Die vorjährige Generalversammlung des Vereins für vaterländische Naturkunde hat als Ort für die 45. Jahresversammlung Esslingen gewählt und den seither leider verstorbenen Dr. S a l z m a n n sen.
zum Geschäftsführer für dieselbe bestimmt. Die Krankheit, welche
um die letzte Jahreswende bei uns aufgetreten, so manche Gesund-
heit erschütterte und so manchen edlen Mann unversehens dem
Zeitlichen entrückte, rief auch diesen plötzlich ab, aus reger forsche-
rischer Thätigkeit heraus, welche dessen Vorliebe für die Natur und
deren Werke besonders gern in diejenigen Gebiete sich versenken
liess, deren Pflege unser Verein sich zur Aufgabe gestellt hat. Ehre
dem Andenken des eifrigen Mitglieds, des wackeren Forschers! Aufgefordert von dem Vorstand des Vereins, für die diesjährige Generalversammlung die Geschäftsführung zu übernehmen, glaubte ich einem

derartigen Ansinnen gegenüber um so weniger mich ablehnend verhalten zu dürfen, als die hiesigen Vereinsmitglieder nur ein kleines
Häuflein unter der grossen Zahl von Vereinsgenossen bilden und mir
gleichzeitig in der Person des Herrn Buchhändlers M. S c h r e i b e r
für das Arrangement der mit der Generalversammlung verbundenen
Ausstellung rege Unterstützung zugesagt wurde, welche mir denn
auch thatsächlich in reichem Masse zu teil ward. So habe ich die
Ehre, die Teilnehmer der 45. Generalversammlung unseres Vereins
im Namen der hiesigen Vereinsmitglieder herzlichst willkommen zu
heissen. Ein aufrichtiges Willkommen rufe ich Ihnen, meine Herrn,
zu im Auftrag der hiesigen Stadtvertretung, welche mich gebeten
hat, die hohe Versammlung im Namen der Stadt Esslingen zu begrüssen. Unsere Stadt fühlt sich geehrt, dass die Wahl des Orts
für die diesjährige Versammlung des Vereins, welcher vor 18 und
vor 36 Jahren hier getagt hat, wiederum auf Esslingen gefallen ist.
Den Willkommgruss der hiesigen Stadt begleite ich mit der Ver-
sicherung, dass hier, wie jede wissenschaftliche Forschung, so namentlich jegliche Forschung auf naturwissenschaftlichem Gebiete,
zumal solche in einzelnen Zweigen zu praktischen und wertvollen
Ergebnissen für die hier so reich vertretene Technik und Industrie
geführt, Beachtung und Würdigung findet, dass von seiten der Ein-
wohnerschaft unserer Stadt und von der Gemeindevertretung den
heutigen Verhandlungen reges Interesse entgegengebracht wird und
dass diese von dem lebhaften Wunsche beseelt ist, die verehrten
Gäste mögen von der Stadt, von ihren Bewohnern, von ihrer Lage
und Umgebung gute Eindrücke empfangen und von dem ihnen heute
in Esslingen Dargebotenen befriedigt nach ihrer Heimat zurück-
kehren. Ich begrüsse die Versammlung auch im Namen der hiesigen
Realanstalt, welche als realistische Schule bestrebt ist, bei der
heranwachsenden Jugend Interesse und Verständnis für die Natur
und ihre Gebilde zu wecken und naturwissenschaftliche Kenntnisse
in weitere Kreise zu verbreiten, welche sich freut, heute Männern
ihre Lehrräume öffnen und zur Verfügung stellen zu können, welche
zum Teil die Erforschung der Natur als Lebens- und Berufsaufgabe
erwählt haben und zu Leuchten in der Wissenschaft geworden sind,
Männern, welchen alle naturwissenschaftliche Beobachtungen be-
deutungsvoll erscheinen und welche in naturwissenschaftlichen Studien Befriedigung finden.

Die Stadt, in deren Mauern der Verein für vaterländische Naturkunde heute tagt, erfreut sich einer ziemlich weit zurückgehenden

a*

Geschichte. Sind es doch wohl schon mehr denn 1100 Jahre, dass ein Alemanne die die Gebeine des Märtyrers Vitalis enthaltende Kapelle einem Elsässer Kaplan und Diplomaten schenkte, von dem sie sodann später in den Besitz des Klosters St. Denis überging. Das zur Zeit Karl's des Grossen als Wallfahrtsort und Markt bekannt gewesene Ezelingus nahm 866 Ludwig der Deutsche in seinen besonderen Schutz. Nachdem die Stadt sich von St. Denis frei gemacht hatte, schloss sie sich an die Hohenstaufen an. Der Abfall des Grafen Ulrich von Württemberg von den Staufen hatte vielfache Kämpfe des württembergischen Fürstenhauses mit der aufblühenden Stadt Esslingen im Gefolge; diese Kämpfe währten nahezu 2 Jahrhunderte hindurch, nämlich während des 14. und 15. Jahrhunderts. Unter den schwäbischen Reichsstädten nahm Esslingen eine hervorragende Stellung ein. Gegen das Ende des 15. Jahrhunderts begab sich die Stadt in württembergischen Schutz. Die Verfassung, welche anfänglich den Charakter einer gemässigten demokratischen Verfassung an sich trug, wurde nach und nach eine aristokratische. Diesen Charakter behielt sie bei bis zu der im Jahre 1803 erfolgten Aufhebung der alten Reichsstadt, welche nunmehr Württemberg einverleibt wurde.

Wenn ich auf Männer hinweisen darf, welche in der hiesigen Stadt heimisch waren und sich auf naturkundlichem Gebiet auszeichneten, so sei erinnert an den bekannten Botaniker, Professor Hochstetter, an den gleichfalls in der Botanik wohl bewandert gewesenen Oberamtsarzt Dr. Steudel, den Geschäftsführer der ersten in Esslingen abgehaltenen Generalversammlung, an den in Wien verstorbenen Geologen, den Novarareisenden Professor Hochstetter, den Sohn des Erstgenannten, an den vor 13 Jahren entschlafenen Karl Deffner, welchem unser Verein bezüglich der Klarlegung der geognostischen Verhältnisse Württembergs manch schätzenswerte Studie und Arbeit verdankt und dessen Andenken Freunde durch Aufstellung des auf der nördlichen Seite dieses Gebäudes angebrachten Deffnersteins geehrt haben, an den auf dem Gebiet der Naturbeschreibung bekannten Dr. Weinland.

Unsere hiesige Stadt, wohl in dem lieblichsten Teil des Neckarthales gelegen, bietet, soviel Genuss der Naturfreund beim Durchstreifen der herrlichen Landschaft der Umgebung auch findet, in geognostischer Beziehung wenig oder nichts von hervorragender Bedeutung. Das in den niederen Lagen von Keuper umsäumte, in den höheren von Lias bekrönte Neckarthal ist bezeichnet durch eine

ziemlich tief eingeschnittene Rinne, die sich zwischen der fruchtbaren
Filderhöhe einer- und dem herrlich bewaldeten Schurwald anderseits
hinzieht. Da und dort sehen wir die weissen Keupersandsteine im
Neckarbett zu Tage treten, Querbarren bildend, welchen die industrie-
reiche Stadt das Gefälle des so manche Maschine in Bewegung
setzenden Wassers verdankt. Eine Fleinsplatte trennt den Stuben-
sandstein von den bunten Mergeln, und über einem lavendelblauen
Horizont lagern weisse Sandsteine, in welchen im Anfang dieses Jahrhunderts auf Steinkohlen geschürft worden sein soll. Der ca. 100 m
mächtige Sandstein ist überlagert von einem roten Knollenmergel
und lichtgelbem Quarzsandstein, in welchem meist Spuren von Bonebed gefunden werden. Bezüglich des Lias sei besonders hingewiesen
auf die grosse Verbreitung des *Ammonites psilonotus* in der untersten
blauen Kalkbank und auf das stark ausgebildete obere Alpha bei
Oberesslingen. Was die Flora der Umgebung von Esslingen anbelangt, so mache ich auf das Verzeichnis aufmerksam, welches hier
aufliegt und die meisten bei uns vorkommenden Pflanzen angibt,
sowie auf das Herbarium, welches einen grossen Teil derselben enthält. Auch die Fauna der hiesigen Gegend ist in unserer Ausstellung repräsentiert. Im weiteren sei auf die mineralogische und geognostische Sammlung der Realanstalt hingewiesen, welche sehr viel
Beachtenswertes sowohl aus der nächsten Umgebung als aus weiter
abliegenden Gebieten enthält und der Besichtigung der Gäste hiermit
empfohlen wird.

Wenn im allgemeinen die den Wissenschaften dienenden Versammlungen, welche alljährlich in den heutigen Kulturländern ab-
gehalten werden, thatsächlich als eine bedeutsame Errungenschaft
unserer Zeit anzusehen sind, so kommt gewiss auch unseren Jahresversammlungen eine solche Bedeutung zu. Bezeichnen doch die auf
denselben abgehaltenen Vorträge den jeweiligen Stand des Wissens
in dem zur Behandlung kommenden naturwissenschaftlichen Gebiet
und deutet das darin Gegebene doch den letzten Abschluss in der
Entwickelung jener Wissenschaft an. Anderseits werden zuweilen
Hypothesen ohne vollständig erbrachte Beweise, Behauptungen ohne
erschöpfende Begründungen aufgestellt, wodurch ein Hinweis gegeben
ist auf noch bestehende Lücken, eine Aufforderung nach der bezeichneten Richtung hin weitere Beobachtungen anzustellen. So
sind unsere Versammlungen ein Barometerstand geworden für unser
naturwissenschaftliches Streben und Wissen, speciell hinsichtlich
unserer heimischen Naturverhältnisse, wie sie anderseits Andeutungen

für noch zu lösende Fragen in betreff der noch zu erforschenden Gebiete geben. Auch die heutige Versammlung dürfte diesen doppelten Charakter an sich tragen. Begrüssen wir das Positive und Erwiesene als wissenschaftliche Errungenschaft und folgen wir etwaigen Kalkulationen sowie jeder Anregung zu weiteren Beobachtungen und Studien mit Interesse. Beides wird uns zu demselben Zweck dargereicht, nämlich um unser naturwissenschaftliches Wissen zu mehren, unser Streben nach weiterer Erkenntnis zu unterstützen, Liebe zu der Natur und deren Werken zu erwecken, die Kenntnis der heimischen Naturverhältnisse zu erweitern. Möge die heutige Versammlung sich nach allen Seiten hin fruchtbar und erspriesslich erweisen!

Indem ich die verehrten, zahlreich hier erschienenen Gäste, welche durch ihr Erscheinen bekunden, dass sie die Bestrebungen unseres Vereins zu schätzen wissen, sowie die werten Vereinsmitglieder nochmals herzlich willkommen heisse, lade ich nunmehr ein zum Eintritt in die Tagesordnung unserer Versammlung. Unsere erste Aufgabe wird es nun sein, für dieselbe einen Vorsitzenden zu wählen. Von der Überzeugung ausgehend, dass ich mit meinem Vorschlag die Zustimmung aller Anwesenden finde, fordere ich die hochgeschätzte Versammlung auf, als Vorsitzenden für die 45. Generalversammlung unsern hochverdienten, seit so vielen Jahren zum Besten des Vereins wirkenden, den allverehrten ersten Vorstand, Herrn Oberstudienrat Dr. v. Krauss, durch Akklamation zu wählen.

Zum Vorsitzenden der Versammlung wurde sodann durch Akklamation Oberstudienrat Dr. F. v. Krauss gewählt. Derselbe nahm dankend an und verlas sodann den

Rechenschaftsbericht für das Jahr 1889—1890.

Hochgeehrte Herren!

Über den Geschäftsgang im 45. Vereinsjahre habe ich die Ehre, Ihnen folgendes mitzuteilen:

Der Verein hat im verflossenen Jahre 33 neue Mitglieder zu verzeichnen, unter ihnen gehören 6 dem Oberschwäbischen und 12 dem Schwarzwälder Zweigverein an.

Der Zuwachs zu der vaterländischen Naturalien-Sammlung bestand in 10 Säugetieren, 12 Vögeln und 1 Nest, 1 Reptil, 5 Fischen, 2 Arten Mollusken, 1 Nematode, 85 Arten Insekten in 307 Stücken, 6 Arten miocäner Land- und Süsswasserschnecken, 3 Hölzern, 112 Arten Phanerogamen und 2 Kryptogamen.

Der Vereinsbibliothek sind durch Geschenke und durch

die 171 Tauschverbindungen, welche Ihr Bibliothekar eingeleitet hat, wieder 401 naturwissenschaftliche Schriften und 19 Karten zugeflossen.

Die Mitglieder können die reiche Vereinsbibliothek durch Einsenden von Quittungen jederzeit benützen.

Neue Tauschverbindungen sind durch die Bemühungen Ihres Bibliothekars eingegangen worden mit:

dem Verein für Erdkunde und geologische Landesanstalt zu Darmstadt,

den wissenschaftlichen Anstalten in Hamburg.

Der 46. Jahrgang der Vereins-Jahreshefte ist den Mitgliedern zugeschickt worden. Die übliche Bogenzahl konnte diesmal nicht vollständig eingehalten werden, da die Mitglieder die Herausgabe des Jahresheftes nicht genügend unterstützt haben. Es enthält jedoch mehrere sehr interessante und wichtige Abhandlungen über die württembergische Naturgeschichte aus der Feder tüchtiger Forscher, auch den naturwissenschaftlichen Jahresbericht für 1888.

Die beliebten Wintervorträge für die Mitglieder und ihre Angehörige waren so freundlich zu halten:

Prof. Dr. Hell über das Leuchten der Flammen mit Experimenten,

Dr. C. Cranz über den Planeten Mars mit Demonstrationen.

An den monatlich stattgefundenen wissenschaftlichen Abenden wurden unter dem Vorsitz von Prof. Dr. Nies in Hohenheim folgende Vorträge mit Demonstrationen gehalten:

10. Oktober 1889, Dr. E. Hofmann: Über Duftapparate bei Schmetterlingen. Nach einleitender Erörterung der Verschiedenheiten der Schmetterlingsschuppen in Gestalt und Farbe und der in verschiedener Form bei Schmetterlingen auftretenden sekundären Geschlechtsunterschiede bespricht Redner eingehend die bei zahlreichen Schmetterlingen nur den Männchen zukommenden „Männchenschuppen" und ihre verschiedene Form. Besonders bei exotischen Arten bietet die Anhäufung charakteristisch gebildeter Männchenschuppen ein Mittel zur raschen Unterscheidung der Geschlechter an die Hand; hier kommt diesen Gebilden zugleich auch die Bedeutung eines Duftorganes zu. Der Vortrag wurde erläutert durch zahlreiche im K. Naturalienkabinett befindliche Präparate. Dr. K. Lampert: Über die zoologische Erforschung der Binnengewässer. Redner schildert, besonders auf die Erforschung des Genfer Sees durch Forel und die Arbeiten von Imhof und Zacharias Bezug nehmend, den in jüngster

Zeit erfolgten Aufschwung der Binnensee-Forschung und die zoologischen Ergebnisse, hauptsächlich in Bezug auf Verbreitung der Süsswassertiere; er weist zum Schluss hin auf die von Dr. O. ZACHARIAS geplante Gründung einer zoologischer Süsswasserstation am Plöner See in Holstein. — J. Eichler legt von Dr. Wurm in Teinach eingesandte und unter dem Namen „Sternschnuppen" bekannte Gallertmassen vor, deren Natur noch nicht absolut sicher erkannt ist.

14. November 1889, Realamtskandidat Mäule: Zur Entwickelung von *Tichothecium*. Nachdem der Redner morphologische Angaben über diesen bei der Flechte *Callopisma* parasitierenden Pilz gemacht, wurde zunächst nachgewiesen, in welcher Weise der Schmarotzer in seinen Wirt gelangt. Dass er sich hier nur im Apothecium findet, erklärt sich durch die besondere chemische Zusammensetzung dieses Gewebes, welches allein den Pilzsporen die nötige Nahrung zum Auskeimen liefert. — Prof. Dr. O. Schmidt (K. tierärztliche Hochschule): Das neue Schlafmittel Somnal. Es wurden zunächst physikalische Eigenschaften und Herstellungsweise des neuen, von RADLAUER in Berlin zum Patent angemeldeten Mittels erörtert, worauf der Vortragende eine längere Parallele zieht zwischen den Anforderungen, die heute in chemischer und physiologischer Hinsicht an ein gutes Hypnoticum gestellt werden müssen und zwischen der Zusammensetzung des Somnals. Anschliessend gab Dr. Rosenfeld eine kurze Übersicht über die lange Reihe der in den letzten Jahren aufgetauchten Schlafmittel, von denen nur Chloralhydrat und Sulfonal grössere Bedeutung erlangten. — Prof. Dr. Nies legt Photographien von der bei Rübeland im Harz neu entdeckten, von Prof. Dr. KLOOS erforschten Hermannshöhle vor.

12. Dezember 1889, Privatdocent Dr. Seelig (Technische Hochschule): Über die Entstehung des Erdöls. Nach einem Hinweis auf die früher allgemein verbreitete Ansicht von der Entstehung des Erdöls aus vegetabilischen Stoffen bespricht der Vortragende die neue Theorie Dr. ENGLER's, nach welcher anzunehmen ist, dass das Erdöl Seetieren, wie Fischen, Mollusken, Sauriern seine Bildung verdankt. In der Diskussion schildert zunächst Prof. Dr. Fraas eine Stelle im Roten Meer, an welcher in der Nähe einer Korallenbank heute noch die Bildung erdöliger Massen vor sich geht; Prof. Dr. v. Reusch erinnert an die Theorie MENDELJEFF's von der Bildung des Erdöls auf chemischem Weg; Sanitätsrat Dr. Steudel weist hin auf die Konservierung von Leichen durch Bildung von Leichenfett, Adipocire, und Prof. Dr. Miller hebt hervor, dass zur Vernichtung grosser

mariner Tiermassen in früheren Erdepochen nicht immer gleich an
vulkanische Katastrophen gedacht werden müsse. — Prof. Dr. Mack
(Hohenheim) spricht über die klimatischen, speciell Temperaturverhältnisse Hohenheims, indem er, nach Schilderung der Einrichtung der meteorologischen Station in Hohenheim, unter fortwährender
Heranziehung interessanter Vergleichsdaten eine Übersicht über die
Hohenheimer Temperaturverhältnisse gibt, wie sich dieselben nach
11 jähriger Beobachtung ergeben haben. Das Jahresmittel beträgt
+ 8,0⁰ C., der kälteste Monat (Januar) im Mittel — 2⁰ C., der
wärmste (Juli) + 17,4⁰ C. Der Durchschnitt der Tagesschwankungen
ist für Hohenheim 9⁰ C., die Jahresschwankung nach 11 jähriger
Beobachtung 51,6⁰ C. im Mittel; durchschnittlich fallen im Jahr
32 Sommertage auf Hohenheim. Dem Vortrag schloss sich noch
eine kurze Erörterung über klimatische Kurorte an.

9. Januar 1890, Privatdocent Dr. Nebel: Über die Photographie
bei künstlicher Beleuchtung. Als beste Lichtquelle erscheint für
diesen Zwecke das elektrische Bogenlicht, welches sich auch für
Fachphotographen zum Kopieren empfiehlt. Die hohen Kosten einer
Bogenlichtanlage und die Schwierigkeit des Transports lassen jedoch
meist mit Magnesiumpulver arbeiten. Instruktive Abbildungen er-
läuterten die verschiedenen Wirkungen, welche den bei verschieden-
artiger künstlicher Beleuchtung hergestellten Photographien eigentümlich sind, wobei Redner gleichzeitig auf die Möglichkeit, dieselben
abzuschwächen, hinwies. — Prof. Dr. Klunzinger: Über Mikro-
skopierlampen. Nach Schilderung der Anforderungen, welche bei
nächtlichem Mikroskopieren an die Lichtquelle gestellt werden müssen,
besprach und demonstrierte der Vortragende besonders die Beleuch-
tungslampe von HARTNACK mit Beleuchtungslinse an verschiebbarem
Stiel, die Lampe von LASSAR, welche eine modifizierte Reflektor-
lampe darstellt und die anfangs grosses Aufsehen erregende Mikro-
skopierlampe von WOLZ, die auf dem Gesetz der totalen Reflexion
beruht, indem das Licht von einer Lampe in einem Glasstab bis
zum Objekttisch des Mikroskopes fortgeleitet wird, so dass es erst
am Ende des Glasstabes in seiner ganzen Stärke austritt. — Prof.
Rieber legt die Knollen der Pflanze *Stachys affinis* vor, die seit
etwa 3 Jahren nach Europa gebracht und als Gemüse zum Ersatz
von Spargel, Schwarzwurz und eventuell Kartoffel empfohlen werden.

13. Februar 1890, Prof. Dr. Fraas: Die Pyramiden Unter-
ägyptens. Redner schilderte zunächst den gewaltigen Eindruck, den
diese Kolossalbauten auf den Reisenden machen, nicht nur als die

ältesten Baudenkmäler der Welt, sondern auch als Zeugen dafür, dass es schon dem Altertum gelungen, die schwierigsten mechanischen Probleme der Baukunst zu lösen und gab sodann eine Skizze der mit diesem Jahrhunderte beginnenden Erforschung der Pyramiden. Im Anschluss an diesen Vortrag erläuterte Privatdocent Dr. Cranz Bau und Technik der Pyramiden, indem er eine Reihe zum Teil an Ort und Stelle von ihm selbst gefertigter instruktiver Glasphotographien demonstrierte. — Apotheker Dr. O. Koch (Neuffen) sprach über den Getreideschädling des Jahres 1889, durch welchen in diesem Jahre bei vielen Getreideäckern auf der Alb ein grosser Teil, manchmal bis 80 % des Ertrags verloren ging. Redner sieht die Ursache nicht, wie vielfach angenommen wurde, in Mäusefrass, sondern in *Phloeothrips frumentaria*, einem Verwandten des Getreideblasenfusses, welcher die Halme durch Ansaugen schädigt und schwächt und 1889 durch den ungewöhnlich warmen Mai sich ausnehmend häufig entwickelte. Die lebhafte Diskussion liess den Wunsch weiterer Untersuchung der wichtigen Frage erkennen.

. 13. März 1890, Prof. Dr. Behrend: Über Heferassen der Brauerei. Nach kurzer Erwähnung der früheren Ansichten über den Gärungsprozess schildert Redner zunächst die fortschreitende Erkenntnis der pflanzlichen Natur der Hefe und PASTEUR's bedeutungsvolle physiologische Untersuchungen über das Wesen der Gärung; sodann werden eingehend die neuen Untersuchungen CH. F. HANSEN's über Hefewirkung erörtert, welcher in der als *Saccharomyces cerevisiae* zusammengefassten „reinen" Bierhefe eine Mischsaat von 6 verschiedenen Pilzen erkannte, von denen nur eine Art die richtige Betriebshefe darstellt, während die übrigen 5 „wilden Hefen" schädigend wirken. Dass die Betriebshefe selbst wieder in verschiedenen, auf das Bier bestimmten Einfluss ausübenden „Rassen" nachgewiesen wurde, deren Natur für verschiedene Orte, z. B. München, Nürnberg charakteristisch ist, erscheint als ein auch praktisch sehr wichtiger Fortschritt für die Brauerei-Industrie. — Prof. Dr. A. Schmidt besprach zwei neuere Erdbeben, das von Charlestown in Süd-Carolina vom 31. August 1886 und das vom 7. Januar 1889, welches sich von der nordöstlichen Schweiz bis Stuttgart verbreitete. Dem ersteren berechnete Vortragender bei einer durchschnittlichen Geschwindigkeit von 5100 m pro Sekunde und einer Ausdehnung über ein Gebiet von 2 Millionen qkm eine Herdtiefe von ungefähr 120 km, dem zweiten, welches sich mit 700 m sekundlicher Geschwindigkeit über 15 000 qkm erstreckte, eine solche von 6 km unter dem Boden.

17. April 1890, Dr. M. Graf v. Z e p p e l i n : Über Fang und
Verwertung der Walfische in Norwegen. Von den 23 längs der
Küste des nördlichen Norwegen sich findenden sogen. „Walfisch-
fabriken“, welche der Verarbeitung der erbeuteten Walfische dienen,
schildert Redner als Beispiel einer grösseren Station Sörvör in der
Nähe von Hammerfest, woselbst der Vortragende den Betrieb kennen
zu lernen Gelegenheit gehabt. Speck und Barten sind die wert-
vollsten Teile des Wales, vom Fleisch werden die besseren Teile zu
Konserven zubereitet, alles übrige, besonders Knochen, zu Guano
verarbeitet, die Eingeweide ins Meer geworfen. 1887 verarbeitete
Sörvör 144 Wale; in der Provinz Finmarken allein werden jährlich
13—14 000 Stück im Gesamtwerte von 1 600 000 Mk. erlegt. —
Prof. L. H o f f m a n n : Über Verbreitung der Kreuzotter in Württemberg und über Wirkung des Schlangengiftes. Redner erörtert zunächst nach kurzer Skizzierung der Verbreitung der Kreuzotter besonders in Württemberg die anatomischen Verhältnisse des gesamten
Giftapparates und die Mechanik des Beissens. In der Schilderung
der physikalischen und chemischen Eigenschaften des Schlangengiftes,
sowie der Wirkung desselben nimmt der Vortragende speciell auf
die neueren Untersuchungen FEOKTISTOW's hierüber Rücksicht. Zum
Schluss wird die mannigfache Therapie der Vergiftungen durch
Schlangenbiss besprochen. — In gleicher Sitzung wurde von Prof.
Dr. K l u n z i n g e r ein sogen. „Muskelmensch“ vorgestellt, dessen
Muskeln besonders am Oberkörper in auffallendster Weise entwickelt
sind und plastisch vorspringen.

8. Mai 1890, Privatdocent Dr. C. C r a n z : Über einige Beziehungen zwischen dem WEBER-NEWTON'schen Grundgesetz und eini
gen meteorologischen Erscheinungen. Indem Redner darauf hinweist,
dass die Nordlichterscheinung statistisch am häufigsten in den Aequi-
noktien, am seltensten in den Solstitien auftritt, konstatiert er zugleich die interessante Thatsache, dass er auf die gleichen, durch
die Beobachtung festgestellten Tage gekommen ist bei einer theoretischen Betrachtung, die sich mit der Anwendung der WEBER'schen
Grundgesetze auf eine etwaige Induktionswirkung der Sonne gegenüber der Erde beschäftigte. — Prof. Dr. K i r c h n e r : Über das Blühen
unserer Obstbäume. Der Vortragende hebt zunächst hervor, dass
Beobachtungen über den Blütenbeginn der Obstbäume nur aus
Giessen für eine längere, ununterbrochene Reihe von Jahren (30 Jahre)
vorliegen; Angaben aus württembergischen Orten umfassen kürzere Zeiträume; nach diesen gibt der Vortragende eine Zusammen-

stellung der Birnblütezeit für eine Reihe von württembergischen Orten; die beiden Endglieder der Reihe sind Cannstatt (19. April) und Ennabeuren (17. Mai). Nachdem noch der Einfluss der Witterung auf Beginn und Dauer der Blüte besprochen, schildert Redner Bau und Grössenverhältnisse der Blüten bei den einzelnen Obstsorten, die Wichtigkeit der Befruchtung durch Insekten und die mancherlei Einrichtungen in den Blüten, die hiermit in Zusammenhang stehen.

12. Juni 1890, Prof. Dr. O. Schmidt: Über Moschus und künstlichen Moschus. Redner bespricht zunächst den natürlichen Moschus, sein Vorkommen bei bestimmten Pflanzen und Tieren, seine Gewinnung und seinen Wert, Eigenschaften und Bestandteile desselben, um sodann zu zeigen, dass weder ein schon im vorigen Jahrhundert aus Bernsteinöl dargestellter, künstlicher Moschus, noch der neuerdings patentierte künstliche Moschus identisch sein könne mit dem Riechstoff des natürlichen Moschus, obwohl der Geruch beider sich sehr ähnlich sei. — Prof. Dr. Sieglin: Über die Einführung fremder Nutzfische in unseren Gewässern. Es handelt sich hierbei um den Lachs, von welchem in der Fischzuchtanstalt Hohenheim in den letzten 3 Jahren 20 000 Stück erbrütet und in den Neckar und dessen Zuflüsse eingesetzt wurden, ferner den Aal, welcher durch die Bemühungen des deutschen Fischereivereins während des letzten Jahrzehnts in das Donaugebiet eingeführt wurde, den Zander, der in Neckar, Kocher und Jagst eingesetzt wurde und sich gut angewöhnt hat und um drei in Nordamerika heimische Fische, den Bachsaibling, die Regenbogenforelle und den Forellenbarsch. Der Bachsaibling macht weit weniger Ansprüche an das Wasser als unsere Bachforelle, die Regenbogenforelle ist ausgezeichnet durch rasche Entwickelung und der Forellenbarsch gedeiht noch in ziemlich schmutzigem Wasser. — Eine kurze, vom Vorsitzenden Prof. Dr. Nies gegebene Übersicht über die Leistungen im abgelaufenen Cyklus der wissenschaftlichen Abende beschloss diesen Abend.

Unter den gestorbenen Mitgliedern hat der Verein Prof. Weigelin als einen seiner Gründer zu beklagen, ferner die seit 1852 beigetretenen, Gerichtsnotar Elwert in Balingen, Forstverwalter Walchner in Wolfegg, Dr. Salzmann sen. in Esslingen, welche sich besonders um die vaterländische Naturgeschichte verdient gemacht haben, und Kaufmann Friedr. Drautz in Heilbronn, welcher die Fische des Neckars mit grösster Freigebigkeit in zahlreichen und prachtvollen Exemplaren zum Geschenk gemacht hat. Über

Prof. Dr. v. Quenstedt in Tübingen und Graf v. Waldburg-Zeil-Trauchburg auf Syrgenstein sollen die Nekrologe im nächsten Jahresheft erscheinen.

Es bleibt mir jetzt noch die angenehme Pflicht übrig, allen Mitgliedern und Gönnern, welche die vaterländische Naturaliensammlung und die Bibliothek durch Geschenke vermehrt haben, im Namen des Vereins den verbindlichsten Dank auszudrücken. Ihre Namen sind auf den Geschenken selbst bekannt gemacht, sowie in den folgenden

Zuwachsverzeichnissen.

A. Zoologische Sammlung.

(Zusammengestellt von Oberstudienrat Dr. F. v. Krauss.)

I. Säugetiere.

Als Geschenke:

Synotus Barbastellus Keys. u. Blas., altes Männchen aus einer Wasserhöhle,
    von Herrn Pfarrverweser Schuler in Unterlenningen;
Sorex pygmaeus Pall., Weibchen, im Wald vom Dobelthal,
    von Herrn Direktor Dr. Koch in Zwiefalten;
Sorex pygmaeus Pall., altes Weibchen,
Crossopus fodiens Wagl., Weibchen, Varietät,
    von Herrn Forstwächter Gawatz in Zwiefalten;
Crossopus fodiens Wagl., altes Männchen, von Heiligkreuzthal,
    von Herrn Forstrat Pfizenmayer in Blaubeuren;
Talpa europaea L., Männchen, gelblichweisse Varietät, von Schwendi,
Myoxus avellanarius L., altes Männchen,
    von Herrn Dr. Freiherrn Richard König-Warthausen;
Sciurus vulgaris L., altes Männchen und Weibchen,
Foetorius erminia Keys. u. Blas., Weibchen im Übergangskleid,
    von Herrn Josef Kerz jun. in Stuttgart;
Cervus capreolus L., halbjähriges Männchen, aus Bissingen,
    von Herrn Dr. Lendl aus Budapest.

II. Vögel.

Als Geschenke:

Buteo vulgaris Bechst., altes Männchen, aus Birkmannsweiler,
Syrnium aluco Boie, Weibchen, rötliche Varietät, von Weilimdorf,
Passer domesticus Briss., altes Weibchen, von Stuttgart,
Corvus cornix L., altes Weibchen, von Stuttgart,
    von Herrn Josef Kerz jun. in Stuttgart;
Passer domesticus Briss., Weibchen, mit verlängertem Oberschnabel,
    von Herrn Hermann Scriba in Heilbronn;
Nest von *Regulus ignicapillus* Tem.,
    von Herrn Oberwärter Jäckle in Winnenthal;

Corvus monedula L., weisse Varietät, von Oberdorf,
　　　　　　von Herrn Schultheiss B e r g in Oberdorf;
Tetrao tetrix L., $^3/_4$ jähriges Männchen von Enkelhofen,
Tetrao tetrix L., $1^1/_2$ jähriges Männchen vom Fetzach-Moos, OA. Wangen,
　　　　　　von Herrn Oberförster S p r e n g in Leutkirch;
Gallinula chloropus LATH., altes Männchen,
Ciconia alba BRISS., Weibchen, etwa 14 Tage alt,
　　　　　　von Herrn Dr. Freiherrn R i c h a r d K ö n i g - W a r t h a u s e n;
Ortygometra porzana L., altes Weibchen, bei Thomashardt,
　　　　　　von Herrn Oberförster G a s s e r in Esslingen;
Fuligula cristata RAY, junges Weibchen,
　　　　　　von Herrn Fabrikant L u d w i g L i n k in Heilbronn.

III. Reptilien.

Als Geschenk:

Anguis fragilis L., Varietät mit blauen Streifen, von Heslach,
　　　　　　von Herrn Lehrer L u t z in Stuttgart.

IV. Fische.

Als Geschenke:

Aspro Streber SIEB. (*A. vulgaris* CUV.),
Acerina cernua SIEB. (*A. vulgaris* CUV.),
Lucioperca Sandra CUV., jung, alle aus der Donau,
Idus melanotus HECK., altes Weibchen, Varietät Goldorfe, aus einem
　　offenen Iller-Altwasser oberhalb Ulm,
　　　　　　von Herrn Schiffsmeister M a t t h ä u s K ä s s b o h r e r in Ulm;
Anguilla vulgaris FLEM., 1 kg 75 g schwer, 81 cm lang, aus dem
　　Federsee,
　　　　　　von Herrn Stadtschultheiss S c h a b e l in Buchau.

V. Mollusken.

Als Geschenke:

Tachea hortensis MÜLL., Bändervarietät 1—3—5, aus Tettnang,
　　　　　　von Herrn Graf G. v. S c h e l e r in Stuttgart;
Arion empiricorum FER., in coitu, Uracher Wasserfall,
　　　　　　von Herrn Prof. Dr. K l u n z i n g e r in Stuttgart.

VI. Nematoden.

Als Geschenk:

Mermis albicans v. SIEB., aus Raupen von *Catocala*,
　　　　　　von Herrn Oberförster E r h a r d t in Tettnang.

VII. Insekten.

Als Geschenke:

Anomala aenea D. G. von Tettnang,
　　　　　　von Herrn Graf G. v. S c h e l e r in Stuttgart;

Coleopteren 2 Arten in 6 Stücken von Tübingen,
   von Herrn Oberforstrat Dr. v. Nördlinger in Tübingen;
Bombus muscorum L., Nest aus Moos unter einer Eiche,
   von Herrn Pfarrer Dr. Probst in Unteressendorf;
Vespa crabro L., angefangenes Nest mit 6 Hornissen,
   von Herrn Privatier Beutenmüller;
Vespa saxonica L., Nest mit Dachwespen,
   von Herrn Dr. Vosseler in Tübingen;
Liparis monacha L., Eier, junge Räupchen und Schmetterlinge,
   von Herrn Oberförster Schwedtner in Ochsenhausen;
Hylesinus cunicularius ER. mit angefressenen Fichtenstämmchen und
Lasius affinis SCHENK, Bau mit Ameisen aus einer Eiche,
   von Herrn Oberförster, Freih. v. Biberstein in Weil im Schönbuch;
Athalia spinarum F., Larven auf Repsfeldern in grosser Menge,
   von Herrn J. G. Fricker in Herfatz, OA. Wangen;
Trypeta signata MG., Spargelfliege, 6 Stück,
   von Herrn Kaufmann Leyrer in Stuttgart;
Phloeothrips frumentaria BEL., auf Getreide von Neuffen;
   von Herrn Professor Kirchner in Hohenheim.

Durch Kauf:

Insekten aus verschiedenen Gegenden Württembergs, 76 Arten in
 191 Stücken.

VIII. Tierversteinerungen.

Als Geschenk:

Miocäne Land- und Süsswasserschnecken, 6 Arten in 30 Stücken, von
 der Gerthofsteige,
   von Herrn Oberförster Karrer in Dietenheim a. Iller.

B. Botanische Sammlung.

Als Geschenke:

a) Herbarium:

Blüten-Analysen von 110 Arten meist württembergischer Sträucher und
 Bäume,
   von Herrn Oberforstrat v. Fischbach in Tübingen;
Blütenzweige und Holz von *Myricaria germanica* DESV., Argenmündung,
   von Herrn Graf G. v. Scheler in Stuttgart;
Vicia lathyroides L., auf einer Wiese bei Teinach,
   von Herrn Apotheker G. Stein in Calw.

b) Hölzer:

Scheibenstück eines Buchenstammes mit Kernfäule,
   von Herrn OA.-Pfleger Steinhardt in Ellwangen;
Zweig von *Ulmus suberosa* EHRH., von Mengen,
   von Herrn Forstamtsassistent Reuss in Biberach;
Bandförmiges Splintstück von *Fagus sylvatica* L., durch einen Wirbel-
 sturm bei Urach entstanden,
   von Herrn Sanitätsrat Dr. Steudel in Stuttgart.

c) Kryptogamen:
Daedalea latissima FRIES, auf einer Fichte bei Gmünd,
    von Herrn Oberforstrat v. Fischbach in Tübingen;
Exoascus alni DE BARY, auf *Alnus incana* DC. am Schwarzen Grat,
    von Herrn Forstamtsassistent Reuss in Biberach.

C. Die Vereinsbibliothek

hat folgenden durch Dr. F. v. Krauss verzeichneten Zuwachs erhalten:

a. Durch Geschenke:

Brodbeck, A., Festschrift zum 25jährigen Regierungsjubiläum mit
    besonderer Berücksichtigung der Protektorats-Anstalten Ihrer Ma-
    jestät der Königin Olga von Württemberg. Stuttgart. 1889. gr. 8⁰.
        Vom Herrn Verfasser.
Wagner, M., die Entstehung der Arten durch räumliche Sonderung.
    Leipzig. 1880. 8⁰.
        Von Herrn Professor Dr. Fraas.
Sussdorf, M., die Verteilung der Arterien und Nerven an Hand und
    Fuss der Haus-Säugetiere. Eine vergleichend-anatomische Studie
    zum Zweck der Erzielung einer sachgemässen Benennung der-
    selben. Stuttgart. 1889. 8⁰.
        Vom Herrn Verfasser.
Mösch, C., die Jagd. (Sep.-Abdr. allg. Beschr. d. Staat. der Schweiz.)
    Brugg. 1870. 8⁰.
Müller, O., die Chromotophoren mariner Bacillariaceen aus der Gat-
    tung Pleurosigma und Nitzschia. (Sep.-Abdr.) 1883. 8⁰.
— — Bemerkungen zu dem Aufsatze Dr. Flögel's: Researches on
    the structure of Cell-walls of Diatoms. (Sep.-Abdr.) 1884. 8⁰.
— — die Zellhaut und das Gesetz der Zellteilungsfolge von Melasira
    arenaria MOORE. 1883. 8⁰.
— — die Zwischenbänder und Septen der Bacillariaceen. 1886. 8⁰.
— — Durchbrechungen der Zellwand in ihrer Beziehung zur Orts-
    bewegung der Bacillariaceen. Auxosporen von Terpsinoe musica
    EHR. Berlin. 1889. 8⁰.
Müllenhoff, K., über den Ernährungs- und Athmungsprocess der
    Pflanzen im Vergleich mit dem der Thiere. 1874. Diss. 8⁰.
— — die Bedeutung der Ameisensäure im Honig. Berlin. 1884. 8⁰.
— — über die Entstehung der Bienenzellen. Berlin. 1883. 8⁰.
— — die Grösse der Flugflächen und der Flugarbeit. Berlin 1884.
    1885. 8⁰.
— — die Ortsbewegungen der Tiere. Berlin. 1885. 4⁰.
        Von Herrn Inspektor Wundt in Schorndorf.
Endriss, K., Geologie des Randecker Maars und des Schopflocher
    Riedes. (Sep.-Abdr.) Berlin. 1889. 8⁰.
        Vom Herrn Verfasser.
Heck, C., die Hagelstatistik Württembergs nach amtlichen Quellen
    bearbeitet. Kirchheim. 1889. 8⁰.
        Vom Herrn Verfasser.

Hofmann, E., die Raupen und Schmetterlinge Europas. Lief. 1. 2. Stuttgart. 1890. 4^0.

Societas entomologica. Organ für die internationalen Entomologen-vereine. Jahrg. III. 1889. Jahrg. IV. No. 1—18. 1890.

Pomologische Monatshefte. Zeitschrift für Förderung und Hebung der Obstkunde, Obstkultur und Obstbenutzung. Neue Folge. Jahrg. XV. Heft 7—12. 1889. Jahrg. 1890. (Allgemeine Obstbauzeitung) Heft 1—7.

Austant, J. S.: les Parnassiens de la faune paléarctique. Leipzig. 1889. 8^0.

Von Herrn Professor Dr. E. Hofmann.

Kloos, J. K., Entstehung und Bau der Gebirge, erläutert am geologischen Bau des Harzes. Mit 21 Figuren und 7 Tafeln. Braunschweig. 1889. 8^0.

— — u. M. Müller, die Hermannshöhle bei Rübeland, geologisch bearb. von Dr. J. K. Kloos, photogr. aufgen. von Dr. M. Müller. Text u. Tafeln. Weimar. 1889. 4^0.

Vom Herrn Verfasser.

Bather, F. A., Pentacrini in peculiar beds of Gred Oolite Age near Basle. (Sep.-Abdr.) 1889. 8^0.

Liebisch, Th., über eine besondere Art von homogenen Deformationen krystallisierter Körper. (Sep.-Abdr.) Göttingen. 1887. 8^0.

Kilian, M. W., structure géologique des environs de Sistéron (Basses-Alpes). (Sep.-Abdr.) 1888. 4^0.

Koenen, A. v., Beitrag zur Kenntnis der Crinoiden des Muschelkalks. (Sep.-Abdr.) Göttingen. 1887. 8^0.

Dubbers, H., der obere Jura auf dem Nordostflügel der Hilsmulde. (Preisschrift.) Göttingen. 1888. 8^0.

Hedinger, A., die Insel Corsica. (Sep.-Abdr.) Prag. 1888. 4^0.

Jahreshefte des Vereins für vaterländische Naturkunde in Württemberg. Jahrg. 46. 1890. 8^0.

Von Herrn Buchhändler Eduard Koch.

Dieselben, Jahrg. 44—46. 1888—1890.

Von Herrn Graf v. Scheler.

Dieselben, Jahrg. 46. 1890.

Von Herrn Staatsrat v. Köstlin.

Laspeyres, H., Heinrich von Dechen. Ein Lebensbild. Bonn. 1889. 8^0.

Vom Herrn Verfasser.

Kirchhoff, A., die Central-Kommission für wissenschaftliche Landes-kunde von Deutschland. (Sep.-Abdr. Verh. deutsch. geogr. Ver. in Berlin.) 1889. 8^0.

Vom Herrn Verfasser.

Weinberg, W., das Arndt-Schulz'sche biologische Gesetz und die Homöopathie. Stuttgart. 1889. 8^0.

Vom Herrn Verfasser

Laucher, C., die Kronenquelle zu Obersalzbrunn in Schlesien. 1890. 8^0.

Vom Herrn Verfasser.

Jahreshefte, geognostische, herausgeg. im Auftrage des K. Bayr. Staats-
ministeriums. 2. Jahrg. 1889. 8⁰.
Vom K. Oberbergamt in München.
Pflanzenabbildungen, kolorierte. Eine Sammlung Handzeichnungen.
Von Herrn Kunsthändler Schlesinger.
Bronn, Klassen und Ordnungen des Thierreichs. Bd. II. Abt. 3. Echi-
nodermen. Lief. 5—6; Bd. V. Abt. 2. Arthropoden. Lief. 23—27;
Bd. VI. Abt. 3. Reptilien. Lief. 67—68; Bd. VI. Abt. 5. Mam-
malia. Lief. 32—34. Winter'sche Verlagshandlung. 1889. 8⁰.
Von der Verlagshandlung zur Recension.
Wilde, die Pflanzen und Raupen Deutschlands. 1. Teil. 1860. 8⁰.
Von Herrn Buchhändler Bleil.
Odernheimer, F., das Festland Australien. Nassau. 1861. 8⁰.
— — das Berg- und Hüttenwesen im Herzogtum Nassau. 1865—67. 8⁰.
Göppelsröder, über Feuerbestattung. Vortrag gehalten im natur-
wissenschaftlichen Verein zu Mülhausen i. E. 1890. 8⁰.
Von den Herrn Verfassern.

b. Durch Ankauf.

Entomologische Nachrichten. Jahrg. XV. 1889. Jahrg. XVI. No. 1—11.
1890. 8⁰.
Correspondenzblatt des Entomologischen Vereins »Iris« zu Dresden.
No. 1—5.
Annales de la société entomologique de France. Sér. VI. Tome IX.
1889. Paris. 8⁰.
Der zoologische Garten. Jahrg. 30. 1889; Jahrg. 31. 1890. No. 1—3.
Frankfurt a. M. 8⁰.
Stettiner entomologische Zeitung. Jahrg. 50. 1889. Stettin. 8⁰.
Jahreshefte des Vereins für vaterländische Naturkunde in Württemberg.
Jahrg. 7—39. 1851—1883.
Meigen, systematische Beschreibung der europäischen Schmetterlinge.
Bd. 1—2. 1839. 4⁰.
Esper, die Schmetterlinge Europas. Bd. I. Teil 1. 1877 4⁰.
Taschenberg, bibliotheca zoologica. Bd. III. Lief. 7. 1889. 8⁰.
Hörnes und Auinger, die Gasteropoden der Meeres-Ablagerungen
der ersten und zweiten miocänen mediterranen Stufe in der öster-
reichisch-ungarischen Monarchie. Lief. VI. Wien. 1890. 4⁰.
André, species Hyménoptères. T. IV. Fasc. 36. 1890. 8⁰.
Tijdschrift voor Entomologie, uitg. door de Neederl. Entomolog. Ver-
eeniging. Deel 32. 1888. 8⁰.

c. Durch Austausch unserer Jahreshefte als Fortsetzung.

Abhandlungen der K. Akademie der Wissenschaften zu Berlin. Physikalische aus dem Jahre 1888; Mathematische aus dem Jahre
1888. Berlin. 1889. 4⁰.
Abhandlungen, herausg. vom naturwissenschaftlichen Vereine zu Bremen. Bd. X. Heft 3. 1889. 8⁰.

Abhandlungen der naturforschenden Gesellschaft zu H a l l e. Bd. XVII. Heft 1—2. 1888. 8⁰.

Abhandlungen aus dem Gebiete der Naturwissenschaften, herausg. vom naturwissenschaftlichen Verein in H a m b u r g. Bd. XI. Heft 1. 1889. 4⁰.

Abhandlungen der S c h l e s i s c h e n Gesellschaft für vaterländische Kultur, Abt. Naturwissenschaften. Jahrg. 1868—69. Breslau. 8⁰.

Abhandlungen der k. k. geologischen Reichsanstalt in W i e n. Bd. XIII. Heft 1. Die Liburnische Stufe und deren Grenz-Horizonte. Von G. S t a c h e. 1889. fol. Bd. XV. Heft 1. Die Liasischen Brachiopoden des Hierlatz bei Hallstadt. Von G. G e y e r. 1889. fol.

Abhandlungen und Jahresberichte der naturhistorischen Gesellschaft zu N ü r n b e r g. Bd. VIII. 1889. Jahresbericht. 1888. 8⁰.

Annalen des K. K. naturhistorischen Hofmuseums in W i e n. Bd. V. No. 2. 1890. Wien. gr. 8⁰.

Arbeiten des Naturforscher-Vereins zu R i g a. Neue Folge. Heft 6. 1889. 8⁰.

Archiv für die Naturkunde Liv-, Esth- und Kurlands, herausg. von der D o r p a t e r Naturforscher-Gesellschaft. 1. Ser. Bd. IX. Lief. 5. 1889. 8⁰. Hierzu: Bericht über die Ergebnisse der Beobachtungen an der Regenstation kf. livländischen gemeinnütz. u. ökonom. Societät in D o r p a t für das Jahr 1887. 4⁰.

Archiv des Vereins der Freunde der Naturgeschichte in M e c k l e n b u r g. 43. Jahrg. Neubrandenburg. 1889. 8⁰.

Bericht des Vereins für Naturkunde zu C a s s e l, 34. u. 35., über die Vereinsjahre 1886—1888. 8⁰.

Bericht über die Thätigkeit der S t. G a l l i s c h e n naturwissenschaftlichen Gesellschaft während der Vereinsjahre 1887—88. St. Gallen. 1888. 8⁰.

Bericht des naturwissenschaftlich-medizinischen Vereins in I n n s b r u c k. XVIII. Jahrg. 1888—89. 8⁰.

Bericht der Wetterauischen Gesellschaft für die gesamte Naturkunde zu H a n a u vom 1. April 1887—31. März 1889. 8⁰.

Berichte der naturforschenden Gesellschaft zu F r e i b u r g i. B. Bd. 3. 1888—1889. 8⁰.

Bericht über die Senckenbergische naturforschende Gesellschaft in F r a n k f u r t a. M. Von 1889. 8⁰.

Bericht über das Museum F r a n c i s c o - C a r o l i n u m, nebst Beiträgen zur Landeskunde von Österreich ob der Enns. 47. nebst 41. Lief. der Beiträge. Linz. 8⁰.

Bericht über die Sitzungen der naturforschenden Gesellschaft zu H a l l e im Jahre 1887. 8⁰.

Bericht, 26., der O b e r h e s s i s c h e n Gesellschaft für Natur- und Heilkunde. Giessen. 1889. 8⁰.

Correspondenzblatt des Naturforscher-Vereins zu R i g a. Jahrg. 1889. 8⁰.

Deutsches meteorologisches Jahrbuch, herausg. vom k. statist. Landesamt. Stuttgart. 1887. 8⁰.

Dissertationen, naturwissenschaftliche, der Universität T ü b i n g e n (10 chemische, 4 physikalische, 1 botanische und 1 geologische).

Földtani Közlöny (Geologische Mittheilungen). Zeitschrift der Ungari-
schen geologischen Gesellschaft. Jahrg. XIX. Budapest. 1889. 8⁰.
  Hierzu: Zweiter Nachtrag zum Katalog der Bibliothek und allg.
  Kartensammlung etc. 1886—1888 von B. Jószef. 1889. 8⁰ .
Jahrbuch der k. k. geologischen Reichsanstalt in Wien. Jahrg. 1889.
  Bd. 39. 8⁰.
Jahrbücher des Vereins für Naturkunde im Herzogtum Nassau. Jahrg. 42.
  1889. Wiesbaden. 8⁰.
Jahrbuch der k. Preuss. geologischen Landesanstalt und Bergakademie
  zu Berlin für das Jahr 1888. Berlin. 8⁰.
Jahrbücher, württembergische, für Statistik und Landeskunde
  herausgegeben vom k. statist. Landesamt. Jahrg. 1887. Bd. I.
  Heft. 3. 1888; Jahrg. 1888. I.—II. Bd.; Jahrg. 1889. 1.—2.
  Hälfte. Stuttgart. gr. 8⁰.
Jahresbericht, medizinisch-statistischer, über die Stadt Stuttgart,
  herausgegeben vom ärztlichen Verein. XVI. Jahrg. 1888. 8⁰.
Jahresbericht der k. Ungarischen geologischen Anstalt für 1888.
  Budapest. 1888. 8⁰.
Jahresbericht der naturforschenden Gesellschaft Graubündens. Neue
  Folge. Jahrg. 32. Vereinsjahr 1887—1888. Chur. 1889. 8⁰.
Jahresbericht des Mannheimer Vereins für Naturkunde, 52.—55.,
  für die Jahre 1885—1888. 8⁰.
Jahresbericht, 66., der Schlesischen Gesellschaft für vaterländische
  Kultur. Breslau. 1888. 8⁰.
Leopoldina, amtliches Organ der Kais. Leopoldinisch-Caroli-
  nischen deutschen Akademie der Naturforscher. 25. Heft. 1889.
  Halle a. S. 4⁰.
Lotos, Jahrbuch für Naturwissenschaft im Auftrag des Vereins »Lotos«.
  Neue Folge. Bd. 10 (der ganzen Reihe 38. Bd.). Prag. 1890. 8⁰.
Mittheilungen des naturwissenschaftlichen Vereins für Steiermark.
  Jahrg. 1888 (der ganzen Reihe 25. Heft). Graz. 1888. 8⁰.
Mittheilungen aus dem naturwissenschaftlichen Verein von Neu-Vor-
  pommern und Rügen in Greifswald. Jahrg. 21. 1889. 8⁰.
Mittheilungen des Vereins für Erdkunde zu Halle a. S. Jahrg. 1889. 8⁰.
Mittheilungen aus der zoologischen Station zu Neapel. Zugleich ein
  Repertorium für Mittelmeerkunde. Bd. IX. Heft 1—2. 1889. 8⁰.
Mittheilungen der k. k. geographischen Gesellschaft in Wien. Neue
  Folge. Bd. 21—22: (32. Bd.) 1889. 8⁰.
Mittheilungen der naturforschenden Gesellschaft in Bern aus dem Jahre
  1888. No. 1195—1214. 8⁰.
Mittheilungen der Schweizerischen entomologischen Gesellschaft. Bd. VIII.
  Heft 3. Bern. 1889. 8⁰.
Mittheilungen aus dem Jahrbuch der K. ungarischen geologischen Reichs-
  anstalt. Bd. VIII. Heft 8. Budapest. 1889. 8⁰.
Schriften der naturforschenden Gesellschaft in Danzig. Neue Folge.
  Bd. VII. Heft 2. 1889. 8⁰.
Schriften des Vereins zur Verbreitung naturwissenschaftlicher Kennt-
  nisse in Wien. 29. Bd. 1888—89. 8⁰.

Schriften des naturwissenschaftlichen Vereins für Schleswig-Holstein. Bd. VIII. Heft 1. Kiel. 1889. 8⁰.

Schriften der k. physikalisch-ökonomischen Gesellschaft zu Königsberg. Jahrg. 29. 1888. 8⁰.

Sitzungsberichte der k. k. Akademie der Wissenschaften in Wien. I. Abt. Bd. 97—98. Heft 1—3. 1888. 1889; II. Abt. A. Bd. 97—98. Heft 1—3. 1888. 1889; B. Bd. 97—98. Heft 1—3. 1888. 1889. III. Abt. Bd. 97—98. Heft 1—4. 1888. 1889. Hierzu: Register zu den Bänden 91—96. No. XII. Wien. 1888. 8⁰.

Sitzungsberichte der physikalisch-medizinischen Gesellschaft zu Würzburg. Jahrg. 1888. 8⁰.

Sitzungsberichte der k. preussischen Akademie der Wissenschaften zu Berlin. Jahrg. 1889. 1—53. gr. 8⁰.

Sitzungsberichte der Naturforscher-Gesellschaft bei der Universität Dorpat. Bd. VIII. Heft 3. 1888. 8⁰.

Sitzungsberichte der Gesellschaft naturforschender Freunde in Berlin. Jahrg. 1889. 8⁰.

Sitzungsberichte der physikalisch-medizinischen Societät zu Erlangen. 1888. 8⁰.

Tübinger Universitätsschriften aus dem Jahre 1888—1889. 4⁰.

Verhandlungen der naturforschenden Gesellschaft in Basel. VIII. Teil. Heft 3. 1890. 8⁰.

Verhandlungen des botanischen Vereins für die Provinz Brandenburg. 30. Jahrg. 1888. Berlin. 8⁰.

Verhandlungen des naturhistorisch-medizinischen Vereins zu Heidelberg. Neue Folge. Bd. IV. Heft 2—3. 1889. 8⁰.

Verhandlungen der k. k. geologischen Reichsanstalt in Wien. Jahrg. 1889. No. 4—18. Jahrg. 1890. No. 1—5. 8⁰.

Verhandlungen der physikalisch-medizinischen Gesellschaft in Würzburg. Neue Folge. Bd. XXII. 1889. 8⁰.

Verhandlungen und Mittheilungen des siebenbürgischen Vereins für Naturwissenschaften in Hermannstadt. 39. Jahrg. 1889. 8⁰.

Verhandlungen der Schweizerischen naturforschenden Gesellschaft. 71. Jahres-Versammlung, 6.—8. August 1888 in Solothurn, nebst Compte rendu des travaux etc. 1888. 8⁰.

Verhandlungen des naturhistorischen Vereins der preussischen Rheinlande und Westphalen. Bd. 46. 5. Folge. 6. Jahrg. Heft 1. 1889. Bonn. 8⁰.

Verhandlungen der k. k. zoologisch-botanischen Gesellschaft in Wien. Jahrg. 1889. 39. Bd. 8⁰.

Vierteljahrsschrift der naturforschenden Gesellschaft in Zürich. Jahrg. 31—33. 1886.—1888. Jahrg. 34. Heft 1—2. 1889. 8⁰.

Zeitschrift der deutschen geologischen Gesellschaft in Berlin. Bd. 40. Heft 4. 1888; Bd. 41. Heft 1—3. 1889. 8⁰.

Zeitschrift für Naturwissenschaften. Originalabhandlungen und Berichte, herausgegeben im Auftrage des naturwissenschaftlichen Vereins für Sachsen und Thüringen. Bd. 61. (IV. Folge. Bd. VII.) Heft 5—6. 1888. Bd. 62. (Bd. VIII.) 1889. Halle. 8⁰.

Zeitschrift, Berliner, entomologische, herausgegeben von dem entomologischen Verein in Berlin. 33. Bd. Heft 1—2. Bd. 34. Schilde, Schach dem Darwinismus. 1889. 8⁰.

Zeitschrift, deutsche entomologische, herausgegeben von Dr. Kratz. Jahrg. 1889. Berlin. 8⁰.

Acta Universitatis Lundensis. Lunds Universitets Års-skrift. Mathematik och Naturwetenskab. Tom. XXIV. 1887—88. Lund. 4⁰.

Acta societatis pro fauna et flora Fennica. Vol. V. prs. 1. 1888. Helsingforsiae. 8⁰. Hierzu: Herbarium musei Fennicae. Edit. 2. 1889. 8⁰. Notae conspectus florae Fennicae. 1888. 8⁰.

Anales del Museo nacional della República de Costa Rica. Tom. I. prt. 2. San José. 1888. 4⁰.

Anales del Museo nacional de Buenos-Aires. Entrega XVI. 8⁰. Hierzu: Burmeister, die fossilen Pferde der Pampasformation. Nachtragsber. 1889. fol.

Annalen des physikalischen Zentralobservatoriums herausgegeben von H. Wild. Jahrg. 1888. St. Petersburg. 1889. 4⁰.

Annales de la société entomologique de Belgique. Tome XXXII. 1888. Bruxelles. 8⁰.

Annales de la société royale malacologique de Belgique. T. 23. (4. sér. T. 3.) 1888. Bruxelles. 8⁰. Hierzu: Procès-verbaux des séances. Tom. XVII. 1888. 8⁰.

Annales de la société géologique de Belgique. Tome XIV. Livr. 2. Tome XVI. Livr. 1. Liège. 1889. 8⁰.

Annales de la société d'agriculture, d'histoire naturelle et des arts utiles de Lyon. 5. sér. Tom. IX—X. 1886—1887. 6. sér. Tom. I. 1888. 8⁰. Hierzu: Le procès de la nomenclature botanique et zoologique par le Dr. Saint-Lager. Paris. 1886. 8⁰. Recherches sur les anciens Herbaria par le Dr. Saint-Lager. Paris. 1886. 8⁰.

Annali del Museo civico di storia naturali di Genova. Ser. 2. Vol. V. 1888. 8⁰.

Annals of the New York Academy of sciences. Vol. V. No. 1—3. 1889. 8⁰.

Annual Report of the Curator of the Museum of comparative Zoology at Harvard College in Cambridge for 1888—1889. Boston. 8⁰.

Annual Report of the United States geological Survey to the Secretary of the interior. J. W. Powell. VII. 1885—86. Washington. 8⁰.

Annual report of the board of regents of the Smithsonian Institution for the year 1886. Part 1. Washington. 1889. 8⁰.

Annual Report of the bureau of Ethnology to the secretary of Smithsonian Institut by J. P. Powell. V. 1883—84. VI. 1884—85. Washington. 8⁰. Hierzu: Thomas, Cyrus, the circular, square and octogonal earthworks of Ohio. 1889. 8⁰; the problem of the Ohio mounds. 1889. 8⁰; Holmes, H., textile fabrics of ancient Peru. 1889. 8⁰; Pilling, J. C., Bibliography of the Iroqueian Languages. 1888. 8⁰, of Muskhogean Languages. 1889. 8⁰.

Annual report (23.) of the colonial museum and laboratory of the Survey of New Zealand. Wellington. 1889. 8⁰.

Annuaire de l'académie royale des sciences, des lettres et des beaux arts de Belgique. Année 54, 55. Bruxelles. 1888—89. 8⁰.

Archives Néerlandaises des sciences exactes et naturelles publiées par la société holland. des sciences à Harlem. Tome XXIII. Livr. 2—5. Tome XXIV. Livr. 1. 1889—90. 8⁰. Hierzu: Oeuvres complètes de Christian Hüggens. Tome 2. Correspondance. 1857—59. 1889. 4⁰.

Archives du Musée Teyler. Sér. II. Vol. III. Prt. 3. 1889. Harlem. 8⁰.

Atti della società toscana di scienze naturali residente in Pisa. Vol. X. 1889. Hierzu: Processi verbali. Vol. VII. p. 1—48. 8⁰.

Atti della R. Accademia della scienze, fisiche e matematiche di Napoli Ser. II. Vol. III. 1889. 4⁰.

Atti della R. Accademia della scienze di Torino. Vol. XXIV. Disp. 11—15. Vol. XXV. Disp. 1—7. 1889—90. 8⁰.

Atti della società Veneto-Trentina di scienze naturali residente in Padova. Vol. XI. Fasc. 2. 1889. 8⁰.

Atti dell' accademia Pontificia dei nuòvi Lincei di Roma. Anno 39. Sess. 5—7; Anno 40. Sess. 1—8; Anno 41. Sess. 3—8. 1886 —1888. 4⁰.

Atti della R. Accademia dei Lincei di Roma. Ser. 4. Vol. V. Fasc. 4—12; 2. Sem. Fasc. 1—13. Vol. VI. 1. Sem. Fasc. 1—5. 1889—1890. 4⁰.

Boletin de la Academia nacional de ciencias en Cordova. Vol. X. Entreg. 3. 1889. Buenos Aires. 8⁰.

Bolletino del R. comitato geologico d'Italia. Vol. XIX. 1888. Rom. 8⁰.

Bolletino della società Adriatica di scienze naturali in Trieste. Vol. XII. 1890. 8⁰.

Bulletino della società Veneto-Trentina di scienze naturali. Anno 1889. Tom. IV. No. 3. Padova. 8⁰.

Bulletin de l'académie royale des sciences, des lettres et des beaux arts de Belgique. Sér. 3. Tom. 14—17, (Tom. 57—59.) 1887 —1889. Bruxelles. 8⁰.

Bulletin de la société zoologique de France à Paris. Vol. XIV. No. 7—8; Vol. XV. No. 1—5. 1889—1890. 8⁰.

Bulletin de la société impériale des naturalistes de Moscou. Année 1889. Nr. 2—4. 8⁰.

Bulletin de la société Linnéenne de Normandie. 4. Sér. Vol. II. III. Fasc. 1—4. 1887—1889. Caen. 8⁰.

Bulletin des séances de la société Vaudoise des sciences naturelles. 3. Sér. Vol. XXIV—XXV. No. 99—100. Lausanne. 1889. 8⁰.

Bulletin of the Brooklyn, entomological society. Entomologica americana, a monthly Journal. Vol. V. 1889. 8⁰.

Bulletin of the United States geological Survey. No. 48—53. Washington. 1888—89. 8⁰.

Christiania K. Universität. Schübler, viridarum norvegicum. Bd. II. Heft 3. 1889. 4⁰.

Commission géologique du Canada. Contributions to Canadian Pa-

.laeontology by J. F. Whiteaves. Vol. I. Part 2. Ottawa. 1889. 8⁰.

Jaarboek van de K. Akademie van Wetenschappen gevestigd te Amsterdam voor 1888. 8⁰.

John Hopkins University at Baltimore. Studies from the biological laboratory. Vol. IV. No. 5—6. 1889—90. University Circulars Vol. VI—VIII. No. 58—74. Vol. IX. No. 76, 78—80. 4⁰.

Journal of the society of natural history at Trenton. Vol. II. No. 1. 1889. New Jersey. 8⁰.

Journal of the college of science, imperial University. Vol. II. Prt. 3. Vol. III. Prt. 1—3. Tokio. 1889. 4⁰.

Journal of the Linnean society of London. Botany. Vol. XXIII —XXVI. (No. 156—173.) 1888—89. Zoology. Vol. XX—XXII. (No. 119—140.) 1888—1889. Hierzu: General-Index to the first 20 Volumes of the Journal (Botany). 1888. 8⁰.

Journal and Proceedings of the Royal society of New South Wales. Vol. XXII. Prt. 2. Vol. XXIII. Prt. 1. 1888. 1889. Hierzu: Catalogue scientific books in the library of the Roy. soc. etc. Prt. 1. General Catalogue 1889. Sydney. 8⁰.

Journal of the Asiatic society of Bengal. New Ser. Vol. 56. Prt. I. Prt. II. No. 1—5. 1887—89. Vol. 57. Prt. II. No. 1—4. 1888. Prt. II. New Ser. Vol. 56. Prt. I. No. 1—3. 1887—88. Vol. 57. Prt. I. No. 1—2. 1888. Calcutta. 8⁰.

Journal, Quarterly, of the geological society of London. Vol. XLV. Prt. 2—4; Vol. XLVI. Prt. 1—2. (No. 178—182.) 1889—90. 8⁰.

Meddelanden af societas pro fauna et fiora Fennica. 15. Häftet. Helsingfors. 1888—89. 8⁰.

Mémoires de la société des sciences physiques et naturelles de Bordeaux. Sér. III. Tom. IV, V. Cah. 1. 1888—89. Hierzu: Observations pluviométriques et thermométriques faites dans le département de la Gironde. 1887—1889. 8⁰.

Mémoires du comité géologique de St. Pétersbourg. Vol. III. No. 4; Vol. VIII. No. 1. 1888—1889. 4⁰.

Mémoires de l'académie des sciences, arts et belles lettres de Dijon. Sér. IV. Tom. I. Année 1888—1889. 8⁰.

Mémoires de la société de physique et d'histoire naturelle de Genève. Vol. XXX. Prt. 2. 1888—90. 4⁰.

Mémoires de l'académie des sciences, belles lettres et arts de Lyon. Tom. XXVIII—XXIX. 1886—88. 8⁰.

Mémoires, nouveaux, de la société impériale des naturalistes de Moscou. Tom. XV (XX de la collection). Liv. 6. 1889. 4⁰.

Memorie dell' Accademia della scienze dell' istituto di Bologna. Ser. IV. Tom. IX. 1888. Hierzu: Nouveaux progrès de la question du calendrian universal et du meridian universal. Rapport de la commission. 1889. 8⁰.

Memoirs of the Museum of comparative zoology at Harvard College in Cambridge. Vol. XIV. No. 1. Prt. 2. 1889; Vol. XVI. No. 3. 1889; Vol. XVII. No. 1. 1890. 4⁰.

Monographs of the United States Geological Survey by
J. W. Powell. Vol. XIII. Geology of the Quicksilver deposits
of the Pacificstope with an Atlas. (gr. fol.) by G. F. Becker,
1887—88. 4⁰. Vol. XIV. Fossil Fishes and fossil plants of the
Triasic rocks of New Jersey and the Connecticut valley by J. S.
Newberry. Washington. 1888. 4⁰.

Naturaleza. Periodico cientifico de la sociedad Mexicana de historia
natural. Ser. 2. Tom. I. No. 5—7. 1889—90. Mexico.. gr. 8⁰.

Notarisia commentarium phycologicum. April. 1890. Venezia. 8⁰.

Proceedings of the American Academy of arts and sciences at Boston.
Vol. XXIII. New Ser. Vol. XV. Prt. 2. 1888. 8⁰.

Proceedings of the American philosophical society held at Philadelphia. Vol. XXVI. (No. 129—130.) 1889. Hierzu: Subject Register of papers published of the Transact. and Proceed. 1889 and
Suppl. Register. 1888—89. 8⁰.

Proceedings of the Asiatic Society of Bengal. 1887. No. 1—10.
1888. No. 1—10. Calcutta. 8⁰.

Proceedings of the Californian academy of natural sciences. 2. Ser.
Vol. I..II. 1888—89. San Francisco. 8⁰.

Proceedings of the academy of natural sciences. Vol. V. Prt. 1. 1888
—89. Davenport, Iowa. 8⁰.

Proceedings and Transactions of the natural history society of Glas-
gow. New Ser. Vol. II. Prt. 1. 1887—88; Vol. III. Prt. 1.
1888—89. 8⁰.

Proceedings of the Linnean society of New South Wales. Ser. II.
Vol. III. Prt. 2—4. Vol. IV. Prt. 1. 1888. 1889. Sydney. 8⁰.

Proceedings of the Royal physical society at Edinburgh. Vol. IX.
Prt. 3; Vol. X. Prt. 1. (No. 117, 118.) Sess. 1887—89. 8⁰.

Proceedings of the American association for the advancement of science.
37. Meeting held at Cleveland. August 1888. Salem. 1889. 8⁰.

Proceedings of the Boston society of natural history. Vol. XXIII.
Prt. 3.—4; Vol. XXIV. Prt. 1—2. 1886—89. 8⁰.

Proceedings of the scientific meetings of the zoological society of London for the year 1889. Prt. 1—3. 8⁰.

Proceedings of the academy of natural sciences of Philadelphia.
Prt. 3. 1888; Prt. 1—3. 1889. 8⁰.

Repertorium für Meteorologie herausgeg. von der K. Akademie der
Wissenschaften in St. Petersburg. Vol. XII. 1889. 4⁰.

Rendiconto dell' Accademia delle scienze fisiche e matematiche di Napoli. Ser. II. Vol. III. Fasc. 1—12. 1889. 4⁰.

Tijdschrift der Nederlandsche Dierkundige Vereeniging in Leiden. 2. Ser.
Deel II. After. 3—4. 1889. 8⁰.

Transactions of the zoological society of London. Vol. XII. Prt. 8—9.
1889. 4⁰.

Transactions, scientific, of the Royal Dublin society. Vol. IV. Prt. 2—5.
1889. 4⁰.

Transactions of the New York Academy of sciences. Vol. VIII. No. 1—4.
1889—90. 8⁰.

Transactions and Proceedings of the New Zealand Institute. Vol. XX.
1887. Wellington. 8⁰.

Transactions of the academy of sciences of St. Louis. Vol. V. No. 1—2.
1886—88. 8⁰.

Verhandlungen des deutschen wissenschaftlichen Vereins zu Santiago
(Chili). Heft 1—4, 6; Bd. II. Heft 1. 1888—89. 8⁰.

Verhandlungen der K. Akademie van Wetenschappen. Afdeel. Letterkunde: Deel XVIII. Amsterdám. 1889. 4⁰. Hierzu: Adam et
Christus. 1889. Epistola ad Abraham. 1889. 8⁰.

Verslagen en Mededeelingen der K. Akademie van Wetenschappen. Afdeel. Natuurkunde. 3. Reeks. Deel V. 1889. Afdeel. Letterkunde.
3. Reeks. Deel V. 1888. Amsterdam. 8⁰.

d. Durch neu eingeleiteten Austausch.

Jahrbuch der Hamburgischen wissenschaftlichen Anstalten. Jahrg.
I—VII. 1884—1889. gr. 8⁰.

Abhandlungen der grossherzogl. Hessischen Landesanstalt zu Darmstadt. Bd. I. Heft 1—4. 1884—1888. 4⁰.

Lepsius, G. R., Halitherium Schinzi, die fossile Sirene des Mainzer
Beckens. Abhandl. des mittelrheinischen geolog. Vereins. I. Bd.
1882. 4⁰.

Beiträge zur Landes-, Volks- und Staatskunde des Grossherzogthums
Hessen. Herausg. vom Vereine für Erdkunde und verwandte
Wissenschaften zu Darmstadt. Heft 1. 2. 1850—1853. Er-
gänzungsblätter. Heft 1. 1858. 8⁰.

Notizblatt des Vereins für Erdkunde etc. und des mittelrheinischen
geologischen Vereins. Jahrg. 1—2. 1855—56. Jahrg. II. Bd. 2.
1860; Jahrg. III. Bd. 3. 1861; III. Folge. Bd. 1—18. 1862
—1879; IV. Folge. Bd. 1—9. 1880—1888. 8⁰.

An Stelle des durch Unwohlsein am Erscheinen verhinderten Kassiers, Hofrat Seyffardt, dem für seine gewissenhaften und uneigen-
nützigen Leistungen warmer Dank ausgedrückt wurde, verlas der Vorsitzende folgenden

Rechnungs-Abschluss.

Nach der abgeschlossenen 46. Rechnung vom 1. Juli 1889/90,
die von unserem Mitgliede, Herrn Kaufmann H. Binder sen., revidiert
wurde, betragen die

Einnahmen:

A. Reste. Kassenbestand d. Rechners auf 30. Juni 1889   134 M. 16 Pf.
B. Grundstock. . . . .   — „ — „
C. Laufendes:

1. Zinse aus Aktiv-Kapitalien . 806 M. 28 Pf.
2. Beiträge von den Mitgliedern . 3695 „ — „
3. Ausserordentliches . . . . 80 „ — „
———————— 4581 „ 28 „

Hauptsumme der Einnahmen
—∴ 4715 M. 44 Pf.

Ausgaben:

A. Reste . . . . — M. — Pf.
B. Grundstock. Kapitalanlehen . . . . . . 1064 „ 10 „
C. Laufendes:

   1. für Vermehrung der Samm-
      lungen . . . . . . 107 M. 72 Pf.
   2. für Buchdrucker- und Buch-
      binderkosten, darunter
      1962 M. 80 Pf. für das
      jüngste Jahresheft . . 2575 „ 7 „
   3. Mobilien . . . . 4 „ 20 „
   4. für Schreibmaterialien, Kopia-
      lien, Porti etc. . . . 219 „ 83 „
   5. für Bedienung, Reinigungs-
      Kosten, Saalmiete etc. . 295 „ 68 „
   6. für Kapitalsteuer . . . . 42 „ 50 „
   7. für Ausserordentliches . . . 62 „ 62 „
                           3307 „ 62 „

Hauptsumme der Ausgaben
   —∴ 4371 M. 72 Pf.
Die Einnahmen betragen hiernach . . . . . . 4715 M. 44 Pf.
„ Ausgaben „ „ . . . . . . 4371 „ 72 „

es erscheint somit am Schlusse des Rechnungsjahrs
   ein Kassenvorrat des Rechners von
   —∴ 343 M. 72 Pf.

Vermögens-Berechnung.

Kapitalien nach ihrem Nennwert . . . . . . 21114 M. 29 Pf.
Kassenvorrat des Rechners . . . . 343 „ 72 „

Das Vermögen des Vereins beträgt somit am Schlusse
   des Rechnungsjahrs . . . . 21458 M. 1 Pf.
da dasselbe am 30. Juni 1889 . . . . 20248 „ 45 „

betrug, so stellt sich gegenüber dem Vorjahre eine
   Zunahme von
   —∴ 1209 M. 56 Pf.
heraus.

                                         Aktien
   Nach der vorhergehenden Rechnung war die Zahl der Ver-
einsmitglieder 748 mit 751
   Hierzu die 31 neu eingetretenen Mitglieder, nämlich die
Herren:

      Fabrikant J. Binder in Ebingen,
      Dr. med. Wenz in Donzdorf,
      Dr. med. Höchstetter in Metzingen,

Übertrag . . 751

Pfarrer S c h e i f f e l e in Kohlstetten,
Apotheker M e t z g e r in Urach, ·
Dr. med. K l ü p f e l in Urach,
Forstamtsassistent M a y e r in Urach,
Privatier Fr. M ö r i k e in Stuttgart,
Tierarzt A. N i l l in Stuttgart,
Buchhändler O. G e r s c h e l in Stuttgart,
Wirtschaftsassistent K ö s t l i n in Hohenheim,
Revieramtsassistent L u d w i g in Blitzenreute,
Lehrerverein für Naturkunde in Welzheim,
Lehramtskandidat M ä u l e in Hedelfingen,
Kaufmann H. R o s e n s t e i n in Stuttgart,
Dr. N e b e l in Stuttgart,
Lehrer Z w i e s e l e in Schlierbach,
Professor G r ü n i n g e r in Reutlingen,
Dr. S a u e r b e c k in Reutlingen,
Distriktsarzt Dr. B i n d e r in Neuffen,
Apotheker Dr. K o c h in Neuffen,
Dr. P h i l i p in Stuttgart, .
Oberamtstierarzt L e u t z e in Calw,
Professor H a u g in Calw,
Mittelschullehrer L a u f f e r in Geislingen,
Revieramtsassistent H o l l a n d in Geislingen,
Lehrerverein für Naturkunde Sektion Calw,
Apotheker H e i m s c h in Esslingen,
Dr. phil. O d e r n h e i m e r in Stuttgart,
Ökonomierat S c h u s t e r in Hohenheim,
Dr. S c h ü l e in Hohenheim,   31
                                                ———
                                                782

Hiervon die 22 ausgetretenen Mitglieder, und zwar die Herren:
Buchhalter H e s s in Göppingen,
Dr. H ä h n l e in Reutlingen,
Schönfärber W a g n e r in Calw,
Kommerzienrat M e i s s n e r in Heilbronn,
Pfarrer R i e g in Haidgau,
Oberamtmann F i l s e r in Heidenheim,
Buchhändler H ä b e r l e in Biberach,
Major H a b e r e r in Biberach,
Rechtsanwalt W i r t h in Ravensburg
Professor Dr. D i e t r i c h in Stuttgart,
Oberamtsrichter V ö l t e r in Tübingen,
Dr. B e i n h a u e r in Heidelberg,
Dr. S c h a b e l in Ellwangen.
Prof. Dr. M e h m k e in Darmstadt,
Kaufmann O s t e r m a y e r in Biberach,

Übertrag . . 782

Baurat D ö r i n g in Stuttgart,
Dr. med. D ü r r in Hall,
Forstrat Freiherr v. H ü g e l in Hall,
Elementarlehrer P f a n d e r in Stuttgart,
Gutsbesitzer R e n z in Jordansbad,
Apotheker S t a r z in Stuttgart,
Apotheker L e s s i n g in Hall 22

Die 21 gestorbenen Mitglieder, nämlich die Herren:
Domänenpächter B r ä u n i n g e r in Sindlingen,
Geheimer Kommerzienrat J. S t ä l i n in Calw,
Ökonomierat R a h m e r zu Schäferhof,
Kaufmann Fr. D r a u t z in Heilbronn,
Oberpostrat v. H o f f in Stuttgart,
Apotheker V a l e t sen. in Ravensburg,
Oberförster v. E n t r e s s - F ü r s t e n e c k in Stuttgart,
Gerichtsnotar E l w e r t in Balingen,
Prof. Dr. v. Q u e n s t e d t in Tübingen,
Forstverwalter W a l c h n e r in Wolfegg,
Dr. med. V. S a l z m a n n in Esslingen,
Fabrikant G. D i t t m a r in Heilbronn,
Graf v. W a l d b u r g - Z e i l - T r a u c h b u r g, Erlaucht auf
Schloss Syrgenstein,
Präsident v. B i l f i n g e r in Stuttgart,
Professor W e i g e l i n in Stuttgart,
Prof. Dr. v. W e b e r in Tübingen,
Direktor J o r d a n in Heilbronn,
Architekt B r a u n w a l d in Stuttgart,
Landgerichts-Präsident v. P r o b s t in Ellwangen,
Postreferendär S c h n i t z e r in Stuttgart,
Pfarrer S c h u r e r in Unterkirchberg 21

—————— 43

über deren Abzug die Mitgliederzahl am Ende des Rechnungsjahres
beträgt . . . . 736 mit . . . . . 739 Aktien
gegenüber dem Vorjahre . . . . 748 „ . . . . . 751 „

mithin weniger 12 Mitglieder mit 12 Aktien

Wahl der Beamten.

. Die Generalversammlung hat nach § 13 der Statuten durch Akklamation wieder gewählt für das Vereinsjahr 1890—1891 als
e r s t e n V o r s t a n d

Oberstudienrat Dr. v. K r a u s s,

zweiten Vorstand
Prof. Dr. O. Fraas,

und diejenige Hälfte des Ausschusses, welche nach § 12 der Statuten auszutreten hat:

Dr. Fr. Ammermüller,
Professor C. W. v. Baur,
Direktor v. Dorrer,
Professor Dr. Fraas,
Senatspräsident v. Hufnagel,
Professor Dr. v. Marx,
Apotheker M. Reihlen,
Direktor v. Xeller.

Im Ausschuss bleiben zurück:

Professor Dr. v. Ahles,
Bergrat Dr. Baur,
Professor Dr. Bronner,
Generalstabsarzt Dr. v. Klein,
Dr. August Klinger,
Hofrat Eduard Seyffardt,
Sanitätsrat Dr. Steudel,
Professor Dr. v. Zech.

Delegierter des oberschwäbischen Zweigvereins ist Pfarrer Dr. Probst in Unteressendorf.

Der Ausschuss hat in der Sitzung vom 17. Juli 1890 nach § 14 der Statuten gewählt:

zur Verstärkung des Ausschusses:

Professor Dr. Klunzinger,
Professor Dr. v. Reusch,
Professor Dr. A. Schmidt am Realgymnasium,
Professor Dr. Sigel,

als Sekretäre:

Generalstabsarzt Dr. v. Klein,
Professor Dr. v. Zech,

als Kassier:

Apotheker Moritz Reihlen an Stelle des langjährigen Kassiers, Hofrat Eduard Seyffardt, den leider Gesundheitsverhältnisse nötigten, das so lange Zeit mit grösster Pünktlichkeit und Aufmerksamkeit zum Nutzen des Vereins geführte Amt niederzulegen,

als Bibliothekar:

Oberstudienrat Dr. v. Krauss.

Wahl des Versammlungsortes.

Für die Versammlung des Jahres 1891 war eine Einladung
von Calw eingelaufen, von welcher der Vorsitzende Kenntnis gibt;
die Anwesenden beschliessen einstimmig der freundlichen Einladung
Folge zu geben und die Generalversammlung im Jahre 1891 in der
Stadt Calw zu halten. Fabrikant Eugen Stälin wird die Güte
haben, die Geschäftsführung zu übernehmen.

Hiermit war der geschäftliche Teil geschlossen. Die sich anschliessenden Vorträge finden sich in den nachfolgenden Blättern
abgedruckt. Am Schluss derselben machte Reallehrer GRÄTER noch
kurz auf einige interessantere, von ihm gesammelte Pflanzen aufmerksam, die im Saale ausgestellt waren. Der Vorsitzende schloss
die Versammlung, indem er nochmals allen, die sich um deren Zustandekommen verdient gemacht, den Geschäftsführern, den Aus-
stellern, sowie dem Gemeinderat, welcher den Saal überlassen, im
Namen des Vereins seinen besten Dank aussprach.

Das Festessen, an welchem ca. 50 Personen teilnahmen, fand
im Gasthof zur Krone statt. Den ersten Toast brachte der Vor-
stand des Vereins auf dessen erhabenen Protektor, Seine Majestät
König KARL aus. Weitere Trinksprüche galten dem Vorstand des
Vereins, den beiden Geschäftsführern der Versammlung, der Stadt
Esslingen, den Rednern des Tages und auch derer, die in letzter
Zeit geschieden, wurde gedacht.

Zum Schluss des Festessens stellte Prof. Dr. NIES noch eine
Sammlung goldener deutscher sog. Ausbeute-Münzen auf, d. h. solcher Münzen, die aus deutschem Gold geprägt sind und in der Aufschrift selbst den Vermerk der Herkunft des Goldes tragen.

Rasch waren so die Stunden verflogen, noch ein kurzer Vesper-
trunk in einem Biergarten und in vergnüglicher Stimmung über den
gelungenen Verlauf des Tages kehrten die Teilnehmer der Versammlung nach Hause zurück.

_____

Wenige Monate nach der Generalversammlung wurde dem Vereine sein langjähriger, unermüdlicher Vorstand, Direktor Dr. F.
v. Krauss durch den Tod entrissen; die dadurch bedingte Neuwahl des
Vorstandes hat bei der Generalversammlung in Calw 1891 stattzufinden.
Dagegen wurde, da der Verein bald darauf auch Prof. Dr. v. Marx
durch den Tod verlor, und Prof. Dr. v. Zech durch schwere Erkrankung
an der Teilnahme der Sitzungen verhindert war, die baldige Neu-

wahl der Redaktionskommission nötig. Bei der gemäss § 7 der Statuten stattgehabten Wahl wurden in der Ausschusssitzung vom 23. Oktober 1890 folgende Herren in die Redaktionskommission gewählt:

Oberstudienrat Dr. O. Fraas für Mineralogie, Geologie und Palaeontologie,
Professor Dr. C. Hell für Chemie,
Professor Dr. O. Kirchner für Botanik,
Professor Dr. K. Lampert für Zoologie,
Professor Dr. E. v. Reusch für Physik.

Nekrolog

des Grafen Karl von Waldburg-Syrgenstein.

Von Dr. Frh. R. Koenig-Warthausen.

Am 30. Januar 1890 erlag auf Schloss Syrgenstein im bayrischen Allgäu Graf KARL VON WALDBURG-SYRGENSTEIN einer in Folge der Influenza eingetretenen Magenblutung. Der in voller Manneskraft aus dem blühenden Leben, von der Seite einer ihm in jeder Weise ebenbürtigen Gemahlin jäh Abgerufene gehörte seit Jahren unserem Vereine an und hat die vaterländische Ornithologie als ein scharfer und zuverlässiger Beobachter fördern geholfen. Als Reisender und Forscher hat er sich einen Namen über die Gränzen des engeren Vaterlandes hinaus dauernd und mit Ehren geschaffen. Es ist deshalb auch eine Ehrenpflicht unseres Vereins, des Entschlafenen hier zu gedenken und einem intimen Freunde desselben ist es eine ernste Aufgabe, dieser Trauer Ausdruck zu geben.

KARL JOSEPH FRANZ WILHELM GEORG CHRISTINIAN GRAF VON WALDBURG wurde 18. December 1841 als dritter Sohn des Fürsten CONSTANTIN VON WALDBURG-ZEIL-TRAUCHBURG und der Gräfin MAXIMILIANE VON QUADT-WYCKRADT-ISNY geboren. Seinen ersten Unterricht erhielt er in der von seinem Vater gegründeten Erziehungsanstalt in Neutrauchburg, weitere Fortbildung bei den Jesuiten in Feldkirch. Dem Wunsch seiner Mutter, sich dem geistlichen Stande zu widmen, entsprach sein durchaus frei denkender Sinn nicht, er studirte vielmehr Forstwissenschaft in Hohenheim und Tharand, wo er den Grund zu jenem naturwissenschaftlichen Wissen legte, das ihn für die späteren Forschungsreisen hervorragend befähigte. Als eigentlichen Beruf wählte Graf KARL vorerst den Soldatenstand. In diesem hat er seine Pflichten stets treu erfüllt. Als Oberlieutenant des 2. württembergischen Jägerbataillons ist der damals Beurlaubte nach Empfang der ersten Nachricht von dem mit Frankreich ausgebrochenen Krieg von Hammerfest, der nördlichsten Stadt der Erde, zu seiner Truppe vor Paris geeilt, um die blutigen Tage von Champigny und Villiers mitzumachen. Den württembergischen Militärverdienstorden und das eiserne Kreuz hat er sich damals im Feuer erworben. Nachher

diente er als Hauptmann in der K. Schlossgarde und im Jahr 1888
zur Dienstleistung nochmals einberufen, erhielt er den Majors-Rang
in der Landwehr.

WALDBURG's Leistungen als Reisender und Naturforscher sind in
wissenschaftlichen Kreisen bekannt; es genügt deshalb hier eine
kurze Notiz. Mit dem ihm im Tode vorangegangenen Afrika-Reisenden
TH. v. HEUGLIN bereiste er im Jahr 1870 Spitzbergen auf dem
Schoner „Skjön Valborg". Die Zeil-Inseln und das Cap Waldburg
tragen von ihm den Namen; die Einzeichnung von König-Karls-Land
in die Karten gehört zu den Ergebnissen jener erfolgreichen Reise.
Im Jahr 1876 schloss sich der Verewigte der grossen Expedition
nach Westsibirien an, welche Dr. O. FINSCH und Dr. A. E. BREHM
zu Führern hatte; in Sibirien selbst wurden 1700 deutsche Meilen
bis an die chinesische Gränze durchqueert. Den Mitgliedern des
oberschwäbischen Zweigvereins wird jener Lichtmessfeiertag un-
vergesslich bleiben, an welchem der Heimgekehrte bei überfülltem
Saal in Aulendorf über diese Reise und die Jagd des „Ular" (*Tetrao-
gallus altaicus* GEBL.) einen glänzenden Vortrag hielt. Im Jahr 1881
wurde noch eine Sibirien-Fahrt unter den Auspicien des Gross-
industriellen Baron KNOOP an den Jenissej unternommen. Bei allen
diesen Gelegenheiten hat Graf WALDBURG Sammlungen jeder Art und
reiche wissenschaftliche Beobachtungen gemacht, die theils in den
Reiseberichten, theils in den Veröffentlichungen der geographischen
Gesellschaft von Bremen niedergelegt sind.

Im Jahr 1882 führte er die ihm stammverwandte Gräfin
SOPHIE VON WALDBURG-ZEIL-WURZACH (Tochter des Fürsten EBERHARD
und der † Gräfin SOPHIE DUBSKY) zum Altar. Die hart an der
württembergischen Landesgränze im Allgäu malerisch gelegene Burg
Syrgenstein erwarb sich das Ehepaar zum Sitz. Mit Zustimmung
des letzten Syrgensteiners vom alten Stamm verlieh im Jahr 1885
der König von Bayern dem in der Gelehrtenwelt unter dem früheren
Namen „Zeil" bekannteren Grafen denjenigen von „Syrgenstein".
Hier hat er kurze aber überaus glückliche Jahre mit der Gemahlin
verlebt, die als Dichterin und Patriotin hochgeschätzt, durch gleiche
Gesinnung ihm vollbürtig zur Seite stand. Wir haben einen Mann
von ritterlicher Gesinnung verloren, der seiner Überzeugung und
der Wahrheit ohne jede persönliche Rücksicht stets die Ehre gab
und wissenschaftlich noch zu mancher Hoffnung berechtigte. Dem
verwaisten Bergschloss und seiner trauernden Herrin theilnahmsvollen
Gruss zu senden, ist uns theure Pflicht.

Nekrolog

Dr. Ferdinand v. Krauss.

Seit mehr als 30 Jahren ist mit diesen Jahresheften der Name Dr. FERDINAND KRAUSS verknüpft und manche gediegene Mitteilung aus der Fülle seines Wissens liegt in deren Bänden geborgen. Heute haben wir die schmerzliche Pflicht, Worte des Abschieds und der wehmütigen Erinnerung an den Namen des alten Freundes zu knüpfen, nachdem derselbe am 14. September v. J. sein Tagewerk auf Erden vollendet hat. Lebhaft steht sein Charakterbild vor unsern Augen. Er war ein Schwabe durch und durch, gerade und wahr, dem nichts ferner lag als Heuchelei und Falschheit oder heimtückisches Wesen. Das müssen auch diejenigen anerkennen, denen sein entschiedener Charakter nicht sympathisch war. Nach schwäbischer Weise verband er grosse Gründlichkeit und ins einzelne gehende Genauigkeit mit rastlosem Schaffenstrieb und konnte er sich nie genug thun. Er hatte, um an SOLON's Spruch anzuknüpfen, dass niemand glücklich zu preisen sei vor seinem Tod, eine beneidenswerte Existenz: Sein Leben war ein harmonisches, das köstlich war bei aller Mühe und Arbeit und mit einem sanften Einschlafen endigte, wenige Tage nach seinem 50jährigen Jubiläum, an welchem sich, wie zum Schluss seines Lebens alle denkbaren Ehren auf sein Haupt häuften.

Geboren ist KRAUSS am 9. Juli 1812 als Sohn des Gerbermeisters KRAUSS in Stuttgart. Eine vortreffliche Mutter, die auch zeitlebens hochgehalten und kindlich verehrt wurde, leitete mit verständigem Ernst und treuer Liebe seine Erziehung. Von 1834—37 studierte KRAUSS in Tübingen und Heidelberg die Naturwissenschaften und Medizin, war Assistent im chemischen Laboratorium und doktorierte im August 1836. Der Mineraloge BLUM, der Zoologe BRONN und der Chemiker LEOPOLD GMELIN waren es, denen KRAUSS eine besondere Anhänglichkeit zollte. Diese Lehrer waren es denn auch, welche die Richtung seiner Studien bestimmten. Vom hervorragendsten Einfluss auf die Gestaltung seines Lebens war im Jahr 1837 der Besuch des Barons VON LUDWIG in Stuttgart, als derselbe seine grossartige Naturaliensammlung dem König WILHELM zum Geschenk gemacht hatte. Es konnte kaum fehlen, dass der Anblick der afrikanischen Schätze, bei deren Auspacken der junge Doktor behilflich war, einen tiefen Eindruck auf KRAUSS machte und das Verlangen in ihm weckte, mit eigenen Augen das Wunderland Afrika zu sehen und durch eigenes Sammeln die Lücken der LUDWIG'schen Sendung zu ergänzen. So reiste er denn im November 1837 von Stuttgart ab. In London war wegen des früher als sonst eingetretenen kalten Winters ein unfreiwilliger Aufenthalt, den KRAUSS mit allem Eifer zum Studium des britischen Museums und anderer wissenschaftlichen Institute Englands benützte. Erst am 17. Februar 1838 konnte die Reise beginnen und kam KRAUSS mit Baron LUDWIG nach 80tägiger Reise in der Tafelbai an. Ein halbes Jahr brachte er im Hause des Barons LUDWIG, mit welchem ihn bald ein Band warmer Freundschaft verband, in der Kapstadt zu, um die Umgebung der Stadt und die Meeresküste bis zum eigentlichen Kap der guten Hoffnung zu studieren und den Tafelberg mehrmals zu besteigen. Rasch ging der afrikanische Winter vorbei und trat KRAUSS mit dem Frühling d. h. im November seine denkwürdig gewordene Reise nach dem Innern an. Hottentots Kraal, Gnadenthal, Kokmanns Kloof u. s. w. wurde besucht und am Christfest 1838 stand KRAUSS auf der südlichsten Spitze Afrikas, dem gefürchteten Kap Lagulhas. Wie er von hier aus die herrlichen Urwälder Outniqeas besuchte, die Karroos durchquerte und von dem Congelalager aus (in der Nähe des heutigen Durban) sich der Kommission anschloss, welche der Volkraad an den Kaffernkönig Umpanda abschickte, um mit ihm Frieden zu schliessen und ihn als König der Zulukaffern einzusetzen, ist von KRAUSS ausführlich in dem Jahresbericht des W. Vereins für Handelsgeographie, Stuttgart 1890 pag. 127, beschrieben. KRAUSS blieb bis zum Februar 1840 in seinem geliebten Natalland, über dessen Weinbau er als echtes Stuttgarter Kind seine Beobachtungen machte, die er der sechsten Versammlung deutscher Land- und Forstwirte (1842) mitteilte. Von der Kapstadt reiste KRAUSS über London und Leiden in die Heimat zurück.

Am 2. September fand KRAUSS erstmals seine definitive Anstellung am K. Naturalienkabinett, zunächst in untergeordneter Stellung, als Unteraufseher, bald aber machte sich das angeborene organisatorische Talent geltend, dèm es vorbehalten war, in den zwei Stockwerken des K. Naturalienkabinetts die vorhandenen Sammlungen in Ordnung zu bringen und denselben seine in Afrika gesammelten Schätze einzuverleiben. So begann er denn selbständig die Sammlung nach dem neuesten Stand der Wissenschaft aufzustellen. Es geschah dies noch in Abhängigkeit von dem damaligen Vorstand, Obermedizinalrat Dr. v. JÄGER, der mit den ausländischen Museen Europas in lebhafter Verbindung stand und den Verkehr mit denselben in glücklicher Weise unterhielt. Die eigentliche Umgestaltung der Sammlungen geschah übrigens erst nach dem Neubau des Flügels in der Archivstrasse 1863. Bis zu diesem Jahre war man genötigt, mit dem Bau an der Neckarstrasse sich zu behelfen. Die Räume des Parterres im Hauptgebäude, worin sich das K. Haus- und Staatsarchiv befindet, für die Sammlungen zu gewinnen, konnte zum grossen Leidwesen der beiden Konservatoren nicht realisiert werden. Nach Vollendung der Aufstellung der Sammlungen erhielt KRAUSS in Anerkennung seiner langjährigen erspriesslichen Dienste 1866 Titel und Rang eines Oberstudienrats, den Friedrichsorden und 1880 den Kronorden. Anlässlich seines 50jährigen Dienstjubiläums wurde ihm am 2. September 1890 Titel und Rang eines Direktors verliehen.

Das Lieblingskind von KRAUSS war übrigens nicht sowohl die allgemeine zoologische Sammlung, als vielmehr die vaterländische Sammlung des Vereins für vaterländische Naturkunde, der von ihm selbst mitgegründet (1844) und von hier ab unter seiner Vorstandschaft wesentlich gefördert worden war. Namentlich verdankt auch die Vereinsbibliothek seinen rastlosen Bemühungen im Anknüpfen von neuen Tauschverbindungen ihre Reichhaltigkeit an den verschiedensten in- und ausländischen Vereinsschriften. Die Aufstellung der Vereinssammlungen wurde vorherrschend eine biologische. Nach unseren langjährigen Erfahrungen, die wir täglich zu machen Gelegenheit haben, bildet diese Art der Aufstellung den stärksten Anziehungspunkt, namentlich für die Jugend und ihre Lehrer, stärker als eine systematische Aufstellung der Geschlechter und Arten. Der Anblick eines Nebeneinander verschiedener Individuen, z. B. von Vögeln, ermüdet schliesslich, während eine Gruppe Vögel von einer Art in verschiedenen Alterszuständen, vom Nest an vertreten, stets neues Interesse bietet. Darauf hin arbeitete denn auch KRAUSS in voller Harmonie mit seinem Kollegen, der von Anfang an seine palaeontologischen Sammlungen nicht etwa zoologisch, sondern geologisch aufgestellt hatte. Im Prinzip ist die biologische Aufstellung einer zoologischen Sammlung und die geognostische Aufstellung einer palaeontologischen Sammlung ein und dasselbe System. — So arbeiteten denn beide Konservatoren einmütig an dem einen Ziel: die vaterländische Naturwissenschaft populär zu machen. Kann man doch mit einer Art von Befriedigung auf den lebhaften Besuch unserer Sammlungen hinweisen. Waren der Besucher von 1865 kaum 30 000, so beziffert sich die Zahl· der jährlichen Besucher nach der letzten Zählung auf 71 175. KRAUSS war stets darauf bedacht, die Sammlungen in der liberalsten Weise allgemein zugänglich zu machen. Die zoologische Sammlung ist in ihrer seltenen Reichhaltigkeit und vollendeten· Aufstellung der schönsten Exemplare seine eigenste Schöpfung und mit nichts haben ihm die Seinen beim 50 jährigen Jubelfest grössere Freude gemacht als mit dem photographischen Album der wichtigsten Sammlungsstücke des K. Naturalienkabinetts, von denen jedes einzelne Stück beredtes Zeugnis ablegt über die 50 jährige Arbeit seines Vorstandes, der mit der zoologischen Sammlung sozusagen verwachsen war. Gross ist die Zahl gelehrter Vereine und Gesellschaften, deren Mitglied KRAUSS war und deren Kongresse er fast regelmässig besuchte. So wurde er eine im In- wie im Auslande bekannte hochgeschätzte Persönlichkeit.

   · Vor Jahren schon hatte sich KRAUSS seine letzte Ruhestätte neben dem Grab der geliebten Mutter auf dem Fangelsbachfriedhof ausersehen. Am Mittag des 17. Septembers umstanden dort Freunde und nahe Angehörige ein offenes Grab. Ausdrücklich hatte sich KRAUSS jedes Gepränge bei der Beerdigung verbeten, aber ohne Gepränge sollte es doch nicht abgehen, denn der 3 m hohe von ihm selbst gepflanzte Epheustock des Nachbargrabes prangte in voller Blüte und hunderttausend goldglänzender Schwebfliegen gaukelten um den Stock, als ob sie über dem Sarge noch Zeugnis ablegen wollten von der intimen Beziehung des Toten zu der ·ewig jungen Natur.   O. F.

Verzeichnis der hauptsächlichsten Publikationen des † Dr. F. v. Krauss.

1. Die Corallinen und Zoophyten der Südsee. Stuttgart. 1837. 4⁰.
2. Die Südafrikanischen Crustaceen. Stuttgart. 1843. 4⁰.
3. Über die Beutelfledermaus aus Surinam. (Arch. f. Naturg. 12. Jahrg. 1846.)
4. Die südafrikanischen Mollusken. Stuttgart. 1848.
5. Eine neue *Castalia*. (Zeitschr. f. Malakozool. 5. Jahrg. 1848. p. 99.)
6. Die Säugethiere nach Familien und Gattungen mit einem Anhang über Zahn- und Knochenbau. Stuttgart. 1848—51. 4⁰.
7. Über einige Petrefacten aus der unteren Kreide des Kaplandes. (Nova Acta Leop. Carol. T. XXII. 1850.)
8. Neue Kap'sche Mollusken. (Arch. f. Naturg. 18. Jahrg. 1852.· Bd. 1.)
9. Zur Osteologie der Surinamischen Manatus (Müller's Arch. f. Anat. 1858.)
10. Der Schädel des *Halitherium Schinzi*. (Neues Jahrb. f. Min. etc. 1862.)

   Ausserdem viele kleinere Mitteilungen in diesen.Jahresheften.

Nekrolog

des Prof. Friedrich August Quenstedt.

Von Dr. Oscar Fraas in Stuttgart.

Über ein halbes Jahrhundert hat Quenstedt als der unbezwei-
felt erste und fruchtbarste der deutschen Geologen und Palaeontologen in der schwäbischen Musenstadt doziert. Mehr noch als durch
seine Thätigkeit auf dem Lehrstuhl der Universität ist er als der
unermüdete Wanderer durch die Schichten des Schwabenlandes eine
der bekanntesten Persönlichkeiten des Landes, im Ober- wie im
Unterland, geworden: ein richtiger praeceptor Sueviae in geologischen Dingen.

Wie bei allen bedeutenden Männern — und ein solcher ist
Quenstedt ganz unbestritten gewesen — hat sich schon früh die
Mythe des Mannes bemächtigt, um ein Lebensbild zu erstellen, das
seiner geistigen Bedeutung und seiner Lebensschicksale würdig wäre.
Schon 1841, als ich die erste Vorlesung bei Quenstedt belegte,
wucherte diese Mythenbildung üppig auf der Tübinger Hochschule.
Quenstedt wäre mit Humboldt auf dem Chimborazzo gewesen, stu-
diert habe er eigentlich nicht, aber im Umgang mit seinem Meister
Humboldt so vieles gewonnen, dass er unbedingt befähigt sei, die
Professur zu versehen. Solche und ähnliche artige Geschichten er-
zählte man sich in Tübingen. Kritiklos aber nahm die Studenten-
schaft die Erzählungen über den jugendfrischen, übersprudelnden
Lehrer hin, dessen Bedeutung der Student mehr nur ahnte, als ver-
stand. Dazu kam noch der für Tübingen damals neue sächsische
Dialekt, Quenstedt's Muttersprache, die man in Tübingen schlechtweg als „Berlinerisch" verzollte. Dieses reinere Deutsch, von einem
klangvollen Organ geläufig gesprochen, verfehlte den Eindruck in
der Schwabenstadt nicht und gab dem jungen Professor einen nicht

zu unterschätzenden Vorzug, der mit jedem Jahr sich mehr befestigte. Thatsache ist, dass nach wenig Jahren schon der Name QUENSTEDT nicht nur in der gelehrten Welt, sondern ganz besonders im engeren Schwabenland den besten Klang hatte. Dazu hatte eine Reihe populärer Vorträge über Geologie wesentlich beigetragen. Den Anfang hatte 1856 „Sonst und Jetzt" gemacht, darin die anziehendsten und wichtigsten Fragen in einer Weise besprochen sind, dass der gebildete Laie so gut als der Fachgelehrte mit voller Befriedigung die Schrift aus der Hand legt. Ebenso beliebt wie „Sonst und Jetzt" ist auch die zweite populäre Schrift „Klar und Wahr" 1872 geworden, während die „geologischen Ausflüge in Schwaben" 1864 speciell für schwäbische Geologen berechnet sind.

Von Geburt war QUENSTEDT der richtige Sachse. Den 9. Juli 1809 in der Lutherstadt Eisleben geboren, verlor er den Vater bald, der Stellung bei der Gensdarmerie gehabt hatte. Der Mutter Bruder, der Schullehrer zu Meisdorf in der Provinz Sachsen war, nahm sich des verwaisten Kindes an. Selbst nicht klassisch geschult, lehrte er den begabten Neffen Latein, unterrichtete ihn zugleich in der Musik und brachte es unschwer dahin, dass dieser die Maturitätsprüfung bestand und im Sommer 1830 die Universität Berlin bezog. Er bezog sie mit 50 Thalern in der Tasche, die er mit Musikstunden sich verdient hatte, und war aufs äusserste Sparen angewiesen. Die längste Zeit wohnte er in Berlin bei einer Frau Buchhalter FRICK in der Friedrichstrasse No. 106. Als dem armen Sohn eines alten Soldaten fehlte es ihm jedoch auch nicht an Unterstützungen, wie er denn auch von seiten hochgestellter Kreise, z. B. der Frau v. KALB und CAROLINE v. WOLZOGEN, Unterstützung fand. Gern liess er sich als Vorleser in diesen schöngeistigen Kreisen Berlins benützen, wo er sich dadurch eine gewisse geistige Überlegenheit über seine Altersgenossen aneignete. Gegen das Studium der Theologie, das er auf den Wunsch des Oheims treiben sollte, wehrte er sich mit aller Macht, er wählte vielmehr rein naturwissenschaftliche und philosophische Fächer. In seiner Doktordissertation: De notis nautilearum primariis, 1836, nennt er als seine Lehrer: HEGEL, RUDOLPHI, ERMANN, IDELER, BÖCKH, LICHTENSTEIN, MITSCHERLICH, ENCKE, OHM, HOTHO, v. HENNING und DIRICHLET, vor allen aber CHR. SAMUEL WEISS, dessen eifrigster Schüler QUENSTEDT bald wurde. Bei der Krystallographie und Mineralogie war er auf seiner Suche nach einem bestimmten Fach stehen geblieben. Die Krystalle mit ihren Flächen und Kanten hatten es ihm angethan und ihn zur Wahl eines Studiums bestimmt, in welchem er selbst einmal eine hervorragende Rolle spielen sollte.

Das äussere Leben QUENSTEDT's war ausserordentlich einfach und nüchtern. Wein und starke Getränke mied er ganz und verabscheute sie förmlich; wenn ich später in meinem Leben in Ägypten mit Beduinen zusammentraf und Gelegenheit hatte, deren Abscheu vor Alkohol zu beobachten, musste ich unwillkürlich an QUENSTEDT denken, der einer schwäbischen Wirtin ganz und gar unverständlich war, indem er das Glas Bier zurückwies, das in Schwaben jedem eintretenden Gaste ungefragt gereicht wird.

An der Hochschule in Berlin lernte QUENSTEDT verschiedene Studenten kennen, welche die gleiche Neigung und Beschäftigung verband. Näher vor anderen trat ihm GEINITZ, der später in Sachsen eine ähnliche Stellung fand, wie QUENSTEDT in Württemberg. Als Assistent am mineralogischen Institut hatte QUENSTEDT die Mineralschätze Schwabens kennen gelernt: so lange er mit den Sammlungen sich abgab, so lange er namentlich die SCHLOTHEIM'sche Sammlung zu ordnen hatte, zog es ihn nach dem Land, das solche Schätze barg. Als nun vollends auf der Naturforscherversammlung zu Stuttgart (1834) die Rede auf die Wiederbesetzung der SCHÜBLER'schen Professur kam und der Bergrat v. ALBERTI den Auftrag bekam, sich nach einer geeigneten Kraft zu erkundigen, und als solche QUENSTEDT bezeichnet wurde, so erging seitens der Universität Tübingen der Ruf an ihn. Ein lockenderer Ruf konnte ihm nicht kommen. Es machte sich daher der neubestallte Professor alsbald auf den Weg und wanderte mit dem Hammer in der Hand von Berlin nach dem Harz, der ihm schon bekannt war, und vom Harz an den Main, vom Main aus nach Schwaben, das er bei Mergentheim betrat. In Metzingen bei Dr. SCHMID machte er die letzte Rast und sah zum erstenmal vom Burgholz aus die Musenstadt Tübingen, das Feld seiner zukünftigen Thätigkeit. Zu thun gab es hier genug: zunächst galt es, das vorhandene Material zusichten und aufzuräumen, in der Sammlung der Universität zwar nicht, denn eine solche existierte so gut als nicht: sie bestand aus einem Kasten voll Schwarzwälder Mineral- und Gebirgsarten und einigen grösseren Stücken aus dem Lias. Dagegen steckte der Reichtum von Petrefakten in den Privatsammlungen des Landes. Graf MANDELSLOHE in Urach, später in Ulm, SCHMID und WEISSMANN in Metzingen, HARTMANN in Göppingen, waren die bekanntesten Sammler. Mit diesen allen setzte sich QUENSTEDT ins Benehmen, ihm lag vor allem daran, die wichtigsten Fossile, die er Leitmuscheln nannte, zu bestimmen und mit ihren Schichten in Verbindung zu bringen. Er that dies in vollständig freier Weise, unbekümmert, ob und wie andere vor ihm ein Fossil angesehen und bestimmt hatten; auf Autorität und Priorität hat er nie. das geringste gehalten, „verständliche, bezeichnende Namen sind stets die besten, an die man sich halten muss." An diesem leitenden Grundsatz hielt er auch später mit grosser Energie fest. Wie ernsthaft QUENSTEDT es mit neuen Species nahm, entnehmen wir am besten seinem „Jura", wo er p. 309 sagt: „Eine neue Species, rufen die Oberflächlichen, ein Name, ein Name, als wenn mit dem Namen geholfen wäre. Nein, ansehen, immer wieder ansehen, erwägen muss man die Sache, bis endlich über solche im. ganzen gleichgültige Formen uns ein Licht aufgeht. Hat man einmal den Namen gegeben, dann gibt man sich gar leicht dem Wahne hin, man sei damit fertig. Für Händler ist das vortrefflich, der Kluge aber sieht weiter!" In dieser Art suchte QUENSTEDT sich und anderen klar zu machen, wie er den Begriff der Species auffasste und denselben ganz wesentlich von dem geologischen Horizont abhängig machte und eben damit einen Begriff beizog, der bisher nie in seiner vollen Bedeutung gewürdigt war.

Die erste Publikation über Schwaben machte QUENSTEDT in der heute fast ganz vergessenen Zeitschrift „Schwaben, wie es war und ist". Hier schrieb er über das s c h w ä b i s c h e S t u f e n l a n d und brachte eben damit die neue Heimat unter einen Gesichtspunkt: in Terrassen gliederte er zuerst den Jura, unterschied beziehungsweise den Schwarzen, Braunen und Weissen Jura; denn deutsch und verständlich wollte er in erster Linie sein, darum ward aller fremdländische Kram als wertlos über Bord geworfen. Unvergessen bleibt mir eine Scene in Rottenmünster. Ein junger Bergbeflissener bei Herrn v. ALBERTI fing an, von „Kelloway" zu sprechen, das in der Nähe an der Gosheimer Terrasse so schön anstehe. „Was ist Kelloway?" wetterte QUENSTEDT, „die Makrocephalenbank ist es, die sicher genug im oberen Braunen festgestellt ist. Wenn man Kelloway sagt, kann ich mir lediglich nichts darunter denken, bei dem Wort Makrocephalenbank sehe ich die typische Leitmuschel für den oberen Braunen vor mir."

Im Jahre 1845 wurde in Stuttgart der Verein für vaterländische Naturkunde gegründet. QUENSTEDT trat zwar demselben von Anfang an bei, konnte sich aber nie so recht mit ihm befreunden, er schrieb wohl für die Hefte, aber möglichst wenig und nur soweit es in seinem Interesse lag. Gleich im 1. Jahrgang sprach er sich über die Hoffnung auf den Fund von Steinkohle in Schwaben aus (p. 145).

Abratend vom Schwarzwald, wo damals die Kohle erbohrt werden sollte, wies er auf Becken einwärts im Stufenland hin, hütete sich aber wohl, einen bestimmten Punkt zu bezeichnen, um sich ja keinerlei Blösse zu geben für den Fall, dass keine Kohle erbohrt würde. Eine Kontroverse mit Prof. Kurr war die nächste Folge von Quenstedt's Äusserung. Den Einwurf des Fehlens eines alten Festlandes, darauf die Steinkohlenpflanzen gewachsen wären, lässt Quenstedt nicht gelten, überhaupt n i c h t d u r c h S p e k u l a t i o n, s o n d e r n a l l e i n d u r c h B o h r e n könne die Kohle ermittelt werden. Dieser allein richtige Grundsatz gilt auch heute noch, nachdem indessen ein halbes Jahrhundert über Schwaben dahingegangen.

Im folgenden Jahr begann Quenstedt das Hauptwerk seines Lebens, die P e t r e f a k t e n k u n d e D e u t s c h l a n d s. Neben dieser schriftstellerischen Arbeit, die ihn, wie er voraussah, jahrelang beschäftigte, versäumte er aber auch die heimische Geognosie nicht. In den 40er Jahren seines Lebens war er wohl einer der besten Fussgänger Schwabens, ohne besondere Mühe und Anstrengung war er im stande, den ganzen Tag zu marschieren, das Wetter genierte ihn wenig. Im Frühjahr und Sommer wurde das schwäbische Land durchstreift, im Herbst aber eine Tour in weitere Ferne unternommen. Wer sich von Studierenden anschliessen wollte, war willkommen. So wurde 1842 eine Fusstour nach Südfrankreich gemacht, 1844 nach Oberitalien, 1845 nach den Savoyer Alpen u. s. w. Anfangs der 50er Jahre stellte sich ein beunruhigendes Lungenleiden ein, das ihn zur Vorsicht auf seinen oft überanstrengenden Fusstouren mahnte. Das kam den Studien zu gut, also dass 1852 das H a n d b u c h d e r P e t r e f a k t e n k u n d e erscheinen konnte, dessen 2. Auflage 1866 nachfolgte, während die 3. Auflage mit 100 neu lithographierten Tafeln und auf die Zahl 443 vermehrten Holzschnitten 1885 herauskam. Die grösste Zahl der Originale sind der akademischen Sammlung entnommen als ebenso viele Dokumente der württembergischen Erfunde. Mehr als alle übrigen Organismen des Schwäbischen Jura luden die Ammoniten zum Studium ein; es erschienen daher 1846/49 als Bd. I der Petrefaktenkunde Deutschlands „Die C e p h a l o p o d e n", namentlich gab aber der „J u r a", Tübingen 1858, dem Studium das Material an die Hand, um die Frage über das Wesen der Arten zu begreifen. Quenstedt ward nicht müde, das H a u p t g e w i c h t b e i B e s t i m m u n g d e r A r t e n a u f d a s g e o l o g i s c h e A l t e r zu legen, so bestimmte sich am sichersten das Beständige und das Veränderliche an der Art. War es vielfach Sitte geworden, jede abweichende Form kurzweg mit einem neuen Namen zu belegen, so zog es QUENSTEDT vor, den einmal angenommenen Namen einer guten Species als einen Typus festzuhalten, das Abweichende der Form aber durch Beifügung eines zweiten Namens, der meist der Schicht entnommen war, näher zu bezeichnen. Dieser Grundsatz der Bestimmung der Arten wurde durch die ganze „Petrefaktenkunde Deutschlands" festgehalten: 1868/71 erschien Bd. II „Die Brachiopoden"; 1872/75 Bd. III „Die Echiniden"; 1874/76 Bd. IV „Die Asteriden und Encriniden"; 1876/78 Bd. V „Die Schwämme"; 1878/81 Bd. VI „Die Korallen"; 1881/84 Bd. VII „Die Gasteropoden". Nahezu die Hälfte sämtlicher in den Werken abgebildeten und beschriebenen Muscheln ist den schwäbischen Schichten entnommen. Im ganzen hat QUENSTEDT in der Petrefaktenkunde auf 218 Foliotafeln 19029 Stücke Fossile abgebildet und erklärt. Eben damit wurde in Schwaben die Kenntnis von Fossilen verbreitet, wie solches in keinem zweiten Land der Welt der Fall ist.

Den Schluss der zahlreichen Publikationen bilden die „Ammoniten des Schwäbischen Jura" 1882/89, mit 126 Tafeln und gegen 5011 Figuren. In den Schlussworten zu dieser Arbeit ist gewissermassen als Vermächtnis QUENSTEDT's das Resultat 55jähriger Beobachtungen enthalten. „Die Ammonshörner sind meine Lieblinge geblieben," ihre Darstellung bildet auch gewissermassen den Abschluss des langen 81jährigen Lebens, welches reich gesegnet mit Kindern, Enkeln und Urenkeln war. Der Geist des nie ruhenden Mannes hätte am liebsten angesichts des letzten Aushängebogens, den ihm der Verleger vorgelegt, sogleich wieder den ersten Bogen einer neuen Arbeit geschrieben, aber das Mass des Lebens war voll. In seinem geliebten Schappachthal, wohin er sich gern während der Ferienzeit zurückzog, traf ihn der erste Schlaganfall, dem bald neue Anfälle mit schweren Lähmungserscheinungen folgten, die dem sonst so kräftigen Mann das Leben recht sehr erschwerten, so dass der Tod, als er am 21. Dezember 1889 sich einstellte, dem leidenden Mann willkommener Erlöser war.

Angesichts der schwäbischen Berge, über die er über ein halbes Jahrhundert lang gewandelt, ruht er jetzt als müder Wanderer. Sein Geist aber lebt fort in einem dankbaren Kreise von Schülern und Freunden, ebenso wie in den weitesten Kreisen des schwäbischen Volkes, das er zum Studium und Sammeln angeleitet hat.

Nekrolog

des **Professors Albert Steudel** von Ravensburg.

Von **K**. Miller.

Von den sieben Herren, welche am 9. Dez. 1872 in Schussenried erstmals zusammenkamen und deren Zusammenkunft die Gründung des oberschwäbischen Zweigvereins folgte, ist nunmehr der vierte zu Grabe gegangen. Nachdem der biedere Seyerlen schon im Jahre 1881, und unsere beiden Senioren, Ducke und Valet, deren verdienstliche Forschungen in Oberschwaben grösstenteils noch einer vergangenen Generation angehörten, hochbetagt im Jahre 1889 nacheinander gestorben sind, folgte ihnen nun auch am 28. Nov. 1890 Steudel, welcher seit zwei Jahren als Pensionär in Friedrichshafen gelebt hatte.

Albert Steudel hatte das Schwabenalter bereits überschritten, als er anno 1865 zum erstenmale im Kreise der Naturforscher auftrat. In doppelter Hinsicht hat er fortan sich unzweifelhafte Verdienste um die Wissenschaft erworben, nämlich einerseits durch seine Arbeiten über die Glacialbildungen Oberschwabens, anderseits durch seine Gebirgspanoramen.

Anlässlich der Versammlung süddeutscher Forstmänner in Ravensburg im Juli 1865 brachten Ducke und Steudel ihre Sammlungen oberschwäbischer Geschiebe zur Ausstellung. Der bescheidene Ducke war in seinen gründlichen Forschungen um mehr als 20 Jahre voraus; schon anno 1847 hatte Escher dessen Erratica bestimmt und deren Heimat nachgewiesen. Auch Bruckmann hatte in Isny schon anno 1851 eine hübsche Sammlung von Geschieben hergestellt. Was jedoch Ducke nicht gelungen war, nämlich in weiteren Kreisen An-

erkennung zu finden, das hat STEUDEL erreicht. Im Frühjahre 1865
war er bei Prof. THEOBALD in Chur, liess durch diesen in Graubündten
am besten bewanderten Forscher seine Findlinge bestimmen und
brachte die von THEOBALD etiquettierte Sammlung schon im Juli d. J.
zur Ausstellung. Der folgende Aufsatz in diesen Jahresheften (XXII.
S. 104/115) „Über die Heimath der oberschwäbischen Geschiebe"
leitete alsbald einen regen Tauschverkehr ein, wie es dem lebhaften
und regsamen Wesen unseres Freundes entsprach. Die geologische
Landesaufnahme brachte im nächsten Jahre BACH und HILDEBRAND
nach Oberschwaben, und im September 1866 erschien QUENSTEDT
selbst in Ravensburg, um die Arbeiten HILDEBRAND's zu revidieren
und zugleich die erratischen Gebilde zu studieren. Das Tages-
ereignis waren die Rentierfunde an der Schussenquelle durch FRAAS,
von deren Besichtigung QUENSTEDT herkam. Ungläubig schüttelte
der Altmeister den Kopf über die angebliche „Eis- und Gletscherzeit", indem er das Vorkommen von Rentieren in Deutschland
noch zu CÄSAR's Zeit verteidigte, und auf dem Frankenberg bei
Waldburg in den riesigen Findlingen nur Beweise für einstige Wasser-
bedeckung und Eisschollentransport erkannte. Es bedurfte der ganzen
Überredungskraft STEUDEL's, unterstützt von dem praktischen HILDE-
BRAND, um auch dem verehrten Lehrer schon jetzt wenigstens vor-
übergehende Geständnisse zu entlocken. Im folgenden Jahre 1867
erwies ESCHER VON DER LINTH unserem Freunde und der Ravensburger
Kiesgrube die Ehre eines Besuches. STEUDEL verarbeitete seine Funde
in einem französisch geschriebenen Aufsatz der Bibliothèque universelle de Genève, t. XXIX, Juillet 1867 („Notice sur le Phénomène
erratique au nord du lac de Constance"), welche ihm Dank und
Anerkennung von französischen Gelehrten, DE MORTILLET u. a., eintrug.
Einen dreimonatlichen Urlaub, welchen er von Juli bis September
1867 erhielt, um mit Staatsunterstützung in Frankreich und England die französische und englische Konversation wieder aufzufrischen,
benützte STEUDEL zugleich zu geologischen und archäologischen Studien insbesondere in der Normandie, in England, Irland und Schottland, und wohnte dem archäologischen Kongress in Paris bei, wo
er in französischer Rede über die Rentierfunde von Schussenried
berichtete. Die folgenden Jahre waren vorherrschend den Pfahlbauten des Bodensees gewidmet.

Das zweite Gebiet, auf welchem STEUDEL sich Verdienste erworben hat, bilden seine Gebirgspanoramen. Geographie war
von jeher sein Lieblingsstudium gewesen. Im Jahre 1860 veröffent-

lichte er zum erstenmale das Waldburgpanorama, zwar noch in primitiver Form, aber doch auf fleissigen Studien beruhend. All- mählich erlangte er in der Kenntnis der Bergformen der verschie- densten Alpenketten und deren Veränderung je nach dem Standpunkt der Ausschau eine Fertigkeit, worin er nicht leicht mehr erreicht werden wird. Ein paar Tage, ja wenige Stunden reichten für ihn aus, um das Panorama von einem neuen Aussichtspunkt so zu skiz- zieren, dass er zu Hause dasselbe mit Musse ausführen konnte. Gar oft musste dasselbe den Wolken und dem Nebel, welche STEUDEL seine ärgsten Feinde nannte, abgerungen, und jeder Augenblick, wo bald da bald dort sich eine lichte Stelle zeigte, erhascht werden, wenn er nicht, was auch oft vorkam, unverrichteter Dinge heim- kehren wollte. Wie gross die Zahl der von STEUDEL gezeichneten Gebirgs-Panoramen ist, können wir nicht genau angeben; viele wur- den auf Kosten einzelner Gönner oder von Vereinen hergestellt und kamen nicht in den Buchhandel; mehrere nichtgedruckte befinden sich in seinem schriftlichem Nachlasse. Es waren aber auch seine glücklichsten Stunden, wenn er an schönen Herbsttagen hohen und allerhöchsten Herrschaften — einmal auf der Weinburg dem greisen Kaiser WILHELM I. selbst, ein andermal auf dem Pfänder dem Kron- prinzen Friedrich und dessen Gemahlin — bei Sigmaringen oder an den Ufern des Bodensees oder auf dem Dampfschiffe bei der Ge- birgsschau den Cicerone machen durfte.

Nicht gering anzuschlagen ist die Thätigkeit STEUDEL's in den wissenschaftlichen Vereinen Oberschwabens, dem Bodenseeverein, dessen langjähriges Ausschussmitglied er war, und dem oberschwäbi- schen Zweigverein für Naturkunde, in dessen Versammlungen er nie fehlte, bis in den letzten Jahren Herz- und Lungenleiden ihm die Teilnahme erschwerten. Es waren seltene Fälle, in denen er nicht etwas vorzuzeigen oder mitzuteilen hatte, und seine zahlreichen Vor- träge haben wesentlich beigetragen, die Aulendorfer Vereinsversamm- lungen stets lebensfrisch zu erhalten.

Wir geben nachstehend ein Verzeichnis der wissenschaftlichen Arbeiten des Verstorbenen, ohne jedoch bezüglich der Panoramen auf Vollständigkeit Anspruch machen zu können.

Waldburgpanorama, mit Text. Autographiedruck. Ravensburg, Dorn, 1860.
Chronik der Stadt Ravensburg, aus gedruckten und un- gedruckten Quellen. Ravensburg 1864.

In diesen Jahresheften:

XXII. Bd. 1865, S. 104—115. Über die Heimat der oberschwäbischen
Geschiebe. Mit 1 Tafel.

XXV. „ 1868, „ 40—56. Über die errat. Blöcke Oberschwabens.

XXXII. „ 1876, „ 75—90. Über das Material der Steinwaffen
aus den Bodenseepfahlbauten.

Notice sur le Phénomène erratique etc. s. o. 1867.

In den Heften des Vereins für Geschichte des Bodensees:

II. Bd. 1869, S. 115—142. Über die errat. Erscheinungen in der
Bodenseegegend. Mit 1 Karte.

III. „ 1872, „ 66—88. Über die Pfahlbauten. Mit 1 Karte.

„ 139. Das Gletscherfeld bei Bregenz.

V. „ 1874, „ 72—91. Die wahrscheinliche Ausdehnung des
Bodensees in vorgeschichtlicher Zeit.

VI. „ 1875, „ 27—35. Über das Tiefseeleben (Vortrag).

„ 49—59. Rückblick u. Ausschau von der Veitsburg.

XI. „ 1880, „ 22—32. Der gefrorene Bodensee des Jahres 1880.

Gebirgspanorama vom Hafen von Lindau aus. In Farbendruck.
Lindau, Stettner, 1868.

Alpenschau. Mit 2 Panoramen (von Friedrichshafen und der Veitsburg aus) und 3 Bergskizzen. 2. Auflage, 280 S. Friedrichshafen, Lincke, 1874. (1. Aufl. 1864.)

Panorama vom schwarzen Grat bei Isny. 2. Auflage, 1875. 4^0.

Panorama von Schloss Zeil. 1877. 4^0. (Autographiert.)

Alpenansicht vom Ottenberg bei Weinfelden. Zürich 1880. 8^0.
(Autographiert.)

Alpenpanorama von Sulzberg aus aufgenommen. Zürich 1880. 8^0.

Alpenaussicht von der Veitsburg. Ravensburg 1883. 8^0. Neue ver-
grösserte Auflage gegenwärtig in Druck.

Panorama von der Fürstenhöhe bei Sigmaringen. Zürich 1883.
4^0 und 1887 8^0.

Alpenpanorama von Friedrichshafen. Ravensburg, Dorn, 1887.
12^0. Chromolith.

Panorama vom Nollen bei Wyl. 1888.

Von folgenden Panoramen können wir das Jahr der Herstellung
nicht angeben:

Heiligenberg, Aussicht vom Schloss —, gemeinsam mit Keller.
Zürich. 8^0.

Hohenfreschen, Panorama vom —. Wien. 4^0.

Kapf, Aussicht vom K. ob Wasach über die Umgebung von Oberst-
dorf. 4^0. o. O.

.Meldegg, Panorama von der —. 4^0. o. O.

Pfänder, Panorama vom —. 4^0. o. O.

Tarasp, Panorama vom Schloss —, autographiert von Brugier. qu. 4^0.

Waldburg, neuere Ausgabe, in Farben-Lithographie, gedruckt bei
Hochdanz in Stuttgart. 8^0.

ALBERT STEUDEL erblickte das Licht der Welt in Winzerhausen am 31. August 1822. Sein Vater war der nachmalige Dekan JOSEPH ALBRECHT STEUDEL in Brackenheim. ALBERT zeigte schon als Knabe viele Freude und Talent zum Zeichnen und wollte Baumeister werden. Aber der 1834 erfolgte frühzeitige Tod des kaum 42 jährigen Vaters — derselbe starb am Typhus — bestimmte ihn, des Vaters Beruf zu wählen, weil so die Seminarlaufbahn die Sorgen der Mutter verminderte. Nach Absolvierung der Universitätsstudien im Jahre 1844 war er zwei Jahre lang Hauslehrer bei dem ref. Pfarrer AL-MERAS in Bolbec (Dép. Seine inf.), in dessen Hause auch englische Pensionäre waren. Nach seiner Heimreise, welche über England und Holland erfolgte, wurde er 1846 Vikar in Hall, 1847 Repetent in Schönthal, 1848 Vorstand der Töchterschule in Heilbronn, 1854 Diakonus und Präzeptor am Lyceum in Ravensburg, welch letztere Stelle er im folgenden Jahre mit einer seinen Neigungen besser entsprechenden Reallehrstelle daselbst vertauschte. Hier war die Stätte seines Wirkens bis zu seiner 1888 erfolgten Pensionierung. Bei der Erweiterung der Realanstalt Ravensburg ward ihm der Professorstitel zu teil. Mit Recht rühmten die Personalberichte seinen „sehr anziehenden Vortrag", „Gewandtheit und Lebendigkeit im Vortrag, mehr als gewöhnliche Gabe, anregend auf die Schüler zu wirken, hauptsächlich im geschichtlichen und geographischen Unterricht". Wir können selbst es bezeugen, dass viele seiner Schüler noch, nachdem Jahrzehnte verflossen sind, seine lebhaften und spannenden Schilderungen aus Geographie und Naturgeschichte in frischem Gedächtnis haben. Durch seine vielen Reisen (ausser den schon genannten erwähnen wir noch anno 1857 nach Berlin, 1865 nach Italien) hat er selbst Eindrücke gesammelt, welche im Unterricht ausgiebig verwertet wurden.

Im Jahre 1849 schloss ALBERT STEUDEL in Schönthal den Bund seiner Ehe mit AMALIE WILHELMINE KAPOLL, Tochter des Hauptzollverwalters in Heilbronn. Die Wanderlust des Vaters ging auch auf die zwei dieser Ehe entsprossenen Söhne über, von welchen der ältere (ALBERT) Konsul in Moskau, der jüngere (ROBERT) in Philadelphia ist. Die Erblindung der teuren, schon vorher nahezu tauben Gemahlin und deren spätere erfolglose Staaroperation, sowie eigene langwierige asthmatische Beschwerden haben in den letzten Jahren dem verstorbenen Freunde viele kummervolle Stunden bereitet, und ihn auch vom Vereinsleben mehr und mehr zurückgehalten. — An Anerkennungen sind ihm zu teil geworden die württembergische und die rumänische

Medaille für Kunst und Wissenschaft, die deutsche Kriegsmedaille, die Ernennung zum korrespondierenden Mitglied der geologischen Reichsanstalt in Wien und anlässlich seiner Pensionierung der württembergische Friedrichsorden I. Klasse. Was er aber höher als dies alles schätzte, das war die vieljährige und unwandelbare Gunst und Freundschaft seitens des hochsinnigen Fürsten KARL ANTON von Hohenzollern-Sigmaringen, als dessen Gast er in Sigmaringen, Krauchenwies und auf der Weinburg so viele glückliche Ferien verbrachte. Diese intimen Beziehungen wurden ihm auch von der hohen Gemahlin des Fürsten ANTON und der ganzen Familie zu teil, und nach dem Tode des Fürsten ANTON noch bis zu STEUDEL's Ableben in rührender Weise fortgesetzt. In naturwissenschaftlichen Kreisen wird das Andenken an ALBERT STEUDEL mit seinem mitteilsamen Wesen, seinem kräftigen Organ, seinem reichen Wissen, dessen allzeit bereite Verwertung zu seinen Charakterzügen gehörte, noch lange unvergessen bleiben.

Sitzungsberichte[1].

Sitzung vom 9. Oktober 1890.

Bei der Wiederaufnahme der Sitzungen nach der sommerlichen Pause begrüsste Prof. Dr. O. FRAAS die zahlreich erschienenen Mitglieder und gedachte zunächst in warmen Worten der Erinnerung des seit der letzten Zusammenkunft verschiedenen Direktor Dr. v. KRAUSS, des Gründers des Vereins. Seiner rastlosen, umfassenden Thätigkeit als langjähriger Vorstand wie auch als Bibliothekar des Vereins ist es zu danken, dass dieser heute eine weithin angesehene und hervorragende Stellung einnimmt. Einen zweiten Nachruf widmete der Redner dem im besten Mannesalter dahingegangenen Prof. Dr. v. MARX, in welchem der Verein ebenfalls ein treues, hochverdientes Mitglied verloren.

Bei der daraufhin vorgenommenen Büreauwahl wurde für den Winter 1890/91 als Vorsitzender der monatlichen Zusammenkünfte Prof. Dr. O. SCHMIDT (K. tierärztliche Hochschule), als dessen Stellvertreter Prof. Dr. A. SCHMIDT (Realgymnasium) gewählt; das Amt des Schriftführers wurde wiederum Dr. KURT LAMPERT (K. Naturalienkabinet) übertragen.

Den ersten Vortrag hielt Prof. Dr. E. HOFMANN (K. Naturalienkabinet) über das Auftreten der Nonne bei Wolfegg. Mit Rücksicht auf die vielfachen, auch in der Tagespresse erschienenen Artikel über diesen Schädling und den durch die Gefrässigkeit der Nonnenraupen verursachten Forstschaden, beschränkte sich der Redner auf einen Bericht über seine eigenen Beobachtungen, die er im Obertannenwald bei Wolfegg vom 14.—16. August. angestellt. Die Raupen der Nonne kommen bekanntlich alljährlich in kleiner Anzahl vor und leben, wie schon OCHSENHEIMER angibt und wie dies von Finanzrat SCHULER und

---

[1] Unter dieser Rubrik soll künftig über die an den „wissenschaftlichen Abenden" gehaltenen Vorträge und Demonstrationen unter Zugrundlage der Referate der Herrn Vortragenden eingehender als es bisher der Fall war, berichtet werden.

d*

Inspektor Hahne bestätigt wird, mehr von den Flechten der verschiedensten Bäume; bei einer grossen Vermehrung jedoch ziehen sie die Nadeln der Waldbäume allem andern Futter vor.

Schon auf dem Wege von Wolfegg zum Wald fanden sich an einzeln stehenden Birken Nonnen sitzend, welche aber so täuschend den auf der Rinde vorkommenden Flechten ähnlich sahen, dass sie nur ein sehr geübtes Auge davon unterscheiden könnte. Auch am Rande des Waldes waren an den Fichtenstämmen nur wenige Schmetterlinge zu beobachten. die sich jedoch rasch vermehrten, je mehr man in das Innere des Waldes vordrang.

Hier gab es selten einen Baum, welcher weniger als 100 Schmetterlinge enthielt, die meist in den Nachmittagsstunden ruhig sitzen blieben: erst gegen 4 Uhr suchten die Männchen bei der Annäherung an den Bäumen das Weite, um sich jedoch nur an andere, nahestehende zu setzen. Die Weibchen flogen jedoch nur äusserst selten fort, und konnten leicht mit der Nadel angespiesst werden.

Auch die Verheerung an den Bäumen war am Waldrande sehr unbedeutend, an den grossen mit Zweigen bis am Boden befindlichen Ästen war fast nichts von dem Frasse zu bemerken; erst im eigentlichen Hochwalde, der den Raupen Schutz vor Wind und Wetter bot, war die Zerstörung am grössten. Der Boden war dort einige Centimeter hoch mit abgefressenen Nadeln, Kot und toten Schmetterlingen bedeckt; die Bäume waren eben vollständig ihrer Nadeln beraubt und selbst das Unterholz war von den hungrigen Tieren vollständig entlaubt, wie Heidelbeeren, junge Buchen und andere niedere Pflanzen. Hier waren die Bäume fast ganz mit Schmetterlingen bedeckt, an einem sehr dicken Baume zählten wir über 1000 Stück [1].

Da Redner mit der Absicht dorthin ging, um für die Vereinssammlung ein naturgetreues Bild von dieser grossartigen, zum Glück seltenen Vermehrung einer einzigen Art herzustellen, so war die nächste Aufgabe, möglichst viel Schmetterlinge mitzunehmen. An Auswahl fehlte es unter diesen Hunderttausenden nicht; bald war der Vorrat von Nadeln verbraucht; solange Papier vorhanden war, wurden die Schmetterlinge in Düten gelegt, aber selbst dieses reichte nicht aus, und nun wurden die getöteten Tiere in Blechbüchsen geschichtet und jedes mit einem Eichenblatt bedeckt, um dann nach der Ankunft in Wolfegg regelrecht angespiesst zu werden. Auf diese Weise wurden vom Redner mehrere Hundert Schmetterlinge mitgebracht.

Die Hoffnung, unter einer solchen grossen Menge von Schmetterlingen Varietäten oder Zwitter zu erhalten, war umsonst. Unter den Hunderttausenden, die der Redner jeden einzeln genau ansah, war, obwohl fast kein Stück dem anderen genau in der Zeichnung gleicht, doch kein Exemplar von der in Norddeutschland gar nicht seltenen Varietät *Eremita* dabei, die fast ganz dunkel gefärbt ist.

Auffallenderweise fanden sich von den massenhaften Schmetter-

[1] Professor Keller am nämlichen Platze 1200. Naturwissensch. Wochenschrift 1890, S. 407.

lingen keine in Begattung; die Weibchen, die im Verhältnis zu den Männchen in viel grösserer Anzahl vorhanden waren, hatten alle ihre Eier schon abgelegt; es wäre sehr unnötig gewesen, diese zu vertilgen, obwohl ein Mann mit einem dicken Stocke Hunderttausende hätte zerdrücken können. Ein solches Verfahren hätte nur in den frühesten Morgenstunden Wert, wo sich die Spinner kurz nach dem Ausschlüpfen begatten und die Weibchen bald darauf ihre Eier ablegen, und ganz besonders im ersten Jahre des Auftretens, wo viele durch das Forstpersonal getötet werden könnten. Nach TASCHENBERG würden dieselben erst nach einigen Tagen die Eierablage beginnen; jedenfalls hatten alle um diese Zeit befindlichen Weibchen ihre Eier bereits abgelegt.

Die Eier selbst werden von den Weibchen mit Hilfe ihrer lang ausstreckbaren Legröhre in den Ritzen der Bäume abgesetzt, um sie möglichst zu verstecken und vor Nässe zu schützen, und ohne ein starkes Messer oder Stemmeisen gelingt es nicht, dieselben zu entdecken; äusserst selten findet man im Moos Eierhäufchen, doch sollen auch auf den Ästchen Eier zu finden sein, besonders bei so grosser Vermehrung der Schmetterlinge.

Welche Eiermassen zusammengebracht werden können, ersieht man aus den Berichten, welche in der Provinz Brandenburg im Jahre 1839—40 gemacht wurden. Dort wurden 10 Centner Nonneneier gesammelt und wenn man bedenkt, dass 20 000 Stücke auf das Lot gehen, so kann man sich einen Begriff von dieser Menge machen; und doch bemerkte man im nächsten Jahre keine besondere Abnahme in diesem Forste, ein Beweis, wie wenig der Mensch gegen solches Massenauftreten dieser Tiere auszurichten im stande ist; bei München wurden auch Tausende von Schmetterlingen durch das elektrische Licht und den Exhaustor getötet, mit welchem Erfolg, wird das nächste Jahr zeigen. (Münchener Neueste Nachrichten, 1890. Nr. 305, 349, 363.)

Die einzigen Feinde, die bei Wolfegg beobachtet wurden, waren die Staaren, die in Schwärmen in den Wald flogen und sich mit Nonnenpuppen vollfrassen, aber keine grössere Verminderung hervorbringen konnten. Die Raupen selbst werden, da sie zu haarig sind, nur von den Kuckucken gefressen, die bekanntlich nie in grösserer Menge vorhanden sind.

Da bis jetzt ein Nonnenfrass nie über drei Jahre gedauert hat und wir uns bereits schon im zweiten Jahre befinden, so können nur die Witterungsverhältnisse und insbesondere die Schmarotzer, die Schlupfwespen und Raupenfliegen Hilfe bringen.

Die Eier werden wohl von vielen Vögeln im Winter abgesucht werden, doch ist dies bei der enormen Masse von wenig Bedeutung, denn Kälte und Nässe schaden den Eiern gar nicht. Viel empfindlicher sind die jungen Räupchen. Redner hielt es nicht für unmöglich, dass bei dem abnormen warmen Wetter des Herbstes 1889 viele Räupchen ausnahmsweise zum Ausschlüpfen gelangen würden und im Winter zu Grunde gingen. Nach einer Mitteilung seines Begleiters, Herrn Hofgärtner SCHUPP, ist leider bei Wolfegg nichts davon zu bemerken und so müssen wir das Frühjahr abwarten, was nun geschehen wird.

Ausser der Witterung sind es besonders die Schmarotzer, welche mit den Raupen fertig werden. RATZEBURG zählt 22 Schlupfwespen auf, die in der Nonne gefunden worden sind. Zwei davon leben in den Eiern und wären deshalb am wirksamsten; leider kommen sie aber selten in sehr grosser Anzahl vor, dass sie massenhaft die Eier zerstören können. Es sind dies *Teleas*-Arten.

Zwei andere Arten leben in den Raupen, verlassen diese und verpuppen sich in Häufchen auf oder neben der getöteten Raupe (*Microgaster*), wie bei den Weisslingen die gelben Coconhäufchen am leichtesten zu beobachten sind, ebenso an der Fichtenglucke, *Bombyx pini*.

Die anderen leben in den Raupen, diese verpuppen sich, anstatt des Schmetterlings erscheint aber die Wespe.

Ausser den so nützlichen Schlupfwespen gibt es auch eine Gruppe von Fliegen, die in den Körpern der Nonnenraupe leben und diese töten. Solche sind bei Wolfegg öfters beobachtet worden.

Ausserdem gibt es eine ganze Reihe niederer, zu den Pilzen gehöriger Pflanzen, welche sich schon des öfteren als bedeutende Feinde schädlicher Raupen erwiesen haben und verheerende Epidemien unter diesen zu erzeugen im stande sind; so hat die als Muscardine bekannte Insektenkrankheit in einem zur Gattung *Botrytis* gehörigen Pilz ihre Ursache; die Flacherie und Tebrine, ebenfalls verheerende Insektenkrankheiten, werden durch Spaltpilze verursacht. Der Bruder des Vortragenden, Herr Medizinalrat Dr. HOFMANN in Regensburg, weist in einem, das interessante Kapitel von den insektentötenden Pilzen eingehend besprechenden Vortrag[1] darauf hin, dass diese kleinen Bundesgenossen des Menschen auch bei der Nonnenraupenepidemie des Sommers bereits anfingen, diese Waldverderber zu bekämpfen, indem Fälle von Flacherie und Muscardine bei Nonnenraupen beobachtet wurden. Auch gegen Temperatureinflüsse, besonders gegen kaltes und nasses Wetter, sind die Raupen sehr empfindlich.

Dass die Witterung, Schlupfwespen und Raupenfliegen in diesem Jahre noch nicht viel helfen konnten, war an der enormen Masse von Schmetterlingen zu sehen, und wenn die Witterung nicht zerstörend auf die Ende April und anfangs Mai auskriechenden Raupen wirkt, so haben wir es mit einer noch viel grösseren Menge derselben zu thun, als im heurigen Jahre und es wird noch eine bedeutendere Anzahl von Wälder zerstört werden, als in diesem Jahre.

Die Fläche, welche im Altdorfer Wald vernichtet ist, beträgt fast eine Stunde im Umkreis und wurde als ein brauner Streifen von uns sehr schön von der Waldburg aus übersehen. Die Verheerungen der Nonnenraupen im Revier Weingarten waren fast noch bedeutender als die bei Wolfegg. Herrn Forstrat von FISCHBACH verdanken wir die einzelnen Zahlen des dortigen Raupenfrasses.

---

[1] Erschienen in dem Wochenblatt für Forstwirtschaft: „Aus dem Walde." Jahrg. 1891.

Ganz entlaubt wurden dort: 60—100 jährige Bäume 129 ha
,,   ,,   ,,   ,,   40—60   ,,   ,,   104,7
,,   ,,   ,,   ,,   20—40   ,,   :,   11
                                        —————— 244,7
stark befallen: 60—100   ,,   ,,   120,9 ha
,,   :,   40—60   :,   ,,   68,5
,,   ,,   20—40   ,,   ,,   11,4
,,   ,,   1—20   ,,   ,,   2
                                        ————— 202,8
schwach befallen: 60—100   ,,   ,,   274,7 ha
,,   ,,   40—60   ,,   ,,   264,6
,,   ,,   20—40   ,,   ,,   163,3
,,   ,,   1—20   ,,   ,,   113
                                        ————— 815,6

Summe 1263,1 ha.

Der bei Wolfegg so stark beschädigte Wald heisst Obertannen-wald und ist ein Teil des grossen Altdorfer Waldes, in welchem schon im Jahre 1838—40 ein grosser Nonnenfrass stattgefunden hatte; der als „Raupenwald" bekannte Teil zieht sich mehr nordöstlich von der Strasse von Wolfegg nach Weingarten, und dieser Raupenfrass scheint, ausser einem mehr unbedeutenden bei Saulgau im Jahre 1856, der grösste in Württemberg gewesen zu sein, denn Forstrat Nördlinger erwähnt in seinen Nachträgen zu Ratzeburg's Forstinsekten nur diesen und zu gleicher Zeit einen im Jagstkreise.

Redner gibt am Schlusse der Hoffnung Ausdruck, dass das Wetter im Frühjahr 1891 recht ungünstig für die Nonnenraupen sein möge, dass die Schlupfwespen und die Raupenfliegen in Anzahl anrücken und ihre Schuldigkeit thun werden und dass wir wieder so lange von dieser Plage befreit sein mögen, wie vom Jahre 1856—1890.

Hierauf sprach Prof. Dr. O. Schmidt (K. tierärztliche Hochschule) über Mineralwasser.

Die Veranlassung zu diesem Vortrag bot dem Redner ein drei-wöchentlicher Aufenthalt im Bade Langenschwalbach in der Provinz Hessen-Nassau, bei welcher Gelegenheit er die verschiedenen Mineral-quellen im Gebiete zwischen Rhein und Lahn besuchte.

Schwalbach, wie man in der Regel das Bad Langenschwal-bach kurzweg nennt, liegt ziemlich in der Mitte des Dreiecks zwischen dem Einfluss des Mains in den Rhein, dem Einfluss der Lahn in den Rhein und der Stadt Limburg an der Lahn, welche als Bischofssitz bekannt ist. Es ist umgeben von den Mineralquellen von Schlangenbad, Ems, Geilnau, Fachingen, Zollhaus, Ober- und Nieder-selters, Wiesbaden und Weilbach. Die Verbindung mit den wichtigeren der genannten ist eine nicht zu schwierige und eine Reihe herrlicher Strassen führt zu denselben. Eine solche führt über Schlangenbad am weinberühmten Rauenthal vorüber hinab nach Eltville an den Rhein. die andere durch das anmutige Wisperthal nach Lorch am Rhein, eine

dritte führt zu dem hoch und frei auf dem Gebirge gelegenen Städt-
chen Kemel, eine vierte durch das romantische Aarthal am alten
und neuen Stollen vorüber nach dem Zollhaus und von dort per Bahn
in kurzem nach Diez (an der Lahn) und endlich die fünfte über das
Chausseehaus nach Wiesbaden.

Letztere ist fast verlassen. Die neue Bimmelbahn bringt jetzt
all den Zuzug von Kurgästen und Passanten von Wiesbaden her, so
dass Schwalbach im Jahre 1890 einen Fremdenbesuch aufzuweisen
vermag, wie er früher für kaum glaubhaft gehalten worden wäre. Der
Zug fährt die kurze Strecke Wiesbaden-Schwalbach wegen der starken
Steigungen (1 : 30) in kaum erträglich langsamer Weise. Die „Eiserne
Hand" ist die höchstgelegene der Stationen, von da aus fällt die Bahn
einerseits gegen Wiesbaden, anderseits gegen Schwalbach ab.

Die Lage des Ortes zwischen nicht zu hohen Bergen, der Wald,
der Schwalbach fast überall umgibt, die vielen prächtigen und gut-
gehaltenen, zum Teil ziemlich ebenen, schattigen Spazierwege in den
vielverzweigten Thälern, die schönen Anlagen und das Kurhaus, die
völlig zwanglose Verquickung von Landaufenthalt und Kurleben, die
freie Auswahl zwischen beiden je nach Stimmung, alles dies zusammen-
gehalten mit den zwar rheinischen aber doch nicht übermässigen Preisen
macht den Aufenthalt sehr angenehm, ganz abgesehen vom Gebrauche
der Quellen.

Das herrschende Gestein ist der rheinische Thonschiefer, an einzelnen Orten von allerdings vielfach gebrochenen Lagen von Dachschiefern,
an anderen von Grauwacke durchquert. Basaltaufbrüche sind nicht
selten. An einzelnen Stellen führt das Gestein Erz, das zum Teil auch
ausgebeutet wird. Bei den so tief eingeschnittenen Thälern ist hier
so recht das Gebiet der Mineralwasser. Von einer ganzen Reihe kleiner
Orte hat jeder seinen Gesundbrunnen, wenn man sonst auch nie von
denselben hört, weil deren Wasser nicht in den Handel gelangen.

Versucht man die bekannteren Mineralquellen des schon umschrie-
benen Gebiets zu klassifizieren, so fällt in erster Linie auf, dass
allein acht derselben den Thermen im weiteren und sechs von diesen
den Thermen im engeren Sinne zuzuzählen sind.

Werden alle diejenigen Mineralquellen, deren konstante Temperatur
die mittlere Lufttemperatur des betreffenden Ortes übersteigt, als
Thermen im weiteren und alle diejenigen derselben, deren konstante
Temperatur über 30^0 C. liegt, als Thermen im engeren Sinne betrachtet, so sind zu ersteren zu rechnen:

die Schlangenquelle zu Schlangenbad mit $30,0^0$ C.
der Kaiserbrunnen zu Ems ,, $28,5^0$,,
und zu letzteren:
der Wappenbrunnen zu Ems ,, $35,0^0$,,
,, Kränchenbrunnen zu Ems ,, $35,8^0$,,
,, Fürstenbrunnen ,, ,, ,, $39,4^0$,,
,, Kesselbrunnen ,, ,, ,, $46,6^0$,,
die neue Quelle ,, ,, ,, $50,0^0$,,
der Kochbrunnen zu Wiesbaden ,, $67,5^0$,,

Alle aber charakterisieren sich als sogenannte Säuerlinge, d. h. als Mineralwasser, welche durch ihren Gehalt an freier Kohlensäure einen ziemlich prickelnden Geschmack besitzen und an der Quelle mehr oder minder perlen. Am wenigsten ist diese Eigenschaft am Schlangenbrunnen zu Schlangenbad und am Kochbrunnen zu Wiesbaden ausgeprägt. Unter ihnen sind fast alle Arten von Säuerlingen vertreten, d. h. sie enthalten entweder neben freier Kohlensäure und Bikarbonaten von Metallen auch sogenannte Mittelsalze oder sie entbehren derselben mehr oder minder. Säuerlinge, welche neben freier Kohlensäure und Bikarbonaten noch erkleckliche Mengen von Mittelsalzen, d. h. von Chloriden und Sulfaden gelöst enthalten, nennt man salinische Säuerlinge.

Ist das Mittelsalz hauptsächlich Natriumchlorid, so heissen diese salinischen Säuerlinge „Kochsalzsäuerlinge"; hierher würden vergleichsweise die Wasser von Homburg, die Salzquelle zu Kissingen und zu Baden gehören.

Ist das Mittelsalz hauptsächlich Natriumsulfat, so werden solche Säuerlinge wohl Glaubersalzsäuerlinge genannt, z. B. die Wasser von Karlsbad, Marienbad und Franzensbad.

Sind die Mittelsalze hauptsächlich Magnesiumverbindungen, so nennt man die Säuerlinge Bittersäuerlinge, von welchen zwei Untergruppen existieren, die eine mit vorherrschendem Magnesiumchlorid, die andere mit vorherrschendem Magnesiumsulfat neben Natriumsulfat.

Ist endlich ein Teil des Natrium- und Magnesiumchlorides durch Natrium- oder Magnesiumbromid beziehungsweise Jodid ersetzt, so spricht man von Brom- oder Jodsäuerlingen.

Fehlen in den Bittersäuerlingen die freie Kohlensäure und die Bikarbonate, so werden sie einfach als Bitter- resp. Bittersalzwasser bezeichnet; z. B. Franz Joseph, Ofener Hunyadi Janos.

Alle die verschiedenen Arten von salinischen Säuerlingen gehen durch die Abstufung ihrer Bestandteile so ineinander über, dass man von keiner Art genau angeben kann, wo sie beginnt und wo sie aufhört. Doch möchte Redner das Thermalwasser von Wiesbaden am ehesten einen armen Salzsäuerling nennen. Denn es hält neben freier Kohlensäure und Bikarbonaten 0,68 % Natriumchlorid als reichlichsten Bestandteil.

Die übrigen Wasser der vom Redner aufgesuchten Quellen sind gewöhnliche Säuerlinge, d. h. sie enthalten alle neben zurücktretenden Mittelsalzmengen freie Kohlensäure und Bikarbonate, welche letztere jedoch nach Art und Quantität für die weitere Klassifikation derselben ins Gewicht fallen.

Säuerlinge, in welchen keines der aufgelösten Bikarbonate der Alkalimetalle, der alkalischen Erdmetalle, der Metalle der Eisengruppe quantitativ oder geschmacklich hervortritt, heissen einfache Säuerlinge, wo die Bikarbonate der Alkalimetalle hervortreten, alkalische Säuerlinge, Natronsäuerlinge, oder wo Lithiumbikarbonat hervortritt, Lithiumsäuerlinge.

Sind nun die Wasser von Selters mit 0,12 % Natriumbikarbonat und Geilnau (Pyrmont und ebenso die vom Stadtbrunnen von Wildungen) mit 0,10 % Natriumbikarbonat hauptsächlich zu den einfachen Säuerlingen zu zählen, so zählt

Emser Kränchen   mit 0,20 % an Natriumbikarbonat
Fachingen   „   0,36 % „   „
nebst
Bilin   „   0,48 % „   „
Vichy (Grand Grille) „   0,49 % „   „

zu den Natronsäuerlingen und der Emser Kaiserbrunnen streift schon an die der Lithionwasser mit seinem Gehalt an 0,0006 % Lithiumbikarbonat.

Ist hier ein so geringer Gehalt von 0,0006 % Lithiumbikarbonat ausschlaggebend für die Benamsung, so findet ähnliches statt, wenn Ferrobikarbonat dem Wasser dintenhaften Geschmack verleiht, denn unsere stärksten Eisensäuerlinge zeigen relativ geringen Gehalt daran, z. B. Rippoldsau (Wenzelquelle) enthält 0,012 % und Schwalbach (Stahlbrunnen) 0,008 %.

Werden doch sogar Wasser mit 0,003 % Ferrobikarbonat, wie das St. Moritzer und mit 0,004 %, wie der berühmte Schwalbacher Weinbrunnen, noch Stahlwasser oder Eisensäuerlinge genannt.

Da nun aber alle die einfachen, alkalischen oder Eisensäuerlinge nebenher Bikarbonate der alkalischen Erdmetalle, besonders des Magnesiums und Calciums und ferner des Mangans in grösserer oder geringerer Menge enthalten und diese Bikarbonate nebst dem des Eisens durch Kohlensäureverlust oder durch Sauerstoff Aufnahme unter vermindertem Drucke allmählich sich zersetzen, so sind dieselben an den Quellen schon der beginnenden Zersetzung unterworfen und sind bei einzelnen bezüglich der Abfüllung derselben bestimmte Hindernisse zu überwinden oder es stellen sich bei der Aufbewahrung unangenehme Veränderungen ein.

Der Vortragende geht nunmehr zu den einzelnen Quellen der Säuerlinge des erwähnten Gebietes über.

Das nur etwa zwei Stunden von Schwalbach entfernte Schlangenbad weist mehrere Quellen auf, von welchen der am Kurhause befindliche sogenannte Schlangenbrunnen die bekannteste und am meisten von den Kurgästen verwendete ist. Das weiche warme Wasser desselben schmeckt ziemlich fade, wird aber innerlich und äusserlich angewandt. Bei seiner Weichheit ist es kein Wunder, dass sich ein Mythus bezüglich der hautglättenden und dadurch verjüngenden Eigenschaften desselben namentlich unter der Damenwelt ziemlich allgemein verbreitet hat. Doch kann man dort auch Damen zur Kur verweilen sehen, an deren Äusserem wohl alle günstige Wirkung des Schlangenbrunnens von vornherein verloren erscheinen dürfte. Das Wasser wird nur auf Verlangen versandt.

Von den vielen, in kleinem Umkreis rechts und links der Lahn liegenden Emser Quellen kommen sechs in Betracht:

Kesselbrunnen,   Kaiserbrunnen,
Kränchenbrunnen,   Wappenbrunnen,
Fürstenbrunnen,   Die neue Quelle,

deren Temperaturunterschiede schon hervorgehoben wurden und von denen die neue Quelle mit 50 ⁰ als der einen Gruppe von Thermen, der Kaiserbrunnen mit 28 ⁰ als der anderen Gruppe derselben angehörig behandelt wurde. Alle sind alkalische Säuerlinge, der Kaiserbrunnen ist am reichsten an Lithium- und Kohlensäure. Die Abfüllung geschieht aus den Auslaufröhrchen der Brunnen ohne alle besondere Vorsichtsmassregel in' möglichst enge Flaschen oder Krüge mit möglichst prompter Verkorkung. Die Quellen sind fiskalisch. Die Wasser von nur drei derselben werden in den Handel gebracht.: Kränchen (aus silbernen Röhrchen strömend), Kessel- und Kaiserbrunnen.

Emser Kränchen mit warmer Milch gemischt, bildet ja eines der bekanntesten lösenden Mittel bei hartnäckigen Katarrhen.

Der Brunnen von Geilnau, eine Viertelstunde vom Dörfchen gleichen Namens an der Lahn, etwa halbwegs zwischen Nassau und Diez. Von dem Boden einer gemauerten Rotunde führen einige Stufen hinab zu dem Brunnen. Die Kohlensäureentwickelung ist so massenhaft, dass oft auf Minuten der Wasserausfluss unterbrochen wird und höchstens 300 Flaschen per Tag gefüllt werden können.

Das Geilnauer Wasser ist eigentlich ein ideal reiner aber schwach alkalischer Säuerling, da er fast keine Mittelsalze enthält, aber er hat einen ziemlichen Gehalt von Calcium- und Magnesiumbikarbonat, zusammen 0,08—0,09 %.

Zunächst steht dieses Wasser dem Giesshübler Sauerbrunnen, während es in Bezug auf Kohlensäuregehalt der Kronenquelle zu Salzbrunn vorgeht.

In der Wirkung fast ganz gleichwertig, ist das Geilnauer Wasser von allen dreien das billigste.

Die Ausscheidung von Niederschlägen aus demselben gab früher zu Beschwerden Veranlassung. Durch die verbesserte Abfüllmethode, welche der für das Schwalbacher Wasser zu beschreibenden ziemlich gleich ist, ist der Zersetzung besser vorgebeugt. Der Versand erfolgt nur noch in Flaschen, nicht mehr in Krügen.

Der Brunnen zu Fachingen, einer Station der Eisenbahn Coblenz-Giessen, in der Nähe des Städtchens Diez, liegt so dicht an der Lahn, dass er von dieser bespült wird. Die frühere projektierte Fassung des Brunnens wurde wesentlich verbessert und ebenso die Füllweise. Die auf die früher offenen Quellschachte 1886 aufgesetzten Glocken verhindern durch ihre Füllung mit Kohlensäure den Zutritt der Luft und die Oxydation des Ferrobikarbonates und der Druck des Gases treibt das Wasser aus sieben Füllröhren. Es ist ein an Calcium- und Magnesiumbikarbonat (0,12 %) ziemlich reicher, an Mittelsalzen armer, kohlensäurereicher Säuerling von so starkem Natriumbikarbonatgehalt, dass er mit seinen 0,36 % als der drittreichste Deutschlands, Österreichs und Frankreichs betrachtet werden kann.

. Er ist einer der wirksamsten und zum Trinken angenehmsten Säuerlinge, von vorzüglicher Wirkung gegen die Harnsäureausscheidungen der Trinker unserer saueren Landweine (geologisch ausgedrückt: Neckar- und Mosel-Saurier), ein sehr angenehmes Tafelwasser, aber durch seinen geringen Eisengehalt gerbsäurehaltigem Weine etwas dunkle Färbung gebend.

Von Diez, wo denjenigen, welche eine Kur mit Fachinger Wasser daselbst gebrauchen wollen, durch die Einrichtungen der Stadt und der Privaten aller Vorschub geleistet wird, führt eine Sackbahn nach Zollhaus, welche später nach Schwalbach zum Anschluss an die Wiesbadener Bimmelbahn weitergeführt werden soll. Diese Linie durchs' Aarthal hinauf ist bereits abgesteckt.

Am Zollhaus befinden sich zwei Quellen von Säuerlingen, die eine, Römerquelle genannt, ist kaum benützt, die andere Eigentum einer Aktiengesellschaft, „Johannis-Brunnen" genannt, liefert ein an freier Kohlensäure äusserst reiches, 0,04 % Natriumbikarbonat führendes, reichlich fliessendes Wasser. Dasselbe wird durch den Druck der in einer Glocke auf der Quellfassung abgeschlossenen Kohlensäure durch eine Röhrenleitung nach der etwa 5 Minuten entfernten Fabrik der Aktiengesellschaft hinübergedrückt und ebenso wird die massenhaft aufsteigende Kohlensäure zu Zeiten, in welchen man kein Wasser abfüllt, in einem 1,5—2,0 dm im Durchmesser weiten Rohre nach der Fabrik abgeleitet, dort in mehreren Gasreservoirs über Wasser aufgefangen und zum Imprägnieren des hinübergeleiteten Mineralwassers verwendet. Die Einrichtung hierzu ist gleich der einer Fabrik für Bereitung künstlicher Mineralwasser. Die Kohlensäure wird mittels der Apparate unter einem Drucke von 3—4 Atmosphären eingepresst und dann das Wasser in der bekannten Weise in Flaschen oder Krüge abgefüllt. Die Einrichtung wurde vom Direktor derselben bereitwilligst gezeigt und berührte die herrschende Sauberkeit sehr angenehm. Der „Johannisbrunnen" ist als ein angenehmer mit natürlicher Kohlensäure übersättigter natürlicher Säuerling zu bezeichnen, der sich mehr als Tafelwasser qualifiziert.

Diese Art von Säuerlingen (Tafelwasser) kommt immer mehr auf. Ihr Kohlensäurereichtum macht sie mundig. Man bezeichnet sie wohl nicht mit Unrecht als „halbnatürliche Säuerlinge", vorausgesetzt, dass sie mit der der Quelle selbst entströmenden Kohlensäure unter Druck imprägniert sind.

Sie wären dagegen als „halbkünstliche Säuerlinge" zu bezeichnen, wenn die dem natürlichen Säuerling eingepresste Kohlensäure künstlich bereitet wäre, wobei stets Gefahr ist, dass diese dem Wasser unliebsamen Geschmack verleiht.

Seitdem aber die flüssige, aus natürlicher Kohlensäure zusammengepresste Kohlensäure im Handel so billig zu haben ist, wird·auch solche zur Herstellung von Tafelwasser verwendet.

Der Reichtum der Johannisquelle am Zollhaus an überschüssiger Kohlensäure ist so gross, dass man auch dort an die Verwertung derselben zu flüssiger Kohlensäure denkt.

Über Diez zurückkehrend wenden wir uns nach einem Besuche des altehrwürdigen Domes zu Limburg mittels der Hessischen Ludwigsbahn zu den Brunnen von Selters. Vom Bahnhof Niederselters, in dessen unmittelbarer Nähe der fiskalische Brunnen liegt, der das weltbekannte „Selterser Wasser" liefert, erreichen wir in einer Viertelstunde Oberselters. Der Empfang in dem an der Strasse vor dem Orte liegenden abgeschlossenen grossen Anwesen ist ein weniger offener und freundlicher, mehr misstrauischer. Erst allmählich wird der Direktor gesprächiger und zugänglicher. Die Einrichtung ist hier eine der in der Fabrik in Zollhaus entsprechende, stand aber zurzeit der Besichtigung wegen Feldarbeit ausser Betrieb. Der Quellenschacht ist innerhalb der Fabrik, ein Blick in denselben lässt sozusagen Nichts erkennen, da es zu dunkel dafür am Orte ist. Wie die Kohlensäure, mit welcher der Säuerling bei 3—4 Atmosphären Druck imprägniert wird, gesammelt oder erzeugt wird, darüber wurde nur eine, wie es schien, ausweichende Antwort erteilt, jedenfalls wurde ein Gasreservoir für Kohlensäure nicht vorgezeigt, sondern nur die bekannten Imprägnierungs- und Abfüll-maschinen, so dass das Misstrauen auf der einen Seite so viel zunahm, als es auf der anderen abzunehmen schien. Doch scheint der Fabrik-betrieb der Aktiengesellschaft allem nach kein unbeträchtlicher.

Mit diesem halb natürlichen oder halb künstlichen Tafelwasser von Oberselters, das auf den Krügen nur als O-Selters bezeichnet ist, darf nicht verwechselt werden:

Das eigentliche Selterserwasser, dessen günstige Wirkung zu so vielen unebenbürtigen Nachahmungen Veranlassung gegeben hat, das Wasser von Niederselters. Niederselters ist, obgleich der Ruf seines Wassers durch alle Weltteile sich verbreitet hat, kein Kurort. (Auch Selters an der Lahn und der Amtsort Selters, sämtlich im Regierungs-bezirk Wiesbaden gelegen, dürfen nicht damit verwechselt werden.)

Ein schöner und mächtiger Glaspavillon schützt den Brunnen, der im 30jährigen Kriege verschüttet, im Jahre 1681 neu gefasst wurde.

Das Wasser steigt in einem viereckigen Schachte von quadra-tischem Querschnitt und von 3,66 m Tiefe, wenn dieselbe vom Ablauf bis zum Grund gemessen wird, empor. Der Marmorrand des Schachtes trägt die, die Kohlensäure zusammenhaltende, aus Glas und Eisen hergestellte Kuppel. Der Säuerling zeigt eine Temperatur, welche mit den Jahres-zeiten zwischen 12—12,6 ^{0} R. schwankt. Bei einem spezifischen Ge-wicht von 1,00332, bestimmt bei 21,5 ^{0} C., enthält er 0,124 $^0/_0$ an Bikarbonaten der Alkalimetalle und 0,075 $^0/_0$ an Bikarbonaten der Erd-alkalimetalle und unter den Mittelsalzen 0,235 $^0/_0$ an Chloriden der Al-kalimetalle. Die Ausscheidung von Kohlensäure in Bläschenform am Trinkglase hält lange an, wenn auch der Krug oder die Flasche beim Öffnen durch Kohlensäureentwickelung nicht in der auffälligen Weise knallt, wie beim künstlichen Selterswasser.

Mehrfach hat man, hauptsächlich durch die auffällig moussierenden Kunstprodukte veranlasst, dem Niederselterser Wasser den Vorwurf machen wollen, es habe sich im Laufe der Zeit bezüglich wesentlicher Bestandteile verschlechtert.

Auf diese Anklage geben die chemisch-analytischen Befunde der-jenigen Forscher, welche das Wasser im laufenden Jahrhundert nach an-nähernd vergleichbaren Methoden (Bischof, Struve, Kastner, Fresenius) untersucht haben, den Aufschluss, dass, wenn man sich an diejenigen Bestandteile hält, welche schon früher fast ebenso genau bestimmt werden konnten, als jetzt, z. B. an Chlor, Schwefelsäure, Kalk und dergleichen, zwar wohl bemerkliche, innerhalb bestimmter Zeitzwischenräume vor sich gehende Schwankungen nachgewiesen werden können, dass sich aber das Niederselterser Wasser im laufenden Jahrhundert bezüglich seines Gehaltes im wesentlichen nicht geändert und seinen Charakter als alkalischer Kochsalzsäuerling treu bewahrt hat.

Hier sei auch eingeschaltet, in welch vorsorglicher und sauberer Weise die Abfüllung des in Krügen versendeten Wassers und die Prüfung des dazu nötigen Materiales vor sich geht.

Die Krüge bestehen aus Steinzeugmasse, d. h. es sind gebrannte Thongeschirre durch und durch gefrittet, welche durch Einbringen von Salz in den heissen Ofen eine sogenannte Natronglasur erhalten haben. Sie werden in der Gegend von Höhr und Montabaur hauptsächlich hergestellt. Die Krüge in Niederselters tragen unterhalb des Henkels in Form von Buchstaben und Zahlen die Bezeichnung für Wohnort und Namen des Krugbäckers, und auf der Vorderseite, den preussischen Adler kreisförmig einschliessend, die Aufschrift: „Niederselters-Nassau": darunter stehen in einer Horizontallinie die Worte: „Königlich Preussische Brunnen-Verwaltung" eingebrannt.

Sämtliche neu eingelangte Krüge, ganze und halbe, werden je in Abteilungen mit Wasser zum Überlaufen voll etwa zwei Tage aufgestellt. Jedem Krug, in welchem der Wasserspiegel in dieser Zeit wenn auch nur um wenig gesunken ist, oder in dessen Hals sich ein bräunlicher Schaum zeigt, herrührend von Lösung einer im Innern des Kruges vorhandenen angeschmolzenen Kruste von denaturiertem Salze, wird mit einem an langem Stiele sitzenden eisernen Hämmerchen unnachsichtlich der Hals abgeschlagen. Die gut befundenen Krüge und ebenso die Flaschen werden mittels einer drehbaren Bürstenvorrichtung und eines Spritzstrahles vor Zulassung zur Füllung mehrfach gereinigt. Das Wasser wird, wie es aus dem mehrfach verzweigten und an jedem Zweige durch hahnabschliessbaren Ablaufrohre des Brunnenschachtes ausläuft, durch sauber gekleidete Mädchen mit eingebundenen Haaren unmittelbar in die Krüge verfüllt und sofort durch eine Maschine verkorkt. Jeder Kork trägt die eingebrannte Bezeichnung „Niederselters" auf der in den Krug eingesetzten Seite desselben. Jeder verkorkte Krug trägt noch eine Zinnkapsel als Verschluss mit der eingepressten Bezeichnung „Niederselters-Nassau" um den heraldischen Adler.

Jedwede Abweichung in diesen äusseren Merkmalen, vor allem das Fehlen oder die Änderung des Brandzeichens am Korke, muss den Verdacht wachrufen, dass der Inhalt des Kruges unecht und vielleicht der Krug des echten Niederselters Wassers an eine fremde Stelle zur Wiederfüllung gelangt sei.

Das Einsenden geleerter Krüge zur Wiederfüllung an die Brunnenverwaltung zu Niederselters und die Schwierigkeit, die vielleicht inzwischen sonst gebrauchten Krüge (Petroleum etc.) genügend zu reinigen, bildet ohnehin eine wahre Crux für die Brunnenverwaltung. Glücklicherweise beschränkt das grosse Gewicht der Krüge der Fracht wegen die Einsendung derselben aus grösserer Entfernung zur Wiederfüllung.

Und nun auf nach Wiesbaden! Die nähere Kenntnis des berühmten Kochbrunnens voraussetzend und auch die übrigen dem Kochbrunnen ähnlichen Thermalquellen daselbst übergehend, erwähnt Redner absichtlich die Darstellung des Quellsalzes und der Pastillen daraus nicht, wie dies auch im gleichen Falle bei Ems geschehen ist. Dagegen sei erwähnt, dass in Wiesbaden auch ein Schwefelwasser mit $12,5^0$ C. quillt, der sogenannte Faulbrunnen, welches übrigens bezüglich seines Gehaltes an Schwefelwasserstoff weit übertroffen wird von einer der beiden Quellen zu Weilbach (Station Flörsheim der Taunuseisenbahn). Das Kurhaus in Weilbach, 1837 begonnen, ist fiskalisch seit 1854, ebenso das Badehaus im Jahre 1874 erbaut. In ersterem und einigen weiteren Landhäusern können Kurgäste fast allein Unterkommen finden.

In der Badeanstalt findet sich ein hoher, etwa 50 Personen fassender Salon. In der Mitte desselben springt aus einem Bassin während der bekanntgegebenen Inhalationsstunden das Wasser der Schwefelquelle in fein verteilten Strahlen auf. Die Patienten, welche diesen Salon als eine Art Konversations-, Lese- und Spielzimmer benützen, atmen den Duft nach faulen Eiern nebenher (gewissermassen spielend) ein, um die Sekretion der Schleimhäute anzuregen. Auch für Inhalationen des zerstäubten Schwefelwassers ist Vorsorge getroffen.

Die beiden in Bad Weilbach verwendeten Quellen sind die alkalische Schwefelquelle und die Natron-Lithionquelle. Beide sind alkalische Säuerlinge mit Gehalt an Schwefelwasserstoff.

Das Wasser der Schwefelquelle, sehr reich fliessend (30 l in der Minute), zeigt eine Temperatur von $13,72^0$ C., hält wenig Mittelsalze (an Natriumchlorid nur 0,027 und an Kaliumsulfat nur 0,004 %), aber 0,04 % an Bikarbonaten der Alkalimetalle, ist reich an freier Kohlensäure und hält etwa 23 mal mehr Schwefelwasserstoff als die Natron-Lithionquelle, wogegen letztere reicher an freier Kohlensäure ist.

Die Natron-Lithionquelle, 6 l Wasser in der Minute liefernd, riecht nur schwach nach Schwefelwasserstoff, hält aber 0,028 % an Sulfaten der Alkalimetalle, 0,126 % an Chloriden und 0,136 % an Bikarbonaten derselben, kommt also abgesehen vom Schwefelwasserstoff mit den alkalisch-salinischen Säuerlingen von Ems annähernd überein, hat aber niederere Temperatur als diese, nur 125^0 C. Der Lithiongehalt ist sehr gering. Beide werden nur in Glasflaschen versendet.

Das Schwefelwasser erleidet, da bei dessen Abfüllung das Eindringen von Luft nicht ganz vermieden werden kann, leicht Veränderungen und Trübungen. Frisch gefüllte Flaschen riechen nicht stark nach Schwefelwasserstoff, länger gefüllte riechen viel stärker, aber beim Öffnen derselben entweicht ein grosser Teil desselben. Der Prozess der Schwefelwasserstoffbildung scheint nämlich in der Flasche fortzuschreiten.

Woher kann dieser Schwefelwasserstoff, dessen Vorhandensein die sogenannten „hepatischen Säuerlinge" charakterisiert, rühren?

Die Ansichten sind geteilt. Die Einen stützen sich auf die Erfahrung, dass der Inhalt mancher Krüge oder Flaschen von solchen Mineralwassern, welche Alkalimetallsulfate enthalten, z. B. von Selters-Wasser, ab und zu unerwarteterweise nach Schwefelwasserstoff riecht.

Der Konsument stürzt dann in der Regel entrüstet zur nächsten Bezugs-quelle, wo er sehr kühl abgewiesen wird mit der ganz richtigen Be-merkung, dass der Herr Konsument wahrscheinlich noch weniger zufrieden wäre, wenn der Lieferant jeden Krug beim Empfang oder bei der Abgabe erst geöffnet hätte, um zu riechen, ob nicht einer unter 1000 Selters etc. Wasserkrügen nach Schwefelwasserstoff riecht. Der Verkäufer darf die Verpackung nicht verletzen.

Der genannte Geruch tritt nämlich dann auf, wenn irgendwelche organische Substanz, sei sie nun Bestandteil des Wassers, oder sei sie in Form eines kleinen Strohhälmchens oder in Form eines nicht ganz guten Korkes, in Zersetzung gerät, dadurch ein Bruchteil der Alkali-metallsulfate in Alkalimetallsulfide (Hepar) im Wege der Reduktion übergeführt wird. Die freie Kohlensäure entwickelt aus diesen Sulfiden unter Bildung von Karbonaten Schwefelwasserstoff. Derselbe Prozess, meinen die Einen, sei auch schon im Boden nicht ausgeschlossen, ja sogar durch Gegenwart von Humussubstanzen etc. leicht erklärlich. Andere lassen, indem sie von vulkanischen Erscheinungen ausgehen, Schwefeldämpfe auf den erhitzten Kalkstein einwirken und das neben andern Produkten entstehende Calciumsulfid bei Zutritt von Wasser oder dessen Dampf durch Kohlensäure zerlegen.

Diejenigen endlich, welche dem allerdings nicht seltenen Auftreten von freiem Stickstoff in den hepatischen Wassern besondere Bedeutung zuschreiben, nehmen an, der Schwefelwasserstoff verdanke seine Ent-stehung der Zersetzung von sulfidischen Verbindungen, wohl am ehesten des Eisens, durch stärkere Säure als durch Kohlensäure; indem diese Säure auch gleichzeitig Karbonate zersetze, entweiche Kohlensäure neben Schwefelwasserstoff. Die stärkere Säure, welche hier zersetzend wirke, dürfte wohl Schwefelsäure sein, welche durch die oxydierende Ein-wirkung des Sauerstoffs der eingedrungenen Luft aus den betreffenden Metallsulfiden entstanden, ihrerseits sowohl zersetzend auf einen anderen Teil der betreffenden Metallsulfide, anderseits auf die etwa benach-bart liegenden Karbonate wirkt, so dass jetzt der aus der Luft nach dem Verbrauch des Sauerstoffes derselben übrig gebliebene Stickstoff und der Schwefelwasserstoff mit oder ohne Kohlensäure aufsteigen, wäh-rend die Sulfate in die wässigere Lösung gegangen sind. Ein ähnlicher Vorgang liesse sich etwa bei unserem Sebastiansweiler Schwefelwasser denken, das aus dem Schwefelkies und Magnesia haltenden bituminösen Liasschiefer der schwäbischen Alb entspringt.

Wir sind der Ansicht, dass nicht alle hepatischen Wasser, ja nicht einmal alle hepatischen Säuerlinge, notwendig denselben Umständen ihre Entstehung verdanken müssen und dass die verschiedenen Ansichten nebeneinander Raum haben.

Wir kehren von unserer Rundreise nach dem Ausgangspunkt Langenschwalbach zurück, um dort noch der Füllung der bezüglich der Haltbarkeit besonders empfindlichen Eisensäuerlinge (Stahlwasser) anzuwohnen.

Von den in Schwalbach und dessen nächster Umgebung befind-lichen Quellen sind acht gut gefasst. Am reichsten an Kohlensäure

erscheint der Brodelbrunnen. Zu Kurzwecken fast ausschliesslich benützt sind der Stahl- und der Weinbrunnen, deren Eisenbikarbonatgehalt
schon angegeben wurde. Alle aber entspringen auf der nördlichen Abdachung des Gebirges etwa 200 m über dem Rhein, in zwei von Westen
nach Osten laufenden Thälern, die sich in Schwalbachs Mitte, in der
Nähe des Kursaales, vereinigen. Sie gebören alle zur Abteilung der
erdig-alkalischen Eisensäuerlinge. Sie fliessen fast alle sehr reichlich
und gestatten daher auch ihre Verwendung zu warmen Bädern; die
Badezellen sind sehr praktisch eingerichtet und herrscht dort muster-
hafte Ordnung.

In 24 Stunden liefern die acht gefassten Brunnen zusammen etwa
14 000 Kubikfuss Mineralwasser.

Das Wasser des Weinbrunnens zeigt $9,75^0$ C., das des Stahl-
brunnens $9,2^0$ C., weshalb an den Brunnen Vorsorge für Erwärmung
des Wassers getroffen ist.

Am meisten dintenhaft schmeckt der Stahlbrunnen. Der Bezug
des Stahl-, Wein- und Paulinenbrunnens, welche allein vom Fiskus in
den Handel gebracht werden, geschieht am besten in Glasflaschen; in
diesen lässt sich eingetretene Ausscheidung von Eisenoxyd leicht erkennen. Um dem früher so häufig beklagten Übelstand der Ausscheidung des Eisengehaltes in Form von Rost vorzubeugen, wird seit 1854
nach der Vorschrift von FRESENIUS abgefüllt. Danach wird über die
Zuströmungsöffnung des Wassers am Boden des Brunnentroges ein
schwerer Trichter so mit der Röhre nach oben gesetzt, dass deren Ende
noch etwa 10 cm unter dem Wasserspiegel steht. Die mit Mineralwasser gefüllte Flasche wird unter dem Wasserspiegel umgekehrt und
auf das Trichterröhrenende aufgesetzt. Die aufsteigende Kohlensäure
verdrängt das Wasser und letzteres verdrängt, nachdem die Flasche
zum zweitenmal unter dem Wasserspiegel umgekehrt ist, wieder die
Kohlensäure, so dass Luftgehalt der Flasche ganz ausgeschlossen erscheint. Ein in den Hals der Flasche eingeführter Zapfen aus Holz
verdrängt das oberste Wasser und schafft Raum für den Kork; doch
drückt der Arbeiter mit dem Knie gegen das Ventil eines Apparates,
welchem gewaschene Kohlensäure entströmt, steckt das Röhrchen mit
der austretenden Kohlensäure in den Hals der Flasche, um die leichtere
Luft daraus zu verdrängen und verkorkt sofort mit der Maschine. Das
ganze Füllgeschäft wird ungemein rasch abgewickelt.

Redner wünscht, es möge ihm geglückt sein, zur Orientierung der
Anwesenden über die an die Qualität der besprochenen Mineralwasser
und deren Erhaltung zu stellenden Anforderungen etwas beizutragen.

Sitzung vom 13. November 1890.

In einer geschäftlichen Mitteilung wies zunächst der Schriftführer,
Dr. LAMPERT, auf die Reichhaltigkeit der Bibliothek des Vereins hin,
welcher infolge seiner Tauschverbindungen jährlich eine grosse Anzahl
wissenschaftlich bedeutender Veröffentlichungen zugesandt erhalte. Um

von ihrem Einlauf den Mitgliedern des Vereins möglichst rasch Kenntnis zu geben, soll künftig an jedem wissenschaftlichen Abend eine Liste der während der vorhergehenden vier Wochen eingegangenen Bücher zur Auflage kommen und die Bücher selbst werden ungefähr vier Wochen lang im Arbeitszimmer des zweiten Stockes des Naturalienkabinetts zur Ansicht aufliegen. Die Benützung der Vereinsbibliothek steht bekanntlich jedem Mitglied gegen Legscheine frei.

Sodann sprach Prof. Dr. Nies (Hohenheim) über: »Die Überschätzung der Neigung bei Böschungen.« (Hierzu Taf. I.)

Der auf der beigegebenen Tafel ausgeführten Zusammenstellung von »Fallwinkeln« liegt die Absicht zu Grunde, einer Täuschung entgegenzuarbeiten, welcher unser Auge oft unterliegt. Diese Täuschung ist die Überschätzung der Neigung von Böschungen. Allgemein bekannt ist dieser Irrtum im Sinne einer Überschätzung, wenn der Beobachter vor einem Abhange steht und ihn auf sein Fallen oder sein Steigen zu schätzen hat. Die schwach ansteigende Strasse wird zum senkrecht aufgerichteten Streifen, wenn man direkt vor ihr steht, und ebenso glauben wir von einem erhabenen Punkte aus die umgebende Landschaft direkt unter uns landkartenartig zu sehen. Jene Aufgabe, welche an vielen Punkten, wo den Fuss eines Abhanges ein Fluss oder See bespült, dem Besucher gestellt wird: mit einem Steine in das Wasser zu treffen, wird wohl regelmässig erst nach dem Versuche als unlösbar erkannt — das Auge überschätzt eben die Böschung und unterschätzt damit die horizontale Entfernung des Ufers vom Standpunkte des Beobachters.

Aber auch bei Schätzungen der Winkel im Profil verlässt uns des Auges Sicherheit. Wohl möglich, dass bei dieser mangelhaften Zucht des Auges nicht am wenigsten die Unsitte mitwirkt, Berge auf Höhenkarten, geologische Profile u. s. w. mit zur Länge stark übertriebenem Höhenmassstabe zur Darstellung zu bringen.

Hier korrigierend und erziehend einzuwirken ist der Zweck der beifolgenden Zusammenstellung, deren erster Anblick wohl bei jedem unvorbereiteten und ungeschulten Beschauer das Gefühl einer gewissen Enttäuschung ob der Kleinheit der dargestellten »Fallwinkel« hervorbringt. Sind doch unter allen Neigungswinkeln, welche natürliche Abhänge oder technische Anlagen darbieten, die kleineren bis zum Drittel des rechten Winkels (30^0) die weitaus häufigsten. Darüber hinaus wird z. B. die Grenze aller Besteigbarkeit (soweit dieselbe durch Reibung der Fusssohle mit dem Boden bedingt wird) rasch erreicht (38^0); bei noch steileren Abhängen tritt die Leiter in ihr Recht. Es ist ferner bemerkenswert, dass alle auf der Tafel zusammengestellten Winkel unter dem halben Rechten bleiben, so dass also (um dies an einem Beispiel in das Praktische zu übersetzen) bei jeder noch so kühnen Bergbesteigung die Verschiebung in horizontaler Richtung die weitaus grossartigere Leistung bildet gegenüber der Erhebung in vertikaler Richtung.

Noch sei auf eine optische Täuschung hingewiesen, welche sich an der Tafel gut beobachten lässt: die mit der grossen Anzahl von

Linien beschwerte untere Hälfte des rechten Winkels erscheint dem Auge grösser als die signalfreie obere Hälfte. Da dieser Unterschied auch für die auf den Anteil am Rechten abzuschätzenden Winkel in der Natur gilt, ist vielleicht auch hierin, wenigstens teilweise, der Grund der Überschätzung zu suchen.

Zur Messung der Böschung geneigter Terrainstrecken dient entweder der **Neigungswinkel** oder der **Neigungsquotient** (Bruch, dessen Zähler = 1, dessen Nenner die Cotangente des Neigungswinkels ist, oft auch in der Form: 1 : dem Wert des Nenners angegeben) oder endlich die Angabe der Neigung (Steigung) in **Prozenten**.

Zum Vergleich sind in der folgenden Tabelle die in der Tafel eingezeichneten Neigungen der Böschungen in diesen drei Bezeichnungsarten zusammengestellt:

	Winkel	1 :	%
Deutlich bemerkbare Neigung	0° 20′	172	0,6
Maximum für Volleisenbahnen	2° 17′	25	4
» der Ütlibergbahn (Adhäsionsbahn)	4° 0′	14	7
» » Simplonstrasse	5° 43′	10	10
» » Zahnradbahn Stuttgart-Degerloch	9° 46′	5,8	17,2
» » Fahrstrassen für Fuhrwerke	13° 0′	4,33	23
» » Zahnradbahn auf den Pilatus	25° 40′	2,1	48
Kaum besteigbare Steinplatten (oder Neigung einer Treppe mit Stufen halb so hoch als breit)	26° 34′	2	50
Saumpfade (für bepackte Maultiere)	29° 0′	1,8	55
Maximum der Seilbahnen (Vesuv)	32° 0′	1,6	63
Kaum besteigbarer Abhang	38° 40′	1,25	80
Halber rechter Winkel	45° 0′	1	100

Flussläufe würden wegen der Kleinheit des Neigungswinkels auf der Tafel nicht einzuzeichnen sein. So fällt der **Rhein**:

Von der Vereinigung der beiden Quellflüsse bis zum Bodensee ..... 191 m auf 102 kg
Constanz bis Basel .... 151 » » 167 »
Basel bis Mainz .... 163 » » 331 »
Mainz bis zur deutschen Grenze ... 72 » » 357 »

Dies macht in der oben gewählten dreifachen Ausdrucksweise:

	Winkel	1 :	%
Quellflüsse bis Bodensee	0° 6,5′	534	0,18
Constanz bis Basel	0° 3,0′	1106	0,09
Basel bis Mainz	0° 1,5′	2031	0,05
Mainz bis Grenze	0° 0,7′	4960	0,02.

Im zweiten Vortrag bespricht Prof. Dr. HELL die **Grenze der Verbindungsfähigkeit der Kohlenstoffatome**. Nachdem Redner zunächst den Begriff der Valenz erörtert und die gegenseitige Bindung der Kohlenstoffatome unter sich und mit anderen Atomen oder Atomgruppen in den komplizierteren Verbindungen besprochen, wirft er die Frage auf, ob die Verbindungsfähigkeit der Kohlenstoffatome unbegrenzt, oder ob bei sehr grosser Häufung der Kohlenstoffatome ein Zerfall der Kette eintritt.

e*

Der höchste bisher bekannt gewordene Kohlenwasserstoff enthält 35 Kohlenstoffatome und auch bei den andern Kohlenstoffverbindungen ist diese Zahl selten überschritten worden. Ist nun eine Grenze in den Kohlenstoffverbindungen vorhanden? Redner hat in seinem Laboratorium eine derartige Untersuchung ausgeführt und es ist ihm gelungen, aus Myricylalkohol einen Kohlenwasserstoff von der Formel $C_{60} H_{122}$ darzustellen. Redner gibt sodann eine Beschreibung der Eigenschaften des neuen, Hexaconthan genannten Körpers, durch dessen Herstellung die Möglichkeit nicht ausgeschlossen erscheint, dass noch viel längere Kohlenstoffketten, als man bisher geglaubt, existenzfähig werden. Über die Untersuchung ist vom Vortragenden berichtet in:

Herr J. EICHLER legt eine Silvaner-Traube aus dem Weinberg von Prof. Dr. E. HOFMANN vor, welche zum Teil weisse und zum Teil blaue Beeren enthält; besonders auffallend waren einige Beeren, welche scharf abgegrenzt beide Färbungen zeigten. Nachdem Redner ferner noch Blätter und Früchte von *Sorbus latifolia* PERS. vorgelegt hatte, welche ihm von Herrn Oberförster v. BIBERSTEIN aus dem Schönbuch mitgeteilt waren, wo jedoch das vereinzelte Vorkommen des Baumes wahrscheinlich durch frühere Anpflanzung erklärt werden kann, gibt er zum Schluss einen Überblick über neuere botanische Litteratur, soweit sich solche in den jüngst in der Vereinsbibliothek eingetroffenen Schriften findet.

Sitzung vom 11. Dezember 1890.

Prof. Dr. O. KIRCHNER (Hohenheim) sprach über: »Das Programm einer botanischen Durchforschung des Bodensees.«

Die Kommission, welche von den Bodenseeuferstaaten zum Zwecke der Herstellung einer Bodenseekarte niedergesetzt worden ist, hat in den Plan ihrer Untersuchungen in höchst dankenswerter Weise auch die naturwissenschaftliche Erforschung dieses grössten und wichtigsten deutschen Binnensees aufgenommen, und die Beobachtungen und Untersuchungen physikalischer, chemischer und zoologischer Natur sind bereits seit einiger Zeit im Gange, zum Teil sogar schon ihrem Abschluss nahe. Im Laufe dieses Jahres ist diesem Programm auch die botanische Durchforschung des Sees eingefügt, und sind mit der Ausführung derselben Prof. Dr. C. SCHROTER in Zürich und der Vortragende betraut worden. Auf Grund eines von dem ersteren vorgelegten Entwurfes wurde für diese Untersuchungen ein Arbeitsplan ausgearbeitet, über welchen der Vortragende einige nähere Mitteilungen macht, in der Hoffnung, dass sich auch unter den Mitgliedern des Vereines solche finden würden, welche durch Sammeln von Material und durch Anstellung von Beobachtungen an der Durchführung des in vieler Hinsicht bedeutsamen Unternehmens würden mitwirken wollen. Aus dem »Programm für die botanische Durchforchung des Bodensees« seien folgende Punkte hier hervorgehoben.

Der Zweck der Untersuchung ist ein doppelter: 1. Kenntnis der See-Flora im engeren Sinne, d. h. Aufstellung eines Kataloges sämt-

licher im Bodensee vorkommenden Arten und Varietäten von Phanerogamen und Kryptogamen. Als »Seepflanzen« werden dabei solche
verstanden, welche im Wasser des Sees oder am Ufer innerhalb oder
in unmittelbarer Nähe der regelmässigen Hochwasserstände wachsen,
für welche also eine dauernde oder regelmässig wiederkehrende Bedeckung mit Wasser Lebensbedingung ist, oder welche wenigstens eine
regelmässige Durchfeuchtung ihres Standortes mit vom See eindringen-
dem Grundwasser verlangen. Es soll also der Katalog ausdrücklich
auf die eigentliche Seeflora beschränkt bleiben, wogegen die an das
Seeufer binnenwärts anschliessenden Rieder und Moore nicht mehr berücksichtigt werden sollen.

  2. Kenntnis der See-Vegetation, d. h. Darstellung des Zu-
sammentretens der Pflanzenarten zu Beständen, der Zusammensetzung,
Ausdehnung und Verbreitung der unterseeischen Pflanzengesellschaften
und der Abhängigkeit derselben von äusseren Bedingungen (Neigung
des Ufers, Entfernung vom Uferrand, Beschaffenheit und Tiefe des Untergrundes etc.). Die Untersuchung soll namentlich auch Rücksicht nehmen
auf die Bedeutung der Pflanzengesellschaften für die Tierwelt des Sees.
Da so umfangreiche Arbeiten, dass sich auf Grund derselben eine
pflanzengeographische Karte des Bodensees — das eigentliche Ziel dieser
Untersuchungen — entwerfen liesse, vorerst zu langwierig und kost-
spielig wären, so ist man genötigt, für den vorliegenden Zweck sich
auf die Untersuchung einer Anzahl nach ihren Vegetationsbedingungen
möglichst typischer und untereinander möglichst verschiedener Lokalitäten, d. h. kleinerer Uferstrecken zu beschränken.

  Bei der Durchführung der oben bezeichneten Untersuchungen sollen
die Phanerogamen und Kryptogamen zu verschiedenen Jahreszeiten
möglichst vollständig eingesammelt, aufbewahrt und mit den Angaben
über den geographischen Standort (Ortsbezeichnung), Datum des Ein-
sammelns, Namen des Sammlers, Entfernung vom Ufer, Beschaffenheit
des Untergrundes und Zone des Uferhanges versehen werden. Für die
letztere Angabe wird die von Prof. Dr. F. A. FOREL in Morges stam-
mende Einteilung zu Grunde gelegt, nach welcher am Uferhang 3 über
einander liegende Etagen unterschieden werden: die unterste derselben,
der »untergetauchte Hang«, befindet sich immer, auch bei niederem
Wasserstande, unterhalb des Wasserspiegels; der darüber liegende
»überschwemmbare Hang« umfasst diejenige Zone, welche bei Hochwasser überflutet wird; endlich die oberste Etage, der »auftauchende
Hang«, die auch vom Hochwasser nicht mehr erreichte Uferstrecke,
deren Vegetation aber auf die vom See herrührende Bodenfeuchtigkeit
angewiesen ist.

  Blütenpflanzen, Gefässkryptogamen, Moose und Characeen werden
in der bekannten Weise für das Herbar eingelegt; beim Sammeln und
Aufbewahren der niederen Pflanzen sind folgende Regeln zu beachten.

  1. Es sind die festen Gegenstände im Wasser (Pfähle, Muscheln,
Steine, Pflanzen etc.) sorgfältig abzusuchen und die anhaftenden Algen
entweder abzulösen oder das ganze Objekt samt den daran haftenden
Algen in Konservierungsflüssigkeit zu bringen. Ferner ist auf los-

gerissene und an der Oberfläche des Wassers schwimmende Filze und Watten von Algen zu achten. 2. Für die pelagischen und im Schlamme lebenden Algen wird im allgemeinen das bei der zoologischen Untersuchung gesammelte Material genügen. Immerhin sollten, wenn sich dazu Gelegenheit bietet, Schlammproben gesammelt und im Standquartier in flachen, wassergefüllten Schalen ans Licht gestellt werden; die bald an der Oberfläche sich sammelnden Algen werden abgeschöpft und in Konservierungsflüssigkeit gebracht. 3. Über die Erscheinung der sogenannten »Blüte« des Sees ziehe man sorgfältige Erkundigungen ein, und suche sich Material davon zu verschaffen. 4. Als Konservierungsflüssigkeit für Algen empfiehlt sich folgende Mischung, die in jeder Apotheke bereitet werden kann: 600 g destill. Wasser, 100 g Glyzerin, 3 g Pikrinsäure, 0,7 g Thymol. Für Algen von gallertiger Konsistenz und für Diatomeen genügt es in der Regel, das gesammelte Material auf Stücken von Schreibpapier auftrocknen zu lassen, und im Notfall, d. h. wenn Konservierungsflüssigkeit nicht zur Hand ist, wäre dieses Verfahren für alle Algen anwendbar, obwohl beim Wiederaufweichen derselben nicht alle Formen mehr mit Sicherheit bestimmbar sind.

Im allgemeinen ist noch hervorzuheben, dass nicht nur auf das Vorkommen der Pflanzenarten, sondern namentlich auch auf den Charakter der Vegetation geachtet werden soll, dass der Verteilung der Arten auf die Uferzonen, sowie dem Vorkommen, der Ausdehnung und Zusammensetzung unterseeischer Wiesen Aufmerksamkeit geschenkt werden soll; beim Sammeln bestrebe man sich, derartige Resultate zu gewinnen, dass eine genaue kartographische Darstellung derselben möglich ist.

Die Bearbeitung der höheren Pflanzen, Moose und Characeen wird von Prof. Dr. SCHRÖTER in Zürich (Hottingen) übernommen, die Untersuchung und Bearbeitung der Algen ist dem Vortragenden überlassen. In der später erfolgenden Veröffentlichung werden die Namen aller Mitarbeiter genannt; das gesammelte Material wird nach seiner Bearbeitung dem Museum für die Geschichte des Bodensees in Friedrichshafen zugestellt werden.

Nach der Besprechung dieses Programmes ging der Vortragende auf diejenigen Gesichtspunkte näher ein, welche insbesondere bei der Erforschung der niederen Pflanzenwelt des Bodensees in Betracht kommen. Die Untersuchung derselben, welche vorwiegend aus Algen, ausserdem aus einigen Wasserpilzen besteht, ist nicht nur in rein wissenschaftlicher Hinsicht von grosser Bedeutung, zumal darüber noch fast gar nichts bekannt ist[1], sondern sie beansprucht auch in praktischer Beziehung ein grosses Interesse, weil die im See lebenden niederen chlorophyllhaltigen Pflanzen, also die Algen, es sind, welche die »Urnahrung« darstellen, an deren Vorhandensein und Menge schliesslich alles tierische Leben im See gebunden ist. Als Vorbild für die Untersuchung des Bodensees auf die Art und Quantität der in ihm vorhandenen Urnahrung

---

[1] Vortragender kannte bisher nur 55 Algenarten, vorwiegend Bacillarien, aus dem Bodensee.

wurden die bekannten Forschungen von HENSEN in Kiel über die Ostsee, sowie diejenigen der Plankton-Expedition besprochen. Ganz ähnlich,
wie in der Ostsee frei im Meere umhertreibende Bacillarien und Peri-
dineen die überwiegende Menge der Urnahrung ausmachen, ebenso
scheinen nach den vorläufigen Untersuchungen Arten dieser selben Or-
ganismen-Abteilungen auch im Bodensee die gleiche, wichtige Rolle zu
spielen, zu welcher sie durch ihre Struktur ganz besonders geeignet
sind. Eine Anzahl von darauf untersuchten Wasserflöhen (*Bythotrephes*,
Bosmina) und Ruderfüsslern des Bodensees zeigten in der That Ver-
dauungskanäle, welche mit den Schalen gewisser Bacillarien (namentlich
Cyclotella-Arten) dicht vollgestopft waren.

Nach einigen Bemerkungen über das Wesen der »Wasserblüten«
erwähnte der Vortragende noch, dass die Untersuchung einer Anzahl
von Algenproben des Bodensees, welche von Prof. SCHROTER, Prof.
LAMPERT und ihm selbst gesammelt worden sind, bereits einige recht
interessante Ergebnisse geliefert hat. So findet sich als »Plankton«
an verschiedenen' Stellen in grosser Menge eine sehr zierliche, sonst
durchaus nicht allgemein verbreitete Bacillarie, *Asterionella gracillima*
HEIB., in der Nähe von Meersburg noch bei 60 m Tiefe. Vorherrschend
sind im Plankton einige Arten von *Cyclotella* KG., so namentlich *C. operculata* KG., deren Einzelzellen sich meistens dadurch in Familien von
etwa 12 bis über 20 Exemplaren vereinigen, dass sie eine Gallerte von
fädiger Struktur ausscheiden, an deren Oberfläche dann die Zellen angeordnet sind; ferner eine auffallend grosse Form von *Cyclotella comta*
GRUN., die sich an vielen Stellen der Umgebung von Rorschach nicht
selten vorfindet; sie zeigt einen etwas unregelmässig kreisförmigen Um-
riss und einen Durchmesser von 0,030—0,065 mm. Bei einer andern
Art derselben Gattung, *Cyclotella minutula* KG., welche neben *C. Me-
neghiniana* RBH. ebenfalls reichlich im Plankton auftritt, bleiben die
Zellen oft, und zwar mitunter bis zu 60 und noch mehr, *Melosira*-artig
zu Fäden verbunden. Zu den pelagisch ziemlich häufig vorkommenden
Bacillarien gehören endlich *Diatoma vulgare* BORY, *Fragilaria virescens*
RALFS, *Synedra Acus* KG. im mehreren Formen, namentlich var. *delica-
tissima* RBH., und eine in kurzen *Fragilaria*-artigen Bändern wachsende
Synedra-Art, welche wohl die *S. familiaris* KG. darstellen dürfte. Von an-
dern Algen kommt eine anderweitig, soviel bekannt, wenig verbreitete, zuerst von ALEXANDER BRAUN im Neufchateller See aufgefundene Palmellacee,
Botryococcus Braunii KG., in grosser Menge als Plankton in der Nähe von
Rorschach vor; in geringerer Anzahl, obwohl auch ziemlich häufig, wurde
Anabaena circinalis RBH. aufgefunden. Eine ziemlich beträchtliche Menge
von Algenarten, überwiegend wiederum Bacillarien, fand sich zwischen den
angeführten in geringerer Individuenanzahl vor, doch soll deren Aufzählung erst in der späteren Veröffentlichung erfolgen. Von Interesse ist
eine Vergleichung dieser pelagischen Flora des Bodensees mit derjenigen
des Genfer und des Züricher Sees, worüber einige Angaben von J. BRUN [1]

---

[1] J. Brun, Sur les végétations pélagiques et microscopiques du lac de
Genève (au printemps 1884). Archives des sciences phys. et natur. III. pér.
tome XI. Genève 1884.

und von O. E. Imhof [1] vorliegen, nach welchen teils dieselben, teils ähnliche Arten als Plankton daselbst vorkommen; so im Genfer See vorwiegend: *Cyclotella comta* var. *paucipunctata* Grun. u. var. *comensis* Grun., *C. operculata* Kg., *Asterionella formosa* Hass., *Nitzschiella Pecten* Brun, *Nitzschia Palea* Kg.; im Züricher See vorherrschend: *Asterionella formosa* Hass., *Nitzschiella Pecten* Brun und *Anabaena circinalis* Rbh.

Den zweiten Vortrag hielt Dr. Rosenfeld über Geheimrat Koch's berühmte Entdeckung.

Im voraus betonend, dass er keinen medizinischen Vortrag zu halten beabsichtige, weist Redner darauf hin, wie gerade am Geburtstag Robert Koch's für eine Versammlung naturkundiger Männer es kaum ein interessanteres Thema geben dürfe, als eine Besprechung der epochemachenden Entdeckung eines Specifikums gegen die Tuberkulose.

Über die Verbreitung der Tuberkulose, ihre Verbreitung auf alle Länder, Stände und Geschlechter sind keine weiteren Worte zu verlieren. Eine Erkrankung, welche $1/7$ aller Menschen dahinrafft, verdiente zu allen Zeiten die grösste Aufmerksamkeit und Beachtung. Sie wurde ihr auch von allen Forschern. Allmählich aber spitzte sich bei allen Forschern die Überzeugung dahin zusammen, dass es sich um ein Contagium animatum handle, welches die Ursache der Tuberkulose sei. Da verkündigte im Jahr 1882 R. Koch der Welt, dass er diese Ursache gefunden habe, dass ein Bacillus es sei, ein schlankes, mässig grosses Stäbchen, 5 μ lang, etwas kürzer als ein menschliches Blutkörperchen, welches die einzige Ursache der Tuberkulose sei. Diese Bacillen haben deutlich abgerundete Ecken und sind selten ganz gerade gestreckt, sondern häufiger über die Länge geknickt oder gekrümmt, wie ein Fiedelbogen; treten meist einzeln, seltener zu zweien auf, haben keine Eigenbewegung und zeigen Sporenbildung. Letztere sind helle, glänzende Körper, welche im Innern der Bacillen liegen.

Diese Sporen sind ausserordentlich widerstandsfähig. Sie vertragen monatelanges Austrocknen, Temperaturen nahe der Siedehitze, die Einwirkung des sauren Magensaftes, den Einfluss der stärksten Fäulnis, ohne von ihrer Wirksamkeit und Ansteckungsfähigkeit zu verlieren — während der Bacillus selbst im Gegenteil sich durch eine hochgradige Empfindlichkeit gegenüber den umgebenden Verhältnissen auszeichnet. Er ist ausserordentlich wählerisch in Hinsicht auf den Nährboden und von sehr geringer Wachstumsenergie und kommt nur innerhalb enger Temperaturgrenzen vor. Unter 30^0 C. kommt er durchaus nicht mehr zur Entwickelung, ebensowenig über 42^0, sein Optimum liegt fast genau bei $37,5^0$. Diese Stäbchen nun sind die Erreger der Schwindsucht, der Tuberkulose, welche sich an Haut und Knochen, in den Lungen und dem Kehlkopf — kurz überall im ganzen Körper ansiedeln kann.

Vor Jahren schon wurde gezeigt, dass man Kaninchen, welche durch Schutzimpfung gegen Schweinerotlauf immun gemacht wurden,

---

[1] O. E. Imhof, Notizie sulle Diatomee pelagiche dei laghi in generale e su quelle dei laghi di Ginevra e di Zurigo in special modo. Notarisia 1890. No. 19. p. 996—1000.

Milliarden von Schweinerotlaufbacillen einimpfen kann — der schutzgeimpfte Tierkörper vernichtet diese vielen Milliarden von Bacillen,
sie gehen in wenigen, ca. 10—12 Stunden zu Grunde — nicht immun
gemachte Kaninchen gehen unfehlbar zu Grunde. Man nahm an,
dass ein von den Zellen des immunen Tierkörpers abgeson-
dertes lösliches im Blutserum cirkulierendes Bakteriengift
es ist, welches diese Bacillen tötet.

Ausser dieser Thatsache ist noch eine andere bekannt geworden.
Reinkulturen von Erysipelkokken waren im stande, unter heftigem
Fieberausbruch Hautkrebs zu zerstören.

Aus diesen Thatsachen und daraus folgenden Überlegungen konnte
man schliessen, dass wir, wenn es gelingt, dieses Bakteriengift, welches
der schutzgeimpfte Tierkörper erzeugt, chemisch rein darzustellen, in
dieser Substanz auch ein rationelles Heilmittel gegen die schon zum
Ausbruch gekommene Krankheit gewonnen haben. Brieger und
Fränkel fanden nun, dass die meisten Infektionserreger (pathogene
Bakterien) aus den normalen Bestandteilen des Körpers, aus dem Ge-
webseiweiss hochgradig giftige Stoffe, die sogenannten Toxalbumine
bilden, welche die Krankheitserscheinungen und event. den Tod verursachen.

Koch's Heilmittel gegen die Tuberkulose besteht nun wahrscheinlich aus solchen Toxalbuminen. Mehr als eine wahrscheinliche Annahme lässt sich zur Zeit noch nicht geben. Koch selbst
erklärte »sich gänzlich ausser stande, auf chemischem Wege nachzuweisen, dass ein scheinbar aus den richtigen Stoffen hergestelltes Mittel
auch die richtige Wirksamkeit hätte«. Denn Koch sagt: das Mittel ist
gefunden durch lange, nach bestimmten Anhaltspunkten fortgesetzte
Versuche an Tuberkelbacillen und, wie man vermuten darf, auch ihrem
Nährboden.

Dieses nun aus den Tuberkelbacillen selbst und aus einem Nährboden gewonnene Mittel besteht aus einer braunrötlichen Flüssigkeit.
Wenn man dieselbe in den Körper in starken Verdünnungen, etwa
1 : 1000 einspritzt, so tritt eine merkwürdige Einwirkung auf dasjenige
Gewebe im menschlichen Körper ein, in welchem sich diese Tuberkelbacillen finden. Das Gewebe schwillt an, füllt sich mit Blut und Serum,
wird durch die Anschwellung selbst erdrückt, getötet und stirbt ab,
die Bacillen werden so eliminiert. Nach und nach werden die Dosen
des Mittels vergrössert, immer mehr Kreise des kranken Körpers werden in den Bereich der Thätigkeit des Mittels gezogen und der Körper
seiner Bacillen entledigt. Wahrscheinlich ist dabei, dass er dann überhaupt immun gegen Tuberkulose geworden ist.

Im Anschluss an den Vortrag demonstriert der Redner an mikroskopischen Präparaten Tuberkelbacillen sowohl, wie auch gleicherweise
Reinkulturen von den Tetanus- und Diphtheriebacillen.

In der Erörterung weist Prof. Dr. Kirchner auf Pasteur's Impfung
gegen die Hühnercholera hin, womit zum erstenmal ein neuer Weg
betreten wurde, in dessen Verfolgung von da an Pasteur und Koch
wechselseitig die wichtigsten Entdeckungen machten; doch liegt bei der

neuen KOCH'schen Entdeckung die grosse Unterscheidung darin, dass sie eine Heilimpfung ist, die anderen bisher geübten Impfungen dagegen Schutzimpfungen; auch hat KOCH sich seine Methoden alle selbst vorgebildet. Als einen glücklichen Zufall bezeichnet es ferner der Redner, dass KOCH sich seiner Zeit mit seinen Entdeckungen an Prof. COHN in Breslau gewandt, der im Gegensatz zu NAGELI für das scharfe Auseinanderhalten der einzelnen Formen dieser niedersten Lebewesen eintrat. In dankbarer Ehrung des grossen Forschers, der am Tag der Sitzung seinen Geburtstag feierte, erhoben sich auf Anregung des Vorsitzenden, Prof. Dr. SCHMIDT, die Anwesenden von ihren Sitzen.

Nach den beiden Vorträgen gab Prof. Dr. LAMPERT noch einen Überblick über neuere zoologische Litteratur, soweit sich solche in den während der letzten Wochen der Vereinsbibliothek zugegangenen Schriften findet.

Sitzung vom 8. Januar 1891.

Dr. M. FÜNFSTÜCK berichtete über seine Beobachtungen an Kalkflechten, welche es im höchsten Grade wahrscheinlich erscheinen lassen, dass auch höher organisierte Pilze im stande sind, die Kohlensäure der Luft zu zerlegen. Eingehendere Mitteilungen müssen an dieser Stelle zunächst unterbleiben, da die Ergebnisse der Untersuchung demnächst in den »Sitzungsberichten der Königl. Preuss. Akademie der Wissenschaften« zu Berlin veröffentlicht werden sollen. Dagegen wird über diesen Gegenstand in dem nächsten »Jahreshefte des Ver. für vaterl. Naturk. in Württ.« eine ausführlichere Publikation erfolgen.

Sodann sprach Dr. M. PHILIP über Zuckersynthesen.

Die in physiologischer wie industrieller Beziehung so wichtigen Kohlehydrate waren in rein chemischer Beziehung bis vor kurzer Zeit noch wenig untersucht, erst neuere Arbeiten, besonders diejenigen von KILIANI und EMIL FISCHER brachten Klarheit in dieses Gebiet und auf Grund seiner eingehenden Studien gelang es sogar dem letztgenannten Forscher, einen Teil der natürlichen Zuckerarten, den Traubenzucker, den Fruchtzucker und die Mannose, künstlich darzustellen.

Die ersten erfolgreichen Versuche, welche die Synthese von Zuckerarten bezweckten, wurden 1861 von BUTLEROW unternommen und gingen von dem Formaldehyd aus, der durch alkalische Flüssigkeiten in zuckerähnliche Produkte verwandelt wurde. Später nahm O. LOEW diese Kondensationsversuche des Formaldehyds wieder auf und erhielt durch verschiedene alkalische Mittel wechselnde Gemische von Zuckerarten; unter diesen befand sich sogar ein mit Bierhefe gärender Zucker, den FISCHER später als identisch mit seiner α-Akrose befand. Interessant sind diese Versuche besonders dadurch, dass die Bildung von Zucker, Stärke etc. in der Pflanze in ähnlicher Weise vor sich zu gehen scheint, indem zunächst die Kohlensäure zu Formaldehyd reduziert und der letztere zu Zucker kondensiert wird (Assimilationstheorie von BAEYER). — EMIL FISCHER ging bei seinen Untersuchungen vom

Glycerin aus, dessen Oxydationsprodukt, die Glycerose, bei Behandlung
mit Alkalien in zwei Zuckerarten übergeführt wird, von denen die eine,
die α-Akrose, nichts ist, als optisch inaktiver Fruchtzucker. Durch
eine Reihe zum grössten Teil neu entdeckter Reaktionen konnte FISCHER
dann weiter aus der α-Akrose den natürlichen, die Ebene des polari-
sierten Lichtes linksdrehenden Fruchtzucker und den Traubenzucker sowie die Mannose darstellen und so die Synthese der natürlichen Zuckerarten verwirklichen.

An diesen Vortrag anschliessend macht Dr. WEINBERG darauf aufmerksam, dass es nunmehr gelungen, auch im normalen menschlichen
Harn Zucker definitiv nachzuweisen, allerdings in sehr kleinen Quanti-
täten; Dr. MORITZ in München hat von dem Urin gesunder Menschen
einen Körper dargestellt, welcher nur ein Derivat einer Zuckerart sein
kann; zugleich hat er nachgewiesen, dass nach reichlicher Aufnahme
süsser Speisen reichlich Zucker im Harn auftritt, der aber rasch wieder
verschwindet.

Sodann gab Medizinalrat Dr. HEDINGER an der Hand der während
der letzten Wochen bei der Bibliothek des Vereins eingelaufenen
Schriften eine Übersicht über neuere Arbeiten auf geologisch-palaeon-
tologischem Gebiet. Die Reichhaltigkeit des Referates liess aufs neue
erkennen, welch wertvolle Publikationen in den zahlreichen Schriften
in- und ausländischer gelehrter Gesellschaften enthalten sind, welche
der Verein auf dem Weg des Tausches erhält.

Zum Schluss berichtete Prof. Dr. A. SCHMIDT (Realgymnasium) kurz
von den im Monat Oktober in Württemberg stattgefundenen Erdbeben.
Das erste fand statt in der Nacht vom 6./7. Oktober, das zweite vom
13./14. Oktober; beiden Beben, von welchen eine ganze Reihe von
Ortschaften der Reutlinger Alb berichteten, ist eine gewisse scharfe
Begrenzung eigentümlich; die Intensität war nirgends gross. Ein drittes
Erdbeben wurde nur in Hechingen beobachtet. Von einem vierten im
Oktober stattgehabten Erdbeben endlich, welches in einer 5 Minuten
während Erschütternng bestanden haben soll, liegt eine Notiz aus
Aulendorf vor; dieses Beben fand jedoch nach eingezogenen Erkundigungen eine humoristische Lösung, indem der Beobachter wohl das
durch einen zu ungewohnter Frühzeit abgelassenen Güterzug verursachte Schwanken des Moorbodens für ein Erdbeben hielt.

Sitzung vom 12. Februar 1891.

Als erster Redner referierte Prof. NIES (Hohenheim) über: HILLE-
BRAND's Analysen des Uranpecherzes (SILLIMAN, American Journal
[3] 40. Bd. S. 384. Nov. 1890) und motivierte das Eingehen auf eine solche
Specialarbeit mit dem Hinweise, dass nach seiner Meinung durch den
aus diesen Untersuchungen sich ergebenden Gehalt der Uranpecherze
an Stickstoff für dieses Element eine weitere Quelle, als der Vorrat in
der Atmosphäre nachgewiesen werde, eine Beobachtung, welche von
hoher theoretischer Bedeutung für die Auffassung des Kreislaufs des

Stickstoffs seï. Unter den 16 Stickstoff enthaltenden Mineralien, welche vor der Kritik als »gute Species« bestehen können, haben die meisten zweifellos ihren Stickstoffgehalt aus der Atmosphäre bezogen, und zwar unter ihnen wiederum die meisten unter Vermittelung der Organismen. Dahin zählen diejenigen Verbindungen, in denen Stickstoffsäuren auftreten: die Nitrate, welche teilweise unter Beimengung von Nitriten die verschiedenen Salpeter (Kalium-, Natrium-, Barium-, Magnesium-, Calciumsalpeter) bilden und bisweilen in grossartigem Massstabe (Natriumsalpeter) abgelagert wurden. Das Kupfernitrat (Gerhardtit), das einzige metallische Nitrat, kommt in den obersten Teufen von Erzgängen vor, für welche eine Kommunikation mit der Atmosphäre und Bezug der Salpetersäure aus derselben und aus der Grasnarbe wohl zugegeben werden kann und muss. Ganz zweifellos gilt ferner dasselbe unter den Ammoniumsalzen für die Phosphate: Struvit, Hannayit und Stercorit, und ebenso ist der Zusammenhang mit Atmosphäre, respektive Organismen für die Bildung der Sulfate Guanovulit, Lecontit und Ammoniumaluun in die Augen springend und unleugbar. Schwefelsaures Ammonium, Mascagnin, kommt teils als Kohlenbegleiter, teils als vulkanisches Sublimationsprodukt vor und teilt diese Doppelnatur des Vorkommens und vielleicht der Bildung mit dem Ammoniumchlorid, dem Salmiak. Bezüglich der Quelle des Stickstoffgehalts in jenem Salmiak, welcher Lavaströme in mitunter grossen Massen überzieht, besteht bekanntlich eine Kontroverse: BUNSEN, BISCHOF u. a. nehmen auch hier organogene Entstehung an: Sublimation der Produkte einer Wechselwirkung zwischen heissen Lavenströmen und der von ihnen überströmten Vegetationshülle. SARTORIUS VON WALTERSHAUSEN plaidiert für Abstammung des Stickstoffes aus den Vulkanen selbst, indem er auf das wohl nachgewiesene, aber wie es scheint, nur ganz gelegentliche und unbedeutende Vorkommen des Stickgases unter den gasförmigen Produkten der vulkanischen Thätigkeit Bezug nimmt.

Wie der vulkanische Salmiak, so tritt SCACCHI's Kryptohalit (Ammoniumsiliciumfluorid) nur als Überzug von Lavaströmen auf und lässt, ebenso wie das von SILVESTRI unter gleichen Verhältnissen einmal beobachtet, Stickstoffeisen die Frage offen, ob der Stickstoffgehalt dieser Mineralien aus der atmosphärischen Hülle oder aus dem Innern der Erde stammt.

Wenn ferner von einigen Mineralquellen Stickstoffgas in bedeutenden Mengen geliefert wird, so ist bei der Abstammung der Wässer selbst von atmosphärischen Niederschlägen nicht daran zu zweifeln, dass es sich um atmosphärische Luft handelt, welche während des unterirdischen Laufes der Wässer durch Entziehung von Sauerstoff infolge von Oxydationsprozessen im Sinne einer Vermehrung der relativen Menge von Stickstoff verändert wurde.

Der gelegentliche Stickstoffgehalt der Meteoreisen endlich lässt sich nur dann zur Diskussion irdischer Verhältnisse heranziehen, wenn in den Meteoriten überhaupt Analogien zu den in unerreichbaren Erdentiefen bestehenden Verhältnissen und vorhandenen Gesteinsmaterialien angesprochen werden: der Nachweis von Stickstoff in der Erdtiefe würde also vielmehr ein Beweis sein, dass man die Meteoriten auch wegen ihres gelegentlichen Gehalts an Stickstoff als Repräsentanten der Gesteine aus den tieferen Regionen der Planeten zu betrachten hat, als dass dieser ihr Stickstoffgehalt nach dem jetzigen Standpunkt unseres Wissens als Beweis der Existenz dieses Elements in der Erden Tiefen betrachtet werden darf.

So ergibt die Prüfung des Vorkommens der bisher als Stickstoff-führend bekannten Mineralien eine Abstammung des Stickstoffs aus der Atmosphäre unter Vermittelung der Organismen entweder zweifellos oder doch wahrscheinlicher, als irgend eine andere Abstammung — und HILLE-BRAND's Analysen der Uranpecherze liefern in der That »den erstmaligen Nachweis von Stickstoff in der primitiven Erdkruste«, denn bei diesem, archäischen Gesteinen eingelagerten Gangmineral ist der Gedanke an Bezug des Stickstoffs aus der Atmosphäre oder gar unter Mitwirkung von Organismen ausgeschlossen.

Der Prozentgehalt an Stickstoff im Uranpecherz beziffert sich in einzelnen Fällen bis über 2,5 $\%$. Nehmen wir das specifische Gewicht des Uranpecherzes $= 9$ an, dasjenige des gasförmigen Stickstoffs bei 0^0 und 760 mm Druck $= 0,001256$, so würde 1 cbcm Erz nicht weniger denn das 178fache seines eigenen Volumens an gasförmig gedachtem und als solchem abscheidbaren Stickstoff enthalten.

Weitere Folgerungen und Betrachtungen an HILLEBRAND's Arbeit zu knüpfen, kann im Moment die Aufgabe nicht sein, da namentlich über die Art der Bindung des Stickstoffs vorläufig ebenso wenig etwas ausgesagt werden kann, als über die Zusammensetzung des Uranpech-erzes und der verwandten Mineralien (Bröggerit u. s. w.): hat doch HILLEBRAND in den Uranpecherzen nicht weniger denn 27 Elemente nachgewiesen! Der Beweis aber für das Vorkommen des Stickstoffs in chemischer Bindung in der Erdkruste selbst, nicht nur in der Atmo-sphäre und in oberflächlich unter der Mitwirkung atmosphärischer und organischer Prozesse gebildeten Mineralien deuterogener Natur — dieser Beweis ist schon jetzt von HILLEBRAND erbracht.

Den zweiten, im folgenden im Wortlaut wiedergegebenen Vortrag hielt Prof. Dr. A. SCHMIDT über: »Was folgt aus den neuesten Beobachtungen der Axendrehung der Sonne?«

Dass da oben auf der Sonne, der Spenderin von Licht und Wärme, von Arbeitskraft und Lebenskraft noch lange nicht alles für unser Ver-ständnis im Reinen sei, trotz der grossen Fortschritte der Wissenschaft der letzten Jahrzehnte, trotz der Überwindung alter Vorurteile und Irr-tümer durch KIRCHHOFF seit dem Jahre 1861, ist die Überzeugung aller Sachverständigen, wenn gleich über das Mass unserer Ungewissheit die Meinungen weit auseinandergehen.

Gewisse Punkte scheinen sorgfältig klar gelegt, sie bilden ein ziemlich unbestrittenes Gemeingut unseres Wissens, so der beiläufige Wert der Horizontalparallaxe der Sonne und damit derjenige ihrer Entfernung von uns, die mit der Entfernung etwas veränderliche Grösse ihres scheinbaren Radius, die Grösse des wirklichen Radius, also das

Volumen der Sonne, auch ihre Masse und demgemäss ihre Dichte, die ungefähre Neigung ihrer Axe gegen die Ekliptik, die ungefähre Umlaufszeit um ihre Axe, das alles sind unangefochtene Dinge. Auch die Unterscheidung des leuchtenden Balls von seiner lichtabsorbierenden Atmosphäre, die Zusammensetzung dieser letzteren aus den Dämpfen schwerer und leichter Metalle und aus ungeheuren Mengen von Wasserstoff, die heftigen Stürme und von innen kommenden Ausbrüche, deren Mächtigkeit alles irdisch Vorstellbare weit hinter sich lässt, sind unbezweifelte Errungenschaften der Spektralanalyse. Und auch über den Ersatz der ungeheuren Wärmeausgaben der Sonne, teils nach MAYER durch Umwandlung der Fallkraft hereinstürzender Massen, teils besonders nach HELMHOLTZ durch Verdichtung des Sonnenballs selbst, besteht, einzelne Ausnahmen abgerechnet, ungeteilte Übereinstimmung.

Aber diesem mehr unbestrittenen Gebiete stehen Vorstellungen mehr oder weniger zweifelhafter Natur gegenüber: Ist der Sonnenkern ein Gas, ist er flüssig oder starr? Sind die Sonnenflecken das was sie scheinen, Vertiefungen in der glänzenden Oberfläche des Kerns, oder sind sie mit KIRCHHOFF und REYE Wolken der Sonnenatmosphäre oder mit ZOLLNER schwimmende Schlacken oder mit SECCHI Wirkungen der starken Absorption schwerer gasiger Auswurfsmassen oder mit FAYE trichterförmig vertiefte Wirbel in einem leuchtenden Gasball, welche den Wasserstoff der oberen Schichten in die Tiefe saugen? Das sind Fragen, über welche noch keine Übereinstimmung der Ansichten herrscht, wenn man auch nicht verkennen kann, dass in den letzten 15 Jahren die Vorstellungen des eifrigsten Vorkämpfers seiner Theorie, des Akademikers FAYE, am meisten Boden gewonnen haben. In der Sitzung vom 1. Dezember 1873 verkündigte er der Akademie, dass es nun auch in Deutschland zu tagen beginne, ZOLLNER habe das »trichterförmig vertieft« zugegeben. Der direkte Anblick im Fernrohr, photographische Aufnahmen der Flecken, Zusammenstellungen stereoskopischer Bilder aus Aufnahmen aufeinanderfolgender Tage, Messungen der sogenannten Tiefenparallaxe der Flecken, Fehlen jeder Spur von Wolken über den am Rand befindlichen Flecken während einer Sonnenfinsternis, ja eine schwache Einbiegung des Randes an der Stelle des Flecks, diese Umstände scheinen vielen Astronomen alle Zweifel daran zu heben, dass die Flecken Vertiefungen der Sonnenoberfläche sind, aus deren Tiefe entweder das Licht unter Dämpfung durch schwere Gase hervordringt oder das Innere der Sonne mit seiner geringeren Leuchtkraft wie durch ein Loch in der glänzenden Hülle sichtbar wird.

Nun aber vollends Fragen, wie die nach der Natur der Corona, wie die Erklärung des unleugbaren Zusammenhangs zwischen der $11\frac{1}{8}$ jährigen Periode der Sonnenflecken mit einer gleichlangen Periode magnetischer Störungen auf der Erde, die Erklärung der sonderbaren Rotation der Sonne, wie sie durch 300 jährige Fleckenbeobachtungen festgestellt ist, dass nämlich die Umdrehungszeit am Äquator kleiner ist, als in höheren Breiten und umso grösser, je weiter die Entfernung vom Äquator ist, das sind Dinge, welche bis jetzt der ungekünstelten Erklärung spotten. Denn wenn ZOLLNER mit mathematischer Schärfe

uns beweist, dass atmosphärische Ströme, welche von den kälteren Polen
der Sonne nach deren wärmerem Äquator ziehen, sowie unsere Passatwinde im Meere Driftströmungen erzeugen, durch ihre Driftwirkungen
die eigentümliche Rotation der Flecken hervorbringen, oder wenn FAYE
Konvektionsströme bis tief unter die Sonnenoberfläche annimmt, welche
durch ihr Auf- und Absteigen die oben ausgestrahlte Wärme von unten
her ersetzen, und wenn er diese Ströme zur Ursache einer oberflächlichen Geschwindigkeitsverminderung macht, die am Äquator am wenigsten betragen soll, so kann man sich der Überzeugung nicht erwehren,
dass beide Forscher aus ihren Voraussetzungen leichter das gegenteilige
Gesetz bewiesen hätten, dass die Rotationszeit am Äquator eher grösser
als an den Polen sein sollte, wie die Lufthülle unserer Erde infolge
der Passatwinde am Äquator langsamer rotiert. Bei diesem Stande
der Dinge ist es nun von höchstem Interesse, wenn neue Thatsachen
der Beobachtung gewonnen werden, an welchen die bisher gewonnenen
Erkenntnisse und Anschauungen sich bewähren und an welchen falsche
Theorien, ob sie bisher bestritten oder unbestritten waren, zerschellen
müssen.

Solcher neuer Beobachtungen über die Sonnenrotation sind nun
in den letzten zwei Jahren zwei bekannt geworden: Die »astronomischen Nachrichten« No. 2852 vom 10. August 1888 und No. 2968 vom
21. Mai 1890 bringen neue Rotationsbestimmungen, die für unsere Anschauungen von der Sonne von höchster Bedeutung sind. Und in den
Comptes rendus vom 15. Juli 1890 bespricht FAYE diese Beobachtungen,
um daran in seiner Weise seine seit über 25 Jahren entwickelte Theorie
von der physischen Beschaffenheit der Sonne zu erproben. Die zweite
der erwähnten Mitteilungen der astronomischen Nachrichten konnte ich
in Stuttgart nicht zur Einsicht bekommen, der Bericht von FAYE und
ein Auszug in WIEDEMANN's Beiblättern bilden meine Quellen.

Übersehen wir zunächst die früheren Messungen:

Die Rotation der Sonne wurde seit GALILEI und SCHEINER an
den Sonnenflecken erkannt und gemessen. Genaue Resultate verdanken
wir zuerst dem Fleiss des Engländers CARRINGTON, dessen Beobachtungen
die Zeit von 1853—61 umfassen, und der aus einer Zahl von 5290
Einzelbeobachtungen eine Rotationsgeschwindigkeit der Sonne abgeleitet
hat, welche folgende empirische Formel darstellt: $865' - 165' \sin^{\frac{7}{4}} \varphi$,
für die heliographische Breite von φ-Grad und die Zeit von 24 Stunden.
D. h. mit andern Worten: Die Rotationszeit des Sonnenäquators beträgt 24,97 Tage und die des Gürtels von z. B. 45^0 Breite beträgt
27,87 Tage. In Breiten über 50^0 werden die Bestimmungen unsicher,
da dort die Sonnenflecken höchst selten sind. Seit 1861 hat SPÖRER
die Arbeit fortgesetzt und etwas kleinere Werte für die täglichen Winkel,
also etwas grössere für die Rotationszeit gefunden, übrigens zu verschiedenen Zeiten und für verschiedene Flecke etwas verschiedene, denn
die Flecke zeigen ausser der allgemeinen Rotationsbewegung auch noch
Eigenbewegungen, die noch nicht auf ein Gesetz gebracht sind. Da die
neueren Messungen an photographischen Aufnahmen gemacht werden,
so sind sie sehr grosser Schärfe fähig. Zwei von FAYE angeführten

Angaben Spörer's $14^0,27$ und $14^0,23$ für die tägliche Winkelgeschwindigkeit am Äquator entsprechen die Zeiten 25,23 resp. 25,30 Tage, eine
von Sporer entwickelte Formel gibt nur 25,12 Tage.

Aber auch nach einem andern Verfahren hat man in den letzten
Jahrzehnten angefangen, die Rotationsgeschwindigkeit der Sonne zu
messen. Das Spektroskop bildet bekanntlich ein ungemein empfindliches,
von der Entfernung unabhängiges Mittel, Geschwindigkeiten zu messen,
mit welchen lichtaussendende Körper sich von uns entfernen oder sich uns
nähern, falls sich dieses Licht durch bestimmte Spektrallinien kenn-
zeichnet. Der eine Rand des Sonnenäquators (wenn wir annehmen,
unser Auge stehe etwa gerade in der erweiterten Äquatorebene) entfernt sich von uns mit einer Geschwindigkeit von etwa 2 km, der andere
nähert sich uns mit ebenderselben Geschwindigkeit. Eine solche Geschwindigkeit der Lichtquelle erzeugt eine Verschiebung der Fraunhofer'-
schen Linien, z. B. der Linien D_1 und D_2 um etwa $\frac{1}{200}$ ihrer Distanz
im Spektrum. Zollner hat zu diesem Zweck der Geschwindigkeits-
messung sein Reversionsspektroskop konstruiert, er, Vogel, Langley
und Young haben so schon mit ziemlicher Genauigkeit die Sonnenrotation wenigstens am Äquator gemessen und zwar später unter Benützung von Beugungsgittern statt der zerstreuenden Prismen.

Durch die ausserordentliche Vervollkommnung der Technik in der
Herstellung dieser Gitter, sowie durch die Vervollkommnung des Be-
obachtungsverfahrens ist es nun dem Schweden Duner gelungen, in
den Jahren 1887—1889 auf der Sternwarte der Universität Lund
spektroskopische Messungen der Sonnenrotation anzustellen, welche sich
über 75^0 Entfernung vom Äquator auf beiden Halbkugeln der Sonne
erstrecken. Änderungen der Wellenlänge bis zu $\frac{1}{5000}\,\mu\mu$, d. h. ein
Fünftausendmilliontelmillimeter sollen sich aus der Verschiebung der
Spektrallinien mit dem benützten am grossen Refraktor angebrachten
Gitter bestimmen lassen. Das Ergebnis war, dass das Gesetz der Veränderung der Rotationsgeschwindigkeit mit der Breite dasselbe ist, wie
es Carrington und Sporer für die Flecken gefunden haben, dass aber
die Werte durchgehends etwas kleiner gefunden wurden, wie wenn die
Umdrehungszeit am Äquator 25,46 Tag betrüge statt 24,97 (Carrington) oder 25,23 oder 25,30 (Spörer) und in 45^0 Breite 28,80 statt
27,87 (Carrington) und gar für 75^0 Breite ergibt sich aus den Messungen
Duner's eine Umlaufzeit von 38,52 Tagen.

Einige Jahre zuvor schon, nämlich im Sommer 1884, hatte ein
deutscher Physiker, Dr. Wilsing, auf dem Observatorium in Potsdam
ein drittes Verfahren angewendet, um die Sonnenrotation zu bestimmen.

Nächst den Flecken zeigt die Sonnenoberfläche eine zweite Art
von Merkzeichen für die teleskopische Beobachtung und die photographische Aufnahme. Es sind dies die sogenannten Fackeln, Licht-
adern, welche im Gebiete der Flecken besonders ausgeprägt sind, aber
auch über dieses Gebiet hinaus bis in höhere Breiten gefunden werden. Es hatte sich gezeigt, dass auch diese Fackeln, wie die Flecken,
oft mehrere Rotationsperioden überdauern. Ihre Beobachtung ist aber
dadurch erschwert, dass sie wie Marmorierungen keine bestimmten Um-

risse zeigen und nur in der Nähe des Sonnenrandes deutlich wahrnehmbar sind, gegen die Mitte der Scheibe hin unsichtbar werden. Man muss sie also je nach einer halben Umdrehung wieder aufsuchen, was schwer ausführbar wäre, wenn man nicht von einem schon bekannten Werte der Rotationsdauer ausgehen könnte. Diese Schwierigkeiten erschweren also die Arbeit, sie sind aber sicher nicht unüberwindlich und ein gewissenhafter geübter Beobachter, wie WILSING, wird um so vorsichtiger in der Beurteilung seiner Beobachtungen gewesen sein, je mehr die Ergebnisse von denen der Fleckenbeobachtungen sich entfernten. Mehrere Monate lang fortgesetzte photographische Aufnahmen der Sonnenscheibe lieferten ein reiches Material für mikrometrische Messungen, die dunkelsten Stellen der erhaltenen Negative dienten als Merkzeichen. Das Ergebnis war höchst auffallend, dass nämlich die Fackeln in allen Breiten auf eine gleiche Rotationszeit von 25,228 Tagen hinwiesen, auf der nördlichen und südlichen Halbkugel führten die Mittel der Messungen zu diesem selben Wert. WILSING zieht hieraus den Schluss, dass die Fackeln Erscheinungen sind, welche dem Sonnenkern angehören und dass dieser nach Art der festen Körper rotiere, während die Sonnenflecken Erscheinungen der Sonnenatmosphäre seien und zwar einer verhältnismässig niedrigen Schicht dieser Atmosphäre angehören.

Was ist aus diesen Beobachtungen zu folgern? FAYE in seinem der Akademie erstatteten Bericht beginnt die Schilderung von WILSING's Versuchen mit den Worten: »Disons d'abord que le travail du Dr. WILSING parait avoir été inspiré moins par le désir de compléter nos moyens d'information que pour raviver une théorie aujourd'hui bien oubliée, celle de Mr. KIRCHHOFF. Cette théorie a eu le désavantage d'être une traduction par trop littérale des belles observations d'analyse spectrale de ce physicien.« Was die Fortsetzung dieses Passus ist, leuchtet ein. Die Beobachtungen WILSING's passen weder zu FAYE's gasförmigem Sonnenball, noch zu den Wirbeltrichtern, daher wird ein verdienter Gelehrter mit seiner mühevollen Arbeit verspottet, dass er aus unbrauchbaren Beobachtungen ein Ergebnis abgeleitet, für welches er voreingenommen gewesen sei. Seit 300 Jahren sei es niemand eingefallen, die Fackeln als Merkzeichen zur Messung der Rotation zu benutzen. Er rückt WILSING all die Schwierigkeiten vor, welche WILSING selbst in seinem Berichte aufgezählt hatte, an eine bewiesene Ausdauer der Fackeln für mehrere Umdrehungen glaubt er nicht. WILSING habe SPORER's Rotationszeit der Sonne seinen Beobachtungen zu Grunde gelegt und daher auch diese wieder herausgefunden.

Mit DUNER's spektroskopischen Beobachtungen dagegen, welche das bekannte Rotationsgesetz bestätigen, ist FAYE vollständig einverstanden, sie sind ihm ein schlagender Gegenbeweis gegen WILSING's Entdeckung. Der kleine Unterschied zwischen der von DUNER ermittelten Winkelgeschwindigkeit und den anderen aus den Fleckenbeobachtungen ermittelten stört ihn nicht, eine gute Theorie verträgt auch eine Zusatzhypothese: Die Sonnenrotation erweist sich, was man bisher nicht wusste, rascher zur Zeit der Fleckenmaxima, DUNER hatte in den fleckenarmen Jahren 1887—89 beobachtet, daher findet er eine etwas kleinere Geschwindigkeit. — Das sind die Folgerungen, welche FAYE aus den geschilderten Beobachtungen zu ziehen weiss.

Gegenüber seiner der Wissenschaft unwürdigen Behandlung der Ergebnisse mühevoller Beobachtungen, gegenüber der absprechenden Schätzung der für alle Zeiten denkwürdigen Theorie KIRCHHOFF's, gegenüber der Verdächtigung der Wahrheitsliebe eines fleissigen Forschers verdient der grosse Astronom, wenngleich sein Name mit Kometenschrift an den Himmel geschrieben ist, eine Lektion, welche nicht unbescheiden sein dürfte, wenn sie in einer sachgemässen Würdigung der geschilderten Beobachtungen besteht.

Im Jahre 1885 hat SPÖRER[1] auf Grund seiner langjährigen Beobachtungen der Sonnenflecken es ausgesprochen, dass die Beweise, welche man dafür beizubringen pflege, dass die Kerne der Sonnenflecken beträchtlich unter die Sonnenoberfläche vertieft seien, nicht für stichhaltig angesehen werden dürfen. Bei der Bewegung gegen den Sonnenrand verschwinde von dem mit seinem Halbschatten umgebenen Fleck allerdings gewöhnlich zuerst der innere, der Mitte der Sonnenscheibe zugekehrte Hofrand, dann aber nicht der Fleck, sondern zuerst der äussere Hofrand und zuletzt bleibe noch der Fleck mit seinem nördlichen und südlichen Hofrande übrig. Nach der alten Vorstellung von WILSON und der neuen von FAYE müsste zuerst der innere Rand, dann der Fleck und zuletzt der äussere Rand verschwinden. SPÖRER macht insbesondere darauf aufmerksam, wie die scheinbare Vertiefung der Flecke und ihre Tiefenparallaxe genügend erklärt werden könne durch die Annahme eines geringen Brechungsvermögens der Sonnenatmosphäre, $n = 1{,}0021$ (für die Luft an der Erdoberfläche ist $n = 1{,}0003$). Hätte nun FAYE von DUNER's Beobachtungen, ich will von denen WILSING's noch nicht reden, einen gewissenhaften Gebrauch gemacht, so hätte er, statt durch eine Zusatzhypothese, vielmehr durch sachliche Gründe den kleinen Geschwindigkeitsunterschied erklärt, der DUNER's Ergebnissen eigen ist. Er hätte sich die Frage vorgelegt, ob nicht dieselbe Lichtbrechung, welche seiner Fleckentheorie so gefährlich ist, auch ihren Ausdruck finde in dem betreffenden Minus von Geschwindigkeit. Denn wenn der Lichtstrahl, der uns von der Bewegung des Sonnenrandes Kunde bringt, in der Sonnenatmosphäre sich krümmt, so müssen wir erwarten, dass die Strahlen, die wir vom Sonnenrande erhalten, dort nicht die Richtung der Bewegung der Lichtquelle hatten, wir müssen also darauf gefasst sein, durch das Spektroskop eine zu kleine Geschwindigkeit zu finden. Durch die Vergleichung der täglichen Winkelgeschwindigkeiten (nämlich $14^0{,}37$, $14^0{,}29$, $14^0{,}27$ und $14^0{,}23$), welche FAYE nach verschiedenen Fleckenbeobachtern als Äquatorgeschwindigkeit der Sonne angibt, mit der Geschwindigkeit, welche DUNER findet (nämlich $14^0{,}14$), hätte FAYE zu seiner Auswahl die Werte $10^0{,}16'$ oder $8^0{,}18'$ oder $7^0{,}44'$ oder (wohl am zutreffendsten) $6^0{,}26'$ als mögliche Beträge der astronomischen Strahlenbrechung an der Oberfläche der

---

[1] Vierteljahrsschrift der astronomischen Gesellschaft. 20. Heft 4.

Sonne gefunden, derselben Grösse, welche an der Oberfläche unserer
Erde 35′ beträgt. Jener Winkel hat indessen nicht dieselbe Bedeutung
für die Sonnenoberfläche, welche der Winkel von 35′ für unsere Erdoberfläche hat.· Hätte aber unsere Erde einen über 100mal grösseren
Radius, dann wäre ihre Krümmung schwächer als diejenige eines horizontalen Lichtstrahls an ihrer Oberfläche, dann könnte ein horizontaler
Lichtstrahl die Erdoberfläche gar nicht verlassen. Erst ein Strahl,
welcher unter einem Winkel von gegen 35′ sich von der Oberfläche
erheben würde, könnte in den Weltraum austreten. Dies ist die Bedeutung des soeben für die Sonnenoberfläche abgeleiteten Winkels von
vielleicht $6\frac{1}{3}^0$. Mehr als einen ganz rohen Schätzungswert bieten freilich die soeben angegebenen Winkel der Horizontalrefraktion auf der
Sonnenoberfläche nicht, denn die von DUNER angegebene Genauigkeits-
grenze von $\frac{1}{50000}$ $\mu\mu$ entspricht einer Geschwindigkeit von 100 m. Bis
auf 100 m genau ist bei jeder Einzelbeobachtung (es sind deren für
die ganze Sonnenoberfläche 635) die Geschwindigkeit an der Sonnenoberfläche bestimmt Aber in jeder Einzelbeobachtung wird nicht nur
die Geschwindigkeit gemessen, welche von der Rotation herrührt, sondern auch die von zufälligen Bewegungen, von Stürmen und Cyklonen
herrührenden Geschwindigkeiten. Und diese sind sehr erheblich. Am
14. März 1869 beobachtete LOCKYER [1] am Sonnenrande einen Drehsturm
glühenden Wasserstoffgases mit 240 km Geschwindigkeit (sekundlich).
Die aus der Rotation sich ergebende Geschwindigkeit des Sonnenäquators beträgt nur 2 km. Mit Rücksicht hierauf wird die Genauigkeit der Gesamtheit der Beobachtungen wohl nicht viel grösser als $\frac{1}{20}$
anzunehmen sein, so dass die berechneten Winkelwerte sehr zweifelhaft
werden. Andererseits aber, irgend einen Wert muss diese Refraktion
doch haben, und in anbetracht der viel grösseren Schwere an der
Sonnenoberfläche, des viel grösseren Sonnenradius und einer von der
unsern ganz verschiedenen chemischen Beschaffenheit der Sonnenatmosphäre ist trotz der hohen Temperatur eine Zahl von $6\frac{1}{2}^0$, sowenig wie
der von SPORER angegebene Brechungsindex 1,0021, über das Mass des
zu erwartenden hinausgehend. Bei unserer völligen Unkenntnis über
das Verhalten der Körper unter Umständen, wie sie an der Sonnenoberfläche herrschen, ist die Annahme einer merklichen Refraktion eine
mindestens ebenso berechtigte Hypothese, als die Vernachlässigung
derselben.

Von all den schweren Konsequenzen, welche die Berücksichtigung
der Strahlenbrechung an der Sonne nach sich sieht, — sie sind geeignet,
eine Umwälzung in unseren Vorstellungen von dem Zustand und den
Bewegungen in der Sonnenatmosphäre hervorzurufen —, will ich nur
eine andeuten: Ein vom Monde oder von der Venus aus unsere Erde
beobachtender Astronom würde infolge davon, dass die Randstrahlen,
welche von der Erde zu seinem Auge kommen, in der Erdatmosphäre
sich krümmen, den Erdhalbmesser um etwa 2 km zu gross sehen, um
ebensoviel die Atmosphäre der Erde von unten verkürzt, so dass die

---

[1] Secchi, „Die Sonne", herausgegeben von Schellen. 1872. Seite 507.

Wolken der untersten Schichten, welche bei geradliniger Fortpflanzung des Lichts gerade neben dem Rande stehen müssten, den Erdrand zum Hintergrund bekommen. Es ist nicht nötig, die analoge·Erscheinung für die Sonne auszumalen, es genügt, wenn Herr FAYE die Überzeugung gewinnt, dass damit ein weiterer der Einwände gegen KIRCHHOFF's Theorie hinfällig wird.

Auf ein nicht zu kleines Lichtbrechungsvermögen der Sonnenatmosphäre deutet noch ein Umstand, der hier hervorzuheben ist, und dessen nähere Ausführung Redner sich für andere Gelegenheit vorbehält. Die Abnahme der Strahlung der Sonnenscheibe von der Mitte bis gegen den Rand wird gewöhnlich einer Absorption des Lichtes durch die Sonnenatmosphäre zugeschrieben, eine Absorption, die um so grösser sein muss, je schiefer ein Strahl diese Atmosphäre durchdringt, weil dann sein Weg um so länger ist. Der ganz besondere Umstand aber, dass diese bedeutende Lichtabnahme weniger für die ultraroten Strahlen von langer Wellenlänge, mehr für die roten, noch mehr für die violetten und am meisten für die ultravioletten Strahlen kleinster Wellenlänge beträgt, dieser besondere Umstand macht es nicht unwahrscheinlich, dass es sich hier weniger um eine Wirkung der Absorption, als vielmehr um eine solche der Refraktion handelt.

Soviel über die Folgerungen aus DUNER's Messungen. Stehen die WILSING'schen Ergebnisse mit denen DUNER's im Widerspruch? FAYE scheint das anzunehmen, denn er macht einem andern französischen Gelehrten den Vorwurf, die WILSING'sche Entdeckung als etwas Bedeutungsvolles erwähnt zu haben, dieser habe wahrscheinlich von den DUNER'schen Forschungen noch nichts gewusst. Genau beim Lichte besehen· sind aber die DUNER'schen Beobachtungen weder prinzipiell neu, noch stehen sie in irgend einem Widerspruch mit WILSING's Entdeckung. DUNER misst die Verschiebung von einer Gruppe Eisenlinien im Sonnenspektrum, also die Geschwindigkeit nicht des lichtaussendenden, sondern die des lichtabsorbierenden Mittels, der Eisendämpfe. Man könnte die Übereinstimmung des Gesetzes der DUNER'schen Messungen mit den Fleckenbeobachtungen sogar als einen Hinweis darauf ansehen, dass die Ursache der Sonnenflecken eben in derjenigen Atmosphärenschicht zu suchen sei, in welcher die Eisendämpfe hauptsächlich vertreten sind. WILSING's Entdeckung, der ein hoher Grad von Zuverlässigkeit zukommt, zeigt, dass es einen Kern der Sonne gibt, welcher dem Gesetze der Rotation fester Körper folgt. Welches Recht hat FAYE, an dieser Entdeckung Anstoss zu nehmen? Braucht nicht er selbst auch eine Art Kern [1], der an seinen Konvektionsströmen und an der anormalen Rotation unbeteiligt ist, also nach dem Gesetz der festen Körper rotiert? Anderes lässt sich unter seiner »Surface idéale d'émission« nicht denken, bis zu welcher die Konvektionsströme sich in die Tiefe erstrecken. Nur besteht zwischen dem Kern FAYE's und demjenigen DUNER's der Unterschied, dass ersterer ein Produkt der Spekulation, letzterer ein Produkt der Beobachtung ist. Ja, es ist noch schlimmer. Sehen wir nach der

---

[1] Comptes rendus, Séance 23. Jan. 1865.

physikalischen Grundannahme von FAYE's Sonnentheorie: Denken wir
uns einen Augenblick die Wärmestrahlung der Oberfläche weg, so hört
auch die Folge dieser Ursache auf, die Konvektion und damit die ganze
Verzögerung der oberflächlichen Rotation mit ihrer Ungleichheit je nach
der Entfernung vom Äquator, dann haben wir im Hintergrund von
FAYE's physischer Theorie der Sonne einen Gasball, der in seiner Rotation das Gesetz der Rotation starrer Körper befolgt. Auf dieser
Grundlage ist FAYE's Theorie aufgebaut. Dass abgesehen von der
Wärmeausstrahlung es mit den Eigenschaften eines Gases verträglich
sei, dass es als Ball mit in allen Teilen gleicher Winkelgeschwindigkeit
rotiere, das ist eine Annahme, die wir so lange als Chimäre betrachten
müssen, als uns FAYE nicht den Beweis des Gegenteils gibt. So lange
müssen wir die Theorie FAYE's als eine höchst gewagte, ihres Funda-
ments entbehrende Hypothese betrachten.

Vielleicht hat WILSING ähnliche Bedenken gehabt gegen einen
gasig-flüssigen Zustand des von ihm entdecken Sonnenkerns, hat aber
aus Schonung gegen Andersdenkende unterlassen, die letzte Konsequenz
zu ziehen und demselben den Gaszustand direkt abzusprechen. Für
uns liegt als Ergebnis der WILSING'schen Entdeckung die wahrscheinliche Existenz eines Sonnenkerns vor, dessen Oberfläche zusammen-
hängend genug ist, um eine gleichmässige Rotation zu befolgen. Umgeben ist dieser Sonnenkern von einer Atmosphäre, welche gegen die
Pole hin eine westlich gerichtete Strömung von mit der Breite zu-
nehmender Stärke besitzt, um den Äquator aber möglicherweise sogar
eine geringe östliche Strömung, die der Axendrehung etwas vorauseilt.
Diesen Zustand der Sonnenatmosphäre hat SPORER schon vermutet, ehe
WILSING die Anzeichen des Kerns gefunden hatte. Über die treibenden
Kräfte, welche diese Bewegung der Atmosphäre erzeugen, will ich keine
Vermutungen anstellen. Vielleicht ist eine kühne Hypothese von WIL-
LIAM SIEMENS der Schlüssel der Lösung, aber noch fehlt ihr die An-
erkennung der berufenen Forscher.

Eine auf unzweifelhaften Grundlagen aufgebaute Theorie der
physischen Natur der Sonne haben wir nicht. Was wir wollen und
von der Zukunft erhoffen, das ist ein genetisches Verständnis desjenigen
Zustandes, in welchem die Sonne sich derzeit befindet. Die KANT-
LAPLACE'sche Theorie lässt uns noch grosse Lücken. Wenn wir für
die Epochen der Ablösung der einzelnen Planetenmassen je eine Winkelgeschwindigkeit des äquatorealen Teils der Centralmasse annehmen müssen,
die ungefähr gleich der jetzigen Geschwindigkeit der Revolution der
betreffenden Planeten ist, so durfte während des ganzen Verlaufs der
Planetenbildung die Schwere an der Oberfläche des Sonnenäquators nie
bedeutend über die centrifugale Beschleunigung überwogen haben. Seit
der Abtrennung des Merkur aber ist es anders geworden. Die Rotationsgeschwindigkeit der Sonne ist fast Null im Vergleich mit demjenigen
Betrag, der zur Ablösung äquatorealer Teile erforderlich wäre, denn ein
solcher müsste eine Umlaufszeit von 2,8 Stunden, statt $25\frac{1}{2}$ Tagen haben.
Was ist aus der Energie der rotierenden Bewegung der Sonne geworden,
durch welches Mittel, welche Reibungsvorgänge hat sich diese lebendige

Kraft in Wärme oder in elektrische Energie umgewandelt? Ist vielleicht die noch unerklärte eigentümliche Rotation der Sonnenatmosphäre
und die damit zusammenhängende Fleckenbildung ein Ausdruck eines
solchen seinem Ende zuneigenden Umwandlungsprozesses kinetischer
Energie?

Seit 25 Jahren versichert uns FAYE[1] wiederholt, die Frage nach der
physischen Natur der Sonne sei zur Entscheidung reif, man dürfe nur
die Hypothesen fallen und die Thatsachen reden lassen. Uns scheint,
dass Herr FAYE und wir Jüngere mit ihm, wird in die Grube steigen
müssen, ehe die letzte Hypothese in der Frage gebildet wurde. Allen
diesen Hypothesen, welche der Lauf der Jahrhunderte bringen mag,
wird diejenige KIRCHHOFF's voranleuchten, weil sie sich an eine epoche-
machende wissenschaftliche Entdeckung knüpfte, die Erklärung der
FRAUNHOFER'schen Linien, weil sie dem Gesetz von der Erhaltung der
Energie zuerst gerecht zu werden suchte und weil sie den Grund legte
zur Aufdeckung einer optischen Täuschung im Anblick der Sonnenflecken.

Nach den Vorträgen kamen noch einige naturwissenschaftliche
Gegenstände zur Vorlage: zunächst ein grosses auf einem Baum be-
festigtes Termitennest (*Eutermes armiger* MOTSCH) aus Bahia, welches
die Sammlung des K. Naturalienkabinetts Kaufmann GUST. AD. MÜLLER
verdankt; derselbe gab nach eigener Erfahrung eine kurze Skizze von
der ausserordentlichen Schädlichkeit der Termiten in den Tropen; um
die verschiedenen Formen der Bewohner des Nestes, besonders die bei
dieser Art durch einen spitzen Kopffortsatz ausgezeichneten Soldaten
zu zeigen, waren mikroskopische Präparate in Cirkulation gesetzt.

Prof. Dr. E. HOFMANN legte sog. „springende Bohnen" vor, welche
die Sammlung des K. Naturalienkabinetts von Herrn Dekorateur SCHEIF-
FELE erhielt und bei denen die springenden Bewegungen leicht zu de-
monstrieren waren, wenn sie auf einen etwas erwärmten Teller gelegt
wurden. Schon im Jahre 1858 wurden dieselben in Paris in der entomologischen Gesellschaft vorgelegt und die Urheber derselben beschrieben; doch scheinen sie erst später nach Deutschland gekommen zu sein,
da Prof. BUCHENAU sie erst im Jahre 1871 in den naturwissenschaftlichen Verein zu Bremen brachte und zwei ausführliche Aufsätze in den
dortigen Abhandlungen gab; den ersten im Jahre 1873 S. 773 und den
zweiten ebendaselbst im Jahre 1891.

Nach Berlin kamen sie erst im Jahre 1889, wie ein kleiner Aufsatz von Prof. ASCHERSON in den Sitzungsberichten der Gesellschaft naturforschender Freunde in Berlin S. 187 berichtete.

Der Urheber dieser Bewegungen bei den „Bohnen", an denen
aussen nirgends das Vorhandensein eines im Innern lebenden Tieres
bemerkt wird, ist eine kleine Schmetterlingsraupe, welche zu den Wick-

---

[1] s. z. B. Comptes rendus vom 13. Okt. 1873.

lern und wie unser Apfelwurm zu der Gattung *Carpocapsa* gehört und von WESTWOOD *C. saltitans* genannt wurde, während sie LUCAS etwas später unter dem Namen *C. Deshayesiana* beschrieb. In der »Naturaleza«, einer mexikanischen Zeitschrift, 1888, ist die Bohne, die Raupe, Puppe und der Schmetterling abgebildet. Obwohl die „Bohnen" und die in denselben lebenden Raupen schon so lange bekannt sind, ist es doch erst in der Neuzeit Herrn Prof. BUCHENAU gelungen, die Pflanze kennen zu lernen, von der diese fälschlich genannten „Bohnen" stammen.

Es sind die Teilfrüchte einer baumartigen in Mexiko vorkommenden Euphorbiacee, *Sebastiana Pavoniana,* welche von den Raupen bewohnt und ausgefressen werden. Die Larve, welche sich in dem verhältnismässig grossen Hohlraume der Teilfrucht frei bewegen kann, stützt sich mit den Bauchfüssen auf das denselben auskleidende Gespinst; dann lässt sie die Brust- und ersten Bauchfüsse los und indem sie sich gewaltsam ausstreckt, bewirkt sie eine sprungweise Fortbewegung der Teilfrucht, die mitunter um ihren eigenen Längsdurchmesser fortschnellt, besonders wenn sie sich auf einer glatten und warmen Unterlage befindet.

Forstreferendär I. Kl. Graf GEORG VON SCHELER zeigte sodann von ihm selbst angefertigte Photographien mikroskopischer Präparate vor, welche Diatomeen und in besonders wohlgelungener Weise Bryozoen mit völlig ausgestreckten Tentakeln darstellten.

Sitzung vom 12. März 1891.

Prof. Dr. HELL (K. polytechnische Hochschule) spricht über neuere Methoden der Molekulargewichtsbestimmung.

Unter Hervorhebung der grossen Bedeutung, welche die Ermittelung der relativen Molekulargrösse für Chemie und Physik besitzt, erwähnt er zunächst die älteren, auf chemischer Umsetzung beruhenden Methoden, und da diese nur zu einem Minimalwert des Molekulargewichts führen, die auf der AVOGADRO'schen Hypothese basierte Dampfdichtebestimmung, welche in allen den Fällen, wo unzersetzte und vollständige Vergasung stattfindet, einen sicheren Anhaltspunkt für die Beurteilung der Molekulargrösse darbietet. Der Vortragende beschreibt zunächst die neueren Dampfdichtebestimmungsmethoden von V. MEYER (das Quecksilberverdrängungsverfahren, die Bestimmung des Molekulargewichts im Schwefeldampf, das Luftverdrängungsverfahren, von welchen namentlich das letztere, trotz seiner geringen Genauigkeit, wegen seiner allgemeinen Anwendbarkeit bei hoher und niederer Temperatur sich rasch in die Laboratoriumspraxis eingebürgert hat).

Während bis vor wenigen Jahren das specifische Gewicht der
Dämpfe fast die einzige physikalische Beziehung zu dem Molekulargewicht war, haben die physikalischen Forschungen der letzten Jahre
noch weitere Grundlagen für die Molekulargewichtsbestimmung geschaffen,
indem man namentlich einen Zusammenhang zwischen den physikalischen
Eigenschaften verdünnter Lösungen und dem Molekulargewicht der darin
gelöst enthaltenen festen Stoffe konstatieren konnte, was eine um so
grössere praktische Bedeutung hat, als die Eigenschaft der Löslichkeit
der Körper eine viel allgemeinere und weit verbreitetere ist, als die
Eigenschaft der unveränderten Vergasbarkeit.

Es ist vor allem das Verdienst von van't Hoff, die Beziehungen
zwischen Gefrierpunktserniedrigung, Dampfdruckverminderung der Lösungen und dem Molekulargewicht der aufgelösten Substanzen, welche
schon früher von Raoult u. a. empirisch aufgefunden waren, auch
theoretisch begründet und eine Analogie zwischen dem »osmotischen
Druck« und dem Gasdruck der Dämpfe hergestellt zu haben. Als osmotischen Druck bezeichnet man den Druck, welcher auftritt, wenn
man eine Lösung von dem reinen Lösungsmittel durch eine Wand
von solcher Beschaffenheit trennt, dass wohl die Molekeln des Lösungsmittels ungehindert hindurchgehen können, nicht aber die Molekeln des
gelösten Stoffs. Durch eine solche »halbdurchlässige« Wand wird daher
von dem Lösungsmittel so lange zu der Lösung hindurchtreten, ihr
Volumen vermehren und dadurch ein Steigen des Drucks veranlassen,
bis derselbe einen gewissen Grenzwert erreicht hat. Dieser Gleich-
gewichtszustand kann natürlich auch dadurch hergestellt werden, dass
man auf die in der »halbdurchlässigen Zelle« befindliche Lösung von
Anfang an z. B. durch einen Kolben einen entsprechenden Druck aus-
übt; es wird dann das Eintreten von Lösungsmittel verhindert. Für
den osmotischen Druck gelten nun die Gesetze von Boyle-Mariotte
und Gay-Lussac wie für die Gase. Der osmotische Druck ist proportional der Konzentration und der absoluten Temperatur, aber unab-
hängig von der Zusammensetzung und der Grösse der Moleküle, nur
die Zahl derselben und die lebendige Kraft ihrer Bewegung, d. h. die
Temperatur kommt in Betracht. Für äquimolekulare Lösungen d. h.
wenn die Mengen der gelösten Stoffe im Verhältnis der Molekular-
gewichte stehen, ist der osmotische Druck gleich.

Mit dem osmotischen Druck stehen nun eine Reihe anderer Eigenschaften der verdünnten Lösungen in nahem Zusammenhang. Der
Dampfdruck wird durch die Gegenwart gelöster Stoffe vermindert, bezw.
der Siedepunkt des Lösungsmittels dadurch erhöht; die Gefriertempera-
tur wird erniedrigt. Alle diese Veränderungen erfolgen proportional
der Konzentration, sie werden nur von der Anzahl der Moleküle, nicht
von ihrer Beschaffenheit beeinflusst. Wie das Gesetz von Avogadro
seinen Ausdruck findet in dem Satz: »Gase, welche bei gleicher Temperatur im gleichen Volumen gleich viel Molekeln enthalten, üben den
gleichen Druck aus;« so kann jetzt nach den Ableitungen von van 't Hoff
u. a. dieses Gesetz dahin erweitert werden: »Lösungen der verschiedensten Körper, welche in der gleichen Menge des gleichen Lösungs-

mittels die gleiche Anzahl von Molekeln enthalten, üben denselben osmotischen Druck aus (sind isotonisch), zeigen demzufolge auch gleiche Dampfspannung, gleichen Siedepunkt und gleichen Gefrierpunkt.«

Der Vortragende erläutert an aufgestellten Apparaten diejenigen Methoden, durch welche man am zweckmässigsten die Bestimmung der Gefrierpunktserniedrigung und Siedepunktserhöhung ausführt, und bespricht zum Schluss noch die plasmolytische Methode, die ebenfalls zu Molekulargewichtsbestimmungen dienen kann. Der Protoplasmaschlauch der Pflanzenzelle hat, wie DE VRIES nachwies in hohem Grade die Eigenschaft einer »halbdurchlässigen Membran«. Bringt man daher solche Zellen, welche einen stark gefärbten Zellsaft enthalten, z. B. von *Tradescantia discolor, Curcuma rubricaulis, Begonia manicata,* in die wässerige Lösung eines Stoffs, so wird, wenn der Zellsaft weniger konzentriert ist, als der der umgebenden durch die Zellhaut eingedrungenen Flüssigkeit, Wasser aus der vom Protoplasmaschlauch umgebenen Flüssigkeit heraustreten, und ein Zusammenziehen desselben veranlassen, was man leicht unter dem Mikroskop wahrnehmen kann. Durch Probieren gelingt es leicht, Lösungen herzustellen, welche mit dem Zellsaft isotonisch sind, und deren Konzentrationen äquimolekularen Mengen entsprechen. Auf weitere Folgerungen, welche sich bezüglich der Molekularkonstitution von Salzlösungen etc. ergeben, musste der Vortragende aus Mangel an Zeit verzichten.

Im zweiten Vortrag »über elektrische Wellen« sprach Prof. Dr. MACK (Hohenheim) über die für die Elektricitätslehre so bedeutsamen Versuche von HERTZ unter Bezugnahme auf anschliessende Arbeiten anderer Forscher, welche in neuester Zeit hinzugekommen sind. Der Vortrag, welcher sich im wesentlichen im Rahmen eines Referates hielt, sollte eine zusammenfassende Übersicht über die durch HERTZ angebahnten Fortschritte liefern, und war durch einige experimentelle Demonstrationen unterstützt. Als Hauptergebnisse dieser neueren Forschungen wurden von dem Vortragenden folgende zwei Sätze vorangestellt: 1) Gewisse elektrische Wirkungen breiten sich von ihrer Erregungsstelle strahlenförmig durch den Raum aus, in dem sie denselben Gesetzen der Zurückwerfung, Brechung etc. folgen, wie die Licht-, Wärme- und Schallstrahlen. 2) Die Fortpflanzung dieser elektrischen Strahlen beruht ebenso auf einer Wellenbewegung, wie dies bei Licht, strahlender Wärme und Schall der Fall ist; die Fortpflanzungsgeschwindigkeit der elektrischen Wellen ist gleich derjenigen der Lichtwellen, nämlich 300 000 km pro Sekunde. — Zu Satz 1) ist zu bemerken, dass HERTZ als Erregungsstelle meistens einen geradlinigen Leiter anwandte, in dessen Mitte die Funkenstrecke eines Rhumkorff'-schen Induktionsapparats sich befand. Ehe die Versuche besprochen werden, aus denen die obigen Sätze sich ergeben, möge als Folgerung aus ihnen hervorgehoben werden, dass das Medium, in welchem sich die elektrischen Wellen fortpflanzen, dasselbe ist, in welchem sich auch die Lichtwellen fortpflanzen, nämlich der Äther. Sowohl die elektrischen Wellen, als auch die Lichtwellen sind nichts anderes, als Transversal-

wellen des Äthers, welche sich bloss durch verschieden grosse Wellenlängen von einander unterscheiden. Die Lichtwellen besitzen bekanntlich
sehr kleine Wellenlängen, die nach Millionteilen eines Millimeters gemessen werden, die elektrischen Wellen dagegen erreichen die Länge
von Dezimetern und Metern. Man kann die beiden Arten von Wellen
dadurch in Beziehung setzen, dass man sagt: die elektrischen Wellen
sind Lichtwellen von grosser Wellenlänge, die Lichtwellen sind elektrische
Wellen von sehr kurzer Wellenlänge. Schon lange vor HERTZ wurde
von dem Engländer MAXWELL eine Theorie — die elektromagnetische
Lichttheorie — aufgestellt, welche alle Lichterscheinungen auf elektrische
Prozesse zurückzuführen sucht. Es lässt sich nicht leugnen, dass dieselbe eine bedeutsame Stütze in den HERTZ'schen Resultaten gefunden hat.

Der oben ausgesprochene Satz 1) ergab sich hauptsächlich aus
HERTZ's berühmten Hohlspiegelversuchen. Es wurden aus Zinkblech zwei
gleiche parabolische Cylinder von 2 m Höhe und einer Öffnung von
über 1 m gebogen und dieselben in einer Entfernung von mehreren
Metern koaxial einander gegenübergestellt. In der Brennlinie des ersten
Hohlspiegels wurde die erregende Funkenstrecke angebracht, so dass
dort die Entladungen des angewandten Induktionsapparats erfolgten.
Letzterer befand sich hinter dem Hohlspiegel. In der Brennlinie des
zweiten Hohlspiegels befand sich die sogenannte sekundäre Funkenstrecke,
ebenfalls ein in der Mitte unterbrochener geradliniger Leiter, dessen sehr
kurze Unterbrechungsstelle den Übergang eines schwachen Funkenstroms
erkennen liess, wenn der primäre Funke in der Brennlinie des ersten
Hohlspiegels überschlug. Die Entfernung der beiden Spiegel konnte bis
zu 16 m gesteigert werden. Aus diesem Versuch ist zu schliessen,
dass die von der Brennlinie des ersten Hohlspiegels ausgehenden
»Strahlen elektrischer Kraft« das Reflexionsgesetz der Licht- und Schallstrahlen befolgen. Dass dieselben auch, ähnlich den Lichtstrahlen, gebrochen werden können, zeigte HERTZ dadurch, dass er ein sehr
grosses Pechprisma in den Weg der aus dem ersten Hohlspiegel
austretenden Strahlen brachte. (Wiedemann's Annalen Bd. 36 p. 769,
1889).

Dass die Fortpflanzung dieser Strahlen elektrischer Kraft auf einer
Wellenbewegung beruht, schloss HERTZ aus gewissen Erscheinungen, die
den Resonanzerscheinungen der Akustik vergleichbar sind und die er
schon in einer seiner ersten Abhandlungen (Wiedem. Annal. Bd. 31
p. 421, 1887) bekannt gab. Diese elektrischen Resonanzversuche von
HERTZ haben neuerdings eine zweckmässige Abänderung durch LECHER
erfahren (Wiedem. Annal. Bd. 41 p. 850, 1890), welche namentlich
auch die Vorzeigung vor einem grösseren Zuhörerkreis ermöglicht. Einige
dieser LECHER'schen Versuche waren es, die der Vortragende zum Be-
schluss seiner Darlegungen vor der Versammlung ausführte. In der
Akustik wird gezeigt, dass die Luft in einer beiderseits offenen Röhre
in sogenannte stehende Schwingungen versetzt werden kann, wobei an
den Enden der Röhre Schwingungsbäuche sich bilden, während im Innern
derselben Schwingungsknoten mit Schwingungsbäuchen abwechseln. Die

Entfernung je zweier aufeinanderfolgender Schwingungsbäuche oder Knoten ist gleich der halben Wellenlänge des die Röhre in Schwingung versetzenden Tones. Eine ähnliche Anordnung zur Herstellung stehender elektrischer Schwingungen wurde von LECHER dadurch getroffen, dass er zwei ziemlich lange Kupferdrähte horizontal und parallel ausspannte; der Abstand derselben betrug etwa 30 cm. Die Enden der Drähte waren auf der einen Seite isoliert befestigt, auf der andern Seite waren sie je an eine quadratische Blechplatte angelötet; diese Platten vermittelten den Eintritt der elektrischen Wellen in die Drähte; Erreger der Wellen war wieder ein Induktionsapparat, dessen Funkenstrecke in geeigneter Weise jenen Platten genähert war. Wenn nun in diesen Drähten stehende elektrische Wellen hervorgebracht werden, so kann man deren Schwingungsbäuche und Knotenpunkte bequem nachweisen durch Geissler'sche Röhren, oder noch besser durch Glasröhren, welche stark verdünnte Gase enthalten ohne übrigens mit Elektroden, wie die Geissler'schen Röhren, versehen zu sein. Zur scharfen Abgrenzung der einzelnen stehenden Wellen wandte LECHER verschiebbare Drahtbügel an, welche die beiden ausgespannten Drähte an benachbarten Stellen miteinander in Verbindung setzen. Bei dem von dem Vortragenden ausgeführten Versuch hatten die ausgespannten horizontalen Drähte eine Länge von etwa 7 m; wurde nun über die isolierten Enden derselben eine solche evakuierte Glasröhre von etwa 40 cm Länge gelegt, so begann dieselbe, nachdem der Induktionsapparat in Thätigkeit gesetzt war, dann plötzlich hell aufzuleuchten, wenn ein Metallbügel der vorhin erwähnten Art an eine ganz bestimmte Stelle der Drähte verschoben wurde. Hierdurch war nun ein Schwingungsbauch und ein Knoten der elektrischen Wellen aufgefunden, der Schwingungsbauch an derjenigen Stelle, wo sich die leuchtende Röhre befand, der Knotenpunkt an dem Orte des Bügels. Der Abstand von Bauch und Knoten stellt ein Viertel der Länge der erzeugten stehenden elektrischen Welle dar; die Kenntnis dieser Grösse gestattet nun aber auch die Berechnung der Fortpflanzungsgeschwindigkeit der elektrischen Wellen in den Drähten; LECHER fand für dieselbe den gleichen Wert, wie für die Lichtgeschwindigkeit, nämlich 300 000 km pro Sekunde. Denselben Wert hatte HERTZ schon vorher für die Fortpflanzung elektrischer Wellen im Luftraum auf andere Weise erhalten.

Dr. C. CRANZ machte zu dem letzten Vortrag einige ergänzenden Bemerkungen, welche sich auf neuere versuchte Abschwächungen der HERTZ'schen Resultate einerseits und Übertreibungen derselben anderseits beziehen. SARASIN und DE LA RIVE glauben durch Versuche, welche Veränderlichkeit der Wellenlänge und der Schwingungsdauer aufwiesen, gezeigt zu haben, dass die Schlüsse von HERTZ verfehlt seien; ZENGER in Prag will auf Grund von kosmischen Erscheinungen und Beobachtungen Widersprüche nachgewiesen haben; die elektrische Entladung bestehe nicht aus Wellenbewegungen, sondern aus Wirbelbewegungen. Er verwechselt den hypothetischen Äther mit dem greifbaren Stoff. Über das Wesen der Elektricität selbst ist durch die HERTZ'schen Versuche nichts bewiesen; es ist nur gezeigt, dass die Ausbreitung der elektrodynamischen Wirkungen wellenförmig erfolgt.

Zum Schluss macht Professor Dr. NIES auf den bevorstehenden 70jährigen Geburtstag von HELMHOLTZ und auf die für diese Gelegenheit geplante Gründung eines Helmholtz-Fonds aufmerksam.

Sitzung vom 9. April 1891.

Den ersten Vortrag hielt Herr J. EICHLER über die Stickstoffquellen der Pflanze. Vortragender referierte in zusammenfassender Weise über die Arbeiten des letzten Jahrzehnts, welche sich auf die Aufnahme und Assimilation des zur Eiweissbildung notwendigen und somit für die gesamte lebende Welt höchst bedeutungsvollen Stickstoffs seitens der Pflanze beziehen. Als Hauptquelle der Stickstoffnahrung werden unterschieden: die infolge der Verwesung von organischer Substanz im Boden fortwährend erzeugten salpetersauren Salze und Ammoniakverbindungen, sowie die geringen Spuren, welche von diesen Verbindungen in der atmosphärischen Luft entstehen; die vor der vollständigen Verwesung der organischen Substanzen im Boden durch Zerfall der Eiweisssubstanzen auftretenden Amidosäuren und Säureamide (Harnstoff, Harnsäure, Leucin, Tyrosin, Glykokoll, Asparagin etc.); der als Hauptbestandteil der atmosphärischen Luft vorhandene, sich auch im Boden findende und durch organische Prozesse im Boden fortwährend entbundene elementare Stickstoff. Als weitaus wichtigste Stickstoffquelle haben sich entgegen der Meinung J. v. LIEBIG's, der die Ammoniakverbindung als einzige Quelle ansehen zu müssen glaubte, Kalium-, Natrium-, Calciumnitrate erwiesen, welche von der Pflanze direkt und ohne Zersetzung aufgenommen und zu Eiweiss verarbeitet werden können. Als Ort dieser Eiweissbildung können mit Ausnahme des grünen Blattgewebes (des Sitzes der Kohlensäureassimilation) sämtliche Organe der Pflanze, die von Gefässbündeln durchzogen sind (Wurzel, Stengel, Blattstiele, Blattrippen), fungieren. Die Ammoniakverbindungen können für sich zwar auch die Pflanzen bis zu einem gewissen Grad mit Stickstoff versorgen, stehen aber den Nitraten in ihrer Wirkung weitaus nach. Sie werden jedoch dadurch für die Pflanze nutzbar gemacht, dass sie, wie man schon längere Zeit vermutete, durch einen Mikroorganismus in Nitrate übergeführt werden. Dieser Mikroorganismus, Nitromonade genannt, wurde erst in den letzten Jahren von Herrn WINOGRADZKY in Zürich aufgefunden und isoliert.

Von den erwähnten organischen Verbindungen vermag die Pflanze hauptsächlich diejenigen nutzbar zu machen, die sich in den Ausscheidungsstoffen der Thiere finden. Die Frage, ob, die Pflanze auch den freien Stickstoff der Luft assimilieren, könne ist s. Z. noch nicht genügend beantwortet, doch haben die einschlägigen Untersuchungen bis jetzt ergeben, dass eine Verwertung desselben entgegengesetzt der früheren Meinung in einer allerdings noch nicht genügend aufgeklärten Weise stattfindet.

Prof. Dr. A. Schmidt (Realgymnasium) gab einen ergänzenden Bericht zu seinem vor zwei Jahren gegebenen Vortrag über das Charlestoner Erdbeben[1].

Der neunte Jahresbericht des Direktors Powell der U. S. Geological Survey enthält eine eingehende Untersuchung des Charlestoner Erdbebens durch Kapitän Dutton, die in Hinsicht der Thatsachen und der Theorie sehr reichhaltig ist. Von dem Thatsächlichen hebt der Berichterstatter hervor: die Erfahrungen in betreff der Benützung der Normalzeit (standard time) in den Vereinigten Staaten, die Erfahrungen an Bauwerken je nach ihrer Bauart und ihrem Alter, die Beschädigungen der Eisenbahnlinien, die Bildung von Erdrissen und kleinen Schlammkratern. Als theoretisch wertvoll ist eine von Kapitän Dutton gegebene Abhandlung über Wellenbewegung im allgemeinen und über die besonderen Verhältnisse und Erscheinungen bei den Erdbebenwellen hervorzuheben. Besonders sind die seismographischen Untersuchungen der Professoren Milne und Sekyia in Japan berücksichtigt. In der im übrigen durch Vollständigkeit sich auszeichnenden gemeinverständlichen Abhandlung vermisst der Berichterstatter die Berücksichtigung der Krümmung der Strahlen der Fortpflanzung, welche eine notwendige Folge der je nach der Tiefe unter der Erdoberfläche verschiedenen Fortpflanzungsgeschwindigkeit der Wellen ist. Während diese Ungleichheit vollständig anerkannt wird, ist die mit geometrischer Notwendigkeit daraus hervorgehende Strahlenbrechung vollständig vergessen. Es rächt sich das in einer unrichtigen Bestimmung der Tiefe des Erdbebenherdes: Dutton findet nach einem im übrigen sinnreichen mathematischen Verfahren unter Vergleichung der an verschiedenen Orten verschiedenen Erdbebenstärken zwei Herde etwa 20 Meilen (à 1,61 km) westlich der Stadt Charleston, den einen etwa 12, den andern etwa 8 Meilen unter der Oberfläche. Professor Schmidt beharrt dem gegenüber auf seiner vor zwei Jahren gemachten Bestimmung einer Herdtiefe von beiläufig 120 km als der den Zeitangaben am besten entsprechenden Annahme. Die Stärke, mit welcher das Erdbeben an der Oberfläche sich äussert, ist je nach der besonderen Beschaffenheit des Untergrundes sehr verschieden und daher kein sicherer Massstab für die grössere oder kleinere Entfernung des Herdes. Viel sicherer schliesst man nach dem

---

[1] Vergl. diese Jahreshefte Jahrg. 46. 1890. p. 221 ff. Es ist übrigens daselbst leider ein Druckfehler stehen geblieben; das Erdbeben von Charleston fand 31. August 1886 nicht 1889 statt.

Vorgang des Herrn von SEEBACH aus den verschiedenen Zeiten des Eintreffens an der Oberfläche auf die Tiefe des Herdes.

Zum Schlusse gab Medicinalrat Dr. HEDINGER ein palaeontologisch-geologisches Referat auf Grund der in letzter Zeit beim Verein eingelaufenen Tauschschriften; das Referat erstreckte sich auf ca. 40 in 8 verschiedenen Sprachen abgefasste Publikationen. Von besonderem Wert sind nach dem Redner, von der Zeitschrift der deutschen geologischen Gesellschaft und den deutschen Arbeiten überhaupt abgesehen, die Veröffentlichungen der k. k. geologischen Reichsanstalt in Wien, sowie neuerdings die amerikanischen Zeitschriften.

II. Vorträge bei der Generalversammlung.

I.

Die Höhlenfunde aus dem Heppenloch*.

Von A. Hedinger.

Mit Taf. II.

Die bisherigen Höhlenfunde aus dem schwäbischen Jura, wie die aus den polnischen und mährischen Höhlen, waren rein diluviale (abgesehen von den menschlichen Resten). Mit Ausnahme von Ofnet sind unsere bisherigen Höhlenfunde vom Südabhang der schwäbischen Alb, und man wollte auch am Nordabhang an keine glauben wegen seiner angeblichen Vergletscherung. Aber abgesehen davon, dass dies keinen Grund gegen die Bewohnung der Höhlen bilden könnte, sind am Albtrauf keine sichern Gletscherspuren nachzuweisen, was auch mit der PENK'schen Karte Mitteleuropas zur Eiszeit stimmt. Im Einklang damit stehen die Funde aus dem Heppenloch, die, wie jetzt erwiesen ist, meist präglaciale, vielfach jungtertiäre Formen enthalten. Übrigens sagt NEUMAYR (Erdgeschichte S. 639): „es sei schon in unserem vieldurchforschten Europa nicht überall mit voller Sicherheit möglich, das oberste Pliocän vom Diluvium zu trennen, denn beide Abteilungen haben eine beträchtliche Artenzahl miteinander gemein."

---

* Die Ausgrabungsarbeiten wurden stets beaufsichtigt von dem an Ort und Stelle befindlichen Herrn Pfarrer Gussmann und vom Verfasser in regelmässigem Turnus von 8 oder spätestens 14 Tagen. Die wichtigsten Funde wurden von mir selbst herausgearbeitet, mit Ausnahme des Affen, meines letzten Fundes, von dem aus der Breccie nur 1 qmm grosser Zahnabschnitt heraussah, den Herr med. cand. Pfleiderer aus Stuttgart mit grosser Muhe und Fleiss herauspräparierte. Ausserdem wirkte mit Herr Pfarrverweser Schuler in Oberlenningen, von dem die Profile stammen.

Jahreshefte d. Vereins f. vaterl. Naturkunde in Württ. 1891.

Dies waren alles freilich noch ziemlich unbekannte Dinge, als ich am Ende der 70er Jahre mit diluvialen (kalcinierten) Resten vom Höhlenbär, in Begleitung von mehreren Bekannten, von denen einer selbst sammelt, aus dem Heppenloch herabstieg. Allein die Zeit zum Nachgrabenlassen fand sich erst vorigen Herbst, aber ich hatte wenigstens die Gewissheit, dass niemand ausser mir von dort alte Tierreste hatte, dass somit meine Fundstelle intakt war.

Zum Verständnis des Ganzen ist eine kurze topographische Schilderung unerlässlich. — Am Ende des Lenninger Thales liegt in einem früheren Seebecken, in dem überall Tuffsteine gebrochen werden und Süsswasserkalk an verschiedenen Stellen ansteht, der Marktflecken Gutenberg an der Einmündung von mehreren Thälern, deren eines, 531 m hoch, das Tiefenthal, sich durch besonderes Geschütztsein vor Winden auszeichnet und nach kurzem in einem Kranz von Felsen mit dolomitischer Färbung und Reaktion endigt. Es ist durchflossen von der Lauter, deren einer Arm in der Höhle entspringt. Die Höhle liegt ½ Stunde vom Ort entfernt, 170 m über dem Thal, 40 m unter der Hochebene der rauhen Alb, wohin vielleicht zu prähistorischer Zeit ein Ausgang führte. Jetzt ist der Gang durch Felsstücke versperrt, jedoch hört man noch darin das Fahren von Wägen auf der Landstrasse. Aussen sind die Spuren eines uralten Aufstieges zur Höhe des Gebirges, links vom Eingang der Höhle, welche eine direkt südliche Lage unter und zwischen Krebsstein und Schopfloch hat, und von beiden Seiten durch vorspringende Felsen vollständig geschützt ist. In einiger Entfernung von ihr ziehen sich rechts und links in Felsschluchten alte Wasserläufe herab, links eine sehr geräumige hübsche Grotte mit Spuren eines alten Wasserfalls, neben welcher der Eingang zu einer Höhle mit nur jüngeren diluvialen Funden (Fuchs und grosser Wolfshund). Indirekt wird dieselbe wohl mit dem Heppenloch zusammenhängen, da ja das ganze Gebirg überhaupt unterwühlt und vom Wasser zerfressen ist. (Sage: Zusammenhang mit dem 12 km entfernten Sibyllenloch.)

Ich will Sie mit den Einzelheiten der Höhle, die Sie wohl schon kennen, nicht behelligen, nur folgendes sei erwähnt:

Rechts am Eingang lagen 1—1½ m tief in gelbem Lehm grosse geschwärzte (manganhaltige) Feuersteine, früher irrtümlich für Siedsteine gehalten zum Auflegen des rohen Fleisches, auch grössere jurassische Geschiebe, ähnlich denen in Ofnet, welche nach FRAAS in eine Haut eingenäht, vortreffliche Totschläger abgeben sollen, ferner rötelartige Brocken, die ich übrigens für zersetztes Bohnerz halte, Aschen- und Kohlenteile, sowie einige kleine schwarze kassettierte Topfscherben, etwas tiefer noch grosse Mengen bohnerzhaltiger sandiger Erde mit kleinen Partikeln von Schädelknochen, unverkennbare Spuren einer Feuerstätte, vielleicht jüngeren Datums. Ob meine kalcinierten Schädelstücke vom Bär oder Schwein (meine ersten Funde von früher) mit dieser Feuerstätte zusammenhängen, ist jetzt wohl nicht mehr sicher zu entscheiden, doch ist es möglich. — Jener Sand enthielt ziemlich reichlichen Phosphorgehalt. Das gleiche, wie noch Mangan mit viel Kieselsäure zeigten dreierlei sehr plastische Lehmarten: a) fast ganz weisser fetter, b) schön kaffeebrauner (in den verschiedensten Formen mit Kanten und Flächen wie Krystalle) und c) gelblicher Lehm, welcher ebenfalls in sehr grosser Menge dort gefunden wurde[1]. — Sonst fand sich nichts in der ersten Halle, ausser meinen ursprünglichen Funden am Ende derselben, gerade vor der Stelle, wo die Knochenbreccie anfing, und sie wurden wohl von Raubtieren durch die vorhandenen Lücken herausgeschleppt.

Die Knochenbreccie hatte hier am Anfang 1 m Höhe und Tiefe, und zog sich am linken Felsen entlang ∽förmig durch den Gang bis zur zweiten Halle, hier die Höhe von 2 m und Dicke von 1 m erreichend, wo ein wahres Nest von Bären, mehreren Arten Rhinoceros- und Schweinsresten sich befand. Von da zog sie sich wieder ∽förmig vor dem Fels vorbei und endigte an einem Lehmberg (Einschwemmung), dort mehrere Inseln bildend, im ganzen 15 m lang mit jurassischen[2] und Feuersteinsplittern, Bohnerzeinschlüssen und kleineren Felsbrocken zu einer sehr harten Masse zusammengebacken, worin keine wirkliche Schichtung sich zu erkennen gab. Sie war aussen umgeben von einem mehrere Centimeter dicken Mantel von kohlensaurem Kalk, unter dem zunächst massenhafter Höhlenlehm mit eingestreuten Felstrümmern, Stalaktitenbruchstücken und Bohnerzknollen einen Hügel von etwa 5 m bildeten, welcher die zweite Halle ausfüllte. Unter dieser Lehmmasse lag die Knochenbreccie.

Am linken Ende der zweiten Halle, die rechts mit einem ziemlich steilen Lehmberg in eine weitere Höhle ansteigt, welche

---

[1] Die chemische Untersuchung der Lehmarten ergab bei dem dunklen grossen Gehalt an Braunstein, Eisenoxyd, Phosphorsäure, viel Kieselsäure und viel Aluminiumhydroxyd, Chlornatrium und Chlorkalium.

[2] Weisser Jura ε mit abgesprengten Ammoniten und Terebrateln.

nach oben mit einem verschütteten Aufgang abschliesst, befinden
sich die Stalaktitenhöhlen, auf einer Leiter von 2 m Höhe
ersteigbar, von denen ich hier nicht weiter sprechen will, da sie
nichts Nennenswertes einschlossen. Am rechten bisherigen Ende
des Heppenlochs, 160 m vom Eingang, ist eine Höhlengebirgsklamm,
während links der Weg an einem ungeheuren Lehmberg endigt, der
wohl nie entfernt werden wird (wahrscheinlich Einschwemmung).
Die ganze abwechselungsreiche Tour dauert etwa eine Stunde.

In dem ganzen Höhlenkomplex war ausser Eulen, Fledermäusen,
Nachtschmetterlingen und Haselmäusen in den beiden ersten Hallen
nichts Lebendes zu entdecken. Von Pflanzen nur Flechten in der
ersten Halle.

Gehen wir deshalb über zu den durch den Kalkmantel uns
erhaltenen Resten einer uralten Zeit, unter denen in bunter Mischung
Hunderte von Stein- und Feuersteinsplittern zerstreut lagen, von
denen manche heute noch der endgültigen Bestimmung als Stein-
werkzeuge oder als Splitter von Feuersteinen oder Gebirgsabfällen
harren, weil die Ansichten der Fachmänner darüber noch auseinandergehen. Ich werde daher nur von den sichern oder wahrscheinlichen
Artefakten, die sich übrigens mehren, sprechen. Leider gelang es
den angestrengtesten Bemühungen nicht, Reste des Höhlen-
menschen aufzufinden, wenn wir von den kleinen Knochenpartikeln
in der bohnerzhaltigen, sandigen Erde in der Nähe der Feuerstätte
absehen. Übrigens könnten die mancherlei plastischen Lehmarten,
von denen die kassettierten Topfscherben herrühren, doch zu denken
geben. — Ob sich nicht in den vielen Seitengängen und Hallen,
die noch der Ausräumung von seiten der Gemeinde harren, nachträglich etwas findet, wer kann es wissen? Wahrscheinlich aber
ist es nicht, wenn man die nomadenartige Lebensweise dieser
Steppenjäger bedenkt, die doch nur so lange an einem Punkt weilten,
als ihr Jagdgrund nicht erschöpft war. Bei den ausgedehnten
Räumlichkeiten im Heppenloch wäre es freilich eher möglich, weil
hier ein ganzer Stamm wohnen konnte und eben mehrere Perioden
anzunehmen sind. In andern Höhlen dagegen, wo nur ein grösserer
Raum war, wurde wohl kein Toter bestattet, d. h. verbrannt.

Die Steingeräte.

Mögen solche, die anderweitig gefundenen ähnlich sind, auch
nicht so zahlreich sein, mögen sich von denselben eine Menge als
wertlose, in Zersetzung begriffene, andere als Abfallsplitter oder als

misslungene Versuche der Bearbeitung herausstellen und so auf den
Abfallhaufen gelangt sein, so bleiben doch immer noch genug Zeichen
von der Hand des Menschen übrig, der der Höhle seines Daseins
Spuren unverlöschlich eingedrückt hat, und sie sind von den ver-
schiedensten Fachmännern[1] untersucht und als sehr wahrscheinliche
Manufakte erklärt[2]. Sie befanden sich nur auf dem Abfallhaufen
unter den Tierresten verstreut und mit denselben zu steinharter
Breccie verwachsen, häufig mit Zeichen der Benützung und müssen
deshalb notwendigerweise mit ihnen in irgend einer Beziehung stehen.
Die andern, weniger sicheren Feuersteinwerkzeuge waren über einen
Lehmberg und von da in ein kleines Bachbett gelangt. Alle übrigen
Steingeräte sind entweder runde Knollen von Feuersteinen oder
eigentlich Hornsteine (allerdings anders beschaffen als der nordische)
oder jurassische, Artefakten ähnliche Splitter. Das Material von
beiden Gesteinsformen ist überall massenhaft im Gebirge, auf der
Hochebene und in der Höhle selbst vorhanden. Manche Splitter
erscheinen wie chemisch veränderter Jurafeuerstein. Ob nicht hier
eine Metamorphose im Spiele ist? Das Verhalten gegen Salzsäure,
sowie das Feuergeben mit gutem Stahl kann natürlich keinen Zweifel
über die Art des Gesteines aufkommen lassen. Die chemische Untersuchung der schwarzen Feuersteine ergab Kieselsäure als Grund-
masse. Die schwarze Farbe der Oberfläche, sowie der schwarze
breite Streifen auf dem Bruch bestanden aus fast reinem Braunstein, während die gelbbraune Farbe der Zeichnungen im Innern der
Stücke von Eisenoxyd herrührt.

Eine Abart des weissen Feuersteins ergab fast reine Kieselsäure neben wenig Kalk (kein Magnesium oder Phosphorsäure).
Sonst zeigen sie meist deutliche Spuren von Kalk, wie umgekehrt
die Dolomite Kieselsäure an Kalk gebunden nachweisen lassen.
Der Kalk ist nicht bloss an der Oberfläche als Schale zu treffen,
sondern manchmal auch im Innern (vergl. den anscheinend durchbohrten Stein). Auch in dem Sinter, aus dem die Funde herausgearbeitet werden mussten, sind neben kohlensaurem Kalk und
kohlensaurer Magnesia ziemlich starke Spuren Eisen und Kieselsäure.
Dies erklärt auch, warum so manche unzweideutige Jurabrocken an
gutem Stahl Funken geben, während scheinbar zweifellose Feuer-

---

[1] Virchow, Rütimeyer, Fraas, Ranke, v. Tröltsch u. A.

[2] Besonders häufig ist ein apfelschnitzartiges Messer, das auch in den
französischen Grotten von Solutré häufig und in derselben Weise wiederkehrte
(palaeolithisch).

steine dies nicht thun, dagegen mit Salzsäure aufbrausen. Ich habe übrigens in einigen Sammlungen das gleiche Aussehen und Verhalten mancher Feuersteine konstatieren können (Sigmaringen, Zürich, Bern). Dies kommt wohl von der chemischen Thätigkeit des Sauerstoffs und der Kohlensäure her. Letztere hat die Eigenschaft, sich begierig mit der Kalkerde zu verbinden und diese Verbindung — den kohlensauren Kalk — im Wasser wieder zu lösen. Auch scheidet die Kohlensäure andererseits die Kieselsäure aus, wo diese mit der Kalkerde Verbindungen eingegangen ist.

Von den Manufakten erinnere ich an einen in der Mitte gespaltenen Schenkelknochen eines Ochsen, in den ein keilförmiger Feuerstein passte. Jede der beiden Hälften lag für sich auf dem Abfallhaufen, aber vollständig umwachsen — sit venia verbo — mit grauer Kalkmasse. Nach Wegschlagen des Steins glückte es mir, die an einem ganz andern Platz liegende andere Hälfte zu finden, die ähnlich im Stein eingebettet lag. Durch den Zahn eines Raubtieres aber konnte die Trennung nicht stattgefunden haben. — Am Kniegelenkende eines Ochsen sind zwei so scharfe parallele Hiebe, dass ohne Steinbeil eine Erklärung unmöglich ist. — Ein dritter Knochen hat ein Loch, in das der Eckzahn eines Bärenunterkiefers genau passt. An zwei Schädeln sind Hiebe mit Steinbeilen unverkennbar; auch wie zugespitzt und geschärft aussehende Knochen- und Geweihstücke sind vorhanden. Was nun die Steingeräte selbst betrifft, so sind sie zweifellos dem Jura entnommen und zeigen überall 3 Typen: beilförmig, keilförmig, messerförmig. Davon sind hunderte vorhanden, vielfach mit Zeichen der Benützung, bei denen oft eine deutliche Schlagmarke fehlt, und die recht roh ausschauen.

Wenn die Schlagmarken bei den Feuersteinen fehlen, so ist der Grund wohl das andersartige Springen und Absplittern dieses Gesteins, das ganz ähnlich erfolgt wie beim obern weissen Jura überhaupt. Übrigens fehlen die Schlagmarken an vielen für echt anerkannten Feuersteinwerkzeugen. (Vergl. die von Heluan und Theben in Bulak, die ich selbst von dort kenne, sowie in der Sammlung des historischen Museums in Bern, ebenso bei den auch dort befindlichen [über 100 Stück] palaeolithischen Artefakten aus der Grotte von Solutré, die der Form wie dem Material nach sehr ähnlich denen des Heppenloches sind [wie weisser Jurakalk].) Ganz gleiches Verhalten zeigen die aus der Grotte bei Mentone, mit den 3 Typen des Heppenlochs: keilförmig, beilförmig, messerförmig, sowie die von Bellerive bei Delsberg, Cham am Zugersee, Moosseedorf bei Bern, Wanwyl bei Luzern, ebenso von der Insel Mainau, die aber jedenfalls jünger sind als die vorliegenden, zu Mörigen am Brienzersee und Herzogenbusch am Inkwylersee. Von diesen Orten sind ganz gleiche Formen wie die vorliegenden und ebenso roh, obwohl palaeolithisch. Auch die Feuersteine der Grotte von Izeste (Basses-Pyrénées, Frankreich) zeigen keine Schlagmarken. Daraus dürfte doch folgen, dass auf das Vorhandensein der Schlagmarken bei dieser Art von Feuersteinen kein entscheidender Wert gelegt werden kann.

Bei den formlosen Feuersteinen, die freilich nicht denen aus der Dordogne u. a. gleichen, ist aber die Möglichkeit auch nicht ausgeschlossen, dass sie zum Feuerschlagen verwendet wurden, und dass sie dazu taugen, hat Altmeister Fraas schon in der Ofnet erprobt. Warum sollte auch diesen Menschen, denen der Feuerstein alles sein musste, die Möglichkeit, Funken zu erzeugen, durch Schlagen von Feuerstein an Feuerstein nicht bekannt gewesen sein? Oder sollten diese Mengen Steinsplitter, die doch als solche bei der Zerkleinerung der Tiere eine Rolle spielen konnten, ganz zufällig in den Knochenhaufen geraten sein. Ist es denn so absolut undenkbar, dass vor den Menschen, welche der Natur das Geheimnis des Abspringens und der Bearbeitung des Gesteins ablauschten, andere da waren, welche sich der schon vorhandenen Gesteinssplitter, wie sie das Gebirge lieferte, bedienten und jenes Geheimnis erst nach und nach lernen mussten. Ich habe absichtlich in der Nähe der Höhle nach ähnlichen jurassischen Gesteinstrümmern gesucht, wie wir sie in der ältesten Steinperiode finden (dreieckiger Querschnitt und scharfe Ränder), und in der That solche gefunden, die genau die Form der dreikantigen Feuersteinmesser der Dordogne besitzen und schon manche Kenner überraschten. — Sei dem aber wie ihm wolle, mag die Form noch so einfach und roh sein, die Thatsache ist nicht aus der Welt zu schaffen, dass jene dreierlei Arten überall wiederkehren, einen unverkennbaren Typus der Zweckmässigkeit an sich tragen und nur in Verbindung mit den Tierresten vorkommen und daher auch gemeinschaftlich mit diesen ihre Erklärung finden müssen. Wenn wir sie mit anderweitigen Steingeräten vergleichen sollen, so kommen sie wohl am nächsten denen von Abbéville, vielleicht mehr noch den Taubachern und denen aus der Grotte von Solutré und ähnlichen, während die Feuersteinmesser aus der nordischen Steinzeit einen mehr vorgeschrittenen jüngeren Typus zeigen. (Vergl. RANKE, der Mensch, Bd. II. S. 387 ff.)

Die Tierreste,

nur durch Sprengung der Breccie und Herausarbeiten aus der versteinerten Masse gewonnen, wurden mit Ausnahme einzelner auf einem lockern, von den innern Höhlen stammenden, hinter der zweiten Halle liegenden Lehmberge, tertiäre Knochen vom Pferde (RUTIMEYER) u. a. unter einem mehrere Centimeter dicken Mantel von kohlensaurem Kalk in einer durchschnittlich 1 m hohen und ebenso tiefen Knochenbreccie, reichlich mit Gesteinstrümmern des weissen Jura, sowie mit Bohnerzeinlagerung untermischt, angetroffen. Die Breccie, welche an der linken Felswand der zweiten Halle begann und ihr entlang unter und an der dritten vorbei fast quer herüber nach rechts zog, trägt die Spuren der Verfolger in ihrer ganzen Ausdehnung und ist demgemäss mehr oder weniger erhalten. Die Reste lagen ganz nahe beieinander, nicht in weichen Lehm gebettet, wie in den meisten sonstigen Höhlen, sondern in einer versteinerten Masse, in Kalksinter, ältere Tiere neben solchen jüngeren Datums, also präglaciale neben jüngeren diluvialen ohne Schichtung, so ziemlich in horizontaler Richtung und bestehen aus:

einem tertiären Affenoberkiefer, zum erstenmal in einer Höhle gefunden; bis jetzt sind ausser den Funden in Pikermi nur einzelne Zähne aus dem Bohnerz beschrieben, sowie aus den Phosphoriten von Quercy; grossen Dickhäutern, Fleischfressern, Suiden, grösseren und kleineren Raubtieren (besonders Caniden und Feliden), Einhufern, Wiederkäuern in grösster Anzahl, einigen Tieren, die bis jetzt nur im Tertiär gefunden sind, *Palaeotherium*?, *Aceratherium* (NEHRING), grösseren und kleineren Nagern, kleineren Vögeln undTieren überhaupt.

Der Bestimmung nach, wobei ich FRAAS, RÜTIMEYER, NEHRING, SCHLOSSER, STUDER u. a. zu grossem Danke verpflichtet bin, sind es folgende, wobei ich bemerke, dass zur Vergleichung derselben sämtliche grössere Museen Deutschlands, der Schweiz und Oberitaliens von mir benützt wurden. Es liegt in der Natur der Sache, dass noch kein vollständig abgeschlossenes Ganze bei dem grossen Material vor uns liegt.

Um mit dem interessantesten zu beginnen

1) dem Oberkiefer eines A f f e n, an jurassisches Gestein angewachsen, so gehört er wahrscheinlich in die Gruppe von *Inuus*, *Macacus* und

hat, ganz die Dimensionen des fossilen *Inuus florentinus* aus dem Pliocän[1] des Val d'Arno. Rütimeyer hielt denselben anfangs für *homo* wegen
der geschlossenen Zahnreihe, indem nichts von einer Caninalveole
sichtbar ist, während bei allen altweltlichen Affen im definitiven
Gebiss der Eckzahn so gross ist, dass seine Alveole so dicht als
möglich an den vordersten Molar stösst und denselben fast einhüllt.
— Die scharfen Höcker der Zähne aber, welche nicht menschlich
sind, und speciell die labialen Höcker, die bei den Mahlzähnen
wenigstens nicht um so viel höher sind, wie bei unserem Kiefer,
sprechen nach Kollmann für Affen. Ausserdem sind ja die Caninen
beim Weibchen viel kleiner und das Gebiss ist mehr geschlossen.
Nach meinen bisherigen Vergleichungen — und dem stimmt auch
der gewiegte Affenkenner Forsyth Major in Florenz bei, der ihn
selbst bei mir ansah und im Verein mit Fraas und mir mit den
lebenden *Inuus*- und *Semnopithecus*-Arten des K. Naturalienkabinets
verglich — ist er ein Weibchen von *Inuus* und keine *Pithecus*-Art,
bei denen die labialen Höcker schärfer und spitzer sind; auch
Schlosser ist dieser Ansicht. Döderlein fand ihn dem lebenden
Gibraltaraffen (*Inuus ecaudatus*) am ähnlichsten. Die 2 bekannten
Tübinger Zähne von Trochtelfingen aus dem Bohnerz scheinen nicht
von *Inuus* zu stammen, denn der 3. Molar ist grösser als beim
meinigen. Umgekehrt zeigt ein Zahn aus Salmandingen, ebenfalls
aus dem Bohnerz, im hiesigen Kabinet, *Dryopithecus* bezeichnet und
von einem alten Tier stammend, ganz andere, runde, menschenähnliche Höcker. In Asien ist der lebende Repräsentant, der *Macacus tibetanus* Milne Edwards, in Gemeinschaft mit *Cuon alpinus*
von Abbé David gefunden worden.

Die Annahme, dass unser Affe nach Auswitterung eines Bohn-
erzganges durch eine Spalte von oben herabgefallen sei, ist bei dem
mangelnden Nachweis von Spalten in der Höhle (40 m tiefer als
das Albplateau) und dem nur zufälligen Vorhandensein zerstreuter
Bohnerzkuchen bis jetzt nur Hypothese. Auch auf der Hochebene
sind nirgends Andeutungen von Spaltenbildung. Ferner ist die Verbindung des Kiefers mit dem Jurakalk die gleiche, wie bei den
übrigen diluvialen und tertiären Tieren. Warum also der Affe nicht
mit den ältesten Tieren der Höhle zusammengelebt haben soll, ist
um so weniger einzusehen, weil die andern präglacialen Tiere, die

---

[1] Neues Jahrbuch für Mineralogie etc. 1891. I. Bd. Hedinger: Über den
pliocänen Affen des Heppenlochs.

sich auf dem gleichen Abfallhaufen, einem Gebilde von Menschenhand, und in der gleichen Breccie, umhüllt mit einem Mantel von kohlensaurem Kalk, vorfanden, doch höchst wahrscheinlich vom Menschen getötet wurden. Die Raubtiere werden wohl erst nachher an die Reste gekommen sein. Andernfalls müsste der ganze Abfallhaufen von oben herabgefallen sein, und dagegen spricht so ziemlich alles, in erster Linie die Topographie.

2) *Ursus.* Vom Bären scheinen 2 Arten vorhanden zu sein: *Ursus spelaeus* und *Ursus arctos*, die kleinere Art (Epipyhsen schon festgewachsen, deshalb nicht jüngere Individuen). Vom letzteren scheint der Schädel zu stammen.

3) Vom Mammut wurde nur eine Phalange des Hinterfusses gefunden.

4) *Rhinoceros.* Darüber herrschen verschiedene Ansichten. Während die einen der Forscher sie für *tichorhinus* halten, neigt ein anderer sich dem *megarhinus* = *Kirchbergensis* Jäger zu, weil derselbe auch in Grays-Essex zugleich mit einem *Inuus* oder *Macacus* gefunden wurde.

Aceratherium incisivum nach Nehring und meiner Vergleichung mit den Münchener Exemplaren. Die kleineren Rhinoceronten sind ziemlich ähnlich den Bohnerzfunden im hiesigen Kabinet (Frohnstetten).

5) Vom *Bos* sind vertreten: *primigenius* und *Bison*, ebenso ein *Bos taurus* jüngeren Datums.

6) *Sus* spec. Sehr zahlreich vertreten ist eine Wildschweinart (nach Nehring), die aber noch ein genaueres Studium verdient, weil sie einige Abweichungen von dem typischen Wildschwein der Jetztzeit zeigt. Zu ihr gehört ein Zahn, der dem *Listriodon* sehr ähnlich sieht.

7) Die vorhandenen Reste von *Equus* stammen wahrscheinlich von *Equus caballus fossilis* nach dem, was ich in Berlin, München und in Bern verglich.

8) Die meisten Reste stammen von einem Wiederkäuer, der im ganzen sehr grosse Ähnlichkeit mit dem *Cervus elaphus* hat. Bei der Höhe der Zähne, namentlich des untern linken Prämolar konnte man versucht sein, an eine Antilope zu denken. Doch ist die Mehrzahl der Forscher für *Elaphus*. Rütimeyer fand noch auffallend, dass eine Anzahl von Resten eine für Höhlenknochen ganz ungewohnte Quetschung zeigen, wie man sie überaus häufig an tertiären Fossilien findet. — Nehring findet den Zahnbau altertümlicher als beim heutigen Edelhirsch, ähnlich dem *Maral*. Die

Molaren dieses unserem *Elaphus* ähnlichen Hirsche zeichnen sich dadurch aus, dass sie durchweg höhere Säulen bilden als die des heutigen Edelhirsches.

Ausserdem unterscheidet er noch

9) *Cervus capreolus fossilis*, ähnlich dem sibirischen Reh. Zwischen beiden findet er noch eine Mittelart, kleiner als *elaphus*, aber bedeutend grösser als *capreolus*. Geweihstück von Muntjac. Ren und Elch sind nicht vertreten.

10) Von den **Fleischfressern** sind vorhanden:

a. *Felis spelaea.*

b. *Felis caligata*, wahrscheinlich etwas grösser als unsere europäische Wildkatze.

c. *Hyaena spelaea* Höhlen-Hyäne (SCHLOSSER). Parietalia nicht geteilt wie bei dem *Ursus spelaeus.*

d. *Cuon alpinus fossilis* (NEHRING) [1].

e. *Canis* spec., ein kleiner Wolf resp. Wildhund.

f. *Canis lupus*, ein grosser Wolf.

g. *Canis vulpes.*

h. *Canis familiaris* (jünger).

i. *Meles taxus.*

k. *Mustela martes.*

11) Von den **Nagern**:

a. *Castor fiber.*

b. *Cricetus frumentarius* (Hamster).

c. *Arvicola* sp. (Wühlmaus).

Das prozentische Verhältnis ist etwa folgendes:

Bär 20.

Rhinoceros 17.

Wiederkäuer 35 (Hirsche 30).

Caniden 9.

Suiden 12.

Rest 7.

Zu den interessantesten Funden im Heppenloch gehören die **Caniden**. NEHRING fand darin die Gattung *Cuon alpinus*. Er hält diese fossile Art am nächsten verwandt mit dem auf den südsibirischen Gebirgen lebenden *Cuon alpinus* PALL. und bezeichnet sie deshalb als *Cuon alpinus fossilis*. NEHRING selbst u. a. halten die Fauna der Höhle für präglacial, d. h. für überwiegend jungtertiär, da nordische Typen, wie Lemming, Eisfuchs, Ren fehlen.

---

[1] Neues Jahrbuch für Mineralogie etc. 1890. II. Bd.

Trotz genauer Untersuchung habe ich deutliche Zahnspuren von Raubtieren nicht finden können, obwohl dies nicht ausgeschlossen ist und obwohl neben oder nach dem Menschen die Raubtiere mit den Schädeln gehörig aufräumten, denn es wurden nur zwei und zwar mit Eisen und Mangan imprägnierte Schädel g a n z gefunden, vielleicht der Imprägnierung wegen?

Und vorhanden ist von den Resten ja nur das, was nicht verzehrt werden konnte, vor allem die Gelenkenden, die ihres Marks beraubten Schenkelknochen, die kompakten Fusswurzelknochen, sowie die mit Metallsalzen oder kohlensaurem Kalk durchaus durchsetzten Knochen, die ein viel höheres Alter haben (die nach Rüti- meyer tertiären Knochen).

Die anfangs schöne blaue Farbe, die allerdings bald verblasst, rührt von Vivianit her. Ihrer Sprödigkeit wegen müssen sie sehr häufig mit Konservierungsflüssigkeit getränkt werden. Das recht mühevolle Herausarbeiten wird häufig noch erschwert durch angewachsene, jurassische Brocken oder durch Inkrustation von Eisen (d. h. zersetztes Bohnerz), das die Struktur der Reste teilweise unkenntlich macht. Das phosphorsaure Eisenoxydul dürfte wohl in Verbindung gebracht werden mit den nahen vivianithaltigen Mooren des Schopflocher Rieds, wie die Bohnerze vielleicht mit dem Randecker Maar.

Wir hätten uns also kurz folgendes Bild von der Höhle zu entwerfen. Sie wurde von präglacialen und diluvialen Tieren zu verschiedenen Perioden bewohnt. Die Topographie der Gegend lässt uns eine Steppenlandschaft auf der Hochebene der rauhen Alb (im Sinne Nehring's) nicht unmöglich erscheinen. Bedenkt man nun die Nähe der Grotten, wo die Tiere ässten und Gelegenheit zu ihrer Erlegung boten, die geringe Entfernung der Hochebene, von der sie hinab, wenn nicht gar in die nahe Höhle getrieben werden konnten (direkt von oben oder von der Grotte aus), wo möglicherweise ein Ausgang nach oben vorhanden war, so versteht man leicht, was an andern Orten zu erklären Schwierigkeiten macht, wie so viele grosse Tiere in die Höhle gelangen konnten. Hereingeschleppt brauchten sie nicht zu werden. Ja, man braucht nicht einmal die Annahme von Fallgruben.

Das Bewohntsein der Höhle durch Menschen geht schon aus den kassettierten Topfscherben hervor, wenn man die Artefakte nicht zu Hilfe nehmen wollte. Soviel wird wohl als wahrscheinlich angenommen werden dürfen, dass ihr Aufenthalt in der Gegend so lange dauerte, als Wild vorhanden war. Als sie abzogen[1], hatten die Raubtiere leichtes Spiel auf dem Knochenhaufen. Nach einer gewissen Zeit kamen aber wieder andere Jäger u. s. f. Ob wir hinter dem Knochenhaufen, d. h. in oder hinter den Tropfsteinhöhlen Wohnstätten zu suchen haben, konnte nicht eruiert werden.

Die Felsen fielen jedenfalls damals steil in das Thal herab und der Zugang zur Höhle wird wohl hauptsächlich von der Hochebene aus, welche sich terrassenförmig zu ihr herabsenkt, stattgefunden haben. Das Merkwürdige bleibt immer, dass in diesem grossen Höhlenkomplexe alle Tierreste auf einem grossen Haufen waren, der schon seiner Lage wegen nicht eingeschwemmt sein kann. Auch wären dann die Reste nicht horizontal gelagert, ferner müsste ein Hindernis der Hinausschwemmung aus der Höhle nachzuweisen sein; weiter spricht dagegen die Einhüllung in einen dicken Stalagmitenmantel. Der gewichtigste Einwand gegen die Einschwemmungstheorie aber ist das Fehlen der Funde und Artefakte vor und hinter der Knochenbreccie. Nur einige wenige Knochen vom Lehmberg in der zweiten Halle nahmen wir früher davon aus; dieselben stammen aber aus ganz anderer Zeit. Da wir es hier mit vielen Höhlen hintereinander, durchaus nicht mit Spalten von oben herab[1] zu thun haben, so ist auch nicht einzusehen, was uns diese Theorie hier nützen sollte. Getötet sind die Tiere wahrscheinlich doch in der Höhle geworden bei den so günstigen topographischen Bedingungen für das Hineingelangen. — Auch sprechen die Artefakte gegen ein Vertilgtwerden solcher Massen von Tieren durch Raubtiere allein, wobei sie natürlich überallhin zerstreut worden wären. So bleibt nur die Tötung durch den Menschen übrig, der die Reste seiner Nahrung auf einem Abfallhaufen vereinigte, welcher den Raubtieren eine willkommene Beute war, ein Vorgang, der von den später Kommenden nachgeahmt wurde. Die vielen Höhlen erlaubten ja eine grosse räumliche Ausdehnung für ihre Wohnstätten, die sogar einem ganzen Stamm Sommers wie Winters der angenehmen Temperatur wegen Raum geboten hätten. Dass übrigens die Temperatur eine zeitweise mildere gewesen sein muss, beweist die Anwesenheit der Affenart, welche das asiatische Klima heute noch aufweist

---

[1] Dawkins, Die Höhlen und die Ureinwohner Europas. Übersetzt von Dr. Spengel. Leipzig und Heidelberg 1876. S. 246.

[1] Hierfür liegt weder in der Höhle, noch auf der Hochebene ein Anhaltspunkt vor, ebenso sind Bohnerzgänge ausgeschlossen.

(Ceylon, Java), während sie das europäische kaum in Gibraltar ertragen und dort schon trotz aller Schonung dem Aussterben entgegengehen.

Soviel jedenfalls dürfte für jeden Forscher bis jetzt mit grösster Wahrscheinlichkeit sich ergeben, dass wir es hier mit einer Höhle zu thun haben, in der verschiedene Perioden auftreten, solchen, die von unsern bisherigen Höhlen erheblich abweichen, jungtertiäre und altdiluviale, obwohl eine geognostische Schichtung nicht nachzuweisen ist. Welche Rolle damals der Mensch spielte, wird freilich für jetzt sehr schwer zu beantworten sein. Soviel aber wird man jetzt schon sagen dürfen, dass der Mensch in einer älteren Zeit in dieser Höhle lebte, als in den übrigen schwäbischen.

Erklärung der Tafel II.

Fig. 1. Längsprofil.
Fig. 2. Flächenprofil.
    A. Fundort des Feuersteinlagers.
    B. In Kalkmantel gehüllte Knochenschichten (15 m).
    C. Zerstreute (inselartige) Fundstätten (Höhlenbärenschädel und Knochen des Urhirsches).
    D. Fundort für tertiär erklärter Knochenreste.
    † Ursprüngliches Ende des Heppenloches.
Fig. 3. Feuersteinmesser (aus den innern Höhlen), ähnlich denen von Abbéville und Taubach, aber wahrscheinlich älter.
Fig. 4. †† sowie die punktierten Linien links zeigen die Knochenbreccie, die punktierten Kreise die inselartigen Fundstätten an. — Auf der Leiter steigt man zu den Stalaktitenhöhlen, rechts ist der eingeschwemmte Lehmberg, der unten von der Knochenbreccie scharf geschieden war. Der Probegraben ist die helle Partie des Lehmbergs mit den Arbeitern. Oben lagen tertiäre Knochenreste.
Fig. 5. Karte von Gutenberg und Umgebung.

II.

Nimmt die Blitzgefahr zu und warum?

Von Dr. **Adae** jun. in Esslingen.

Das Manuskript über diesen Vortrag wurde nicht eingesandt.

III.

Ueber den gegenwärtigen Stand der Flechtenkenntnis in Württemberg.

Von Professoratskandidat Rieber in Stuttgart.

Wenn ich es wage, mit einem Vortrage über württembergische Flechten vor Sie zu treten, so muss ich, da ich selbst noch An- fänger bin, mich eigentlich zuerst legitimieren, ob ich auch wirklich im stande sein kann, einiges Nennenswerte darüber mitzuteilen. Nun, ich, glaube, dass ich mir hinlänglich Mühe gegeben habe, das nötige Material zusammenzubringen, und mehrere Verzeichnisse, die ich aus verschiedenen Gegenden unseres Landes zugeschickt erhielt, beweisen, wie sehnlichst man eine Hebung der Flechtenkenntnis bei uns herbeiwünscht. Ferner ist es mir namentlich durch die liebe- volle· Unterstützung von Prof. Dr. v. AHLES gelungen, mich in das System der Flechten und ihre Kenntnis näher einzuarbeiten, der auch die Freundlichkeit hatte, mehrere von mir gesammelte Flechten bestimmen zu helfen· und zum Vergleichen mir seine eigene reiche Sammlung zur Verfügung zu stellen. ·Andererseits glaubte ich, dass gerade die Versammlung des Vereins in Esslingen besonders dazu geeignet wäre, über württembergische Flechten zu sprechen, weil Esslinger die ersten waren, die sich mit diesen Gewächsen abgaben und weil die Esslinger Gegend die erste unseres Landes ist, welche lichenologisch untersucht wurde. So bot sich für mich leicht ein Anknüpfungspunkt dar und ich möchte mir zuerst erlauben, Ihnen eine kleine historische Skizze über die Entwickelung der Lichenologie in Württemberg vorzuführen.

Soviel mir bekannt geworden, war der verstorbene Pfarrer HOCH- STETTER in Esslingen der erste, der sich eingehend mit Flechten be- schäftigte, unterstützt von seinem Freunde Dr. STEUDEL. Beide haben in ihrem verdienstvollen Werke: Enumeratio Plantarum Germaniae, das 1826 erschienen ist, auch die Flechten Deutschlands zusammen- gestellt, worunter sich wenigstens eine findet mit genauer Angabe, dass sie in Württemberg vorkommt, nämlich *Spiloma umbrinum* FLOTOW. Pfarrer HOCHSTETTER stand mit dem berühmten Lichenologen ELIAS FRIES in Verbindung und so haben seine Flechtenentdeckungen Aufnahme gefunden in dessen Lichenographia Europaea vom Jahre 1831, wo wir aus Württemberg insbesondere die *Verrucaria papu- laris*, *Verrucaria Hochstetteri* und *Stereocaulon Roesleri* aufgezählt

finden, welches HOCHSTETTER seinem Freunde RÖSLER von Christophs-
thal zu Ehren benannte und welches seitdem nicht wieder gefunden
wurde. HOCHSTETTER hat namentlich in der weiteren Umgebung von
Esslingen gesammelt, ferner auf der Alb, besonders an der Teck und
am Neuffen, und mit RÖRLER in der Gegend von Freudenstadt.

Um Tübingen und Stuttgart hat dann später KURR mehrere
Flechten gesammelt, die sich im K. Polytechnikum befinden und von
denen mir Herr Prof. Dr. v. AHLES ein Verzeichnis zustellte von
ca. 70 Arten. In diesem Verzeichnis findet sich auch die interessante
Mitteilung, dass auf dem eisernen Geländer der Tübinger Sternwarte
8 verschiedene Flechten sich angesiedelt haben, worunter sich auch
unsere gewöhnliche *Physcia parietina* befindet. In verschiedenen
Gegenden unseres Landes hat dann MARTENS den Flechten nach-
gestellt, dessen Flechtensammlung samt dem dazu gehörigen Katalog
sich im Naturalienkabinet befindet, aus welchen ich einen grossen
Teil meiner heutigen Angaben schöpfen konnte. MARTENS hat schon
in den 20er Jahren die Umgebung von Stuttgart und einen Teil
des Schwarzwaldes auf Flechten abgesucht, ferner im Jahre 1849 mit
dem bekannten Schweizer Lichenologen SCHÄRER die Alb bei Geislingen, auf welcher Exkursion nach seinem Katalog vieles Interessante
gefunden wurde, insbesondere an den Felsen des Geisselsteins. Ausserdem befinden sich in dem MARTENS'schen Herbar auch viele Flechten
des † Pfarrers K., namentlich die bis zum Jahre 1855 gesammelten.

Um die Flechten des Schwarzwaldes hat sich auch der verstorbene Dr. SCHÜTZ in Calw verdient gemacht, der die nähere und
weitere Umgebung von Calw nach Flechten durchforschte, und sein
reiches Herbar, welches seine Angehörigen mir durchzusehen ge-
statteten, beweist, dass er manchen Schatz gehoben hat; insbesondere
befinden sich in seinem Herbar auch die ersten von STEUDEL und
HOCHSTETTER gesammelten Flechten, viele von Pfarrer KEMMLER, wodurch dasselbe noch einen besonderen Wert erhält, abgesehen von
der Sorgfalt, mit der es in Stand gehalten wurde und noch wird.

Was der verstorbene Pfarrer KEMMLER für die Lichenologie in
Württemberg geleistet, lässt sich jedenfalls erst ganz übersehen, wenn
sein Flechtenherbar veröffentlicht sein wird, aber er hat viel gethan,
ja weitaus das meiste im Vergleich mit den andern.

Insbesondere sind es die Gegenden von Ober- und Unter-
sontheim, von Crailsheim, von Bühlerthann, von Ellwangen, wo namentlich Kammerstatt eine wahre Fundgrube für ihn wurde, die schroffen
Felsen bei Heidenheim, speciell der dortige Schlossberg und das

Kloster Anhausen, wo Kemmler eine Reihe der seltensten Flechten bis zum Jahre 1863 entdeckte. Endlich hat er die Gegend von Donnstetten auf der Alb abgesucht, von wo aus er noch zwei bedeutendere Exkursionen machte, nämlich ins Berneckthal bei Schramberg und 1884, die letzte seines Lebens, in die Felsengärten bei Hessigheim. Wie mir Herr Dr. Fünfstück, der gegenwärtige Besitzer des Kemmler'schen Flechtenherbars, mitteilte, ist ein grosser Teil der später gesammelten Flechten Kemmler's nicht bestimmt, so dass sich über ihre Anzahl bis jetzt eine genaue Angabe nicht machen lässt. Kemmler zu Ehren benannte Körber die *Kemmleria varians* und die *Mareroa Kemmleri*, und Kemmler ist es auch, durch den ein Teil der württembergischen Flechten in weiteren Kreisen bekannt wurde.

Seine Lieblingsflechten waren die *Cladonia* (zu denen unsere gewöhnliche Rentierflechte gehört), von welchen er in Rabenhorst's Cladoniae europaeae 1860 15 Arten und 11 Varietäten veröffentlicht hat. Ausserdem befinden sich Exsiccaten von ihm in Rabenhorst's Flechtenherbar, in Zwackh's Lichenen eine grosse Anzahl und in dem Herbarium Europaeum von Bánitz, mehrere auch in den Lich. exsiccatis von Arnold und in den Ausgaben des schlesischen Tauschvereins. Mit Kemmler stand in inniger Verbindung der † Lehrer Herter in Hummertsried, der mit grossem Erfolg und rastlosem Eifer neben den Moosen auch Flechten sammelte und in Oberschwaben zuerst *Lecidea piceicola* Nyl., *Thelocarpon Herteri* Nyl., *Calycium praecedens* und *Stenocybe tremulicola* entdeckte, so dass durch dessen frühen Tod unsere Lichenologie einen schweren Verlust erlitt. Endlich hat um Stuttgart und Calw Gmelin reichlich gesammelt, um Bonlanden und das Illergebiet überhaupt der eifrige Kryptogamensammler Lehrer Häckler in Bonlanden, der verstorbene Ingenieur Kolb in der Gegend von Kisslegg und Stuttgart, Herr Pfarrer Sautermeister in Hausen am Thann, der besonders seltene fruktifizierende Exemplare ans Naturalienkabinett eingesandt hat, Herr Prof. Dr. Hegelmaier soll bei Tübingen und auf der Alb Flechten gesammelt haben, ich konnte aber von ihm selbst nichts darüber erfahren; Oberförster Karrer in Dietenheim hat am Hohentwiel, unserem einzigen Phonolithberge, insbesondere Strauch- und Blattflechten gesammelt, woraus sich ergibt, dass diese Flechten sich nicht von denen der Alb unterscheiden, anders dürfte es aber doch mit den Krustenflechten sein, von denen noch keine vorliegen. Endlich hat Herr Prof. v. Ahles die Freundlichkeit gehabt, mir manche auf seinen Exkursionen gesammelte Flechte mitzuteilen, die ich in meinen Katalog aufnehmen konnte. Ich selbst sammle in Stuttgart und bei Haigerloch in Hohenzollern seit 2 Jahren und habe wenigstens einiges Neue für Württemberg gefunden, so die *Lecidea sarcogynoides* Körber und *Thalloidima tabacinum* Ramond. Ebenso hat Herr Dr. Fünfstück bei Untertürkheim einige seltene württembergische neue Species gefunden.

Sie sehen, meine Herren, dass die Zahl derjenigen, die Flechten gesammelt haben in Württemberg, nicht gering ist. Publiziert dagegen ist von württembergischen Flechten fast gar nichts; in dem Parerga von Körber, welcher 1865 erschienen ist, befinden sich 80 württembergische Flechten angeführt. Ausserdem befindet sich in Arnold, Flechten vom Hüting bei Eichstätt, in dem 14. Bericht des naturhistorischen Vereins in Augsburg eine Angabe vom Pfarrer Kemmler in Donnstetten, dass auf der dortigen Alb ca. 40 seltenere Kalkflechten neben den gewöhnlichen vorkommen, die dann Arnold mit den Flechten des fränkischen Juras vergleicht. In unsern Jahresheften ist bis jetzt über Flechten nicht viel erschienen; hier und da wurden einige eingesandt, zum Teil von den schon oben genannten Herrn, nur in den Jahresheften von 1888 findet sich ein Aufsatz über die Blattflechten der Zwiefaltener Gegend von Herrn. Koch, dem Direktor der Staatsirrenanstalt in Zwiefalten. Mit Hilfe der Angaben Prof. v. Ahles', der Herbarien von Martens, Gmelin, der mir zu Gesicht gekommenen Kemmler'schen und Herter'schen bekannten Flechten, des Schütz'schen Herbars, der Zusendungen von Häckler, Karrer, Hofgärtner Schupp in Wolfegg suchte ich mir einen Katalog zusammenzustellen und ich habe dadurch die Zahl der bekannten Arten auf ca. 380 gebracht, von denen ich jedoch nicht für alle garantieren will, wenn ich sie auch, soweit es durch eine Prüfung mit der Lupe möglich, mit andern Exsiccaten verglichen habe. Vergleichen wir diese Zahl mit den in Deutschland bis jetzt nachgewiesenen von ca. 1100 echten Flechten, so muss sie als gering bezeichnet werden, ohne die Pseudo- und Mikrolichenen in Zahl von 200 Arten. Von Baden hat Bausch 1869 593 Arten angegeben, die bis jetzt auf ca. 700 angewachsen sind, wie mir Herr v. Zwackh mitgeteilt hat; vom fränkischen Jura sind 1885 durch Arnold ca. 630 Arten bekannt geworden, während in ganz Bayern ca. 900 gute Arten nebst vielen Varietäten bekannt sind. Kein Wunder, wenn es in lichenologischen Büchern noch der Neuzeit heisst: Württemberg vakat, da wir eben hierin bedeutend zurück sind.

Von diesen ca. 380 Arten gehören zu den Laub- und Strauchflechten 110 Arten, so dass im Vergleich zu 163 Arten in Deutschland und 130 in Baden das Verhältnis kein so schlimmes ist, zu den Gallertflechten 29 Arten gegen 38 in Baden, dagegen Krustenflechten ca. 240 gegen ca. 450 in Baden und 825 in Deutschland, also nur etwas über die Hälfte der badischen.

So ist die geringe Höhe obiger Zahl hauptsächlich auf die Krustenflechten zu setzen, die wegen der Kleinheit ihrer Gestalt und der Schwierigkeit ihrer Bestimmung wohl manchen schon abgeschreckt haben, abgesehen von der Mühe und Arbeit, welche die Synonymik der Flechten allein verursacht. Aus meinen obigen Angaben dürfte zur Genüge hervorgehen, dass wir eine grosse Aufgabe vor uns haben, denn wir können doch unmöglich noch lange Jahre hinter den andern deutschen Ländern zurückbleiben. Und ich glaube fast, dass wir in Württemberg, insbesondere auf dem Jura, mehr Flechten besitzen, als der fränkische Jura hat und da die geologische Beschaffenheit des Landes von grossem Einfluss auf die Anzahl der Flechten ist, so glaube ich bei der grossen Zahl von Formationen in unserem Lande auch auf eine besonders reiche Anzahl von Flechten schliessen zu dürfen, reicher jedenfalls wie die von Baden, da insbesondere auch der Keupersandstein ein sehr günstiges Substrat für Flechten ist. Noch grosse Stücke unseres Landes sind wenig erforscht oder gar nicht, so namentlich ein grosser Teil des Schwarzwaldes, des obern Donauthales, der oberen Alb, wo noch unzählige Flechtenspecies der Erlösung harren. Andere Gegenden sind bis jetzt nur oberflächlich erforscht, so dass sich gewiss noch überall neues wird finden lassen. Und wie leicht sind die Flechten zu sammeln; jeder Baum, jeder Bretterzaun, jeder Fels und jeder Grenzstein, jede Weinbergsmauer bietet reichlich Gelegenheit zum Flechtensammeln und dabei erfordert das Präparieren gar keine Mühe, da die Laubflechten in Wasser aufgeweicht sich jederzeit pressen und die Krustenflechten mit ihrem Substrat sich gewöhnlich ohne weiteres ins Herbar legen lassen. Da die württembergische Lichenologie in den letzten Jahren so schwere Verluste erlitten hat, so müsste jetzt mit doppeltem Eifer an derselben gearbeitet werden und da glaube ich, wäre es Sache des vaterländ. Vereins, auch einmal etwas auf die Kryptogamenkunde unseres engeren Vaterlandes zu verwenden, da wir hierin eben in geradezu auffallender Weise gegen andere Staaten zurück sind und bei dem heutigen Vorwiegen des Brotstudiums — denn Sammeln und Bestimmen von Flechten ist

2*

gewiss eine brotlose Kunst — an ein rasches Besserwerden, was entschieden not thäte, nicht zu denken ist. Meine Herren! Sollte es mir gelungen sein, Ihnen ein klares Bild des heutigen, etwas mageren Standes der württembergischen Flechtenkenntnis gegeben zu haben, und sollte es mir geglückt sein, einige oder mehrere von Ihnen für dieselben zu begeistern, so würde ich mich reichlich belohnt fühlen für die nicht geringe Zeit, die ich zur Feststellung obiger Zahlen verwenden musste.

IV.

Die Bahnlinie Tuttlingen-Sigmaringen.

Von Oberstudienrat Dr. Fraas.

Es war wohl kein Fleck deutscher Erde — sagt ein namhafter Altertumsforscher — der in so viele Herrschaften zerstückelt war, wie die hohenzollerschen Lande; umgeben von Fürstentümern und freien Reichsstädten wechseln hier Grafschaften, Abteien und Klöster auf Schritt und Tritt in buntem Durcheinander. Ein Gang durch die Gegend an der oberen Donau zwischen Donaueschingen und Ulm gewährt einen Blick in das individuelle Volksleben, das im Schwabengau so anmutig den Wanderer umfängt. Da waren die Grafschaften Sigmaringen und Vöringen, die Herrschaften Achberg und Hohenfels im Besitz des deutschen Ritterordens, die TURN- und TAXIS'sche Besitzung in Strassberg und Ostrach, der Fürst FÜRSTEN-BERG'sche Besitz Trochtelfingen und Jungnau, der Freiherr v. SPÄTH'sche Besitz Gamertingen und Hettingen, Kloster Beuron, die Klöster Inzighofen, Wald und Habsthal, die Herrschaft Haigerloch, Glatt und Wehrstein, und endlich Hohenzollern-Hechingen mit den Klöstern Rangendingen und Stetten.

So zerstückelt und zerfetzt war das Land, das jetzt die Eisenbahn verbindet. Der Grund dieser Zerstückelung kann verwunderlicherweise nicht in dem Boden und den Formationsverhältnissen gefunden werden, denn eine geologische Langweile, eine, fast möchte man sagen, traurige Monotonie sondergleichen herrscht in dem weissen Jura zwischen Tuttlingen und Sigmaringen. Seit Jahrhunderten sehen die Burgen und Schlösser an der Donau dem Lauf des Flusses zu, der bald träge und lahm durch Sumpf und Ried sich schlängelt, bald in raschem Lauf sich über die Felsen stürzt. Kahle Jurafelsen geben der Gegend ein Gepräge, das in voller Harmonie steht mit den zerfallenen Mauern der Burgen. Die Felsenhäupter sind gebleicht oder durchlöchert vom Zahn der Zeit, sterbenden Riesen zu vergleichen, die im Tod noch sich erheben, ungebeugte echte Hohenzollern! Durch die Felsen hat Thonawa, die Rasche, den Weg gefunden, je nach deren Beschaffenheit in geradem Lauf oder in gekrümmten Pfaden — je nachdem Hindernisse sich dem Wasser entgegenstellten, hat sich der Thalgrund gebildet in verkürztem oder verlängertem Weg, der jetzt von der Eisenbahn gewählt ist, um auf kürzestem Weg von Tuttlingen nach Sigmaringen zu gelangen.

Solange sich von Tuttlingen ab die Bahn im unteren Weissen bewegt, führt sie geraden Weges. über Nendingen nach Mühlheim. Bei der Altstadt prallt der Fluss an den Felsen und weicht nach Südost aus, aber schon nach kurzem Lauf am Altfridinger Schlossberg muss sie die seitherige Richtung wieder wählen und nach Ost und Südost streben. Aber nicht lange! Das Thal weist wieder nördlich und wird zum Beerathal, während die Donau die grosse Schlinge um das Fridinger Bergmassiv macht, sucht die Eisenbahn, wo die Schlinge sich verengt, den kürzesten Weg auf und fährt in einem Tunnel von der Beera zur Donau.

Von der Höhe schaut Schloss Bronnen herab, das kühnste Felsennest, das man sich denken kann, heute noch von einem fürstlichen Jäger bewohnt. Im Thalgrund bleibt sich indessen die Sache ziemlich gleich; zweimal musste die Donau verlegt werden, das erste Mal bei km 4 (Ludwigsthal), das andere Mal bei km 10 (Mühlheim). Jurakies wechselt hier mit Schlamm. Beide sind die natürlichen Erosionsprodukte aus dem untern Weissjura, dem einzigen anstehenden Gestein, das dann auch zwischen km 14 und 15 in dem 685 m langen Schanztunnel durchfahren wird. Auf der Höhe über dem Tunnel ist ein schmales Plateau mit einer prähistorischen Schanze (Wall und Graben).

Einen ganz bedeutenden Reichtum von Gammafossilen hat der Tunnel geliefert, die Fossile sehen aber nichts gleich, sie schälen sich nicht rein aus dem Gestein und werden daher für die Palaeontologie nimmermehr eine Rolle spielen. Vorherrschend finden sich polygyrate Ammoniten, Inflaten und Flexuosen neben dolosen Scyphien und flachen Tellerschwämmen. Aber grosses Vergnügen macht es dem Beobachter, über diese ausgehobenen Schichten zu schreiten, in denen es förmlich wimmelt mit Gammafossilen. Beim km 15 wird der Schanztunnel verlassen und führt die Bahn im Gefäll von

1 : 150 zur Donaubrücke in der Eichhalde, ein Einschnitt in jurassisches Konglomerat führt zur Haltestelle B e u r o n in massigem Gammafels. Viele aber ganz schlecht erhaltene Fossile füllen auch hier die Schichten. Bei km 19 führt eine Gitterbrücke mit 2 Öffnungen von je 50 m über die Donau und von da unmittelbar in den Käpfletunnel, der in einem an der Luft zerfallenden Thongamma 181 m lang getrieben ist.

Sobald man den Tunnel verlässt, hat man den entschieden schönsten Punkt der ganzen Linie, vielleicht des ganzen Donauthals bis zum eisernen Thor von Orsowa, erreicht. Umgeben von Felsen und Burgen liegt das grüne Donauthal, in welchem die Bahn von links nach rechts, dann wieder umgekehrt von rechts nach links gedrückt ist; die Donau selbst musste weichen, um neben der Bahn auf kürzerem Weg über den Schenkenbrunnen den Langenbrunnen zu erreichen. Die Höhen sind mit Burgen besetzt, rechts der W i l d e n s t e i n, eine Bergfeste, wie sie nur die Phantasie für Ritterromane sich ausmalen mag: auf spitzer Felsklippe über einer Zugbrücke, welche den Bergkamm mit dem Schloss verbindet, führt der Weg nach dem ersten Vorhof, der durch 2 starke runde Türme flankiert ist. Ein zweiter 35 m tiefer Schlossgraben wird auf einer zweiten Zugbrücke überschritten, über dem Thor öffnen sich Schiessscharten und lassen ahnen, in welcher Sicherheit vorzeiten hier gewohnt wurde. In der Mitte des viereckigen Schlosshofes befand sich die Cisterne, in welche das Wasser aller Dächer geleitet wurde. Zu Ende des vorigen Jahrhunderts noch war die Bergfeste im stand, sich zu halten. Mittels eines geheimen Ganges, der unter dem Altar der Schlosskapelle anhub, konnte man durch die Felsen hindurch in das Thal entweichen. Die Feste hängt mit dem Kloster Beuron zusammen, dessen Äbte Wildensteiner waren, und im 13. Jahrhundert blühten Burg und Herrschaft. Wildenstein wurde im 15. Jahrh. um 4000 Goldgulden an die Herren VON ZIMMERN verkauft und ging dann ans Haus FÜRSTENBERG über, in dessen Besitz es heute noch ist.

Im gleichen Besitz ist das Felsennest W e r n w a g, landschaftlich der Glanzpunkt der Strecke. Am Fuss des Felsens liegt noch ein Glanzpunkt geologischer Art, der S t e i n b r u c h v o n H a u s e n, während des Bahnbaus ein Zentralpunkt für Gewinnung von Steinmaterial und in den 50er Jahren ein Mittelpunkt für praehistorische Reste aus der älteren Steinzeit.

Im Frühjahr 1851 (April und Juni) diese Jahresh. IX, pag. 130, hatte der Konservator Dr. G. v. JÄGER eine Anzahl Zähne und

Knochen angeblich aus einem Steinbruch bei Langenbrunn im Donauthal erhalten, die er höchst wahrscheinlich dem Diluvialboden zu-
schreibt. Es waren die Reste des Höhlenbärs, des Pferdes und verschiedener Mausarten. Dazu kamen noch Zähne von Hyänen, Hunden,
Katzen und Wieseln. Von Nagern wurden Hamster und Murmeltier
gefunden, verschiedene Wiederkäuer, Schaf und Renntier, grosse
Hirsche, Pferd, Nashorn, Mammut.

Über das Vorkommen dieser diluvialen Reste redet Jäger von
einer Schlucht am Jura, wo in früheren Zeiten ein Aufstauen des
Wassers der Donau stattgefunden haben soll. In dem Wasserkessel,
in welchem Wasser verdunstete, vielleicht durch Begünstigung von
Eisenoxyd, bildete sich ein Tuffstein, härter als der gewöhnlich an
der Alb sich bildende, weshalb er nicht mit der Säge, sondern mit
Schlegel und Meissel gewonnen wird. Der ganze Hügel von 200′
Länge und 60′ Höhe lehnt sich an dem Abhang des Juras an eine
horizontale Höhlung, in diesem Tuff lagen die Knochen von Wolf,
Bär, Murmeltier, ferner Hirschknochen, Stierknochen und Pferdereste.
Die Funde kamen in die fürstliche Sammlung von Sigmaringen, wo
sie noch liegen, andere wurden nach Stuttgart an Jäger gegeben.
Während des Bahnbaues jetzt nach 40 Jahren ist einzig noch der
harte Tuffkalk von Bedeutung, der auch gehörig ausgebeutet die
Steine zu Brücken, Durchlässen und Wohnungen der Bahnwärter
geliefert hat. Es wurde lediglich keine Spur von Geschöpfen einer
andern Zeit als der diluvialen gefunden.

Von Hausen führt die Bahn an drei Burgruinen vorbei (Sichel
[Heidenschlössle], Schaufels und Langenfels) nach Neidingen, eine
noch im vorigen Jahrhundert vermeintliche Stadt, welche faktisch
nur auf der Karte existierte und ebenda von den Franzosen vergeblich aufgesucht wurde.

Unterhalb Neidingen und dem Schaufelsen ragen die Trümmer
des alten Falkenstein von dem Bergkamm ins Thal; von hier
soll einst eine Zugbrücke zum Schloss Falkenstein geführt haben.
Ob der Falkenstein im 30jährigen Krieg ruiniert wurde oder nur
durch den Zahn der Zeit, ist unbekannt. Tiergarten, einst ein wirklicher Wildpark der Herren v. Zimmern, war ein steter Zankapfel.
Mit dem Übergang der Herrschaft Mösskirch an Fürstenberg wurde
der Tiergarten zu einem Eisenwerk, das in den 50er Jahren in
seiner höchsten Blüte war. Weiter abwärts ist das Thal so eng,
dass schon die Landstrasse durch verschiedene Tunnels geführt
werden musste. An der Grotte Teufelsloch vorüber, wohin sich zur

Zeit der Franzoseneinfälle die Anwohner flüchteten, führt der Weg durch Fluss und Felsen nach Gutenstein und Dietfurt.

Mit dem ersten dieser Tunnels ist man im weissen Epsilon angekommen, das vollends anhält bis zum Ende unserer Bahnstrecke. Bei der Mündung der Schmeiha sind die Ruinen von Gebrochen-Gutenstein. Zum letztenmal geht es durch Epsilonfelsen zur Station Inzighofen, dann in gerader Linie durch Moräne auf Zeta nach Laiz. Von hier ab führt die Linie über Thalgrund bis vor das Felsenthor von Sigmaringen, einem Zetamarmor, der anhält bis Sigmaringendorf und Scheer.

Ein Blick auf unsere Bahnstrecke zeigt uns den ersten Durchbruch der Donau durch den Jura. Folgen wir weiter dem Donaulauf, so finden wir einen zweiten Durchbruch in Bayern durch' den fränkischen Jura zwischen Kelheim und Weldenburg. Beide schneiden in den Weissen Jura ein, der erste im unteren Weissen, der zweite im oberen Weissen. Endlich ist noch am Ende der Zivilisation beim Ausgang der Donau in die türkischen Lande der dritte Durchbruch zu konstatieren, der den braunen Jura ε und ζ betrifft. Er wäre wohl als der interessanteste zu bezeichnen; der älteste ist er unter allen Umständen; der Weldenburger Durchbruch wäre als im oberen Weissen der nächste, der von Orsowa und Dembrowa der dritte und letzte, aus welchem der Strom in den bulgarischen Lehmebenen sich verbreitet.

V.

Ueber einige dem Getreide schädliche Thripse.

Von Prof. Dr. E. Hofmann.

Im vorigen Jahre wurden die Getreidefelder der schwäbischen Alb sehr verwüstet, indem stellenweise die Ähren abgebrochen wurden und wieder andererseits die Halme in der Mitte abgerissen waren. Dies erklärten sich die Leute dadurch, dass sich die Waldmaus, *Mus sylvaticus* L., auf eine ungewöhnliche Weise vermehrt hatte und den Schaden verursachte. Von derselben schreibt Pfarrer JACKEL, dass sie in manchen Jahren ungemein häufig auftrete, den Forstkulturen und Junghölzern sehr schädlich werde, auch in die Häuser der Landleute eindringe und in den Speisekammern nicht selten gefangen werde.

Auch aus Möckmühl an der Jagst wurde im vorigen Jahre dem landwirtschaftlichen Wochenblatt folgendes eingesendet: „Ein unheimlicher und geheimnisvoller Feind versetzt den Landmann von hier und Umgebung in grosse Besorgnis und Schaden. Seit einigen Tagen bemerkt man, dass einige Äcker, welche mit Roggen und Weizen angebaut sind, über Nacht beinahe vollständig ihrer Ähren beraubt worden. Namentlich sind es solche in der Nähe eines Waldes liegende Äcker, denen dies widerfuhr. Die Halme sind dicht unter der Ähre wie mit einem scharfen Zahne abgebissen, stehen zur grossen Mehrzahl noch aufrecht da, während andere in der Mitte oder oberhalb derselben geknickt sind. Auf dem Boden findet man eine Menge Gemüll von dem Urheber dieser Verwüstung. Überhaupt ist man vollständig im Unklaren über denselben; manche meinen, es sei die Wanderheuschrecke, andere es seien Springmäuse, wieder andere Käfer; gewiss weiss es niemand, denn niemand hat etwas gesehen, trotzdem manche schon Wache gestanden sind. Ausser hier hört man, dass die gleiche Plage in Reichertshausen und Roigheim und in den badischen Nachbargemeinden Sennfeld und Adelsheim auftritt. Was mag es wohl sein?"

Nach der schönen Arbeit von Professor Lindeman in Moskau werden diese geheimen Feinde nichts anders als Thripse, Blasenfüsse, sein, langgestreckte 1—2 mm lange Insekten, welche zu den Geradflüglern, den Orthopteren, in die Untergruppe der Blasenfüsse, *Physopoda*, gehören, sie sind zum Teil schon längst in den Ähren vorhanden, kommen alljährlich in den Feldern vor und sind am Rhein unter dem Namen „Gewitterwürmchen" bekannt.

Systematisch ist noch nicht viel darin gearbeitet worden, wenige haben sich damit abgegeben, denn noch immer ist das im Jahre 1836 aufgestellte System fast unverändert geblieben. Sie werden dort eingeteilt in Terebrantien, wo Männchen und Weibchen mit äusserem Geschlechtsapparat versehen sind, hierher die Gattung *Thrips*, und in Tubulifera, bei denen die Weibchen ohne Legeröhre sind, *Phlocothrips*. Wir haben es hier nur mit diesen zwei Gattungen zu thun; zu bemerken sind nur die merkwürdigen Flügel, die auf beiden Seiten lang bewimpert sind.

Wie schon erwähnt wurde, sind sie selten schädlich aufgetreten. Taschenberg berichtet, dass im Jahre 1874 in Vorpommern 20—40 Stück in einer Ähre gefunden wurden und das teilweise Fehlschlagen der Körner und Taubwerden der Ähren veranlassten. Lindeman ist der erste, der die Thripse als sehr gefährliche Feinde des Getreides beschreibt, und durch diese Arbeit wurde Herr Dr. Koch, Apotheker in Neuffen, auf diese Tiere aufmerksam gemacht und verfolgte vom vorigen Sommer bis jetzt mit grossem Eifer das Leben und Treiben derselben. Er konnte feststellen, dass sie sich im vorigen Jahre massenhaft in den Ähren befanden, dass die Stoppeln den ganzen Winter dicht damit besetzt waren und dass sie im Frühjahre ihr Unwesen weiter trieben. Er forschte unermüdet weiter und fand erst einen Tag vor meiner letzten Ankunft in Neuffen, dass wir es mit zwei Arten zu thun haben, welche oft in einem Felde beisammen zu finden sind, die eine mit roten Larven in den Ähren, die andere mit weissen Larven in den Halmen des Getreides, besonders des Roggens. Beide Arten wurden erst im Jahre 1886 von Professor Lindeman beschrieben, die mit roten Larven als *Phlocothrips frumentaria*, die mit weissen als *Thrips secalina*.

Die neueste Arbeit über Thripse ist die von Jordan „Über die Anatomie und Biologie der Physopoda" in der Zeitschrift für wissenschaftliche Zoologie 1888, Seite 541—620 mit 3 Tafeln. Derselbe schreibt S. 605: „Wenn anfangs Mai der Roggen kräftig zu wachsen beginnt, stellen sich bei guter Witterung einzelne Phloeothripse auf den Blättern der jungen Roggenpflanzen ein. Die Zahl der Individuen wird immer grösser, die Tiere dringen in die Hüllblätter ein und suchen zu der jungen Ähre zu gelangen; hier halten sie sich in kleineren und grösseren Scharen auf und ernähren sich von den Säften der Ähre und des die Ähre tragenden weichen Stengels (auf diesen Vorgang bitte ich besonders zu achten, da er das Abbrechen der Ähren erklären kann, wenn die Thripse in Menge vorhanden sind) und verhindern dadurch die volle Entwickelung derselben. Schiesst die Ähre auf, so bemerkt man, dass ihre Spitze und auch die Basis mehr oder weniger verkümmert ist. Da der Weizen sich etwas später bei uns entwickelt, als der Roggen, so findet man die Phloeothripse auf ihm erst dann, wenn die Schädigung des Roggens schon zu sehen ist.

Kurz nach dem Aufschiessen des Roggens findet man die ersten Eier des *Phloeothrips* als ovale gelbliche Gebilde, welche einzeln oder in kleinen Haufen an den Spelzen sitzen. Aus ihnen schlüpfen nach 8—10 Tagen die Larven, welche anfangs grau sind, bald aber hellrot werden. Zu dieser Zeit können noch alle Teile der Infloreszenz ihrer Weichheit und Saftigkeit wegen ausgesogen werden. Die erste Generation kommt nach und nach im Juni aus und legt wieder Eier in die Ähren. Wenn die aus diesen Eiern hervorgegangene

zweite Larvengeneration in dem absterbenden Teil der Ähre, Ende
Juli, anfangs August keine Nahrung mehr findet, so saugt sie hauptsächlich an den noch milchigen Körnern. Die roten Nymphen halten
sich mit Vorliebe in der Nut der Weizenkörner auf. Nach der
Ernte des Roggens und Weizens zerstreuen sich die Phloeothripse;
die noch nicht entwickelten Larven sterben ab, die Imagines gehen
zum Teil auf andere Feldfrüchte, teils kriechen sie in die Garben
und werden mit in die Scheune gebracht, wo sie meist sterben.
Andere gehen schon in die Winterquartiere, oder sehen sich veranlasst, auf die noch grünenden Haferfelder und auf Gräser
zu verbreiten. Auf Hafer, Sommerweizen und Gräsern leben die
Blasenfüsse vorher schon in Menge. Diese erst Ende August und
im September reif werdenden Getreidearten geben den Larven der
dritten Generation noch Nahrung genug, so dass diese das
Hauptkontingent der im Frühling erscheinenden Getreideblasenfüsse
bilden."

So weit JORDAN, was Dr. KOCH und ich bestätigen können, da
ich im Auftrage der K. landwirtschaftlichen Zentralstelle die Äcker
der Gegend von Neuffen, Beuren, Hülben und Weiler im April, Mai
und erst kurz im Juni besuchte, um Beobachtungen in denselben anzustellen. Bei der Kleinheit der Tiere, bei den schnell laufenden
und fliegenden Tierchen ist nur eine Untersuchung am Platze
selbst von Wert, da sie z. B. bei Regenwetter oder bei Kälte fast
verschwunden scheinen, während schon einige Sonnenblicke genügen,
um sie zu beleben. Dies ist auch die Ursache, dass an den mit
Thripse besetzten Getreidepflanzen, welche längere Zeit unterwegs
sind, häufig gar keine Thripse entdeckt werden können, weshalb
auch die vielen irrigen Meinungen über dieselben existieren, wenn
die Beobachtungen nicht an der Fundstelle gemacht wurden. Haben
wir nun gesehen, wie die *Phloeothrips frumentaria* die Ähren beschädigen und vielleicht sogar das Abbrechen derselben veranlassen
können, so werden wir von dem zweiten von Herrn Dr. KOCH beobachteten *Thrips secalina* sehen, dass dieser auch die andere, noch un-
begreiflichere Zerstörung an den Halmen hervorrufen kann. Diese
weissen Larven leben in der Scheide am Halme des Roggens und
Weizens, wo sie durch ihr Saugen hellere Stellen verursachen, welche
LINDEMAN Thripsflecken genannt hat und die von weitem schon
gesehen werden können. Öffnet man ein so geflecktes Blatt, so
findet man um die Mitte Juni bloss weisse Larven mit schwärz-
lichem Scheitel und Beinen, welche sich nach wenigen Tagen ver-

färben. Bis hierher konnten wir die Entwickelung derselben verfolgen; es ist sehr zu bedauern, dass Herr Dr. Koch nicht schon das vorige Jahr auf diese Art aufmerksam gemacht wurde und weitere Beobachtungen vornehmen konnte. Nach Lindeman dauert die Entwickelung des Eies nicht weniger als zehn Tage; die Larven bleiben ihr ganzes Leben lang an demselben Halme und derselben Blattscheide, wo die alten ihre Eier abgelegt haben; das Leben der Larven dauert einen Monat, und nach Verlauf dieser Zeit verwandeln sie sich an demselben Orte in Nymphen, deren Entwickelung nur einige Tage braucht. So leicht die Larven der beiden Arten, die eine weiss, die andere rot zu unterscheiden sind, so schwierig ist dies bei den ausgewachsenen Tieren, die eigentlich nur mit Hilfe des Mikroskops unterschieden werden können.

Fassen wir nun alles zusammen, was wir bis jetzt beobachtet haben, so kommen wir zu dem Resultate, dass die Phloeotripse, wenn sie in grosser Menge auftreten, das Abbrechen der Ähren verursachen können, was merkwürdigerweise nirgends erwähnt wird, während die *Thrips secalina*, welche einen ganzen Monat an einem Halm unter der Blattscheide leben, in grosser Menge vorkommend schon das Abbrechen der Halme zur Folge haben können.

Es kommt lediglich auf die Menge der vorhandenen Thripse an, und es wird sich bei der Ernte zeigen, ob die Anzahl derselben so bedeutend war, als im vorigen Jahre, oder ob der Schaden nicht so bedeutend wird, wie wir anzunehmen glauben. Jedenfalls ist die Sache von hoher Wichtigkeit und die Zukunft wird lehren, wie wir diesen Feind bekämpfen können. Herr Inspektor Dr. Widersheim, den ich von Reutlingen holte und der sich auch von der Schädlichkeit dieser Tierchen überzeugte, wird in ca. 14 Tagen wieder in Neuffen mit mir zusammenkommen, wo wir über die Art und Weise der Vertilgung beraten werden, jedenfalls dürfen wir Herrn Dr. Koch sehr dankbar sein, dass er diese Sache so eifrig verfolgt hat.

VI.

Bemerkungen zu etlichen Typen aus Quenstedt's „Ammoniten des schwäbischen Jura".

Von Pfarrer Dr. Engel in Eislingen.

Mit Taf. III.

Seit längerer Zeit wieder fast ausschliesslich mit dem Studium der Ammoniten beschäftigt, bin ich bei Musterung meiner Sammlungen und bei Ausbeutung unserer Jurafundplätze auf etliche Stücke aufmerksam geworden, die mir Veranlassung geben, dem letzten vorzüglichen Werke des Tübinger Altmeisters nicht etwa am Zeuge zu flicken, aber doch wenigstens einige Zusätze beizufügen.

Es sind zunächst vier Ammonitenformen, beziehungsweise Ammonitengruppen, worüber ich Erläuterungen geben möchte an der Hand der der Versammlung vorgelegten Originalexemplare, so zwar, dass man finden wird, es müssen hier, das eine Mal hinsichtlich der Form, das andere Mal in betreff des Lagers dieser Ammoniten einige kleine Änderungen, oder, wenn Sie so wollen, Verbesserungen angebracht werden.

Der erste Ammonit, um den es sich handelt, gehört dem obersten Lias an und zur Gruppe des *radians* REIN., ein echter Falcifere. Er ist in dem genannten Werk trefflich von QUENSTEDT abgebildet unter dem WRIGHT'schen Namen *Harpoceras variabile* (Qu. Amm. Taf. 52, Fig. 11—13). Nun aber wird im Text jenes Werkes (Bd. I, S. 415) von dem Verfasser bemerkt: „Mir ist zwar das genaue Lager nicht bekannt, allein nach dem Ansehen mögen sie auch bei uns dem obersten Zeta angehören, also über das eigentliche Insignislager hinaufgehen." Diese Vermutung, die QUENSTEDT, wie es scheint, auf Grund des englischen Vorkommens ausspricht und deshalb vorerst noch in der Schwebe lässt, weil er jene Ammoniten nicht selbst gesammelt, muss nun umgestossen und dahin geändert werden, dass das Lager des schwäbischen *Ammonites (Harpoceras) variabilis* im Gegenteil dem untersten Lias ζ angehört, ja in gewissem Sinn auf die Grenze von ε und ζ zu versetzen ist. Durch Bachaufschlüsse in der Göppinger Gegend (Holzheim/Schlath, Göppingen/Hohenstaufen) und Feldwegregulierungen in der Nähe (Markung Holzheim) kamen wir nämlich seit etlichen Jahren in die günstige Lage, nicht nur eine Anzahl zum Teil gut erhaltener Exemplare uns zu verschaffen, sondern auch den genauen Fundort angeben zu können, dem wir sie des öftern selbst entnommen haben. Es sind weiche, bläuliche Kalkmergelbänke von etwa 1—1½ m Mächtigkeit, welche hart über dem Leberboden von Lias ε (Zone des *Amm. Walcotti* Sow. und *crassus* Phil.) anstehen und in welchen diese höchst bezeichnenden Sichelträger liegen, deren um den Nabel herum laufende Knoten sich jeweils in zwei Radiansrippen teilen. Es wäre also anzunehmen, dass wir hier die Urform ·des später so weit verzweigten Geschlechts des *Amm. radians* Rein. vor uns hätten, aus welcher dann alle die jüngeren Formen herausgewachsen sein dürften. Dass Quenstedt dabei statt an den untersten vielmehr an den obersten Lias ζ dachte, hat vielleicht auch mit darin seinen Grund, dass allerdings auf der Grenze von Lias ζ und Braun α, ja sogar noch selbst in den unteren Opalinusthonen (Zone des *Amm. torulosus* Ziet.) wieder ein sehr ähnlicher Ammonit vorkommt, der, die Mitte zwischen *radians* und *insignis* haltend, doch wohl eher zur Gruppe des letzteren zu stellen und darum auch von Oppel *subinsignis* benannt worden ist. Wir besitzen von letzterem mehrere Exemplare, von Holzmaden und dem Goldbächle bei Waldstetten, letzteres schon dem echten- unteren Braun α entstammend; beide erinnern auffallend an *A. variabilis*, sind aber, und zwar zumeist des Lagers wegen, entschieden von ihm zu trennen.

Mit den nächsten Formen, die ich vorlegen möchte, geht's in den Weissjura hinein, und sind es für heute drei Arten, auf welche ich für einen Moment die Augen hinlenken möchte. Die Ammoniten gehören alle drei dem mittleren Weissen, und zwar zwei davon dem γ, einer aber dem δ an und heissen *Fialar* Op., *Balderus* Op. und *circumplicatus* Qu.

Was zuerst den von Oppel neu benannten *A. Fialar* (Oppel, Palaeont. Mitth. Taf. 53, 6) betrifft, so hat Quenstedt in seinem Ammonitenwerk nirgends den typischen Oppel'schen *Fialar* weder aufgeführt noch abgebildet. Es hängt dies teilweise wohl damit zusammen, dass Quenstedt überall, wo er den Namen erwähnt oder· auf den Ammoniten zu reden kommt, merken lässt, dass er denselben gar nicht für eine besondere Species halte und daher für Wiederausmerzung des Namens in der Wissenschaft wäre. Das ist nun aber doch wohl nicht richtig. Vielmehr glauben wir, nach ·verschiedenen typischen Exemplaren, die wir im echten Weissen γ· (Zone des *Amm. tenuilobatus* Op., eines davon aber kürzlich auch im unteren δ, dem echten sogenannten Plattendelta) gefunden haben, entschieden sagen zu sollen, dass es sich hier um eine gute neue

Art handelt, die für den schwäbischen Weissjura beibehalten werden sollte. Dies bestätigt sich uns insbesondere auch dadurch, dass wir gestehen müssen, dass unserer Meinung nach QUENSTEDT diesen Ammoniten nirgends recht hat unterbringen können, so oft er's auch versuchte. Am übelsten ist er wohl gefahren, wenn er Taf. 119 Fig. 16 das Bruchstück eines *pictus* mit scharfgezahntem Kiel (*"serrulatus"* ZIET.), das er deswegen auch *serrulopictus* heisst, allerdings schüchtern genug, Band III S. 1048 („die Art der Knotung hat Ähnlichkeit mit der von *Amm. Fialar* OP."), mit dem OPPEL'schen Ammoniten in Beziehung setzt. Denn zur Gruppe des *pictus* QU. (*tenuilobatus* OP.) gehört *Fialar* unter keinen Umständen. Auf richtigerer Fährte ist er dagegen, wenn er *Fialar* zur Familie der Lingulaten rechnet und daher zweimal bei dieser Gruppe sowohl im Text (Band III S. 848) aufführt, als auch auf der betreffenden Tafel (Taf. 92, Fig. 32 u. 34) abbildet. Auch wir meinen, OPPEL's *Fialar* gehöre zu dieser Gruppe, sei aber doch eine besondere Art, die nur eben durch die QUENSTEDT'schen Figuren nicht charakteristisch dargestellt ist, weder in Fig. 32 noch 34. Wohl zeigt das letztere Bild die kleinen, schiefen *hecticus*-artigen Strichelchen ein wenig, die von dem aus dem Ohr entspringenden Kanal gegen den Nabel zu fallen, aber sie sind etwas zu kurz wiedergegeben, da sie beim echten *Fialar* ähnlich wie bei *Amm. lingulatus nudus* QU. (Taf. 92 Fig. 52 u. 53) fast den ganzen ersten Umgang bedecken; dann aber fehlt vor allem unserer Fig. 34 das Haüptkennzeichen von *Fialar* und das sind die q u e r   ü b e r   d e n   R ü c k e n   l a u f e n d e n   K e r b e n, durchaus' von Punkten, Knoten u. dergl. zu unterscheiden. Diese merkwürdigen Gebilde sind nun allerdings in Fig. 32 von QUENSTEDT gezeichnet, weshalb denn auch dieser von ihm abgebildete Lingulat im Text den Beinamen *Amm. lingulatus crenosus* QU. bekommt. Und doch ist auch das noch nicht der echte *Fialar* OP., so nahe er ihm stehen mag. Denn er ist ganz glatt abgebildet, während doch *Fialar* stets jene feinen Sichelrippen links und rechts vom Ohrkanal hat. Sonach möchten wir auch diese OPPEL'sche Species, die den QUENSTEDT'schen *Amm. lingulatus nudus crenosus* in sich vereinigen würde, als eine gute Art unserem heimischen Jura erhalten wissen.

Ganz das gleiche gilt von der zweiten Weissjuraform, die, demselben Horizont entstammend, hier von uns besprochen werden soll: es ist *Amm. Balderus* OP (OPP. l. c. 67, 2). Auch dieser Ammonit ist in dem QUENSTEDT'schen Werk dreimal mit Namen aufgeführt und einmal (mit einem „cf." *Balderus*) abgebildet, eine richtige Zeichnung und Beschreibung fehlt aber trotzdem von ihm, wohl wieder aus dem nämlichen Grunde, wie vorhin, weil QUENSTEDT auch ihn nicht für eine gute Species erklärt und daher am liebsten aus dem schwäbischen Jura wieder gestrichen wissen möchte. Nach dem, was wir selbst gesehen und gesammelt haben, behaupten wir aber im Gegenteil, wir sollten OPPEL für Aufstellung dieser ganz bezeichnenden Species dankbar sein und dieselbe möglichst festzuhalten suchen, da sie nach Form und Lager etwas wirklich Ausgezeichnetes hat. Freilich, wer in QUENSTEDT's „Ammoniten" sucht, wird nirgends ein Bild des typischen „*Balderus*" Op. bekommen. Das Bild Taf. 108 Fig. 12 stellt einfach einen *planula* ZIET. dar, zu dessen Gruppe allerdings *Balderus* gehört, wohin ihn auch QUENSTEDT im Text (Band III S. 978) ganz richtig stellt. Wenn er aber dort weiter bemerkt, dass diese seine Zeichnung „genau mit OPPEL's *Balderus*" stimme, so ist das doch wohl ein Irrtum. Auch die S. 975 ausgesprochene Bemerkung, dass LORIOL einen von CH. MAYER „de Geislingen en Wurtemberg" stammenden zur Gruppe des *planula* gehörigen Ammoniten unter dem Namen *Balderus* Op. abbilde, enthält das richtige, dass wirklich der OPPEL'sche *Balderus* zu dieser Gruppe gehört; nur ist gerade hier wieder verhängnisvoll, dass QUENSTEDT (Amm. 108, 2) einen echten *Amm. planula* ZIET. aus Weiss β abbildet und diesen dem MAYER-LORIOL'schen *Balderus* Op. unterschiebt, der, wie wir gleich hören werden, dem (oberen) γ angehört. Noch verwirrender wirkt, wenn QUENSTEDT an dem dritten Ort, wo er im Text den Namen *Balderus* anführt (S. 967), diesen Ammoniten unter der Gruppe der Polyploken aufführt. Wohl sagt er auch dort, nur die Grösse stimme mit OPPEL's *Balderus*, der aber „einen entschiedenen Schritt zum *planula* mache", während der seinige (Taf. 107 Fig. 8) viel dünnrippiger sei. Aber durch seinen dort weiter unter der Polyploken-Familie aufgeführten „*desmonotus*" Op. entsteht neue Verwirrung. Denn auch *desmonotus* Op. zählt offenbar zu der Gruppe des *planula* (im weiteren Sinn); darauf deutet schon die Unterbrechung seiner Rippen auf dem Rücken (woher der Name). Dies aber, das doch gerade ein Hauptunterscheidungsmerkmal bildet, sieht QUENSTEDT als etwas sehr Untergeordnetes an, das auch bei gewissen Polyploken, wie er hinzufügt, bald vorhanden sei, bald fehle. Wir meinen, gerade in dieser Rippenunterbrechung liege der Schwerpunkt und stellen alle diejenigen Planulaten, bei denen dies stattfindet, zur Gruppe des *planula*, die dann von β bis δ sich fortzieht, aber je nach dem Lager verschiedene Formen erzeugt. Und gerade das Lager bildet den zweiten Faktor, der uns bestimmt, den OPPEL'schen *Balderus* als gute Species beizubehalten. Kommt er doch in seiner typischen Form nur eben im Weissen γ vor und zwar so ausschliesslich, dass wir ihn bis jetzt nirgendwo anders gefunden haben. Am Monk bei Salmandingen bildet er sogar eine ganze Bank (die siebente Kalkbank, von unten gezählt), die vollständig von ihm besiedelt ist und daher *Balderus*-Bank heissen dürfte. Aber auch, wo wir sonst diesen echten *Balderus* fanden (Weissenstein, Degenfeld, Wasserberg, Wäldenbühl), lag er stets über den eigentlichen Kragenplanulaten genau auf der Grenze von Weiss γ/δ. Sein Hauptmerkmal sind seine d i c k e n, oben gegabelten Rippen, die einen angulatenartigen Winkel auf dem Rücken bilden, aber stets auf beiden Seiten des Ammoniten i n d e r M i t t e w i e u n t e r b r o c h e n erscheinen. Wir möchten demnach die grosse und gute Gruppe des *planula* ZIET. in drei Formen, nach dem Lager geteilt, spalten, nämlich:

1) den typischen *Amm. planula* ZIET. aus β,

2) den typischen *Amm. Balderus* OP. aus γ und

3) die Formen mit auf dem Rücken unterbrochenen Rippen aus δ, wohin *Amm. desmonotus* OP., *Binderi* FR., *planula gigas* QU. und ähnliche gehören. Das führt noch auf

den dritten Weissjura-Ammoniten, den wir hier aufführen und mit ein paar Worten begleiten wollen. Es ist die bisher nach SOWERBY benannte Form des *Amm. mutabilis*, wie sie QUENSTEDT unter diesem Namen schon im Jura beschrieb und abbildete, wogegen er ihr im Ammonitenwerk wohl mit Recht einen neuen Namen „*circumplicatus*" (Taf. 107, Fig. 19—24) gibt. Hier sind die Rippen auf dem Rücken nicht mehr nur unterbrochen, sondern bilden geradezu e i n e F u r c h e, ähnlich dem *Amm. Parkinsoni* SOW., wozu noch das weitere kommt, dass knotenartige Falten (daher der neue QUENSTEDT'sche Namen) den ganzen Nabel umgeben. Was unter dieser für Weiss δ bezeichnenden und nur hier vorkommenden Ammonitengruppe von uns neues gefunden wurde, sind zwei mit schönen O h r e n versehene Exemplare (von denen eines vorgelegt wird), wie wir sie noch nirgends abgebildet gefunden haben. Insbesondere hat QUENSTEDT keinen einzigen seiner abgebildeten Circumplicaten mit diesem Anhängsel dargestellt und scheint auch dasselbe bei diesem Ammoniten noch nicht gekannt zu haben, da er im Text (S. 971) ausdrücklich, wo er die zu der gleichen Gruppe gehörigen *Amm. Eudoxus* D'ORB. und *phorcus* LOR. erwähnt, die Bemerkung hinzufügt, dass „*Eudoxus*" von D'ORBIGNY mit Ohren gezeichnet werde. Unsere beiden Exemplare, die zum typischen *circumplicatus* QU. gehören, stammen aus dem echten Weiss δ eines hinter Treffelhausen gelegenen Steinbruchs und wurden selbst von uns dem Lager entnommen.

Erklärung der Tafel III
(cf. auch 46. Jahrgang pag. 34 ff. 1890).

Fig. 1. *Cyclolithes amalthei* nov. sp. (cf. 1890, S. 48); mittlerer Lias δ, Ausschnitt eines grösseren Stücks mit ca. 20 Korallen, die auf einem grossen *Amm. striatus* REIN. sitzen. Filsbett von Eislingen; natürliche Grösse.

Fig. 2. *Cyclolithes amalthei* nov. sp.; Einzelzelle der vorigen Koralle; sechsfach vergrössert.

Fig. 3. *Cidarites amalthei* QU., (cf. 1890, S. 44—46); verdrückter Körper mit aufsitzendem (glattem) Stachel. Mittlerer Lias δ, Filsbett von Eislingen; natürliche Grösse.

Fig. 4. *Diadema amalthei* nov. sp. (cf. 1890, S. 46); mittlerer Lias δ des Filsbetts von Eislingen; natürliche Grösse.

Fig. 5. *Hybodonchus amalthei* nov. sp. (cf. 1890, S. 35 u. 36). Mittlerer Lias δ (Clavatenlager) des Filsbetts bei Eislingen; a: natürliche Grösse, b: sechsfach vergrössert.

Fig. 6 u. 7. *Cidarites minor* nov. sp. (cf. 1890, S. 45 u. 46); mittlerer Lias δ des Filsbetts von Eislingen, natürliche Grösse. Fig. 6: zwei Asselreihen, Fig. 7: (gekörnter und kantiger) Stachel dazu.

Fig. 8. *Calamites? (amalthei)* nov. sp. (cf. 1890, S. 49), mit aufsitzendem Stielglied von *Pentacrinus subangularis* QU.; mittlerer Lias δ (Clavatenlager) des Filsbetts von Eislingen; natürliche Grösse. Das Stück ist im Besitz von Herrn Buchhändler KOCH in Stuttgart.

Fig. 9 u. 10. *Modiola amalthei* nov. sp. (cf. 1890, S. 38); mittlerer und oberer Lias δ des Filsbetts von Eislingen und Salach; natürliche Grösse. Fig. 9: Jugendform? (aufgeklappte Schalen). Fig. 10: ausgewachsenes Exemplar (geschlossen).

Fig. 11. *Dentalium amalthei* nov. sp. (cf. 1890, S. 42); mittlerer Lias δ des Filsbetts von Eislingen; natürliche Grösse.

Fig. 12 u. 13. *Ammonites* cf. *?Kurrianus* OP. unterer Lias δ des Filsbetts von Eislingen. Fig. 12: Seitenansicht, Fig. 13: Rückenansicht, beide in natürlicher Grösse.

Fig. 14. *Ammonites bimammatus* QU., mit Ohr, in natürlicher Grösse. Weiss Jura β' vom Sausserbrunnen bei Laufen. Das Stück ist im Besitz des Herrn Buchhändler KOCH in Stuttgart.

Fig. 15. *Ammonites circumplicatus* QU. (*mutabilis* D'ORB.), mit Ohr (S. 33); Weiss Jura δ; Steinbruch bei Treffelhausen; natürliche Grösse. Sämtliche Stücke, mit Ausnahme von Fig. 8 u. 14, liegen in der Sammlung des Pf. ENGEL in Eislingen.

VII.
Ueber die Begattung von Triton viridescens.
Von Medicinalrath Dr. Zeller in Winnenden.

Dieser Vortrag findet sich in erweiterter Form unter den Abhandlungen.

III. Abhandlungen.

Beiträge zur Kenntnis des Baues der einheimischen Planorbiden.

Von Dr. O. Buchner.

Mit Taf. IV—VI.

Einleitung.

Bekannt ist, dass die pulmonaten Gastropoden schon in den ältesten Zeiten der Naturforschung reichliches Material zur Untersuchung dargeboten hatten. Durch ihr Landleben — auf dem Lande lebt ja der weitaus grösste Teil der Lungenschnecken — waren sie natürlich dem Menschen leicht zugänglich und so finden wir schon von ARISTOTELES Teile des Leibes dieser Tiere beschrieben und auch hinsichtlich der Biologie hatten schon die ältesten Forscher einige Kenntnis.

Ein wirklicher Fortschritt in der Erkenntnis der Organisationsverhältnisse der Pulmonaten ist bis in das 17. Jahrhundert eigentlich nicht zu verzeichnen. Sie blieb im grossen und ganzen immer noch auf der Stufe, auf welcher sie zu Zeiten des berühmten Stagiriten gestanden hatte., bis endlich im Jahre 1682 die Arbeiten JOH. JAC. HARDER's, welche er gemeinsam mit PEYER[1] anstellte, einen ganz wesentlichen Schritt vorwärts machten. Diese beiden Forscher erkannten vor allem den Hermaphroditismus der Pulmonaten, worauf dann MARTIN LISTER[2] eine genaue Beschreibung der Anatomie von

---

[1] Paeonis et Pythagorae (Peyer und Harder) exercitationes anatomicae et medicae familiares bis. L. Basilae 1682. 8.

[2] M. Lister, Exercitatio anatomica, in qua de Cochleis maxime terrestribus et Limacibus agitur. Londini 1694. 8. 7 Taf.

3*

Helix pomatia L. gab. Nach ihm ist ganz besonders SWAMMERDAM[1] zu nennen, welcher in seiner Bibel der Natur die gesamte Organisation der Weinbergschnecke und besonders die einzelnen Teile des Geschlechtsapparates für die damalige Zeit erschöpfend beschreibt, auch abbildet, so dass sich mit dieser berühmten Arbeit vielleicht nur noch das Werk CUVIER's[2] messen kann. Bis auf wenige Teile werden die Geschlechtsorgane auch jetzt noch so dargestellt, wie zu Zeiten SWAMMERDAM's.

Im 18. Jahrhundert ragt bekanntlich LINNÉ[3] auch hinsichtlich der Mollusken im allgemeinen und der pulmonaten Gastropoden im besonderen durch seine systematischen Arbeiten hervor, die aber ausschliesslich konchyliologisch sind. Dadurch kam es, dass die nackten Lungenschnecken von den beschalten von ihm scharf getrennt, die ersteren als „Mollusca" den letzteren als „Testacea" gegenübergestellt wurden. ADANSON[4] und GUETTARD[5] dagegen bezeichneten richtigerweise das Tier als massgebenden Faktor für die Systematik.

Ende des 18. Jahrhunderts erschien eine Einteilung der Lungenschnecken von OTTO FR. MÜLLER[6], welcher auch viele Arten anatomisch genau beschreibt und biologische Bemerkungen macht. Schliesslich sind noch zwei Forscher zu nennen: DRAPARNAUD[7], welcher neue Genera aufstellte, dazu viele neue Species entdeckte, und FÉRUSSAC[8], der zuerst die Land- und Süsswassermollusken in Familieu zusammenfasste.

Unser Jahrhundert, namentlich die zweite Hälfte desselben, weist, wie nicht anders zu erwarten, eine sehr reiche Litteratur auf allen Untersuchungsgebieten hinsichtlich der Pulmonaten auf. Ganz besonders ragen hierbei die französischen Forscher CUVIER[9] und Mo-

---

[1] Joh. Swammerdam: Verhandeling van de Wijngaartslak. Biblia naturae. Leyden 1737. fol. p. 97—194. 3 Taf.

[2] G. Cuvier, cf. unten Anm. 9.

[3] C. A. Linné, Systema naturae. ed. X. 1758.

[4] M. Adanson, Histoire des Coquillages. Paris 1757.

[5] Guettard, Observations, qui peuvent servir à former quelques caractères de Coquillages. Hist. de l'Acad. d. science. Paris 1762.

[6] Otto Fr. Müller, Vermium terrestrium et fluviatilium historia. 1784.

[7] J. Ph. R. Draparnaud, Hist. nat. des Mollusques terrestres et fluviatiles de la France. Paris an XIII. 134 S. 13 Taf. 1804.

[8] Daudebard de Férussac, Essai d'une méthode conchyliologique. Nouvelle édition par J. Daudebard fils. Paris 1807. 8. (1. Ausg. 1800.)

[9] G. Cuvier, Mémoires pour servir à l'histoire et à l'anatomie des Mollusques. Paris 1817. 4. 35 Taf.

QUIN-TANDON [1] hervor. Letzterer schrieb eine umfassende Naturgeschichte der Land- und Süsswassermollusken seines Vaterlandes
und lieferte vorzügliche Abbildungen zu seinem Werke. Als epoche-
machendes Werk, natürlich vom Standpunkte der damaligen Zeit
(1856), kann man auch im Hinblick auf die Pulmonaten dasjenige
TROSCHEL's [2] über das Gebiss der Schnecken bezeichnen, in welchem
dieser Forscher ein wichtiges Moment zur Begründung einer natürlichen Klassifikation gefunden zu haben glaubte. Viel wichtiger und
interessanter waren jedoch die in demselben Jahre zur Veröffentlichung gelangten histologischen Untersuchungen SEMPER's [3], welche
auch sehr viel zum Verständnis der physiologischen Erscheinungen
beigetragen haben. Daraufhin hatten sich die neueren und neuesten
Untersuchungen im Gebiete der Pulmonaten vorzugsweise mit einzelnen Organen, deren Physiologie und Entwickelungserscheinungen
und mit sorgfältiger Beobachtung der histologischen Verhältnisse be-
fasst. Alle diese Arbeiten jedoch an dieser Stelle namhaft zu machen,
würde zu weit führen. Sie werden, soweit sie die von uns behandelten Tiere berühren, später Berücksichtigung finden.

. Was unsere Süsswasserpulmonaten im besonderen anbelangt,
so wurden diese anfangs viel weniger berücksichtigt als die Landpulmonaten. Der erste, welcher speciell eine Anatomie von *Lymnaeus* gab, war STIEBEL [4] (1815). Später stellten JACQUÉMIN und
KARSCH (cf. cit. Schriften Anm. 3) über die Entwickelungsgeschichte
mehrerer Süsswasserlungenschnecken Untersuchungen an; ebenso erschien von LACAZE-DUTHIERS [5] eine ausgezeichnete Abhandlung über
das Nervensystem derselben.

Zu verwundern ist es ja nicht, dass Untersuchungen über diese
Tiere zurücktraten, wenn man den kolossalen Reichtum an Formen

---

[1] A. Moquin-Tandon, Histoire naturelle des Mollusques terrestres et
fluviatiles de France, contenant des études générales sur leur anatomie et leur
physiologie et la description etc. Paris 1854. 55. 2 Vols. 8. Text und 1 Vol. mit
54 Planches. 8. — Ders., Recherches anatomo-physiologiques sur l'Ancyle fluvia-
tile. Journ. de Conchyl. III. 1852.

[2] Troschel, Das Gebiss der Schnecken zur Begründung einer natürlichen
Classification untersucht. 4 Lief. 1856—1861.

[3] Carl Semper, Beiträge zur Anatomie und Physiologie der Pulmonaten.
Zeitschr. f. wiss. Zool. VIII. 1856. p. 340—399. Taf. XVI—XVII. (Histologisch
wichtige Untersuchungen.)

[4] Sal. Stiebel, Diss. inaug. sistens Limnei stagnalis Anatomen. 1815.

[5] De Lacaze-Duthiers, Du système nerveux des Gastéropodes pulmonés aquatiques et d'un nouvel organe d'innervation. Arch. d. Zool. expér. I.
p. 437 ff.

der Landpulmonaten gegenüber dem der Süsswasserpulmonaten ins Auge fasst. Aber wenngleich man einerseits ohne Bedenken annehmen konnte, dass die Organisationsverhältnisse der Süsswasserlungenschnecken im grossen und ganzen denen der Landschnecken entsprechen werden, so musste es doch anderseits wiederum einleuchten, dass die Existenzbedingungen der ersteren andere biologische Erscheinungen zur Folge hatten, welche ihrerseits wiederum ihren Einfluss auf die Organisation dieser Tiere in bestimmter Weise zum Ausdruck bringen und ihnen besondere charakteristische Eigenschaften verleihen mussten. Es haben sich denn auch bekanntlich hinsichtlich der Entwickelungsgeschichte [1] weitgehende Unterschiede zwischen Land- und Süsswasserpulmonaten ergeben, Unterschiede, welche eine hohe Scheidewand zwischen beiden Ordnungen aufrichten. Ebenso haben sich nicht unwesentliche Differenzen in der Ausbildung der Sinnesorgane und, was aber vielleicht erst in zweiter Linie Beziehung zu den biologischen Verhältnissen haben mag, unterscheidende Merkmale in der Morphologie des Geschlechtsapparates und des Exkretionsorganes herausgestellt. Bezüglich des letzteren war PAASCH [2] der erste, welcher darauf aufmerksam machte.

Was die Planorbiden ganz speciell anbelangt, so sind diese bis jetzt noch weniger berücksichtigt worden, als die Lymnaeiden. Es wurde fast ausschliesslich nur die grösste unserer einheimischen Arten, *Planorbis corneus* L., näher untersucht und auch diese mehr entwickelungsgeschichtlich [3] als morphologisch und anatomisch. Die einzigen, bald nach Beginn meiner Untersuchungen mir bekannt gewordenen Abhandlungen, welche von der Morphologie und zwar besonders der des Geschlechtsapparates anderer einheimischer Planorben handeln, sind die Arbeiten von FICINUS [4] und LEHMANN [5], welche bei der Behandlung des betreffenden Gegenstandes einer

---

[1] Em. Jacquémin, Mémoire contenant l'histoire du développement du *Planorbis corneus*. Nov. Act. Acad. Car. Natur. Cur. Vol. XVIII. 1838. — Anton Karsch, Die Entwickelungsgeschichte des *Lymnaeus stagnalis, ovatus, palustris*. Arch. f. Naturg. 1846. p. 236—276. — K. E. v. Baer, Selbstbefruchtung an *Lymnaea auricularis* beobachtet. Arch. f. Anat. u. Physiol. 1835. p. 224.

[2] Paasch, Über das Geschlechtssystem und die harnleitenden Organe einiger Zwitterschnecken. Arch. f. Naturgesch. 1843. I.

[3] Siehe p. 36 Anm. 1.

[4] Ficinus, Der Penis der einheimischen Planorben. Giebel's Ztschr. f. d. gesammt. Naturwiss. Jahrg. 1867. No. VII. S. 363.

[5] Lehmann, Die lebenden Schnecken und Muscheln der Umgegend Stettins und in Pommern mit besonderer Berücksichtigung ihres anatomischen Baues. Kassel 1873.

näheren Betrachtung unterzogen werden sollen. Vorläufig möchte ich nur erwähnen, dass die darin aufgezeichneten Ergebnisse mir hauptsächlich zu einer vergleichend-anatomischen Untersuchung des Geschlechtsapparates der Planorbiden mit besonderer Berücksichtigung des Kopulationsorganes Veranlassung gaben, denn ich konnte daraus entnehmen, dass die morphologischen Verhältnisse sowohl der drüsigen Organe des Genitaltraktus als besonders des Kopulationsapparates bei den einzelnen Species mannigfachen Modifikationen unterworfen sind. Aber schon ehe ich die erwähnten Arbeiten kannte, machte mich mein Lehrer, Herr Geheimrat LEUCKART, bei meinen ersten Versuchen, die kleinen Planorben zu anatomieren, auf einen Pfeil im Penis dieser Tiere aufmerksam, welcher ihm bei der zu helminthologischen Untersuchungen vorgenommenen Präparation der Schnecken öfters vor Augen getreten war. FICINUS und LEHMANN beschreiben die erwähnte Pfeilbildung ebenfalls. Das Merkwürdige an der Sache ist nun aber, dass nur eine geringere Anzahl von Arten unserer einheimischen Planorbiden dieselbe aufweist, während die grössere Anzahl der Pfeilbildung entbehrt. Nirgends fand ich in der Litteratur der neueren und neuesten Zeit diesbezügliche Angaben, hingegen wiederholt die Bemerkung, dass ein Pfeilsack und andere, den Landpulmonaten zukommende Anhangsdrüsen dem Genitalapparat der Süsswasserpulmonaten abgehen [1].

Eine erst im vergangenen Jahre erschienene Arbeit von BEHME [2] über den Harnapparat der Lungenschnecken weist auch auf die Planorbiden hin und hebt das abweichende Verhalten dieser Tiere von den übrigen Süsswasserpulmonaten in bezug auf Form und Lagerung d e r N i e r e, sowie der Einrichtung der Lungenhöhle hervor, und widmet denselben eine genauere Besprechung. Es wurde mir jedoch bei der Prüfung dieser Verhältnisse klar, dass hier noch manche Lücke offen steht.

Zwei andere, in neuerer Zeit erschienene Arbeiten, eine von NUSSLIN [3] und eine von v. IHERING [4] lenkten meine Aufmerksamkeit

---

[1] J. Klotz, Beitrag zur Entwickelungsgeschichte und Anatomie des Geschlechtsapparates von *Lymnaeus*. Jenaische Ztschr. f. Naturw. Bd. XXIII. 1888. p. 4.

[2] Th. Behme, Beiträge zur Anatomie und Entwickelungsgeschichte des Harnapparates der Lungenschnecken. Inaug.-Diss. Rostock 1889.

[3] Otto Nüsslin, Beiträge zur Anatomie und Physiologie der Pulmonaten. Habilitationsschrift. Tübingen 1879.

[4] H. v. Ihering, Zur Morphologie der Niere der sog. „Mollusken". Ztschr. f. wiss. Zool. Bd. XXIX. p. 583 ff.

auch hinsichtlich der Planorbiden auf die bei vielen Mollusken so interessante innere oder Perikardialmündung der Niere hin. Dieselbe ist bei einer grossen Zahl mariner Mollusken bekannt geworden. Nüsslin, Semper [1] auch Nalepa [2], haben sie an *Helix, Zonites* und *Vaginulus* für die Landpulmonaten nachgewiesen und es war mir daher von Interesse, die vorauszusetzende Thatsache des Vorhandenseins dieser inneren Nierenmündung auch für die Süsswasserpulmonaten endgültig festzustellen, um so mehr als auch schon Sharp [3] in seiner Arbeit über den Bau der einheimischen *Ancylus*-Arten bei diesen merkwürdigen Schnecken, welche ja erst neuerdings wieder als Lungenschnecken angezweifelt wurden, dieselbe nachgewiesen hatte.

Da ich schliesslich bei der Untersuchung der anatomischen und histologischen Verhältnisse der übrigen Organsysteme zur Überzeugung gekommen war, dass dieselben mit denen der übrigen Süsswasser- und auch der Landpulmonaten im allgemeinen übereinstimmen, indem nur hin und wieder morphologische Besonderheiten zu Tage treten, die zum Teil durch Gestalt und Grössenverhältnisse der betreffenden Arten bedingt sind, lag es für mich nahe, mein Hauptaugenmerk auf den Genitaltraktus mit besonderer Berücksichtigung des Kopulationsapparates und auf die Verhältnisse des Exkretionsorganes zu richten und die Untersuchung dieser Organe zum eigentlichen Gegenstand meiner Arbeit zu machen.

Ich habe dieselbe hiernach in zwei Teile geteilt. Im ersten Teile will ich in allgemeinen Umrissen, nur mit Betonung der morphologischen Specialia, mit Ausschliessung des Genitaltraktus und der Niere, den Bau unserer Planorben in Kürze besprechen. Im zweiten Teile, dem Hauptteile meiner Arbeit, werde ich sodann als ersten Abschnitt den Genitaltraktus im allgemeinen und den Kopulationsapparat im speciellen und im zweiten Abschnitt das Exkretionsorgan einer eingehenderen Betrachtung unterwerfen.

In einem Anhang sollen schliesslich noch, soweit sie von Interesse sind, einige biologische Betrachtungen Platz finden.

---

[1] C. Semper, Arbeiten aus dem zoologisch-zootomischen Institut in Würzburg. III. Bd. Seite 485. Anm. 1.

[2] A. Nalepa, Beiträge zur Anatomie der Stylommatophoren. Aus Bd. LXXXVII. d. Sitzber. d. k. Akad. d. Wissensch. I. Abth. Aprilheft. 1883.

[3] B. Sharp, Beiträge zur Anatomie von *Ancylus fluviatilis* und *Ancylus lacustris*. Inaug.-Diss. Würzburg 1883. p. 27.

I. Teil. Allgemeine Morphologie und Anatomie.

Verschiedene Organe unserer Planorbiden gehen, was ihre äussere Gestalt anbetrifft, in auffallender Weise mit den morphologischen Verhältnissen des gesamten Körpers Hand in Hand. Wir sehen sofort, dass der Leib dieser Tiere, gegenüber den anderen Süsswasserpulmonaten, besonders bei den kleinen Arten, ganz enorm in die Länge gezogen ist. Da darf es nun nicht wundern, wenn uns manche Organe, namentlich die Drüsen, oftmals ein Zerrbild vor Augen führen, wie wir es kaum vermutet hätten. So treten uns z. B. Niere und Leber und, wie wir im speciellen Teile unserer Betrachtungen sehen werden, auch die Drüsen des Genitaltraktus bei den kleinen Planorben in ganz ungewöhnlicher Form entgegen.

Nehmen wir einmal einen *Planorbis vortex* L. vor und betrachten ihn in einem mit Wasser gefüllten Glase, so fällt uns zunächst das scheibenförmige, mit sehr zahlreichen Windungen ausgestattete Gehäuse auf, aus dessen Mündung ein kleines, weisslichgraues Tier mit seinem Kopfe und Fusse hervorragt. Messen wir sodann nur mit dem Auge das Verhältnis der Länge des Fusses zu dem grössten Durchmesser des flachen, spiraligen Gehäuses, so werden wir es annähernd auf 1 : 4 angeben können (Taf. IV Fig. 3).

Berauben wir nun das Tier seiner Schale und ziehen wir den in den zahlreichen Windungen derselben aufgerollt gewesenen Körperabschnitt in gerader Richtung in die Länge aus, so wird dessen Dimension uns das 12- bis 15fache Mass von der Länge des Fusses darbieten.

Betrachten wir hingegen in dieser Beziehung eine gewöhnliche Lymnaeide, etwa *Lymnaea stagnalis* L., oder auch eine unserer Heliciden, z. B. *Helix pomatia* L., so wird uns der Unterschied dieser

Verhältnisse gegenüber unserer Planorbide sofort in die Augen springen und wir werden nicht mehr überrascht sein, wenn uns dann die Niere des *Planorbis vortex* L. anstatt in der Form eines ungleichseitigen Dreiecks oder Halbmondes, in der Gestalt eines sehr langen Bandes entgegentritt (Taf. IV Fig. 5 *N*).

Es wird uns ebensowenig befremden, dass die Leber nicht ein kompaktes, massiges Gebilde, sondern eine flache, weit nach einer Richtung hin ausgestreckte, nach Art eines Hirschgeweihes gezackte Drüse darstellt (Taf. IV Fig. 5 *L* u. Fig. 8).

Dazu kommt dann noch ausserdem, dass die ebenfalls ganz in die Länge gezogene Zwitterdrüse, welche wir bei unseren Lungenschnecken fast allgemein der Leber eingebettet sehen, bei dieser Planorbide und ihren nächst verwandten Arten fast in ganzer Ausdehnung aus der Leber herausragt und für sich allein die ältesten Windungen der Schale ausfüllt. Dabei ist es nicht uninteressant, zu verfolgen, wie weit und in welcher Art und Weise sich die morphologischen Verhältnisse der Drüsenorgane von den kleinen Arten zu den grossen hinauf ändern. Ich behaupte, dass diese Erscheinung bei keiner anderen Süsswasserpulmonatengattung so auffallend ist, wie bei den Planorben. Die nahe verwandte Gattung *Lymnaea* z. B., welche doch auch sehr extreme Grössenverhältnisse unter ihren Arten aufweist, wenn auch nicht so extreme, wie die Gattung *Planorbis*, hält in dieser Beziehung keinen Vergleich aus. Die Regel, welche diesen morphologischen Veränderungen zu Grunde liegt, ist eine wohlbekannte. Je grösser das Tier, desto feiner und zahlreicher die Verästelung der drüsigen Organe zum Zweck der Oberflächenvermehrung. Die Masse wächst im Kubus, die Fläche nur im Quadrat. Letztere muss jedoch mit dem Wachstumsgrade der Masse Schritt halten und die Folge davon ist die feinere Verästelung. Es ist klar, dass dadurch die Drüsenorgane auch bei Beibehaltung der ursprünglichen äusseren Gestalt ein kompaktes und massigeres Aussehen erhalten. Kommt dann noch bei den grossen Arten eine beträchtliche Reduktion der Längendimensionen hinzu, so ist es nicht mehr auffallend, wenn uns ein grosser *Planorbis corneus* L. im Gegensatz zu dem kleinen *Planorbis vortex* L. eine viel kürzere und dabei massig gebaute Leber und eine nicht minder massenhaft gebaute Zwitterdrüse zeigt, welche nicht, wie bei den kleinen Arten, weit über die Leber hinausragt und allein das älteste Schalengewinde ausfüllt, sondern mit Ausnahme des äussersten Endstückes ganz in die Leber eingebettet ist, so dass die letztere eigentlich als das Ende des ganzen Eingeweidebruchsackes anzusehen ist (Taf. IV Fig. 7).

Die ganz gleichen Erscheinungen werden wir gelegentlich unserer speciellen Betrachtung des Genitaltraktus bei sämtlichen anderen Drüsenorganen antreffen.

Der Typus, welcher für den histologischen Bau dieser Drüsenorgane bekannt ist, gilt jedoch natürlicherweise für einen kleinen *Planorbis* gerade so gut, wie für einen grossen.

Es wird sich daher bei der nun folgenden allgemeinen Besprechung des Baues der Planorbiden vor allen Dingen darum handeln, auf besonders auffällige Unterschiede zwischen den einzelnen Arten, sowie auf die charakteristischen Eigenschaften unserer Tiere im Gegensatz zu den anderen Süsswasserpulmonaten die Aufmerksamkeit hinzulenken.

1. Allgemeine Körperform und Gehäuse.

Der Körper unserer Planorbiden ist, wie ich schon erwähnte, besonders bei den kleinen Arten, gegenüber dem der nahe verwandten Lymnaeiden und Physinen ganz ausserordentlich in die Länge gezogen und ausnahmslos dabei nahezu in einer Ebene aufgewunden. Auf diese Weise scheint bei oberflächlicher Betrachtung die dem Körper entsprechende Schale ihre Asymmetrie verloren zu haben und in ganz ähnlicher Weise, wie die spiraligen Schalen der Cephalopoden, in der Ebene aufgewunden zu sein. Die Abweichung davon ist auch bei einigen Arten, wie *Planorbis rotundatus* Moq.-Tand., *vortex* L. und *contortus* L., eine fast unmerkliche. Sie besteht nur darin, dass auf der einen Seite die jüngeren Windungen mehr über die älteren hervorragen als auf der anderen, wo sie nahezu dieselbe Ebene berühren. Das meist flachscheibenförmige Gehäuse erscheint infolgedessen ein wenig einseitig eingedrückt, wobei diese eingedrückte Seite dem ausgezogenen Gewinde anderer Schneckengehäuse entspricht. Der Beweis dafür ist, dass beim Kriechen der Tiere, wobei, vorzugsweise bei den grossen Arten, das Gehäuse mehr oder weniger nach der Seite geneigt getragen wird, diese vertiefte Seite nach oben sieht. Es ist daher falsch, die Planorbiden dem Gehäuse nach als linksgewundene Schnecken in Anspruch zu nehmen, denn kehrt man die Spitze, hier also die eingedrückte Seite, dem Auge zu, so sieht man die Windungen im Sinne des Uhrzeigers gedreht anwachsen, und ein solches Gehäuse nennt man bekanntlich rechtsgewunden. Die Lage des Lacaze'schen Organs und der

Geschlechtsöffnungen entspricht, beiläufig bemerkt, allerdings der Lage, welche wir bei den linksgewundenen Physinen beobachten. Zahl und Wachstumsgrad der Schalenwindungen ist zwischen den einzelnen Arten schwankend. Die windungsreichsten Schalen und dementsprechend die am wenigsten schnell anwachsenden Windungen, Hand in Hand damit auch das bedeutendste Längenmass des Körpers besitzen unter den einheimischen Planorben die Species *Pl. rotundatus* Moq.-Tand., *vortex* L. und *contortus* L., deren Schalenwindungen die Zahl 8 und darüber erreichen können. Der auf der eingedrückten Seite des Gehäuses gelegene Mündungsrand ist stets etwas vorgezogen, wodurch die Mündung in bezug auf die Axe bei allen Arten schief erscheint. Bei den grossen Arten ist das Gehäuse ziemlich festschalig, bei den kleinen dagegen zart und meist durchsichtig oder wenigstens durchscheinend. Naumann[1] konstruierte an der Schale von *Planorbis corneus* L. die von ihm sogenannte Konchospirale, welche der geometrischen Form der logarithmischen Spirale nahekommt.

2. Äussere Haut und Mantel.

Die äussere Haut unserer Planorbiden und der durch eine Faltung derselben entstandene Mantel zeichnen sich durch eine von überaus zahlreichen und grossen Schleimzellen oder besser gesagt, einzelligen Schleimdrüsen durchlagerte, muskulöse Cutis aus. Besonders gross ist die Anzahl und ganz bedeutend die Grösse derselben im Mantelrand, wo eine Menge Zellen noch ausserdem Konchiolinsubstanz zur Schalenbildung absondern. Die durch die Grösse der Schleimzellen. leicht zu bezweifelnde einzellige Natur derselben wurde durch die Untersuchungen Nalepa's[2] festgestellt. Die Tunica propria dieser Schleimzellen bildet, wie er sagt, vielfach sackartige Ausstülpungen in die umliegende, schwammige Muskulatur. Nach den Untersuchungen Semper's[3] sieht man den Schleim oft in Form kleiner, schleifsteinförmiger Platten austreten. Bei unseren Planorben kann man diese plattenförmigen Schleimpartikelchen zahlreich in den grossen Schleimzellen des Mantelrandes liegen sehen. Aus diesem reichen Besitz von Schleimdrüsen erklärt sich die starke, verglichen mit den

---

[1] Naumann, Über die cyklocentrische Konchospirale und das Windungsgesetz von *Planorbis corneus* L. Abhandl. d. math.-phys. Klasse d. k. Gesellschaft d. Wiss. in Leipzig I. 1852. p. 169—185. c. fig.

[2] A. Nalepa, a. a. O. p. 5.

[3] C. Semper, a. a. O.

Lymnaeen sehr bedeutende Schleimabsonderung der Planorben, welche
die Anatomie derselben ungemein erschwert. Auch Pigment finden
wir in der Haut der Planorbiden teilweise ausserordentlich reichlich,
mehr als bei anderen Süsswasserpulmonaten. *Planorbis vortex* L.
freilich hat in der äusseren Haut nur wenig Pigment, dagegen massenhaft im Herzen, worauf ich bei Gelegenheit noch einmal zurückkommen werde. Vogel und Reischauer [1] haben dieses Pigment der
Mollusken einer näheren Untersuchung unterworfen, und zwar an
Limax cinereoniger L. Sie zogen es mit Salpetersäure aus der Haut
aus und fällten es mit Ammoniak, wodurch sie eine glänzende,
schwarze Masse erhielten, welcher sie den Namen Schneckenschwarz
oder Limatrin gaben.

Die Mantel- oder Lungenhöhle, vorzugsweise die der kleinen
Arten, ist aussergewöhnlich gross und kann enorme Luftquantitäten
aufnehmen, welche, wie wir später sehen werden, zur Lokomotion
des Tieres Beziehung haben. Legt man einen *Planorbis vortex* L.
unter das Mikroskop mit einer schwachen Vergrösserung, so kann
man schon durch die durchscheinende Schale die Dimension der
Lungenhöhle sehen. Dieselbe füllt nahezu den ganzen letzten und
voluminösesten Umgang des Gehäuses aus. Der Mantelrand ragt
niemals über die Schale heraus.

3. Fuss und Muskulatur.

Der Fuss unserer Tiere ist gegenüber dem der anderen Süsswasserlungenschnecken und besonders dem der Landschnecken relativ
ausserordentlich kurz und schmal, wie ich das schon oben zu erwähnen Gelegenheit hatte. Dabei ist derselbe vorn abgestutzt und
mit einer vom Kopf des Tieres deutlich abgesetzten Fusswurzel versehen. Er stellt im Schnittbild den Durchschnitt einer starken Muskel-
masse dar, welcher zwischen den Muskelzellen im vordersten Abschnitt, der eben erwähnten Fusswurzel, zahlreiche einzellige Schleimdrüsen eingelagert sind: Diese Schleimzellen zeichnen sich durch
grosse Kerne mit körnigem Inhalt aus und färben sich mit Häma-
toxylin besonders intensiv. Sie bilden auch einen wichtigen Faktor
im Interesse der Lokomotion, nämlich beim Schwimmen an der Oberfläche, wobei ein Schleimband ausgeschieden wird, wie ich das bei
Gelegenheit der biologischen Betrachtungen einer eingehenden Besprechung unterziehen werde.

---

[1] A. Vogel und C. Reischauer, Über den Farbstoff im Mantel der
schwarzen Waldschnecke. Münchener gelehrte Anzeigen Bd. 45. 1857. p. 48—52.

Bezüglich der übrigen Muskulatur ist nur der Musculus columellaris oder, was der richtigere Ausdruck dafür ist, die kolumellare Verdickung der Hautmuskulatur besonders zu erwähnen. Unsere Planorben nämlich besitzen mit den übrigen Süsswasserpulmonaten keinen besonders differenzierten Spindelmuskel, wie wir solchen bei den Landschnecken kennen. Bei den letzteren ist der Fuss gross und die Sohle breit und um diesen grossen Fuss, welcher meist den grösseren Teil an Masse und Gewicht des ganzen Schneckenkörpers darstellt, in die Schale zurückzuziehen, muss ein besonderer Muskel mit starker Insertion an der Spindel des Gehäuses ausgebildet sein. Zudem gehen von diesem Muskel bei den Landschnecken noch feinere Bündel zu den gestielten Augen und Tastern, welche ja bekanntlich beim Zurückziehen des Körpers in die Schale eingestülpt werden.

Dies alles kommt bei den Wasserpulmonaten in Wegfall und wir haben anstatt des Spindelmuskels, wie bemerkt, nichts anderes, als eine Verdickung der Hautmuskulatur vor uns. Es ist also ganz unrichtig, von einem eigentlichen Musculus columellaris zu sprechen. Bei unseren Planorben kommt noch ein weiteres Moment hinzu. Die Schale ist scheibenförmig, das Gewinde also eingerollt und demnach eine Spindel überhaupt nicht vorhanden. Der Ansatz der Muskulatur ist hier auch ganz locker und findet an der Basis der letzten Schalenwindung seinen Platz, etwa diametral der Mündung des Gehäuses gegenüber. Der ausserordentlich lange, aufgewundene Eingeweidebruchsack unserer Tiere ist es, welcher gleichsam mit seiner grossen Masse die Insertionskraft der Muskulatur an der Schale ersetzt.

4. Der Verdauungstraktus.

Derselbe beginnt mit dem durch grosse Lippenlappen ausgezeichneten Mund, welcher durch die dreiteiligen Kiefer hindurch in die Mundhöhle führt. Der Mund hat annähernd kreuzförmigen Querschnitt. Die Zunge ist lang und bandförmig, ähnlich wie bei den „Taenioglossaten" unter den Prosobranchiern, in drei Felder geteilt und trägt kurze, dreispitzige Zähne im Mittelfelde, welches stets breiter ist, als die Seitenfelder. Diese bezahnte Zunge repräsentirt den Reibeapparat, die Radula. Die Zähne sind in Längsreihen und Querreihen angeordnet. Letztere haben einen geraden Verlauf über die Radula. Die Zahl dieser Reihen ist unter den einzelnen Arten sehr schwankend. Diejenige der Längsreihen variiert nach LEHMANN zwischen 20 und 160, die der Querreihen zwischen

160 und 300. Im übrigen verweise ich auf die ausgezeichnete Darstellung TROSCHEL's. Der Zungenknorpel der Planorbiden ist ansehnlich, die Knorpelzellen sind gross, länggestreckt und besitzen kleine, ovale Kerne.

Der Oesophagus ist dünn und sehr lang mit relativ dünnen Wandungen und behält seinen Durchmesser ziemlich gleichmässig bis zum Übergang in den durch ausserordentlich kräftige Muskelwandungen ausgezeichneten Magen. Diese gewaltige Magenmuskulatur erinnert lebhaft an die Verhältnisse des Magens bei den Vögeln, nur dass die Innenflächen der Skelettstücke entbehren, durch welche der Vogelmagen charakterisiert wird. Ich kann mir den Zweck dieser gewaltigen Muskelmassen nur dadurch erklären, dass die Tiere nicht selten feinen Sand aufnehmen, obwohl sie im übrigen ausschliesslich Pflanzenfresser sind. Ein Durchschnitt durch den Magen zeigt eine eigentümliche konzentrische Schichtung der Muskelwand, indem sich die Muskelfasern zu dichteren Längsstraten anordnen, welche durch quer verlaufende Fasern miteinander verbunden sind. Eine genaue Beschreibung dieser Verhältnisse finden wir in der unten angeführten Schrift GARTENAUER's [1]. Er bezeichnet sehr treffend den Magen unserer Tiere als „Kaumagen".

Das Epithel des Magens besteht aus schlanken Cylinderzellen mit ovalen Kernen. Ein Flimmerbesatz fehlt. Bei den grossen einheimischen Arten, also *Planorbis corneus* L., *marginatus* MÜLL. und *carinatus* DRP., ist der Magen in die Leber eingebettet. Auf den Magen folgt ein langer Darm, welcher bei den grossen Arten noch eine kurze Strecke in die Leber eingelagert ist, dann aber umkehrt und in mehreren Windungen zu der weit vorne, links vom Kopfe, gelegenen Afteröffnung führt. Gleich nach dem Austritt aus dem Magen zeigt der Darm eine ziemlich kräftige Ringmuskelschicht und zahlreiche Längsfalten, so dass das Lumen auf dem Querschnitt sternförmig aussieht. Die von SEMPER bei *Lymnaea* beschriebenen, in und um die Muskelhaut des Darmes gelagerten zahlreichen Bindegewebs- und Kalkzellen fand auch ich bei unseren Planorben. Die Häufigkeit der Kalkzellen ist aber individuell verschieden. Auch die Thatsache, welche SEMPER beschreibt, dass diese Zellen im Winterschlaf massenhaft in das Lumen des Traktus hineinfallen und durch Neuzellbildung eine regelmässige Häutung stattfindet, kann ich für unsere Tiere bestätigen. Ich habe im Anfang des Monats März den

---

[1] Heinrich Maria Gartenauer: Über den Darmkanal einiger einheimischen Gastropoden. Inaug.-Diss. Strassburg 1875.

Enddarm eines *Planorbis corneus* L. aufgeschnitten und den Zellendetritus zwischen den Längsfalten abgestreift. Derselbe zeigte unter
dem Mikroskope massenhafte Kalkkonkretionen, welche, mit Salzsäure behandelt, rasch sich auflösten.

Was die Anhangsdrüsen des Verdauungstraktus anbetrifft, so
verhalten sich unsere Planorbiden etwas eigenartig. In erster Linie
gilt dies hinsichtlich der Speicheldrüsen und zwar insofern, als sie
deren 4, und nicht bloss 2 besitzen, während meines Wissens nach
bei den Süsswasserpulmonaten bis jetzt überall nur zwei bekannt
waren. Abgesehen von den grossen Speicheldrüsen, welche in der
Höhe des Nervenschlundringes um die Speiseröhre gelagert sind und
in dieselbe einmünden, finden wir ganz vorne um den Mund in dessen
Muskelwände eingelagert und beiderseits zu einer Gruppe vereinigt,
zahlreiche und grosse einzellige Drüsen mit ziemlich langen Ausführungsgängen in das kreuzförmige Lumen desselben einmünden (Taf. IV
Fig. 6). Nalepa[1] beschreibt bei *Zonites* ausser den grossen Speicheldrüsen eine weitere Drüse, welche an jener Stelle des Schlunddaches,
wo die Ausführungsgänge der Speicheldrüsen in die Mundhöhle einmünden, eine weissliche, hirsekorngrosse Masse bildet, und weist den
mit den Speicheldrüsen genau übereinstimmenden Bau dieser Drüse
nach, so dass sie physiologisch ebenfalls als Speicheldrüse in Anspruch zu nehmen ist. — Auch diese zu zwei Gruppen vereinigten
Drüsenzellen am Munde unserer Planorbiden zeigen vollkommene
Übereinstimmung mit den die hinteren zwei grossen Speicheldrüsen
zusammensetzenden Zellen. Ich kann deshalb diese Drüsen auch
nur als Speicheldrüsen in Anspruch nehmen. Wahrscheinlich sind
übrigens solche Drüsen nicht bloss auf *Zonites* und *Planorbis* beschränkt, sondern auch sonst bei Land- und Süsswasserpulmonaten
verbreitet. Bei *Planorbis vortex* L., welchen ich zur Abbildung verwendete, sind diese Drüsenzellen besonders schön und deutlich. Nalepa hat die Struktur dieser Zellen so eingehend beschrieben, dass
ich nichts mehr hinzuzufügen vermag. Die hinteren Speicheldrüsen
sind sehr gross (Taf. IV Fig. 5 *Sp*). Sie verästeln sich bei den kleinen Arten in sehr langgestreckte Blindschläuche und setzen sich aus
grossen Drüsenzellen zusammen, in deren Innerem man das feinkör-
nige Sekret deutlich unterscheiden kann. Die Ausführungsgänge der
einzelnen Zellen münden gruppenweise in die gemeinsamen Ausführungsgänge der Drüsen.

In bezug auf die vorhin erwähnten kleinen vorderen Speichel-

---

[1] Nalepa: a. a. O. p. 19.

drusen muss ich noch hinzufügen, dass es den Anschein hat, als vereinigen sich auch dort die Ausführungsgänge einiger Drüsenzellen zu einem grösseren Ausführungsgange. Doch will ich dies als Thatsache nicht mit Bestimmtheit behaupten.

Die Leber ist, wie ich das schon oben angedeutet habe, bei den einzelnen Arten morphologisch sehr verschieden ausgebildet. Es lassen sich die einheimischen Arten hiernach in zwei Gruppen einander gegenüberstellen. Die eine dieser Gruppen umfasst drei Arten, nämlich *Planorbis corneus* L., *marginatus* MÜLL. und *carinatus* DRP. Dieselben sind mit einer massigen, in ihrer Gesamtform schlauchförmigen Leber versehen, während die übrigen Arten mit einer mehr oder minder flächenhaften, nach Art eines Hirschgeweihes gezackten Leber (s. Taf. IV Fig. 5 u. 8) ausgestattet sind. Bei der ersten Gruppe ist noch ausserdem die Leber mit ihren äusserst zahlreichen Follikeln in ein lockeres Bindegewebe eingepackt, über welches gleichmässig die pigmentreiche äussere Haut hinzieht. Auf diese Weise kann man die follikuläre Verästelung der Drüse nicht sehen und sie erhält dadurch die schlauchförmige Gestalt, während die gezackte Leber, welche die zweite Gruppe auszeichnet, mit ihren viel weniger zahlreichen Verästelungen frei liegt und letztere somit deutlich sichtbar sind. Dabei stellt hier jede Zacke ein Drüsenfollikel dar, das mit einer dünnen, ganz undeutlich strukturierten, geringe Mengen von Pigmentkörnchen enthaltenden Membran überzogen ist. Insofern aber stimmt die Leber sämtlicher Planorben im Baue überein, als sie nicht, wie bei den meisten Landpulmonaten, in zwei oder mehrere Lappen geteilt ist, sondern eine einheitliche, im Verhältnis zur Grösse des Tieres mehr oder weniger fein dendritisch verzweigte Drüse darstellt. Sie mündet auch nur an einer Stelle in den Darm und zwar in der Nähe der Umkehrung desselben (Taf. IV Fig. 8).

Eine genauere Schilderung in bezug auf die Entleerung des Lebersekretes in den Darm gibt ebenfalls die vorhin angeführte Arbeit GARTENAUER's.

Ich will bei dieser Gelegenheit nochmals erwähnen, dass bei *Planorbis corneus* L. neben dem Magen und der auf ihn folgenden Darmschlinge auch der bei weitem grösste Teil der Zwitterdrüse von der Leber überdeckt wird, während bei *Planorbis marginatus* MÜLL., *carinatus* DRP., *nitidus* MÜLL. und *fontanus* LIGHTFOOT ein grosser Teil der Zwitterdrüse, bei den übrigen kleinen Arten aber fast die ganze Zwitterdrüse aus der gezackten Leber herausragt, wie denn auch Magen und Darmschlinge nicht von derselben bedeckt werden.

Die Leberzellen sind, wie schon SCHLEMM[1] und MECKEL[2] berichten,
welche den histologischen Bau der Schneckenleber genau untersuchten und beschrieben, von unregelmäsig länglicher Gestalt. Sie
haben einen ziemlich grossen, randständigen Kern und enthalten in
ihrem Inneren gelblichbraune Kügelchen, welche durch Platzen der
in das Leberfollikellumen hineinragenden Zellwand entleert werden
(Taf. IV Fig. 9). Diese Kügelchen stellen das Gallensekret vor und
geben der Leber die charakteristische gelblichbraune bis dunkelbraune
Färbung. In chemischer Beziehung ist die Leber der Schnecken
eingehend von FRENZEL[3] geprüpft worden.

5. Nervensystem und Sinnesorgane.

Da vom Nervensysteme der Planorbiden und Lymnaeiden in der
Arbeit von LACAZE-DUTHIERS[4] die vollkommenste Monographie euthal-
ten ist, welche jemals von diesem Organsysteme bei einer Schnecke
gegeben wurde, so kann ich mich hierüber in aller Kürze aussprechen.

Gleich hinter der Mundmasse und den grossen Speicheldrüsen
wird der Oesophagus von dem Nervenschlundring mit dem an der
dorsalen Seite gelegenen Cerebralganglien- und an der ventralen
Seite gelegenen Pedal- und Visceralganglienpaar umgeben. Die Ganglien sind durch Kommissuren miteinander verbunden und zeichnen
sich auch hier, wie bei *Limnaea* beschrieben wurde[2], durch sehr
grosse Ganglienzellen aus, welche direkt neben vielen kleinen liegen.
Besondere, in die Cerebrovisceralkommissur eingeschobene Ganglien,
wie sie bei *Amphipeplea* beobachtet wurden, sind mir, soweit ich
hierauf meine Aufmerksamkeit richtete, nicht aufgefallen. Das Pigment hat sich bei den Planorbiden, ebenso wie bei den Lymnaeiden,
auch in die Nervensubstanz Eingang verschafft. Die Ganglien zeigen
ein eigenthümlich rötlich-gelbes Pigment, welches erst durch ziemlich intensive Hämatoxylinfärbung überboten wird, bei schwacher
Pikrokarminfärbung dagegen immer noch deutlich genug hervortritt.
Von den Cerebralganglien aus werden die Sinnesorgane und die Haut
des Kopfes innerviert, während die Pedalganglien den Fuss und die

---

[1] Th. F. W. Schlemm, De hepate ac bile Crustaceorum et Molluscorum
quorundam. Diss. med. Berol. 1844. 4. 39 S. 2 Taf.

[2] H. Meckel, Mikrographie einiger Drüsenapparate der niederen Thiere.
Arch. f. Anat. u. Physiol. 1846. p. 1—73. Taf. I—III.

[3] J. Frenzel, Über die Mitteldarmdrüse (Leber) der Mollusken. Arch.
f. mikrosk. Anat. Bd XXV.

[4] De Lacaze-Duthiers, Du système nerveux des Gastéropodes pulmonés
aquatiques et d'un nouvel organe d'innervation. Arch. de Zool. expér. I. p. 437 ff.

Visceralganglien die Eingeweide, sowie die Geschlechtsorgane versorgen. Ein kleineres Ganglion finden wir bei unseren Planorbiden auf der linken Seite am Rande der Mantelhöhle. Es ist dies eine Nervenanschwellung, welche an das Geruchs- oder LACAZE'sche Organ getreten ist, worüber ich bei der Besprechung der Sinnesorgane noch Einiges zu sagen beabsichtige.

Hinsichtlich der feineren Struktur der Nervenelemente möchte ich auf die vor nicht langer Zeit erschienene Arbeit von BÖHMIG [1] hinweisen.

Was nun die Sinnesorgane anbelangt, so will ich nur bei dem Geruchsorgan ein wenig verweilen, die anderen viel beschriebenen Sinnesorgane aber nur in aller Kürze erwähnen [2].

Die Tentakeln der Planorben sind lang und fadenförmig, an ihrer Basis sitzen median die Augen dicht unter dem an dieser Stelle durchsichtigen Epithel der Haut. Der Durchschnitt der Augen ist fast kreisförmig, die Sklerotika dünn, die Linse schwach oval, die Chorioidea sehr stark schwarz pigmentiert, auch findet sich im Auge ein gallertartiger Glaskörper. Ein Gehörorgan in Form eines jedem der beiden Pedalganglien anhängenden Gehörbläschens besitzen die Planorben, wie die übrigen Pulmonaten.

Als Geruchsorgan wird, wie ich das vorhin schon andeutete, das am Rande der Mantelhöhle auf der linken Seite gelegene sogenannte LACAZE'sche Organ in Anspruch genommen. Dasselbe wurde bei unseren Tieren von LACAZE-DUTHIERS entdeckt und als „nouvel organe de l'innervation" beschrieben. Es liegt bei rechtsgewundenen Schnecken an der rechten, bei den linksgewundenen an der linken Seite der Mantelhöhle. LACAZE-DUTHIERS charakterisiert das Organ als eine Einstülpung eines Diverticulums der Haut und des äusseren Cylinderepithels in der Mitte eines Ganglions. Eine weitere detaillierte Schilderung mit einer guten Abbildung gibt SIMROTH (a. a. O. p. 308). Von ihm stammt auch die Benennung „LACAZE'sches" Organ, die aber eigentlich insofern nicht zutrifft, als das betreffende Gebilde schon lange vorher von LEUCKART [3] und GEGENBAUR [4] bei den Heteropoden beschrieben und von ersterem auch bereits als Geruchs-

---

[1] Ludwig Böhmig, Beiträge zur Kenntnis des Centralnervensystems einiger pulmonaten Gastropoden: *Helix pomatia* und *Limnaea stagnalis*. Inaug.-Diss. Leipzig 1883.

[2] Heinrich Simroth, Über die Sinneswerkzeuge unserer einheimischen Weichtiere. Zeitschr. f. wiss. Zool. Bd. XXVI. p. 293 ff.

[3] R. Leuckart, Zoolog. Untersuchungen. Giessen. Heft 3. 1854. p. 36.

[4] Gegenbaur, Untersuchungen über Pteropoden und Heteropoden. Leipzig 1855. p. 192 u. 201.

organ gedeutet wurde. J. W. Spengel [1] identifiziert dieses Organ auf Grund der Schilderungen von Lacaze-Duthiers und Simroth mit dem Geruchsorgan der Prosobranchier und einer Reihe von Tectibranchiern und nimmt es demnach ebenfalls für die Süsswasserpulmonaten als Geruchsorgan in Anspruch.

Ich selbst habe das Organ bei mehreren Planorbiden geschnitten und auf dem Längenschnitt das Bild einer becherförmigen Einstülpung des Epithels der äusseren Haut erhalten, welche von einem Ganglion umfasst wird. Die Epithelzellen der Haut gehen unmittelbar in die des Geruchsorganes über, sie werden nur am Grunde des Bechers ziemlich höher, tragen einen Besatz von feinen Flimmerwimpern und stehen schief nach vorne gerichtet. Da frühere Abbildungen diese Verhältnisse genau versinnlichen, habe ich von einer nochmaligen bildlichen Darstellung Abstand genommen, verweise auch noch einmal auf die von Simroth gegebene wohlgelungene Zeichnung.

Wie Spengel berichtet, wurde dieses Organ neuerdings auch von Fol [2] in seiner Abhandlung über die Entwickelung der Mollusken geschildert und ebenfalls als Geruchsorgan in Anspruch genommen. Dieser Autor vergleicht es auch mit dem schon in den 50 er Jahren von Leuckart und Gegenbaur aufgefundenen Wimperorgan der Pteropoden und Heteropoden und dem von Lacaze-Duthiers nicht beschriebenen, aber abgebildeten Geruchsorgan von *Cyclostoma elegans* Drp.

In Keferstein's Bearbeitung von Dr. Bronn's Klassen und Ordnungen der Weichtiere ist neben *Helix*, *Arion* und *Limax* auch für *Lymnaea* das sogenannte Semper'sche Organ beschrieben und als Geruchsorgan in Anspruch genommen worden. Es ist ein mehrlappiges, flockiges Gebilde an der Ansatzstelle der Mundmasse an die Haut und setzt sich in die äussere Haut fort, so dass es nur vom Epithel überzogen ist. Sein histologischer Bau ist folgendermassen gekennzeichnet: „Man sieht in ihm viele grosse, körnige Zellen. Die äussere Haut macht dort, wo innen dies Organ sitzt, aussen eine rundliche Einsenkung, die oben vom Kopf, unten vom Fuss und an den Seiten von 2 Lappen des Fusses begrenzt wird und die in ihrem Grunde jene beiden länglichen Organe, nur vom Epithel bedeckt, fast frei zu Tage treten lässt."

Mit dem Lacaze'schen Organ hat dieses Organ jedenfalls, nichts zu schaffen. Ich selbst konnte ein solches bei den Planorbiden auch

---

[1] J. W. Spengel, Die Geruchsorgane und das Nervensystem der Mollusken etc. Zeitschr. f. wiss. Zool. Bd. XXXV.

[2] Fol, Embryologie der Lungenschnecken (Referat). Kosmos V. 1881.

nicht finden. Wenn es, was ich nicht kontrolliert habe, bei *Lymnaeus* neben dem LACAZE'schen Organ vorkommt, so kann es, wenn man dieses als Geruchsorgan in Anspruch nimmt, natürlich nicht auch als ein solches gedeutet werden.

6. Blutgefässsystem und Atmungsorgan.

Wie bekannt, besitzen die Pulmonaten alle ein lacunäres Gefässsystem, also auch unsere Planorbiden. Die Centren, Herz und Aorta, namentlich ersteres, sind stark muskulös. Das Lumen des Ventrikels ist enge. Was das Herz der Planorben noch besonders auszeichnet, ist das ungemein reichliche Pigment. Am meisten ist in dieser Hinsicht *Planorbis vortex* L. bedacht, wo die Muskulatur des Ventrikels mit schwarzem Pigment in so reichlichem Masse durchsetzt ist, dass man das Herz mit blossem Auge durch das Gehäuse hindurch erkennt und pulsieren sieht. Die Muskelfasern des Herzens sind infolgedessen nur schwer zu erkennen, sie zeigen da, wo sie aus dem Pigment herausschauen, ein körniges Aussehen. Das Atrium besitzt weit weniger stark entwickelte Muskelwände. Zwischen Atrium und Ventrikel befinden sich, wie bei den Lymnaeen, zwei gegen einander gerichtete Klappen, welche nach dem Ventrikel hin sich öffnen. Das Herz ist von einem geräumigen Pericardium umgeben, mit dem es nur an der Stelle des Ursprungs der beiden Gefässe angewachsen ist. Die Wand des Pericardiums geht unmittelbar in die Nierenwand über, worauf ich im zweiten Abschnitt des folgenden Teiles noch einmal zurückkommen werde. Die drei Species: *Planorbis corneus* L., *marginatus* MÜLL. und *carinatus* DRP. zeichnen sich durch ziemlich intensiv rotes Blut aus, während das der kleinen Arten teils viel heller rötlich, teils nahezu farblos erscheint.

Die Lunge, besonders die der kleinen Planorbiden, ist entsprechend der Dimension der Mantelhöhle ganz enorm gross und stellt eine richtige Schwimmblase dar, welche bei der Lokomotion der Tiere, wie schon erwähnt, eine Rolle spielt. Die links liegende Öffnung des Atemloches der Planorben ist nicht so weit, wie die der Lymnaeen und Physinen. Die merkwürdigen Falten, welche sich in der Atemhöhle bei *Planorbis corneus* L., in rudimentärer Ausbildung auch bei *Pl. marginatus* MÜLL. und *carinatus* DRP. befinden und diese in zwei Atemräume teilen, werde ich gelegentlich der Betrachtung der biologischen Verhältnisse unserer Tiere zu erwähnen haben.

II. Teil. Der Genitalapparat und Exkretionsorgan.

I. Abschnitt.

Der Genitalapparat.

Der Geschlechtsapparat der hermaphroditischen Gasteropoden, namentlich der der Pulmonaten, ist schon in ziemlich früher Zeit Gegenstand häufiger Untersuchungen gewesen. Aber der ungemein komplizierte Bau dieses Organsystemes hat anfangs reichliche Gelegenheit zu verschiedenen und zum Teil sich ganz widersprechenden Deutungen Anlass gegeben. Namentlich die merkwürdige Erscheinung in einem und demselben Drüsenorgane, der jetzt allgemein bekannten Zwitterdrüse, eine Verschmelzung von beiderlei Geschlechtsdrüsen und den Produktionsort von beiderlei Geschlechtsstoffen zu finden, hat mehrere Forscher, wie CUVIER (cfr. op. cit.), MECKEL [1], CARUS [2], TREVIRANUS [3] und andere zu ganz entgegengesetzten Beurteilungen geführt. Die ersteren betrachteten z. B. diese Zwitterdrüse der Pulmonaten als ein Ovarium und dagegen die Eiweissdrüse als einen Hoden, während TREVIRANUS, auch OWEN, VERLOREN [4]

---

[1] Heinrich Meckel, Über den Geschlechtsapparat einiger hermaphroditischer Thiere. Arch. f. Anat. u. Physiol. 1844. p. 473—507.

[2] C. G. Carus, Beiträge zur genaueren Kenntniss der Geschlechtsorgane und Funktionen einiger Gastropoden. Arch. f. Anat. u. Physiol. 1835. p. 487—499.

[3] G. G. Treviranus, Über die Zeugungsteile und die Fortpflanzung der Mollusken. Tiedemann u. Treviranus, Ztschr. f. Physiol. Bd. I. 1824. 4. p. 1—55.

[4] M. C. Verloren, Organorum generationis structura in Molluscis, quae Gastropoda pneumonica a Cuviero dicta sunt. Annal. acad. Lugdun. Batav. 1836—37 u. 1838. 4. 64 S. 7 Taf.

u. a. die beiden Drüsen gerade umgekehrt deuteten. Wohnlich[1] gab die Eiweissdrüse für den Eierstock aus und nannte den am Uterus der Landpulmonaten herablaufenden Halbkanal Hoden, während er die Funktion der Zwitterdrüse ganz zweifelhaft liess. Erdl[2] erkannte hingegen wieder die Bedeutung der Eiweissdrüse nicht. Nach Steenstrup[3] sollten bei den Zwitterschnecken die einzelnen Abteilungen der Fortpflanzungsorgane doppelt vorhanden sein, aber nur die eine Hälfte zur Ausbildung gelangen. Obgleich, wie ich in der Einleitung erwähnte, schon Peyer und Harder den Hermaphroditismus der Pulmonaten erkannt hatten, wurde doch stets noch nach den die männlichen und weiblichen Zeugungsstoffe liefernden Organen, nach einem Hoden und einem Eierstock geforscht, selbst Paasch (a. a. O.) konnte sich noch nicht über die Natur der Zwitterdrüse Klarheit verschaffen und erst Siebold[4], Wagner[5], Meckel (l. c.) und Leuckart[6] erkannten ihre wahre Natur. Heutzutage sind wir mittels unserer vortrefflichen Untersuchungsmittel hinsichtlich des Genitaltraktus der Pulmonaten gut unterrichtet.

Auf dem Gebiete der Entwickelungsgeschichte dieses Organsystemes sind in jüngster Zeit mehrere Arbeiten erschienen, unter denen ich vornehmlich die Schriften von Platner[7], Rouzeaud[8], Brock[9],

---

[1] W. Wohnlich, Dissertatio anatomica de Helice pomatia et aliquibus aliis huic affinibus animalibus e classe Molluscorum Gastropodum. Würzburg 1813.

[2] Mich. Erdl, Beiträge zur Anatomie der Helicinen mit besonderer Berücksichtigung der nordafrikanischen und südeuropäischen Arten. In: Moritz Wagner, Reise in d. Regentschaft Algier. Bd. III. Leipzig 1841. 8. p. 268 —275. Atlas 4. Taf. XIII, XIV.

[3] J. J. Steenstrup, Untersuchungen über das Vorkommen des Hermaphroditismus in der Natur. Deutsch von Hornbusch. Greifswald 1846. 4. 2 Taf.

[4] C. Th. v. Siebold, Müller's Archiv f. Anat. 1836 und Lehrbuch d. vergl. Anat. d. Wirbellosen. 1848.

[5] R. Wagner, Über die Zeugungstheile der Gasteropoden. Abh. d. math.-phys. Klasse d. k. Bayer. Akad. d. Wiss. München. II. 1837.

[6] R. Leuckart, Wagner's vergl. Anatomie 2. Aufl. II. p. 545. 1847. — Derselbe, Geschlechtsverhältnisse der Zwitterschnecken. Zool. Abhandl. Heft 3. p. 69—88. 1854.

[7] Platner, Zur Bildung der Geschlechtsprodukte bei den Pulmonaten. Arch. f. mikrosk. Anat. XXVI. 1886.

[8] H. Rouzeaud, Recherches sur le développement des organes génitaux de quelques Gastéropodes hermaphrodites. Thèse prés. à la faculté sc. Paris etc. Montpellier 1885.

[9] J. Brock, Die Entwickelungsgeschichte des Genitalapparates der stylommatophoren Pulmonaten nebst Bemerkung über die Anatomie und Entwickelungsgeschichte einiger anderer Organsysteme. Ztschr. f. wiss. Zool. Bd. XLIV. H. 3.

Simroth[1] und die schon aufgeführten von Eisig[2] und Klotz (a. a. O.) hervorheben möchte. Die beiden zuletzt angeführten Autoren haben sich bei ihren diesbezüglichen Untersuchungen den gegenüber den stylommatophoren Pulmonaten bislang etwas vernachlässigten basommatophoren Pulmonaten zugewandt und in der Beschreibung der anatomischen Verhältnisse des Genitalapparates dieser Schnecken die hauptsächlichsten Unterschiede zwischen Land- und Süsswasserpulmonaten endgültig klar gelegt. Die Thatsache übrigens, dass die beiden Geschlechtsgänge bei den basommatophoren Pulmonaten von der Einmündung des Zwitterganges unter der Eiweissdrüse an getrennt verlaufen, während sie bei den Stylommatophoren, anfangs vereinigt, sich erst viel weiter distalwärts trennen und schliesslich wieder eine einzige äussere Geschlechtsöffnung bilden, finden wir schon in Keferstein's[3] Werk angeführt.

Nicht übergehen möchte ich auch hier die schon im Vorwort meiner Abhandlung angeführten Arbeiten von Ficinus und Lehmann (s. dort), besonders aber noch die treffliche Darstellung der Verhältnisse des Genitalapparates von *Planorbis corneus* L. durch Baudelot[4] erwähnen. Nichtsdestoweniger will ich aber doch eine kurze allgemeine Übersicht des Baues des Geschlechtsapparates unserer Planorbiden den nun folgenden Betrachtungen vorausschicken.

Der Apparat beginnt mit der Zwitterdrüse, an welche sich ein bei den einzelnen Arten ungleich langer, durchweg mit mehr oder minder auffallenden, kleinen, blindsackartigen Anhängen ausgestatteter Zwittergang anschliesst, welcher dann weiter an den mit der Eiweissdrüse beginnenden weiblichen Genitalgang führt, worauf beide Geschlechtsgänge, wie dies bei den basommatophoren Pulmonaten allgemein nachgewiesen ist, getrennt ihren Öffnungen zulaufen. Dieselben liegen bei den Planorben auf der linken Seite weit vorne, die weibliche hinter der männlichen. Am männlichen Gange haftet die Prostata, an der Vagina befindet sich ein Receptaculum seminis. Der männliche Gang endigt, nachdem er mehrere Schlingen gebildet und schliesslich zwischen zwei Ästen eines kleinen Muskels, dessen

---

[1] H. Simroth, Über die Genitalentwickelung der Pulmonaten und die Fortpflanzung von *Agriolimax laevis*. Ztschr. f. wiss. Zool. Bd. XLV. H. 4.

[2] Hugo Eisig, Beiträge zur Anatomie und Entwickelungsgeschichte der Geschlechtsorgane von *Lymnaeus*. Ztschr. f. wiss. Zool. Bd. XIX. 1869.

[3] Bronn, Klassen und Ordnungen des Thierreichs. Bd. III. Mollusca.

[4] Baudelot, Recherches sur l'appareil générateur des Mollusques Gastéropodes. Ann. d. Sc. nat. (4.) zoolog. XIX. 1863. p. 135—222 u 268—294.

Ursprung im Fuss ist, vergraben fortgelaufen war, mit dem Penis, der weibliche mit der der männlichen Geschlechtsöffnung mehr oder minder nahegerückten Vulva. In bezug auf den weiblichen Gang ist noch zu erwähnen, dass er die eigentümlichen Differenzierungen in drei Abschnitte, wie sie Eisig für die Lymnaeiden beschreibt, nicht so deutlich erkennen lässt. Dieselben kommen hinsichtlich der Planorbiden nur bei der grössten unserer einheimischen Arten, *Pl. corneus* L., in ähnlicher Weise in Betracht und ich verweise diesbezüglich wiederum auf die ausgezeichnete, mit wohlgelungenen, klaren Abbildungen illustrierte Darstellung in der citierten Arbeit Baudelot's.

Besondere drüsige Anhänge, wie wir sie bei verschiedenen Landpulmonaten als Schleimdrüsen (fingerförmige Drüsen), Pfeilsack und Flagellum finden, weist der Genitalapparat der Planorbiden, wie der der übrigen Süsswasserpulmonaten nicht auf.

Nachdem wir bei Gelegenheit der Besprechung der Leber gesehen haben, in welchem Verhältnis der Bau der Drüse bei grossen und kleinen Arten variiert, wollen wir diesen Punkt bei der nun folgenden Besprechung der einzelnen Teile des Genitalapparates in bezug auf die Drüsen desselben ebenfalls in den Bereich unserer Betrachtungen hereinziehen.

Die Zwitterdrüse zeigt nur bei einer einzigen Species unserer einheimischen Planorben, nämlich bei *Pl. corneus* L., auch äusserlich den charakteristischen Bau einer vielfach zerteilten Drüse, wie wir sie gewöhnlich bei den Pulmonaten antreffen, und ist auch, wie schon öfters erwähnt, nur bei dieser einzigen Art in ihrer weitaus grössten Ausdehnung in das Gewebe der Leber eingebettet. Zudem zeigt sie mit Ausnahme des freiliegenden allerletzten Endes die gewöhnliche, milchweisse Farbe (Taf. IV Fig. 10). Bei sämtlichen anderen Arten dagegen, bei welchen sie meist ganz frei aus der Leber hervorragt, besitzt dieselbe die Gestalt eines am verjüngten Ende etwas spiralig aufgewundenen, körnigen Blindschlauches von graubrauner Farbe (Taf. IV Fig. 11). Untersuchen wir jedoch den feineren Bau der Drüse, so finden wir denselben bei allen Arten übereinstimmend, d. h. in allen Fällen besteht die Zwitterdrüse aus einer Anzahl von Blindsäckchen. Dass bei den grossen Arten die Verzweigung der Drüse im Interesse der Oberflächenvermehrung eine viel reichere, die Zahl der Follikel also eine viel grössere ist, als bei den kleinen, ist selbstverständlich. Wie erklärt sich nun diese abweichende Form und Farbe der Zwitterdrüse der kleinen Arten? Sehr einfach. Die vielverzweigte Zwitterdrüse unseres grossen *Plan-*

orbis corneus L. ist, wie wir wissen, fast vollkommen der Leber eingelagert und auf diese Weise durch das Gewebe und die äussere
Haut derselben gegen Berührung mit den Innenwänden der Schale
geschützt. Die einzelnen Follikel können demnach frei im Leber-
gewebe liegen. Anders bei den kleinen Arten. Hier liegt die Zwitterdrüse frei, muss also gleichsam eine Emballage erhalten, welche das
schützende Gewebe der Leber ersetzt und dieses Ersatzgewebe ist
ein lockeres Bindegewebe, welches, namentlich in der Peripherie,
reichlich Kalkkonkremente enthält und zwischen der peripherischen
Zelllage und der dasselbe überziehenden äusseren Haut auch zerstreute Pigmentmassen führt. In dieses ganz gleichmässig über die
Drüse hinziehende Bindegewebe sind nun die bei den kleinen Arten
allerdings viel weniger zahlreichen, milchweissen Drüsenfollikel eingebettet, so dass eben die dendritische Verzweigung der Drüse nicht
sichtbar ist (Taf. IV Fig. 11). Die gleiche Erscheinung sehen wir
auch bei dem äussersten Ende der Zwitterdrüse von *Planorbis corneus* L., welches allein aus der Leber frei herausragt. Was den
histologischen Bau der Follikel der Zwitterdrüse anbetrifft, so kann
ich nach den erschöpfenden Beschreibungen SEMPER's und EISIG's
etwas Neues nicht hinzufügen. Wir sehen die Tunica propria der
Follikel zur jeweiligen Brunstzeit vollständig mit männlichen oder
weiblichen Geschlechtsprodukten belegt, welche die verschiedensten
Reifestufen zeigen. Besonders schön kann man zur Zeit der männlichen Brunst die büschelförmige Anordnung der Spermatozoen sehen.
SEMPER und EISIG haben durch das Studium der Entwickelungsgeschichte der Genitalprodukte nachgewiesen, dass wir in Ei und
Samenkeim Derivate des Follikelepithels vor uns haben.

Der Zwittergang ist bei den Planorben meist von bedeutender
Länge und, wie schon bemerkt, mit blindsackartigen Anhängen ausgestattet (Taf. IV Fig. 10 u. 11). Am bedeutendsten sind diese Anhänge bei den drei Arten *Pl. rotundatus* MOQ.-TAND., *vortex* L. und
contortus L. Ich fand den Zwittergang und die blindsackartigen Anhänge bei diesen Tieren während des ganzen Jahres strotzend von
Spermamassen (Taf. IV Fig. 11) erfüllt. Aber auch die weiblichen
Geschlechtsprodukte werden von diesen kleinen Planorben sehr reichlich geliefert, viel reichlicher als von den grossen und es scheint
mir dies, worauf ich auch bei späterer Gelegenheit zu sprechen kommen werde, mit ihren biologischen Verhältnissen in Beziehung zu
stehen.

Während der Zwittergang anfangs nur eine bindegewebige Hülle

trägt, zeigt er mehr gegen die Eiweissdrüse hin eine spärliche Längs-
und Ringmuskulatur, welcher ein Flimmerepithel aufsitzt.

Die Eiweissdrüse, welche sämtlichen Planorbiden zukommt —
SEMPER will bei *Pl. marginatus* MÜLL. eine eigentliche Eiweissdrüse
nicht gefunden haben — stellt bei *Pl. corneus* L., *marginatus* MÜLL.
und *carinatus* DRP. eine kompakte, birnförmige, gelblich bis rötlich-
braun gefärbte Masse dar (Taf. IV Fig. 10 *Ga*). Bei den kleinen
Arten aber erscheint sie in der Form einer Traube (Taf. IV Fig. 11 *Ga*),
wiederum eine Erscheinung des Gesetzes der relativen Oberflächenvermehrung. Nach SEMPER besteht sie aus vielen kleinen Blinddärm-
chen, welche ganz ausgefüllt sind mit grossen Zellen, in denen sich
die Eiweissbläschen bilden. Diese einzelnen Bläschen ergiessen ihr
Sekret in einen ziemlich weiten Kanal, welcher sich in den Ausführungsgang der Eiweissdrüse fortsetzt und direkt in das Lumen
des Eileiters übergeht. EISIG bestreitet die Richtigkeit dieser Dar-
stellnng und behauptet, dass die Eiweissdrüse nicht aus Blindsäckchen bestehe, sondern dass die die Eiweisstropfen bildenden Zellen
frei in der Drüse liegen und diese genau nach dem Schema gebaut
sei, das er für die Drüsen des Oviduktes aufstellt. Die Bilder jedoch, welche ich mittels der Schnittmethode von der Eiweissdrüse
erhielt, sprechen für die SEMPER'sche Anschauung. Das Schnittbild
zeigt Durchschnitte durch eine grosse Anzahl kleiner Schläuche,
deren jeder seine Tunica propria hat, welcher innen im Kreise herum
in epithelialer Anordnung die Eiweissbläschen enthaltenden Zellen
aufsitzen (Taf. IV Fig. 12).

Der Ovidukt oder weibliche Gang bei den kleinen Planorben
von bedeutender Länge zeigt bei diesen äusserlich keinerlei Differenzierung, nur bei den grossen Arten kann man auch morphologisch
mehrere Abschnitte unterscheiden (cf. Taf. IV Fig. 10 *Ov*). BAUDELOT
hat dieselben genau beschrieben. Dieser Forscher macht besonders
auf die merkwürdige Architektonik des Oviduktes an der Stelle aufmerksam, wo er sich vom männlichen Gange trennt. Die Drüsenschicht ist im oberen Teile merklich angeschwollen, während der
der Vagina zunächst liegende und kontinuierlich in dieselbe übergehende Teil des Oviduktes eine glatte, kegelförmige Gestalt hat;
alles Verhältnisse, welche BAUDELOT für *Planorbis corneus* L. klargelegt hat. Nur hinsichtlich des feineren Baues möchte ich noch
besonders darauf hinweisen, dass im Endteile des Oviduktes, welchen wir als Vagina selbst ansehen können, bei den Planorbiden
ebenfalls die von EISIG (l. c.) hinsichtlich der Lymnaeen beschrie-

benen, als Träger der Drüsenzellen dienenden Längsfalten sich finden. Auf jeder in das Lumen des Eileiters hineinragenden Fläche der Falte sitzt das wimpernde Cylinderepithel. Die Drüsenzellen besitzen grosse, regelmässige und runde Kerne und enthalten ein körniges Sekret. Der Ovidukt geht unmittelbar in die mit stärkeren Muskelwandungen versehene Scheide über.

Das Receptaculum seminis ist bei den kleinen Planorben ein gewaltiger Blindsack mit einer strukturlosen Membran und einem grosszelligen Epithel. Die Grösse der Samenblase richtet sich genau nach der mehr oder minder massenhaften Produktion der männlichen Zeugungsstoffe. Wir finden daher bei den kleinen Arten ein verhältnismässig viel grösseres Receptaculum seminis, als bei den grossen. Das grösste besitzen die, wie oben angeführt, das höchste Mass von Spermamassen produzierenden Arten *Planorbis rotundatus* MOQ.-TAND., *vortex* L. und *contortus* L. Bei diesen strotzt die Samenblase, gerade wie der Zwittergang, auch stets von Sperma, so dass ihr Durchmesser nahezu die Hälfte des ganzen Leibesdurchmessers beträgt. Bei *Planorbis corneus* L. ist die Samenblase relativ klein. Die verhältnismässige Grösse des Receptaculum seminis habe ich durch die auf Taf. IV in Fig. 10 u. 11 gegebene Abbildung der Geschlechtsapparate von *Planorbis corneus* L. und *vortex* L. anschaulich gemacht.

Der männliche Gang, welcher sich sofort nach der Einmündung des Ductus hermaphroditicus vom Eileiter trennt und an dieser Stelle eine besonders lebhafte Flimmerbewegung wahrnehmen lässt, zerfällt in zwei Teile, den oberen, schwach muskulösen, drüsigen Teil und den unteren, mit beträchtlich entwickelten Muskelwandungen ausgestatteten cylindrischen Teil. Der ganze männliche Gang führt schlechtweg den Namen Vas deferens.

.In bezug auf den oberen, drüsigen Teil des Vas deferens unterscheiden sich, wie schon aus der Darstellung BAUDELOT's hervorgeht. die Planorbiden nicht unwesentlich von den ihnen so nahe verwandten Lymnaeiden, namentlich, was die Bildung der sogenannten Prostata anbelangt. Bei den letzteren ist nach der Beschreibung BAUDELOT's und auch nach EISIG's Darstellung offenbar der ganze drüsige Teil des Vas deferens als Prostata in Anspruch zu nehmen. Dieser Autor sagt, dass bei den Süsswasserpulmonaten die der Prostata höherer Tiere verglichenen Drüsenfollikel in die Wandungen des bereits oben geschlossenen Vas deferens eingebettet seien. Er beschreibt dann die Prostata folgendermassen: „Es ragen von den peripherischen Wänden Leisten des Bindegewebes in das Lumen des Vas deferens, welche ein förmliches Gerüste bilden, das die Drüsenfollikel einschliesst. Die Drüsenzellen der Prostata haben niemals Kerne und zeigen auch keinen Ausführungsgang. Die Prostata ist mit einer bindegewebigen Hülle mit reichlichem Pigment und unregelmässig längs und rings verlaufenden Muskelfasern umgeben. Diese Hülle geht continuierlich in den unteren Teil des Vas deferens über, welcher jener mit Sekretbläschen angefüllten Drüsenzellen entbehrt und sehr stark muskulös ist."

Diese Ansicht ist für die Prostata der Lymnaeen richtig, bei denen dieselbe einfach als blasige Erweiterung des männlichen Ganges erscheint. Ganz anders verhält sich aber, wie wir gleich sehen werden, die Sache mit der Prostata unserer Planorbiden.

Ich will bei der Beschreibung des feineren Baues des Vas deferens bei unseren Tieren zunächst die demselben in seinem gesamten Verlaufe zukommenden Eigenschaften hervorheben. Dahin rechne ich die von EISIG auch für die Lymnaeen beschriebene zarte bindegewebige Hülle, welche mehr oder weniger reichlich Pigment enthält, und das das Lumen des Vas deferens durchweg auskleidende Flimmerepithel.

Den ganzen oberen Teil des Vas deferens nun aber als Prostata in Anspruch zu nehmen, wie es EISIG mit Recht hinsichtlich der Lymnaeiden thut, erachte ich bezüglich der Planorbiden für unzulässig. Bei diesen Tieren haben wir es, wie auch aus BAUDELOT's Darstellung ersichtlich, in der Prostata mit einer besonderen Bildung zu thun, welche dem Vas deferens als eine richtige Anhangsdrüse aufsitzt. Der obere Teil des Vas deferens, den BAUDELOT den supraprostatischen nennt, stellt bei den Planorbiden einen schwach muskulösen, mit sehr grossen, cylindrischen Flimmerepithelzellen ausgekleideten und von einer zarten, pigmenthaltigen Hülle umgebenen Schlauch dar. Die grossen, mit Flimmerwimpern besetzten Cylinderepithelzellen sind mit einer Menge von kleinen Bläschen angefüllt, welche den Raum von dem grossen, runden, randständigen, durch feinkörnigen Inhalt ausgezeichneten Kerne bis zum Lumen des Vas deferens einnehmen. Diese charakteristischen Zellen kann man gleich bei der Teilung der beiden Geschlechtsgänge nach dem Eintritt des Ductus hermaphroditicus in den Ausführungsgang der Eiweissdrüse wahrnehmen; sie charakterisieren sofort den männlichen Gang, dessen lebhafte Flimmerung wohl den Zweck hat, die den reifen Eiern gegenüber unendlich viel leichteren Samenelemente hineinzulocken.

Die vorhin erwähnten Bläschen, welche in den grossen Epithelzellen eingeschlossen sind, fand ich stets auch im Lumen des Vas
deferens. Gleichzeitig bemerkte ich dabei, dass eine grössere Anzahl von Zellen nach dem Lumen zu offen waren, also offenbar
ihre Wand zum Zweck des Austritts der Bläschen gesprengt hatten.
Es unterliegt demnach keinem Zweifel mehr, dass wir es in
diesen grossen Epithelzellen des oberen Abschnittes des männlichen
Ganges mit Drüsenzellen zu thun haben, welche in ihren Eigenschaften mit den Epithelzellen der Drüsenschicht des Oviduktes sehr
viel Ähnlichkeit haben. Wenn ich Baudelot richtig verstanden habe,
spricht auch er diese Ansicht aus. Es scheint mir demnach das
bindegewebige Gerüste mit den eingeschlossenen Drüsenfollikeln,
welches auch Eisig im oberen Teile des Vas deferens bei den Lymnaeiden beschreibt, nichts anderes zu sein, als die grossen wimpern-
den Drüsenepithelzellen, welche die erwähnten Sekretbläschen enthalten. Dabei war es mir auffallend, dass Eisig sich nicht über die
Beschaffenheit eben dieses Lumens des oberen Teiles vom Vas deferens ausspricht.

Nun haftet aber noch bei unseren Planorbiden an diesem oberen, drüsigen Teile des Vas deferens ein weiteres, selbständiges Gebilde und das ist die eigentliche Prostata. Sie ist eine richtige Anhangsdrüse, welche in ihren morphologischen Verhältnissen hinsichtlich der einzelnen *Planorbis*-Arten die nämlichen Variationen uns
vor Augen führt, welche wir schon bei der Besprechung der anderen
drüsigen Organe des Genitaltraktus beobachtet haben. Bei *Planorbis corneus* L. ist sie ein massiges, aus einer grossen Anzahl von
Blindschläuchen bestehendes Gebilde (Taf. IV Fig. 10), bei den kleinen
Arten mehr kammartig gezackt oder gefiedert, von flächenhafter
Ausdehnung, die durch die wechselnde Zahl der Zacken mit der
Grösse der einzelnen Species entsprechend ab- und zunimmt. Bei
Planorbis carinatus Drp. und *marginatus* Müll. beträgt die Zahl
der Zacken über 40, bei *Planorbis vortex* L., *rotundatus* Moq.-Tand.
und *contortus* L. schwankt sie zwischen 20 und 30, während dagegen
Planorbis nitidus Müll. in der Regel nur 12 Zacken zeigt (Taf. IV
Fig. 13). Diese Zacken münden sämtlich in das Vas deferens durch
kleine Öffnungen, sind also einzeln als Drüsenfollikel anzusehen in ganz
derselben Weise, wie wir das seinerzeit bei der gezackten Leber der
kleinen *Planorbis*-Arten zu konstatieren in der Lage waren. Bei
Planorbis corneus L. vereinigen sich nach Baudelot's Beschreibung
die Ausführungsgänge der einzelnen Prostatafollikel zu grösseren,

gemeinsamen Ausführungsgängen, welche ihrerseits die Wand des Vas deferens (BAUDELOT's prostatischen Teil) durchbrechend in dasselbe einmünden. Die Follikel zeigen im Durchschnitt eine zarte, pigmenthaltige, bindegewebige Hülle, welche sich vom Vas deferens aus über die einzelnen Zacken fortsetzt, und innen wandständig im Kreise herumgelagerte, sekretführende Zellen ohne Ausführungsgänge, welche also wohl genau auf die nämliche Weise, wie die Drüsenepithelzellen des oberen Teiles des männlichen Ganges ihr Sekret durch Sprengen der Wände entleeren. Eigentliche Kerne konnte ich in diesen Zellen ebensowenig, wie EISIG bei den Lymnaeiden, finden, sondern nur randständig gelegene, ganz unregelmässig gestaltete, strukturlose, durch intensive Farbstoffannahme sich auszeichnende Körner, und auch diese nur in der kleineren Anzahl der Zellen. Obwohl ich nicht nachzuweisen vermochte, dass diese Gebilde als metamorphosierte Kerne in Anspruch zu nehmen seien, ist doch wohl anzunehmen, dass dies Zellen sind, welche in jugendlichem Zustand mit gewöhnlichen Kernen ausgestattet waren. Ich habe von einem derartigen Prostatafollikel ein Querschnittbild auf Taf. IV in Fig. 14 gegeben. Hinzufügen muss ich noch, dass bei *Planorbis corneus* L., bei dem die Prostata, wie wir wissen, ein massiges, kompaktes Gebilde vorstellt, die Follikel sämtlich, wie die Leberschläuche, in ein lockeres Bindegewebe eingelagert sind, über welches eine zarte, schwach pigmentierte Aussenhülle kontinuierlich hinwegzieht. Der Unterschied zwischen Planorbiden und Lymnaeiden besteht demnach in diesem Punkte darin, dass erstere eine als selbständige Drüse ausgebildete Prostata besitzen, während diese bei den Lymnaeiden durch eine blasige Erweiterung des oberen Teiles des Vas deferens ersetzt wird.

Gehen wir nun über zu dem unteren, dem cylindrischen (BAUDELOT's infraprostatischen) Teile des Vas deferens, so sehen wir, dass die drüsigen Epithelzellen in ein einfaches Wimperepithel übergehen und dass die Muskelschicht rasch zu einer enormen Dicke heranwächst. Ein Durchschnitt durch den cylindrischen Teil des vas deferens zeigt die Fortsetzung der dünnen, bindegewebigen und pigmenthaltigen Hülle, sodann eine ganz kolossale Ringmuskelschicht, die an das das enge Lumen auskleidende Wimperepithel direkt anstösst (Taf. V Fig. 15). Die von EISIG (l. c.) auch für den cylindrischen Teil des Vas deferens angegebene dünne Längsmuskelschicht konnte ich nicht auffinden. Auch KLOTZ (a. a. O. p. 25) hat keine Längsmuskelschicht erwähnt, obwohl sich doch kaum annehmen lässt, dass eine solche vollständig fehlt. Ausserdem findet EISIG zwischen

der Ringmuskelschicht und dem das Lumen des Vas deferens auskleidenden Wimperepithel noch eine Schicht heller, rundlicher Zellen,
welche durch eine äusserst spärliche Intercellularsubstanz verbunden
sind, nach beiden Seiten hin eine Cuticula tragen und jedenfalls als
Stützzellen fungieren sollen, während sie im Penis drüsiger Natur
seien. Ich konnte diese Zellen niemals auffinden.

Unsere ferneren Untersuchungen führen uns jetzt zum Kern-
punkt unserer Betrachtungen, zum Kopulationsorgan der Planorbiden,
zum Penis, welcher bei keiner anderen Süsswasserpulmonatengattung
gleich merkwürdige und interessante Verhältnisse erkennen lässt, Verhältnisse, die bis jetzt freilich noch nicht genügende Beachtung gefunden
haben. FICINUS und LEHMANN sind thatsächlich die einzigen Forscher,
welche diesen eigentümlichen Organisationsverhältnissen einige Würdigung zu gute kommen liessen, sonst ist mir, wie gesagt, keine weitere Arbeit bekannt geworden, welche dieselben in irgendwelcher
Weise behandelte. Aber schon FICINUS hat darin ein wichtiges Moment für die Diagnose der Arten erblickt, nachdem er erkannt hatte,
dass das Kopulationsorgan eines Teiles unserer einheimischen *Planorbis*-Arten vor dem aller anderen Süsswasserpulmonaten dadurch
sich auszeichnet, dass es mit einem stilettartigen Pfeil ausgestattet.
ist, während dieser einem anderen Teile derselben fehlt. LEH-
MANN hat darauf fussend die gleich nachher erwähnte Einteilung
der Gattung *Planorbis* vollzogen, wobei er allerdings noch andere
Eigentümlichkeiten unserer Tiere berücksichtigte. Wie es mir aus
seiner Beschreibung ersichtlich wurde, glaubte er diese Pfeilbildung
als Analogon mit dem wohlbekannten und vielfach beschriebenen
Liebespfeil anderer Lungenschnecken, hauptsächlich der Heliciden,
betrachten zu können. Wir werden indessen später sehen, dass
das Stilett der Planorben mit dem Liebespfeil der Heliciden höchstens funktionell, niemals aber morphologisch zusammengestellt werden kann. LEHMANN schreibt an citiertem Orte:

„Es lassen sich von unseren lebenden Arten drei natürliche
Gruppen bilden, die ich mit Übergehung früher aufgestellter Unter-
geschlechter, wie folgt, zusammenstelle:

a. Inermes.

Gehäuse ungekielt oder gekielt, Windungen schnell anwachsend,
Wachstumsstreifen deutlich, keine Lamellen in der Mündung. Tier
mit Drüsenapparat zum Erguss purpurroter Flüssigkeit; Stilett
fehlt. Vas deferens geht oben aus der schlauchförmigen Rute ab.

Planorbis corneus L.

„   *marginatus* DRP.

„   *carinatus* MÜLL.

b. Armati.

Gehäuse ungekielt oder gekielt, Windungen sehr langsam oder schnell anwachsend, Wachstumsstreifen fein, Gehäuse mehr oder weniger glatt oder mit rippiger oder genetzter Skulptur. Keine Lamellen in der Mündung. Tier mit einem Stilett in den männlichen Geschlechtsorganen. Vas deferens geht endständig aus einer besonderen Erweiterung der Rute ab.

Planorbis contortus L.

„   *vortex* L.

„   *rotundatus* MOQ.-TAND.

„   *albus* MÜLL.

c. Nitidi[1].

Gehäuse stark zusammengedrückt, gekielt, sehr glatt, letzte Windung überaus schnell zunehmend, innen ohne oder mit leistenartigen Lamellen, die sich quer gegenüberstehen, befestigt. Tier ohne Stilett. Vas deferens geht unterhalb einer endständigen Erweiterung der Rute ab.

Planorbis complanatus DRP.

„   *nitidus* MÜLL.“

Ich habe diese Gruppierung LEHMANN's gerade deshalb ausführlich wiedergegeben, weil ich zeigen wollte, dass die Hauptveranlassung zu dieser Einteilung für den Autor das Vorhandensein oder Fehlen des Stiletts war. Daher die Namen Inermes und Armati. Die anderen Eigenschaften, die Einmündungsstelle des Vas deferens und die schwankenden Merkmale in der Schalenstruktur sind sehr nebensächlich. Die dritte Gruppe LEHMANN's halte ich daher von vornherein für hinfällig und wenngleich ich eine Spaltung der Gattung *Planorbis* nach dem Vorhandensein oder Fehlen des Stiletts in „Armati" und „Inermes" billige, sollen meine folgenden Ausführungen klarlegen, dass sich der bei den verschiedenen Arten so mannigfaltig ausgebildete Kopulationsapparat unserer Tiere vom Standpunkte des

---

[1] Ficinus stellt diese Gruppe den übrigen Arten als „Appendiculati" gegenüber, da der Penis blindsackartige Anhänge trägt, und erwä int dabei, dass schon Flemming die beiden Repräsentanten als „Segmentina" vereinigt hatte, eine Bezeichnung jedoch, die nach Ficinus' Ansicht unrichtig ist.

vergleichenden Anatomen ganz leicht ineinander überführen lassen. Wir werden dabei vor allen Dingen sehen, dass sowohl FICINUS, als auch LEHMANN in der Bezeichnung der korrespondierenden Teile des Begattungsorganes irre geworden sind, ja wir werden überhaupt zu der Überzeugung gelangen, dass auch unter den Zoologen die Nomenklatur der einzelnen Teile des Kopulationsapparates unserer Schnecken keine einheitliche ist, dass namentlich die Bezeichnung „Penis" für verschiedene Teile im Gebrauch ist. Bald sehen wir diese Bezeichnung für den Teil des Kopulationsorganes in Anwendung bringen, welcher bei der Begattung umgestülpt wird, bald wird das Endstück des Vas deferens als Penis in Anspruch genommen, bald auch der dieses Endstück umgebende Muskelschlauch.

Da nun, wie ich im Laufe der nachfolgenden Betrachtungen klar legen werde, das Kopulationsorgan unserer Planorbiden 4 verschiedene morphologische Typen in seiner Ausbildung zeigt, die sich in doppelter Weise wiederum zu je zwei vereinigen lassen, musste es vor allen Dingen mein Bestreben sein, im Interesse einer vergleichend-anatomischen Darstellung eine vollständig einheitliche Nomenklatur der gleichwertigen Teile durchzuführen.

In BRONN's „Klassen und Ordnungen der Weichthiere" von W. KEFERSTEIN bearbeitet, lesen wir, dass der Penis der Pulmonaten seiner Bildung nach einfach als eine Erweiterung des Vas deferens in Anspruch zu nehmen sei, bei der die Muskulatur der Wände sehr vermehrt erscheint und das Cylinderepithel seine Cilien verliert, dafür aber eine dicke Cuticula erhält.

Wir werden sehen, dass diese Auffassung in bezug auf das Kopulationsorgan unserer Planorbiden vollständig hinfällig ist, wie das auch schon EISIG hinsichtlich der Lymnaeen erkannt hat.

Dieser Autor nennt den Penis der Lymnaeen „nichts anderes als die Verlängerung des Vas deferens". Er betrachtet die das eigentliche Begattungsorgan umgebenden Muskelschläuche als die erweiterte Fortsetzung der Wandungen des Vas deferens und teilt diese Wandungen in zwei Teile ein, welche er den „grossen und kleinen Schlauch" nennt. Der grosse Schlauch wird, wie er sagt, bei der Copula umgestülpt und erscheint als weisses Band vor der weiblichen Geschlechtsöffnung unter reichlicher Absonderung von Schleim, während das Vas deferens, das heisst also der Penis, in die Vulva eindringt

Wir werden nun weiter sehen, dass diese Einteilung der Wandungen in den „grossen und kleinen Schlauch" hinsichtlich des Kopulationsorganes der Planorben ebenfalls hinfällig wird. Wir werden erkennen, dass bei den stilettführenden sowohl wie bei den von LEH-MANN unter der Gruppe „Nitidi" vereinigten Arten der grosse Schlauch zum kleinen und der kleine Schlauch zum grossen wird. Ich meine natürlich dimensional und will bei dieser Gelegenheit anführen, dass schon PAASCH bei den einzelnen Species der Lymnaeen das Längenverhältnis des grossen zum kleinen Schlauch als verschieden und für die einzelnen Arten als charakteristisch erwähnt. KLOTZ macht die Verhältnisse des Kopulationsorganes der · Lymnaeiden an dem Penis eines Säugetieres anschaulich. Ein Zurückziehen des Präputiums entspricht demnach einer Umstülpung des Schneckenpenis und auch bei den Schnecken hat man den EISIG'schen „grossen Schlauch" Präputium genannt. Hier wie dort ist das Präputium umgestülpt, das innere Epithel kommt nach aussen, und das Ende des Vas deferens, der eigentliche Penis, ist blossgelegt. Im Interesse einer vergleichend-anatomischen Darstellung habe ich nun für mehrere Teile eine andere Bezeichnung gewählt und diese auch schon bei der nachfolgenden allgemeinen Beschreibung des betreffenden Apparates in Anwendung gebracht.

Der Bau dieses Apparates ist folgender: Die Muskelwandungen des Vas deferens spalten sich in kürzerer oder weiterer Entfernung von der Ausmündung des Spermakanals derart, dass das Endstück des Vas deferens einen kürzeren oder längeren. papillenartigen Vorsprung bildet, durch welchen der Spermakanal ausmündet, während der übrige Teil der Muskelwand des Vas deferens als eine Scheide über den papillenartigen Vorsprung hinwegzieht. Diesen Vorsprung, also das innere durch die Spaltung der Muskelwand des Vas deferens entstandene Endstück desselben nenne ich den Penis, die äussere durch die nämliche Spaltung entstandene und über dieses innere Endstück oder das Begattungsglied als Scheide desselben sich hinweglegende Fortsetzung dagegen nenne ich, der Bezeichnung von FICINUS folgend, den Schwellkörper. Letztere Bezeichnung wähle ich auch aus dem Grunde, weil dieser Teil, wie sich aus seiner histologischen Struktur, namentlich bei den stilettführenden Planorben, entnehmen lässt, sowohl einer Schwellung in der Richtung seines Querdurchmessers, als auch einer Ausdehnung und Zusammenziehung in der Richtung seiner Längsaxe fähig ist. Dieser Schwellkörper setzt sich dann bei allen Planorben in den umstülpbaren Teil des Kopulationsapparates, in das Präputium fort. An der Übergangsstelle dieser beiden Teile sitzt ausnahmslos der Musculus retractor, welcher bei den drei grössten

5 *

Arten, *Planorbis corneus* L., *marginatus* Müll. und *carinatus* Drp.
ein kleineres Seitenbündel an den Schwellkörper selbst abgibt. Zur
Verdeutlichung des eben Gesagten mögen die schematischen Abbildungen des Kopulationsorganes auf Tafel VI dienen.

Der Unterschied zwischen meiner und der Eisig'schen Nomenklatur ist also der, dass ich den „grossen Schlauch" das Präputium,
den „kleinen Schlauch" Schwellkörper nenne. Als eigentliches Begattungsglied nehme ich jedoch genau wie Eisig das Endstück des
Vas deferens in Anspruch.

Durch diese Bezeichnung weiche ich vor allen Dingen der Verle-
genheit aus, die Thatsache konstatieren zu müssen, dass bei den stilettführenden und auch einigen stilettlosen Planorben der „kleine Schlauch"
den weitaus grössten Teil des ganzen Kopulationsorganes darstellt,
während der grosse Schlauch zu einem untergeordneten Teile herab-
gesunken ist. Zu erwähnen ist auch noch, dass Eisig's „kleiner
Schlauch" bei einigen von unseren Planorben als besondere Abteilung des Kopulationsorganes äusserlich gar nicht zu erkennen ist
und für diesen Fall die Bezeichnung nur in anatomischer Beziehung
Sinn hat. Ich glaube, dass auch deshalb die Bezeichnung „Schwellkörper" zweckmässiger ist.

Betrachten wir weiter die morphologischen und anatomischen
Verhältnisse des Kopulationsapparates unserer Planorbiden, so können
wir 4 Typen unterscheiden, von welchen sich je zwei in doppelter
Weise wiederum zusammenstellen lassen. Ich charakterisiere diese
Typen folgendermassen:

Typus I.

Präputium gross, keulenförmig mit grösstem Durchmesser am
proximalen Ende. Schwellkörper und Penis kurz. Schlitzförmige
Ausmündung des Spermakanals seitlich am Penis in der Nähe der
Spitze. Der Schwellkörper setzt sich scharf vom Präputium ab. Penis
straff und mit eichelartiger Anschwellung.

Repräsentant: *Planorbis corneus* L.

Typus II.

Präputium ziemlich kurz, kegelförmig mit grösstem Durchmesser
am distalen Ende, wo es unmittelbar in eine knopfartige Erweiterung des Schwellkörpers übergeht. Penis und der proximalwärts
sich bedeutend erweiternde Schwellkörper lang. Das proximale Ende
des Schwellkörpers trägt zwei blindsackartige Anhänge, die seitlich
am Penis befindliche Ausmündungsstelle des Spermakanals liegt weit
hinter der Spitze des Penis.

Repräsentanten: *Planorbis nitidus* MÜLL.

, *complanatus* DRP.

Typus III.

Präputium gross, keulenförmig mit grösstem Durchmesser am distalen Ende. Schwellkörper und Penis kurz. Ausmündung des Spermakanals an der Spitze des Penis. Der Schwellkörper bildet an ·der Übergangsstelle in das Präputium nach innen einen papillenartigen Vorsprung mit engem Centralkanal und geht unmerklich in das Präputium über.

Repräsentanten: *Planorbis marginatus* MÜLL.

„ *carinatus* DRP.

Typus IV.

Präputium kurz, kegelförmig mit grösstem Durchmesser am distalen Ende. Schwellkörper und Penis sehr lang. Ersterer bildet an der Übergangsstelle in das Präputium eine knopfartige Anschwellung. Ausmündungsstelle des Spermakanals seitlich am Penis in der Nähe der Spitze desselben. Der Penis trägt an der Spitze einen stilettartigen Pfeil. Der Schwellkörper erweitert sich proximalwärts bedeutend und bildet an der Übergangsstelle in das Präputium nach innen einen papillenartigen Vorsprung (Stilettscheide) mit engem Centralkanal.

Repräsentanten: *Planorbis contortus* L.

„ *vortex* L.

„ *rotundatus* MOQ.-TAND.

„ *albus* MÜLL.

„ *cristatus* MÜLL.

, Schematische Abbildungen der 4 Typen des Kopulationsapparates habe ich auf Tafel VI gegeben.

Nehmen wir bei unseren näheren Betrachtungen zuerst einmal Typus I und II zusammen, so sehen wir, dass die am Penis seitlich gelegene schlitzartige Ausmündung des Spermakanales ein gemeinschaftliches Merkmal bildet. Vergleichen wir dann Typus III und IV, so bemerken wir, dass diese beiden Typen den papillenartigen Vorsprung im Innern des Schwellkörpers als Charakteristikum haben. Anderseits können wir aber auch Typus I und III zusammenfassen und diese beiden Typen den ebenfalls zusammengenommenen Typen II und IV gegenüberstellen. Typus I und III haben das grosse Präputium, den kurzen Schwellkörper und das kurze Begattungsglied ge-

meinsam, während den Typen II und IV wiederum der lange Schwellkörper und das lange Begattungsglied, das verhältnismässig kurze
Präputium und die eigentümliche knopfartige Erweiterung an der
Übergangsstelle des Schwellkörpers in das Präputium als gemeinschaftliches Merkmal zufällt.

Wir werden nun aber bei der folgenden Vergleichung der
anatomischen und histologischen Verhältnisse des Kopulationsorganes
zu der Überzeugung gelangen, dass sich in dieser Hinsicht sämtliche 4 Typen ohne Schwierigkeit ineinander überführen lassen.

Ich will dabei mit Typus I beginnen und knüpfe zunächst an
den in allgemeinen Umrissen bereits beschriebenen cylindrischen Teil
des Vas deferens an.

Wir haben gesehen, dass sich derselbe durch seine enorme
Ringmuskelschicht und sein enges Lumen auszeichnet. Dabei habe
ich zunächst noch hinzuzufügen, dass der betreffende Teil von der
Prostata an bis zum Übergang in den Schwellkörper nahezu den
gleichen Durchmesser beibehält. Er erweitert sich nur um ein We-
niges vor der Spaltung seiner Muskelwand zur Bildung des Schwellkörpers und des Penis. Dazu nimmt die Dicke der Ringmuskelschicht
erheblich ab und wird durch eine zu immer bedeutenderer Ausdehnung anwachsende Längsmuskelschicht ausgeglichen. Unmittelbar
vor der Spaltungsstelle der Muskelwand in Schwellkörper und Penis
erscheint die Ringmuskelschicht nur noch als dünnwandiges Rohr,
welches das sehr enge Lumen des Spermakanals umgibt. Zugleich
lagern sich in die Längsmuskelschicht allmählich immer zahlreichere
grosse runde Zellen ein. Diese Zellen haben, wie KLOTZ es in derselben Weise bei *Lymnaeus* beschreibt, einen homogenen, glashellen
Inhalt und verhältnismässig kleine Kerne. KLOTZ hat sie mit den
von EISIG l. c. p. 304 beschriebenen Bindesubstanzzellen verglichen
und nimmt sie, wie es auch EISIG thut, als Drüsenzellen in Anspruch.
Sie bilden ein lockeres Schleimgewebe, welches ein bedeutendes Mass
von Druck beim Durchstecken durch das bei der Copula sich um-
stülpende Präputium zulässt. Diese mit vielen Schleimzellen durchsetzte lockere Längsmuskelschicht ist es also, welche bei Typus I
die Spaltung zur Bildung des Schwellkörpers und des eigentlichen Begattungsgliedes, des Penis, eingeht. EISIG sagt: „Im kleinen Schlauch,
d. h. also in unserem Schwellkörper, sitzt die Längsfaserschicht nicht
unmittelbar der Ringfaserschicht auf, sondern es folgt zunächst eine
dünne Lage von Bindesubstanzzellen, die den eigentlichen Penis vom
kleinen Schlauche trennt. Ich habe im Kopulationsorgane unserer

Planorbiden selbst mit der stärksten Vergrösserung solche Binde-substanzzellen nicht auffinden können. Nach meinen Beobachtungen ordnen sich an der Spaltungsstelle der Muskelwand zunächst rund-liche Zellen in zwei Lagen an, welche dann sofort divergieren und auf diese Weise einen Zwischenraum zwischen sich lassen, welcher nichts anderes als den Spaltraum zwischen Schwellkörper und Penis darstellt (Taf. V Fig. 1). Diese Zellen bilden demnach die epithe-liale Auskleidung von Schwellkörper und Penis, und zwar bildet die äussere Lage das innere Epithel des Schwellkörpers und die innere Lage das äussere Epithel des Penis. Das innere Epithel des Schwell-körpers trägt keine Flimmerwimpern. Die äussere Umhüllung des-selben besteht aus der Fortsetzung der zarten, pigmenthaltigen, binde-gewebigen Membran des cylindrischen Teiles des Vas deferens. Der Spaltraum zwischen Schwellkörper und Penis erweitert sich gleich-mässig bis zum Übergang des ersteren in das Präputium.

Die Spaltung der Muskelwand geht in der Regel nicht im ganzen Umkreis gleich tief in die Muskelschicht hinein, was zur Folge hat, dass man bei einer Schnittserie meistens zuerst ein sichelförmiges Lumen sieht, welches sich erst allmählich in ein ringförmiges um-wandelt. Bei *Planorbis corneus* L., der einzigen Art, welche diesen Typus repräsentiert, messen Penis und Schwellkörper annähernd 1 mm, während das Präputium eine Länge von 8 mm aufweist.

Gehen wir nun über zu dem in diesen Verhältnissen dem Ty-pus I am nächsten stehenden Typus III. Wir finden zuvörderst ein ganz ähnliches Verhalten, was den cylindrischen Teil des Vas de-ferens anbelangt. Wir beobachten ebenfalls die weitaus präponde-rierende Ringmuskelschicht, welche aber auch hier sich allmählich zu gunsten der Längsmuskelschicht reduziert. Die grossen, runden Schleimzellen fehlen in dieser Längsmuskelschicht, obwohl dieselbe von der Spaltungsstelle an schnell eine sehr mächtige Ausdehnung annimmt. Dagegen geht die Einlagerung von Zellen zur Bildung des epithelialen Überzuges des Schwellkörpers und des Penis in der nämlichen Weise vor sich, wie wir es bei der Betrachtung des Ty-pus I kennen gelernt hatten.

Es kommt nun aber bei diesem Typus etwas Neues hinzu, nämlich die Bildung des schon bei der übersichtlichen Charakteri-sierung namhaft gemachten papillenartigen Vorsprunges im Innen-raume des Schwellkörpers an der Übergangsstelle desselben in das Präputium. Dieses (wie man das Gebilde nennen könnte) innere Präputium, durch welches bei der Copula das Begattungsglied zweifels-

ohne hindurchgeführt wird [1], entsteht auf ganz dieselbe Weise, wie
der Penis selbst, nämlich durch Spaltung der Längsmuskelwand.
Und hier sehen wir nun direkt vor dieser Spaltung dieselben grossen,
runden Schleimzellen sich in immer grösserer Anzahl in die lockere
Muskelschicht einlagern, wie wir es bei der Betrachtung der Spaltung der Muskelwand zur Bildung des Schwellkörpers und des Penis
bei dem Typus I zu konstatieren in der Lage waren. Ebenso tritt
uns in ganz gleicher Weise die Bildung des neuen Epithels durch
zwei Lagen von Zellen vor Augen. Die Spitze des Penis stösst fast
unmittelbar an das hintere Ende dieses papillenartigen Vorsprungs
an, so dass der Spermakanal direkt in den centralen Kanal desselben
sich fortsetzt. Das Lumen dieses Kanales ist sehr eng. Eine dünne
Ringmuskelschicht setzt sich bis an die Spitze des Vorsprungs und
zwar direkt um das Lumen des Kanals fort, während die übrige
Masse aus einer lockeren, bindegewebigen Schicht besteht, in welcher man zerstreute Längsmuskelfasern wahrnehmen kann.

So lässt es sich denn annehmen, dass der papillenartige Vorsprung mit seinen Wandungen einem Druck ebenso nachzugeben vermag, wie das Präputium. Im übrigen will ich auf dieses Gebilde bei der
Betrachtung der Verhältnisse des Typus IV noch einmal eingehender
zurückkommen, denn dort ist dasselbe am deutlichsten ausgebildet.

Der Schwellkörper stellt, wie wir gesehen haben, bei den Typen
I und III die direkte äussere Fortsetzung der Längsmuskelwand des
cylindrischen Teiles des Vas deferens dar. Ebenso wissen wir, dass
sich derselbe bei den beiden Typen gegen den Übergang in das Präputium hin stetig erweitert. Ein Durchschnitt durch den Schwellkörper zeigt, dass diese Erweiterung durch immer zahlreicher sich
einlagernde Bindegewebs- und Schleimzellen erfolgt. Dabei darf
jedoch eine weitere Erscheinung nicht verschwiegen werden. Es

---

[1] Es ist mir leider nie gelungen, die Kopulationsorgane unserer Tiere in
ihrer Stellung beim Begattungsakte zu untersuchen. Von den in den Aquarien
des zoologischen Institutes gehaltenen Planorben haben sich nach meinen Beobachtungen überhaupt nur *Planorbis corneus* L. und *Planorbis vortex* L. be-
gattet. Sämtliche andere Arten, ausgenommen *Planorbis rotundatus* MOQ.-TAND.,
welchen ich aber auch niemals in Copula antraf, gingen meist wenige Tage nach
dem Einfangen zu Grunde. Bei *Planorbis corneus* L. versuchte ich die Fixa-
tion der Stellung des Begattungsgliedes durch plötzliches Abschneiden des aus
dem Gehäuse hervorragenden Körperteils zu gewinnen. Allein alle Versuche
waren vergeblich. *Planorbis vortex* wollte ich durch plötzliches Übergiessen
mit erwärmtem Sublimat fixieren, es war mir jedoch absolut unmöglich, in dem
dazu nötigen kleinen Wasserbehälter die Tiere jemals zur Copula zu bringen. Ich
hoffe aber auf ein späteres, zufälliges Gelingen eines derartigen Experimentes.

ist das eine neue Ringmuskelschicht, welche sich sofort nach der Spaltung der Längsmuskelschicht des cylindrischen Teiles des Vas deferens in Schwellkörper und Penis zwischen das neugebildete innere Epithel und die Längsmuskelschicht des Schwellkörpers einschaltet, denn die Ringmuskelschicht, welche im cylindrischen Teil des Vas deferens noch übrig war, ist ja ganz allein in das Begattungsglied eingetreten. Ich habe diese Verhältnisse an dem Durchschnitt in der Längsaxe durch das gesamte Kopulationsorgan einer stilettführenden Planorbide auf Taf. V Fig. 1 anschaulich gemacht. Diese neue Ring-muskelschicht geht auch in das Präputium über und setzt sich durch den ganzen Verlauf desselben fort.

Betrachten wir weiter noch den bei den Typen I und III in sei-ner ganzen Beschaffenheit und relativen Grösse sehr ähnlich sich ver-haltenden umstülpbaren Teil des Kopulationsapparates, das Präputium. In erster Linie dürfen wir dabei erwarten, dass an Stelle der kräftigen Muskelwandungen, wie sie uns bei der Betrachtung des cylindrischen Teiles des Vas deferens entgegengetreten waren und wie wir sie bei den Typen II und IV auch noch in dem ganzen Verlauf des Schwellkörpers antreffen werden, in diesem Teile des Kopulationsapparates ein lockeres, dehnbares Gewebe Platz greift. Und in der That sehen wir, dass einerseits die Ringmuskelschicht nur noch einen ganz dünnen, direkt an das das Lumen auskleidende Epithel anstossenden Muskelschlauch repräsentiert, anderseits aber die Längsmuskelschicht noch mehr, als wir bei der Betrachtung des Schwellkörpers der Typen I und III erkannten, von grossen Binde-gewebs- und Schleimzellen durchlagert ist und zwar hauptsächlich in der Peripherie. Es unterliegt keinem Zweifel, dass diese an der Peripherie besonders grossen Schleimzellen, welche beim Umstülpen natürlich nach innen kommen, durch den notwendig damit in Ver-bindung tretenden Druck ihren Schleim entleeren (Taf. IV Fig. 17). Es ist daher irrig, wenn man in früheren Zeiten das Präputium als denjenigen Teil des Kopulationsorganes betrachtete, in welchem die Muskelwandungen ausserordentlich verstärkt seien. Was die Di-mension anbelangt, so haben sie sich freilich verstärkt, aber hin-sichtlich der Konsistenz bedeutend vermindert. Die äussere Um-hüllung des Präputiums ist genau so beschaffen, wie diejenige, welche in Form einer zarten, bindegewebigen, mehr oder minder pigmen-tierten Membran über den ganzen männlichen Teil des Genitaltraktus hinzieht. Das Lumen des Präputiums hat bei den Typen I und III in seinem oberen Teil auf dem Querschnitt eine hantelförmige Gestalt (Taf. IV Fig. 18), welche gegen den unteren Teil hin in eine mehr oder weniger regelmässige S-Form übergeht. Dieses Durchschnittsbild entsteht dadurch, dass sich die Wandungen des Präputiums in zwei Längswülsten von diametral gegenüberliegenden Seiten aus entgegenwachsen und mit ihren Rändern nach und nach bei gleichzeitigem Ausweichen übereinander greifen.

Die Auskleidung des Lumens ist ein ziemlich grosszelliges, flimmerloses Cylinderepithel, welches in der Regel auf den Kämmen der beiden Längswülste am höchsten ist.

Es bleibt uns nun für die beiden Typen I und III noch die Betrachtung des Penis übrig.

Wie wir sahen, gleichen sich die beiden Typen dadurch, dass sie ein sehr kurzes Begattungsglied aufweisen, während sie sich jedoch anderseits dadurch unterscheiden, dass bei Typus I die Ausmündungsstelle des Spermakanals seitwärts nahe der Spitze des Penis, bei Typus III hingegen an der Spitze selbst liegt. Bei beiden Typen ist auch die Gestaltung des Penis ziemlich übereinstimmend. Er hat die Gestalt einer kurzen Keule, indem er sich direkt vor dem Ende etwas verjüngt und schliesslich wieder zu einem kleinen Knoten, einer Art Eichel, die eine straffe Konsistenz zeigt, anschwillt. Ein Längsschnitt durch den Penis zeigt, namentlich bei Typus III, die weitaus präponderierende Längsmuskelschicht, welche innen an die zu einem dünnen Rohre reduzierte Ringmuskelschicht anstösst. Diese Verhältnisse beweisen, dass das Begattungsglied sich bedeutend verlängern und verkürzen kann, denn sonst wäre ja bei Typus III ein Hervorragen über den papillenartigen Vorsprung nicht leicht denkbar, da der Penis an seinem proximalen Ende mit dem Schwellkörper verwachsen ist. In dem knopfförmigen Ende trifft man namentlich bei Typus I mehr oder weniger zahlreiche, runde Zellen mit grossen Kernen, die auch hier wahrscheinlich wieder die Rolle von Schleimzellen spielen. Das äussere Epithel des Penis ist ziemlich flach, pflasterartig, das innere dagegen ist ein schönes Flimmerepithel, wie solches ja auch das ganze Lumen des cylindrischen Teiles des Vas deferens auskleidet.

Ich mache bei dieser Gelegenheit darauf aufmerksam, dass meine Beschreibung des Kopulationsapparates von *Planorbis corneus* L., der ja einzig den Typus I repräsentiert, ein wesentlich anderes Bild liefert, als die Darstellung BAUDELOT's. Dieser Forscher sagt an jener Stelle: „Der Penis repräsentiert einen kleinen Sack, dessen Öffnung kurz hinter der Basis des linken Tentakels liegt. Er sieht äusserlich schwarz aus, ist bedeckt von einer Membran, die sehr adhärent ist. In ihr inserieren sich 2 bis 3 kleine Muskeln. Öffnet man den Penissack, so sieht man, dass seine Wände sehr dünn sind. Im Grunde seiner Höhlung ragt ein cylinderförmiges Organ hervor, welches über sich selbst zurückgeschlagen ist. Dieses Organ spielt die Rolle einer Rute und die Rinne, welche es zeigt, hat keinen andern Zweck, als das im Innern des Vas deferens fliessende Sperma aufzunehmen und an sein Ziel zu leiten. Die Rute ist sehr fest, an einigen Stellen von fast knorpeliger Zähigkeit (dureté cartilagineuse). Am oberen Ende des Penissackes zeigt sich ein weiter Schlitz in Form eines Dreiviertelkreises, dessen Enden sich mit den Seitenteilen der Rute in Verbindung setzen. Man sieht in seiner Mitte die Mündung des Vas deferens, von welcher die Rinne der Rute ausläuft."

Ich muss gestehen, dass mir die angegebenen Verhältnisse bei der Präparation niemals klar geworden sind. Ich griff deshalb zur Schnittmethode, welche die von mir dargestellten Thatsachen ergeben hatte, und mache auf meine Abbildung eines Querschnittbildes direkt unterhalb der Penisspitze von *Planorbis corneus* L. aufmerksam. Dieselbe zeigt deutlich die seitlich befindliche Spermakanalmündung.

Es liegen für unsere weiteren Betrachtungen nunmehr die Typen II und IV vor. Diese beiden Typen, namentlich der letztere, zeigen im Vergleich mit den Typen I und III einen viel komplizierteren und scheinbar ganz abweichenden Bau. Bei näherer Untersuchung jedoch führen sie trotzdem zur Überzeugung, dass die Verhältnisse im Prinzip die nämlichen sind. Da aber einerseits der Typus IV der komplizierteste von allen ist und nur von unseren stilettführenden Planorbiden repräsentiert wird, anderseits der Typus II durch die blindsackartigen Anhänge sich auszeichnet, werde ich diese beiden Typen nicht wie die zwei anderen gemeinschaftlich, sondern getrennt abhandeln und mit dem Typus II beginnen.

Das distale Ende des cylindrischen Teiles des Vas deferens verhält sich genau so, wie wir bei Typus III gesehen haben. Es findet also eine Einlagerung von Schleimzellen nicht statt und die Ringmuskulatur reduziert sich direkt vor der Spaltungsstelle der Muskelwand sehr plötzlich zu gunsten der die Spaltung eingehenden Längsmuskulatur. Die Spaltung selbst ist keine so allmähliche, wie bei Typus I oder III, sondern eine sehr jähe, indem die Längsmuskelschicht sich in sehr steilem Winkel knickt. Dabei ist es der weitaus grösste Teil der Längsmuskelschicht, welcher zur Bildung des Schwellkörpers, der hier eine relativ sehr bedeutende Grösse hat, sich ab-

spaltet. Die für diesen Typus charakteristische Ausweitung desseĺ-
ben am proximalen Ende trägt jene merkwürdigen, blindsackartigen
Anhänge, die von FICINUS als sekundäre Samenbehälter gedeutet wurden. Es lagern sich auch hier, genau wie bei den andern Typen,
in den Spaltraum Epithelzellen ein, um den Schwellkörper nach innen
und das Begattungsglied nach aussen zu bekleiden. Der Schwellkörper verjüngt sich nun bei diesem Typus nach vorne bedeutend,
um schliesslich wieder rasch zu einer knopfartigen Erweiterung an-
zuwachsen, welche FICINUS irrigerweise als Glans penis gedeutet hatte.
Der Zwischenraum zwischen Schwellkörper und Penis ist demnach
hier am proximalen Ende, also sogleich nach der Spaltung am grössten
und vermindert sich distalwärts, das heisst gegen das Präputium hin.
Diese Erscheinung, welche wir, wenn auch nicht in so auffallender
Weise, bei Typus IV antreffen werden, bildet den Hauptunterschied
dieser beiden Typen gegenüber den Typen I und III, bei denen, wie
wir gesehen haben, der Zwischenraum zwischen Schwellkörper und
Penis gegen das Präputium hin stetig sich vergrössert.

Was die histologischen Verhältnisse des Schwellkörpers, sowie
die knopfartige Erweiterung desselben und das Präputium anbetrifft,
so behalte ich mir die Beschreibung dieser Teile bis zur Besprechung
des letzten Typus vor. Dort werden wir alle diese Verhältnisse in
noch weit vollkommenerer Ausbildung antreffen. Dagegen möchte
ich noch einige Worte über die für den Typus II charakteristischen, blindsackartigen Anhänge am proximalen Ende des Schwellkörpers sprechen. Wie schon FICINUS erwähnt, bestehen diese Anhänge bei dem einen Repräsentanten des Typus, *Planorbis nitidus*
MÜLL., aus zwei Blindsäckchen, bei dem anderen, *Planorbis complanatus* DRP., aus zwei kugeligen Bläschen, während LEHMANN bei
ersterem die Anhänge den zungenförmigen Teil, bei letzterem einen
birnförmigen Ansatz der Rute nennt. Ich habe ähnliche Erscheinungen, wie sie FICINUS beschrieb, ebenfalls gefunden, muss aber
leider eingestehen, dass es mir nicht gelang, mir ein klares Bild von
ihren morphologischen und histologischen Verhältnissen zu machen.
Die Gebilde sind so minutiös und so zart, dass es schwer gelingt, sie
unversehrt mit dem Kopulationsorgan zu isolieren. Auf Schnittpräpa-
raten bekam ich Bilder von bindegewebigen Zellenhaufen, welche keine
bestimmten Schlüsse hinsichtlich der funktionellen Eigenschaften dieser
Anhangsgebilde zulassen. Als sekundäre Samentaschen möchte ich sie
jedenfalls nicht in Anspruch nehmen, da ich niemals ein Lumen bemerkte.
Sie bilden aber ein sehr charakteristisches Merkmal für diesen Typus.

Schliesslich wäre noch hervorzuheben, dass der Schwellkörper bei diesem Typus sich distalwärts besonders stark verjüngt, die knopfartige Erweiterung desselben aber nach innen keinen deutlichen papillenartigen Vorsprung bildet, wie wir einen solchen bei Typus III anzutreffen Gelegenheit hatten. Bei Typus IV, wo er am vollkommensten ausgebildet ist, soll er einer eingehenden Betrachtung gewürdigt werden.

Interessant ist jedoch, was wir schon bei Aufzählung der Charakteristika hervorgehoben haben, die Bildung des Begattungsgliedes bei diesem Typus, indem nämlich die Mündung des Spermakanales nicht, wie bei den andern drei Typen, an der Spitze oder seitlich neben der Spitze des Penis liegt, sondern weit zurück gerückt ist, so dass sie der Wurzel des Schwellkörpers näher zu liegen kommt, als der Spitze des Penis. Der Penis ist also hier nicht in seiner weitaus grössten Ausdehnung, wie bei den anderen Typen, ein mit starken Muskelwandungen ausgestatteter Kanal, es stellt vielmehr der grössere Teil desselben einen langen und massiven, kegelförmigen Zapfen dar.

Wir haben bei der Beschreibung des Begattungsgliedes der Typen I und III gesehen, dass es hauptsächlich die Längsmuskelschicht ist, welche die Masse des Penis repräsentiert, und dass die Ringmuskelschicht nur als dünner Muskelschlauch zwischen dieser Längsmuskelschicht und dem das Lumen des Penis auskleidenden Wimperepithel bis zur Spitze desselben hinzieht.

Dasselbe treffen wir hier auch an, ja wir erkennen weiter, dass der massive, langgestreckte Zapfen aus nichts anderem als aus der Fortsetzung der Längsmuskulatur besteht, welche mit einem flachen Epithel überzogen ist. Wir haben also die nämlichen Verhältnisse vor uns, wie wir sie bei dem Typus I kennen gelernt haben, nur dass hier die massive Penisspitze eine enorme Länge erreicht hat.

Diese lange Penisspitze ist demnach zweifelsohne sehr stark dehnbar und zusammenziehbar und wirkt offenbar, worauf ich bei späterer Gelegenheit nochmals zu sprechen kommen werde, bei der Copula als Reizorgan. Am äussersten Ende beherbergt dieselbe ausserdem noch eine Lage runder Zellen mit grossen Kernen, welche jedenfalls beim Akte der Begattung Schleim absondern.

Der Schlussabschnitt unserer Abhandlung über den Kopulationsapparat der Planorbiden soll nun die genaue Untersuchung der morphologischen und anatomischen Verhältnisse des letzten Typus, des kompliziertesten von allen, des Typus IV, umfassen. Es ist dies derjenige Typus, welchen, wie wir wissen, die stilettführenden *Planorbis*-Arten repräsentieren und welchen wir, abgesehen von seinen besonderen Eigenschaften, schon deshalb am eingehendsten behandeln müssen, weil er die Eigenschaften der übrigen Typen grösstenteils in vollendetster Ausbildung aufweist. Wir werden später von einem anderen Gesichtspunkt aus diesen Typus als den ersten von den vieren aufstellen dürfen.

Der cylindrische Teil des Vas deferens behält auch hier seinen histologischen Bau bis kurz vor die Stelle, wo die Spaltung der Muskelwand zur Bildung des Schwellkörpers und des Penis vor sich geht. Er behält also vor allem seinen Durchmesser und die gewaltige Ringmuskelschicht bei. Fast gleichzeitig mit der Spaltung sieht man die Ringmuskelschicht plötzlich sich zu gunsten der Längsmuskelschicht reduzieren, welche aber auch hier keine Schleimzellen in sich aufnimmt. Die Spaltung der Längsmuskelschicht erfolgt im ganzen Umkreis ziemlich gleichmässig (Taf. V Fig. 1). Die sich abspaltenden Längsmuskelfasern gehen in nahezu rechtem Winkel von den die Wandung des Penis bildenden ab, und zwar ist es auch hier, wie bei dem Typus II, der weitaus grösste Theil der Längsmuskelschicht, welcher zur Bildung des Schwellkörpers abzweigt. Epithelzellen lagern sich in gleicher Weise, wie bei den andern Typen sowohl an der Innenfläche des Schwellkörpers als auch an der Aussenseite des Penis auf. Das flimmerlose Epithel des Schwellkörpers wird weiter distalwärts, also gegen die knopfartige Erweiterung hin, zu einem schönen und hohen Cylinderepithel, das auf dem Querschnitt stellenweise die Figur eines ziemlich regelmässigen, fünfstrahligen Sternes zeigt, während das den Penis überziehende Epithel sehr flach bleibt und denselben zartmembranösen Charakter zeigt, wie der äussere pigmenthaltige Überzug des cylindrischen Theiles des Vas deferens, welcher sich auch in dieser Eigenschaft als äussere Bedeckung des Schwellkörpers fortsetzt. Die mächtige, zur Bildung des letzteren in nahezu rechtem Winkel abgezweigte Längsmuskelschicht macht, sobald sie das Maximum ihres Durchmessers erreicht hat, eine Biegung und folgt sodann, nach und nach nicht unbeträchtlich sich verjüngend, dem Verlauf des Penis, indem sie gegen die Spitze desselben konvergiert und auf diese Weise den Innenraum zwischen ihm und dem Schwellkörper allmählich verringert. Sie verhält sich in dieser Hinsicht genau, wie wir es bei Typus II erkannt haben. An der Stelle des Maximaldurchmessers der Muskelwand des Schwellkörpers bilden die zu gewaltiger Dicke angewachsenen Muskelfasern durch kreuzweise Durchflechtung ein ziemlich lockeres Netzwerk (Taf. V Fig. 1), dessen Maschenräume meiner Ansicht nach Bluträume vorstellen, durch deren Füllung ein Anschwellen dieses Teiles bedingt wird. Ich habe auch aus diesem Grunde die Bezeichnung „Schwellkörper" gewählt, während ich anfangs dem Teile die Benennung „Penisscheide" zu geben beabsichtigt hatte. An der Peripherie macht dieses Netzwerk einer mehr parallelen Gruppierung der Muskelfasern Platz. Ebendieselbe Lagerung nehmen die Fasern allmählich auch in ihrem Verlaufe nach abwärts an. Die Spaltung der Längsmuskelschicht des cylindrischen Teiles des Vas deferens zur Bildung des Schwellkörpers und des Penis geht in fast rechtem Winkel vor sich. Es sieht deshalb aus, als seien die grossen Muskelfasern des Schwellkörpers in die in gerader Richtung weiterlaufenden kleinen Muskelfasern des Penis senkrecht eingekeilt.

In den grossen, kreuzweise verflochtenen Muskelfasern sah ich niemals Kerne, wohl aber in den parallel liegenden, peripherischen, wie auch in denjenigen, welche dem verjüngten Teile des Schwellkörpers angehören. Sie sind sämtlich, wie gewöhnlich, durch sehr langgestreckte Form ausgezeichnet.

In kurzer Entfernung von der Spaltungsstelle der Muskelwand des Vas deferens lagert sich in dem dadurch gebildeten Schwellkörper zwischen die Längsmuskelschicht und das neu gebildete innere Epithel bei unserem Typus IV von neuem eine spärliche Ringmuskelschicht ein, welche sich im ganzen Verlaufe des Schwellkörpers erhält.

Betrachten wir die Stelle, wo der Schwellkörper in das Präputium übergeht, so fällt uns eine, schon bei Typus II erwähnte, bei dem Typus IV aber besonders schön entwickelte knopfartige Erweiterung auf. Sie ist dasselbe Gebilde, welches einerseits Ficinus als Glans penis, anderseits Lehmann als Pfeiltasche analog der der Heliciden in Anspruch nehmen zu können glaubte, weil es, wie wir sogleich sehen werden, im Ruhezustand des Kopulationsorganes das Stilett enthält (Taf. V Fig. 1).

Diese knopfartige Anschwellung und namentlich der im Inneren derselben, schon bei Typus III erwähnte, papillenartige Vorsprung bildet sich im Grund genommen durch den gleichen Prozess, wie Schwellkörper und Penis. . Wir finden nämlich die merkwürdige Thatsache, dass sich auch hier die Längsmuskelschicht des ersteren in der gleichen Weise spaltet, wie wir es bei dem cylindrischen Teile des Vas deferens zur Bildung von Schwellkörper und

Penis beobachtet haben, indem hier, wie dort, die Muskelfasern in steilem Winkel abzweigen, um dann wieder allmählich in die alte Richtung einzubiegen (Taf. V Fig. 1). Die zarte Ringmuskelschicht, welche sich nach der Spaltung der Längsmuskelschicht des cylindrischen Teiles des Vas deferens zur Bildung von Schwellkörper und Penis zwischen das innere Epithel und die Längsmuskelschicht des ersteren eingeschaltet hatte, verläuft bis an die Spitze des papillenartigen Vorsprunges, geht also nicht in die Spaltung mit ein. Auf diese Weise wird die Wand der knopfartigen Erweiterung des Schwellkörpers lediglich aus Längsmuskulatur gebildet. Nur im Präputium kommt es wieder zur Bildung einer spärlichen Ringmuskelschicht, die zwischen das innere Epithel und die bindegewebige Wand sich einschaltet.

In dem papillenartigen Vorsprung liegt nun, wie erwähnt, im Ruhezustand des Kopulationsorganes das Stilett unserer Schnecken, und zwar so, dass es mit seiner Spitze in den centralen Kanal des papillenartigen Vorsprungs bis zur halben Ausdehnung desselben hineinreicht. Man kann daher bei diesem Typus den papillenartigen Vorsprung schlechthin als „Stilettscheide" bezeichnen und kann weiterhin den engen Centralkanal desselben, dessen Wände von der Mantelfläche des konischen Stiletts berührt werden, als Führungscylinder desselben ansehen, da es durch ihn in seiner Lage erhalten wird.

Bei Typus III, wo das Stilett fehlt, hat der papillenartige Vorsprung natürlich die Funktion als Stilettscheide verloren und demgemäss denn auch an Länge bedeutend abgenommen. Hinsichtlich ihrer histologischen Struktur ist die Stilettscheide genau so gebaut, wie der Penis. Sie besteht vorwiegend aus Längsmuskulatur, welche sie zu einer beträchtlichen Dehnung und Zusammenziehung befähigt. Daneben finden sich zwischen den Muskelfasern zahlreiche helle Zellen von rundlicher Form und ansehnlicher Grösse. Dieselben enthalten aber sehr kleine Kerne. Sie liegen an der Spitze unmittelbar der spärlichen Ringmuskelschicht auf und vermutlich haben sie die Bedeutung, durch Elasticität wie ein Polster zu wirken.

Die Basis der Stilettscheide liegt höher als die Ansatzstelle des Musculus retractor an der knopfartigen Erweiterung des Schwellkörpers. Man darf also wohl vermuten, dass sie ohne Änderung ihrer Stellung mit der knopfartigen Erweiterung durch das Präputium hindurchgeschoben wird. Das im verjüngten Teile des Schwellkörpers zu einem hohen Cylinderepithel gewordene innere Epithel geht unmittelbar in das Epithel des Stilettscheidenkanals über, indem es sich bedeutend verflacht. Der Kanal mündet genau an der Spitze der Stilettscheide. Hinzuzufügen wäre noch, dass sich vor der Spaltung der Längsmuskelschicht des Schwellkörpers zur Bildung der Wand der knopfartigen Erweiterung und der Stilettscheide ebenfalls eine Doppellage von Zellen einlagert, die dann später in die Epithelzellen des Spaltraumes übergehen. Die Einlagerung einer neuen Ringmuskelschicht erfolgt, um es nochmals zu erwähnen, nicht hier, sondern erst im Präputium. Kurz vor dem Übergang in dasselbe verjüngt sich die knopfartige Erweiterung des Schwellkörpers wieder um ein bedeutendes Mass und wir sehen, dass die Muskelwand derselben durch eine hohe, wellenförmige Erhebung einen Ringwulst bildet, dessen Kamm von der Spitze der Stilettscheide nahezu berührt wird (Taf. V Fig. 1). In der Höhe dieses Ringwulstes beginnt die Einlagerung der grossen Bindegewebs- und Schleimzellen, welche mehr und mehr an Stelle der Längsmuskelschicht treten und diese somit in den Wandungen - des Präputiums auf ein Minimum beschränken.

Über das Präputium selbst ist kaum etwas Besonderes zu sagen, dasselbe verhält sich in ganz ähnlicher Weise, wie bei den übrigen Typen. Es bleibt nur hinzuzusetzen, dass sein Volumen mit Rücksicht auf die durchzuschiebende knopfartige Erweiterung relativ viel grösser ist, als bei den Typen I und III, die Längswülste seiner Wand sich also viel weniger hoch erheben.

Hinsichtlich des Typus II ist schliesslich noch zu bemerken, dass hier ein Stilett nicht vorhanden ist. Damit stimmt auch, dass die Stilettscheide nur durch eine kleine Wulstung der Wand der knopfartigen Erweiterung, die hier ebenfalls viel geringer ist, als bei dem Typus IV, angedeutet wird, also noch viel rudimentärer geworden ist als bei dem Typus III. Es hat mich dieser Umstand auch dazu veranlasst, die Reihenfolge der Typen in der voranstehenden Weise zusammenzustellen. Die Erscheinung, durch welche sich der Typus II dem Typus IV nähert, ist die verhältnismässig beträchtliche Grösse und die Gestalt des Schwellkörpers. Durch die Vereinfachung der anatomischen Verhältnisse desjenigen Teiles, welcher den Übergang des Schwellkörpers in das Präputium darstellt und bei Typus II und IV von mir als „knopfartige Erweiterung" beschrieben ist, nähert sich der Typus II wiederum den Typen I und III. Wir können somit in Typus II anderseits wiederum den Übergang von Typus IV zu den Typen III und I erblicken, während der Typus III in bezug auf die Beschaffenheit des papillenartigen Vorsprungs den Übergang von Typus IV zu Typus II vermittelt.

Unsere folgenden Betrachtungen erstrecken sich jetzt über das

Begattungsglied der stilettführenden Planorben, also derjenigen Arten, welche wir in Typus IV vor uns haben.

Parallel mit der relativ bedeutenden Längendimension des Schwellkörpers geht selbstverständig die des Penis. Der Spermakanal mündet aber bei Typus IV nicht entfernt von der Spitze des Penis aus, sondern, wenn auch seitwärts, so doch unmittelbar unterhalb derselben. Die Mündung hat die Form eines Schlitzes (Taf. V Fig. 1 und Taf. IV Fig. 16). Die histologischen Verhältnisse des Penis weichen in keiner Weise von denjenigen ab, welche wir bei den anderen Typen kennen gelernt haben. Wir sehen die vorwiegende Längsmuskelschicht, die dünne Ringmuskelschicht, das flache äussere Epithel und das innere, mit schönen Flimmerwimpern ausgestattete Cylinderepithel. Die infolge der seitlich liegenden Mündung des Spermakanals massive Spitze des Penis ist in der gleichen Weise, wie bei den anderen Typen keulenkopfförmig verdickt.

Dazu kommt aber bei diesem Typus der der Penisspitze aufsitzende, schon des öftern erwähnte stilettartige Pfeil hinzu, welcher unsere besondere Aufmerksamkeit in Anspruch nehmen wird. Die Form des Pfeiles ist nicht bei allen stilettführenden Arten gleich. Er hat vorzugsweise die Gestalt eines äusserst schlanken Kegels, dessen Wandungen etwas geschweift sind. Die Basis des Pfeils gleicht einer trichterförmigen Krone. Bei einigen, aber nicht bei allen Pfeilen, sah ich direkt unter der ausserordentlich scharfen, aber meist etwas seitwärts abgebogenen Spitze eine kleine Verdickung, so dass die Stilettspitze die Form eines Widerhäkchens erhält. Sämtliche Pfeile, welche diese Erscheinung zeigten, gehörten *Planorbis vortex* L. an. Bei den anderen Arten hat der Pfeil vorwiegend die Gestalt eines spitzen Kegels.

Die Farbe des Pfeiles, ein schönes Hellbraun bis Blassgelb, stimmt im allgemeinen mit der Farbe der Schale überein. Um mich von dem Stoff des Pfeiles zu überzeugen, behandelte ich das minutiöse Gebilde unter dem Mikroskope mit einem Tropfen verdünnter Salzsäure. Der zerstörenden Einwirkung derselben konnte man entnehmen, dass hier ein kalkhaltiges, cuticulares Skelettstück vorliegt. In Kali löste sich der Pfeil nicht auf. Es unterliegt daher keinem Zweifel, dass derselbe aus der gleichen Substanz besteht, wie die Schale, nämlich aus Konchiolin. FICINUS beschreibt das Stilett als einen fast der ganzen Länge nach durchbohrten Pfeil, indem sein oberes, knopfförmiges, gespaltenes Ende (Manubrium) das Vas deferens aufnimmt, sein unteres aber dicht vor der Spitze wieder eine schlitzförmige Öffnung sehen lässt. Man sieht allerdings, besonders bei jugendlichen Exemplaren, aber auch bei alten Tieren mit völlig ausgebildeten Stiletten mit Hilfe des Mikroskops deutlich, dass im Centrum derselben die Masse viel durchscheinender ist, als die peripherischen Teile und dass diese central gelegene durchsichtige Partie sich verjüngend bis nahe an die Pfeilspitze hinzieht. Dort scheint sie dann nach der Seite hin zu verschwinden. Dies gibt nach meinen Beobachtungen den einzigen Anhaltspunkt zur Annahme, dass es sich um ein Hohlgebilde handle. Ich überzeugte mich aber durch Bruchstücke[1] des Pfeiles von dem Irrtum dieser Ansicht und es lässt sich auch noch ein zweites Moment namhaft machen, was die hohle Natur des Pfeiles verneint. Das ist nämlich die seitenständige, schlitzartige Ausmündung der Spermarinne direkt unterhalb der Penisspitze. Diese beweist, dass der Ausfluss des Spermas hier und nicht im Stilett stattfindet. Was hätte dann eine Durchhöhlung des Pfeiles für einen Zweck?

Man darf indessen wohl mit Recht vermuten, dass der Pfeil als hohles Gebilde angelegt wird, was auch schon daraus hervorgeht, dass die trichterförmige Krone sich nur bei erwachsenen Tieren findet. Nach mehreren Versuchen ist es mir gelungen, bei noch sehr jungen *Planorbis rotundatus* MOQ.-TAND. und *vortex* L. den Penis herauszupräparieren, durch Nelkenöl und Glycerin aufzuhellen und unter dem Mikroskope zu untersuchen. Die Untersuchung ergab, dass der wulstige Rand der Stilettkrone noch nicht vorhanden war. Es lässt sich hieraus offenbar der Schluss ziehen, dass es die keulenförmige Anschwellung der Penisspitze ist, welche den Pfeil erzeugt. Wir finden nebenbei auch in dieser Penisspitze jene grossen, runden Zellen mit ansehnlichen Kernen, welche wir bei den stilettlosen Arten als Schleim absondernde Zellen in Anspruch genommen hatten und von welchen vielleicht die an der Peripherie liegenden die Rolle eines Konchiolinsubstanz absondernden Epithels spielen. Das Stilett wächst also durch Apposition neuer Skeletteile an seiner Basis, bis schliesslich die trichterförmige Krone, welche sich über die Penisspitze legt, das Wachstum beendet. Man sieht am Stilett ausserdem deutliche Längsstreifen, welche auf Bruchstücken als kleine unregelmässige Kannellierungen zu erkennen sind.

---

[1] Ich will erwähnen, dass es mir erst nach zahllosen Versuchen gelang, auf einem Längsschnitt den Pfeil fast unverletzt in seiner Form selbst zu durchschneiden. In der Regel wird der Pfeil von dem Messer des Mikrotomes zertrümmert, wobei seine Trümmer die umliegenden Gewebe beschädigen.

Von der Anwesenheit des Stiletts habe ich mich bei den Species *Planorbis vortex* L. , *rotundatus* MOQ.-TAND. , *contortus* L. und
albus DRP. überzeugt. *Planorbis cristatus* DRP. konnte ich leider
nicht erhalten und da auch LEHMANN den Pfeil bei dieser Art nicht
fand, sondern nur vermutet, so muss ich mir vorläufig genügen lassen,
mich dieser Vermutung anzuschliessen.

Was das keulenförmige Penisende betrifft,. so wäre noch folgendes zu sagen: In der Muskelwand des langen Penis hat sich
gegen die Spitze hin die ohnehin schon geringe Ringmuskelschicht
immer mehr reduziert, bis sie kurz vor der schlitzförmigen Ausmündung des Spermakanales fast ganz verschwindet. Das keulen-
kopfförmige Ende des Penis, welches die Mündung der Samenrinne
gleichsam überdeckt, besteht demnach, wie bei Typus I und II —
bei Typus III mündet, wie wir sahen, die schlitzförmige Spermarinne
an der Spitze des Penis — nur noch aus Längsmuskulatur und kann
sich also ebenfalls bis zu einem gewissen Grade, wie das ganze Begattungsglied, dehnen und zusammenziehen. Jedenfalls dehnt es
sich zur Verminderung seines Durchmessers beim Durchgleiten durch
den Stilettscheidenkanal.

Bei einem ausgewachsenen *Planorbis vortex* L., dessen Gesamt-
länge ungefähr 20 mm beträgt, misst das Kopulationsorgan annähernd 2 mm, davon kommt auf den Schwellkörper und den Penis
1,2 bis 1,3 mm (inklusive natürlich der knopfartigen Erweiterung)
und der übrige Teil auf das Präputium. Die relativ gleichen Masse
gelten auch für die den Typus II repräsentierenden *Planorbis*-Arten,
nur dass hier durch die blindsackartigen Anhänge der Schwellkörper
um ein Beträchtliches länger erscheint als der Penis. Vergleichen
wir nun hiermit die Masse, welche wir bei dem Typus I des Kopulationsapparates und dem sich relativ in gleicher Weise verhaltenden
Typus III konstatieren konnten, so wird uns der Unterschied zwischen den Typen I und III einerseits und den Typen II und IV
anderseits deutlich in die Augen springen.

Zum Schlusse möchte ich noch eine übersichtliche Zusammenstellung der morphologischen, anatomischen und histologischen Befunde hinsichtlich der 4 Typen des Kopulationsapparates anreihen.

1. Gemeinsame Merkmale der 4 Typen

a) Reduktion der gewaltigen Ringmuskelwand des cylindrischen
Teiles des Vas deferens zu gunsten der Längsmuskelschicht vor der
Spaltungsstelle zur Bildung des Schwellkörpers und des Penis.

Hierbei folgende Unterschiede unter den einzelnen Typen:

Bei Typus I und III allmähliche Reduktion der Ringmuskel-schicht und sehr flacher Spaltungswinkel, dabei Einlagerung von Schleimzellen in die Längsmuskelschicht des Schwellkörpers, bei Typus I speciell schon im distalen Endstück des cylindrischen Teiles des Vas deferens. Bei Typus II und IV dagegen plötzliche Reduktion der Ringmuskelschicht und sehr steiler Spaltungswinkel, dabei keine Einlagerung 'von Schleimzellen in die Längsmuskelschicht des Schwellkörpers. Bei Typus I und III Schwellkörper kurz und konisch, bei Typus II und IV lang und keulenförmig. Mündungsstelle des Spermakanals bei Typus I, II und IV seitlich unterhalb der Penis-spitze, bei Typus II speciell weit zurückgerückt, bei Typus III dagegen central. Bei Typus III und IV Bildung eines papillenartigen Vorsprunges im Inneren des Schwellkörpers (Stilettscheide), bei Typus I und II nicht. Typus IV trägt als besonderes Merkmal einen stilettartigen Pfeil an der Penisspitze.

b) Einlagerung einer neuen, spärlichen Längsmuskelschicht in den Schwellkörper. Hierbei folgende Unterschiede: Bei Typus I und II kontinuierlicher Verlauf derselben bis zum Ende des Präputiums, bei Typus III und IV bis zum Ende des papillenartigen Vorsprunges (Stilettscheide) und neue Einlagerung derselben in die Wand des Präputiums.

c) Einlagerung von Epithelzellen zur Auskleidung des Spalt-raumes zwischen Schwellkörper und Penis. Bei Typus III und IV die gleiche Einlagerung zur Auskleidung des Spaltraumes zwischen Schwellkörper und innerem papillenartigem Vorsprung desselben.

d) Bedeutende Reduktion der muskulösen Beschaffenheit der Wand des Präputiums durch Bindegewebs- und Schleimzellen.

e) Mehrere Lagen runder, grosskerniger Zellen, wahrscheinlich ebenfalls Schleimzellen, bei Typus IV vermutlich auch zur Pfeil-bildung dienend, im äussersten Endstück des Penis.

2. Übergangsmerkmale für die 4 Typen.

a) Bei Typus IV ansehnlicher papillenartiger Vorsprung (Stilett-scheide) im Inneren des Schwellkörpers, bei Typus III von bedeutend geringerer Entwickelung. Bei Typus II ist derselbe durch einen Wulst an der Innenfläche des Schwellkörpers angedeutet, bei Typus I verschwunden.

b) Bei Typus I Einlagerung von Schleimzellen in die Längs-muskelschicht des cylindrischen Teiles des Vas deferens, bei Typus III erst im Schwellkörper selbst, bei Typus II und IV erst beim Übergang des Schwellkörpers in das Präputium.

c) Bei Typus II und IV knopfartige Erweiterung des Schwellkörpers vor dem Übergang in das Präputium, bei Typus I kaum merkliche Andeutung, bei Typus III aber keine Spur mehr davon.

Die merkwürdigen Verhältnisse in der Morphologie des Kopulationsorganes bei dem Typus IV dürften vielleicht zu einer darauf sich beziehenden vergleichsweisen Heranziehung anderer Tierformen berechtigen. Das sind die Turbellarien. Ich habe dabei hauptsächlich die von Ludwig v. Graff[1] behandelten Rhabdocoeliden im Auge und unter diesen besonders den von unserem Autor sehr ausführlich beschriebenen *Prorynchus stagnalis* Schultze. Dieser rhabdocoele Strudelwurm zeichnet sich durch ein hervorstreckbares, mit einem stilettartigen Pfeil bewaffnetes, rüsselartiges Gebilde aus, ein Organ, das durch seinen Bau auf den ersten Blick einem Nemertinenrüssel so ähnlich ist, dass man unseren Wurm anfangs auch ohne Bedenken als eine Süsswassernemertine in Anspruch nahm[2]. Erst später gewann man die Überzeugung, dass die Ähnlichkeit eine bloss äusserliche sei. Das betreffende Gebilde ist kein Fang- und Giftorgan, wie bei den Nemertinen, sondern ein Begattungswerkzeug, wie es in ähnlicher Bildung auch anderen Rhabdocoelen zukommt. Ludwig v. Graff beschreibt dasselbe in folgender Weise:

„In der Höhe des Darmumfanges liegt nun das Hinterende des von Schultze als Rüssel beschriebenen, von Lieberkühn jedoch als Penis erkannten Organes. Lieberkühn's Deutung wurde von Barrois, besonders aber durch die detaillierte Schilderung von Hallez bestätigt, der den ganzen Apparat hier im wesentlichen genau so gebaut fand, wie den Stachelapparat von *Gyrator hermaphroditicus*. Wie bei dieser Form, so ist auch hier eine Trennung der samenleitenden und der das accessorische Sekret (Gift nach Hallez) leitenden Wege vorhanden.

Das Kopulationsorgan besteht aus dem centralen Stilett und der Stilettscheide. So wie das Stilett von der Spitze nach hinten jederseits dünne Verstärkungsleisten entsendet, so ist auch die Seite der Stilettscheide von zwei Chitinlamellen begrenzt, welche die Muscularis derselben immer und aussen begrenzen und an der Mündung, wo sie

---

[1] Ludwig v. Graff, Monographie der Turbellarien. 1. Rhabdocoelida. Mit 12 Holzschnitten u. Atlas. Aschaffenburg 1881.

[2] Max Siegm. Schultze, Beiträge zur Naturgeschichte der Turbellarien. Greifswald 1851.

zusammenstossen, zu einem dickeren Ringe sich verstärken. Das in seiner Scheide bewegliche und durch deren Öffnung vorstossbare Stilett setzt sich nach hinten in den centralen Giftkanal fort, welcher von einem zweiten, weiteren Kanale, der Fortsetzung der Stilettscheide, umschlossen ist. Der Centralkanal schwillt nun nach HALLEZ ganz allein hinten zur dickwandigen, muskulösen, innen von Drüsenepithel ausgekleideten Giftblase an und empfängt vor deren Übergang in dieselbe die zahlreichen, langgestielten, von LIEBERKÜHN entdeckten Drüsen, welche nach HALLEZ ein flüssiges Giftsekret liefern. Der Scheidenkanal dagegen trennt sich noch vor der Einmündung der Drüsen in den Centralkanal von diesem und setzt sich unterhalb der Giftblase fort zu der weiter hinter dieser liegenden Samenblase. Es sind demnach hier ebenso, wie bei gewissen Probosciden, Samenblase und Reservoir des accessorischen Sekrets völlig von einander getrennt und nur die Ausführungswege beider durch Ineinanderschachtelung verbunden. Alle Autoren sind darüber einig, dass das Stilett zu der am vorderen Körperende befindlichen Falte vorgestossen werden kann (wobei sich nach FEDTSCHENKO der Spaltrand papillenartig erhebt), so dass man demnach diese Öffnung als männliche Geschlechtsöffnung in Anspruch nehmen müsste. Nun glaube ich aber an dem einen von mir untersuchten Exemplare gesehen zu haben, dass diese Öffnung zugleich als Geschlechtsöffnung und als Mund funktioniert."

Vergleichen wir die in diesen wenigen Sätzen niedergeschriebenen Verhältnisse mit denjenigen des Kopulationsapparates bei unseren stilettführenden Planorbiden, so werden wir, abgesehen von den funktionellen Erscheinungen, eine gewisse Ähnlichkeit auch in morphologischer Hinsicht nicht ableugnen können. Ich möchte jedoch durch diesen Vergleich keineswegs der Annahme Raum geben, als wolle ich in den Planorbiden Molluskenformen erblicken, welche in einer direkten Beziehung zu den Turbellarien stehen und gleichsam eine Brücke zwischen diesen und den übrigen Mollusken bilden.

Wir wissen längst, dass nicht bloss unter Tieren eines und desselben Typus, sondern auch unter solchen, welche weit von einander entfernten Typen angehören, morphologisch übereinstimmende Organe ausgebildet sein können, wodurch es uns leicht begreiflich wird, dass solche Tiere in früheren Zeiten im System oft unmittelbar nebeneinander gestellt wurden.

Selbst dann, wenn man der Ansicht ist, dass die Mollusken und Turbellarien in einem phylogenetischen Zusammenhange stehen, wird man diese Beziehungen schon deshalb unmöglich an die Planorbiden anknüpfen können, weil diese als Süsswasserbewohner eine verhältnismässig junge Tierform vertreten.

Die oben hervorgehobene Analogie ergibt sich unter solchen Umständen als eine einfache, wenn auch immerhin recht interessante Konvergenzerscheinung, als ein neuer schlagender Beweis für die so vielfach nachgewiesene Thatsache, dass Tiere verschiedener Typen unter gewissen Umständen für gleiche Funktionen auch morphologisch gleiche Organe entwickeln.

Bei einer früheren Gelegenheit hatte ich angedeutet, dass man von einem anderen Gesichtspunkt aus den Typus IV des Kopulationsapparates unserer Planorben als den ersten Typus aufstellen kann. Dieser Gesichtspunkt ist eben der, dass man den Bau des Prorynchuspenis zu Grunde legt und annimmt, es sei der Kopulationsapparat unserer Tiere aus zwei ineinander geschachtelten Kanälen gebildet, von denen aber der eine, in unserem Falle der äussere, rudimentär geworden und mit dem inneren in Verbindung getreten sei.

Ich will jedoch dabei ausdrücklich betonen, dass diese Annahme rein hypothetischer Natur ist und der Wirklichkeit wohl schwerlich entsprechen dürfte.

Bleiben wir aber für diesen Moment dabei, so dürfen wir zugleich behaupten, dass wir im Typus IV des Planorbenpenis Verhältnisse vor Augen haben, welche die unserer Annahme am meisten entsprechende Ausbildung zeigen. Da haben wir den grössten Schwellkörper, d. h. von unserem jetzigen Gesichtspunkt aus den noch am wenigsten rudimentären äusseren Kanal. Wir finden ferner die am vollkommensten ausgebildete Stilettscheide, wir sehen weiter das Begattungsglied mit einem Stilett bewaffnet.

Den nächstniedrigen Grad der Entwickelung der angenommenen Verhältnisse würde sodann der Typus II repräsentieren. Dort finden wir noch immer einen in dimensionaler Beziehung gut ausgebildeten Schwellkörper und dementsprechend ein langes Begattungsglied. Aber es fehlt schon das Stilett und damit korrespondierend ist die Stilettscheide rudimentär geworden.

Eine weiter rückgebildete Stufe hätten wir dann in Typus III zu erblicken. Hier haben wir schon eine bedeutende Reduktion in den dimensionalen Verhältnissen des Schwellkörpers vor uns. Der von uns angenommene äussere Kanal ist somit zu einem schon ganz rudimentären Gebilde geworden. Das einzige, was uns noch an die ursprünglichen Verhältnisse' erinnern könnte, ist die bei diesem Typus noch immer deutlich genug ausgebildete Stilettscheide, wiewohl dieselbe ihre Bedeutung als solche, also ihre Funktion, vollständig verloren hat, denn auch bei diesem Typus ist keine Spur von einem stilettartigen Pfeil mehr vorhanden. Merkwürdig ist diese Erscheinung aber deshalb, weil bei dem von unserem jetzigen Gesichtspunkt aus viel vollkommener ausgebildeten Typus II die Stilettscheide weit mehr rudimentär geworden ist.

Die in jeder Beziehung am meisten reduzierten Verhältnisse würde uns jedoch schliesslich der Typus I vor Augen führen. Ich darf ja nur auf das geringe Längenmass des Schwellkörpers und auf das vollkommene Fehlen einer Stilettscheide hinweisen.

Im Laufe meiner Ausführungen habe ich in Erwähnung gebracht, dass der stilettartige Pfeil unserer Planorbiden mit dem sogenannten Liebespfeil der Landpulmonaten, den wir vorzugsweise bei den Heliciden kennen, nichts zu schaffen habe. Dies leuchtet sofort ein, wenn wir die Morphologie, die Funktion und die Lage des den Pfeil enthaltenden Pfeilsackes an dem Geschlechtsapparat der Landpulmonaten ins Auge fassen. Wir haben da ein ganz selbständiges Gebilde vor uns in Form einer sackartigen Ausstülpung der Vagina mit starken Muskelwänden und einem sehr engen Lumen, dessen inneres Cylinderepithel den Liebespfeil als Cuticularabsonderung produziert und im Querschnitt selbst die Gestalt des Pfeilquerschnittes zeigt. Der Liebespfeil selbst ist weiss, kalkig, spitz und hart, zeigt einen konzentrisch geschichteten Bau und wird vor oder bei der Begattung ausgeworfen. Ganz anders bei unseren Planorben. Da sitzt der Pfeil fest auf dem keulenkopfförmig über der seitlichen Ausmündungsstelle des Spermakanals sich erweiternden Endstück des Vas deferens mit einer konkaven, wulstartig berandeten Fläche, der Stilettkrone, auf und ist als Produkt dieses Endstückes selbst aufzufassen. Er wird auch nicht, wie der Liebespfeil der Heliceen, ausgeworfen. Ich habe durchaus niemals ein Exemplar ohne Stilett getroffen, auch niemals eines, bei welchem das Stilett an einer anderen Stelle, als an der Spitze des Penis, zu finden gewesen wäre. Was freilich die Funktion anbelangt, so unterliegt es keinem Zweifel, dass sie die gleiche ist, wie die des Liebespfeils unserer Heliciden. Das Stilett dient eben als Reizorgan bei der Begattung und wird bei sämtlichen stilettlosen Planorben funktionell wohl durch das zähe und muskulöse Penisendstück ersetzt.

Reizapparate von ähnlicher Bildung, namentlich in der Form

von stachelartigen Cuticularabsonderungen finden wir bei einer nicht geringen Anzahl anderer Landpulmonaten. Es haben uns z. B. Simroth [1] und Wiegmann [2] auf den merkwürdigen ' sogenannten Liebespfeil der Vitrinen aufmerksam gemacht, der eine hakenförmig gebogene feste, durchbohrte Spitze darstellt, welche dem frei in die Vagina hervorragenden Vorderende des von einer scheidenartigen Hülle umgebenen, blindsackartigen Schlauches aufsitzt. Die Substanz, aus welcher das Hartgebilde besteht, ist von Wiegmann als ein dem Chitin oder Konchiolin nahestehendes, verhorntes Gewebe bezeichnet. Hier haben wir also einen durchbohrten Pfeil und diese Durchbohrung beweist deutlich, dass derselbe bei der Copula die Übertragung eines Drüsensekretes vermittelt. Wir haben also auch hier wieder Verhältnisse zu verzeichnen, welche lebhaft an diejenigen des *Prorynchus stagnalis* erinnern und zwar speciell hinsichtlich der Funktion. Jedenfalls ist die Analogie noch grösser als bei den stilettführenden Planorbiden, denn dort bei unseren Vitrinen haben wir es in dem pfeilartigen Hartgebilde, nicht mit einem Reizorgan — die Form des Hartgebildes widerlegt deutlich diese Annahme, wie Wiegmann ausdrücklich betont — sondern mit einem Organ zu thun, welches ein accessorisches Sekret leitet, hier allerdings lediglich im Dienste sexueller Vorgänge.

Wir sehen aus der angeführten Schrift Wiegmann's weiter, dass das Drüsenorgan, mit welchem der gebogene und durchbohrte Pfeil in Verbindung steht, eine besondere Genitaldrüse ist, ähnlich wie sie Semper [3] bei den Zonitiden entdeckt und beschrieben hat und dass diese Genitaldrüse bei verschiedenen Heliciden in ganz mannigfaltiger Gestalt und an ganz verschiedenen Stellen des Genitaltraktus uns entgegentreten kann.

Wiegmann glaubt auch die doppelte Schleimdrüse der Heliceen mit der von ihm beschriebenen Genitaldrüse der Vitrinen vergleichen zu können. Endlich entnehmen wir noch den Untersuchungen unseres Autors, dass diese Genitaldrüse bei einer Anzahl von *Vitrina*-Arten vorhanden ist, bei anderen dagegen fehlt, so dass er die Vitrinenspecies in bezug auf diese Erscheinung tabellarisch zusammenstellen

---

[1] H. Simroth, Berichte der naturforschenden Gesellschaft zu Leipzig. Jahrg. 1885. S. 6.

[2] Jahrbücher der deutschen Malakozoologischen Gesellschaft, redigiert von Kobelt. 13. Jahrg. 1886. Heft I. p. 74 ff.

[3] C. Semper: Reisen im Archipel der Phillipinen etc. II. Heft. 1873. Taf. III Fig. 1 b u. 2 c.

konnte. Betrachten wir schliesslich noch die Resultate der Untersuchungen Simroth's [1] über palaearktische Nacktschnecken, die ebenfalls beweisen, dass diese Tiere Drüsen und Reizkörper an den Genitalorganen teils besitzen, teils derselben entbehren. Wenn wir nun trotzdem sehen, dass sowohl die von Simroth auf diese Verhältnisse geprüfte Nacktschneckengattung *Agriolimax*, wie auch das von Wiegmann behandelte Helicidengenus *Vitrina* als systematische Einheit betrachtet werden kann, so werden uns die Erscheinungen, welche uns bei den Planorbiden entgegengetreten sind, keine dringende Veranlassung geben, die Gattung zu zerspalten. Ich bin fest überzeugt, dass durch die Untersuchung der exotischen [2] Planorben auf diese Verhältnisse sich noch manche Übergänge zwischen den von mir aufgestellten Typen herausfinden lassen würden.

Man kann schliesslich, wie ich schon früher erwähnte, mit Lehmann die Gattung *Planorbis* in zwei Gruppen „Inermes" und „Armati" spalten, soweit es unsere einheimischen Arten betrifft, ich halte aber auf Grund meiner Untersuchungen auch dies für unnötig, da sich, wie wir gesehen haben, die 4 Typen der Bildung des Kopulationsorganes vom vergleichend-anatomischen Standpunkt aus in doppelter Weise ineinander überführen lassen.

Jedenfalls sind es aber höchst merkwürdige und interessante Verhältnisse, die uns der Kopulationsapparat unserer Planorbiden aufweist. Sie lassen uns von neuem erkennen, welch zahlreichen Komplikationen das bei den Mollusken so ausserordentlich differenzierte Geschlechtssystem unterworfen ist. Vielleicht bieten sie uns einen weiteren Stützpunkt für die Ansicht, dass die Mollusken sich nicht durch Descendenz von einer gemeinschaftlichen Urart, sondern polyphyletisch aus verschiedenen Ahnentypen durch Konvergenz entwickelt haben.

---

[1] H. Simroth: Weitere Mitteilungen über palaearktische Nacktschnecken. Jahrbüch. d. deutsch. Malakozool. Ges., red. v. Kobelt. 13. Jahrg. 1886. p. 16 ff.

[2] Es stand mir leider nur ein exotischer *Planorbis* zur Untersuchung zu Gebot, welchen Herr Dr. Jordan aus Paraguay in Südamerika mitbrachte. Leider waren die Exemplare für histologische Zwecke nicht brauchbar, da dieselben nicht genügend konserviert waren. Indessen konnte ich konstatieren, dass die mir nicht genau bekannte Species den stilettlosen Planorben angehörte.

II. Abschnitt.

Das Exkretionsorgan.

Was mich im Verlaufe meiner Untersuchungen besonders dazu veranlasste, neben dem Kopulationsorgane unserer Tiere unter den übrigen Organen auch die Niere einer eingehenderen Untersuchung zu unterziehen, war, wie ich schon früher andeutete, die Absicht, die Kommunikation zwischen Niere und Pericardium auch für die Basommatophoren definitiv festzustellen, nachdem diese Thatsache hinsichtlich der Stylommatophoren von Nüsslin (a. a. O. p. 9—15) durch die hierauf zielenden Untersuchungen an *Helix pomatia* L., desgleichen auch von Semper[1] bei *Helix* und *Vaginulus* festgestellt und von Sharp (a. a. O. p. 27) bei unseren beiden einheimischen *Ancylus*-Arten nachgewiesen worden war. Wenn die Landpulmonaten und, wie durch die Untersuchungen Haller's (cf. p. 65 Anm. 1) festgestellt ist, sogar viele Prosobranchier eine Kommunikation zwischen Niere und Pericardium besitzen, so war sie bei den den Opisthobranchiern, bei welch letzteren diese Kommunikation unter den Gastropoden am vollkommensten ausgebildet ist, noch näher stehenden basommatophoren Pulmonaten unbedingt als vorhanden anzunehmen. Die Resultate meiner Untersuchungen haben diese Annahme zur Thatsache gemacht. Aber auch schon die morphologischen Verhältnisse der Niere unserer Planorbiden sind gleich auf den ersten Blick auffallend, wie das auch in der schon oben angeführten, erst im verflossenen Jahre als Dissertation erschienenen Arbeit von Behme bereits hervorgehoben wird. Dieser Autor hat bereits darauf aufmerksam gemacht, dass die Planorbiden in bezug auf Form und Lagerung der Niere, sowie in der Einrichtung der Lungenhöhle von den übrigen Süsswasserpulmonaten erheblich abweichen. Er hat aber nur in aller Kürze diese Verhältnisse berührt; auf die Anatomie und Histologie des Organes ist er nicht genauer eingegangen. Es lag mir daher nahe, neben dem Hauptpunkt meiner Untersuchung, eben der Kommunikation zwischen Niere und Pericardium, auch jenen Verhältnissen meine Aufmerksamkeit zuzuwenden.

Dementsprechend will ich, wie ich das auch schon in der Einleitung zum ersten Abschnitt gethan habe, in aller Kürze einige historische Notizen einflechten.

---

[1] C. Semper, Arbeiten aus dem zoologisch-zootomischen Institut in Würzburg. III. Bd. S. 485 Anm. 1.

Obwohl schon von Swammerdam als Absonderungsorgan mit mineralischem Sekret erkannt, ist die Niere von Cuvier doch wieder als schleimabsonderndes Organ in Anspruch genommen worden. Swammerdam nannte sie „Kalksack", ein Name, welcher erst von Wilbrand (1809) und Wohnlich (1813) (a. a. O. p. 22) mit der bis auf die heutige Zeit gebräuchlichen Bezeichnung vertauscht ist. 1820 wurde die Drüse von Jacobson [1] auf ihre chemischen Eigenschaften geprüft und das Vorhandensein von Harnsäure festgestellt. Trotzdem wurde dieselbe von Moquin-Tandon später noch als schalenbildendes Organ beschrieben. Die morphologischen und anatomischen Verhältnisse der Niere der Pulmonaten haben zuerst v. Siebold [2] und Paasch (a. a. O. p. 71—104) klargelegt. Letzterer hat dabei auf die Unterschiede des Harnapparates von Land- und Süsswasserpulmonaten hingewiesen, während ersterer die Verschiedenheit des Organs bei beschalten und unbeschalten Lungenschnecken hervorhob. Ausgezeichnete histologische Untersuchungen verdanken wir Meckel (a. a. O. p. 15). Dieselben haben uns zuerst über die feinere Nierenstruktur Aufschluss gegeben, ebenso über die Bildung der Konkremente definitiv unterrichtet. Eine weitere, auf die anatomischen Verhältnisse der Niere bei *Helix pomatia* L. eingehende Arbeit ist die schon oft erwähnte Schrift Nüsslin's. In neuester Zeit hat v. Ihering [3] sich ganz besonders dem Studium des Harnapparates der Pulmonaten gewidmet und auf Grund seiner Beobachtungen die Ordnung der Pulmonaten in zwei Gruppen auflösen wollen, die er als „Nephropneusten" (Heliceen) und „Branchiopneusten" (Lymnaeaceen und Auriculaceen) einander gegenübergestellt. Bei den Nephropneusten soll die Lungenhöhle einen Abschnitt der Niere, bei den Branchiopneusten eine modifizierte Kiemenhöhle darstellen, wie das wohl zuerst von Leuckart [4], von diesem aber für alle Pulmonaten behauptet wurde. Dieser Zweiteilung ist dann wieder Semper [5] entgegengetreten.

Wenden wir uns im folgenden zu unserem Gegenstand, der Niere der Planorbiden.

[1] Jacobson, Sur l'existence des reins dans les animaux Mollusques. Journal de Physique. T. 91. 1820. 4. p. 318—320.

[2] C. Th. v. Siebold, Vergl Anatomie der Wirbellosen.

[3] H. v. Ihering, Über den uropneustischen Apparat der Heliceen. Ztschr. f. wiss. Zool. Bd. XLI. p. 260.

[4] R. Leuckart, Morphologie der Wirbellosen. 1848.

[5] C. Semper, Einige Bemerkungen über die Nephropneusten v. Ihering's. Arbeiten aus dem zool.-anat. Inst. Würzburg. Bd. III. p. 480—488.

Wie schon mehrfach erwähnt, hat Behme darauf hingewiesen, dass die Niere der Planorbiden eine durch die Körperform bedingte auffallende Längenausdehnung besitzt. Er hat vorzugsweise die grösste Art, *Planorbis corneus* L., darauf untersucht und bei ausgewachsenen Individuen eine Niere von 2 cm Länge gefunden [1].

Ich habe in der Einleitung zum ersten Teil meiner Arbeit betont, dass die kleinen Arten bezüglich ihrer äusseren Gestalt noch viel mehr in die Länge gezogen sind, als die grossen und habe im ersten Teil auch namentlich auf die gewaltige Ausdehnung der Atemhöhle dieser Tiere hingewiesen.

Mit dieser geht nun die Länge der Niere Hand in Hand, da ja dieselbe der ganzen Länge nach an der Decke der Lungenhöhle hinzieht.

Legt man einen *Planorbis*, welchem man das Gehäuse weggenommen hat, ausgestreckt so hin, dass die Fussfläche nach unten sieht, der Kopf dem Beschauer zugekehrt, Leber und Zwitterdrüse dagegen abgekehrt sind, so bemerkt man von der rechten Seite des Tieres, gleich an der Decke der Mantelhöhle beginnend, ein grünlich-braunes Band allmählich auf die Höhe des Mantelrückens heraufsteigen, sich nach der linken Seite, wieder hinabsteigend, eine kurze Strecke hinwenden, sodann wieder nach rechts laufend eine tiefe Knickung machen und endlich mit einer blasigen Anschwellung an die Eiweissdrüse anstossen. Dieses Gebilde ist bei unseren Planorbiden das Exkretionsorgan, die N i e r e.

Die eben erwähnte, blasige Anschwellung derselben ist das hintere Endstück oder, nach dem Verlauf des Organes in funktioneller Beziehung betrachtet, der Anfang der Niere (Taf. V Fig. 2, *Nk*). Ich möchte für dieses Stück die Bezeichnung „N i e r e n k o p f" in Vorschlag bringen. In ihm liegt vollkommen eingelagert das ganze Pericardium mit dem Herzen oder mit anderen Worten: Dieser Nierenkopf schiebt sich, das Pericardium zu nahezu zwei Dritteilen bedeckend, über dasselbe hin und stösst unmittelbar an die Eiweissdrüse an; man sieht in ihm auch stets das bei den grossen Arten mit rotem Blut gefüllte, bei den kleinen Arten meist sehr stark pigmentierte Herz. Die Seitenflächen der Niere verschmälern sich, wie Behme (a. a. O. p. 16) ganz richtig beschreibt, nach dem Grunde der Atemhöhle zu sehr schnell, besonders bei den grossen Arten, weniger bei den kleinen, und vereinigen sich unter spitzem Winkel,

---

[1] Behme, a. a. O. p. 16.

infolgedessen der Nierenquerschnitt Keilform annimmt; die Drüsen-
substanz wölbt sich in Querfalten in das Lumen vor im Interesse
der Oberflächenvermehrung. Auf dem Querschnitt erscheint auf
diese Weise das Lumen der Urinkammer sehr eng, oft ganz verschwunden. Das Nierensekret wird vermittelst einer mit kräftigen
Wandungen ausgestatteten Papille nach aussen befördert, worauf
schon Paasch (a. a. O. p. 71—104) hingewiesen hat als auf ein
unterscheidendes Merkmal zwischen dem Exkretionsorgan der Süss-
wasser- und Landpulmonaten, welch letztere einen von der Niere
abgehenden besonderen Ureter besitzen, der zusammen mit dem Enddarm zum Atemloch hinläuft. Bei *Planorbis corneus* L. sieht man
die erwähnte Nierenpapille deutlich hinter dem Mantelwulst dicht
unter der Lungendecke über die linke Nierenfläche hervorragen.

Bei der Betrachtung der anatomischen und histologischen Verhältnisse des Exkretionsorganes will ich an der vorn in der Mantelhöhle gelegenen äusseren Mündung beginnen und dann den ganzen
Verlauf bis zum Pericardium resp. bis zum Ende des Nierenkopfes
verfolgen. Dabei sind leicht drei Abteilungen hinsichtlich des Baues
der Niere zu unterscheiden. Einmal ein vorderer Abschnitt mit
einem grosszelligen Wimperepithel, welches in queren Falten in das
Lumen des Organes hineinragt und direkt in das der Nierenpapille
übergeht, wie diese denn überhaupt nur als das Endstück dieses
vorderen Abschnittes anzusehen ist. Letzterer vertritt die Stelle des
bei den Landpulmonaten und vielen Prosobranchiern beobachteten,
besonders entwickelten Ureters (Taf. V Fig. 2 *Ur*). Auf diesen folgt
dann als zweiter Abschnitt ein durch die Masse seiner Harnkonkremente leicht erkennbarer Organteil, welchen ich, entsprechend der
Bezeichnung der einzelnen Teile der Ichnopodenniere, welche v. Ihering [1] gab, „Urinkammer" nennen will (Taf. V Fig. 2 *Uk*). An diesen schliesst sich endlich der schon äusserlich leicht erkennbare,
blasig aufgetriebene, durch eine Knickung vom zweiten Teile abgesetzte, von mir als „Nierenkopf" bezeichnete letzte Abschnitt an.
In diesem letzten Abschnitt befindet sich die Kommunikation der
Niere mit dem Pericardialsack, der sogenannte Wimpertrichter.

Im ganzen Verlaufe des ersten und zweiten Abschnittes sehen
wir zwischen dem Nierenepithel und der äusseren Haut sowohl als
auch zwischen dem Nierenepithel und dem die Niere von der Lungen-

---

[1] H. v. Ihering, Zur Morphologie der Niere der sog. „Mollusken".
Zeitschr. f. wiss. Zool. Bd. XXIX. p. 593.

höhle trennenden Epithel eine Bindegewebsschicht mit zahlreichen Kalkkonkretionen und nicht unbeträchtlichen Mengen von Pigment als Träger des Drüsenepithels der Niere liegen, durch welches auch die Nierenvenen hinziehen. Dieses kalkhaltige Bindegewebe ist es offenbar, was MOQUIN-TANDON zu der Ansicht brachte, die Niere sei eine zur Schalenbildung des Tieres dienende Drüse. Es setzt sich mit dem Pigment meist weit in die Lamellen des Drüsenepithels der Niere fort. Man sieht in ihm, wie auch NUSSLIN (a. a. O. p. 9) hinsichtlich der Helixniere erwähnt, spärliche Anhäufungen von Plasma mit Bindegewebskernen und an verschiedenen Stellen Bluträume. NÜSSLIN lässt die Bedeutung dieser Bluträume zweifelhaft, vermutet aber in ihnen die Lumina der Nierenvenen. Dieselben dürften auch wohl nichts anderes sein.

In den dritten Abschnitt, den Nierenkopf, setzt sich dieses areoläre, Kalkkonkremente und Pigment enthaltende Bindegewebe nur so weit fort, als das Harnkonkremente führende Drüsenepithel in ihn hineinreicht. Stellenweise zeigen sich davon allerdings auch noch zwischen dem flachen, inneren Epithel und der Wand des Nierenkopfes einzelne Spuren, welche durch das eingelagerte Pigment kenntlich sind. Die Wand des Nierenkopfes geht unmittelbar in die des Pericardiums über.

Das Endstück des Ureters, also die Papille, durch welche die Entleerung des Harns in die Atemhöhle erfolgt, zeigt vollständig den Bau des vordersten Nierenabschnitts, des Ureters selbst, nur dass das Epithel noch etwas tiefere Falten bildet (Taf. V Fig. 3). Das Epithel selbst setzt sich scharf gegen jenes der äusseren Haut ab, obwohl es unmittelbar in dasselbe übergeht.

Was nun das wimpernde Epithel des vordersten Nierenabschnittes selbst anbelangt, so tritt dasselbe uns in Form von sehr hohen, meist schmalen und schlanken Zellen entgegen, deren Kerne an dem dem Lumen des Ureters (wie ich diesen vordersten Abschnitt der Niere jetzt stets nennen will) zugekehrten, abgerundeten Rande liegen[1].

Der Zellinhalt erscheint dem seitlichen Rande der Zellen parallel gestrichelt, besteht demnach offenbar aus äusserst feinen und zarten Protoplasmafäden (Taf. V Fig. 4). Der Zellkern ist von ganz unregelmässiger Gestalt, meist langgestreckt. Ich glaube diese Erscheinung als Folge einer Schrumpfung auffassen zu müssen, welche

---

[1] B. Haller, Beiträge zur Kenntnis der Niere der Prosobranchier. Morpholog. Jahrb. Bd. XI. p. 8.

diese äusserst zarten Zellen auch bei sorgfältiger Konservierung erleiden und bin zu dieser Annahme auch durch die Angaben HALLER's
(a. a. O. p. 15) gekommen, welcher bei der Untersuchung der be-
züglichen Verhältnisse an der Niere von *Fissurella* bei gehärteten
Präparaten Kerne von ovaler bis langgestreckter Gestalt, auf Iso-
lationspräparaten dagegen (Glycerin, Essigsäure, dest. Wasser) solche
von Kugelform erkannte. Die Falten, welche diese Wimperepithel-
zellen in das Lumen des Ureters hinein bilden, zeigen sich auf dem
Flächenschnitt von wechselnder Höhe (Taf. V Fig. 4). Von aussen
her zieht sich, wie schon erwähnt, areoläres, Kalkkonkretionen und
Pigment führendes Bindegewebe oft weit in ihre Vertiefungen hinein.
Gegen dieses Bindegewebe hin sind die Epithelzellen der Niere mit
einer feinen, strukturlosen Membrana propria abgegrenzt.

Der mittlere Abschnitt der Niere zeichnet sich, wie ich das
auch schon in der übersichtlichen Darstellung angedeutet hatte, dadurch aus, dass die Epithelzellen eine weit beträchtlichere Grösse
erreichen und Harnkonkremente führen. In der Regel enthält jede
Zelle nur ein einziges Konkrement, ich habe jedoch öfters auch zwei
und drei derselben in einer Zelle liegen sehen. Die histologische
Beschaffenheit dieses konkrementführenden Drüsenepithels und die
Bildung der Konkremente in den Vakuolen des Zellinhalts ist schon
längst so ausführlich von MECKEL (a. a. O. p. 15) beschrieben worden, dass sich etwas Neues kaum hinzufügen lässt (Taf. V Fig. 4 D^1).
Ich will nur erwähnen, dass die feine Strichelung des Inhalts, welche
wir in den Epithelzellen des vordersten Nierenabschnittes antrafen,
in diesen weit grösseren Zellen nicht mehr deutlich, vielfach gar
nicht mehr wahrzunehmen ist. Der Zellkern hat ferner seinen früheren, dem Lumen der Urinkammer zunächstliegenden Platz verlassen
und ist in der Regel basalwärts vorgerückt (Taf. V Fig. 4 D^1). Vielfach ist die obere Zellwand gesprungen und dann sieht man häufig
im Lumen der Urinkammer freie Konkremente und Zellendetritus
liegen, aber in sehr verschiedener Menge. Unter den von mir auf
diese Verhältnisse geprüften Exemplaren fand ich bei einzelnen (es
waren dies namentlich *Planorbis rotundatus* MOQ.-TAND. und *vortex* L.)
massenhaft freie Nierenkonkremente in der Urinkammer; andere hingegen (besonders jüngere *Planorbis carinatus* DRP. und *marginatus*
MÜLL.) zeigten wiederum fast gar keine freien Konkremente. Im vorderen Abschnitt der Niere, im Ureter, fand ich nur bei zwei Exemplaren von *Planorbis rotundatus* MOQ.-TAND. freie Harnkonkremente
und zelligen Detritus. Darauf hin darf ich wohl annehmen, dass die

Entleerung der Konkremente eine bei den verschiedenen Arten wahrscheinlich ungleich periodische ist. Was die Konkremente selbst
betrifft, so sind dieselben bei den meisten Arten von kugelförmiger
Gestalt, bei den kleinen auch relativ grösser als bei den grossen.
BEHME (a. a. O. p. 17), der hierüber Messungen angestellt hat, fand
bei *Planorbis rotundatus* MOQ.-TAND. fast ebenso grosse Harnkonkremente, wie bei *Planorbis corneus* L., während doch die Grössen-
differenz dieser beiden Species eine enorme ist. *Pl. marginatus* MÜLL.,
welcher immer noch viel kleiner ist als *Planorbis corneus* L., besitzt
nach den Untersuchungen unseres Autors sogar noch grössere Konkremente als der letztere.

Nach der Angabe JACOBSON's (a. a. O. S. 318—320) reagieren
die Konkremente auf Harnsäure, wenn man die getrocknete Niere
in verdünnter Ätzkalilauge auflöst und mit Salzsäure, Salpetersäure
und Ammoniak behandelt, wobei eine Menge Murexid entsteht.

Der dritte Abschnitt des Exkretionsorganes ist der schon äusserlich durch seine beutelförmige oder blasige Gestalt auffallende,
merkwürdige Nierenkopf, welcher, wie ich schon früher beschrieb,
unter dem Pericardium sich hinschiebt, dasselbe mindestens zu zwei
Dritteilen einfassend. In ihm findet sich, wie bemerkt, die Kommunikation zwischen Niere und Herzbeutel, der Wimpertrichter oder
Ductus renopericardialis. Das Pericardium und mit ihm das Herz,
ist demnach gleichsam in diesen Abschnitt der Niere eingeschaltet.
Histologisch weicht dieser Abschnitt, wenigstens in seinem grösseren
Teile, nicht unwesentlich von dem zweiten Abschnitt, der Urinkammer, ab.

Schon die Knickung, welche das Exkretionsorgan beim Übergange von der Urinkammer zum Nierenkopfe erleidet, macht sich
histologisch bemerkbar. Indem nämlich das im Querschnitt keil-
förmige Lumen der Niere an dieser Stelle plötzlich die Form eines
engen Schlitzes erhält, bildet sich eine schiefe Querwand, an welcher das konkrementführende Nierenepithel scharf anstösst. Nur ein
geringerer Teil dieses konkrementführenden Epithels setzt sich in
den Nierenkopf fort, während gleichzeitig sowohl die Epithelzellen
selbst, als auch die in denselben liegenden Harnkonkremente an
Grösse bedeutend abnehmen und dann unmittelbar in das flache Epithel des Nierenkopfes übergehen. Das areoläre Bindegewebe, welches den Ureter und die Urinkammer umlagert, verschwindet ebenfalls nach und nach im Nierenkopf. Die Zellen des flachen Epithels
in demselben sind im Vergleich zu den Epithelzellen des Ureters

und der Urinkammer um ein bedeutendes kleiner, besitzen ziemlich ansehnliche rundliche Kerne und annähernd homogenen Inhalt.

Dieses flache Epithel der Niere ist es nun, welches dem Pflasterepithel des Perikardialsackes unmittelbar aufsitzt und dadurch wurde ich anfangs zu der Ansicht verleitet, es handle sich hier um eine Perikardialdrüse, wie sie GROBBEN [1] bei den Lamellibranchiern und einer Anzahl von Opisthobranchiern und Anneliden beschrieben hat [2], um so mehr, als ich damals den weiten Hohlraum des blasenartig aufgetriebenen Nierenkopfes für den Perikardialsack selbst ansah.

---

[1] C. Grobben, Die Perikardialdrüse der Lamellibranchiaten. Ein. Beitrag zur Kenntnis der Anatomie dieser Molluskenklasse. Wien 1888. — Derselbe: Die Perikardialdrüse der Opisthobranchier und Anneliden, sowie Bemerkungen über die perienterische Flüssigkeit der letzteren. Wien 1887. Separatabdruck aus dem „Zoologischen Anzeiger" No. 260.

[2] Auf den Rat meines Lehrers, Herrn Geheimrat Leuckart, schickte ich eine Anzahl meiner betreffenden Präparate an Herrn Prof. Dr. Grobben nach Wien. Derselbe hatte mich darauf aufmerksam gemacht, dass ich den Hohlraum des Nierenkopfes, welcher bedeutend grösser ist als der der vorderen Abschnitte der Niere, als den Hohlraum des Pericardiums angesehen hatte, wodurch dann eine falsche Deutung des Endstücks der Niere, d. h. des Nierenkopfes, überhaupt herbeigeführt wurde. Der als Pericardium anfangs von mir gedeutete Raum war eben nichts anderes, als der Innenraum des Nierenkopfes und die vermeintliche Perikardialdrüse, somit nur der von den übrigen Abschnitten verschieden gebaute Endabschnitt der Niere. Die Perikardialdrüse entsteht, wie Herr Prof. Grobben ausdrücklich betonte, immer gesondert von der Niere aus dem Epithel des Pericardiums.

Es sei mir an dieser Stelle gestattet, Herrn Prof. Dr. Grobben für seine Freundlichkeit meinen verbindlichsten Dank abzustatten.

Bei dieser Gelegenheit wiederholte ich auch die Versuche, welche Prof. A. Kowalewsky in Odessa mit der Niere verschiedener niederer Tiere anstellte. Die Resultate dieser Experimente sind im IX. Band des biologischen Centralblattes niedergeschrieben. Den Ausgangspunkt der Untersuchungen über die Exkretionsorgane bildeten die bekannten Arbeiten von Heidenhain, Chrzonsczewsky und Wittich, nach denen in der Niere der Wirbeltiere zwei physiologisch verschiedene Abteilungen zu unterscheiden sind, nämlich die Malpighi'schen Körperchen und die Harnkanälchen. Diese beiden Abteilungen haben bestimmte Beziehungen zu zwei Farbstoffen, dem karminsauren Ammon und dem Indigokarmin. Der erste wird von den Malpighi'schen Körperchen, der zweite von den Harnkanälchen ausgeschieden.

Die Versuche wurden demnach auch bei Wirbellosen angestellt, da zu erwarten war, dass dieselben Farbstoffe nach der Einspritzung von den entsprechenden Organen ausgeschieden werden würden, und so war denn bei Mollusken das Resultat folgendes: Die Bojanus'schen Organe sind ganz blau geworden, während die Anhänge an den Herzvorhöfen, welche von Prof. Dr. Grobben unter dem Namen der Perikardialdrüsen beschrieben wurden, ganz rot wurden.

Wir haben also zwei Hohlräume nebeneinander, den Innenraum des Nierenkopfes und den Perikardialsack und diese beiden Hohlräume sind es, welche durch den merkwürdigen Wimpertrichter miteinander kommunizieren.

Der Perikardialsack der Planorbiden, welcher von ziemlich bedeutender Grösse und unregelmässig länglicher Gestalt ist, besitzt nur an der zur Lungenhöhle gekehrten Seite eine selbständige Wandung, indem die an die Niere und die Eiweissdrüse grenzende Wand mit den Wandungen der letzteren Organe verwachsen ist (cfr. NÜSSLIN, a. a. O. p. 11). An den beiden Enden ist das Pericardium, wie ich das auch schon bei der kurzen Beschreibung der Blutkreislauforgane erwähnt hatte, mit den Wandungen der letzteren verbunden, oben mit denen der Aorta, unten mit denen der Vena pulmonalis. Seine Auskleidung ist ein Pflasterepithel.

Der Verbindungsgang zwischen Niere und Pericardium verläuft als ein kurzer, etwa im halben rechten Winkel zur Längsaxe der Urinkammer geneigter Kanal, dessen geringer Durchmesser an seinen beiderseitigen Mündungen am weitesten und ungefähr in der Mitte seines Verlaufes, der Perikardialmündung etwas näher gelegen, am engsten ist.

Bevor ich übrigens auf die nähere Beschreibung dieses Verbindungsganges eingehe, möchte ich auch hier in aller Kürze noch einige historische Notizen hinsichtlich der Entdeckung und Beschreibung desselben bei den Mollusken einflechten. SOULEYET [1] war der erste, der die Verbindung der Niere mit dem Pericardium bei den Ichnopoden richtig erkannt hat, denn ein Perikardialorgan bei Opisthobranchiern, und darunter ist eben die Verbindung zwischen Niere und Pericardium zu verstehen, kannte schon CUVIER [2], hatte es jedoch als Reservoir für den Harn angesehen. Später beschrieb HANCOCK [3] diese Kommunikation bei *Doris*, fand aber anfangs die

Prof. Kowalewsky hat *Helix* und *Paludina vivipara* geprüft. Nach der Einspritzung wurden die Tiere violett, nach zwei Tagen wurde der blaue Farbstoff vom Bojanus'schen Organ ganz aufgenommen und die Tiere wurden rot.

Diese Experimente sind mir mit den Planorben leider ganz misslungen und mein Trost war, dass Prof. Grobben das Vorhandensein einer Perikardialdrüse verneint hatte.

[1] Souleyet, Voyage autour du monde etc. p. 495—528.

[2] G. Cuvier, Mémoires pour servir à l'histoire et à l'anatomie de Mollusques. Paris 1817. V. Sur le genus *Doris*.

[3] A. Hancock, On the structure and Homologies of the Renal Organ in the Mollusks. Transact. of the Linn. Soc. Vol. XXIV. 1854. — A. Hancock and D. Embleton, On the anatomy of *Doris*. Philos. Transact. 1852.

Mündung derselben in die Urinkammer nicht und glaubte es mit einem Organ eines Pfortaderkreislaufsystemes zu thun zu haben. Er nannte daher das später von ihm als „pyriform vesicle" bezeichnete Organ ein „portal heart". Der Zusammenhang des Perikardialorganes mit der Niere war ihm zunächst völlig entgangen.

Diesen fand dann BERGH [1], welcher den Verbindungsgang zwischen Niere und Pericardium mit dem Namen „Nierenspritze" bezeichnete. Er trat daraufhin der Ansicht HANCOCK's entgegen, wonach das Perikardialorgan oder die Nierenspritze einem Pfortadersystem zugehören solle und deutete diese als Niere selbst, welche er dann bei den Nudibranchiern als „einfachen, muskulösen Sack" beschrieb.

In der Arbeit von v. IHERING (a. a. O. p. 593) ist das Organ für die Opisthobranchier folgendermassen beschrieben: „Es hat die Gestalt eines Sackes oder einer Blase, welche an beiden Enden offen ist und durch die eine Öffnung mit dem Pericardium, durch die andere mit der Urinkammer kommuniziert. Die Wände des Perikardialorganes sind mit Längsfalten besetzt, die wieder Seitenfalten tragen und mit Flimmerepithel überzogen sind. Die Perikardialöffnung besitzt einen Sphinkter, durch den sie geschlossen werden kann."

Was die einzelnen Klassen der Mollusken anbetrifft, so haben sich hinsichtlich der hinteren Mündung der Niere folgende Befunde ergeben:

Bei den Acephalen (Lamellibranchiaten) besitzt die paarige Niere (das sogenannte Bojanus'sche Organ) beiderseits einen Trichter, welcher sie mit dem Pericardium verbindet. Bei den Scaphopoden (Dentaliiden), welche ebenfalls eine paarige Niere besitzen, aber eines Herzens und damit auch natürlich eines Perikardialsackes entbehren, kommen diese Verhältnisse in Wegfall. Bei den Chitoniden oder Placophoren mit unpaarer Niere ist der Nierentrichter erst vor kurzer Zeit durch SEDGWICK [2] und HALLER (a. a. O. p. 40 ff.) aufgefunden worden. Bei den Opisthobranchiern ist der Verbindungsgang, wie vorhin erwähnt, schon von CUVIER, wenn auch nicht in seiner richtigen Eigenschaft erkannt worden und heutzutage unterliegt es keinem Zweifel mehr, dass in dieser Klasse der Mollusken, ausgenommen natürlich die herz- und pericardiumlose Gattung *Rhodope*, der Wimpertrichter in schönster Ausbildung allgemein vorkommt (cf. die citierte Beschreibung, welche v. IHERING gibt).

---

[1] R. Bergh, Anatomiske Bidrag til kundskab om Aeolidierne. Kjoebenhavn 1864. p. 46.

[2] A. Sedgwick, „On certain points in the anatomy of Chiton." From the Proceeding of the Royal Society 1881.

Bei den Prosobranchiern ist der Nierenwimpertrichter erst in neuerer Zeit, hauptsächlich durch die Untersuchungen HALLER's definitiv aufgefunden und beschrieben worden. NÜSSLIN erwähnt in seiner Arbeit nur die Entdeckung des Wimpertrichters bei Embryonen von *Paludina* durch BÜTSCHLI, während LEYDIG bei erwachsenen Paludinen keine Kommunikation zwischen Niere und Pericardium fand. Auch bei den mit paariger Niere ausgestatteten Arthrocochliden ist der Wimpertrichter durch HALLER's Untersuchungen endgültig nachgewiesen worden.

Bei den Heteropoden besteht allgemein eine Öffnung der Niere in den Perikardialsinus, wie das LEUCKART[1] und GEGENBAUR[2] schon in den fünfziger Jahren nachgewiesen hatten. Letzterer bemerkt dabei ausdrücklich, dass durch diese Einrichtung dem Pericardium Wasser aus der Niere zugeführt wird. Die nämlichen Verhältnisse finden sich auch bei den Pteropoden wieder, während die Cephalopoden in der Ausbildung des Exkretionsorganes von den übrigen Mollusken sich abweichend verhalten.

Was nun unsere Planorbiden und damit die sämtlichen Basommatophoren anbelangt, so fand ich hinsichtlich des Wimpertrichters folgendes vor:

Seine Wandungen bestehen aus einem Cylinderepithel, welches mit sehr langen Flimmerwimpern besetzt ist. Zwischen der Wand der Niere, beziehungsweise des Perikardialsackes, welche an die Lungenhöhle grenzt, und dem Flimmerepithel des Verbindungsganges liegt eine zarte Muskelschicht. Ob aber die an der Perikardialmündung desselben gelegenen spärlichen Muskelfasern die Funktion eines Sphinkters vollziehen, wie es NÜSSLIN vermutet, lasse ich dahingestellt sein. Die Enden der Wimpern sind gegen die Niere hin gerichtet Dieses Flimmerepithel des Verbindungsganges geht an dessen beiderseitigen Enden unmittelbar sowohl in das Pflasterepithel des Pericardiums, als auch in das konkrementführende Drüsenepithel der Niere über, welches sich noch àm Anfang des blasig erweiterten Nierenkopfes findet; es unterscheidet sich jedoch deutlich von diesen beiden letzteren Epithelien. Seine Zellen sind grosse Cylinderzellen. Am grössten sind dieselben an der Nierenmündung, von wo aus sie sich nicht unbeträchtlich gegen die Perikardialmündung hin verflachen. Mit der Höhe der Cylinderzellen geht die Grösse des Zell-

---

[1] R. Leuckart, Zoolog. Untersuchungen. Giessen, Heft III. 1854.

[2] Gegenbaur, Untersuchungen über Pteropoden und Heteropoden. Leipzig 1855. S. 192 u. 201.

kerns Hand in Hand, dabei besitzen die grossen Cylinderzellen etwas ovale, die flacheren kleinere, nahezu kreisrunde Kerne (Taf. II Fig. 6). Faltenartige Vorsprünge der Innenwand des Verbindungskanals, wie sie Nüsslin (a. a. O. p. 11) beschreibt, konnte auch ich erkennen, sie sind aber nur ganz niedrig, so dass das Lumen des Trichterganges nicht immer eine gleichmässig runde oder ovale Form im Querschnitt zeigt. Ebenso fand ich eine Verästelung des Wimpertrichters gegen die Niere hin in zwei Äste; ich kann auch die nicht unbeträchtliche Erweiterung des Kanals gegen die Nierenmündungen hin konstatieren. Im ganzen also decken sich die Verhältnisse der Kommunikation zwischen Niere und Pericardium bei den Planorbiden so ziemlich mit denen, welche Nüsslin an *Helix pomatia* L. und *hortensis* Müll. für die stylommatophoren Pulmonaten beschrieben hat. Nur scheint mir nach der Schilderung unseres Autors der Wimpertrichter, wenigstens was die Dimension desselben anbelangt, bei den Landpulmonaten noch mehr, ja sogar bedeutend mehr rückgebildet zu sein, als bei den Süsswasserpulmonaten. Nüsslin macht nämlich darauf aufmerksam, dass, obgleich Niere und Pericardium, speciell bei *Helix pomatia* L. eine beträchtliche Grösse besitzen, die Kommunikation sich doch kaum mit blossem Auge erkennen lässt.

Dafür möchte ich in bezug auf die Planorbiden hinzufügen, dass bei den kleineren Species der Wimpertrichter an Länge kaum hinter der Maximalausdehnung des Perikardialsackes zurückbleibt; bei den grösseren Arten, besonders bei dem grossen *Planorbis corneus* L., ist der Verbindungsgang allerdings relativ wieder kürzer und schmäler.

Nüsslin zieht aus den Resultaten seiner Untersuchung weiterhin den ganz richtigen Schluss, dass bei Aufrechterhaltung der Homologie für Kommunikation zwischen Niere und Perikardialsack innerhalb des Molluskentypus und speciell der Gastropodenklasse, dieselbe bei *Helix*, also bei den Landpulmonaten überhaupt, ein in Rückbildung begriffenes Organ darstellt. Ich kann diese Angabe Nüsslin's nun auch auf die Süsswasserpulmonaten ausdehnen und demnach gilt sie wohl für alle Lungenschnecken. Erwähnenswert ist noch folgende Bemerkung Nüsslin's, welche sich direkt auf die eben angeführte Thatsache bezieht. Er schreibt:

„Dieser Annahme kommt eine entwickelungsgeschichtliche Thatsache zu Hilfe: Bütschli[1] hat nämlich nachgewiesen, dass beim Em-

---

[1] Bütschli, Entwickelungsgeschichtliche Beiträge. Zeitschr. f. wiss. Zool. Bd. XXIX. S. 230.

bryo von *Paludina vivipara* die Niere mit dem Perikardialsack durch eine verhältnismässig sehr weite Öffnung kommuniziert; nun besitzen wir aber zugleich eine sehr genaue anatomische Untersuchung über die erwachsene *Paludina vivipara* L. von Leydig[1], aus welcher hervorgeht, dass der Perikardialsack ein völlig geschlossener Raum ist.

Aus diesen Resultaten folgt, dass bei *Paludina vivipara* L. im Laufe der individuellen Entwickelung die Kommunikation zwischen Niere und Pericardium verschwindet.

Unverkennbar besitzt diese Thatsache für die Auffassung der entsprechenden Verhältnisse bei *Helix* grosse Bedeutung, welche kaum dadurch beeinträchtigt wird, dass *Paludina* zu den Prosobranchiaten gehört.

Die Bedeutung jener Thatsache würde noch erheblich gesteigert, wenn es gelänge, auch bei der erwachsenen *Paludina* eine Verbindung zwischen Niere und Pericardium aufzufinden; denn sicherlich würde dieselbe in ähnlicher Weise, wie bei *Helix*, verkümmert sein, sonst wäre sie Leydig nicht entgangen."

In der That hat inzwischen auch ein Schüler Nüsslin's, G. Wolff[2] in Karlsruhe, die freilich in hohem Grade rückgebildete innere Nierenmündung bei *Paludina* und einigen anderen derselben nahe verwandten einheimischen Süsswasserprosobranchiaten nachgewiesen und daraus geschlossen, dass dieselbe bei diesen Mollusken in noch höherem Masse zurückgebildet sei, als bei den Pulmonaten. Die Behauptung darf aber im Hinblick auf die Untersuchungen Haller's (a. a. O. p. 6—21) über die Niere der Prosobranchier als nicht zutreffend bezeichnet werden, denn dieser Autor beschreibt bei einer ganzen Anzahl von Prosobranchiern einen sehr deutlich entwickelten Trichtergang, z. B. bei *Fissurella, Haliotis, Turbo, Trochus, Voluta, Conus, Cypraea* u. a. m. Es mag ja sein, dass sich bei einigen, vielleicht den Süsswasserprosobranchiern, dieser Nierentrichter zurückgebildet hat, im allgemeinen jedoch scheinen nach Haller's Untersuchungen die Vorderkiemer durchschnittlich noch besser hinsichtlich dieses Organs ausgestattet zu sein als die Pulmonaten. Die Prosobranchier stehen hiernach offenbar zwischen den Opisthobranchiern und den Pulmonaten.

Die ersteren besitzen, wie wir wissen, allgemein eine Kommunikation zwischen Niere und Pericardium in schönster Ausbildung.

---

[1] Leydig, Über *Paludina vivipara*. Zeitschr. f. wiss. Zool. Bd. II.

[2] Wolff, Einiges über die Niere einheimischer Prosobranchiaten. (Vorläufige Mitteilung.) Karlsruhe 1887.

Dabei ist die Oberfläche des Verbindungsganges durch Längs- und Querfalten vermehrt, mit ansehnlicher Muskulatur ausgestattet und ein Sphinkter verschliesst die Perikardialmündung.

Über die physiologische Bedeutung des Nierenwimpertrichters herrscht immer noch Dunkel, ebenso über die Blutaufnahme und Wasserabgabe der Niere. Etwas Positives vermag auch ich nicht hinzuzufügen und neue Theorien über diese Fragen aufzustellen, scheint mir wenig lohnend. Ich lasse mich deshalb auf diesen Punkt nicht ein, sondern verweise nur auf die Arbeiten von SEMPER, NÜSSLIN, NALEPA und v. IHERING, welche ich schon zu wiederholten Malen citiert habe.

Anhang. Biologische Betrachtungen.

1. Das Schwimmen und Kriechen.

Dem eigentümlichen Schwimmen der Süsswasserpulmonaten an der Oberfläche des Wassers, wobei sich die Tiere in verkehrter Stellung, die Fussfläche nach oben, das Gehäuse nach unten, fortbewegen, haben schon in ziemlich früher Zeit die Malakologen und unter ihnen hauptsächlich MOQUIN-TANDON [1] ihre Aufmerksamkeit zugewendet. Diese Forscher haben jedoch alle möglichen Organe unserer Tiere für die merkwürdige Art der Lokomotion in Anspruch genommen, MOQUIN-TANDON z. B. (I. p. 164) die Sohle, welche durch ihre Biegung mit Beihilfe des Schwanzes und der Fühler dazu beitragen sollte, auch sollten die Lippenwülste als Ruderapparate gedient haben.

Diese und anderweitige Anschauungen haben nun durch die vor nicht langer Zeit erfolgten genauen Beobachtungen SIMROTH's [2] ihre Berichtigung gefunden. Dieser Forscher hat nachgewiesen, dass alle von MOQUIN-TANDON angeführten Organe mit Ausnahme der Sohle für eine solche Lokomotion völlig nutzlos sind. Dafür aber hat derselbe vor allen Dingen auf die Thatsache aufmerksam gemacht, dass unsere Süsswasserpulmonaten, obgleich sie durch das in ihrer Lungenhöhle nach Belieben regulierbare Luftquantum das specifische Gewicht des Wassers annehmen können, niemals frei mitten durch das nasse Element schwimmen [3], sondern stets mit der Sohle an der Oberfläche

---

[1] Moquin-Tandon, Les Mollusques terrestres et fluviatiles de France.

[2] H. Simroth, Über die Bewegung und das Bewegungsorgan von *Cyclostoma elegans* etc. Ztschr. f. wiss. Zool. Bd. XXXVI. p. 29.

[3] Simroth hat mir jedoch erst vor ganz kurzer Zeit die Mitteilung gemacht, dass er ein solches freies Schwimmen bei kleinen Lymnaeen beobachtet,

hängen, das Gehäuse nach unten gekehrt. Die Ursache dieser merkwürdigen Bewegungsart hat SIMROTH in der Beschaffenheit eines Schleimbandes gefunden, das „vom Fusse abgesondert wird und wie ein langes Tuch, das am Vorderrande des Tieres sich stets um dessen Weg verlängert, auf der Oberfläche schwimmt und völlig bewegungslos vom Erzeuger zurückgelassen wird. Dieses Schleimband ist die Lamelle zwischen Wasser und Luft. Man bemerkt es nur bei sehr günstigem Lichtreflex; sonst hätte es den Beobachtern nicht entgehen können."

Ich kann diese Angaben SIMROTH's durch meine eigenen Beobachtungen nur bestätigen. Besonders deutlich habe ich das Schleimband bei der Betrachtung einer schwimmenden *Lymnaea ovata* DRP. gesehen, bei welcher es entsprechend der bedeutenden Ausdehnung der Sohle sehr breit ist und als schwachschimmernder Streifen an der Wasserobfläche bängt. Bei den Planorbiden, namentlich bei den kleinen Arten, ist es entsprechend der gestreckten Sohle auch sehr schmal und daher nicht leicht zu erkennen, doch habe ich es selbst bei *Planorbis rotundatus* MOQ.-TAND. gesehen, als es mit dem in flachem Winkel (am Abend) darauffallenden Sonnenstrahl in eine und dieselbe Vertikalebene zu liegen kam. SIMROTH hat uns dann an der genannten Stelle noch ausführlich über die Beschaffenheit des das Band bildenden Schleimes berichtet und ist zu der Anschauung gekommen, dass die Kohäsion des Schleimes grösser ist, als seine Adhäsion zum Wasser oder mit andern Worten, dass Schleim und Wasser im Verhältnis der Abstossung der Kapillardepression zu einander stehen.

So war denn die Frage beantwortet, warum diese Tiere in so eigentümlicher Weise an der Oberfläche hingleiten und demnach eigentlich kriechen, und zwar, wie SIMROTH angibt, in ganz gleichmässiger Geschwindigkeit.

In bezug auf die letztere Angabe hat SIMROTH wohl nur Lymnaeen beobachtet, doch mag sie vielleicht auch noch für den grossen *Planorbis corneus* L. Geltung haben. Bei unseren kleinen Planorben zeigen sich etwas abweichende Verhältnisse, ganz besonders bei den Arten mit ausgedehnten, flachscheibenförmigen Gehäusen.

SIMROTH hat zwar auch das Schwimmen der Planorben speciell

zu gleicher Zeit aber die Wahrnehmung gemacht habe, dass dieses scheinbare Schwimmen ein Dahinkriechen auf einem durch das Wasser gezogenen Schleimfaden sei. Die Haltung des Tieres ist dabei die nämliche, wie beim Kriechen auf dem Boden. Das Gehäuse sieht also nach oben.

erwähnt und die von mir im folgenden eingehend beschriebenen Verhältnisse der Bewegungsart beim Schwimmen offenbar schon erkannt, dieselben auch durch ein einfaches, physikalisches Problem erklärt (l. c.). Indessen muss ich den Bemerkungen unseres Autors noch einiges hinzufügen.

Schon früher habe ich auf das Verhältnis der Fussfläche besonders hinsichtlich der Länge derselben zu der Länge des ganzen Körpers, beziehungsweise zu dem Maximaldurchmesser des Gehäuses bei den verschiedenen Arten die Aufmerksamkeit hingelenkt.

Dabei sind wir bekanntlich zu der Überzeugung gekommen, dass mit der Grösse der Arten dieses Verhältnis sich ändert, so zwar, dass die grossen Arten einen auch verhältnismässig viel grösseren Fuss haben als die kleinen. So haben wir z. B. gesehen, dass bei *Planorbis corneus* L. das Verhältnis von Fusslänge zum Maximaldurchmesser der Schale so ziemlich = 1 : 1 gesetzt werden kann (s. Taf. IV Fig. 1), bei *Planorbis marginatus* Müll. und *carinatus* Drp. ist dieses Verhältnis ungefähr 1 : 2 und bei den Species mit den vollkommen scheibenförmigen Gehäusen konnten wir das Verhältnis ungefähr als 1 : 3 bis 1 : 4 angeben (s. Taf. IV Fig. 3). Es wird demzufolge wohl einleuchtend sein, dass die Bewegungsart bei den verschiedenen Arten sich auch verschieden zeigen wird, bei den kleinen Arten etwas anders als bei den grossen.

Betrachten wir zunächst noch einmal eine *Lymnaea*, z. B. *L. auricularis* L., so werden wir es begreiflich finden, dass die ausserordentlich breite und grosse Fussfläche dieses Tieres durch das Ausscheiden des Schleimbandes ein bequemes und sehr gleichmässiges Dahingleiten ermöglicht, denn das Gewicht des übrigen Körpers mit der dünnen Schale steht dem des Fusses entschieden nach und wenn auch das Tier durch Füllen seiner Lungenhöhle mit Luft sein specifisches Gewicht auf 1 bringen kann, so müssen wir doch in der Kohäsion des Schleimbandes den Hauptfaktor erblicken, welcher diese gleichmässige Lokomotion bewerkstelligt.

Ganz ähnlich verhält sich in dieser Beziehung auch unser grosser *Planorbis corneus* L., wenn auch seine Sohlenfläche lange nicht mehr diese Ausdehnung erreicht, wie die unserer Lymnaeen, denn ihm steht, was wir später hinsichtlich der kleinen Arten als ein besonders wichtiges Moment kennen lernen werden, die viel grössere Luftquantitäten fassende Lungenhöhle als weiteres Hilfsmittel zu Gebot.

Planorbis corneus L. hat ein ziemlich fest- und dickschaliges

Gehäuse, das bedeutend schwerer ist, als das einer gleich grossen *Lymnaea*. Das Tier könnte niemals sein specifisches Gewicht auf 1 bringen, wenn seine Atemhöhle nicht bedeutend mehr Luft zu fassen im Stande wäre, als die unserer Lymnaeen. Betrachten wir einen schwimmenden *Planorbis corneus* L. — diese Tiere schwimmen übrigens nach meinen Beobachtungen viel seltener als die grossen Lymnaeen — so werden wir die Schale in den meisten Fällen nicht senkrecht nach unten gerichtet, sondern seitswärts vom Tiere in mehr oder weniger horizontaler Lage sehen. Es unterliegt hiernach keinem Zweifel, dass das specifische Gewicht eines solchen schwimmenden *Planorbis corneus* L. in der Regel weniger als 1 beträgt. Die Fussfläche wird daher durch das wie ein Luftballon im Wasser sich verhaltende Gehäuse geradezu an die Oberfläche des Wassers angedrückt. Ein gleichmässiges Fortgleiten gelingt aber dem Tiere viel besser, wenn sein Gehäuse (der Tragballon) senkrecht unter seiner Fussfläche sich befindet, denn bei der seitlichen Lage der Schale ist die Fussfläche sozusagen negativ ungleich belastet oder mit andern Worten, die eine Seite der Fussfläche wird stärker gegen die Wasseroberfläche gedrückt als die andere. So sehen wir denn, dass die Tiere von Zeit zu Zeit ihre Schale mit einem kräftigen Ruck von der horizontalen in die Vertikalstellung zurückführen. So lange diese Bewegung dauert, hält das Tier nach meinen Beobachtungen mit der Gleitbewegung ein, dieselbe ist also bei *Planorbis corneus* L. im Gegensatz zu der vollständig gleichmässigen Gleitbewegung unserer Lymnaeen von Zeit zu Zeit unterbrochen.

Noch viel deutlicher aber tritt uns diese Erscheinung entgegen, wenn wir eine von denjenigen *Planorbis*-Arten beobachten, bei denen der Fuss im Verhältnis zum übrigen Körper eine unbedeutende Grösse hat, die Länge der Fussfläche vielleicht nur den dritten oder gar vierten Teil vom Maximaldurchmesser des flachen, scheibenförmigen Gehäuses beträgt. Es sind dies vornehmlich die beiden Species *Planorbis rotundatus* MOQ.-TAND. und *vortex* L. Bei diesen Tieren nimmt (ich habe schon bei früheren Gelegenheiten verschieden darauf hingewiesen) die Lungenhöhle mehr als die Hälfte des ganzen Körpers ein. Dazu ist sie stets mit Luft vollständig angefüllt. Daraus geht mit untrüglicher Sicherheit hervor, dass das specifische Gewicht dieser Tiere immer ein Beträchtliches unter 1 beträgt. Das Gehäuse, welches in seinem voluminösesten jüngsten Umgange die enorme, luftgefüllte Lungenhöhle des Tieres beherbergt, wirkt hier wie die Schwimmblase eines Fisches oder wie ein Luftballon. So sehen wir den auch, dass diese Tiere, wenn sie am Boden kriechen, das im Verhältnis zu ihrer Fussmasse kolossale Gehäuse stets ganz senkrecht nach oben tragen. Wir wollen nun bei diesen Tieren die Schwimmbewegung speciell betrachten und das um so mehr, als ich manchmal Gelegenheit hatte, auch die Vorbereitungen zum Schwimmen zu beobachten. Nachdem das Tier die Sohle vom Boden gelöst hat, steigt dasselbe mit prall gefülltem Lungensacke sehr rasch vom Boden frei durch das Wasser zur Oberfläche auf, wo es anfangs mit nach unten gekehrter Gehäusemündung hängen bleibt; sodann wendet es sein flaches, scheibenförmiges Gehäuse offenbar durch Verschieben des im Lungensacke befindlichen Luftquantums in die horizontale Lage, dreht hierauf die Fusssohle nach dem Wasserspiegel hin, befestigt sie dort nach Möglichkeit durch Ausscheidung des Schleimbandes und wendet schliesslich mit einem Ruck das Gehäuse nach unten in die Vertikalstellung. Nun beginnt die eigentliche, für diese Tiere charakteristische Schwimmbewegung mittels des Schleimbandes. Das Tier beginnt vorwärts zu gleiten, während das Gehäuse, sein Luftballon, nach der Oberfläche emporsteigt und sich in horizontaler Lage seitlich vom Tiere an dieselbe anlegt. Nun hält das Tier einen Augenblick an und bringt sein Gehäuse während des Nachziehens desselben durch Kontraktion des sogenannten Musculus columellaris mit einem mächtigen Ruck wieder in die vertikale Stellung, um sodann weiter zu gleiten. Dabei steigt jedoch das Gehäuse wiederum an die Oberfläche zur Seite des Fusses auf und legt sich zu gleicher Zeit wieder horizontal. Auf solche Weise ist das Schwimmen unserer kleinen Planorben kein gleichmässiges Dahingleiten, wie das der Lymnaeiden, sondern eher eine ruckweise Schreitbewegung zu nennen.

Einen weiteren Ersatz für die breite Fussfläche der Lymnaeen bietet unseren Planorbiden übrigens die gesteigerte Schleimabsonderung. Wir haben bei der Betrachtung des Fusses gesehen, dass in der Muskulatur des vorderen Teiles, der sogenannten Fusswurzel, eine grosse Menge einzelliger Schleimdrüsen eingelagert sind und dass daher die Schleimabsonderung am Fuss eine bedeutende ist. Die Schleimschicht des Gleitbandes ist demnach offenbar bei den Planorbiden eine viel dickere als bei den Lymnaeiden. Doch ist dieses Hilfsmittel wohl nur ein sehr untergeordnetes. Das wichtigste Moment ist und bleibt die gewaltige Lungenhöhle, welche beträchtliche Luftquantitäten zu fassen vermag und welche das Gehäuse unserer Tiere eben zu einer Schwimmblase oder einem Luftballon, zu einem hydrostatischen Apparat macht, wie wir ihn bei der gekammerten Schale eines *Nautilus* ebenfalls im Interesse des Schwimmens schon seit lange kennen.

Aber noch wichtiger als beim Schwimmen ist meiner Ansicht nach für unsere Tiere dieser hydrostatische Apparat beim Kriechen am Boden oder an der Wand von Steinen und an Pflanzen. Wie wäre ein *Planorbis vortex* L., dessen Eingeweidebruchsack zehnmal so lang ist als der Fuss, und im aufgewundenen Zustand mit dem spiraligen, flachscheibenförmigen Gehäuse im Maximaldurchmesser immer noch mindestens das Dreifache der Fusslänge darstellt, im stande, mit der kurzen und schmalen Sohle seinen Körper mitsamt der Schale nachzuziehen und in der Höhe zu erhalten, wenn nicht das Gewicht desselben durch die enorm lufthaltige Atemhöhle kleiner wäre, als die von ihm verdrängte Wassermenge? Wir sehen daher auch, dass beim Kriechen unserer Tiere auf dem Boden das im Verhältnis zu der Fussmasse sehr grosse Gehäuse nicht wie bei *Planorbis corneus* L. etwas nach der Seite geneigt getragen wird, sondern senkrecht über dem Fusse seinen Platz hat, beim Kriechen nach der Höhe also (z. B. an einem vertikalen Pflanzenteile) stets über den Kopf nach vorne überragt. Auf diese Art und Weise wird das Tier eigentlich fortwährend nach oben gezogen und man kann sehr leicht beobachten, dass sich dasselbe mit seinem Schleim thatsächlich am Boden oder an der Wasserpflanze ankleben muss. Die Sohle darf nur loslassen, so steigt es mit bedeutender Geschwindigkeit frei durch das Wasser an die Oberfläche desselben empor.

Wie notwendig neben der grossen Atemhöhle für unsere Planorben, namentlich die kleineren, auch die spiralige Aufwindung des langen Körpers in der Ebene ist, beweist folgendes Experiment: Beraubt man einen *Planorbis* vorsichtig der Schale, um das Tier dabei möglichst vor Verletzungen zu wahren und bringt dasselbe in ein mit so wenig Wasser gefülltes Gefäss, dass der Eingeweidebruchsack sich nicht, wie im tieferen Wasser, durch den prall mit Luft gefüllten Lungensack senkrecht stellen kann, sondern über den sehr niedrigen Wasserstand in die Luft herausragt, so ist das Tier durchaus nicht im stande, weiterzukriechen. Erstens ist infolge der kleinen Fussmasse das Gewicht des Fusses gegenüber dem des übrigen Leibes viel zu gering und bietet daher keinen Anhalt, auch ist weiterhin die den Musculus columellaris ersetzende verdickte Hautmuskulatur viel zu schwach, um die Körpermasse nachzuziehen. Eine *Lymnaea* mit

ihrem mächtigen breiten Fuss vermag hingegen selbst in dieser
Situation noch ohne besondere Schwierigkeit vom Fleck zu kommen.

Wir sehen demnach, wie unentbehrlich die vollständige und
ungestörte Wirksamkeit dieses hydrostatischen Apparates verbunden
mit der spiraligen und ebenen Aufwindung des so bedeutend in die
Länge gezogenen Körpers für unsere Schnecken ist, beim Kriechen
noch wichtiger als beim Schwimmen. Denn so notwendig sie auch
bezüglich der letzteren Lokomotionsart ist, so wird sie doch anderseits wieder zu einem, wenn auch nicht gerade besonders hervor-
tretenden Nachteile, indem sie, wie wir gesehen haben, eine in
gleichmässiger Geschwindigkeit ausgeführte Gleitbewegung verhindert
und dafür eine ruckweise bedingt. Eine Folge hiervon dürfen wir
ganz entschieden in der Thatsache erblicken, dass unsere Planorben
viel mehr kriechen als schwimmen und auch im Vergleich mit den
Lymnaeen von der letzteren Lokomotionsart viel weniger Gebrauch
machen als diese, eine Thatsache, die auch schon LEHMANN in seinem
Buche erwähnt hat.

Aus diesen Betrachtungen können wir für die Süsswasserpulmonaten folgendes Resultat ziehen: Je mehr die Dimension der Fluss-
fläche und Fussmasse gegenüber der des übrigen Körpers samt dem
Gehäuse zunimmt, um so geringer ist die Ausdehnung und Luft-
kapazität der Lungenhöhle, um so weniger muss diese und durch
diese das Gehäuse als Luftballon, als hydrostatischer Apparat wirken, um so gleichmässiger wird dann anderseits die Schwimmbewegung der Schnecke sein.

2. Das Verlassen des Wassers.

Unsere einheimischen Planorbiden haben mit Ausnahme einer
einzigen Species, und das ist wieder der grosse *Planorbis corneus* L.,
beim Halten in Aquarien ganz besonders, indessen aber auch im
Freien mehr als die Lymnaeiden die Neigung, das Wasser auf kürzere oder längere Zeit zu verlassen.

Von den Lymnaeiden ist es eigentlich nur eine einzige Art,
Lymnaea minuta oder *truncatula* L., welche durch Hinaufkriechen
an Pflanzen längere Zeit das Wasser verlässt, eine Thatsache, auf
die schon LEUCKART in seinem Werke über die Parasiten des Menschen gelegentlich aufmerksam zu machen in der Lage war. Überhaupt verhält sich diese Lymnaeide auch in dem sogleich näher zu
behandelnden Punkte den Planorbiden ähnlich, von denen wiederum
nur *Planorbis corneus* L. eine Ausnahme macht.

Unsere übrigen Planorben verschliessen nämlich nach dem Verlassen des Wassers ihr Gehäuse mit einem weissen, häutigen Deckel, dessen konkave Fläche nach aussen sieht. LEHMANN bezeichnet diesen Deckel als ein dünnes, gallertigés Diaphragma. Am stärksten ist dieser Deckel bei den beiden Species *Planorbis rotundatus* MOQ.-TAND. und *vortex* L., aber auch bei *Planorbis contortus* L. und *albus* MÜLL. fand ich das Gehäuse nach Verlassen des Wassers mit einem kaum dünneren Deckel verschlossen, während derselbe dagegen bei den von mir weiter noch beobachteten Species *Planorbis nitidus* L., *complanatus* DRP., *marginatus* MÜLL. und *carinatus* DRP. nur ein dünnes Häutchen repräsentiert.

Es wurde mir daher auch klar, warum die letztangeführten Arten, namentlich junge Exemplare derselben, gar bald nach Verlassen des Wassers zu Grunde gingen, während dagegen *Planorbis rotundatus* MOQ.-TAND., den ich bezüglich dieser Verhältnisse am besten beobachten konnte, selbst nach Wochen die ganze, verhältnismässig energische Lebensthätigkeit wieder aufnahm, sobald er in das Wasser zurückgebracht wurde.

Die Fundorte der letzteren Species im Freien beweisen sofort, dass wir in dieser Erscheinung eine Anpassung im Interesse der Erhaltung der Art vor uns haben. Die stagnierenden Gewässer, welche dieser *Planorbis* bewohnt, sind manchmal sehr klein und infolgedessen in regenarmen Sommern leicht der Gefahr des Austrocknens ausgesetzt. Da müssten danri jedesmal unsere Tiere zu Grunde gehen, wenn sie sich nicht auf diese einfache Weise die Fähigkeit des Trockenschlafes erworben hätten. Dasselbe gilt von *Planorbis vortex* L., ebenso von *Planorbis contortus* L. und *albus* MÜLL. Ich will bei dieser Gelegenheit auch noch einmal auf einen Punkt zurückkommen, den ich bei der Beschreibung des Genitalapparates unserer Tiere erwähnt hatte. Ich hatte daselbst darauf hingewiesen. dass diese letztangeführten vier Arten in ungeheuerer Menge ihre Geschlechtsstoffe, namentlich die männlichen, produzieren. Ich glaube nun mit Bestimmtheit, dass auch diese Thatsache zu den eben angeführten biologischen Verhältnissen unserer Tiere in Beziehung steht.

Eine viel auffälligere Erscheinung hinsichtlich der Fähigkeit des Trockenschlafes bietet uns die bekannte tropische Süsswasserkiemenschneckengattung *Ampullaria*, welche sich vorzugsweise in den süssen Gewässern von Südamerika findet, die regelmässig in der regenarmen Jahreszeit austrocknen.

Es gibt aber auch unter den marinen Prosobranchiern eine Anzahl von Schnecken, welche die sogenannten „Gezeitenschnecken" repräsentieren. Diese Tiere kriechen bekanntlich an den felsigen Gestaden des Meeres so hoch hinauf, dass sie entweder nur durch die Spritzwogen der Brandung bei stürmischer See oder durch Hoch- und Springflut wieder befeuchtet werden können (*Litorina*, *Patella*, *Fissurella* u. a.). Endlich sind aber auch neuerdings von den Süsswasserpulmonaten mehrere bekannt geworden, welche ihr Element offenbar definitiv mit dem Lande vertauscht haben.

Vom Genus *L a n t z i a* (JOUSSEAUME 1872) lebt eine Art, *L. carinata* JOUSS., auf der Insel Réunion in feuchtem Moos in einer Höhe von 1200 m über dem Meer[1], ferner ist eine Ancylide, *B r o n d e l i a gibbosa* BOURG., auf feuchten Felsen des Waldes von Edough in Algier beobachtet worden[2]. Hier haben wir zweifelsohne den entscheidenden Schritt vom Wasserleben zum Landleben vor uns und dieser Schritt ist bei den Süsswasserpulmonaten nicht allzu schwer, denn einerseits gibt es ja auch Landschnecken, welche in der Ausbildung der Sinnes- und andere Organe noch sehr den Süsswasserpulmonaten ähneln, nämlich die A u r i c u l a c e e n, und anderseits dürfen wir nicht vergessen, dass die Süsswasserpulmonaten eben echte Lungenschnecken sind, welche atmosphärische Luft zu ihrer Existenz brauchen. Allerdings haben sich, wie wir bald nachher sehen werden, einige Lymnaeaceen zum dauernden Leben unter Wasser angepasst, aber es sind das eben Ausnahmen. Hinsichtlich ihrer ganzen Lebenserscheinungen und ihrerer Entwickelung könnte man die Süsswasserpulmonaten die Amphibien unter·den Weichtieren nennen.

Sollte nun das Verlassen des Wassers bei unseren Planorben auch ein Schritt zur Anpassung an das Landleben sein? Ich glaube nicht. Denn das Leben, welches diese Tiere ausserhalb des Wassers führen, ist ja gleichsam ein latentes; ich möchte das Verschliessen des Gehäuses mittels des häutigen Deckels eine Art von Encystierung nennen.

Auch Landschnecken, bekanntlich viele Heliciden, bilden in den tropischen Gegenden während der heissen und trockenen Zeit, in unserem Klima während des Winters Deckel, unter deren Schutz sie lange Zeit lebend bleiben. Ein zweites Moment, das gegen diese Annahme spricht, ist die Thatsache, dass unsere grösste Species,

---

[1] F i s c h e r, Manuel de conchyliologie. p. 502.
[2] F i s c h e r, a. a. O. p. 504.

Planorbis corneus L., in diesem Punkt eine Ausnahme macht[1]. Diese Art verlässt das Wasser niemals und zeichnet sich obendrein nicht nur gegenüber den anderen *Planorbis*-Arten, sondern auch gegenüber sämtlichen Lymnaeiden dadurch aus, dass sie ganz nach Art der Ampullarien durch Doppelatmung an die Aufnahme von atmosphärischer und der im Wasser enthaltenen Luft angepasst ist. SIMROTH erblickt hierin eine Rückanpassung an das Wasserleben, worauf ich zum Schluss noch einmal zu sprechen kommen werde. Dieser Autor hat auch eine merkwürdige Differenzierung der Atemhöhle dieser Schnecke beschrieben[2] und eine genaue Abbildung beigefügt. Die Atemhöhle dieses *Planorbis* wird nämlich durch eine am Boden derselben hinlaufende Leiste in zwei Räume geteilt, von denen der eine mit einem schwellbaren Kiemenfortsatz versehen, zur Wasseratmung in Verwendung gebracht werden kann. SIMROTH hat diese Verhältnisse in treffender Weise durch die Betrachtung der Entwickelung derselben mit den entsprechenden Erscheinungen bei *Paludina*, also einer echten Kiemenschnecke verglichen und danach die Süsswasserpulmonaten unter der Bezeichnung „Pulmobranchier" als vermittelnde Formen zwischen den Kiemenschnecken und Landlungenschnecken hingestellt.

Ausserdem beschreibt unser Autor[3] noch zwei weitere Falten in der Atemhöhle des *Planorbis corneus* L., eine Leiste an der Decke derselben und einen Kiemenkamm. Das sind jene merkwürdigen Gebilde, durch welche auch BEHME (a. a. O. p. 16) bei der Untersuchung der Atemhöhle dieser Schnecke stutzig wurde und deren Bedeutung er sich nicht erklären konnte. Er schreibt zudem noch, er habe hierüber nirgends Angaben gefunden, hat also offenbar SIMROTH's citierte Arbeit nicht gekannt.

---

[1] Die Ursachen des regelmässigen Emporkriechens an den Glaswänden über den Wasserspiegel, das bei den in den Aquarien des zoologischen Instituts in Leipzig gehaltenen Planorbiden, mit Ausnahme von *Planorbis corneus* L., immer zu beobachten war, konnte ich mir nicht recht erklären. Das einzige, was ich sicher behaupten kann, ist, dass die Erhöhung der Temperatur des Wassers im Sommer die Planorben massenhaft zum Verlassen desselben getrieben hat. Sie befanden sich fast sämtlich 1—3 cm über dem Wasserspiegel an den Glaswänden der Aquarien wahrscheinlich durch Schleim festgeklebt. Mit Ausnahme von *Planorbis nitidus* L., welcher stets nach 1—2 Tagen zu Grunde ging, hielten sich sämtliche Planorben gut.

[2] H. Simroth, Die Sinneswerkzeuge der einheimischen Weichthiere Ztschr. f. wiss. Zool. Bd. XXVI. p. 340—344.

[3] H. Simroth, a. a. O. p. 343.

Die anderen Planorben unserer Fauna zeigen — und davon hatte sich ebenfalls SIMROTH (a. a. O. p. 344) schon überzeugt — diese merkwürdige Differenzierung der Atemhöhle nicht, sind also im entwickelten Zustande, wie die meisten[1] Lymnaeiden, echte Lungenschnecken geworden, welche bloss noch atmosphärische Luft zu atmen im stande sind. Wenn man diese Tiere zwingt, unter Wasser zu verharren, so gehen sie vielfach in nicht langer Zeit, oft schon nach zweimal 24 Stunden zu Grunde[2]. *Planorbis corneus* L. dagegen bleibt auch bei andauerndem Aufenthalt unter Wasser am Leben.

Könnte man alle exotischen Planorben auf diese Verhältnisse untersuchen, so würde man sicherlich eine Reihe von Übergangsformen finden. Ich muss deswegen SIMROTH ganz recht geben, wenn er sagt, dass ein Genus, bei dem ein Organ in seiner Funktion bei einer und derselben Art, in seiner morphologischen Ausbildung bei den verschiedenen Arten schwankt, an und für sich geeignet sein wird, Übergänge zu Formen des Organes bei anderen Gruppen auffinden zu lassen.

Über die Ansicht desselben Autors, dass *Planorbis corneus* L. sich durch Rückanpassung an das Wasserleben die merkwürdig differenzierte Atemhöhle erworben habe, könnte man streiten und im Gegenteil in diesen Verhältnissen eine Reliktenerscheinung des Wasserlebens erblicken. Ich will mich jedoch fussend auf die Resultate meiner Untersuchungen des Kopulationsapparates der Ansicht SIMROTH's anschliessen, denn in bezug darauf erblicke ich in *Planorbis corneus* L., welcher, wie wir gesehen haben, den Typus I repräsentiert, die jüngste Form.

Auf Grund der gesamten Untersuchungsresultate hinsichtlich unserer einheimischen Planorbiden glaube ich annehmen zu können,

---

[1] Es gibt bekanntlich Lymnaeiden, welche im tiefen Wasser leben, auch exotische Planorbiden, die solches thun. Diese Schnecken füllen ihre Atemhöhle mit Wasser, sind auch an ganz aussergewöhnliche Druckverhältnisse angepasst.

[2] Dr. A. Pauly hat eine in München erschienene gekrönte Preisschrift über die Wasseratmung der Lymnaeiden verfasst. Er macht darin auf die Thatsache aufmerksam, dass die Lymnaeen nach Abschliessung von der Luft durch die äussere Haut atmen und damit ihren Sauerstoffbedarf zu decken im stande sind. Ob sich diese Thatsache für alle, namentlich unsere einheimischen Lymnaeen gültig machen lässt, bezweifle ich, denn es wäre sonst nicht möglich, eine *Lymnaea* zu ertränken, d. h. zu ersticken. Nach den Beobachtungen des Autors sollen auch *Planorbis rotundatus* und *contortus* befähigt sein, sich durch Hautatmung an das Tiefseeleben anzupassen.

dass diese Schnecken mit zu den ältesten Formen der Süsswasser-lungenschnecken gehören, dass sie jedoch wahrscheinlich andere marine Formen zu Ahnen haben, als die Lymnaeiden. Vielleicht beruht sogar die augenscheinliche Einheit des Genus *Planorbis* selbst nur auf Konvergenzerscheinungen.

Leipzig im April 1890.

Erklärung der Tafel IV—VI.

Tafel IV.

Fig. 1. *Planorbis corneus* L.

Fig. 2.   „   *marginatus* MÜLL.

Fig. 3.   „   *vortex* L.

Fig. 4.   „   *nitidus* L.

Fig. 5. Anatomie von *Planorbis vortex* L.
> *Zw.* Zwitterdrüse. *Zg.* Zwittergang mit Sperma in den blindsackartigen Ausstülpungen. *Ga.* Eiweissdrüse. *Pr.* Prostata. *vd.* Vas deferens. *Cpo.* Kopulationsorgan. *Ov.* Ovidukt. *Rs.* Receptaculum seminis. *Md.* Mund. *Schl.* Schlundkopf. *Sp.* Speicheldrüsen. *Oe.* Oesophagus. *M.* Magen. *L.* Leber. *D.* Darm. *N.* Niere. *H.* Herz. *St.* Stilett im Kopulationsorgan.

Fig. 6. Querschnitt durch den Mund von *Planorbis vortex* L.
> *M.* Lumen des Mundes. *E.* Epithel. *D.* Kleine Speicheldrüsen.

Fig. 7. Leber von *Planorbis corneus* L.
> *L.* Leber. *Zw.* Endstück der Zwitterdrüse, aus der Leber hervorragend. *M.* Magen, *D.* Darm; beide aus der Leber herausgelegt.

Fig. 8. Leber von *Planorbis rotundatus* MOQ.-TAND. im Zusammenhang mit dem Darme.
> *L.* Leber. *D.* Darm. *M.* Magen.

Fig. 9. Längsschnitt durch das Endstück der Leber von *Planorbis rotundatus* MOQ.-TAND.
> *Mb.* Strukturlose, schwach pigmentierte Membran. *Lz.* Leberzellen mit Sekretkügelchen.

Fig. 10. Genitaltraktus von *Planorbis corneus* L.

Fig. 11. Derselbe von *Planorbis vortex* L.
> *Zw.* Zwitterdrüse. *Zg.* Zwittergang mit Blindsäckchen (in Fig. 11 mit Sperma gefüllt). *Ga.* Eiweissdrüse. *Pr.* Prostata. *vd.* Vas deferens. *Cpo.* Kopulationsorgan. *St.* Stilett im Kopulationsorgan. *Ov.* Ovidukt. *Rs.* Receptaculum seminis. *Vg.* Vagina.

Fig. 12. Schnitt durch ein Stück der Eiweissdrüse von *Planorbis corneus* L.
> *Ez.* Eiweisszellen.

Fig. 13. Prostata von *Planorbis nitidus* L., dem männlichen Gange aufsitzend.

Fig. 14. Schnitt durch ein Follikel der Prostata von *Planorbis corneus* L. Einige Zellen haben das Sekret in das Lumen des Follikels entleert.

Fig. 15. Querschnitt durch den cylindrischen Teil des Vas deferens von *Planorbis marginatus* MÜLL.
Mp. Pigmentierte Membran. *Rm.* Ringmuskelschicht. *Fe.* Flimmerepithel. *C.* Spermakanal.

Fig. 16. Querschnitt durch das Kopulationsorgan von *Planorbis corneus* L. an der Stelle der seitswärts befindlichen Ausmündung des Spermakanals.
Sk. Schwellkörper. *P.* Penis. *A.* Ausmündung des Spermakanals. *Lm.* Längsmuskelschicht. *Rm.* Ringmuskelschicht.

Fig. 17. Querschnitt durch das Kopulationsorgan von *Planorbis marginatus* MÜLL. an der Basis des papillenartigen Vorsprungs im Inneren des Schwellkörpers. (NB. Der Schnitt ist nicht ganz senkrecht zur Längsaxe des Kopulationsorganes geführt.)
Sp. Spaltraum. *S.* Schleimzellen am Übergang des Schwellkörpers in das Präputium.

Fig. 18. Querschnitt durch das Präputium eines *Planorbis carinatus* DRP.
L. Hantelförmiges Lumen. *Rm.* Ringmuskelschicht. *S.* Schleimzellen.

Tafel V.

Fig. 1. Längenschnitt durch das gesamte Kopulationsorgan eines stilettführenden *Planorbis* (*Pl. vortex* L.).
V. Cylindrischer Teil des Vas deferens. *Sk.* Schwellkörper. *P.* Penis. *K.* Knopfartige Anschwellung des Schwellkörpers. *Pp.* Präputium. *Ss.* Stilettscheide. *St.* Stilett. *R.* Ringwulst. *Sp.* Spaltraum zwischen Schwellkörper und Penis. *Sp¹.* Spaltraum zwischen Schwellkörper und Stilettscheide. *L.* Lumen des Präputiums. *Mb.* Überzugsmembran des Kopulationsapparates. *Lm.* Längsmuskelschicht. *Rm.* Ringmuskelschicht. *a.* Beginn der Einlagerung der neuen Ringmuskelschicht. *Ep.* Epithel. *O.* Hohes Cylinderepithel. *Spk.* Spermakanal mit Flimmerepithel ausgekleidet. *A.* Seitlich gelegene Ausmündung desselben. *C.* Centralkanal der Stilettscheide. *B.* Rundliche Zellen im Penisendstück. *S.* Schleimzellen. *Mr.* Musculus retractor.

Fig. 2. Niere eines *Planorbis* im Längsschnitt (Übersichtsskizze).
P. Nierenpapille. *Ur.* Vorderer Nierenabschnitt (Ureter). *Uk.* Mittlerer Nierenabschnitt (Urinkammer). *Nk.* Hinterer Nierenabschnitt (Nierenkopf). *Pc.* Pericardium. *Ga.* Eiweissdrüse. *Wp.* Wimpertrichter.

Fig. 3. Diagonalschnitt durch die Nierenpapille.
A. Ausmündung in die Atemhöhle.

Fig. 4. Längsschnitt durch die Niere von *Planorbis carinatus* DRP. beim Übergange vom Ureter in die Urinkammer.
D. Drüsenepithel des Ureters. *D¹.* Konkrementführendes Epithel der Urinkammer. *B.* Areoläres Bindegewebe mit Kalkkonkretionen und Pigment.

Fig. 5. Längsschnitt durch den Nierenkopf von *Planorbis corneus* L. (Übersichtsskizze).

N. Nierenkopf. *V.* Volum desselben. *Wt.* Wimpertrichter. *Pc.* Pe-
rikardialraum. *H.* Herz. *Ga.* Eiweissdrüsse.

Fig. 6. Längsschnitt durch den Wimpertrichter von *Planorbis
corneus* L.

N. Niere. *Wt.* Wimpertrichter. *Ep.* Flimmerepithel. *m.* Mündungen des Wimpertrichters in die Niere. *Pc.* Pericardium. *A.* Perikardialmündung des Wimpertrichters. *B.* Areoläres Bindegewebe mit
Kalkkonkrementen.

Tafel VI.

Schematische Darstellungen der vier Typen des Kopulationsapparates der einheimischen Planorbiden im Längsschnitt.

Fig. 1. Typus I. Fig. 2. Typus II. Fig. 3. Typus III. Fig. 4. Typus IV.

Vd. Vas deferens. *Sk.* Schwellkörper. *P.* Penis. *O.* Mündung des
Spermakanals. *Pp.* Präputium. *Kn.* Knopfartige Erweiterung des
Schwellkörpers. *Rw.* Ringwulst. *Plv.* Papillenartiger Vorsprung im
Inneren des Schwellkörpers (Stilettscheide). *A.* Blindsackartige An-
hänge. *Mr.* Musculus retractor.

Bemerkungen zu Herrn v. Sandbergers Abhandlung „Über Steinkohlenformation und Rotliegendes im Schwarzwald und deren Floren".

Von H. Eck.

Im Jahrbuch der k. k. geologischen Reichsanstalt in Wien, Jahrg. 1890, Bd. XL, H. 1 u. 2, S. 77—102, hat Herr v. SAND-BERGER eine Abhandlung „Über Steinkohlenformation und Rotliegendes im Schwarzwald und deren Floren" veröffentlicht, auf welche ich hier, da Mitteilungen über die genannten Schichtsysteme von badischen Geologen in nicht ferner Zeit zu erwarten sind, nur so weit eingehe, als die darin enthaltenen Angriffe gegen mich dies nötig machen.

1. Eine Übersicht über die Deutungen, welche die Steinkohlen-gebirgs-Ablagerung von Diersburg-Berghaupten erfahren hat, und über die daraus aufgeführten Versteinerungen wurde von mir in den Erläuterungen zur geognostischen Karte der Umgegend von Lahr, 1884, S. 42 f., gegeben. In bezug auf das Alter der Schichten gelangte ich (S. 51) zu dem Ergebnis, dass „man die Flora an die Basis des produktiven Kohlengebirges verweisen könne, und des-halb wurde die Ablagerung auch auf der Karte als mittleres Kohlen-gebirge (oder unteres Oberkarbon), die Bezeichnung im Sinne von WEISS genommen, angegeben." In gleicher Weise ist dieselbe auch auf meiner geognostischen Karte der weiteren Umgebung der Rench-bäder (1885) und dem nördlichen Blatte meiner geognostischen Über-sichtskarte des Schwarzwaldes (1887) mittleres Kohlengebirge be-nannt worden. Als mittleres Kohlengebirge bezeichnete bekanntlich WEISS [1] die Waldenburger und Ostrauer Schichten. Bestimmend für diese Deutung waren für mich besonders *Senftenbergia aspera* und *Sphenopteris microloba*. Herr v. SANDBERGER, welcher a. a. O. seine

---

[1] Zeitschr. d. Deutsch. geol. Ges. XXXI, 1879, S. 220.

früheren, von vornherein unwahrscheinlichen Bestimmungen der als *Sphenophyllum oblongifolium* und *microphyllum* und als „*Sclerophyllina crassifolia*" aufgeführten Reste berichtigt, einige von GEINITZ und SCHIMPER bestimmte Arten weglässt und *Calamites approximatiformis* den früher bekannten hinzufügt, kommt nunmehr (S. 83) zu demselben Schluss: „Am ähnlichsten ist jedenfalls der Berghauptener [Flora] die allerdings weit reichere der Ostrauer Schichten." Die Altersdeutung der Ablagerung ist hiernach nicht „Gegenstand der Controverse". Ob man mit WEISS [1], SCHUTZE [2] und STERZEL [3] die Waldenburger und Ostrauer Schichten mit dem höheren Karbon zu einer grösseren Abteilung (produktives Kohlengebirge) zusammenfassen und dieselben als mittleres Kohlengebirge oder unteres Oberkarbon bezeichnen, oder mit Herrn STUR [4] mit den Kulmbildungen vereinigen und oberen Kulm nennen will, ist für die vorliegende Frage selbstverständlich völlig gleichgültig.

2. Das Kohlengebirge von Hohengeroldseck wurde von Herrn v. SANDBERGER früher [5] mit den mittleren Zwickauer und Saarbrückener Schichten, der Sigillarienzone, parallelisirt. GEINITZ [6] versetzte seine Bildungszeit in die der Kalamiten- oder Annularienzone des sächsischen Kohlengebirges. Ich reihte sie (a. a. O. S. 72) der Stufe der Ottweiler Schichten ein und trug sie als solche auch auf dem nördlichen Blatte meiner geognostischen Übersichtskarte des Schwarzwalds (1887) auf. Nunmehr möchte auch Herr v. SANDBERGER (a. a. O. S. 85) „die Ablagerung den Ottweiler Schichten im Alter gleichstellen".

Herr v. SANDBERGER hat kein Recht, die Fundortsangabe des von mir a. a. O. S. 69 von Hohengeroldseck aufgeführten *Pterophyllum blechnoides* für „in hohem Grade zweifelhaft" zu halten. Das betreffende Exemplar wurde, ebenso wie eines der bei Hohengeroldseck häufigen *Alethopteris pteridoides* BRON. sp., mit auf den Stücken selbst aufgeklebten und von meinem Amtsvorgänger, Prof. KURR, eigenhändig geschriebenen Etiketten mit der Fundortsangabe

---

[1] A. a. O. S. 217 f.

[2] Abhandl. z. geol. Specialkarte v. Preussen u. s. w., III, H. 4, S. 19.

[3] Erläuterungen z. geol. Specialkarte d. Königr. Sachsen, Section Stollberg-Lugau, S. 160. — Vergl. auch D a t h e , Zeitschr. d. Deutsch. geol. Ges., XLII, 1890, S. 174.

[4] Abhandl. d. k. k. geol. Reichsanst., Wien, VIII, H. 2, S. 365.

[5] Verh. d. naturw. Ver. z. Karlsruhe 1864, H. 1, S. 6.

[6] G e i n i t z , F l e c k und H a r t i g , Die Steinkohlen Deutschlands, I, S. 123 u. 406.

Hohengeroldseck vorgefunden und sind im Kataloge gleichfalls als von dort stammend eingetragen. Nur darüber konnte ich keine Auskunft geben, ob dasselbe den tieferen bei Hohengeroldseck vorhandenen Schichten (dem oberen Oberkarbon) oder den höheren (dem unteren Rotliegenden) entnommen wurde.

3. Die Ablagerung von Hinterohlsbach parallelisierte Herr v. Sandberger früher[1] gleichfalls mit der Sigillarienzone. Ich sagte a. a. O. S. 64: „Da aller" aufgeführten Pflanzen „Hauptentwickelung in die Zeit des Steinkohlengebirges fällt, und Pflanzen, welche anderweitig ausschliesslich im Rotliegenden lagern, nicht beobachtet sind, da ferner Sigillarien, Lykopodiaceen und Stigmarien fehlen und *Odontopteris Reichiana* vorzugsweise der Ottweiler Stufe angehört, so werden jene Schichten wohl mit Recht der oberen Abteilung des produktiven Kohlengebirges zugewiesen." Als Ottweiler Schichten sind sie auf dem nördlichen Blatte meiner geognostischen Übersichtskarte des Schwarzwalds (1887) angegeben. Herr v. Sandberger schliesst sich dem a. a. O. S. 86 nunmehr an: „*Odontopteris Reichiana* ist eine in den Saarbrücker Schichten fehlende, aber für die Ottweiler Schichten bezeichnende Form, welche mich bestimmt, die vorliegende Ablagerung zu den letzteren zu stellen."

Ich fuhr a. a. O. fort: „Eine Abgrenzung derselben von einem höheren Schichtkomplexe, in welchem zwischen den Arkosen hauptsächlich rote und grüne, glimmerige Schieferthone eingeschaltet sind. und worin die von Platz am Heidenknie entdeckten Pflanzen des Rotliegenden ihr Lager haben, ist praktisch unausführbar; er ist dem unteren Rotliegenden in anderen Distrikten gleichzustellen." Als solches ist derselbe auch auf meiner geognostischen Karte der weiteren Umgebungen der Renchbäder (1885) und auf dem nördlichen Blatte meiner geognostischen Übersichtskarte des Schwarzwalds (1887) aufgetragen. Es entspricht daher nicht der Wahrheit, wenn Herr v. Sandberger a. a. O. S. 87 angibt, dass derselbe von mir zum „mittleren Rotliegenden" gezogen worden sei.

4. Das Kohlengebirge von Baden-Baden wurde von Herrn v. Sandberger 1859,[2] 1861,[3] 1864[4] und 1876[5] den mittleren Zwickauer

---

[1] Verh. d. naturw. Ver. z. Karlsruhe 1864, H. 1, S. 6.

[2] Amtl. Bericht üb. d. 34. Versamml. deutsch. Naturf. u. Ärzte in Karlsruhe im Sept. 1858, Karlsruhe 1859, S. 58.

[3] Beitr. z. Statistik d. inneren Verwalt. d. Grossh. Baden, XI, S. 45.

[4] Verh. d. naturw. Ver. z. Karlsruhe, I, S. 6 u. 32.

[5] Ausland, 1876, S. 948.

und Saarbrücker Schichten, „zweifellos" der Sigillarienzone, zugerechnet. Schon GEINITZ hatte sie anfangs als in die Mitte der oberen
Steinkohlenformation fallend, später als gleichalterig der Annularienzone (Äquivalenten der Ottweiler Schichten) betrachtet.[1] Dieser
letzteren Deutung musste ich mich anschliessen[2] und habe die Ablagerung als Ottweiler Schichten auf dem nördlichen Blatte meiner
geognostischen Übersichtskarte des Schwarzwalds (1887) aufgetragen.
Auch Herr v. SANDBERGER nimmt nunmehr „keinen Anstand, die Badener Ablagerung zu den Ottweiler Schichten zu stellen" (a. a. O.
S. 87).

5. Die Gesteine vom Holzplatze im Lierbachthale bei Oppenau
wurden von Herrn v. SANDBERGER[3] der oberen Kohlenformation zugestellt. Ich habe dieselben aus palaeontologischen und geognostischen Gründen 1875[4] und 1884[5] dem unteren Rotliegenden zugewiesen und auf der geognostischen Karte der weiteren Umgebung
der Renchbäder (1885) und auf dem nördlichen Blatte meiner geognostischen Übersichtskarte des Schwarzwalds (1887) als solches
aufgetragen. Von den häufigen Pflanzen ist *Pterophyllum blechnoides*
anderwärts[6] nur aus Rotliegendem bekannt, die übrigen sind dem
Kohlengebirge und Rotliegenden gemeinsam. Herr STUR bemerkte
in bezug auf dieselben 1888[7]: Die mit *Pterophyllum blechnoides*
„vorkommenden Arten sind durchwegs Pflanzen, die von den obersten Karbonschichten durch die Grenzschichten zwischen Karbon und
Perm (bei Rossitz) bis ins Perm einzeln hinaufreichen, indem sich
ihnen echte Rotliegendarten zugesellen. Es scheint daher nicht un-
annehmbar zu sein die Meinung, dass die badische Fundstelle der
Schieferthonlager schon den Grenzschichten angehöre.' Auch Herr
v. SANDBERGER stellt dieselbe nunmehr (1890, a. a. O. S. 89 und 90)
zu den „obersten Ottweiler Schichten", betrachtet sie „als Über-
gangsglied zwischen obersten Ottweiler und untersten Rotliegend-
Schichten". Dass ich zu meiner Deutung als unteres Rotliegendes

---

[1] Geinitz, Fleck und Hartig, Die Steinkohlen Deutschlands, I, 1865,
S. 119—120 u. 406.

[2] Diese Jahresh. 1887, S. 329.

[3] Beitr. z. Statist. d. inneren Verwalt. d. Grossh. Baden 1863, XVI, S. 17,
und Verh. d. naturw. Ver. z. Karlsruhe I, S. 6 u. 31.

[4] Neues Jahrb. f. Mineral. u. s. w. 1875, S. 70.

[5] Erläuterungen z. geogn. Karte d. Umgegend v. Lahr, 1884, S. 73.

[6] Neues Jahrb. f. Mineral. u. s. w. 1875, H. 1, S. 1.

[7] Verh. d. k. k. geol. Reichsanst., Wien 1888, No. 10, S. 214.

ein Recht hatte, wird aus den Äusserungen der Herren BENECKE und
VAN WERVEKE[1] genugsam hervorgehen.

6. Dass Ablagerungen vom Alter der Sigillarienzone des
sächsischen Kohlengebirges, beiläufigen Äquivalenten der Saarbrückener Schichten, im Schwarzwalde vorhanden seien, ist
früher, wenn man von der Deutung der Berghauptener Ablagerung
durch GEINITZ absieht, nur von den Herren v. SANDBERGER und PLATZ
behauptet worden. Auf dem nördlichen Blatte meiner geognostischen
Übersichtskarte des Schwarzwaldes (1887) dagegen steht neben dem
Farbenschilde für mittleres Kohlengebirge (d. h. für Waldenburger
und Ostrauer Schichten) sogleich dasjenige für Ottweiler Schichten,
und auch Herr v. SANDBERGER ist jetzt der Meinung (a. a. O. S. 91),
dass „die Schatzlarer Schichten STUR's und die Saarbrücker Schichten
WEISS' offenbar in keinem Schwarzwälder Becken vertreten sind."

7. Das Rotliegende der Gegend von Baden-Baden gliederte
Herr v. SANDBERGER 1861[2] [unrichtigerweise] von unten nach oben
in 1. harte Porphyrbreccien, 2. harte, 3. lose Konglomerate, 4. roten
Schieferthon. Dunkle und rote Schieferthone von Sulzbach, aus
welchen BRONN[3] *Posidonia [Estheria] tenella* JORD. und *Gampsonychus
fimbriatus* beschrieben hatte, wurden anfangs zum Steinkohlengebirge, 1864[4] und 1876[5] zum „unteren Rotliegenden", zu den „ersten
Niederschlägen" desselben gestellt. Ich habe 1887[6] eine Gliederung
des Badener Rotliegenden in ein unteres, mittleres (welches ganz
wohl als Äquivalent der Lebacher Schichten betrachtet werden kann)
und oberes, sowie eine Darstellung der Verbreitung dieser Abteilungen auf dem nördlichen Blatte meiner geognostischen Übersichtskarte des Schwarzwaldes (1887) gegeben, woraus bei einem Vergleich mit Herrn v. SANDBERGER's Kartendarstellung hervorgeht, dass
mein unteres Rotliegendes den oberen Teil des v. SANDBERGER'schen
Steinkohlengebirges, mein mittleres die von Herrn v. SANDBERGER
1864 und 1876 als unteres Rotliegendes gedeuteten, mein oberes
sämtliche von demselben 1861 als Rotliegendes überhaupt bezeichneten Ablagerungen umfasst.

Soweit daher Herr v. SANDBERGER 1890 (a. a. O. S. 92) die

---

[1] Mitth. d. geol. Landesanst. v. Elsass-Lothringen 1890, III, S. 88.
[2] Beitr. z. Statist. d. inneren Verw. d. Grossh. Baden, XI, S. 24.
[3] Neues Jahrb. f. Mineral. u. s. w. 1850, S. 577.
[4] Verh. d. naturw. Ver. zu Karlsruhe, I, S. 31.
[5] Ausland 1876, S. 949.
[6] Diese Jahresh. 1887, S. 330.

bei Baden zwischen dem Konversationshause und der Höhe der
Gallenbacher Strasse das Steinkohlengebirge überlagernden Arkosesandsteine und Schieferthone, welche er früher dem Kohlengebirge
zurechnete, nunmehr dem unteren Rotliegenden zuweist, folgt derselbe nur meinem Vorgange: er begeht aber einen Fehler, indem
er rote Schieferthone auf der Höhe der Gallenbacher Strasse als
Vertreter eines Teiles meines mittleren Rotliegenden betrachtet, da
dieses bei Baden-Baden selbst nicht zu Tage tritt. Ob diejenigen
Sandsteine, aus welchen am Büchelberge bei Umwegen und zwischen
Oberbeuren und Gernsbach Kieselhölzer seit dem Anfange dieses
Jahrhunderts bekannt sind, dem obersten Kohlengebirge oder untersten Rotliegenden angehören, ist zweifelhaft, aber gewiss ist es, dass
ein Teil derjenigen Schichten, welche Herr v. Sandberger bei Gernsbach als Steinkohlengebirge kartierte, teils dem unteren und teils
dem oberen Rotliegenden angehört, wie dies meine Übersichtskarte
erkennen lässt. Auf einem Irrtum beruht ferner die Annahme, dass
das Rotliegende im Badener Verbreitungsgebiete mit roten Schieferthonen und Sandsteinen (in welchen letzteren nach Herrn v. Sandberger (a. a. O. S. 93) die ursprünglich von demselben[1] als aus
„blassrotem, hartem Thonstein" stammend angegebenen Pflanzenreste aufgefunden wurden) ende, und dass die an anderen Stellen
des Schwarzwalds das Schlussglied des oberen Rotliegenden bildenden Schichten mit Dolomitknauern und Karneol nur an einzelnen
Stellen entwickelt seien; vielmehr sind über den höchstgelegenen
Schieferthonen und Sandsteinen Porphyrgerölle führende (nicht, wie
Herr v. Sandberger angibt,[2] porphyrfreie), konglomeratische Ablagerungen, welche Dolomitknauern in gleicher Weise wie weiter südlich führen, als Schlussglied des Rotliegenden auch hier überall vorhanden, wo sie durch auflagernden Buntsandstein vor weiterer Ab-
waschung geschützt worden sind.

Ob man für die von mir in allen Verbreitungsgebieten des Rotliegenden im Schwarzwalde unterschiedenen und kartierten Abteilungen des unteren, mittleren und oberen Rotliegenden die gebrauchten Namen beibehalten, oder ob man, wie es Weiss später für das
Rotliegende der Saar-Nahe-Gegenden gethan und auch die Herren
Benecke und van Werveke für dasjenige der Vogesen vorziehen, die
ersteren beiden Abteilungen als unteres Rotliegendes zusammenfassen

---

[1] Beitr. z. Statist. d. inneren Verwalt. d. Grossh. Baden 1863, XVI, S. 9.
[2] Ausland 1876, S. 951.

und darin zwei dem früheren unteren und mittleren Rotliegenden entsprechende Schichtengruppen als untere und obere Stufe desselben unterscheiden will, scheint mir eine Frage von mehr untergeordneter Bedeutung zu sein..

8. Dass die Arkosesandsteine und Schieferthone von Durbach, welche von Herrn v. SANDBERGER a. a. O. S. 84 dem mittleren Rotliegenden (den Lebacher Schichten), von mir [1] dem unteren zugerechnet werden, dem letzteren angehören, haben auch die Herren BENECKE und VAN WERVEKE [2] bestätigt. Über den Äquivalenten derselben bei Langhärdtle und in der Gegend östlich von Schiltach folgen rote Schieferthone mit Dolomitsphäroiden, welche nach ihrer Lagerung und petrographischen Beschaffenheit als Vertreter des mittleren Rotliegenden, der Schichten von Sulzbach u. s. w., betrachtet werden können, obschon in ihnen die aus den letzteren bekannten Versteinerungen bisher noch nicht beobachtet worden sind.

9. Die Arkosesandsteine und schwarzen Schieferthone am ehemaligen Hammerwerke bei Schramberg wurden, wie früher ohne zureichenden Grund von ALBERTI, HEHL, QUENSTEDT und anderen, auch von Herrn v. SANDBERGER 1864 [3] dem Kohlengebirge zugerechnet. 1876 [4] schienen sie ihm „schon zum unteren Rotliegenden zu gehören, doch" musste derselbe „mit einem bestimmten Urteile zurückhalten, bis die fossile Flora vollständig untersucht" sein würde. Die gegenwärtige Ansicht, dass die in Rede stehenden Schichten die tiefste, „anderswo vielleicht noch nicht in ähnlicher Beschaffenheit beobachtete Lage" der Lebacher Schichten (des mittleren Rotliegenden) bilden, stützt Herr v. SANDBERGER (a. a. O. S. 95—97) auf folgende Versteinerungen: *Scolecopteris arborescens* BRONG. sp., *Calamites* sp., *Walchia piniformis* SCHLOTH. sp., *Gingkophyllum minus* SANDB. sp. n., *Cordaites principalis* GERM. sp., *Cordaites Roesslerianus* GEIN., *Cordaites plicatus* GOEPP. sp., *Rhabdocarpum decemcostatum* SANDB. sp. n., *Rhabdocarpum dyadicum* GEIN., *Cyclocarpum melonoides* SANDB. sp. n., *Blattina* sp. Von denselben kommen für die Bestimmung des speziellen Alters die als *Gingkophyllum minus* sp. n., *Rhabdocarpum decemcostatum* sp. n., *Cyclocarpum melonoides* sp. n. und

---

[1] Erläuterungen z. geogn. Karte d. Umgegend v. Lahr 1884, S. 62 f. — Geognostische Karte der weiteren Umgebung der Renchbäder (1885). — Nördliches Blatt d. geogn. Übersichtskarte des Schwarzwaldes (1887).
[2] Mitth. d. geol. Landesanst. v. Elsass-Lothringen 1890, III, S. 88—89.
[3] Verh. d. naturw. Ver. z. Karlsruhe, I, S. 30.
[4] Ausland 1876, S. 948.

Blattina sp. bezeichneten Reste selbstverständlich nicht in Betracht;
ebensowenig die dem Kohlengebirge und dem Rotliegenden gemeinsamen Arten: *Scolecopteris arborescens* Brong. sp., *Cordaites principalis* Germ. sp. und *Walchia piniformis* Schloth. sp., welche letztere
von Weiss[1] schon aus Saarbrücker und Ottweiler Schichten angegeben wird; auf „kleine", als *Cordaites Roesslerianus* Gein. gedeutete „Bruchstücke", ein „ziemlich grosses", als *Cordaites plicatus*
Goepp. sp. bezeichnetes „Bruchstück" und *Rhabdocarpum dyadicum*
Gein. kann, selbst die Richtigkeit der Artbestimmungen zugegeben,
eine spezielle Altersdeutung sicher nicht gegründet werden; ein Ka-
lamit wurde schon 1841 von Hehl[2] aus dem Kohlenschiefer von
Schramberg erwähnt, ist auch in der Sammlung der technischen
Hochschule in Stuttgart in einem Exemplare vorhanden, aber spe-
zifisch ebenso unbestimmbar wie die von Herrn v. Sandberger untersuchten Stücke und wurde eben deshalb in dem von mir in diesen
Jahresheften 1887, S. 341 gegebenen Verzeichnis der Schramberger
Pflanzen nicht aufgeführt. *Calamostachys*-Arten (die nicht zu den
für spezielle Altersbestimmungen weniger wichtigen Pflanzen, wie
Cycadeenfrüchte und -Blätterbruchstücke, gehören) von der Beschaffenheit wie die in der genannten Sammlung befindliche *Calamostachys* aff. *Ludwigi* sind im Rotliegenden noch nie gefunden
worden; Weiss, welcher aber von den mitvorkommenden Pflanzen
nur *Cordaites principalis* und die häufigen Cycadeenfrüchte, und
nicht die geognostischen Verhältnisse kannte, wurde durch sie sogar
veranlasst, in einem Briefe an den Verfasser vom 1. Mai 1883 für
möglich zu halten, die Schramberger Ablagerung „könnte älter als
Saarbrückener Schichten sein"; und es bleibt daher mein Ausspruch
a. a. O. S. 341 richtig, dass das Vorkommen derselben neben den
sonstigen Formen mehr für die Einreihung der betreffenden Schichten
in das Steinkohlengebirge spreche. Ich halte nicht für überflüssig
hinzuzufügen, dass Herr v. Sandberger die in der Sammlung der
Stuttgarter technischen Hochschule von Schramberg vorhandenen
Reste nie gesehen hat.

„Prüft man aufmerksam" das „über die in den Bohrlöchern von
Schramberg beobachtete Schichtenfolge Mitgeteilte", ohne, wie Herr
v. Sandberger (a. a. O. S. 96) dies thut, die „amtliche Mittheilung"

---

[1] Fossile Flora der jüngsten Steinkohlenformation und des Rotliegenden
im Saar-Rhein-Gebiete, 1869—1872, S. 180.
[2] In Memminger's Beschreibung von Württemberg, 1841, S. 238.

des Königl. Bergrats,[1] unter dessen Leitung die Bohrlöcher gestossen wurden, unberücksichtigt zu lassen, „so sieht man", dass die von mir in diesen Jahresheften 1887, S. 342—43 angegebene Schichtenfolge richtig, Herrn v. SANDBERGER's Angabe, dass die roten Konglomerate des Rotliegenden „bis 1376′ mächtig" getroffen worden seien, falsch ist. Wer ferner mit der speziellen Lage der beiden Bohrlöcher und mit den zu Tage beobachtbaren Verhältnissen bekannt ist, wird auch erkennen, dass bei Schramberg ähnliche Lagerungsverhältnisse obwalten, wie an bestimmten Stellen im Badener und Oppenauer Verbreitungsbezirke, wo gleichfalls am Rande der Ablagerung oberes Rotliegendes direkt auf oberem Kohlengebirge oder unterem Rotliegenden, beckeneinwärts aber auf mittlerem Rotliegenden gelagert ist. Dass die erbohrten Quarzporphyre sog. ältere Porphyre sind, hatte ich gleichfalls schon hervorgehoben (a. a. O. S. 344).

Für die Richtigkeit der von mir (a. a. O.) vorgenommenen Verteilung der in den Bohrlöchern von Schramberg, Oberndorf, Dettingen und Ingelfingen durchstossenen Schichten auf die 3 Abteilungen des unteren, mittleren und oberen Rotliegenden hat das Bohrloch von Sulz einen weiteren Beweis geliefert, mit welchem durchstossen wurden:[2] etwa 80 m (mittlerer und unterer) Muschelkalk, 574 m Buntsandstein und oberes Rotliegendes (deren Grenze angeblich bei 350 m lag, sich aber wohl nicht sicher bestimmen liess, da bis 350 m Tiefe mit dem Meissel gebohrt wurde, und von welchen das letztere zwischen 350 und 476 m Tiefe aus teils grob-, teils feinkörnigen Sandsteinen, denen des oberen Rotliegenden am Südrande des Schwarzwalds bei Schopfheim u. s. w. gleichend, zwischen 476 und 654 m Tiefe aus einem Wechsel von roten Schieferthonen und roten Sandsteinen bestand), sodann 156 m rote Schieferthone (nicht Thonsteine!), welche als Vertreter des mittleren Rotliegenden anzusehen sind.

10. Wenn Herr v. SANDBERGER (a. a. O. S. 78) sagt: „Die Bedeckung der Schiefer" bei Hofen und Fahrnbuck im südlichen

---

[1] Württembergische Jahrbücher, Jahrg. 1849, H. 2, Stuttgart und Tübingen, 1851, S. 115, spec. S. 129.

[2] Vergl. auch: Neues Tagblatt, Stuttgart 1888, 19. Juli, No. 167, S. 3; 14. Dez., No. 294, Bl. II, S. 9; 21. Dez., No. 300, Bl. II; 1889, 26. Febr., No. 49, S. 1; 19. April, No. 93, S. 2; Schwäbischer Merkur, 1889, 21. Dez., No. 303, Mittagbl., S. 2349; Schwäbische Chronik, 1889, 18 Okt., No. 248, S 2036; 1890, 6. Feb., No. 31, Abendbl., S. 234; 14. April, No. 87, Abendbl., S. 710.

Schwarzwalde „besteht in Rotliegendem . . Zuweilen ist die Grenze zwischen ihm und dem schwarzen Schiefer deutlich entblösst, aber kein weiteres Gestein unter dem Rotliegenden sichtbar. Diese Thatsache hat mich 1858 bestimmt, . . von Bohrungen auf Steinkohle am Südrande des Schwarzwaldes abzuraten" . ., so ist hervorzuheben, dass die Schiefer von Fahrnbuck von Rotliegendem nicht überlagert werden, sondern durch eine Verwerfung von letzterem getrennt sind, wie dies auf dem südlichen Blatte meiner geognostischen Übersichtskarte des Schwarzwalds (1886) angegeben ist. Aber auch wenn eine solche Überlagerung stattfände, wäre der daraus gezogene Schluss ein falscher, da eine Einschiebung älterer Schichten (speziell des Kohlengebirges) zwischen dem Rotliegenden und den Schiefern in südlicher gelegenen Gebieten wohl möglich wäre. Es bleibt somit mein Ausspruch in diesen Jahresheften 1887, S. 353, bestehen, dass „niemand in der Lage war, mit einem Schein von Recht ein günstiges Resultat für eine Bohrung nach Kohlen als „unwahrscheinlich" zu bezeichnen."

Das Gleiche gilt auch mit den von mir a. a. O. ausgeführten Beschränkungen vom Ostrande des Schwarzwaldes. Durchbohrt und kohleleer befunden ist (oberes) Kohlengebirge bisher nur bei Schramberg; die Bohrlöcher von Oberndorf und Dettingen haben Kohlengebirge (höchstens) soeben erst angebohrt bez. noch nicht getroffen; es lagen daher gar keine Gründe gegen die Möglichkeit eines Erfolges in dem von mir bezeichneten Gebiete vor. [1] Mehr als diese Möglichkeit ist von mir nie behauptet worden, sie wird auch von Herrn v. SANDBERGER zugegeben; ein Urteil über die Wahrscheinlichkeit eines Erfolges wissenschaftlich zu begründen, war niemand in der Lage, und es beruhte daher auf einer Selbsttäuschung, wenn Herr v. SANDBERGER sich berechtigt hielt, „weitere Bohrungen als zwecklos" zu bezeichnen. Bohrversuchen nach Braunkohlen in Oberschwaben, über welche Herr v. SANDBERGER ein „Gutachten" abgegeben hat, wurde von demselben „ein günstigeres Prognostikum" gestellt „als solchen im Schwarzwalde". [2] Dennoch hat das wesentlich mit hierdurch veranlasste, bis zu einer Tiefe von 718 m nieder-

---

[1] Vergl. auch B e n c c k e und v a n W e r v e k e, Mittheil. d. geol. Landesanstalt v. Elsass-Lothringen 1890. III, S. 95.

[2] Vergl. Bericht der Finanzkommission der [württ] Kammer der Abgeordneten über eine Petition des oberschwäbischen Zweigvereins für vaterländische Naturkunde nebst einer Anzahl von Beitrittserklärungen, betreffend die Anstellung von Bohrversuchen auf Kohlen in Oberschwaben, ausgegeben den 19. Juni 1875, S. 1.

gebrachte Bohrloch von Ochsenhausen, welches in obermiocäner Süsswassermolasse angesetzt wurde, in 275 m Tiefe Haifischzähne, in 290 m Conchylien des marinen Mittelmiocäns zu Tage förderte, und untermiocäne Süsswassermolasse, also alle Abteilungen des Miocäns und vielleicht noch tiefere Schichten durchteufte, auch nicht das dünnste Lager von Braunkohle durchstossen.

Wie aus dem Obigen hervorgeht, hat Herr v. SANDBERGER kein Recht, seine „gegenwärtige Ansicht" über das relative Alter der Ablagerungen des Schwarzwälder Kohlengebirges und Rotliegenden als von seiner „früher ausgesprochenen der Hauptsache nach nur wenig verschieden" auszugeben. Soweit dieselbe richtig ist, stimmt sie mit den von mir schon früher veröffentlichten genau überein, ohne dass für nötig befunden wäre, dies zu erwähnen. Es ist ein unbestrittenes Verdienst des Herrn v. SANDBERGER, eine Aufsammlung von Pflanzenresten an mehreren Fundorten des Kohlengebirges und des Rotliegenden im Schwarzwalde bewerkstelligt und die Erfunde beschrieben zu haben; aber weder die Verbreitung, noch die Gliederung der Ablagerungen hat derselbe . erkannt, und dieser Mangel einer richtigen geognostischen Unterlage hat Missdeutungen zur Folge gehabt, wie wir sie in einigen der gegenwärtigen Ansichten des Herrn v. SANDBERGER kennen gelernt haben. Soweit die letzteren richtig sind, sind sie nicht neu, soweit sie neu sind, sind sie nicht richtig.

Stuttgart, den 30. November 1890.

Eine oologische Merkwürdigkeit.

Von Dr. Freiherr **Richard König-Warthausen**.

Bekanntlich variirt bei farbigen Vogeleiern das Colorit sowohl der Grundfarbe, als der Fleckung innerhalb einer bestimmten Grenze. Beim K u c k u c k ist diese Grenze aber so sehr weit gezogen, dass die oft verschiedenartigst gefärbten Eier der zahlreichen Stiefelternarten in ihrer Färbung täuschend nachgeahmt werden können. Dieser grosse Grad von Variationsfähigkeit steht unanfechtbar fest, nur darf man die Sache nicht so sanguinisch auffassen, als ob die verschiedenen Abweichungen, neben welchen eine charakteristisch-typische Färbung immer noch nebenher geht, gerade stets in denjenigen Nestern zu finden seien, zu deren Eiern sie genau passen. Ebenso hat man sich auch vor Irrthümern, wie sie z. B. durch doppeldotterige Eier des wirklichen Nestvogels oder durch absichtlichen Betrug vorkommen können, zu hüten.

Mir selbst z. B. ist einst (vgl. Ber. üb. d. XIII. Versamml. d. deutschen Ornithol. Gesellsch. 1860, p. 37) das Menschliche passir!, ein Ei des Hackengimpels, *Corythus enucleator* Cuv. L., für dasjenige eines Kuckucks zu halten. Es war dieses in einem Gelege der Wachholderdrossel von Graf Hoffmannsegg aus Archangelsk geliefert, welcher es für ein Zwergei dieser Drossel hielt, sich aber nicht mehr erinnerte, ob er selbst es im Nest gefunden, oder ob die Tundra-Samojeden es ihm als dazu gehörig von der Petschora gebracht hatten. Bei der Voraussetzung dieser Nestzugehörigkeit, bei der Unmöglichkeit, es jener Drosselart zuzuschreiben, da ferner Drosseln als Ziehvögel nicht ausgeschlossen sind und weil die dort zahlreichen Kuckucke am Hackengimpel (so gut wie am Bergfink und Weidenammer, *Emberiza aureola* Pall.) ein Beispiel für solche Nachahmung nehmen konnten, hatte ich es hieher bezogen. Erst später bekam ich Gelegenheit, jene seltenen Gimpeleier gründlicher kennen zu lernen und ich nehme heute Veranlassung, jenen Irrthum zu widerrufen.

Es sind jetzt gerade vierzig Jahre (Naumannia 1851, II, 51),
dass Fabrikant G. Heinrich Kunz in Schönefeld bei Leipzig die Thatsache zur Sprache brachte, „Das Ei des Kuckucks habe die Farbe
und Zeichnung der Eier des Vogels, in dessen Nest er dasselbe lege."
Als Erklärung stellt er den Satz auf, „Der Anblick der vor ihm
im Neste liegenden Eier wirke auf das zum Legen im Begriff stehende
Weibchen so ein, dass das legereife Ei Färbung und Zeichnung derselben annehme."

Diese Theorie des „Versehens" machte bedeutendes Aufsehen und wurde vorzugsweise von dem bekannten Oologen Dr.
Eduard Baldamus verfochten und mit vielen Beispielen belegt, so
dass dieser irrthümlich vielfach als deren Vater bezeichnet worden
ist. Es hat sich eine ganze Literatur — für und wider — gebildet;
reicher Stoff ist in der Naumannia, im Journal für Ornithologie, im
ornithologischen Centralblatt u. s. w. niedergelegt. Eine Zusammenstellung von allem im In- und Auslande hierüber Geschriebenen
würde einen recht stattlichen Band ausfüllen; hier, wo diese Kuckucks-
frage nur der Parallele wegen berührt werden soll, ist es unmöglich, auf jene Literatur und ihre Autoren näher einzugehen.

Entgegengesetzte Auffassungen traten gleichfalls zu Tage. Man
hat die Ähnlichkeit der Kuckuckseier mit denjenigen ihrer Ziehvögel kurzweg ganz abläugnen wollen, entweder als eine Übertrei-
bung oder als eine Täuschung. Freilich ist die Ähnlichkeit manchmal ganz natürlich, wenn nämlich die Stiefelterneier der (graugrün-
lichen, fein und sparsam dunkler punktirten) Urtype des Kuckuckseis
ohnehin nahe stehen; ganz anders aber ist es, wo einfarbige, blau-
grüne, roth marmorirte u. s. w. Eier nachgeahmt werden. Gegen die
absolute Negation aufzutreten, erscheint mir überflüssig. Ferner hat
man jener Theorie des „Versehens" eine solche der „Vererbung"
gegenüber gestellt. Wir haben somit zwei Richtungen kurz zu besprechen.

Im einen Falle (Kunz, Baldamus) liegt die Idee zu Grunde, dass
während der Schwangerschaft intensiv Empfundenes, also entweder
langsam und andauernd oder aber plötzlich und sehr tief aufgenom-
mene Eindrücke auf dem im Werden begriffenen Produkt des Mutter-
leibs sich irgendwie wiedergeben können, als eine Übertragung
geistiger Wahrnehmung auf den körperlichen Stoff. Feuerflecken
und fellartige Muttermale z. B. bei Frauen, welche an einer Feuers-
brunst, Maus u. dergl. erschrocken sind, werden da angeführt, ebenso
dass Kinder längst Verstorbenen täuschend ähnlich wurden, weil an

diese innig gedacht wurde oder dass das „Gurtenvieh" dadurch gezüchtet wurde, dass man den hiefür bestimmten Rindern nur schwarze Thiere mit umgegürteten weissen Binden zur Anschauung brachte u. s. f. Es ist nun beim Kuckucksweibchen, welches in Aussicht des Eierlegens im Voraus nach Nestern suchen muss, angenommen, es präge sich die wahrgenommenen Eier so tief ein, dass es, soweit möglich, deren Abbild genau darstelle. Wenn nun bei solcher Reproduction das Kuckucksei nicht immer bei denjenigen der betreffenden Stiefeltern, sondern z. B. ein Rothkehlchen-Kuckucksei bei Bachstelzen oder ein Bachstelzen-Kuckucksei bei Rothkehlchen niedergelegt wird, so sagt man — und hiegegen lässt sich nichts einwenden — der Vogel sei durch störende Umstände verhindert worden, das ursprünglich ausersehene Nest zu benutzen und genöthigt gewesen, das nächste beste andere aufzusuchen.

Bei der anderen Annahme wird die vielfältig bestätigte Erfahrung (A. WALTER, E. GÜNTHER u. A.) zu Grund gelegt, dass eben doch das gleiche Kuckucksweibchen in der Regel auch gleichfarbige Eier lege, wie es auch bekannt ist, dass ein und dasselbe Weibchen beim Unterbringen von diesen irgend eine bestimmte Vogelart besonders bevorzugt. Hierauf wird folgender Schluss gebaut: Die Ähnlichkeit der jeweiligen Eier rühre davon her, dass eine gewisse Art von Vögeln den Kuckuck ausgebrütet, gefüttert und noch lange geführt habe, dass desshalb auch seine Nachkommenschaft durch Generationen hindurch zu gleichartigen Zieheltern zurückkehre und so dieser Stamm jene Ähnlichkeit der Eier allmälig sich zu eigen gemacht habe.

Diese Vererbungstheorie ist, beim Licht betrachtet, nur eine Abstufung von derjenigen des Versehens. Auch hier handelt es sich um von aussen her Aufgenommenes, denn Brütung, Fütterung und Zusammensein können eine stiefelterliche Eigenschaft unmöglich direct übertragen. Beide Annahmen lassen die Hauptfrage, die physikalische Erklärung offen. Auch heute kann das Räthsel nicht gelöst werden, es soll vielmehr das Vorstehende nur der Orientirung wegen drei Beobachtungen einleiten, welche hiemit in einem gewissen Zusammenhang mir zu stehen scheinen.

1. Im Jahre 1844, als ich als Knabe eben anfieng, von den mir bekannt werdenden Vogelarten je ein Ei zu sammeln, wollte ich in einer Dreschtenne, wo ich einige Zeit vorher Rauchschwalben am Nest gesehen hatte, von diesen ein Ei mir holen. Ich fand den Napf weitherauf dicht mit Hühnerfedern gepolstert und das entnommene Ei war auffallend gross. Später nahm ich wahr, dass die Schwalben

vertrieben und Sperlinge einquartirt waren, aber erst lange nachher wurde mir klar, dass ich mir ein Spatzenei geholt hatte. Dieses liegt heute mir noch vor und ist, nur grösser und derber, das vollkommene Ebenbild eines grob gefleckten Rauchschwalbeneies: weiss mit dunkel r o th braunen, leberrö th l i ch e n und aschgrauen gerundeten Fleckchen und Tüpfelchen, wie ich unter vielen Hunderten kein Sperlingsei jemals sah. Dass hier der Spatzenfrau die herausgeworfenen Rauchschwalbeneier vorgeschwebt haben, ist mir sehr wahrscheinlich.

2. Im Juli 1847, als ich in Stuttgart auf dem Obergymnasium war, berichtete mir mein Vetter und Schulgenosse Frh. A. v. ENZBERG, von einem Hinterfenster seiner Wohnung in der Tübingerstrasse könne man an einem fast mit dem Arm erreichbaren Rüstloch des Nachbarhauses Kämpfe um den Nistplatz zwischen Spatzen und „Schwalben" beobachten; ein weisses Ei liege auf einem vorspringenden Gesimse. Es wurde nun mittelst einer langen Drahtschleife geangelt; ein ganzes und ein verletztes Mauerseglerei kamen in meinen Besitz, ein drittes fiel in die Tiefe. Wenige Tage nachher wurde ein weiteres Ei erlangt, das genau so gross wie die andern, ebenso langgestreckt, nur etwas glänzend statt matt und statt reinweiss durch Spuren blassester Tüpfelung etwas grau angeflogen ist. Auch dieser Fund ist in allen Stücken noch in meinem Besitz und auch in diesem Falle hat es einige Zeit gedauert, bis ich mich darüber trösten konnte, dass das dritte der Eier nicht das für mich damals noch seltene des Seglers, sondern eine freche Nachbildung seitens einer nervös aufgeregten Spätzin war.

3. Nachdem schon seit Jahren meine grosse, sorgfältig gehegte Staarencolonie durch die Mauersegler ernstlich gefährdet war, trat im Jahre 1890 — Ankunft 3. Mai, Abzug 28. August — ein solcher Ansturm von diesen ein, dass Mitte Mai so ziemlich alle Staarenkästen geräumt, die Eier zerbrochen oder die Jungen getödtet waren; selbst alte Staaren und einzelne Segler (auch diese durch ihresgleichen) büssten ihr Leben ein und über faulen Eiern und übelriechenden Leichen nisteten die Usurpatoren. Nur wenige Staarenpaare konnten ihr Heim vorübergehend bewahren, indem während des Brütens der freie Gatte das Flugloch besetzt hielt, stundenlang mit vorgestrecktem Kopf ausschauend und anfliegende Segler mit Schnabelhieben abwehrend; sobald ein Eingang frei wurde, stürzten diese sich hinein und dann war alles verloren; öfters retteten sich Staare blutüberströmt und Eier wurden seitlich zertrümmert, um sie sofort mit spar-

samen Niststoffen zu bedecken. So sehr ich mich auch stets gefreut habe, diese schönen und gewandten Vögel namentlich Abends kreischend meine Thürme umkreisen zu sehen, so blieb doch nichts anderes übrig als energisch einzugreifen und es wurden 58 Stück getödtet. Am 25. Mai (Tags zuvor war das erste Gelege der Segler ausgenommen worden), zur Zeit der grössten Panik, als die depossedirten Staare rathlos in den Bäumen des Schlossgartens sassen, fand ich im Grase ein w e i s s e s Staarenei, ungewöhnlich klein und schlank, so dass ich anfangs fast irre geworden wäre; in frischem Zustand erschien es wegen dem durchscheinenden Dotter völlig reinweiss (statt grünblau) und erst nach der Entleerung hat es einen blassbläulichen Schimmer angenommen. Wie durch seine Färbung, so hat es auch durch die geringe Grösse und gestreckte Gestalt etwas Seglerartiges. Der Gedanke an einen gewissen Zusammenhang mit den eben angeführten Vorgängen' hat sich mir sofort aufgedrängt und mir jene beiden älteren Beobachtungen wieder lebhaft in Erinnerung gebracht.

Selbstverständlich liegt in allen drei Fällen und ebenso beim Kuckuck die Abweichung von den normalen Färbungen innerhalb der Grenzen gesetzmässiger Variabilität. So habe ich einst auch ohne jede solche Störung ein nahezu weisses Gelege von Staareneiern als Seltenheit gefunden. Bei dem Zusammentreffen mit ungewöhnlichen und kritischen Nebenumständen, wie sie hier jedes Mal vorliegen, besteht ein Recht, an einen durch diese geübten Einfluss zu denken. Wenn dieser auch nicht mathematisch bewiesen werden kann, so braucht man doch nicht gleich mit dem bequemen Besen des Spotts auszufegen. Zu denken gibt derlei immer, nur darf man nicht zu weit gehen. Schon GLOGER („Ueber die Farben der Vogeleier, ein teleologischer Versuch") hat nachgewiesen, dass gewisse Eier dem Colorit der Umgebung angepasst werden. Dort liegt das Princip der N ü t z l i c h k e i t — um sie zu verbergen — zu Grunde und es wäre mehr als sentimental, wenn man gerade dort den Eierlegerinnen eine tiefere Empfindung, ein Gefühl oder Verständniss für die landschaftliche Färbungsstimmung andichten wollte.

W a r t h a u s e n, den 14. December 1890.

Zur Geschichte und Naturgeschichte des Crocus vernus um Zavelstein.

Von Dr. W. Wurm, Badarzt in Teinach.

Wer je im zeitigen Frühjahre Calw oder Teinach besucht hat, wunderte sich gewiss über die für jene Zeit überraschend grosse Zahl von Vergnügungsreisenden aus allen Strichen der Windrose, deren Beförderung an schönen Tagen sogar der Eisenbahnverwaltung zuweilen Schwierigkeiten verursacht hat. Eine Frühlingsblüte, sonst nur in abgelegenen Gebirgsgegenden unserer deutschen Heimat vereinzelt und unscheinbar auftretend, hier aber leicht zugänglich, massenhaft und farbenprächtig die weichende Schneedecke sofort durch einen natürlichen Blumenteppich ersetzend, hat diese Menschenmengen in Bewegung gebracht. Es ist dies der *Crocus vernus*, dessen Blüten in allen Wohnstätten der Umgegend aus Gläsern und Körbchen uns entgegengrüssen, die wir selbst auf Weg und Steg verstreut finden, und dies um so mehr, je mehr wir uns seinem privilegierten Standorte, dem Bergstädtchen Zavelstein, nähern. Hier feiert Flora ihr Ostern und sammelt frühlingsfrohe Menschen um ihre ersten Kinder.

Dieses rege Interesse an genannter Blume und die freundliche Aufnahme, welche mein Vortrag über ihre Naturgeschichte und die historische Entwickelung ihres Flores bei der Versammlung des Schwarzwälder Zweigvereins des Vereins für vaterländische Naturkunde in Württemberg (30. März 1890) in Teinach gefunden, dürften eine ausführlichere Abhandlung darüber rechtfertigen.

Der Crocus, dessen Name vom griechischen κρόκη (der Faden, fadenförmige Narben) hergeleitet wird, zählt bekanntlich zu den Irideen. Drei Arten desselben sind wohl auseinanderzuhalten: 1. unser *Crocus vernus*, der Frühlings- oder Gebirgssafran, eine entschieden subalpine, im Frühjahre blühende Pflanze, 2. *Crocus sativus*, der echte Gewürzsafran, ein im Herbste blühender Orientale, und 3. *Crocus luteus*, ebenfalls aus dem Oriente stammend, aber wie der erste im Frühjahre, jedoch g e l b e Blüten treibend. Letzteren dürfen wir von weiterer Betrachtung hier ganz ausschliessen. Die beiden ersten sich ähnlichen Arten schmücken lebhaft orangerote Blütennarben, welche indessen bei *vernus* an der Spitze verbreitert, kammförmig eingeschnitten und halb so lang als der Blütensaum, bei *sativus* aber keulenförmig und mit dem Saume der Blume gleichlang sind; Blatt- und Blütenscheiden erscheinen bei letzterem mehr angedrückt, bei ersterem lockerer und bauchig. Endlich besitzt *sativus* eine einblätterige, *vernus* eine zwei- bis dreiblätterige Blütenscheide. Beider Blüten sind violett.

Crocus sativus wird, ausser im Oriente, auch in Österreich, im Wallis etc. kultiviert, da seine getrockneten Narben als Arzneimittel, als Gewürz und als Färbemittel Verwendung finden. Sie enthalten nämlich ein zur Terpentinreihe gehöriges, narkotisch-ätherisches Öl und das intensiv gelbe Crocin. Bei den Alten wurde selbst die Bühne mit Crocusessenz parfümiert und deshalb sogar „crocus" für „theatrum" oder „scena" gesetzt[1]. Ebenso veraltet ist die medizinische Verwendung des Crocus als nervenberuhigendes, verdauungsverbesserndes, menstruationsförderndes Mittel, obwohl er in der modernen Pharmakopöe (als Tinctura croci, Syrupus croci, als Bestandteil der Tinctura opii crocata, der Tinctura aloës composita, des Elixir Proprietatis Paracelsi, des Emplastrum oxycroceum, des Emplastrum de galbano crocatum) noch fortgeführt wird. Betrügerische Teigwarenfabrikanten geben ihren Produkten durch Safranfarbe das Ansehen reichlichen Gehaltes an Eidotter; auch minderwertige Butter erhält so ein einladendes Äusseres.

Leider verbreitet sonach das ansprechende Scheffel'sche Gedichtchen „Zavelstein" (im „Gaudeamus") einen doppelten Irrtum. Denn die Auffassung des Turmes in dortiger Ruine als Römerturm und die des dortigen *Crocus vernus* als *sativus* geht eben doch über poetische Licenz hinaus. Thatsächlich sah das späte Mittelalter den ersteren aufbauen und thatsächlich ist letzterer weder der orientalische Gewürzsafran, noch geht, wie wir sogleich hören werden, seine Lokalgeschichte in ältere Zeiten zurück. Wie so oft, zerrinnt auch in unserm Falle, eine anmutige oder erhabene Legende vor der nüchternen Forschung, und doch möchten wir ihren im Gedenken

---

[1] „Recte necne crocum floresque perambulet Attae
Fabula si dubitem — —"
Horat., epist. II. 1 v. 79, 80.

fortlebenden, verklärenden Duft nicht missen. Somit sei, nach Ausscheidung der nicht hierher gehörigen Arten *sativus* und *luteus*, nur von unserm *Crocus vernus*, dem Gebirgs- oder Frühlingssafran, fortan die Rede.

Dieser kommt auf den schweizerischen, österreichischen und deutschen Alpen, im Jura, nördlich bis Mittelfrankreich und Schlesien (Troppau) gehend, und auch in Rheinpreussen verwildert vor. Bei Isny, auf der 1000 m hohen „Schweineburg", tritt er nur in zollhohen Pflanzen mit unscheinbaren, schmutzigweissen oder rötlichen Blüten auf. Eine Kultur dieser originalen, allgäuer Form, welche namentlich feststellen sollte, ob sie in unsere hiesige fusshohe und farbenprächtige übergehe oder nicht, wurde durch unbedachtes Umschoren meines Gartenrasens leider ganz zerstört. Nach einer handschriftlichen Notiz v. MARTENS' (im K. Naturalienkabinete) wurde auch bei Kapfenburg (OA. Neresheim) *Crocus vernus* gefunden. Indessen benachrichtigt mich Herr Oberförster KOCH (früher dortselbst, jetzt in Hirsau), dass er ihn in den elf Frühlingen 1879—89 dort nie mehr entdeckt habe. Somit dürfen wir die von 450 bis 640 m ü. M. gelegenen Bergwiesen um Zavelstein (OA. Calw) als die einzige Fundstätte desselben in ganz Südwestdeutschland bezeichnen. In den letzten 17 Jahren bemerkte ich die früheste Blüte am 7. Februar 1883, das späteste Erscheinen am 16. März 1886 und die Kulmination des Massenflores gewöhnlich zu Anfang April. Im Allgäu dagegen verspäten sich diese Blumen schon wesentlich, um 14—20 Tage. Hier um Zavelstein, wird, wie gesagt, die ganze Pflanze fusshoch und ihre in der Überzahl schön violetten, in der Minderzahl auch weissen oder weissen mit Violett gestreiften Blumen überziehen die Wiesen in ihrer staunenswerten Massenhaftigkeit mit einem farbigen Teppiche, welcher das Grün des jungen Grases sogar zudeckt. Obwohl täglich Tausende derselben gepflückt, zertreten, ausgegraben werden oder welken, so entdeckt das Auge trotzdem keine Lücke, ja noch nach Beendigung der Blütezeit ragen die schlankspitzen, dunkelgrün glänzenden, in der Mitte weissgestreiften Blätter wie üppige Gräser aus dem Rasen hervor. Leider stört die Prosa des zur Zeit noch auf den Wiesen ausgebreiteten Strohdüngers einigermassen das poetische Bild; der Gefahr der Nachtfröste wegen sind die betreffenden Bauern zum frühen Abrechen ihrer Wiesen nicht zu bestimmen. An den Nordosthängen blüht der Crocus ebenso massenhaft wie an den Südwesthängen, an ersteren nur etwas später. Er ist offenbar in weiterer Ausbreitung begriffen, doch geht er, in tiefere Lagen, z. B. in Calwer Gärten, verpflanzt, binnen weniger Jahre allmählich ein. Ob der Eisengehalt unserer Buntsandsteinformation auf die intensivere Blaufärbung der Blume von Einfluss war (ähnlich wie bei kultivierten Hortensien u. s. w.), diese Frage möchte ich zur Zeit weder bejahen noch verneinen.

Woher aber kommt dies insulare Auftreten des Crocus in unserem Schwarzwaldbezirke? Die rasche Mythenbildung des Volksglaubens lässt die Pflanze von Zavelsteiner Rittern aus den Kreuzzügen oder — der Wahrheit schon etwas näher kommend — aus Italien mitgebracht werden. Indessen war sie dem, im Jahre 1791 im nahen Calw verstorbenen berühmten Botaniker Dr. GÄRTNER senior noch unbekannt, und Pfarrer KURRER in Zavelstein, der 1792 in einem langen lateinischen Gedichte jede Kleinigkeit von „Zavelstein und Teinach“ besungen, schweigt vollständig darüber. Ich finde sie überhaupt erstmals erwähnt im „Correspondenzblatt des Würtembergischen Landwirtschaftlichen Vereines“ von 1825 (Stuttgart und Tübingen, VII, S. 33), wo sie unter Ziff. 1653 kurz aufgezählt ist unter: „Gewächse, welche bisher als Würtembergische nicht bekannt waren, daher in dem früheren Verzeichnisse fehlten.“ Hierauf finde ich sie in der ersten Auflage der „Flora von Württemberg“ von SCHÜBLER und v. MARTENS (Tübingen 1834, S. 29), fide W. A. DELKESKAMP und Stud. med. MÜLLER in Calw, erwähnt. Der erstere, ein 1801 geborner Däne, fungierte als Provisor in der damals EPTING'schen Apotheke unserer Oberamtsstadt, und der zweitgenannte ward 1827 praktischer Arzt in dieser seiner Vaterstadt und hat (1803 geboren) im Jahre 1834 die erste Auflage seiner Brunnenschrift über Teinach veröffentlicht, auf deren 63. Seite er den prachtvollen Massenflor des Zavelsteiner Crocus schildert. Stelle ich diese Data mit den Resultaten meiner vierundzwanzigjährigen Beobachtungen über die seitherige Weiterverbreitung des Crocus zusammen, so gelange ich zu dem Resultate, dass er ein ursprünglich den Alpen entstammender Gartenflüchtling aus der Zavelsteiner Burg ist, welcher sein Massenauftreten in den Jahren 1815—20 begonnen haben dürfte. Denn, da Einträge im Zavelsteiner Kirchenbuche beweisen, dass einzelne Teile des 1692 von den Franzosen zerstörten Schlosses noch im Jahre 1710 bewohnt waren, so werden wohl die Burggärten noch immer unter Pflege gestanden haben. Mit diesen meinen Angaben stimmen die Jugenderinnerungen des im Jahre 1803 in Zavelstein gebornen, noch jetzt dort als Pfarrmessner fungierenden G. WEIMERT wohl überein. Die ausbrechende Pflanze muss eben, als die Gärten schliesslich verrasten, hier ausnehmend günstige Lebensbedingungen gefunden haben. Jetzt wurde sie auch auf die angrenzenden Markungen von Sommenhardt, Weltenschwann, Röthenbach und Teinach verbreitet, weniger durch Pflanzung, durch Vögel, durch Wandern als durch den Dünger, in welchen ihr Samen teils indirekt durch das vom Vieh verzehrte Heu der Crocuswiesen, teils direkt als weggeworfener Abraum der Heuböden gelangt. So sah ich z. B. auf einer einem Zavelsteiner Bürger gehörigen Wiese im Röthenbacher Thale diese genau auf die Grenzstriche hin sich binnen 12 Jahren dicht mit Crocus bestocken, während früher keine oder nur einzelne vorhanden gewesen, und jetzt dringt die Pflanze auch in die angrenzenden Wiesen vor. Auf einsamen Waldwiesen, stundenweit vom Centrum entfernt, entdeckte ich zuweilen 1—3 Exemplare, deren Samen jedenfalls von Vögeln mit ihren Exkrementen verschleppt worden waren. In andern Fällen dürfen wir von einer Wanderung der Pflanze sprechen, insofern auch unterirdische Vermehrung durch neuen Zwiebelansatz um die absterbende Mutterzwiebel stattfindet. Der Angabe des Besitzers einer Crocuswiese zufolge faulen die Zwiebeln nach 3—4 Jahren und die Pflanze muss also ausgehen, wenn nicht immer wieder neue Samenausstreuung und ungestörter Nachwuchs ermöglicht wird. Darum könne sie sich nur bei ländlichem Wiesenbaue mit Heugewinnung, nicht aber in dem kurzgehaltenen Rasen der Ziergärten selbstthätig fortpflanzen. Im übrigen ist die Pflanze als Gebirgskind, dank ihrer fleischigen, schwer verdunstenden Schleim, wasseranziehende Salze und aufgespeicherten Nährstoff enthaltenden Deckschuppen, sehr wetterhart und dadurch befähigt, bei den ersten Strahlen der Frühlingssonne, empfindlichen Rückschlägen des Winters trotzend, ihr oberirdisches Leben zu beginnen und den kurzen Sommer der Berge für Erfüllung ihrer Funktionen auszunützen. Es sind dies Bedingungen, welche bei andern, zwiebellosen Gebirgspflanzen durch Entwickelung eines ungewöhnlich starken Wurzelstockes. Erfüllung finden.

Nachteile für das Vieh von der Fütterung mit Blättern und Samen der Pflanze sind nicht bekannt.

Schliesslich soll nicht unerwähnt bleiben, dass, wenn Wiesen im Sommer oder Herbste durch Überschwemmung u. dergl. versandet wurden, die Blüten der Herbstzeitlose erst im folgenden Frühjahre diese Decke durchbrechen und so dem Unkundigen Veranlassung zu Verwechselung mit dem Crocus bieten.

So möge denn auch fernerhin der die brandgeschwärzten Burg-

trümmer Zavelsteins umspinnende Epheu, die botanisch personifizierte
„Elegie der Zeiten", seine Ranken der Phantasie als schwingende
Stufen leihen, und daneben des Crocus Massenflor zu fröhlichem Ge-
nusse der flüchtigen Gegenwart einladen! Dazu stimmt herrlich der
Ausblick auf die engen, dunklen Waldthäler zu Füssen und zugleich
auf die sonnenglänzende Kette der fernen Albberge.

Einige andere botanische Merkwürdigkeiten der Gegend, wie
Abänderungen unserer Coniferen, Auftreten weisser Heidelbeeren u. s. w.,
welche ich gleichfalls in meinen Vorträgen geschildert, werden eben
anderwärts veröffentlicht und komme ich auf die Resultate vielleicht
in einem späteren Artikel zurück.

Ueber den kritischen Läuterungsprozess im Gebiete der Phytopalaeontologie.

Von Dr. **J. Probst.**

Die Menge der fossilen Pflanzenabdrücke, besonders der Dikotyledonen, hat in dem halben Jahrhundert seit dem Erscheinen
der Chloris protogaea von Unger an Umfang gewaltig zugenommen.
Das meiste Material wurde beigesteuert durch die zahlreichen Arbeiten von Unger, Ettingshausen, Göppert, Heer, Saporta, Massa-
longo, Lesquereux und andern.

Da jedoch die weitaus grösste Anzahl von Pflanzenabdrücken
Blätter sind, so war es unvermeidlich, dass von diesen Schriftstellern denselben der grösste Raum zugewiesen und damit, wenigstens indirekt, das grösste Gewicht zuerkannt werden musste. Die
Gelehrten misskannten den Übelstand keineswegs, dass das systematisch, für die Zwecke der Bestimmung, weniger zuverlässige Material zu sehr in den Vordergrund trat, sie vernachlässigten auch
die wichtigeren aufgefundenen Früchte, Samen und Blüten nicht,
aber dieselben waren nur sehr spärlich vorhanden. So musste es
geschehen, dass in manchen Kreisen der Kredit der Phytopalaeontologie erschüttert wurde; man fühlte und erkannte, dass hier viel
unsicheres Material geboten werde und dass man nicht im stande
sei, den Kern von der Schale zu unterscheiden.

Unterdessen vermehrte sich jedoch auch die Zahl der fossilen
Früchte und Blüten (Einschlüsse im Bernstein) und es ist ganz ge-
rechtfertigt und mit aller Anerkennung zu begrüssen, dass nun auf
Grundlage jener Reste, welche eine mehr gesicherte Bestimmung zulassen als die Blätter für sich allein, eine Revision vorgenommen
werde. Dieser mühevollen und verdienstvollen Arbeit unterzog sich
- Prof. A. Schenk in Leipzig [1]. Die sehr einlässlichen kritischen Unter-

---

[1] Handbuch der Palaeontologie von Zittel; II. Abt.: Palaeophytologie
von A. Schenk. München und Leipzig 1890.

suchungen umfassen 800 Seiten; dann folgen allgemeine Erörterungen. Als übersichtliches Resultat wird auf S. 812—819 eine Tabelle von solchen fossilen Arten der Kreide- und Tertiärformation entworfen, welche noch ausreichende Sicherheit der Bestimmung gewähren (S. 809). Aus der Kreideformation sind nur verschwindend wenige Pflanzenreste in dieselbe aufgenommen, dagegen eine nicht unbeträchtliche Anzahl aus der Tertiärformation. Es sind im ganzen 103 Geschlechter mit rund 200 Arten, wovon entfallen: auf die Gymnospermen 14 Geschlechter mit 16 Arten; auf die Monokotyledonen 11 Geschlechter mit 16 Arten, der ganze Rest entfällt auf die Dikotyledonen mit 78 Geschlechtern und 167 Arten. Aus der Gesamtzahl der Bestimmungen dieser 200 Arten werden adoptiert: 50 von dem Grafen SAPORTA herrührend; 45 von OSWALD HEER und 16 von UNGER; der Rest verteilt sich auf verschiedene Schriftsteller. Die Kryptogamen sind jedoch in das Verzeichnis nicht aufgenommen; eine Anzahl derselben wird aber im Text bei der Beurteilung derselben so besprochen, dass durch sie die Zahl der Arten dieses Verzeichnisses noch um einen Betrag zu vergrössern wäre.

Das ist nun freilich nur ein Bruchteil jener Gesamtzahl, welche von den Palaeontologen überhaupt aufgestellt wurde, aber es ist immerhin ein positives Ergebnis und eine beachtenswerte Anzahl. Auf Seite 820 sind sodann 42 Geschlechter (bloss von Dikotyledonen im Oligocän) namhaft gemacht, deren Bestimmung mit Sicherheit (o h n e Einschränkung und Abschwächung) anerkannt wird. Zu dieser Quintessenz wäre aber jedenfalls noch eine Anzahl von Gymnospermen, z. B. *Salisburca* (*Gingko*), *Taxodium*, *Sequoia*, *Glyptostrobus*, hinzuzufügen, da ihrer im Texte in der Weise Erwähnung gethan wird, dass an der Sicherheit ihrer Bestimmung jeder Zweifel ausgeschlossen ist. Für die Miocänzeit wird (S. 821) ebenfalls eine kleine Liste gegeben. Ein noch höherer Grad von Sicherheit würde sich erst erreichen lassen, wenn es gelungen sein wird, Handstücke in genügender Zahl zu finden, bei welchen beblätterte Zweige mit Blüten und Früchten in guter Erhaltung v e r b u n d e n sind. Bislang ist man aber darauf angewiesen, sich mit den zerstreuten und getrennten Bestandteilen zu begnügen. Man wird aus der Liste der oligocänen und miocänen Geschlechter, die unbeanstandet als gesichert bestätigt werden, ohne Mühe herausfinden, dass hier auch die „h o m o l o g e n A r t e n" OSWALD HEER's mit wenigen Ausnahmen inbegriffen sind; also jene Arten, auf welche schon HEER bei seinen Schlüssen auf das Klima und die physische Zustände der früheren Erdperioden

den hauptsächlichsten Wert legte. Am schlimmsten ergeht es bei der Kritik den fossilen Protraceen. Schon in den frühest erschienenen Werken wurde eine namhafte Zahl von Arten und Geschlechtern dieser Familie als durch Blätter und Früchte vertreten aufgeführt. Saporta wies jedoch den grösseren Teil derselben ab, anerkannte aber doch seinerseits immerhin noch eine kleinere Zahl derselben; Schenk aber weist hier sämtliche Bestimmungen als ungenügend zurück. Wieweit hierbei eine Präsumtion von seiner Seite mitgewirkt haben könnte, mag anheimgestellt bleiben. Wir bemerken nur zu grösserer Deutlichkeit, dass auf S. 398 die Geneigtheit ausgesprochen wird im Einklang mit der Ansicht Engler's, auch für die antarktische Region, wie für die arktische, einen Ausstrahlungspunkt anzuerkennen, wonach dann naturgemäss die Protraceen nicht dem arktischen, sondern dem antarktischen Gebiet zufallen würden; durch Zulassung von fossilen Vertretern einer heutzutage exquisit südhemisphärischen Familie auf europäischem Boden, würde jener Ansicht, die alle Beachtung verdient, der Lebensnerv zum voraus abgeschnitten sein.

Auf Grundlage des so gesichteten Materials wird nun auch von Prof. Schenk die Frage nach dem Klima und den klimatischen Änderungen der früheren Erdperioden untersucht.

„Jede fossile Lokalflora,“ heisst es S. 802, „liefert den Beweis, dass das Gedeihen ihrer Elemente ein wärmeres und feuchteres Klima als jetzt voraussetzt und tritt dies selbst noch in den jüngsten Tertiärbildungen, wenn auch vielleicht nur lokal, hervor.“

Da die Kreideformation so wenige Reste von Pflanzen geliefert hat, welche nach den angeführten Grundsätzen zu einer genügend gesicherten Bestimmung hinreichen, so wagt es der Verf. nicht (S. 806), über die Temperatur der Kreidezeit eine genauere Angabe zu machen. Doch bemerkt er schon S. 802: ein Unterschied zwischen der Kreideformation und der tertiären Periode bestehe darin, dass erstere ein wärmeres Klima gehabt habe als letztere.

Für die Eocänzeit wird man immer noch ein tropisches oder mindestens subtropisches Klima annehmen müssen (S. 806).

In der darauffolgenden Oligocänzeit trat eine Abnahme der Temperatur und zum Teil eine Abnahme der Feuchtigkeit der Atmosphäre ein. Es mögen, wie der Unterschied der Breitengrade, sich auch schon lokale Verschiedenheiten geltend gemacht haben (S. 807).

Die Vegetation der Miocänzeit hat mit jener der Oligocänzeit viel Übereinstimmung. Je mehr man der Periode des oberen Miocän sich nähert, um so mehr verschwinden die einer wärmeren Zone angehörigen Formen und treten jene der gemässigten wärmeren Zone auf (S. 820 u. 821).

Eine noch weiter gehende Änderung tritt im Pliocän, in der jüngsten Tertiärbildung, ein. Kann in der Miocänzeit schon kaum mehr die Rede sein von einer über ganz Europa sich gleichmässig erstreckenden Temperatur, so ist dies noch weniger in der Pliocänzeit der Fall (S. 821).

Die stärkste Änderung tritt dann in der Glacialzeit ein (S. 822).

Sodann heisst es ferner: „Finden wir unter den fossilen Resten der Polarregion eine Reihe von Formen, welche auch weiter gegen Süden in ihrer Verbreitung sich erstrecken; dies führt, durch andere Momente, der recenten Vegetation entnommen, unterstützt, zu der Annahme des borealen Ursprungs der Arten, welchen zuerst Asa Gray aussprach (S. 810)" und, fügen wir hinzu, zuerst Heer durch die fossilen Pflanzenabdrücke jener Gegenden positiv begründet hat.

Eine Abweichung konstatiert der Verf. gegenüber von seinen sämtlichen Vorgängern (S. 808): „Die, wie ich glaube, auch jetzt noch herrschende Ansicht in bezug auf die Zusammensetzung der europäischen Tertiärflora, lässt diese zusammengesetzt sein aus tropischen, neuholländischen, asiatischen und amerikanischen Formen, mit welchen dann Elemente vorwiegend der nördlichen Halbkugel und des Kaps gemengt sein sollen." Der Verf. aber legt der Tertiärflora einen einheitlichen Charakter bei und bezeichnet als den Verbreitungsbezirk derselben (S. 809): „Von Osten nach Westen verfolgt, beginnt die von den fossilen Pflanzenformen eingenommene Zone mit Japan, der Mandschurei, Sachalin und dem nördlichen China; setzt sich durch die Amurländer fort nach Centralasien, Sibirien, die kaspische Region, Nordpersien und den Kaukasus, nach Europa bis in das atlantische und pacifische Nordamerika. Die Nordgrenze der Zone ist durch Spitzbergen, Island, Grönland, Alaska; und die Südgrenze durch Mexiko, Westindien, Chile, die Azoren und Kanaren, Nordafrika, Arabien, Abessinien und dem malayischen Archipel gegeben," wobei einzelne tropische Formen nicht in Abrede gezogen werden.

Überblickt man nun die Resultate der kritischen Untersuchungen, so ergibt sich nicht bloss eine Bestätigung einer Anzahl der wichtigsten Gewächse im fossilen Zustand, sondern auch die Bestätigung einer Reihe von wichtigen Erscheinungen, die sich auf die Entwickelung der physischen Zustände der früheren Erdperiode beziehen. Das Klima war lange Zeit, noch zur Zeit der Kreideformation, sehr gleichförmig und warm ohne Ausscheidung von klimatischen Zonen. Mit der Oligocän- und Miocänzeit beginnt diese Ausscheidung und setzt sich fort durch die Pliocänzeit. Auch der boreale Ursprungsort und die radiale Verbreitung der Gewächse von dort aus wird bestätigt.

Man sieht daraus, dass die Phytopalaeontologie, dank den Bemühungen ihrer tüchtigsten Vertreter, sich schon bisher auf guten Wegen bewegt hat und in der Hauptsache Vertrauen verdient, mag auch vieles, recht vieles Detail als fraglich oder irrig erkannt worden sein. Auch in Zukunft werden bei Bearbeitung von fossilen Lokalfloren die Blätter nicht beseitigt werden können, aber man wird sich bestreben, das Unsichere von dem sichern Material auszuscheiden und kenntlich zu machen etwa in der Weise, wie NATHORST vorschlägt, dass man dem auf Blättern allein beruhenden Material die Bezeichnung — *phyllum* anhängt. Es wird jedoch nicht zu vermeiden sein, dass dem subjektiven Ermessen über den Grad der Sicherheit ein Spielraum offen bleiben wird.

Was das eigentliche geognostische Programm des Verf. betrifft, so halten wir dasselbe für so zutreffend und so beherzigenswert, dass wir nicht umhin können, dasselbe, da es sehr kurz abgefasst ist, wortgetreu zu geben (S. 801): „Ich kann mich nicht auf eine eingehende Darstellung der Konfiguration Europas und des nördlichen Amerikas und ihrer im Laufe der Zeit erfolgten Änderungen speciell einlassen; es wird genügen, wenn ich erwähne, dass zur Kreidezeit Europa ein Komplex grösserer und kleinerer Inseln war, im Beginn der Tertiärzeit dieser Charakter sich zum Teil noch erhielt, dann jedoch ein grösserer Kontinent, von ausgedehnten Buchten eingeschnitten, sich ausbildete; diese Gestaltung allmählich durch die Zunahme des Festlandes eine andere wurde, Bodenerhebungen auftraten, unbedeutendere mächtiger wurden, der Zusammenhang mit Asien vollständiger, der mit dem Norden Amerikas bestehende Zusammenhang allmählich aufgehoben wurde. Analoge Verhältnisse besass auch Nordamerika. Da, wo heutzutage das ausgedehnte Prairiengebiet, die wasserarmen und vegetationsarmen Hochflächen sich erstrecken, schuf eine umfangreiche Wasserfläche ähnliche Verhältnisse für den Norden Amerikas, wie sie in Europa gegeben waren.

Auch treten erst in der späteren Tertiärzeit Bodenerhebungen auf und konnte demnach weder in Europa noch im Norden Amerikas von klimatischen Differenzen in horizontaler wie in senkrechter Richtung lange Zeit hindurch nicht die Rede sein, sondern ein ziemlich gleichmässiges Klima musste auf beiden Halbkugeln bis gegen den Pol hin sich erstrecken, infolgedessen eine Baumvegetation in Grinnellland und Nordgrönland einerseits, in Spitzbergen anderseits ihr Gedeihen finden konnte, eine Vegetationsform, welche diesen Regionen jetzt fremd ist; auch Nordkanada, am Mackenzie-River und Alaska weisen in jener Zeit eine Vegetation auf, welche mit der heutigen beinahe nichts gemeinsam hat. Dabei sehe ich von den Schilderungen HEER's vollständig ab und habe nur jene Formen im Auge, welche eine grössere Sicherheit der Bestimmungen erlauben."

Es drängt sich nun hauptsächlich die Frage noch auf: welche Stellung werden die theoretischen Aufstellungen in bezug auf das Klima und die klimatischen Wechsel im Laufe der Erdperioden einzunehmen haben gegenüber den Ergebnissen, welche durch die Phytopalaeontologie bis in die neueste Zeit herein eruiert worden sind? Dass sich keine Theorie dieser Kontrolle entziehen kann und darf, ist klar. Insbesondere tritt diese Frage an jene Theorie heran, welche von ADHÉMAR prinzipiell aufgestellt und von J. CROLL modifiziert wurde. Von seiten der Vertreter dieser Theorie selbst ist nach dieser Seite hin noch kein Versuch gemacht worden. Zur Zeit ADHÉMAR's (1842) existierte kaum eine Kunde von fossilen Pflanzenabdrücken; auch noch zur Zeit, da J. CROLL's Werk (1875) herauskam, war ein Hauptwerk (die Polarflora von HEER) noch lange nicht vollendet und ihm jedenfalls nicht bekannt geworden. Aber die jüngeren und jüngsten Vertreter dieser Theorie können sich, nachdem nun auch die Kritik auf phytopalaeontologischem Gebiete ihre Schuldigkeit gethan hat, einer Auseinandersetzung nicht mehr entziehen.

OSWALD HEER seinerseits hat diese Theorie vor das Forum der fossilen Pflanzenwelt gezogen in seiner Urwelt der Schweiz (II. Auflage) S. 668 u. 669. Man sollte freilich der Erwartung sich hingeben dürfen, dass dieses Buch allgemein bekannt sei, aber es scheint doch angezeigt, dass die Hauptsache herausgehoben werde. Dass während der Miocänzeit (genauer nach CROLL 980 000 bis 720 000 Jahre vor 1800 unserer Zeitrechnung) eine sehr starke Excentricität und infolgedessen eine Eiszeit auf der nördlichen Halbkugel eingetreten sei, bezeichnet HEER als „im grellsten Widerspruch stehend" mit der miocänen Pflanzenwelt. Ebenso, dass eine Eiszeit in der eocänen Periode (2 630 000 bis 2 460 000 Jahre vor 1800 unserer Zeitrechnung) stattgefunden habe, wird von ihm abgelehnt, weil für eine Gletscherzeit auch hier kein Raum sei, nach Massgabe der fossilen vegetabilischen und anderer Reste. Das möchte genügen. Schenk lässt sich in seinem Werk auf derartige Fragen nicht ein; aber nachdem er, wie schon zuvor angegeben wurde, das milde und warme Klima der Oligocän- und Miocänzeit bis nach Spitzbergen und Grinnellland auf Grund seiner kritischen Untersuchungen ohne Bedenken anerkannt hat, so ist eine abweichende Ansicht von dieser Seite nicht zu erwarten.

Aber auch nach einer andern, nach der rechnenden Seite hin, möchte diese Theorie einen schweren Stand haben. Wir beziehen uns auf Neumayr: Erdgeschichte II, S. 647 und 648. Nachdem er diese von der Excentricität der Erdbahn ausgehende Theorie als die bedeutendste anerkannt hat, spricht er sich aus, dass leider auch diese von Adhémar, Croll, Pilar, Wallace und andern geistreich ausgebildete Theorie nicht stichhaltig sei aus mehreren Gründen, worunter auch der von Heer vorgebrachte berührt ist. „Endlich," sagt Neumayr, „finden wir noch, dass die ganze Grundlage der Theorie eine vollständig haltlose ist, indem ein Beweis, dass derartige Perioden starker Excentricität vorkommen, durchaus nicht existiert. Diese mathematischen Formeln, mit deren Hilfe man die thatsächliche Existenz berechnet hat, gründen sich auf Beobachtungen über die Gestalt der Erdbahn, welche einen ausserordentlich kurzen Zeitraum umfassen und infolgedessen sind auch deren Resultate nur richtig, so lang man sie auch wieder auf die Berechnung der Änderungen während kurzer Zeiträume anwendet. Sowie man aber die Gültigkeit der Formeln ausdehnen und, wie es geschehen ist, sie auf lange Zeiträume übertragen will, ergeben sich falsche und ungenaue Resultate."

Gelinder, aber in der Hauptsache übereinstimmend, äussert sich Hann in: Unser Wissen von der Erde I, S. 113. Nachdem er eine Reihe solcher berechneten Werte angeführt hat, mahnt er zur Vorsicht mit den Worten: „Übrigens sind alle diese Zeiten und Werte nur beiläufig richtig, da die Näherungsformeln, aus denen sie abgeleitet sind, um so unsicherer werden, je grösser die Zeit ist." Vorher aber schon (S. 112) weist er darauf hin, dass gerade die umgekehrten Verhältnisse, der Theorie ganz zuwiderlaufend, beobachtet werden. Heutzutage milde Winter, kühle Sommer auf der südlichen

10*

Halbkugel; heisse Sommer, strenge Winter auf der nördlichen Hemi-
sphäre. Woher dieser Widerspruch? Offenbar daher, antwortet HANN,
„dass der Einfluss der grösseren Wasser- oder Landbedeckung mächtiger ist als die Unterschiede der Insolation, die aus der gegenwärtigen Entfernung der Sonne im Perihel und Aphel folgen;" und,
möchten wir noch hinzufügen, dass der Wärmeempfang des
ganzen Jahrs genau der gleiche ist, mag die Excentricität
stark oder schwach sein und das Aphel oder Perihel in den Sommer
oder in den Winter fallen. Hierdurch wird eine gleiche mittlere
Jahreswärme hergestellt; Abweichungen rühren von der Beschaffenheit der Erdoberfläche her. Man sieht, wie stark hierdurch der Wert
der CROLL'schen Theorie reduziert wird. Weiter darauf einzugehen,
ist hier nicht notwendig. Es genüge die Hinweisung darauf, dass
der richtige Weg zum Verständnis des Klimas und der klimatischen
Abänderungen in der Richtung liegen wird, die auch von SCHENK
auf S. 801 seines Werkes angedeutet worden ist. Wir haben diese
Stelle als das geognostische Programm desselben angeführt, ohne
uns hier auf die weitläufige Frage selbst näher einlassen zu können.

Roser's Württembergische Hemipteren-Fauna.

Herausgegeben von Dr. Theodor Hüeber, Stabsarzt in Ulm.

Seit anderthalb Jahrhunderten erfreuen sich die Insekten — diese Chinesen der Tierwelt, bei denen sich die Natur in der unendlichen Variierung eines bestimmten Grundtypus gefällt — einer besonderen Vorliebe, bei Forschern wie Laien; allerdings in etwas ungleichem Grade, denn während einzelne Ordnungen der Kerbtiere, wie die buntfarbigen Falter, oder die zahlreichen, überall zu findenden und mühelos zu konservierenden Käfer das allgemeine Interesse und die ausgedehnteste Sammellust erregen, werden andere, nicht minder mannigfaltige Ordnungen, wie die Hautflügler und Netzflügler, ganz besonders aber die Halbflügler in auffallender, unverdienter Weise vernachlässigt; denn die Wanzen und Zirpen sind in keiner Weise schwieriger als die Käfer zu finden und aufzubewahren, und gewähren überdies wegen ihrer nur ein Sechstel der Koleopter erreichenden Anzahl eine leichtere Übersicht. Diese Differenz der allgemeinen Neigung zeigt sich weiterhin nicht bloss in der einschlägigen Litteratur — welche allerdings vermöge ihrer verwirrenden Nomenklatur den Anfänger nicht gar selten gründlich abzuschrecken vermag — sondern besonders auch in dem Fehlen von Zusammenstellungen oder Beschreibungen abgerundeter Bezirke, sogenannter „Lokal-Faunen"; besitzen wir ja bis heute noch kein vollständiges, verlässiges, neueres Verzeichnis der in Deutschland lebenden Halbflügler, in auffallendem Gegensatz zu unsern westlichen Nachbarn.

Gleichwohl finden sich immer einzelne Wenige, die sich der Mühe solcher grundlegender Arbeiten unterziehen, wenn auch diese Bestrebungen leider nur zu oft im Anfangsstadium, im Manuskript, ersticken und so der Öffentlichkeit und Allgemeinheit verloren gehen. Wer sich nur je mit der Zusammenstellung einer Tierklasse seiner Heimat abgab, weiss, welch langes, unverdrossenes Streben und Mühen, Forschen und Sammeln erforderlich ist, um nur ein bescheidenes Bild der Lokalfauna zu gewinnen, einer Zusammenstellung, die nur durch vielseitiges, jahrelanges Zusammenwirken Mehrerer an verschiedenen Orten zu den verschiedenen Jahreszeiten einigermassen ermöglicht wird. Jeder Naturfreund weiss aber auch den erwünschten, willkommenen Anhalt zu schätzen, welchen eine solche Zusammenstellung, mag sie auch noch so unvollständig sein, dem späteren Sammler gewährt, der nun einen bestimmten, festen Rahmen seiner Thätigkeit vorfindet, und mit erhöhtem Genuss und innerer Befriedigung jede Erweiterung und Bereicherung seinerseits begrüssen wird. — Frei-Gessner sagt mit Bezug hierauf in der Einleitung seiner Schweizer Hemipteren-Fauna (1864): „Mit einem Katalog in der Hand, wenn auch nicht vollständig, wird ein Entomolog eher zur Errichtung einer Sammlung ermutigt, als ohne einen solchen; es kann also hierdurch die edle Wanzenzunft neue Freunde gewinnen, welche wiederum nicht ermangeln werden, emsig darauf auszugehen, ihre Beobachtungen und neuen Entdeckungen dem jungen Verzeichnis beizufügen und dasselbe mit der Zeit recht brauchbar zu machen."

Ein solcher Katalog, welcher hiermit, gleichsam ausgegraben, vor der Öffentlichkeit erscheint, ist „Roser's Verzeichnis der in Württemberg vorkommenden Hemipteren".

Der am 27. Dezember 1861 zu Stuttgart verstorbene Staatsrat von Roser, welcher dem Verein seit seiner Entstehung, 1845, angehörte, war — laut Nekrolog von Obermedizinalrat Dr. v. Jäger, 19. Jahrg., 1. Heft, 1863 — am 20. März 1787 zu Vaihingen a. E. geboren, verlebte jedoch seine Jugend, in der seine Liebe und Lust zur Natur schon mächtig hervorbrach, zu Winnenden, wurde aber durch äussere Verhältnisse in die juristische Laufbahn gelenkt, in der er bis zu den höchsten Stufen emporstieg, ohne je seiner angeborenen Neigung zu den Naturwissenschaften ungetreu zu werden. Mit Jäger lässt sich wohl sagen, dass, wenn Roser bei seiner ausgezeichneten Tüchtigkeit, Ausdauer und Gewissenhaftigkeit der von ihm selbst aus Neigung gewählten Beschäftigung mit den Naturwissenschaften als Beruf hätte folgen dürfen, er bei seiner körperlichen und geistigen Befähigung ganz Ausgezeichnetes geleistet haben würde. — Roser befand sich von 1812 ab dauernd im Mittelpunkt des Württemberger Landes und beschränkte sich, trotz ausgedehnter Beziehungen, vorzugsweise auf die inländischen Insekten. — Zu Ehren der im September 1834 erwarteten Naturforscher Deutschlands bearbeitete Roser für die „Beschreibung Stuttgarts" (S. 58) nicht nur einzelne Notizen über die Insektenfauna der Umgebung, sondern auch

ein besonderes Verzeichnis der in Württemberg vorkommenden zwei-
flügligen Insekten (1. Jahrgang des Korrespondenz-Blattes des Landwirtschaftlichen Vereins). — 1838 veröffentlichte Roser ein vollständiges
Verzeichnis der in Württemberg vorkommenden Käfer; unter seinen
hinterlassenen Papieren fanden sich 2 Bände Manuskript einer un-
fertigen Württembergischen Zoologie! — Roser's Verzeichnis Württembergischer Halbflügler (in Verwahrung des Stuttgarter Naturalien-
kabinets) datiert von 1838 und umfasst nicht bloss die hier aufgeführten Wanzen, sondern weiterhin noch die Zirpen, Blatt-, Schild-
und Tierläuse, nach dem Standpunkt des damaligen Wissens. Dieses
handschriftliche Verzeichnis wurde späterhin allerdings in der „Beschreibung des Königreich Württemberg" (1882, S. 524–525 bezw. 527)
abgedruckt, dürfte aber dort kaum die entsprechende Beachtung der
Naturfreunde gefunden haben, zumal sich seit den dreissiger Jahren
die wissenschaftliche Benennung (teilweise auch Beschreibung) in
einem Grade geändert hat, dass diese Zusammenstellung für den Anfänger nur in sehr umständlicher, meist arg erschwerter Weise ver-
wertbar sein dürfte. Roser's Verzeichnis bedurfte einer Übersetzung
in die moderne Nomenklatur, sollte der vorstehend geschilderte Wert
solcher Kataloge zur Geltung kommen; hierdurch wird aber nicht
nur die Roser'sche Fauna der unverdienten Vergessenheit entzogen,
sondern auch eine neue Anregung zur Beobachtung und Sammlung
einer bisher so schnöde (nomen — omen!) behandelten und ver-
kannten, farben- und formenreichen Insektenordnung gegeben. — Der
angefügten neuen Nomenklatur und Systematik liegt der Catalogue
des Hémiptères de la faune paléarctique von Dr. A. Puton in Re-
miremont 1886 zu Grunde.

Roser's Verzeichnis enthält nach jetziger Auffassung 273 Arten
mit 12 Varietäten; überdies finden sich in demselben 11 Tiere,
welche mit andern schon aufgeführten identisch sind, und weitere 7,
welche mit Sicherheit nirgends unterzubringen sind, sich mit dem
von Roser angegebenen Namen weder in Fieber's Beschreibung der
europäischen Hemipter 1861, noch in Puton's Synopsis des Hémi-
ptères-hétéroptères de France 1878—80 finden lassen; schliesslich
läuft noch ein zweifelloser Ausländer mit. — Es ist wohl überflüssig
zu bemerken, dass die Zusammenstellung Roser's keinen Anspruch auf
Vollständigkeit erheben kann in Anbetracht der grossen Fortschritte,
welche die beschreibende Naturgeschichte in den letzten fünfzig Jahren gemacht, und bei der hierdurch bewirkten Vertiefung und Erweiterung unserer Kenntnisse; dies mag auch aus folgender Über-

sicht erhellen (wobei nur die *Hemiptera heteroptera*, die Wanzen, gemeint sind):

Schlesien (nach SCHOLTZ, 1847) . . . . . 371 Arten
„ (nach ASSMANN, 1854) . . . . . 401 „
Provinz Preussen (nach BRISCHKE, 1871) . . 286 „
Westfalen (nach WESTHOFF, 1883) . . . . 301 „
Bayern (nach KITTEL, 1871) . . . . . . 390 „
Erlangen (nach KÜSTER, 1848) . . . . 329 „
Regensburg (nach HERRICH-SCHÄFFER, 1852) 315 „
Elsass-Lothringen (nach REIBER-PUTON, 1876) 494 „

FREI-GESSNER zählt für die zwar kleine, dafür aber mit grossen klimatischen und tellurischen Mannigfaltigkeiten beglückte Schweiz sogar 555 Arten auf! (Die europäischen *Hemipt heteropt.* beziffern sich nach PUTON auf 1577, die palaearktischen auf 2138 Arten.) — Hieraus lässt sich folgern, dass ROSER's Württembergische Fauna noch um mindestens 100 der neuerdings unterschiedenen Arten vermehrt werden kann; allein, so lange wir nichts Besseres, Neueres und Vollständigeres haben, muss uns die mühevolle Arbeit eines erprobten Forschers genügen, denn sie entrollt immerhin ein übersichtliches Bild unserer heimischen Tierwelt, mit ihr ist gleichsam ein Rohbau aufgeführt, zu dessen Vollendung und innerem Ausbau jeder Naturfreund aufgefordert und eingeladen ist.

Bei der untenfolgenden Übersetzung habe ich die Richtigkeit der ROSER'schen Bestimmungen selbstverständlich als zutreffend vorausgesetzt; eine Nachprüfung derselben ist schon deshalb nicht mehr möglich, weil die ROSER'sche Sammlung im Laufe des verflossenen halben Jahrhunderts manche Umgestaltung erfahren hat; das ROSER'sche Verzeichnis erscheint deshalb nachfolgend in wortgetreuer Wiedergabe mit Gegenüberstellung der diesbezüglichen neuesten Bezeichnungen, damit der jeweilige Leser das fragliche Tier auch litterarisch zu verfolgen im stande ist. Die Aufführung der von den verschiedenen Autoren gebrauchten Benennungen (besonders jener FIEBER's) hätte zu weit geführt, und verweise ich damit auf die von mir in den Jahresheften des „Vereins für Mathematik und Naturwissenschaften in Ulm" erscheinende „Fauna Germanica; die Wanzen" [1], welche die für Liebhaber und Sammler nötigen Angaben der Synonyme, der beschreibenden (bezw. abbildenden) Litteratur, sowie

---

[1] Es wird mir zum Vergnügen gereichen, jedem sich hierfür Interessierenden auf mir kundgegebenen Wunsch das bis jetzt Erschienene zu übersenden.

der diesbezüglichen, bis jetzt beobachteten Fundorte in ausreichendem Masse aufführt. — Dass nun bei Übersetzung des Roser'schen Originals manchmal ein Zweifel erwachsen, manchmal eine kleine Lücke entstehen musste, liegt in der Natur der Sache, denn verschiedene der von älteren Schriftstellern geschilderten Tiere konnten wegen ungenügender Beschreibung in den neueren Werken Fieber's und Puton's keine Aufnahme finden, wieder andere mussten wegen ungenügender Bezeichnung des erstbeschreibenden Autors zweifelhaft bleiben (weil von verschiedenen Autoren unter demselben Namen verschiedene Tiere beschrieben wurden), und schliesslich hat sich — was beim Tauschverkehr unschwer geschieht — auch einmal ein Fremdling unter die heimischen Schwaben eingeschlichen. Doch all dies vermag den Wert der Roser'schen Arbeit nicht zu verkleinern; ist einmal der auf den Hemiptern lastende Bann gebrochen, so wird die Richtigstellung nicht ausbleiben, und über kurz oder lang die Möglichkeit gegeben sein, eine neuere, vollständigere württembergische Hemipteren-Fauna erscheinen zu lassen, und dann wäre auch der Zweck dieser Veröffentlichung erreicht: „Zum Beobachten und Studium, zum Sammeln und Austausch dieser bis jetzt so vernachlässigten Insektenordnung an den verschiedensten Landesteilen aufzufordern, und auf diese Weise nicht bloss sich selbst genussreiche Anregung zu verschaffen, sondern auch der Wissenschaft zu dienen und die Kenntnis der vaterländischen Tierwelt zu fördern."

Ulm, im Januar 1891. Hüeber.

Verzeichniss
in Würtemberg vorkommender Hemipteren. 1838.

Als eine weitere Fortsetzung des im Jahr 1834 begonnenen Verzeichnisses in Würtemberg vorkommender Insekten lege ich hier das Verzeichniss über eine dritte Ordnung derselben, die Hemipteren Linné's und Latreille's (*Rhyngota* Fabr.) mit dem schon bei den früheren Verzeichnissen ausgesprochenen Wunsche vor, dass dasselbe eine Basis gewähren möge, welche zur Bewirkung künftiger Vervollständigung dienen kann. Die Ausfertigung desselben in der vorliegenden Gestalt wurde mir nur dadurch möglich gemacht, dass ich ausser der durch die früheren Werke von Fallén, Germar, Laporte, Schilling erhaltenen Belehrung besonders die neuerlich erschienenen Arbeiten über diese Ordnung von Burmeister (Handbuch der Entomologie, 2. Band) und Herrich-Schäffer (Nomenclator entomologicus, Heft 1) dabei benützen konnte.

Die dabei befolgte Eintheilung nach Familien und Gattungen ist die des erwähnten Handbuches, nur die Reihenfolge desselben musste, damit dieses Verzeichniss sich, als Fortsetzung, den früheren anschliesse, in umgekehrter Ordnung angewendet werden.

Die allegirte Synonymie beruht zum grossen Theile ganz auf der Autorität der beiden zuletzt genannten Schriftsteller. Sie ist zwar im Einzelnen immer noch einigen Zweifeln unterworfen, diese werden aber wobl bei Gattungen, wo die ausserordentliche Unbeständigkeit der Farbe, Zeichnungen und anderen Kennzeichen die Grenzen der Arten so unsicher machen, wohl nie vollkommen gehoben werden können. — In Absicht auf die zu bewirkende Vervollständigung des Verzeichnisses mache ich besonders auf die Gattungen *Capsus*, *Monanthia* (*Jassus*, *Aphis* und *Haematoprinae*) aufmerksam, und beziehe mich im Übrigen rücksichtlich der Würdigung meiner Arbeit und der Bitte um Mitwirkung zu deren Ergänzung auf dasjenige, was ich dessfalls schon bei der Vorlegung meines Dipteren-Verzeichnisses seiner Zeit bemerkt habe.

Stuttgart, im Aug. 1838. ROSER.

Bezeichnung der gebrauchten Namensabkürzungen.

BOEB. = BÖBER. — BRMST. = BURMEISTER. — DGR. = DEGEER. — F. = FABRICIUS. — FALL. = FALLÈN. — GMR. = GERMAR. — HN. = HAHN. — H. S. = HERRICH-SCHÄFFER. — ILG. = ILLIGER. — KLG. = KLUG. — KZE. = KUNZE. — LTR. = LATREILLE. — LAP. = LAPORTE. — L. DF. = LÉON DUFOUR. — L. = LINNÉ. — MÜLL. = MÜLLER. — PZR. = PANZER. — SCHILL. = SCHILLING. — SCHR. = SCHRANK. — SCOP. = SCOPOLI. — ST. FARG. et SERV. = ST. FARGEAU et SERVILLE. — WESTW. = WESTWOOD. — ZETT. = ZETTERSTEDT.

Verzeichniss in Würtemberg vorkommender Hemipteren (Halbdecker).

Hemiptera (*Rhyngota* F.), Schnabelkerfe.

A. *Heteroptera* LTR., Wanzen.

a. Geocores, Landwanzen.

Württembergs Hemipteren-Fauna (nach ROSER, 1838).[1]

Hemiptera, Halbflügler, Schnabelkerfe. (*Rhyngota* FAB. — *Rhynchota* FIEB., FLOR.)

Heteroptera LATR., Ungleichflügler, Wanzen. (*Frontirostria* ZETT., FIEB., FLOR.)

Geocorisae LATR., Landwanzen. (*Geocores* BRMST. — *Gymnocerata* FIEB.)

---

[1] Die Reihenfolge der rechten Spalte ist — weil an das Roser'sche Manuskript anschliessend — selbstverständlich nicht jene von Puton's Katalog 1886.

I. Fam. Scutati (Schildwanzen).

F. I. Pentatomides.

Tetyra F. (*Scutellera* Ltr.).
1. *hottentotta* F.
   var. *nigra* F.
2. *maura* L.
   var. *picta* F.

Eurygaster Lap.
hottentota H. S. Auct.
   var. *nigra* Fab.
Maura Lin.
   var. *picta* Fab.

Trigonosoma Lap. (*Tetyra* F.)
3. *nigrolineatum* L.

Graphosoma Lap.
lineatum Lin.

Podops Lap. (*Tetyra* F.)
4. *inunctus* F.

Podops Lap.
inuntca Fab.

Odontoscelis Lap. (*Tetyra* F.)
5. *scarabaeoides* L.

Corimelaena White.
scarabaeoides Lin.
Odontoscelis Lap.

6. *fuliginosa* L.

fuliginosa Lin.

Thyreocoris Schr. (*Tetyra* F.)
7. *globus* F. (*scarabaeoides* Ross.)

Coptosoma Lap.
globus Fab.

Asopus Brmst. (*Cimex* F.)
8. *coeruleus* L.

Zicrona Am. S.
coerulea Lin.
Asopus Burm.

9. *punctatus* L.

punctatus Lin.
Podisus H. S.

10. *luridus* F.

luridus Fab.
Arma Hahn.

11. *custos* F.

custos Fab.
Picromerus Am. S.

12. *bidens* L.

bidens Lin.

Cydnus F.
13. *bicolor* L.
14. *albomarginellus* F. (*dubius* Wlff. — *albomarginatus* Schr.)

Schirus Am. S.
bicolor L.
dubius Scop.

15. *biguttatus* L.
18. *morio* L.

biguttatus L.
morio Lin.
Gnathoconus Fieb.

16. *albomarginatus* F. (*albomarginellus* Pz. — *picipes* Fall.)
17. *tristis* F.

picipes Fall.
Brachypelta Am. S.
aterrima Foerst.
Cydnus Fab.

19. *flavicornis* F.
20. *nigrita* F.

flavicornis Fab.
nigrita Fab.

Sciocoris Fall. (*Edessa* F.)
21. *umbrinus* Pzr.

Sciocoris Fall.
microphthalmus Flor.

Pentatoma Latr. (*Cimex*, *Cydnus* F.)
22. *inflexum* Wlff. (*C.perlatus* Pzr.)

Neottiglossa Curt.
inflexa Wolff.

23. *intermedium* WOLF (*C. luna-*
tus PZR.)

24. *perlatum* F.
25. *melanocephalum* F.

26. *rufipes* L.

27. *nigricorne* L.
    var. *eryngii* HAHN.

28. *prasinum* L.
    dissimile F. var. ejd.

29. *vernale* WOLF.
30. *sphacelatum* F. (*lynx* PZR.)

31. *baccarum* L.

32. *juniperinum* L.

Rhaphigaster LAP. (*Cimex* F.)
33. *incarnatus* GMR. (*lituratus*
    KLG. — *purpuripennis* HN.)
    var. *alliaceus* GMR.

34. *griseus* F. (*punctipennis* ILG.)
    var. *interstinctus* L. ♀ F. ?
Eurydema LAP. (*Cimex* F.)
35. *oleraceum* L.
36. *ornatum* L.
37. *festivum* L.

Aelia F. (*Cimex* BRMST.)
38. *acuminata* L.
39. *Klugii* HN. (var. ejd. ?)
Acanthosoma LAP. (*Cimex* F.)
40. *lituratum* F.

41. *haematogaster* SCHR.

42. *agathinum* F. (*griseum* L.)
    var. *collaris* F.
        interstinctus L.

43. *haemorrhoidale* L.

44. *ferrugator* F. (*bispinus* PZR.)

Rubiconia DOHRN
intermedia WOLFF

Eusarcoris HAH.
aeneus SCOP.
melanocephalus F.
Tropicoris HAHN.
rufipes LIN.
Carpocoris KOLEN.
nigricornis F.
identisch mit vorstehender.
Palomena M. R.
prasina L.
identisch mit vorstehender.
Peribalus MLS. R.
vernalis WOLFF.
sphacelatus F.
Carpocoris KOLEN.
baccarum LIN.
Pentatoma OLIV.
juniperina LIN.

Piezodorus FIEE.
incarnatus GERM.

    var. *alliaceus* GERM.
Rhaphigaster LAP.
grisea FAB.
identisch mit vorstehender.
Eurydema LAP.
oleraceum L.
ornatum L.
festivum L.

Aelia FAB.
acuminata LIN.
Klugii HAH.
Cyphostethus FIEE.
tristriatus FAB.
Acanthosoma CURT.
dentatum DE G.
Elasmostethus FIEE.
interstinctus L.
identisch mit No. 41.
identisch mit No. 42.
Acanthosoma CURT.
haemorhoidale LIN.
Elasmostethus FIEE.
ferrugatus F.

II. Fam. Coreodes. Randwanzen.

F. II. Coreides.

Stenocephalus LATR. (*Coreus* F. *Dicranomerus* HAHN.)
45. *nugax* F.
46. *neglectus* H. S.

Stenocephalus LATR.

agilis SCOP.
neglectus H. S.

Alydus FAB.
47. *calcaratus* L.

48. *limbatus* KLG.

49. *Geranii* L. DF. (*marginalis* OL.)

Alydus FAB.
calcaratus LIN.
Megalotomus FIEE.
limbatus KLUG.
Camptopus A. et S.
lateralis GER.

Syromastes LATR. (*Coreus* F.)
50. *quadratus* F.

51. *scapha* F.

52. *marginatus* L.

Verlusia SPIN.
rhombea LIN.
Enoplops AM. S.
scapha F.
Syromastes LATR.
marginatus LIN.

F. III. Berytides.

Berytus F. (*Neides* LATR.) [1]
53. *tipularius* L.

54. *clavipes* F.
55. *minor* H. S.

56. *elegans* CURT. (*rufescens* H. S.)

57. *punctipes* GMR. (*annulatus* BRMST.)

Neides LATR.
tipularius L. (*macr.*)
Berytus FAB.
clavipes FAB.
minor H. S.
Metatropis FIEE.
rufescens H. S.
Metacanthus COSTA.
elegans CURT.

F. II. Coreides (Fortsetzung).

Myrmus HAHN. (*Rhopalus* FALL.)
58. *miriformis* FALL.
Gonocerus LATR. (*Coreus* F.)
59. *venator* F.
Coreus F.
60. *denticulatus* SCOP.
61. *pilicornis* KL. (*hirticornis* PZ., *denticulatus* WLF.)

Myrmus HAHN.
miriformis FALL.
Gonocerus LATR.
venator FAB.
Coreus F.
denticulatus SCOP.
? *hirticornis* FAB. oder *scabricornis* PZR. ! [2]

---

[1] Die in der dermaligen Systematik den Coreiden sich anreihende neuere Familie der Berytiden erscheint bei Roser mitten unter den Coreiden.

[2] Bei der grossen Verwirrung, die in der Litteratur bei der Benennung der *Coreus*-Arten herrscht, ist das von Roser gemeinte Tier schwer festzustellen. — Nach Put. Kat. 86 sind *C. denticulatus* SCOP., *pilicornis* BURM. (KL.) und *hirticornis* PZ. identisch!

Pseudophloeus BRMST. (*Coreus* F.)
62. *Fallenii* SCHILL. (*Waltlii* HN.)

Pseudophloeus BURM.
Fallenii SCHILL.
Bathysolen FIEB.
nubilus FALL.

63. *nubilus* SCHILL.

Corizus FALL. (*Coreus, Lygaeus* F.
— *Rhopalus* SCHILL. — *Kleidocerus* WESTW.)
64. *hyoscyami* L.

Terapha AM.

Hyoscyami LIN.
Corizus FALL.

65. *capitatus* F.
66. var. *rufus* SCHILL.
67. *crassicornis* L.
magnicornis F.

capitatus FAB.
rufus SCHILL.
crassicornis LIN.'
var. des Vorstehenden (= *abu-
tilon Rossi*)

substriatus KLG. (*capitatus*
PZR.)
68. *pratensis* FALL. (*parumpunctatus* SCHILL.)

identisch mit dem vorhergehenden.

parumpunctatus SCHILL.

III. Fam. L y g a e o d e s. Lang-
wanzen.

F. IV. L y g a e i d e s.

Pyrrhocoris FALL. (*Lygaeus* F.)
69. *apterus* L.

Pyrrhocoris FALL.
apterus LIN.

Lygaeus F.

Lygaeus FAER.

70. *equestris* L.
71. *saxatilis* L.
72. *punctum* F.
73. *venustus* BOEE. (*familiaris*
PZR.)
74. *melanocephalus* F.
75. *Roeselii* SCHILL.

equestris L.
saxatilis SCOP.
apuanus ROSSI.
familiaris F.
Arocatus SPIN.
melanocephalus F.
Roeselii SCHUM.

Pachymerus ST. FARG. (*Lygaeus* F.)
76. *fracticollis* SCHILL. (*sylvestris*
FALL.)
77. *echii* PZR. (*aterrimus* F.)

Plociomerus SAY.
fracticollis SCHILL.
Microtoma LAP.
atrata GOEZE.
Aphanus LAP.

78. *pini* L.
79. var. *phoeniceus* PZR.

Pini L.
phoeniceus ROSSI.
Calyptonotus DGL. S.

80. *Rolandri* L.

Rolandri LIN.
Eremocoris FIEB.

81. *sylvestris* SCHILL. (*plebejus*
FALL.)

plebejus FALL.

Rhyparochromus CURT.

82. *antennatus* SCHILL.

antennatus SCHILL

83. *varius* Wolf. (*bimaculatus* Fall.)
84. *pedestris* Pzr.

85. *pictus* Schill. (*decoratus* Hahn.)
86. *luniger* Schill. (*sylvestris* F.)

87. *quadratus* F.
88. *vulgaris* Schill. (*pini* Wolf.)
89. *lynceus* F.

90. *marginepunctatus* Wolf. (*pilifrons* Fall.)
91. *luscus* Schill. (*quadratus* Pzr.)

92. *nubilus* Fall.. (*geniculatus* Hahn.)
93. *agrestis* Fall.

94. *sylvaticus* F.

95. *chiragra* F.
var. *tibialis* Hahn.

96. *sabulosus* Schill. (*Aphanus* H. S.)
97. *pallipes* H. S. (*Aphan.*)

98. *brevipennis* Schill.

99. *staphyliniformis* Schill.

100. *enervis* Pzr. (*Aphan.* H. S.)

101. *rusticus* Fall. (*Aphan.* H. S.)

102. *contractus* Pzr.

Platygaster Schill. (*Miris* F.)
103. *abietis* L.
104. *ferrugineus* L.

Heterogaster Schill. (*Lygaeus* F.)
105. *urticae* F.

106. *senecionis* Schill.

Pionosomus Fieb.
  varius Wolff.
Aphanus Lap.
  pedestris Pz.
Scolopostethus Fieb.
  pictus Schill.
Peritrechus Fiee.
  luniger Schill.
Aphanus Lap.
  quadratus F.
  vulgaris Schill.
  lynceus F.
Gonianotus Fieb.
  marginepunctatus Wolff.
Beosus Am. S.
  luscus Fab.
Peritrechus Fiee.
  nubilus Fall.
Trapezonotus Fieb.
  agrestis Fall.
Drymus Fieb.
  sylvaticus F.
Rhyparochromus Curt.
  chiragra F.
  mit vorstehendem? identisch.
Stygnus Fieb.
  pedestris Fall.
Acompus Fieb.
  rufipes Wolff.
Plinthisus Fifb.
  brevipennis Latr.
Pterotmetus Am. S.
  staphylinoïdes Bur.
Lasiosomus Fiee.
  enervis H. S.
Stygnus Fieb.
  rusticus Fall.
Notochilus Fiee.
  contractus H. S.

Gastrodos Westw.
  abietis Lin.
  ferrugineus Lin.

Heterogaster Schill.
  Urticae Fab.
Nysius Dall.
  Senecionis Schill.

107. *lineolatus* SCHILL.[1]

108. *basalis* H. S.

Cymus HN. (*Heterogaster* SCHILL., *Kleidocerus* WESTW.)
109. *resedae* PZR. (*didymus* FALL.)

110. *claviculus* FALL.
111. var. *glandicolor* HAHN.

112. *ericae* SCHILL.
113. *thymi* WOLF.

Ophthalmicus HAHN (*Salda* F. — *Geocoris* FALL.
114. *ater* F.

Anthocoris FALL. (*Lygaeus, Salda* F.)
115. *nemorum* L. (*Lyg. fasciatus* F.)
　　　var. *sylvestris* F.
116. var. *austriacus* HAHN.
　　pratensis F.

117. *nemoralis* FALL.

116. *pusillus* H. S.

118. *cursitans* FALL. (*minutus* HN.)
120. *obscurus* HAHN.

119. *lucorum* FALL.

120. *bicuspis* H. S.

IV. Fam. Capsini. Blindwanzen.

Halticus HN. (*Salda* F.)
121. *mutabilis* FALL.

122. *pallicornis* F. (*Cic. aptera L.*)
123. *luteicollis* W.

Camptotelus FIEE.
　lineolatus SCHILL.
Oxycarenus FIEE.
　modestus FALL.

Ischnorhynchus FIEE.

　Resedae PZ.
Cymus HN.
　claviculus FALL.
　glandicolor HAHN.
Nysius DALL.
　Ericae SCHILL.
　Thymi WOLFF.

Geocoris FALL.

　ater FAB.

F. XII. Cimicides.

Anthocoris FALL.
　sylvestris LIN.
　(= var. α FIEBER's.)
　nemoralis F. var. *austriacus* F.
　identisch mit, bezw. var. von *sylvestris* LIN.
　gallarum-ulmi DE G.
Temnostethus FIEE.
　pusillus H. S.
Triphleps FIEE.
　minuta LIN.
　nigra WOLFF.
Acompocoris REUT.
　pygmaeus FALL.
Tetraphleps FIEE.
　vittata FIEE.

F. XIII. Capsides.

Labops BURM.
　mutabilis FALL.
Halticus BURM.
　apterus LIN.
　luteicollis PZ.

---

[1] No. 107 und 108 (*lineolatus* SCHILL. und *basalis* H. S.) sind im Roser-schen Manuskript mit Blei eingetragen, also jedenfalls nachträglich; ob von Roser selbst, oder von der Hand eines späteren Revisors? — lässt sich nicht mehr feststellen. H.

124. *rufifrons* FALL.

125. *pulicarius* FALL.

Attus HAHN. (*Lygaeus* F., *Capsus* H. S.)
126. *leucocephalus* L.
127. *niger* H. S.[1]

Heterotoma LATR. (*Capsus* F.)
128. *spissicornis* F.

Capsus F.
129. *trifasciatus* L. (*elatus* PZR.)
130. *capillaris* F.
    var. *danicus* F.
    var. *tricolor* F.

131. *ater* L.
    var. *tyrannus* F.
    vár. *semiflavus* L. (*flavicollis* F.)

Capsus F., *Phytocoris* FALL., *Miris*, *Lygaeus*, *Capsus* F., H. S.
132. *clavatus* L. (*bifasciatus* HN.)

133. *biclavatus* KL. (?)

134. *bifasciatus* F.

135. *flavomaculatus* F.

136. *triguttatus* L.

137. *histrionicus* L. (*agilis* F.)

138. *fulvomaculatus* FALL.

139. *striatus* L.

140. *marginellus* (*scriptus* F.?)[2]

141. *annulatus* W. (*Gerris*)
142. *pallidus* H. S.
    143. var.? *collaris* HN. f. 203

Byrsoptera SPIN.
  rufifrons FALL.
Chlamydatus CURT.
  pulicarius FALL.

Strongylocoris COSTA.
  leucocephalus L.
  niger H. S.　.

Heterotoma LATR.
  merioptera SCOP.

Capsus FAB.
  trifasciatus L.
  laniarius L.
    var. *danicus* F.
    var. *tricolor* F.
Rhopalotomus FIEE.
  ater LIN.
    var. *tyrannus* FAB.
    var. ♀ *semiflavus* LIN.

Pilophorus HAH.

  clavatus L.
Calocoris FIEE.
  ?*biclavatus* H. S.
Pilophorus HÁH.
  ?*cinnamopterus* KB.
Globiceps LATR.
  flavomaculatus F.
Systellonotus FIEE.
  triguttatus LIN.
Cyllocoris HAH.
  histrionicus LIN.
Calocoris FIEB.
  fulvomaculatus DEG.
Pycnopterna FIEB.
  striata LIN.
Calocoris
  marginellus F.
Dicyphus FIEE.
  annulatus WOLFF.
  pallidus H. S.
  errans WOLFF.

---

[1] Nach Puton's Kat. 86 nur im südlichen Europa! Vielleicht ist der in den Vogesen gefundene *nigerrimus* H. S. gemeint?

[2] Findet sich in Roser's Manuskript wieder durchstrichen!

144. *angulatus* FALL.

Aetorhinus FIED.
angulatus FAB.
Macrolophus FIEB.

145. *nubilus* H. S.

nubilus H. S.
Orthotylus FIEE.

146. *nassatus* FALL. (*icterocephalus* HN.)

` *marginalis* REUT.

147. *floralis* F.

viridinervis KB.·
Lygus HAH.

148. *rubricatus* FALL. (*rufescens* HN.)

rubricatus FALL.

149. *pabulinus* L.

pabulinus L.

150. *contaminatus* FALL.

contaminatus FALL.

? *pallescens* H. S.

nach PUTON's Katalog 86, p. 63: species incertae sedis. — Laut HERRICH-SCHÄFFER's Index alphabet. synonym. 1853, p. 38 dem Genannten „nur aus Beschreibung bekannt". — Vielleicht meint ROSER den *Phylus* HAH. *melanocephalus* LIN. (*Miris pallens* FAB., S. R. 254. 8)?

Cyphodema FIEE.

151. *rubicundus* FALL.

rubicunda FALL.
Onychumenus REUT.

152. *decolor* FALL.

decolor FALL.
Oncotylus FIEE.

153. *tanaceti* FALL.

punctipes REUT.

154. *roseus* F. ?[1]

bleibt fraglich, ob ROSER den *Psallus* FIEE. *Fallenii* REUT. oder den *Conostethus* FIEE. *roseus* FALL. meint?

Plagiognathus FIEE.

155. *chrysanthemi* W.

viridulus FALL. ·*auct.*

---

[1] Nach Puton's Katalog 86 sind von vier Autoren fünf verschiedene Tiere als *C. roseus* beschrieben:

roseus F.   = *Psallus* FIEB., *sanguineus* F.,
roseus FALL. = *Psallus* FIEB., *Fallenii* REUT. und
„   „   = *Conostethus* FIEB., *roseus* FALL.,
roseus H. S. = ? *Psallus* FIEB., *lepidus* FIEB.,
roseus FIEB = *Psallus* FIEB., *pinicola* REUT.; —

schliesslich bleibt noch der von Fieber als besondere Art (*Psallus Kirschbaumi* FIEB.) aufgeführte *Capsus roseus* KBM. sp. 135 zu erwähnen.

? *punctipes* H. S. — steht in HERRICH-SCHÄFFER's Nomenclator ent. (Ind. alph. synon. p. 39): „als H. S. nur aus Beschreibung bekannt"; — nach PUTON Kat. 86: vielleicht = *Campylloma* REUT. *Verbasci* H. S. ?!

viridulus FALL. — identisch mit No. 155 (*Plagiognathus* FIEB. *viridulus* FALL., — während *Lopus chrysanthemi* HAHN, Fig. 4 = No. 152 ist).

Orthotylus FIEB.

156. *tenellus* FALL. — *tenellus* FALL.

Orthotylus FIEE.

157. *ericetorum* FALL. — *ericetorum* FALL.

Psallus FIEB.

158. *querceti* FALL. — *sanguineus* F. var. *querceti* FALL.

Macrotylus FIEB.

159. *bilineatus* FALL. (H. S.) — *Herrichii* REUT.

Hoplomachus FIEE.

160. *Thunbergi* FALL. (*Lopus Hieracii* HN.) — *Thunbergi* FALL.

? *ruber* H. S. — findet sich im Nomencl. ent. als HERRICH-SCHAFFER „nur aus Beschreibung bekannt" (Ind. alphab. synonym. p. 39) aufgeführt; von FIEBER und PUTON nirgends erwähnt.

Brachycoleus FIEE.

161. *scriptus* F. (*marginellus* F., *Mir.*) [1] — ? *scriptus* F.

Oncognathus FIEE.

162. *binotatus* F. — *binotatus* F.

Calocoris FIEE.

163. *chenopodii* FALL. (*binotatus* HN. — *laevigatus* PZR.) — *Chenopodii* FALL.

164. var. *quadripunctatus* F. — *quadripunctatus* F.

165. *sexpunctatus* F. — *sexpunctatus* FAB.
    var. *nemoralis* F. — ? var. *femoralis* FAB.

166. *bipunctatus* F. — *bipunctatus* F.

167. *ferrugatus* F. — *roseomaculatus* DE G.

---

[1] Die von R o s e r als Synonym zum *C. scriptus* F. gebrachte *marginellus* F. gehört einer anderen Gattung an: *Miris marginellus* FAB. = *Phytocoris scriptus* HAHN fig. 202 = *Homodemus* FIEB. *marginellus* FAB., FIEBER's = *Calocoris* FIEB. *marginellus* FAB., PUTON's (Kat. 86, p. 49) — während *Lygaeus scriptus* FAB. = *Capsus scriptus* HAHN fig. 294 = *Brachycoleus* FIEB. *scriptus* FAB. FIEBER's und PUTON's ist.

?168. *Dalmanni* FALL. (*vulneratus* PZR.)[1] — *Poeciloscytus* FIEE. *vulneratus* WOLFF.

169. *campestris* L. — *Lygus* HN. *campestris* FAB. *Dichrooscytus* FIEB.

170. var. *rufipennis* FALL. — *rufipennis* FALL. *Lygus* HAH.

171. *pratensis* L. (*umbellatarum* PZR. var. ejd.) — *pratensis* FAB. var.

172. *limbatus* FALL. — *limbatus* FALL. *Megacoelum* FIEE.

173. *infusus* H. S. — *infusum* H. S. *Calocoris* FIEE.

174. *striatellus* F. — *striatellus* FAB.

175. *fraxini* F. — *vandalicus* ROSSI. *Phytocoris* FALL.

176. *populi* L. — *Populi* L.

177. var. *tiliae* F. (*umbratilis* L.) — *Tiliae* F.

177. *ulmi* (*Miris longicornis* F. — *Lyg. viridis* F.) — *Ulmi* L. *Capsus* F.

[*tricolor* F.[2] — *laniarius* L. var. *tricolor* F.]

[var. *danicus* F.[2] — „ „ var. *danicus* F.]

178. *elatus* F. (*trifasciatus* F.) var. *rufipes* F. — *trifasciatus* L. var. rufipes F. *Calocoris* FIEE.

179. *seticornis* F. (*lateralis* FALL.) — *seticornis* F. *Heterocordylus* FIEE.

180. *erythrophthalmus* HN. — *erythrophthalmus* HAH.

nodicornis m? — Nirgends aufzufinden, nicht einmal in H. S. Index etc. *Poeciloscytus* FIEE.

181. *unifasciatus* F. (*semiflavus* FALL.) — *unifasciatus* F.

gibbicollis H. S. — Nomenclator ent. p. 51, HERRICH-SCHÄFFER nur aus Beschreibung bekannt. — Species incertae sedis laut PUTON's Katalog 86, p. 63. *Neocoris* DGL. S.

182. *furcatus* H. S. — *Bohemani* FALL. *Sthenarus* FIEB.

183. *Roseri* H. S. — *Roseri* H. S.

---

[1] In Roser's Manuskript wieder durchstrichen!

[2] Diese beiden Varietäten von *Capsus* FAB., *laniarius* L. (oder *capillaris* F.) finden sich in Roser's Manuskript zweimal aufgeführt; vergleiche unter No. 130!

Monalocoris DAHLB.

184. *filicis* L. — Filicis LIN.

Liocoris FIEE.

185. *tripustulatus* F. — tripustulatus FÁB.

Lygus HAH.

186. *Kalmii* L. (*flavovarius* F. — — *Kalmii* L.
pastinacae HN.)

187. *transversalis* F. (*pastinacae* — Pastinacae FALL.
FALL.) — Camptobrochis FIEE.

188. *punctatus* FALL. (wohl *punctu-* — punctulata FALL.
latus FALL.!) — Zygimus FIEE.

189. *pinastri* FALL. — Pinastri FALL.

Harpocera CURT.

190. *thoracicus* FALL. — thoracica FALL.

Psallus FIEB.

191. *variabilis* FALL. — variabilis FALL.

192. *ambiguus* FALL. — ambiguus FALL.

Poeciloscytus FIEE.

193. *Gyllenhali* FALL. — Gyllenhali FALL.

Psallus FIEB.

194. *betuleti* FALL. — betuleti FALL.
lividus H. S.?! — Weder bei HERRICH - SCHÄFFER, noch in der sonstigen Litteratur aufzufinden.

Phylus HAH.

195. *coryli* L. (*pallipes* HN.) — Coryli LIN.

196. *melanocephalus* L. (*pallens* F. — melanocephalus LIN.
— *revestitus* FALL.) — Byrsoptera SPIN.

197. *caricis* FALL. — rufifrons FALL.

Mecomma FIEE.

198. *ambulans* FALL. — ambulans FALL.

Labops BURM.

199. *pilosus* HN. — mutabilis FALL.

Heterocordylus FIEE.

200. *unicolor* HN. — Genistae SCOP.

201. *tibialis* HN. (*maurus* F.) — tibialis HAH.

Crioceris FIEE.

202. *terminalis* H. S. (*crassicornis* — crassicornis HAH.
HN.) — Plagiognathus FIEE.

203. *arbustorum* FALL. — arbustorum F.

Lopus HAHN (*Miris, Capsus* F.) — Pantilius CURT.

204. *tunicatus* F. — tunicatus FAB.

Calocoris FIEE.

205. *ferrugatus* F. — roseomaculatus DE G.

Leptopterna FIEB.

206. *dolobratus* L. (*lateralis* F.) — dolobrata L.

Lopus HAH.
  gothicus L.
  albomarginatus HAH.

207. gothicus F. [1]
208. albostriatus KL. (albomargi-
     natus HN.)
 ? rubrostriatus H. S.

lineolatus BRUL. zweifellos Ausländer, der nach HERRICH-SCHÄF-
FER, FIEBER und PUTON nur im
südlichen Europa vorkommt.

Miris F.
  Miris FÁB.
209. calcaratus FALL.
  calcaratus FALL.
  Megaloceraea FIEB.
210. erraticus L. (hortorum W.)
  erratica L.
211. longicornis FALL.
  longicornis FALL.
  Miris FAB.
212. laevigatus L. (virens HN.)
  laevigatus L.
213. virens L. (laevigatus HN.)
  virens L.
214. holsatus F. (albidus HN.)
  holsatus FAB.
  Megaloceraea FIEE.
215. ruficornis FALL.
  ruficornis FOURC.

V. Fam. Membranacei. Haut-
     wanzen.

F. V. Tingidides.

Zosmenus LAP. (Salda PZR., Tingis W.)
216. capitatus PZR.

     var. ruficeps?!

Piesma LEP. et S.
  capitata WOLFF.
in der einschlägigen Litteratur
nirgends aufzufinden!

Serenthia SFIN. (Piesma LAP. — Tingis FALL.)
217. laeta FALL.
218. var. ruficornis GERM.

Serenthia SFIN.

  laeta FALL.
  ruficornis GERM.

Monanthia ST. FARG. et SERV. (Tingis F.)
219. costata F.
220. quadrimaculata WOLF (cor-
     ticea PZR.)
221. dumetorum H. S.
222. convergens H. S.
223. echii W. (viperinae KZE.)
224. simplex PZR.
225. cardui L.

Monanthia LEP. et S.

  costata FAB.
  quadrimaculata WOLFF.

  dumetorum H. S.
  Humuli F.
  Wolffii FIEE.
  simplex H. S.
  Cardui LIN.

---

[1] Ein Capsus (bezw. Lopus) gothicus FAB. existiert nicht, wohl aber wurde
ein C. (L.) gothicus von FALLÈN (Alloeotomus FIEE. gothicus FALL.) und von
LINNE (Lopus HAH., gothicus L.) beschrieben; letzterer dürfte — mit Rücksicht
auf die Gruppierung — der von Roser gemeinte sein.

226. obscura H. S.
227. pusilla FALL. (carinata PZR.)

228. verna FALL.

Eurycera LAP. (Tingis F.)
229. clavicornis F.

Tingis F. (Galeatus CURT.)
230. spinifrons FALL.

231. pyri F.

Derephysia SPIN. (Tingis GMR.)
232. reticulata H. S.

Dictyonota CURT. (Tingis F.)
233. marginata W. (crassicornis FALL.)

Aradus F.
234. betulae L. [1]
235. corticalis L.
236. depressus F.
237. cinammomeus PZR.

Aneurus CURT. (Aradus F.)
238. laevis F.

Cimex L. (Acanthia F.)
239. lectularius L.

Syrtis F. (Phymata LATR.)
240. crassipes F.

VI. Fam. Reduvini. Schreit-
wanzen.

Pygolampis GMR. (Gerris F.)
241. pallipes F.
   denticulata GMR. (spinicollis HN.)
Nabis LATR. (Reduvius, Miris F.)
242. ferus L.
   var. vagans F. (Miris)

243. subapterus DEGR. (R. apterus F. griseus HN.)

Orthostira FIEE.
   parvula FALL.
   nigrina FALL.
Campylostira FIEB.
   verna FALL.
Eurycera LAP.
   clavicornis FOURC.
Galeatus CURT.
   spinifrons FALL.
Tingis FAB.
   Pyri FAB.
Monanthia LEP. et S.
   ciliata FIEB.
Dictyonota CURT.
   crassicornis FALL.

F. VII. Aradides.
Aradus FAB.
   Betulae LIN.
   corticalis L.
   depressus F.
   cinnamomeus PZ.
Aneurus CURT.
   laevis F.

F. XII. Cimicides.
Cimex LIN.
   lectularius L.

F. VI. Phymatides.
Phymata LATR.
   crassipes FAB.

F. X. Reduvides.
Pygolampis GERM.
   bidentata FOURC.
mit dem vorhergehenden vollständig identisch.
Nabis LATR.
   ferus LIN.
mit dem vorhergehenden vollständig identisch.
   laticentris BOH.

----

[1] Findet sich in Roser's Manuskript wieder durchstrichen!

— 168 —

Prostemma LAP. (*Reduvius* F.)
244. *guttula* F.

Pirates LAP. (*Reduvius* F.)
245. *stridulus* L.

Reduvius F. (*Opiscoetus* KLG.)
246. *personatus* L.

Harpactor LAP. (*Reduvius* F.)
247. *cruentus* F.
248. *annulatus* F.
249. *haemorrhoidalis* F.

Gerris F. (*Ploiaria* LATR.)
250. *vagabundus* L.
251. *erraticus* FALL. (*culiciformis*
DGR.)

VII. Fam. Riparii. Uferläufer.

Salda F. (*Acanthia* LATR.)
252. *zosterae* F. (*littoralis* L.?)
253. *saltatoria* L. (*littoralis* F.?)
254. *variabilis* H. S. (*riparia* HN.)
255. *pallipes* F.

Leptopus LATR.
256. *littoralis* LATR.

VIII. Fam. Hydrodromici.
Wasserläufer.

Hydroessa BURM. (*Microvelia* WESTW.)
257. *reticulata* BURM. (*Velia pygmaea* L. DUF.)

Velia LATR. (*Hydrometra* F.)
258. *currens* F.

Limnobates BRM. (*Hydrometra* F.)
259. *stagnorum* L.

Hydrometra F. (*Gerris* LATR.)
260. *paludum* F.
261. *lacustris* L.
262. *rufoscutellata* LTR.

b. Hydrocores, Wasserwanzen.

IX. Fam. Nepini, Wasserskorpion-
wanzen.

Ranatra F. (*Nepa* L.)
263. *linearis* L.

Prostemma LAP.
guttula FAB.

Pirates SERV.
hybridus SCOP.

Reduvius FAB.
personatus LIN.

Harpactor LAP.
iracundus PODA var. *cruentus* F.
annulatus LIN.
erythropus LIN.

Ploiaria SCOP.
vagabunda LIN.
culiciformis DE G.

F. XI. Saldides.

Salda FAB.
littoralis LIN.
saltatoria L.
variabilis H. S.
pallipes F.

Leptopus LATR.
boopis FOURC.

F. IX. Hytrometrides.

Microvelia WEST.
pygmaea DUF.

Velia LATR.
currens F.

Hydrometra LATR.
stagnorum LIN.

Gerris F.
paludum FAB.
lacustris L.
rufoscutellata LATR.

Sect. 2. *Hydrocorisae* LTR., Wasserwanzen.
(*Hydrocores* BURM. — *Crypto-
cerata* FIEE.)

F. XVI. Nepides.

Ranatra FAB.
linearis LIN.

Nepa L. .
  264. *cinerea* L.

Naucoris F.
  265. *cimicoides* L.

X. Fam. Notonectini, Rücken-
    schwimmer.

Notonecta L.
  266. *glauca* L.
    var. *furcata* F.
    var. *marmorea* F.
Ploa Steph. (*Notonecta* F.)
  267. *minutissima* F.

Sigara F.
  268. *minuta* F. (*N. minutissima* L.) [1]
Corixa Ltr. (*Sigara* F.)
  269. *punctata* Brmst. (*striata* Pzr.)
    = *Geoffroyi* Leach.
  270. *striata* L.
  271. *fossarum* Fall. (*hieroglyphica*
    L. Duf.) [2]
  272. *coleoptrata* F. [1]
  273. *undulata* Fall. = *Falleni*
    Fiee. [3]

Nepa Lin. ·
  cinerea Lin.

F. XV. Naucorides.

Naucoris Geoff.
  cimicoïdes Lin.

F. XVII. Notonectides.

Notonecta Lin.
  glauca Lin.
    var. *furcata* Fab.
    var. *marmorea* Fab.
Plea Leach.
  minutissima F.

F. XVIII. Corixides.

Sigara Fab.
  minutissima Lin.
Corixa Geoff.
  Geoffroyi Leach.

  striata L.
  ? *fossarum* Leach. oder *hiero-*
    glyphica Duf.
  coleoptrata Fab.
  ? *Sahlbergi* Fieb. od. *Fallenii* Fieb.

---

[1] Bei No. 268 und 272 steht von Roser's Hand im Manuskript: „falsch bestimmt".

[2] *C. fossarum* Fall., Leach. und *hieroglyphica* Duf. sind zwei verschiedene Arten.

[3] *C. undulata* Fall. (*Sahlbergi* Fieb.) und *C. Fallenii* Fieb. stehen in Puton's Katalog 1886 als zwei verschiedene Arten.

Corrigenda.

Unter den laufenden Nummern der Spalte I finden sich die No. 116, 120 und 177 irrtümlicherweise zweimal vor; demnach beläuft sich die Zahl der von Roser aufgeführten Arten auf 276 statt 273.

Ueber Triton viridescens.

Von Dr. Ernst Zeller.

Mit Tafel VII.

Triton viridescens scheint in Nordamerika eine sehr weite Verbreitung zu haben und sehr gemein zu sein. Meine Tiere, deren Besitz ich der Güte und dem Eifer meiner geehrten Freunde, des Herrn J. Schneeweiss in New York und des Herrn R. Jackle in Yonkers verdanke, stammen aus der Umgegend von New York und von Yonkers.

Der Körper des Tieres ist schlank, ähnlich dem unseres *Triton taeniatus*. Männchen und Weibchen sind ungefähr von gleicher Grösse und ihre Länge beträgt für gewöhnlich 7—8 cm, doch gibt es auch viel stattlichere Tiere, die 10, selbst 11 und 12 cm erreichen.

Die Grundfarbe der Oberseite ist braun in verschiedener Nüancierung, die des Bauches helldottergelb. Über die ganze Oberfläche des Körpers mit Ausnahme der oberen Seite des Kopfes finden sich zerstreut zahlreiche grössere oder kleinere rundliche Flecken von schwärzlicher, am Rande mehr oder weniger verwaschener Farbe. Besonders ausgezeichnet jedoch ist das Tier, Männchen wie Weibchen, durch zwei Reihen zinnoberroter, von einem breiten schwarzen Rande umsäumter rundlicher Tupfen, welche hinter dem Kopfe beginnen und seitlich von der Mittellinie über den Rücken hinziehen bis zum Schwanze. Ihre Zahl ist eine wechselnde. Meist stehen vier bis sechs in einer Reihe, die Zahl kann aber auch auf acht bis neun steigen, und andererseits bis auf zwei reduziert sein. Selten findet man noch eine zweite Gruppe unregelmässig zerstreuter solcher Tupfen mehr dem Bauche zu, und noch seltener einige — bis zu sechs — Tupfen auf der oberen Seite des Kopfes, welche letztere dann in der Fortsetzung der erstgenannten seitlichen Tupfenreihen des Rückens liegen. — Die Haut ist feingekörnt.

Der Kopf ist verhältnismässig lang und die Schnauze stumpf zugespitzt, besonders beim Männchen, noch mehr als dies bei unserem

Triton taeniatus der Fall ist. — Die Iris ist goldglänzend mit schwarzem Querstrich. — Hinter dem Auge finden sich, aber nur beim Männchen, drei kleine von der Oberfläche schräg nach ein- und nach aufwärts führende Hautbuchten (Fig. 4 *), welche hintereinander und in einer etwas absteigenden Linie liegen. und von denen die vorderste die kleinste, die hinterste die grösste ist — eine Eigentümlichkeit, welche mir von keinem anderen Tritonen oder Urodelen bekannt ist. Vermutlich stehen die genannten Buchten zu der Ohrdrüse in Beziehung. — Die Gaumenzähne bilden zwei sich sehr nahestehende Reihen, welche erst in ihrem hinteren Drittel weiter auseinander treten (s. Fig. 3). Die Krone der Zähne ist zweizinkig. — Die Zunge ist klein, scheibenförmig, gestielt, nur am Rande frei. Eine Kehlfalte ist nicht vorhanden.

Der Rücken hat keinen Hautkamm, sondern nur eine flache Leiste. Diese erhebt sich erst über den Hinterbeinen zu einer niederen, etwas wellig gebogenen Falte, welche dann ohne Unterbrechung in den oberen Flossensaum des Schwanzes übergeht. — Der Schwanz ist von den Seiten zusammengedrückt, verhältnismässig niedrig, schwertförmig mit abgerundeter Spitze.

Die Vorderbeine sind dünn und mit vier Zehen versehen. — Die Hinterbeine sind schon beim Weibchen stärker als wir sie bei unseren Tritonen finden, beim Männchen aber von ganz ausserordentlich kräftiger, gedrungener Gestalt, dazu noch auf der Innenfläche mit einem sehr eigentümlichen Haftapparat ausgerüstet, welcher aus einer Reihe quergestellter und leistenförmig hervorspringender Verdickungen der Cutis von rauher Oberfläche und dunkelschwarzer Farbe besteht[1]. Auch finden sich solche rauhe und schwarzgefärbte Verdickungen an der Plantarfläche der fünf Zehen-

---

[1] In den leistenförmigen Verdickungen der Cutis finden sich rundliche helle Körperchen in grösserer Anzahl, welche vielleicht Drüsen sind, wie M. Braun („Über äussere Hilfsorgane bei der Begattung von *Triton viridescens*" im Zoolog. Anzeiger Jahrg. I. p. 124 ff.) annimmt, vielleicht aber auch Tastorgane sein könnten. Den Cutisverdickungen sitzt eine Schichte von länglichen Epidermiszellen auf, welche im Grunde dicht aneinander gefügt sind, nach aussen aber frei hervorragen und eine krallenförmig gebogene Spitze tragen (Fig. 5) — die Matrixzellen der spitzen, dunkelbraun gefärbten Cutikularbildungen, welche die schwarze Farbe und die Rauhigkeit der Oberfläche bedingen und welche bei der Häutung des Tieres in unversehrtem Zusammenhang mit abgestossen werden. Die Mauserhaut bekommt dadurch ein sehr hübsches Aussehen. Auch beim Weibchen finden wir das Haftorgan angedeutet, doch sind die Verdickungen der Cutis kürzer und schmäler. Sie sind farblos und es fehlen ihnen die Cutikularbildungen.

spitzen und ist noch eines derben, am freien Rande etwas gebuch-
teten Hautsaumes zu erwähnen, der an der Fibularseite des Unter-
schenkels hinzieht und bis zur fünften Zehe reicht (Fig. 2).

Der Kloakenwulst des brünstigen Männchens ist sehr
entwickelt. Er beherbergt keine pilzförmige Papille, wie sie unseren
Tritonen zukommt, wohl aber in den Seitentaschen des Kloaken-
raumes stehend etwa 20 verhältnismässig dicke und lange kegelförmige Zäpfchen von einem eigentümlichen wie gefiederten Aussehen.
In Wirklichkeit setzt sich ein jedes dieser Zäpfchen aus einer ganzen
Gruppe von unter sich vereinigten röhrenförmigen Ausführungsgängen
zusammen. Diese Ausführungsgänge, welche vielleicht der Kloaken-
drüse, oder aber der Becken-, resp. der Bauchdrüse M. HEIDEN-
HAIN's (vergl. dessen „Beiträge zur Kenntnis der Topographie und
Histologie der Kloake und ihrer drüsigen Adnexa bei den einheimischen Tritonen" im Archiv für mikroskopische Anatomie, Band
XXXV, p. 173 ff.) angehören, sind von verschiedener Länge, so
zwar, dass die äussersten die kürzesten sind und die nächstfolgenden immer an Länge zunehmen bis zur Mitte. Alle aber treten, die
äusseren nach kürzerem, die einwärts folgenden nach immer länge-
rem Verlauf mit einem freien Endstück abbiegend aus der Gruppe
heraus, wodurch eben das gefiederte Aussehen des Zäpfchens und die
Verjüngung seiner Form nach oben entsteht. — Im übrigen scheinen
sich die zusammengruppierten röhrenförmigen Ausführungsgänge selbst
in nichts zu unterscheiden von den einzeln bleibenden Ausführungsgängen, welche am Rande der Kloakenmündung stehen und beim
Öffnen derselben wie weiche Haare sich darstellen. — Der weibliche Kloakenwulst hat eine warzenähnlich rauhe Oberfläche, ähnlich wie wir ihn von unseren Tritonen kennen. Auch ist das
Receptaculum seminis im wesentlichen von gleicher Lage und Bildung,
wie bei diesen. —

Sehr merkwürdig ist das Verhalten der Tiere zur Brunstzeit, welche lange dauert, vom ersten Frühjahr bis weit in den
Sommer hinein. Die Befruchtung selbst geschieht zwar in derselben
Weise, wie wir sie von anderen Urodelen und speciell von unseren
Tritonen kennen, nicht durch eine Begattung, sondern so, dass das
Männchen seine Spermatophoren nach aussen absetzt und das Weibchen die Samenmasse sich holt, indem es die Spermatophoren auf-
sucht und die Samenmasse in der Rinne der geschlossen bleibenden Kloakenspalte sich anhängen lässt, von wo dann die Spermatozoen ihren Weg in die Kloake hinein und zu den Schläuchen des

Receptaculum seminis nehmen, in welchen sie sich einnisten. — Sehr eigentümlich aber und völlig abweichend von dem Verhalten unserer heimischen Tritonen ist das der Befruchtung vorausgehende Vorspiel. Das Männchen springt nämlich mit grösster Gewandtheit dem Weibchen auf den Nacken und umklammert krampfhaft mit seinen hinteren Extremitäten die Kehle desselben. Dann wendet es sich zusammenkrümmend mit dem Kopf gegen den Kopf des Weibchens um (vgl. Fig. 1) und führt auf dessen Nacken sitzend und bald nach der rechten, bald nach der linken Seite sich umwendend, wedelnde Bewegungen des Schwanzes aus, wie es in ähnlicher Weise auch unsere Tritonen thun. Dies dauert eine halbe, selbst eine ganze Stunde und zwei. Das Weibchen verhält sich dabei fast durchaus passiv, höchstens dass es auch dann und wann mit dem zur Seite gebogenen Schwanze leichte wedelnde Bewegungen macht. Im übrigen bleiben die Tiere an demselben Platze liegen und kommen nie an die Oberfläche des Wassers um Luft zu holen. Zuletzt aber gerät das Männchen in grosse und rasch zunehmende Erregung und wendet und wirft zum öfteren das völlig hilflose Weibchen mit grosser Gewalt hin und her. Es sperrt seine Kloakenmündung weit auf, macht eine Reihe zuckender Bewegungen, stösst einige kleine Luftbläschen aus, streckt sich und steigt dann ab, um vor dem Weibchen langsam und nur wenig wegkriechend und auf den Hinterbeinen sich stützend und hin und her krümmend einen Spermatophoren mit der zugehörigen Samenmasse und häufig rasch nacheinander noch einen zweiten und dritten herauszupressen. Das Weibchen folgt dem Männchen dicht auf dem Fusse nach, indem es seine Schnauze gegen den Schwanz und die weit geöffnete Kloakenmündung des Männchens andrückt, kriecht langsam und vorsichtig über den abgesetzten Spermatophoren weg und lässt, wenn es mit seinem Kloakenwulst bei demselben angekommen ist, die Samenmasse sich anhängen. — Noch ist hervorzuheben, dass der gallertige Samenträger ganz anders gestaltet ist, als bei unseren Tritonen. Er bildet nicht eine Glocke, sondern eine Pyramide, oder vielmehr eine breite, am Rande gewulstete Scheibe, von deren Mitte sich eine kegelförmige in eine sehr dünne Spitze auslaufende Fortsetzung erhebt. Auf der Spitze sitzt die Samenmasse, welche stiftförmig abgegeben rasch zu einem Kügelcben von ungefähr 5/4 mm Durchmesser wird, nur lose aufgesteckt, so dass sie schon bei geringer Erschütterung sich ablöst [1].

---

[1] Hier wäre noch zu bemerken, dass, wenn man die Tiere nach der Fortpflanzungszeit im Aquarium lässt und in einem frostfreien, aber nicht geheizten

Das Eierlegen beginnt erst längere Zeit, etwa zwei Monate, nachdem die Befruchtung erfolgt ist. Die Eier werden einzeln abgegeben und, wie .von unseren Tritonen, in der Falte eines zusammengeknickten Blättchens festgeheftet.

Das längliche, etwa $3\frac{1}{2}$ mm lange und $2\frac{1}{2}$ mm dicke Ei besitzt eine ziemlich derbe, etwas gefaltete Kapsel. — Die Larve braucht zu ihrer Entwickelung ungefähr einen Monat und verlässt die aufgeklappte und in zwei Schalen auseinander gelegte Kapsel eingeschlossen in eine weiche Hülle, welche sich auf einen Durchmesser von 6—7 mm ausdehnt, und in welcher sie noch mehrere Tage verweilt. —

Die in Vorstehendem mitgeteilten Beobachtungen sind nur unvollständig, doch mögen sie genügen, um auf das in so mannigfacher Beziehung interessante Tier aufmerksam zu machen und zu weiteren Untersuchungen anzuregen.

Raume überwintert, sie schon im Oktober wieder anfangen brünstig zu werden, und dass man durch den ganzen Winter hindurch sehr häufig die Kopulation, das Absetzen der Spermatophoren von seiten der Männchen und auch gelegentlich eine Samenaufnahme durch die Weibchen beobachten kann.

Erklärung der Tafel VII.

Figur 1. Ein Pärchen des *Triton viridescens* in Copula, das Weibchen in der Häutung begriffen. Man erkennt die über dem Rumpf zusammengeschobene und gefaltete Mauserhaut und gerade nach unten vom Kloakenwulst des Männchens zwei herunterhängende Fetzen derselben. Photographische Aufnahme in natürlicher Grösse.

Figur 2. Innenfläche der Hinterbeine des Männchens mit den Haftorganen. Natürliche Grösse

Figur 3. Aufgesperrtes Maul des Männchens, um die Reihen der Gaumenzähne und die Zunge zu zeigen. Zweifache Vergrösserung.

Figur 4. Seitenansicht vom Kopf des Männchens. * Die drei eigentümlichen Hautbuchten. Zweifache Vergrösserung.

Figur 5. Matrixzellen der Cutikularbildungen vom Haftorgan des Männchens. Die oberen gerade von oben, die unteren zwei von der Seite gesehen. Ungefähr 300 fache Vergrösserung.

Naturwissenschaftlicher Jahresbericht 1889.

Zusammengestellt von Dr. Frhr. Richard Koenig-Warthausen.

Auch für diesen fünften Bericht hat es einige Mühe gekostet, die Beiträge rechtzeitig zu erhalten. Einige der früheren Correspondenten haben trotz dringender Aufforderung nichts eingesendet und neue Kräfte sind schwer zu gewinnen. Dass der fränkische Landestheil eine Vertretung nicht mehr hat, ist sehr zu bedauern. Zum letzten Male erscheinen Notizen der Herrn med. Dr. SALZMANN sen. in Esslingen und Lehrer UNGER in Osterhofen; beide sind inzwischen dem Vereine durch den Tod entrissen worden. Beiträge haben geliefert die Herrn med. Dr. HOPF (Plochingen), Fasanenmeister REINHOLD (Härdtle bei Weilimdorf), Forstrath HERDEGEN (Leonberg), Oberförster FRIBOLIN (Bietigheim), Fabrikant L. LINK (Heilbronn), Oberförster NAGEL (Rottenburg a. N.), med. Dr. WURM (Teinach), Oberförster THEURER (Simmersfeld), Oberförster IMHOF (Wolfegg), Oberförster WENDELSTEIN (Kisslegg), Oberförster PROBST (Weissenau), Oberförster FRANK (Schussenried), Pfarrer Dr. PROBST (Essendorf), Oberförster VÖLTER (Ochsenhausen), Oekonom ANGELE (Risshöfen bei Warthausen), Freiherr v. ULM-ERBACH (Erbach). Für Warthausen rühren die Beobachtungen auch dieses Mal vorzugsweise von meinen schon wiederholt erwähnten Kindern her. Jagdliche Notizen sind eingegangen von S. D. dem Fürsten zu WALDBURG-ZEIL und von den gräflichen Standesherrschaften QUADT-WYCKRADT-ISNY und KÖNIGSEGG-AULENDORF.

Wünschenswerth wäre, wenn die Herrn Correspondenten mit Kalenderdaten weniger sparsam wären.

Vögel.

1) *Pandion haliaëtos* SAVIGN. L., Fischadler.

Wolfegg: 1—2 St., wohl vom Illerthal zufliegend, den Sommer und Herbst über abwechselnd fischend auf dem Ursprung der Aach am Haidgauer Ried und Rohrsee*.

---

* Aus unserer Bayrischen Nachbarschaft wird 14. Februar von Hindelang im Allgäu berichtet, dass der prinzregentliche Oberjäger DORN im heurigen

2) *Buteo vulgaris* Bechst., Mäusebussard.

Warthausen: 16. September ein Flug von 21 St. Oster-hofen: 13. April mehrere über dem Dorfe kreisend; verschiedene Nistpaare, wie stets, im Beobachtungsbezirk. Wolfegg: häufiger Brutvogel im Revier, 9 St. in der Schussliste. Kisslegg: 18. Februar beobachtet. Weissenau: Ankunft 4. Februar; etwa 6—8 Bruten controlirt, im Mai gewöhnlich 4 Eier. Weilimdorf (Fasanerie): 3. und 9. December je 1 St. im Habichtskorb mit Goldammern gefangen. Heilbronn: 22. April auf einer Buche bei Donnbronn brütend. Rottenburg: häufig; vom 9. November an hielt sich ein weisses Expl. einige Wochen lang immer auf dem gleichen Felde auf. Teinach: 10. März kreisend.

3) *Milvus regalis* Briss., Königsgabelweih.

Warthausen: erstmals gesehen 17. April; 11. Juli beim Bahnhof Ummendorf (Biberach). Wolfegg: ganz selten und nicht brütend. Angekommen: Schussenried 21. März, Ochsenhausen 29. März, Bietigheim 27. März, Plochingen 17. März.

In Baden beobachtete Oberf. Frhr. v. Schilling bei Neckar-Schwarzach (B.-A. Eberbach) schon 8. März den ersten Gabelweih.

4) *Milvus ater* Cuv. Gm., Schwarzer Gabelweih.

Schussenried: 16. März 1 St. beobachtet, wohl noch auf dem Zuge. Warthausen: 9. August 1 St. im Ried gegen Langenschemmern.

5) *Pernis apivorus* Cuv. L., Wespenbussard.

Wolfegg: gar nicht so seltener Brutvogel, aber trotz dem längeren Stoss öfter mit dem Mäusebussard verwechselt.

6) *Falco peregrinus* L., Wanderfalk.

Wolfegg: 2 St. im Herbst auf dem Durchstrich beobachtet. Weissenau: im Juni ein junges Expl. — überhaupt erstmals beobachtet — im Staatswald Rasthalde auf einer Föhre aufgebäumt. Weilimdorf: 18. November stiess einer auf eine Brieftaube und 30. November wurde einem Wanderfalken eine Wildente abgejagt.

Winter innerhalb der letzten sieben Wochen fünf (bis jetzt 45 Stück!!) Steinadler, *Aquila fulva* s. *chrysaëtos* Briss. L. geschossen habe, den letzten, ein besonders schönes 2,30 m. messendes Männchen 1 ̇. Februar am Hirschberg, nachdem er von Morgens 5 bis Mittags 4 Uhr hinter Latschen im hohen Schnee im Hinterhalt gelegen hatte.

7) *Hypotriorchis subbuteo* Boie L., Baumfalk.

Warthausen: 24. August junges Weibchen in der „Heiligenhalde" geschossen. Wolfegg: mehrere Male streichend und jagend beobachtet, doch war in diesem Jahr nur ein einziges Brutpaar im ganzen Revier.

8) *Cerchneis tinnunculus* Boie L., Thurmfalk.

Wolfegg: in der Nähe und in Einthürnen brüteten 2 Paare. Weissenau: zwei Niststände im „Langerget", einer in Hittenberg; wieder häufiger. Weilimdorf: 19. April ein Männchen gesehen; brüteten wieder in ihrem alten Krähennest.

9) *Astur palumbarius* Briss., Hühnerhabicht.

Warthausen: 5. April 1 Weibchen, 18. April 2 St. in den Fallen gefangen, ein viertes 1. Mai geschossen. Wolfegg: 1—2 Paare horstend, mit Beginn des Winters abstreichend, im Februar oder März mit dem ersten Thauwetter wieder da und auch alten Hasen gefährlich; abgeschossen 4 St. Weissenau: Ankunft des ersten 9. Februar im „Falkenstand", wo sofort der durchdringende Paarungsruf erschallte; zugleich war auch der zweite Horst im Renauer-Wald besetzt, wo Anfangs Juli die 2 Jungen vom Nestrand mit der Büchse herabgeschossen wurden. Weilimdorf: ein besonderer Feind der K. Fasanerie „im Härdtle"; hier hat ein solcher 25. März 2 Tauben geholt, 5. April wieder eine, wurde aber geschossen; 26. April fängt ein Habicht 2 Fasanhennen, wird aber Tags darauf im Habichtskorb gefangen und 30. April ein solcher mit vorher halbgekröpfter Fasanhenne; im Herbst giengen wieder mehrere in Tellereisen und Habichtskorb; 18. November wurde 1 St. bei Verfolgung der Brieftauben (die sofort von einem Wanderfalken angenommen wurden) geschossen, 19. November fiengen sich 2 „gelbe" Habichte im Tellereisen und am nächstfolgenden Tag ein „blauer" im Korb, sowie noch 2 St. 20. und 27. December. Am 9. December stiess ein gelber Habicht blitzschnell auf eine Rabenkrähe, die mit ungeheurer Gewandtheit sofort beinahe senkrecht in die Höhe stieg, so dass der Angreifer nicht folgen konnte.

10) *Astur nisus* Lac. L., Sperber.

Warthausen: 20. April wurde ein Amselweibchen von der Brut weggefangen. Osterhofen: 20. November in den „Brunnenadern" beobachtet, den Winter über öfter im Dorf jagend. Wolfegg: mehrfach im Revier horstend; 12 St. in der Schussliste. Weissenau: hat an zwei Stellen genistet; eine der Bruten gelang und wurde 1 St. davon geschossen. Weilim'dorf: in der Fasanerie im Korb über Goldammern gefangen 3., 5. und 23. December. Rottenburg: sehr häufig. Teinach: 16. Februar im Garten einen zusammengerotteten Finkenschwarm verfolgend; 27. Februar fand sich auf der Strasse beim Badhotel ein frisch eingegangener Sperber, dem ein Zaunkönig-Schnabel den Magen perforirt und tödtliche Blutung mit Bauchfellentzündung verursacht hatte. Ein schwer trocknender gelber Farbstoff (Lipochrom) lässt sich mittelst Chloroform aus Fängen und Wachshaut gewinnen; dieses „Oionoxanthin" verhält sich zum „Zoofulvin" wie Dr. WURM's früher bekannt gemachtes „Tetronerythrin" zum „Zoonerythrin".

11) *Strix flammea* L., Schleiereule.

Wolfegg: wiederum brütend.

12) *Syrnium aluco* SAVIGN. L., Waldkauz.

Osterhofen: nicht selten; rief im März und April. Wolfegg: brütet im Wildpark und Bannholz. Weissenau: 20. Mai wurde von Knaben ein aus dem Nest gefallenes Junges im Mariathal-Wäldchen gefangen; im Herbst war der Ruf öfters vernehmbar. Weilimdorf: 9. Juni 3 etwa seit 8 Tagen ausgeflogene Junge; 3. December 1 St. im Habichtskorb gefangen. Plochingen: 13. Mai wurde ein flügges Junges von Knaben ausgenommen.

13) *Athene noctua* BOIE RETZ, Steinkauz.

Osterhofen: ein Paar rief sich gegenseitig 17. November Abends 5 U. zwischen hier und Waldsee im Wald „Petersberg". Fehlt bei Wolfegg. Weilimdorf: an der Stelle, wo im Vorjahr eine Brut Junger war rief sich 10. October sogar bei Tag gegenseitig ein Paar. Rottenburg: auf Obstbäumen an Strassen öfter beobachtet.

14) *Bubo maximus* SIBB., Uhu.

16. November wurde im Seewald von Tettnang als seltener Gast 1 Expl. von kleiner Statur und über die Mitte der Brust mit einem Längsstreifen von gelben Federn, also wohl junges Männchen, auf der Treibjagd geschossen (Oberf. PROBST).

15) *Otus vulgaris* FLEM., Waldohreule.

Warthausen: heult im Schlossgartenwäldchen bei Thauwetter 18. Februar, 7. und 24. März. Osterhofen: nistet im „untern Wald", im „Mauchenberg" und im „Haslach". Wolfegg: wiederum brütend. Weilimdorf: fast erwachsene Junge riefen 2. Juni noch bei Tag und die Nacht über den Alten; 4. und 8. December je 1 St. mit Goldammern als Lockvögeln im Habichtskorbe gefangen.

16) *Otus brachyotus* Cuv. Forst., Sumpfohreule.

Wolfegg: im Haidgauer Ried das ganze Jahr.

17) *Iynx torquilla* L., Wendehals.

Warthausen: 18. April überall rufend. Wolfegg: ein Exemplar vom Mai an in den Gärten gehört. Weissenau: von Mitte April an mehrfach in den Gärten. Plochingen: 15. April erstmals vernommen und gesehen, Tags darauf in Mehrzahl. Esslingen: 27. April. Heilbronn: ruft im Garten 19. April.

18) *Gecinus viridis* Boie L., Grünspecht.

Warthausen: 2 Mai. rufend. Osterhofen: 12. Januar aus dem „oberen Wald" notirt, wo er auf den „Klemmerhaufen" (Bauten der grossen Waldameisen) häufig beobachtet wurde. Wolfegg: wie im Vorjahr. Schussenried: Locken der Spechte überhaupt seit 2. April. Weissenau: ruft vom 10. Februar an häufig.

19) *Dryocopus martius* Boie L., Schwarzspecht.

Osterhofen und Wolfegg: wie früher. Weissenau: 9. März 1 St. rufend; seit 2 Jahren so selten geworden, dass an seinen alten Neständen kaum mehr sein Ruf gehört wird.

20) *Picus major* L., Grosser Buntspecht.

Warthausen: 8. Januar bis 28. Februar täglich an das Küchenfenster im obersten Stock des Schlosses nach Futter anfliegend, sowie an den Futterbrettern im Garten und die Bäume auf von den Meisen versteckte Fettstücke u. d. g. absuchend; eine Familie mit den flüggen Jungen 27. Juni im Garten und Wäldchen. Osterhofen und Wolfegg: wie früher (ebenso Grauspecht). Weissenau: hier, bei Mariathal und bei Grünkraut sind im Juli Junge beobachtet.

21) *Picus minor* L., Kleiner Buntspecht.

Weissenau: 8. April und im Mai 1 St. auf den Apfelbäumen des Hausgartens. Plochingen: bei Thauwetter erstes Trommeln 9· März. Fehlte in diesem Jahr bei Wolfegg.

22) *Cuculus canorus* L., Kuckuck.

Erstmals rufend verzeichnet nach der Zeitfolge im April, 8: Erbach; 10.: Teinach; 11.: Schussenried; 13.: Stuttgart

(Pfaffenwald); 14.: Bietigheim; 17.: Kisslegg und Plochingen (hier 23. allgemein); 21.: Weilimdorf; 22.: Weissenau und Heilbronn (als Raubvogel geschossen); 23.: Warthausen (überall hörbar), Ochsenhausen und Rottenburg (Stadtwald); 24.: Wolfegg; 26: Simmersfeld; 28.: Esslingen; 30.: Osterhofen (häufig in den Obstgärten). Essendorf: nicht vor 4. Mai gehört. Ulm: 3. Mai am Donauufer (Frhr. v. Hügel). Eybach (Geislingen): 27. Mai wurde ein junger Kuckuck in einer mit Epheu bewachsenen Mauer des Schlossgartens in einem Rothkehlchen-Nest entdeckt und 6. Juni in ein Käfig gebracht, als er nach Regenwetter mit dem Nest heruntergerutscht war und sich am Boden gegen die Mauer drückte. Bis 20. Juni, wo man ihn dem Wald zu entfliegen liess, wurde er von der gräfl. Degenfeld'schen Familie mit wurmförmig dünngeschnittenem rohem Fleisch gefüttert, das er gierig nahm, besonders wenn es in Wasser getaucht war. Ein bald darauf eingebrachter zweiter junger Vogel kam nach Stuttgart in Nill's Thiergarten.

23) Alcedo ispida L., Eisvogel.

Warthausen: 6. März 1 St. an der Riss. Osterhofen: wie früher an der Aach (Umlach) und hin und wieder Winters im Ostergraben bis in die Nähe des Dorfs kommend. Fehlt bei Wolfegg. Weissenau: im August Junge an der Schussen, heuer etwas häufiger. Simmersfeld: nach langer Zeit zum ersten Mal wieder ein Paar an der Klein-Enz.

24) Upupa epops L., Wiedehopf.

Wolfegg: nur als Strichvogel, seltener im Frühjahr, meist im August und September, immer nur einzeln eintreffend. Weissenau: ruft erstmals 11. April, verschwindet aber dann wieder. Weilimdorf: erstmals 30. April rufend. Rottenburg: einige Male in der Nähe von Waldungen gesehen.

25) Caprimulgus europaeus L., Ziegenmelker.

Wolfegg: sparsam verbreitet. Teinach: am 6. Mai viele schnurrende Ziegenmelker im Morgengrauen in den Röthenbacher Wäldern.

26) Cypselus apus Illig., Mauersegler.

· Warthausen: angekommen 29. April; Tags darauf wurde ein Paar in einem Staarenhaus über dem bluttriefenden Brutvogel gefangen und getödtet; bei Ummendorf (Biberach) Anfangs Juli mehrere flügge Bruten Futter verlangend im Gefolge der Alten.

Osterhofen: 21. Mai bei sehr schöner Witterung erstmals 2 St. sehr hoch fliegend am Abend bemerkt. Wolfegg und Kisslegg: („Thurmschwalbe") Ankunft 4. Mai. Weissenau: Ankunft 8. Mai; Abzug 4. August. Ochsenhausen: 11. Mai. Plochingen: allgemeines Eintreffen 29. April; 26. August noch immer verspätete Nachzügler. Bietigheim: Ankunft 5. Mai, Wegzug 4. September, sehr vereinzelt in kleinen Gesellschaften. Heilbronn: 29. April.

27) *Chelidon urbica* BOIE L., Hausschwalbe.

Warthausen: 3. April erste in einen Stall des Dorfs fliegend, 5. April mehrere oben beim Schloss; Wegzug 10. October. Osterhofen: grössere Colonie am Wirthshaus in Hittelkofen (Heisterkirch), wo 29. August noch in mehreren Nestern Junge waren; kleinere Gesellschaften nisten hier und dort an mehreren Gebäuden; Abzug 20. September. Wolfegg: 4. Mai die 2 ersten gesehen, am folgenden Tag mehrere. Weissenau: 22. April zahlreich angekommen, Hauptabzug am 20. September. Schussenried: Ankunft 8. April. Erbach: 2. April. Plochingen: die ersten 21. April, 2 Tage später zahlreich; erste Sammlung 28. August. Esslingen: Ankunft 30. April, Rundflüge 4. Mai. Weilimdorf: viele 19. April. Simmersfeld: 26. April.

28) *Cotyle riparia* BOIE L., Uferschwalbe.

Biberach: 3. Juli viele an der Landstrasse gegen das Jordansbad, deren Brutplätze in den Sandgruben der Rissegger Halde sich befinden. Wolfegg: erst im Juli wurden einige über dem Rohrsee gesehen, die jedenfalls in der Nachbarschaft gebrütet hatten. Esslingen: 10. April 1 St., 27. d. M. allgemein.

29) *Hirundo rustica* L., Rauchschwalbe.

Warthausen: 8. April erstmals an der Riss, letztmals dort versammelt 10. October und am nächsten Tag fortziehend. Osterhofen: 21. April erste, 30. d. M. zweite, Hauptzug 2. Mai; erste Sammlung 2. August, letzte Beobachtung 19. September. Wolfegg: 11. April erstes Paar. Kisslegg: „Stachelschwalbe" 3. April. Weissenau: 13. April erste, 17. d. M. allgemein; Wegzug 23. September. Ochsenhausen: 10. April angekommen. Erbach: 16. April. Plochingen: die erste 7., in Mehrzahl 9. April. Bietigheim: Ankunft 14. April, Wegzug 19. August; die Schwalben nehmen von Jahr zu Jahr in recht fühlbarer Weise ab. Heilbronn: 8. April trifft das erste Paar ein; 15. Mai Junge, die 4. Juni ausfliegen.

Nestausbesserung für die zweite Brut beginnt 11. Juni; eine dritte (!) Brut findet im August statt: Auswerfen der Eischalen 22. d. M., Ausflug der Jungen Mitte September; Abzug 8. October, nachdem sie sich zuvor von August an und in Gesellschaft mit Seglern an warmen Fabrikfenstern gesammelt hatten. Teinach: die zwei ersten zeigten sich 19. April in Emberg, weitere 29. d. M. im Thale. Simmersfeld: Ankunft 24. April.

Ohne Artangabe ist verzeichnet Essendorf: erste vereinzelte Schwalbe bei der Lindenmühle 10. April, zahlreich 30. d. M. Leonberg: 3. April erste Schwalbe.

30) *Muscicapa grisola* L., Grauer Fliegenfänger.

Warthausen: angekommen 1. Mai; 24. Mai unter dem Dach des Schlossportals Nest mit Jungen, welche 3. Juni flügge auf dem Nestrand sassen. Osterhofen: 12. Mai erstmals gesehen; nistete an geschützter Stelle auf einem Fensterladen. Wolfegg: „spät angekommen"; im fürstlichen Schlossgarten seit mehreren Jahren ein Nest in einem Pfirsichspalier auf einer Mauerlatte, wo 3. August die Jungen kurz zuvor abgeflogen waren. Weissenau: nicht selten; einige Nester enthielten je 5 Eier. Plochingen: 9. Mai erster, 10. d. M. allgemein da. Weilimdorf: 1. Juni auf einem Vorsprung der Fasanenmeisters-Wohnung beobachtet. Heilbronn: 12. und 13. Mai im LINK'schen Baumgut und Garten; 22. Mai Nest mit 5 Eiern in einer alten Mauer des Friedhofs.

31) *Muscicapa collaris* BECHST., Weisshalsiger Fliegenfänger.

Weissenau: in der jungen Kultur „Langerget", wo er regelmässig zu brüten scheint u. a. a. O.

32) *Lanius excubitor* L., Grosser Grauwürger.

Warthausen: 25. März 1 St. verfolgt von 2 Buchfinken in einer Obstallee. Osterhofen: nicht selten; 12. Februar 1 St. an der Landstrasse. Weissenau: im Mai in der „Langerget" an der alten Brutstätte. Weilimdorf: das ganze Jahr da; 1. December 2 St. gesehen, 3. und 9. December je 1 St. mit Goldammern im Habichtskorb gefangen. Rottenburg: häufig; an Dornhecken wurden öfters noch lebende Grillen aufgespiesst gefunden. Simmersfeld: scheint seit dem Vorjahr ausgestorben zu sein. Nach der „Ulmer Schnellpost" (N. 294 v. J.) wurde in Rammingen (Ulm) auf einer Blitzableiter-Auffangstange der dortigen Kirche ein Sperling angespiesst gefunden; ein zweiter Correspondent deutet diess auf den grossen

Würger, den er, eine Stelle in BREHM's Thierleben missverstehend, mit dem Hesperidenwürger, *L. meridionalis* TEMM. (Mittelmeergebiet!) verwechselt; er beruft sich hiebei auf einen ganz gleichen vor Jahren in Grünkraut (Ravensburg) vorgekommenen Fall.

33) *Enneoctonus collurio* BOIE L., Neuntödter.

Osterhofen: häufig wie stets. Wolfegg: seltener als der vorige, aber in einzelnen Paaren brütend. Plochingen: 10. Mai erstmals gesehen. Heilbronn: Ankunft 12. Mai, 26. d. M. 5 Eier.

34) *Enneoctonus rufus* BOIE BRISS., Rothköpfiger Würger.

Wolfegg: selten. Weissenau: hier und im Flappachthal brütend. Plochingen: erster 10. Mai. Teinach: 21., April bei Röthenbach.

35) *Regulus ignicapillus* CH. L. BRHM., Feuerköpfiges Goldhähnchen.

Warthausen: 10. März ein Flug von etwa 20 St. Weissenau: im November und December häufig in allen Nadelwaldungen angetroffen. Heilbronn: 4. Mai im Friedhof auf einer Tanne 6 m. hoch bauend, 22. d. M. 9 Eier. Teinach: beide Arten nicht selten.

36) *Regulus cristatus* KOCH, Gelbköpfiges Goldhähnchen.

Osterhofen: 5. December im Hochwald bei St. Sebastian, 19. December in der „Kuhreute“. Wolfegg: häufiger als die vorige Art. Weissenau: einzeln unter den vorigen.

37) *Mecistura caudata* LCH. L., Schwanzmeise.

Warthausen: 6. Januar ein Flug im Warthausener Wald, 19. März ein gepaartes Paar mit Nistmaterial beschäftigt. 28. März 2 Flüge je von 10 St., auch 31. d. M. immer noch eine Familie beisammen, erst 3. April wieder in Paaren; 7. April Nest im „oberen Garten“ auf einem Birnbaum, 8. Mai Nest mit schon ziemlich grossen Jungen. Osterhofen: in den Waldungen ob dem Dorf nicht selten. Wolfegg: „Pfannenstiel“, nicht selten; röthlich angeflogene Exemplare (var. *rosea* BLYTH?) sind beobachtet worden. Weissenau: heuer selten.

38) *Parus major* L., Kohlmeise.

Warthausen: 19. März untersuchten sie die Nistkästen, 8. Mai wurde in einem Apfelbaum gebrütet. Wolfegg: 2 St. giengen in Oberf. IMHOF's Haus in Mäusefallen auf den Speck. Plochingen: vereinzelt Frühlingsrufe schon am milden 24. Januar: 4. Juni Ausflug von Jungen. Weilimdorf: 2. Mai Niststoffe tragend.

39) *Parus coeruleus* L., Blaumeise.

Warthausen: 8. Mai im „oberen Garten" in einem hohlen Birnbaum nistend. Osterhofen: 8. April am Nistplatz im Obstgarten, Ende Juni flügge Junge. Weissenau: nimmt am Futterbrett vorzugsweise Brodkrumen auf, während *P. major* und *P. palustris* Sonnenblumensamen aufhämmern.

40) *Parus palustris* L., Sumpfmeise.

Warthausen: im Januar und Februar vorwiegend die zahlreichste Art an den Futterbrettern; während die Blaumeisen, unter allen die vertrautesten, fressend lange zur Stelle bleiben, entfliegen diese sofort wieder, nachdem sie eine möglichst grosse Menge Futter, das an anderer Stelle verzehrt wird, zusammengerafft haben; 27. Mai an einem Meisenkasten im „oberen Garten" ausgeflogene Junge.

41) *Parus ater* L., Tannenmeise.

Warthausen: noch 15. April 1 St. im Schlossgarten. Osterhofen und Wolfegg: nur im Tannenwald und die Gärten meidend. · Weitere allgemeine, mit den früheren Berichten völlig übereinstimmende Notizen über sämmtliche Meisenarten sind, wie auch in anderen Fällen, weggelassen worden.

42) *Sitta europaea* L., Spechtmeise.

Warthausen: 30. Mai 4 Junge · mit den Alten im Garten, 1. Juni ebensolche in einem Staarenhaus. Biberach: 12. Juli beim Jordansbad ausgeflogenes Junges. Osterhofen: häufig. Wolfegg: sehr vertraut auf dem Futterbrett, frisst auch „Spätzlen". Weissenau: heuer weniger gehört als sonst. Plochingen: 22. Februar erster Paarungsruf trotz heftigem Schneegestöber. Esslingen: ruft 31. März. Teinach: stets am Badhotel, auf dem Futterbrett aber seit zwei Jahren erstmals wieder 20. März und 17. November·

43) *Certhia familiaris* L., Baumläufer.

Warthausen: 20. Mai ein Paar im Garten. Weissenau: nächst dem Ort vorhanden, aber an den Brutstellen im Wald heuer vermisst. Plochingen: 20. Januar bei mildem Wetter vereinzelt singend. Simmersfeld: nur einzelne Exemplare beobachtet.

44) *Troglodytes parvulus* VIEILL. KCH., Zaunkönig.

Warthausen: 12. Mai Nest mit 7 Eiern in einer Waldschlucht; 14. Mai desgleichen mit 6 Eiern halbmannshoch an einem

Wegabsturz. Weissenau: hat in der Fichtenkultur im „Bergle"
gebrütet. Heilbronn: 24. April im Friedhof in einen Thuja-Strunk
bauend.

45) *Cinclus aquaticus* Bchst., Wasseramsel.

Osterhofen, Wolfegg und Weissenau wie in früheren
Jahren. Teinach: eine Wasseramsel, welche gleichzeitig mit einer
Forelle nach der Köder-Heuschrecke schnappte, fieng sich an der
Angel eines Kurgasts und wurde wieder freigelassen.

46) *Turdus viscivorus* L., Misteldrossel.

Warthausen: im Herbst auffallend zahlreich. Osterhofen:
häufig; singt 4. März. Wolfegg: heuer sehr früh eingetroffen, im
Februar weithin durch den Gesang vernehmbar. Weissenau:
erster Gesang 5. Februar, dann bis gegen 20. d. M. verstummt, dauernd
singend vom 9. März an. Teinach: singt 10. März. Simmersfeld: 11. März.

47) *Turdus pilaris* L., Wachholderdrossel.

Warthausen: 5. März ein Zug Krammetsvögel. Osterhofen: im Herbst wieder zahlreicher auf den Ebereschen an der
Haidgauer Strasse. Wolfegg: 8. November erste Schaar von etwa
50 St., sonst nur noch vereinzelt den Winter über. Erbach:
1. März. Simmersfeld: 11. März. Nachdem das Deutsche Reichs-
gesetz vom 22. März 1888, betreffend den Schutz der Vögel, von
den den Vogelfang einschränkenden Vorschriften des § 2 den Kram-
metsvogelfang ausgenommen und denselben vom 21. September bis
31. December freigegeben und das unbeabsichtigte Mitfangen anderer,
durch das Gesetz geschützter Vögel für straffrei erklärt hat, ist in
Württemberg (wie schon in der Verordnung vom 16. August 1878)
durch Ministerialverfügung vom 7. October 1890 der Fang aller
Drosselarten für jede Zeit auf's Neue verboten worden.

In Neckar-Schwarzach (Baden) kamen im Spätwinter,
d. h. im Februar, neben 5 Amseln regelmässig 2 Ziemer an die zur
Fütterung aufgehängten Vogelbeeren (Frhr. v. Schilling).

48) *Turdus musicus* L., Singdrossel.

Erster Gesang nach der Zeitfolge; 18. Februar: Schussen-
ried; 19. Februar: Heilbronn; 9. März: Kisslegg; 10. März:
Weilimdorf und Teinach; 12. März: Osterhofen; 13. März:
Rottenburg und Simmersfeld; 18. März: Plochingen (20.

allgemein); 19. März: Warthausen; 20. März: Weissenau und Essendorf (9. April allgemein); 7. April: Esslingen.

49) *Turdus merula* L., Schwarzdrossel.

Warthausen: erster Gesang 9. März. Nest mit 1 Ei auf niedriger Fichte im Schlossgarten 7. April, 10. d. M. 4 Eier, 23. d. M. 4 Junge, welche 6. Mai ausflogen; 11. Juni Nest in einem Jasminbusch des Gartenwäldchens mit brütendem Vogel (nachher zerstört); 18. November singt bei Biberach eine Amsel wie im Frühling. Osterhofen und Weissenau: 28. März singend. Wolfegg: ebenso 20. März; nur wenige überwintern. Essendorf: 9. April erstmal gehört. Eybach: 9. Januar zwei singende Amseln. Plochingen: erster voller Gesang 29. März. Esslingen: 7. März. Weilimdorf: Gesang über den ganzen Winter, 7. Februar bei Schneesturm. Stuttgart: 1. März auf dem Schlossplatz singend; 25. April Nest mit 4 Eiern im K. Schlossgarten; Anfang November singt eine Amsel auf dem Hasenberg. Bietigheim: erster Gesang 30. März. Heilbronn: 24. April Nest mit 4 Eiern auf einer Tanne im Friedhof; 3. Mai ausgeflogene Junge im Link'schen Fabrikhof.

50) *Turdus torquatus* L., Ringdrossel.

Teinach: kleiner Flug im März beim Tagwerden zwischen Emberg und Röthenbach beobachtet.

51) *Ruticilla tithys* Scop., Hausrothschwanz.

Warthausen: 31. März überall singend; 1. Juni ein Nest mit ziemlich grossen Jungen in einer Mauernische und ein anderes im Wildfutterhaus mit noch brütendem Vogel; 28. September letztmals beobachtet. Osterhofen: Ankunft 9. April, zahlreich singend 13. d. M. Wolfegg: Ankunft 7. April. Kisslegg: 1. April. Weissenau: der sonst pünktlich am 19. März in der Kirche bei der Kanzel singende Rothschwanz kam erst 7. April an. Schussenried: 24. März ein einzelner. Erbach: 30. März. Plochingen: erster 20. März, allgemein 30. d. M. Esslingen: 28. März. Leonberg: 30. März. Bietigheim: 31. März. Heilbronn: Ankunft 17. März, ausgeflogene Junge 25. Mai und 6. Juni. Teinach: erstes Hausrothschwänzchen im Garten 21. März. Simmersfeld: 13. März 1 St., 22. d. M. mehrere.

52) *Ruticilla phoenicurus* Brhm. L., Feldrothschwanz.

Warthausen: 1. Mai ein Männchen im Garten. Wolfegg: Ankunft 9. April. Plochingen: 12. April erstes Stück, Tags darauf mehrere. Weilimdorf: 10. April erster angekommen, 1. Mai bauend. Heilbronn: Ankunft 21. April, Junge 12. Mai in einem hohlen Baum.

53) *Erythacus rubecula* Cuv. L., Rothkehlchen.

Warthausen: 12. Januar 1 St. im Garten. Osterhofen: singt Abends 14. April. Wolfegg: 11. April singen mehrere. Weissenau: 16.—19. März Beginn des Gesangs; den ganzen Winter häufig am Gillenbach. Schussenried: erstes Singen 2. April. Erbach: 16. März. Plochingen: 17. März, vom 26. d. M. an in der Mehrzahl. Esslingen: 25. März. Weilimdorf: zuerst gesehen 25. März; 11. November, 2. und 8. December 1 St. hungrig am Haus, das, eingefangen, trotz reichlichem Futter zu Grund gieng. Heilbronn: 28. Januar 1 St. am Neckarufer. Teinach: im Garten zuerst 1 St. 22. Januar, weitere vom 21. März an.

54) *Luscinia minor* Ch. L. Brhm., Nachtigal.

Bietigheim: erstes Schlagen 29. April. Heilbronn: 6. Mai schlagend am Neckarufer.

55) *Saxicola oenanthe* Bchst. L., Grauer Steinschmätzer.

Warthausen: während der Hühnerjagd im September zwischen Birkenhart und Biberach in einer mit Sturzäckern umgebenen Weidenkultur in Gesellschaft von Braunkehlchen zahlreich auf dem Zuge beobachtet (Fritz Koenig-Warthausen); für hier neu.

56) *Pratincola rubicola* Kch. L., Schwarzkehlchen.

Warthausen: 28. April 1 St. an der Riss.

57) *Pratincola rubetra* Kch. L., Braunkehlchen.

Warthausen: 13. Juni wurde im Rissthal ein Nest mit 6 stark bebrüteten Eiern vermäht. Osterhofen: 5. Mai 2 St. singend. Kisslegg: Ankunft 24. April. Plochingen: erster Wiesenschmätzer wurde beobachtet 18. April, 22. d. M. allgemein da.

58) *Accentor modularis* Bchst. L., Braunelle.

Warthausen: 8. April singend. Osterhofen: desgleichen 5. Mai; mehrere Paare. Wolfegg: erst im Mai gesehen. Heilbronn: 24. April Nest $\frac{5}{4}$ m. hoch auf einer Tanne im Friedhof balbfertig, 4. Mai mit 5 Eiern belegt.

59) *Sylvia hortensis* LATH., Gartengrasmücke.

Warthausen: 21. Mai Nest in ganz niedrigem Tännchen.mit brütendem Vogel (9. Juni zerstört). Osterhofen: vom 2. Mai an täglich auf den Obstbäumen beim Schulhaus singend; flügge Junge 8. August. Wolfegg: mehrere Paare in den Gärten, angekommen 16. Mai. Plochingen: erste gehört 1. Mai.

60) *Sylvia cinerea* LATH. BRISS., Dorngrasmücke.

Warthausen: 14. Mai ein Männchen bei den Forellengruben. Wolfegg: angekommen 23. April.

61) *Sylvia atricapilla* LATH., Schwarzkopf.

Warthausen: erst 21. April angekommen; 19. Mai Nest in Jasmin mit 2 Eiern; 21. Mai zwei Nester in Jasmin, eines mit erstem Ei, das andere mit brütendem Vogel. Osterhofen: zahlreich: singt 20. April. Wolfegg: 24. April. Schussenried: 23. April. - Essendorf ("Schwarzplatte"): 30. April. Erbach und Plochingen: 20. April; an letzterem Ort Beginn des Hauptgesangs 23. April, Ausflug von Jungen 11. Juni. Esslingen: singt 18. April. Heilbronn: 24. April; 4. Mai einige Nester beinahe fertig. Teinach: mehrere Schwarzplättchen singen 21. April, allgemeines Lied 6. Mai. Simmersfeld: 22. Juni wurden ausgeflogene Junge von den Alten gefüttert.

62) *Sylvia curruca* LATH., Klappergrasmücke.

Warthausen: 1. Mai 1 St. vor dem Schloss singend, 4. Mai das Weibchen schwer verwundet aufgelesen, das Tags darauf das erste seiner Eier im Käfig legte und 6. d. M. todt war, während das Männchen noch einige Tage im Wachholderbusch am eben ausgebauten Nest sang; jenseits der Mauer, im „unteren Garten" wurde dann 12. Mai in Gaisblatt ein Nest vom Wittwer allein erbaut und über eine Woche dort versucht, die vermisste Gefährtin durch Gesang herbeizulocken. Osterhofen: 21. April in den Obstbäumen beim Schulhaus. Wolfegg: 16. Mai ein Paar angekommen. Plochingen: 22. April in Mehrzahl. Esslingen: (‚Müllerchen") 23. April.

63) *Phyllopneuste sibilatrix* BCHST., Waldlaubsänger.

Weissenau: im ganzen Wald, besonders im Schussenthal häufig, von Ende April an singend. Plochingen: erstmals 20. April, zahlreich 30. April gehört.

64) *Phyllopneuste trochilus* M. L., Fitislaubsänger.

Plochingen: 12. April erster, 22. d. M. allgemeiner Gesang.

65) *Phyllopneuste rufa* M. LATH., Weidenlaubsänger.

Warthausen: 31. März singend; 7. Mai das alljährliche Nest in einem Sevenstrauch des Gartens mit 4, Tags darauf dem 5. Ei, Junge 21. Mai; 10. October letztmals gesehen. Osterhofen: seit Mitte April vernehmbar. Wolfegg: lebhaft singend 23. April. Weissenau: singt 1. April an der Schussen. Plochingen: Beginn des Gesangs 18.—24. März, 18. October noch singend. Heilbronn: Gesang 1. April, Nestbau im Friedhof 24. April.

66) *Hypolais icterina* VIEILL., Bastardnachtigal.

Warthausen: Ankunft 5. Mai; 26. Juni in den Gartenanlagen des Jordansbads bei Biberach singend. Wolfegg: lebhafter Gesang vom 15. Mai an. Teinach: 6. und 12. Mai gelbe Grasmücken in Dr. WURM's Garten. Der „Spötter“ scheint in diesem Jahr überall meist nur sparsam aufgetreten zu sein; Unregelmässigkeit in ihrem Erscheinen ist dieser Art eigenthümlich und schon von LANDBECK hervorgehoben; bei Warthausen kommt sie z. B. in manchen Jahren sehr häufig, in anderen gar nicht vor.

67) *Calamoherpe arundinacea* BOIE GM., Teichrohrsänger.

Weissenau: die aus den Ziegelgruben zwischen hier und Ravensburg vertriebenen Paare haben sich an der Schussen angesiedelt und eifrig gesungen. Schussenried: singt 20. April auf dem Olzreuter See. Plochingen: Gesang 7. Mai.

68) *Locustella naevia* KP. BODD., Heuschreckensänger.

Plochingen: 4. Mai ein Paar in einem niedrigen und lichten Weidengebüsche am Neckar bei Deizisau singend; 15. Mai ebenfalls in den Weiden an der Fils gehört. Vergl. Ber. 1886 N. 69.

69) *Motacilla alba* L., Weisse Bachstelze.

Warthausen: heuer besonders häufig; 10. März erste oben am Schloss; 17. d. M. suchen ebenda bei Schnee 3 St. Schutz; 24. März verfolgen 5 St. eine Rabenkrähe; 30. Mai flügge Junge; 18. Juni Nest in eine Thurm-Schiessscharte eingebaut, wo die Jungen 27. Juni ausflogen; 5. September letztmals gesehen. Ankunft: Osterhofen: 21. März (erstes Exemplar); Wolfegg: 24. März; Kisslegg: 9. März; Weissenau: erste 14. Februar, in Menge 11. März;

Schussenried: 9. März; Erbach: 2. März; Plochingen: erste
7. März, allgemeiner Gesang 10. d. M.; Esslingen: 29. April;
Weilimdorf: 8. März; Bietigheim: 6. März, bei Schnee und 7⁰
Kälte. Heilbronn: 28. Januar flog eine Bachstelze am Neckarufer:
Gesang 10. März. Rottenburg: 11. März. Teinach: 21. März.
Simmersfeld: 11. März.

Bei Neckar-Schwarzach in Baden kam die erste graue
Bachstelze 9. März an das Forsthaus (Frhr. v. SCHILLING-Cannstatt).

70) *Motacilla boarula* PENN., Gebirgsbachstelze.

Warthausen: 21. Februar 1 St. an der Riss; 13. October in
grösserer Gesellschaft im Thal auf dem Zug. Osterhofen: 7. und
8. April bei den „Brunnenadern“. Wolfegg: Ankunft 24. März.
Weissenau: 11. März. Weilimdorf: 4. December eine „gelbe
Bachstelze“ an einem noch offenen Bach. Teinach: angekommen
10. März.

71) *Motacilla (Budytes* Cuv.) *flava* L., Gelbe Bachstelze.

Heilbronn: 22. April beobachtet.

72) *Anthus pratensis* BCHST., Wiesenpieper.

Weissenau: 11. März in grossem Flug angekommen. Wolfegg: diese und die folgende Art nur auf dem Herbstzuge beobachtet.

73) *Anthus arboreus* BCHST., Baumpieper.

Osterhofen: wiederum mehrere Paare in den Kulturen ob den
„Brunnenadern“. Kisslegg: singt 20. April. Plochingen: ebenso
15. April.

74) *Alauda arvensis* L., Feldlerche.

Warthausen: 5. März erste gehört, allgemeiner Gesang nach
dem tiefen Schnee 19. März. Osterhofen: 19. Februar bei Thauwetter, aber tiefem Schnee erstmals gesehen, 9 St. bei Schnee und
Kälte 6. März, singend 21. März. Wolfegg: 21. März erster Gesang,
30. d. M. in grossem Flug von etwa 60 St. noch ankommend.
Kisslegg: 20. Februar bei heftigem, wässerigem Schneefall Morgens
erste an der Aach gehört. Weissenau: erstes Lied 20. Februar.
Schussenried: desgleichen 11. März. Essendorf: 8. März lockend.
21. d. M. singend. Ochsenhausen: Gesang 11. März. Erbach:
18. Februar. Plochingen: 19. Februar erste Lerchen auf den
Feldern, 9. März überall singend. Esslingen: 24. März. Weilimdorf: 9. März noch durchziehend. Bietigheim: erster Gesang
20. März. Simmersfeld: 22. März.

75) *Galerita cristata* Boie L., Haubenlerche.

Weissenau: einzeln über den ganzen Winter; neue Ankömmlinge bei Brochenzell 14. Februar, 11. März allgemein da. Fehlanzeige von Wolfegg. Stuttgart: Ende Januar bis Anfang März täglich 5—6 St. im Hof des K. Marstalls.

76) *Emberiza (Cynchramus* Bp.) *miliaria* L., Grauammer.

Plochingen: erster Gesang 8. April. Heilbronn: 10. März singend.

77) *Emberiza citrinella* L., Goldammer.

Warthausen: in der Schneezeit des Februar kamen sie in grösster Anzahl unter die grosse Futterbude, während bis dahin kein Stück sich gezeigt hatte; 9. März verletztes Weibchen gefangen; 19. März lebhaft singend; 12. Mai in der Hecke des „oberen Gartens" nur 15 Schritte auseinander zwei Nester je mit einem Ei, von denen das eine 15. d. M. verlassen war, das andere 4 Eier enthielt. Osterhofen: 10. März singend. Weissenau: „stimmt" Ende Februar, singt 8. März. Plochingen: 19. Februar Gesang vereinzelt, 6. März allgemein. Esslingen: 6. März singend. Weilimdorf: sangen den ganzen Winter. Heilbronn: baut 21. und 22. April, im ersten dieser beiden Nester 28. April 4 Eier.

78) *Loxia curvirostra* L., Fichtenkreuzschnabel.

Warthausen: Flug von mindestens 30 St. 25. Juni Nachmittags in den Lärchen des Gartenwäldchens. Osterhofen: mehrere 1. December in der „Kuhreute" und 6. December im „Haslach". Wolfegg: wegen Zapfenmangels in den letzten 2—3 Jahren etwas seltener. Weissenau: den ganzen Winter über gehört.

79) *Coccothraustes vulgaris* Pall., Kirschkernbeisser.

Wolfegg: den ganzen Winter über gieng hier ein Flug von 10—12 St. auf Hainbuchen dem Samen nach.

80) *Pyrrhula rubicilla* Pall., Gimpel.

Warthausen: seit December v. Jahrs über den Januar häufig im Garten und am Futterbrett. Osterhofen: im Januar nebst Sommer und Herbst in der „Allmisreute". Wolfegg: ziemlich häufig in den Fichtendickungen nistend; gegen das Frühjahr zu, wenn die Knospen anschwellen, gehen sie an diese auf den Kirschbäumen und kommen auch in des Beobachters Hausgarten um mit Sperlingen die Blüthenknospen der rothen Johannisbeeren abzufressen; als „Roth-

goll" wird das Männchen unterschieden, indem die Leute das graue
Weibchen vielfach für eine andere Art halten. Schussenried:
lockt 2. April. Esslingen: 14. Juni erscheint ein Dompfaff in
Dr. SALZMANN's Stadt-Garten als merkwürdiger Gast. Teinach:
4. Mai Gimpel im Garten.

81) *Chlorospiza chloris* BP. L., Grünling.

Warthausen: 10. März 1 St. — erstmals — am Futterbrett; 29. Juni flügge Junge. auf den Pappelbäumen zwischen Bad
Jordan und Ummendorf. Osterhofen: im Februar am Futterplatz; zwei Brutpaare beim Schulhaus auf Birn- und Kastanienbaum.
Wolfegg: Standvogel; 20. Juli fast flügges Junges. Weissenau:
9. März erstmals gehört. Plochingen: erster Gesang 20. März.
Heilbronn: singt 27. Februar; 24. April bauend, 4. Mai Nest mit
5 Eiern $1\frac{1}{4}$ m. hoch in einer Thuja; 6. Mai Nest mit 5 Eiern $1\frac{1}{2}$ m.
hoch in einer Tanne.

82) *Cannabina sanguinea* LANDB., Hänfling.

Osterhofen: brütet in den freien Waldschlägen bei St. Sebastian, im Herbst häufig in der Nähe des Dorfs. Wolfegg:
„Hämpfling", besucht Sommers gerne die salpeterhaltige Mauer am
Bräuhaus. Plochingen: erster Gesang 25. März. Heilbronn:
desgleichen 10. März: Nest 21. April $1\frac{1}{2}$ m. hoch in einer Tanne
(28. d. M. zerstört, Eischalen); 22. April zwei Nester in Thuja, das
eine noch leer, das andere mit 3 Eiern, 28. d. M. beide mit 4 Eiern;
6. Mai weiteres Nest 1 m hoch in Thuja mit 5 Eiern.

83) *Serinus hortulanus* KOCH, Girlitz.

Plochingen: 23. Juni, viel später als sonst, erstmals gehört;
8. October sang noch 1 St. in einem Garten von Deizisau. Heilbronn: singt 19. April; 4. Mai Nest mit 4 Eiern $2\frac{1}{4}$ m. hoch in Thuja.

84) *Acanthis carduelis* BCHST. L., Stieglitz.

Warthausen: 16. September Flug von etwa 30 St. im Thal;
beim Jordansbad (Biberach) im Juni und Juli singend. Langenargen: Distelfinken überwinterten in grösserer Anzahl am Bodensee.
Osterhofen: im Winter nur 3 St. in der Nähe des Dorfs sichtbar,
31. Juli mehrere Junge auf den Pappelbäumen; 28. August noch
eine Brut, bereits ziemlich befiedert, in einem Obstgarten auf einem
Apfelbaum. Waldsee: 7. August eine Familie von 6 St. auf den
Rosskastanienbäumen beim Stadtsee. Weissenau: ausser an den

früher erwähnten Brutplätzen waren zahlreiche Nester auf Obstbäumen in Oberzell, Vogler u. s. w. Plochingen: singt 3. April.
Heilbronn: 10. Februar, singend 10. März. Teinach: mehrere
im Garten 9. Juni.

85) *Fringilla coelebs* L., Buchfink.

Warthausen: Finkenschlag 19. März; 6. Mai zwei Nester,
das eine mit brütendem Vogel auf einem Goldregenbaum im Garten,
das andere in der Hainbuchenhecke am Schlossweg (15. Mai 4 Eier);
desgleichen 7. Mai im Thiergarten in einem Weissdornbusch mit
brütendem Vogel (17. d. M. durch Krähen zerstört). Osterhofen:
8. März erster Finkenschlag; im October täglich grössere Züge.
Wolfegg: allgemein schlagend vom 1. April an. Kisslegg: singt
4. März bei 14° Kälte. Weissenau: erstes Schlagen 8. März.
Schussenried: ebenso 7. März bei 15° Kälte und Nordwind. Essendorf: der Fink „stimmt" 8. März. Ochsenhausen: 21. März erstes
Lied. Plochingen: 24. Januar erstmals schlagend, 21. Februar
kräftiger, 3. März in Mehrzahl. Esslingen: misslungener Gesangs-
versuch 16. Januar, 3. März richtiger Schlag. Weilimdorf: 26. Februar erster Fink schlägt trotz starker Kälte. Bietigheim: erster
Gesang 1. März. Heilbronn: singt 24. Februar; 28. April zwei Nester,
eines beinahe fertig, das andere mit erstem Ei; 22. und 26. Mai ausgeflogene Junge. Teinach: ein Buchfinkenmännchen äzt seine in
einer zunächst stehenden Weymouthkiefer befindliche Brut von
Dr. WURM's Frühstückstisch im Garten; 10. Juni zerbeisst ein Fink
eifrig die Geisblattknospen und im Herbst scheinen sie auf Reseda-
samen sehr erpicht zu sein. Simmersfeld: 13. März Finkenschlag.

86) *Fringilla montifringilla* L., Bergfink.

Warthausen: 27. November mehrere am Futterbrett, sonst
nicht beobachtet. Hat diessmal bei Osterhofen, ebenso seit zwei
Jahren bei Weissenau gefehlt. Wolfegg: war im Winter und Frühjahr
da, erschien aber nur vereinzelt an den Futterplätzen. Esslingen:
noch 6. April da. Teinach: 2. December auf dem Futterbrett.

87) *Passer montanus* BRISS. L., Feldsperling.

Warthausen: 14. März 1 St. am Bahnhof. Teinach: 15. März
einige am Futterbrett.

88) *Passer domesticus* BRISS. L., Haussperling.

Osterhofen: ungemein zahlreich; im Juli wurden zwei weisse
Spatzen beobachtet und der eine erlegt (aber zerschossen). Weissenau:

immer im Kampf mit Staaren, Schwalben und Seglern und in der Regel nur den letzteren unterliegend.

89) *Sturnus vulgaris* L., Staar.

Warthausen: 18. Januar ein Staar an der Riss, 18. Februar ebenda 14 St.; am Futterbrett 1. März 1 St., Tags darauf zwei, 6. und 7. März 15 St., sehr hungrig; 17. März bei Schnee und grosser Kälte holten viele Staaren in der Fütterungshütte Nahrung und 6 St. kamen trotz eingetretenem warmen Wetter (das die übrige Schaar an die Rissufer führte) noch 21. und 22. d. M. auf das Futterbrett vor dem Schloss. Erste Junge kamen aus 7. Mai, allgemein 11. Mai; 29. Mai waren Junge flügge; 15. September pfeifende Staaren. Biberach: 13. Januar Abends gegen 5 U. ein grosser Flug. Langenargen: den ganzen Winter über waren Staaren ziemlich massenhaft zu sehen. Osterhofen: erster Staar 27. Februar bei —15⁰ R.; 8. März 15 St. Wolfegg: 22. Februar etwa 20 St. bei Schnee und 5—6⁰ Kälte auf einem Vogelbeerbaum Beeren fressend, dann erst wieder 21. März allgemein zurückgekehrt. Kisslegg: Ankunft 18. Februar. Weissenau: Vorhut 20. Februar, Hauptmenge 8. März, Wegzug 25. October. Schussenried: erste Exemplare 18. Februar, allgemein vorhanden 26. d. M., aber bei —15.2 C. wieder fortgezogen; 21. März bauend. Essendorf: 20. Februar einige, die sich nicht aufhalten; 9. März Abends treffen 4 St. bleibend ein; von August an bis Mitte October zahlreich auf dem Lindenweiher. Nach zwanzigjährigen Beobachtungen hat Dr. PROBST bei diesen Herbstversammlungen bis Ende der siebenziger Jahre steigende Frequenz dann sehr fühlbare Abnahme und erst seit 1886 wieder Zunahme, des Besuchs wahrgenommen, der im vorjährigen Herbst besonders stark und lange dauernd war. Ochsenhausen: Ankunft 4. März. Erbach: 18. Februar. Plochingen: 19. Februar 3 St., 4. März mehrere, 9. März auf allen Häusern singend, 20. März überall an den Nistkästen; 26. Mai Beginn des Jungen-Ausflugs; 28. Juni bis 2. Juli Ausflug zweiter Brut. Esslingen: 10. März. Neuhausen a. d. Fildern: 12. Januar mehrere. Leonberg: Ankunft 3. März. Lorch: 12. Januar 3 St. auf dem Kirchthurm. Bietigheim: Ankunft 21. Februar, Wegzug 14. October. Heilbronn: 15. Februar etwa 20 Vögel am „Petrolsee"; bauend 17. April, 21. Mai ausgeflogene Junge. Münsingen: angekommen bei Thauwetter 20. Februar, unmittelbar vor neuen Schneefällen. Ebingen und Rottenburg ebenfalls 20. Februar. Teinach: angekommen 6. März, nach-

dem sich schon 24. Februar 3 Staaren in Zavelstein vorübergehend
gezeigt hatten; ein Männchen trägt 30. April abgebrochene Stachel-
beer-Stockausschläge in den Kobel, was auch mit Zwetschgentrieben
früher beobachtet wurde. Simmersfeld: 13. Februar die ersten.
Vom Forsthaus Schwarzach (Baden) schreibt 9. März Oberförster Freiherr v. Schilling-Cannstatt: „Die armen Staare, die den
ganzen Winter dablieben, bequemten sich auch (nebst Rothkehlchen,
5 Schwarzamseln, 2 Ziemern u. s. w.) dazu, auf dem Futter herum-
zutrippeln und Vogelbeeren zu rupfen, was sie sonst nicht gerne
thun. Sie erscheinen ausserordentlich genügsam und hart gegen
Witterungseinflüsse, denn jetzt sind sie an ihren Kästchen gerade so
fidel wie im Frühling, obgleich erst wenige Stellen schneefrei sind."

90) *Oriolus galbula* L., Pirol.

Warthausen: angekommen 6. Mai; 22. d. M. stösst im Garten
ein Männchen auf meine Tochter herab, die den Ruf in gedeckter
Stellung nachahmte. Weissenau: erster Ruf 30. April, von da
an allgemein in den Buchenwäldchen und den alten Nistplätzen.
Schussenried: erste Goldamsel 9. Mai. Plochingen: 6. Mai.
Weilimdorf: erst 7. Mai erste! 2. Juni Nest mit 3 Jungen in den
Ästen einer Eiche hängend. Bietigheim: erster Ruf 26. April.
Maulbronn: 16. Mai gehört. Heilbronn: flötet 10. Mai im Jäger-
haus-Wald. Rottenburg: brütet jährlich im Staatswald „Weilerhaag".

91) *Garrulus glandarius* Briss., Eichelheher.

Warthausen: 6 St. geschossen; im Herbst auffallend zahlreich.
Weissenau: erste Junge Ende Mai. Weilimdorf: im December
wieder mehrere mit Welschkorn im Habichtskorb gefangen.

92) *Pica caudata* K. u. Bl., Elster.

Weissenau: nach langer Zeit wieder einmal ein Nest mit
4 Jungen im Wald, sonst nahezu ausgerottet. Leonberg: Mitte
März bauten 2 Paare auf Birnbäumen an der Landstrasse gegen
Rutesheim.

93) *Corvus corax* L., Kolkrabe.

Rupertshofen (Ehingen): Anfang December 1 St. geschossen
und als Seltenheit ausgestopft (Zeitungsnotiz). Die Vereinssammlung
besitzt gleichfalls aus Oberschwaben einige Exemplare; die Vögel
sind im ganzen Lande so selten, dass Schussprämien, die fortwährend
zu Verwechslungen führen, geradezu lächerlich sind.

94) *Corvus corone* L., Rabenkrähe.

Warthausen: 31. März auf eine Fichte nächst der Landstrasse bauend; 6. April sassen 2 Krähen auf den Nestern an der Bahnlinie Warthausen - Beimerstetten; 25. April Nest mit 4 bebrüteten Eiern bei den Forellengruben; 7. Mai flügge Junge. Osterhofen: noch 7. April 1000—1200 St. auf den Feldern nächst dem Dorf!* Berichterstatter erzählt, wie einst ein auf einem freistehenden Holzbirnbaum nistendes Paar eine ganze Familie junger Enten stahl und wie ein von ihm angeschossenes Rephuhn nur dadurch noch in seinen Besitz kam, dass eine Krähe das flüchtende angriff. Wolfegg: 133 Krähen „und Elstern" in der Schussliste. Kisslegg: neben 13 Paar „gelben" (von diversen Raubvögeln!) wurden 49 Paar „schwarze Fänge" beim fürstl. Revieramt eingeliefert. Weissenau: „ist immer noch zu jeder Jahreszeit der häufigste aller Vögel; das Deutsche Vogelschutzgesetz giebt sie frei, also nur einen Winter lang Pulver und Blei nicht gespart!"

— — Eine Correspondenz im „Anzeiger vom Oberland" (von der Stehen, 14. Nov.) geht den Krähen scharf zu Leibe und beruft sich auf ähnliche Zeitungsartikel aus den Oberämtern Freudenstadt und Künzelsau, wonach dort für die Erlegung der „Raben" Seitens der Behörden Prämien ausgesetzt worden seien. Zugegeben wird, dass die Krähen durch Vertilgung von Mäusen und Ungeziefer einigen Nutzen und keinen Schaden im Herbst in den dann kahlen Feldern und Wiesen bringen, jedoch sei die stetige Abnahme der Singvögel ihnen (nicht vorzugsweise der jeden Raum occupirenden Kultur?) zuzuschreiben; Einsender giebt nun eine recht humoristische Darstellung, wie ihm eine geangelte 1½pfündige Treische, die er unter einen Weidenbaum deponirt hatte, von 3 Krähen verzehrt wurde und kommt zu dem Schluss, man müsse die „schwarzen Hallunken" mit Gift und Flinte decimiren. Ein weiterer Artikel im nehmlichen Blatt (Ehingen 24. Dec.) macht jenen Einsender, welcher übrigens bald nachher seine Anschauungen sehr wesentlich modifizirte, darauf aufmerksam, dass eine K. Verordnung v. 16. Aug. 1878 betr. den Schutz der Vögel und ein Verbot besteht, Vögeln Gift zu legen. Es wurden damals (December 1889) eine Menge Rabenkiähen eingeliefert und Schussgelder aus der Amtskorporationskasse beansprucht; das K. Oberamt Ehingen machte aber hierauf bekannt, dass nur für

* Mögen vorzugsweise nördlicher wohnende Saatkrähen gewesen sein, die im Begriff waren, abzuziehen. K.

die Erlegung des seltenen Kolkraben, nicht aber für Saat-, Nebel-
und die häufigen Rabenkrähen 50 Pf. Schussgeld vergütet werden.
An anderen Orten wird minder correct verfahren. Auch von anderen
Orten kommen Fehdebriefe gegen die „schwarzen Gesellen" (ständiger
terminus technicus!). Eine Zeitungscorrespondenz „aus Langenargen,
26. Febr.", welche die damalige Winternoth der Kleinvögel, namentlich der Lerchen, warm hervorhebt, erklärt die „Raben" für die
hauptsächlichsten Feinde der halberfrorenen Sänger, wobei ein Beispiel angeführt wird, wie eine Amsel getödtet und verzehrt wurde.
Diesem Beobachter ist vollständig Recht zu geben, man kann aber
auch hier abhelfen, sobald man einige Pfennige nicht spart und die
Krähen — mit gröberen Küchenabfällen, gekochten Kartoffeln, Kleie-
brod — ebenfalls füttert. Etwas bedenklicher lautet eine Correspondenz „Aus dem O.-A. Freudenstadt, 1. November". „Die Raben
scheinen einen guten Sommer gehabt zu haben. In den letzten
Tagen konnte man eine Schaar von über Tausend dieser schwarzen
Gesellen hier beisammen sehen. Beim Vorüberflug rauschte es wie
von einem Eisenbahnzug. Wenn man bedenkt, welchen Schaden
diese zweifelhaften Sänger an den Fruchtfeldern (?) und unter
der Singvogelbrut anrichten, wäre es gewiss angezeigt, im ganzen
Lande gegen diese Vogelart vorzugehen, wie es im Oberamt
Calw schon mehrere Jahre geschieht. Dort wird den Jagd-
pächtern bei den Verpachtungen die Auflage gemacht, jedes Jahr
eine gewisse Anzahl Raben (d. h. Rabenkrähen!) abzuliefern." Hiegegen ist zu bemerken, dass die sicher auch dem K. Oberamt Calw
bekannte Ministerialverfügung zum Schutz der Vögel noch immer zu
Recht besteht und durch das (erst im Vorjahr vereinbarte) Reichs-
Vogelschutzgesetz in keiner Weise alterirt wird, da den Einzelstaaten
ihr Recht, besondere Bestimmungen zu treffen, vorbehalten worden
ist. Jene oben citirte Correspondenz aus Künzelsau besagt: Um
die den Singvögeln so schädlichen Raubvögel „nach Möglichkeit zu
vertilgen" habe der landwirthschaftliche Bezirksverein Schussgelder
ausgesetzt, für Hühnerhabichte, Sperber, Elstern, grosse Würger und
Nussheher je 40 Pf. per Stück, für „Kolkraben 20 Pf."; daraus dass
der für die vaterländischen Sammlungen so begehrte grosse Rabe
hier nur halb so hoch im Preise steht wie sein gemeiner Vetter
Eichelheher, dürfte mit aller Sicherheit zu schliessen sein, dass der
Ornithologe jenes Bezirksvereins *C. corax* und *C. corone* nicht zu
unterscheiden versteht. Der Artikel schliesst mit einem Appell an
alle Jagdberechtigten, sie möchten sich zur Pflicht machen, alljähr-

lich eine Anzahl von Raubvögeln zu erlegen, wodurch sie sich ein nicht zu unterschätzendes Verdienst „namentlich auch um die Obstbaumzucht" (!) erwerben. Andere landwirthschaftliche Vereine gehen noch energischer vor, indem sie auch für die Eier der — oft recht willkührlich und manchmal mit ungenauer Bezeichnung — von ihnen Proscribirten Prämien aussetzen. Was da an Vögeln zusammengeschossen und an Nestern geplündert wird, ist oft haarsträubend. Den Vorständen kann gewiss nicht zum Vorwurf gemacht werden, wenn sie z. B. einen Kuckuck und einen Sperber nicht zu unterscheiden vermögen; sie und die Kassenbeamten sind fast stets ungebildeten Waldschützen preisgegeben, die den eigenen Vortheil suchen und ihre Ignoranz in hochtrabende Sprüche einhüllen. Wenn je im Vogelschutz, dessen Schwerpunkt keineswegs in polizeilichen Massregeln dieser Art liegen kann, fortgeschritten werden soll, so wäre zuerst dem einseitigen Vorgehen von solchen Vereinen zu steuern, in deren spezielles Fach die Frage gar nicht gehört und welche auf Feldbau und Obstzucht sich füglich beschränken können, nicht aber „Vorsehung spielen" sollten. Etwas anders liegt die Sache gegenüber dem höher gebildeten, d. h. dem studirten Forstpersonal. So wenig auch eine grosse Anzahl derjenigen Klagen zutreffen, welche der manchmal etwas kurzsichtige Landmann den Krähen gegenüber erhebt, so ist es doch nie geläugnet worden, dass die Jagd — besonders an Geflügelbruten — schweren Schaden erleiden kann, den der Berechtigte doppelt fühlt, wenn er sich alle Mühe gegeben hat sein Federwild u. s. w. zu hegen und zu pflegen. Noch weit mehr kommt für alle Vogelarten aus der Rabenfamilie die Anklage zu Recht, dass sie besonders in der Zeit der Jungenfütterung Kleinvögeln und deren Bruten sehr gefährlich werden. Hiezu kommt noch, dass die Krähen zu einer Gruppe von Vögeln gehören, bei welcher nicht die meist übliche Abnahme sondern eine Zunahme zu verzeichnen ist. Nach dem Grundsatz, man solle jedes Thier da ungestört lassen, wo es nicht direct schadet, da aber einschreiten, wo offenbare Nachtheile sich zeigen, wird es Aufgabe des staatlichen Forstpersonals* sein, die Jagd und die nützlichen Kleinvögel zur Brutzeit energisch zu schützen, aber nur da wo es dringend nöthig ist, am rechten Ort und zur rechten Zeit. Eine „Winter-Kanonade" wäre doch eine arge Schlächterei; sie

---

* Städtische Flurschützen, auch wenn sie noch nicht wegen Wilderei in Untersuchung waren oder eine Reihe von Vorstrafen hatten, können unmöglich hiefür legitimirt werden.

würde in die Zeit fallen, wo auch die Krähen Mitleid wegen Nahrungsnoth verdienen und bei der grossen Vereinigung aus allen Himmelsgegenden träfe man nicht einmal die bei uns später straffälligen. Gar zu weit sollte man die Korakophobie doch nicht treiben. K.

95) *Corvus cornix* L., Nebelkrähe.

Warthausen: 23. Januar und 10. November je 1 St. Weissenau: im ganzen Winter nur 1 St. gesehen. Teinach: 10. December wurde eine als Seltenheit erlegte aus Neubulach eingeliefert. Das stets so sparsame Vorkommen des vorzugsweise jenseits der Elbe heimischen Vogels dürfte darauf hinweisen, dass wir unsere winterlichen Krähen-Zuzüge kaum aus dem Osten erhalten.

96) *Corvus frugilegus* L., Saatkrähe.

Warthausen: 15. October 1 St. im Thal. Osterhofen: vergl. N. 94. Wolfegg: 21.—28. October grosse Züge auf dem Abstrich. Plochingen: 1. Februar grosse Flüge.

97) *Corvus (Lycos* Boie) *monedula* L., Dohle.

Weissenau: in die alten Brutplätze im nördlichen Kirchthurm, wo die Restauration sie vertrieben hatte, zahlreicher als je zurückgekehrt.

98) *Nucifraga caryocatactes* Briss. L., Tannenheher.

Wolfegg: auch in diesem Jahr 2 St. im September einzeln im Wald angetroffen. Schwendi (Laupheim): 28. September 1 St. im freiherrl. Süsskind'schen Schlossgarten geschossen.

99) *Columba palumbus* L., Ringeltaube.

Warthausen: 15. März bei den Risshöfen 4 St., 31. März 3 St. in der Schlosshalde; in diesem Herbst besonders häufig. Osterhofen: ruft Ende März. Wolfegg: erster Ruf 17. März, brütet im Nadelwald weniger häufig als vor zwei Jahren; 3 Wildtauben wurden geschossen. Kisslegg: Ankunft 17. März, gurrt 22. d. M. Schussenried: erster Ruf 9. März. Erbach: 8. März. Weilimdorf: 6. Februar 1 St. gesehen und im Schnee auf dem Futterplatz der Fasanen gespürt, 9. März mehrere beobachtet. Rottenburg: 4. März. Teinach: für milde Gegenden Strich-, selbst Standvögel, sind die Ringeltauben für den Schwarzwald ausgesprochene, schon Ende August abgehende Zugvögel; in diesem Winter sollen erstmals (seit 19 Jahren beobachtet der Forstwächter) Ringeltauben im Revier Wildbad ständig ausgehalten haben. Simmers-feld: 13. März gesehen, 25. d. M. gehört.

Bei Neckar-Schwarzach (Baden) traf Oberf. Frhr. v. SCHILLING den ganzen Winter über Ringeltauben-Flüge in den Buchenwaldungen: die Buchelmast war nehmlich so gut ausgefallen, dass selbst die altgewohnten Sumpfmeisen von ihrem Fütterungsfenster ferne blieben: 8. März erster Ruf.

100) *Columba oenas* L., Hohltaube.

Warthausen: im Herbst zahlreich: 4 St. geschossen. Wolf-egg: im fürstlichen Park regelmässig in alten hohlen Buchenstämmen brütend. Weilimdorf: 9. März 3 St. gesehen. Simmersfeld: ruft 25. März.

101) *Turtur auritus* GR., Turteltaube.

Bietigheim: erster Ruf 29. April.

Die Turteltaube in der Fasanerie bei Weilimdorf ruft erstmals 20. April, paart sich 17. Mai mit einem Brieftauber, legt erstmals 23. Mai, nochmals 3. Juni; diese Bruten waren befruchtet. sind aber verunglückt, spätere Eier waren taub.

102) *Tetrao urogallus* L., Auerhuhn.

Isny: ein Hahn im Revier Rohrdorf geschossen. Teinach: Ende Januar balzten bei Liebenzell bereits einige Hähne; 27. März wurde ein Hahn in Balzstellung mit 2 Hennen auf dem Emberg wahrgenommen; knappende und schon Abends regelmässig einstehende Hähne vom 2. April an; seit 7. April war die Balz im Gange und vom 11. d. M. an waren zahlreiche Hennen anwesend. Um Ober-kollwangen und Neuweiler waren schon 19. April sieben Hähne abgeschossen, bis 22. d. M. bei Dr. WURM nur zwei; 12. Mai dauerte die Balz mit Hennen noch fort und schloss etwa 20. d. M., nachdem schon 13. Mai einige Gelege mit 6—8 Eiern gefunden waren. Sim-mersfeld: erstmals, aber schlecht balzend 11. April, 7. Mai erster Hahn geschossen.

103) *Tetrao (Lyrurus* Sw.) *tetrix* L., Birkhuhn.

Leutkirch: in der Fetzach bei Friesenhofen und im Winnis-moos ist Birkwild an den alten Ständen noch vorhanden, auch ein Hahn geschossen worden; auch im Röthseer Moos (O.-A. Wangen) befindet sich Standwild (Oberf. PROBST). Wolfegg: am Schluss des Jahres waren 15—20 St. im Haidgau-Wurzacher Ried vorhanden, von denen ein Hahn geschossen und 4—5 St. gefehlt wurden; im Reicher Moos bei Wolfegg ist das Birkwild wieder ausgewandert. Aulendorf: erst seit heuer werden 6—8 St. im Torfried zwischen hier und Waldsee bemerkt und sorgfältig geschont, doch ist bei der fortwährenden Unruhe, die das Torfstechen verursacht. zweifelhaft, ob sie lange ausdauern. In nächster Nähe sind in einem noch nicht in Betrieb genommenen Torfried heuer Birkhühner von Seiten der fürstlich Fürstenbergischen Standesherrschaft ausgesetzt worden, die den Stand halten und sich bereits vermehrt haben. Blaubeuren: 17. October ein Hahn geschossen (Lieut. SCHOTT).

104) *Tetrao bonasia* L., Haselhuhn.

Rottenburg: in mässiger Zahl in den ausgedehnten Stadtwaldungen. Simmersfeld: ist wieder häufiger. — Dr. WURM fügt den früher erwähnten 3 Fällen, wo in Schottland Auerhennen auf Kiefern in alten Falkenhorsten oder auf einem Eichhornbau brüteten nach SSABANJÄEW einen ähnlichen Fall aus Russland von einer Haselhenne hinzu.

105) *Perdix cinerea* LATH., Rephuhn.

Warthausen: nur 8 St. wurden von meinen Söhnen geschossen; vergl. Ber. 1888. Osterhofen: paaren sich Mitte März; wieder 8—10 Ketten. Wolfegg: 61 Feldhühner auf der Schussliste. Kisslegg: 18. März gepaart; 34 St. geschossen. Weissenau: spät gepaart; es machte sich eine Überzahl von Hahnen bemerklich, die bis in den Sommer hinein riefen und im Herbst zu 5 und 6 vereint, den Jäger durch ihr unbändiges Laufen vor dem Hund um manchen Treffer betrogen; Abschuss 54 St. Heilbronn: nur wenige da und schwer zu schiessen, da sie immer in den Weinbergen lagen.

106) *Coturnix communis* BONN., Wachtel.

Warthausen: angekommen 15. auf 16. Mai um Mitternacht; nur 2 St. geschossen. Osterhofen: erster Schlag 6. Mai, immer seltener; eine in Haisterkirch gefangene Wachtel schlägt den ganzen Winter über! Wolfegg: wird immer seltener; 8. November wurde noch eine Wachtel auf der Treibjagd in einer jungen Fichtenkultur aufgegangen. Kisslegg: 25. Mai schlagend; nur 1 St. geschossen. Weissenau: schon 4. Mai früher Schlag; im Herbst vermisst. Schussenried: 10. Mai erster Wachtelschlag. Plochingen: vor 4. Juni nicht gehört und immer seltener. Weilimdorf: 1. August schlüpfen noch in der Fasanerie aus eingebrachten Eiern 9 Junge aus.

107) *Phasianus colchicus* L., Kupferfasan.

Weissenau: von den im Vorjahr eingesetzten Jagdfasanen sind der Hahn und 3—4 Hennen durch den Winter gekommen; von Ende März an fehlte der Hahn, 4 St. wurden noch im December im Schnee gespürt; Vermehrung ist nicht eingetreten, da das einzige Gelege mit 11 Eiern vermäht wurde. Rottenburg: 6. April traf Oberf. NAGEL im dortigen Wald einen verflogenen, völlig ausgefärbten Hahn. Weilimdorf: erste Eier in der Fasanerie 13. April; 22. d. M. wird ein Nest mit 18 schon stark angebrüteten Eiern gefunden, 6. Mai schlüpften die 4 ersten Jungen aus. Von einer grauen Haushenne und vom Fasanhahn kommen 23. Mai zwei Bastarde zur Welt. die ein Paar bilden; die Henne wird von einem Raubthier zerrissen, der Hahn gleicht mehr dem Vater als der Mutter.

Silberfasane legen erstmals 28. März (17. April 25 Eier).

108) *Crex pratensis* BCHST., Wachtelkönig.

Warthausen: erster Ruf 9. Juli! 31. Juli 9 hochbebrütete Eier aus den Risswiesen. Kisslegg: 23. September 1 St. geschossen. Weissenau: ruft 18. Mai. Plochingen: 10. Mai allgemein rufend. Weilimdorf: 12. Juni 5 frische Eier.

109) *Ortygometra porzana* STEPH., Geflecktes Sumpfhuhn.

Weissenau: 11. März 1 St. im Fabrikkanal.

110) *Fulica atra* L., Schwarzes Wasserhuhn.

Warthausen: 17. November verflog sich unfern der Riss 1 St. in Frau Malzfabrikant ANGELE's Treibhaus. Wolfegg: „Plasse", 6. März mit Möve und Kiebitz eingetroffen; erst beim Zugefrieren der Seen und Teiche wegstreichend und nicht gerne gesehen, da sie die Stockenten am Brutplatz jagen und überhaupt gegen anderes Federwild sehr zänkisch sind. Weissenau: ein schönes Exemplar mit gebrochenem Laufknochen, sicher durch Anfliegen an den Telegraphendraht verletzt, wurde neben der Bahn in einem fast ganz zugefrorenen Wassergraben bei strenger Kälte gefunden, geschindelt und im Garten ausgesetzt, wo es, alsbald vom Truthahn begrüsst, sich den Segnungen der Kultur gänzlich unzugänglich zeigte, wüthend um sich hieb und nach einigen Tagen eingieng. Auf dem Häckler-Weiher, wo sie der Unverträglichkeit halber stark verfolgt werden, haben zahlreiche Paare gebrütet; häufig leben sie immer auf dem Rösler-Weiher (Weingarten), Mezisweiler-Weiher, dem Brummer-See (Leutkirch), wo im Vorwinter ganze Flüge beisammen gesehen wurden.

111) *Otis tarda* L., Grosse Trappe.

Rottenburg: 28. Februar wurde zwischen hier und Niedernau oberhalb der Brunnenmühle am „Triebhag" eine Trapphenne erlegt, die sich einigen auf dem Feld sich aufhaltenden Gänsen zugesellt hatte.

112) *Vanellus cristatus* MEY., Kiebitz.

Warthausen: 6. März die ersten bei den Risshöfen, 19. d. M. 2 St. im Thal gegen Biberach, 24. März 12 St. an der Riss, 16. September 50—60 St. im Ried von Langenschemmern. Wolfegg: Ankunft 6. März. Weissenau: Mitte März spärlich eingetroffen, im Herbst öfters vereinzelt bei Grünkraut. Schussenried: 12. März erster Kiebitz, 16. d. M. ein erfrorener eingeliefert. Erbach: 26. Februar. Leonberg: Ende October ein Flug bei Renningen. Reutlingen: in der zwischen Bezingen und Wannweil befindlichen Thalmulde längs der Echatz 18. März grössere Schaaren auf den feuchten Wiesen (Zeitungsnotiz). Rottenburg: im November in grösserer Anzahl in der Nähe von Sülchen.

113) *Charadrius pluvialis* L., Goldregenpfeifer.

Wolfegg: alljährlich im Frühjahr und Herbst auf dem Durchzug meist in Flügen von 20—40 St.

114) *Totanus calidris* BCHST., Gambettwasserläufer.

Wolfegg: der „kleine Rothschenkel" brütete wie stets im Haidgau-Wurzacher Ried.

115) *Totanus ochropus* L., Punktirter Wasserläufer.

Warthausen: 2. Januar wurde von meinem Sohn FRITZ nächst dem Dorf am „Schindelbach" ein merkwürdiges Exemplar geschossen: linker Ständer goldgelb, äussere Zehe mit nur einem Glied, innere ohne Nägel, mittlere und Hinterzehe mit weisslichen rudimentären Nägeln, rechter Ständer normal (grünlich bleigrau); kam in die Sammlung des vaterländischen Vereins; 28. August ein weiteres Stück aus dem Röhrwanger Ried. Wolfegg: Juli bis September mehrfach auf dem Rohrsee beobachtet.

116) *Limosa lapponica* BRISS. L. (— *rufa* TEMM.), Rostrothe
Pfuhlschnepfe.

Heilbronn: im September 1 St. am „Petrolsee" geschossen. Fehlt der Vereinssammlung; aufgeführt von LANDBECK; 2 St. im August 1876 auf dem Boden- (Ober-) See erlegt (STÓLKER).

117) *Tringa cinclus** L., Alpenstrandläufer.

Warthausen: 16. September im hiesigen Ried eine Familie von 5 St., welche sämmtlich mit einem Schuss erlegt wurden (Fritz Koenig-Warthausen).

118) *Scolopax rusticola* L., Waldschnepfe.

Warthausen: 1 St. geschossen. Isny: in den Revieren Rohrdorf und Friesenhofen je 1 St. erlegt. Osterhöfen: fehlte im Frühjahr gänzlich und war im Herbst selten. Wolfegg: erste 21. März; wird im Frühjahr immer seltener als im Herbst; geschossen 13 St., dann die beiden letzten 8. November. Kisslegg: Ankunft 27. März. Rückstrich 22. October bis 7. November; geschossen 5 St. Weissenau: der ordentliche Strich begann besonders spät und dauerte vom 28. März, wo die erste Schnepfe erlegt wurde, bis 6. April. Eine war rothbraun mit starkem Hals und oben blaugrauen, unten gelben Ständern, 35.5 cm. lang, 273 Gramm schwer, eine zweite. graue, hatte fleischfarbene Ständer, 35 cm. Länge, 258 Gramm Gewicht, eine rothbraune dritte hatte ebenfalls fleischfarbene Ständer, 34 cm. Länge und 250 Gramm, die vierte endlich war dunkelbraun gefärbt, 250 Gramm schwer und hatte die Ständer oben blau, unten fleischfarben. Der Rückstrich im Herbst war spärlich und wurde durch den frühen Frost noch verkürzt; 20. November wurde die letzte gesehen. Guttenzell: 6. April erste geschossen (v. Stubenrauch). Erbach: 29. März angekommen, 19. November letzte geschossen. Plochingen: 17. März auf dem Schurwald die erste gesehen. Stuttgart: im Solitude-Park 2 erste gesehen 20. März, 22. d. M. erste geschossen; im allgemeinen kamen (Correspondenz „vom Schatten") in dortiger Gegend mehr zu Schuss als in den letzten Jahren; Preis 4—4½ Mk. Weilimdorf: in der Fasanerie die ersten 22. und 25. März, 28. d. M. eine falzend. Weinsberg: 23. März laut Zeitungsbericht erste Schnepfe bei Hölzern geschossen. Bietigheim: Ankunft 12. März, 11. November noch da. Heilbronn: 12 St. geschossen. Rottenburg: wird immer seltener; 28. März erste auf dem Strich, der nur wenige Tage dauerte, beobachtet. Teinach: 29. März erstmals gehört und 28. April noch lebhaft falzend; wegen der späten Ankunft und weil ihre Jagd das Auerwild stören würde, ist eine solche hier leider unmöglich. Bekanntlich ist die Waldschnepfe sehr neugierig und interessirt sich

---

* Im Bericht 1886, p. 261 steht als Druckfehler *cinctus*.

ungemein für das Licht (Leuchtthürme, Feuerwerke, Lagerfeuer im Walde); als nun 6. October Abends 6 Uhr Dr. WURM im beleuchteten Eisenbahnzuge zwischen Neuenbürg und Birkenfeld fuhr, strich eine Waldschnepfe mindestens eine halbe Minute lang, ganz deutlich gegen den hellen, westlichen Himmel erkennbar, neben dem Coupé-Fenster her und wurde erst unsichtbar, als Hochwald an die Bahn herantrat. Simmersfeld: im Ganzen 4 St. geschossen, davon die erste 11. April.

119) *Gallinago major* LCH. GM., Grosse Sumpfschnepfe.

Warthausen: 30. März im hiesigen Ried mehrmals beobachtet. Bei Wolfegg seit Jahren nicht mehr gesehen. Weissenau: im ganzen Herbst nur 1 St. gesehen und erlegt im Bohlweiher bei Schlier.

120) *Gallinago scolopacina* BP., Heerschnepfe.

Warthausen: erste geschossen 2. Januar, im Ganzen 22 St.; 6. April viele im Ried. Osterhofen: das ganze Jahr wieder mehrere im Ried; 1. October 1 St. in einer mit Gesträuch bewachsenen Grube bei Hittisweiler, etwa 4 Kilom. entfernt vom sonstigen Aufenthaltsort. Wolfegg: brütend im Ried und am Rohrsee; 30 St. geschossen. Kisslegg: 28. Januar 1 St. an einem Graben angetroffen, geschossen 23 St. Weissenau: im Februar in grosser Anzahl auf den Wässerwiesen im Obersulger Moos. Schussenried: erste Becassine 21. März. Erbach: den ganzen Winter da.

121) *Gallinago gallinula* LCH. L., Haarschnepfe.

Wolfegg: nicht selten. Weissenau: seit 2 Jahren im Altweiher bei Theuringen fehlend. Heilbronn: die unter N. 116 aufgeführte Pfuhlschnepfe befand sich in Gesellschaft einer Zwerg-Becassine, welche dem nicht genügend deckenden Schrotschuss entkam; es war rührend zu sehen, wie das Vögelchen nach dem ersten Schuss zu seinem verletzt daliegenden grösseren Kameraden zurückflog und erst beim zweiten Feuer laut klagend sich flüchtete!

122) *Numenius arquata* LATH., Grosser Brachvogel.

Warthausen: 1. April ein Paar, 6. d. M. 1 St. im Ried beobachtet. Wolfegg: wie stets Brutvogel im Haidgauer Ried. Kisslegg: angekommen 13. März. Weissenau: Ankunft im Grenzbachthal 17. März, wo alsbald Vormittags 10—11 und Nachmittags 3 Uhr ein fröhlicher Falzgesang erschallte, der in warmen Nächten gar nicht aufzuhören scheint; 3 Paare haben mindestens gebrütet und wurde auch ein verlassenes Nest gefunden, dessen Eier die Krähen ausgetrunken hatten; 15. Juli waren Alt und Jung fortgezogen.

123) *Ardea cinera* L., Fischreiher.

Wolfegg: brütet nicht, besucht aber alljährlich zum Fischfang die Weiher und Seen. Weissenau: nach langer Zeit wieder 2 St. an Grenzbach und Schussen auf wenige Tage. Schussenried: 13. März ein Reiher. Rottenburg: im Stadtwald „Weiherdamm". in einem stillen Seitenthal des Neckars, befindet sich ein Reiherstand; auf den alten Eichen sind meist mehrere Horste und wenn die Colonie auch bereits ziemlich decimirt ist, so liess sie sich bis jetzt doch nicht vertreiben, obwohl die Jungen alljährlich ausgenommen werden.

124) *Ciconia alba* Briss., Weisser Storch.

Warthausen: 19. März Morgens 9 Uhr der erste auf dem Nest, 28. d. M. Nachmittags der zweite; 7. Mai 5 Junge, die 10. Juli erstmals ausflogen; 30. Juli übernachteten einundzwanzig und 7. August dreiunddreissig Störche auf dem Schloss, von denen 2 St. in der Dämmerung auf hohe Nadelbäume im Gartenwäldchen übersiedeln, wo sie in den Gipfeln balanciren; 16. August übernachtete die Storchfamilie letztmals auf ihrem Nest. Saulgau: Ankunft 9. März; Ravensburg: ebenso; hier wurden 3 Junge aufgebracht. Mittelbiberach: 13. und 15. März bezogen die Störche ihr altes Nest auf dem Schlosse; traurig schauen sie in die mit tiefem Schnee bedeckte Landschaft. Erbach: erster Storch 27. Februar. Deizisau (Esslingen): Ankunft 10. April. Köngen (Esslingen): 29. März. Grossbottwar: 9. März („40 Ritter"). Bietigheim: Ankunft 25. März, Abzug 14. August, Nachzügler bis 25. d. M. Heilbronn: 15. Mai gegen 11 U. fliegen acht Störche von der Stadtseite über das angebrachte Nest (vergl. Ber. 1887), umkreisen es, erheben sich aber dann in die Höhe und entschwinden dem Auge nach etwa 10 Minuten.

125) *Cygnus musicus* Bchst., Singschwan.

Bei Hofen (Cannstatt) wurde 30. November ein 35 Pfund schwerer Wildschwan am Neckar geschossen (Zeitungsnotiz).

126) *Anser segetum* Gm., Saatgans.

Warthausen: 4. März Nachmittags bei der Röhrwanger Rissbrücke 5 Wildgänse. Leutkirch: 15. November wurden 2 je zwölfpfündige „Schneegänse" erlegt (Zeitungsnotiz). Schussenried: 25. Februar ein Flug von etwa 70 St. von Süd nach West streichend.

127) *Querquedula circia* STEPH., Knäckente.

Warthausen: 16. September circa 50 St. von dieser und der nächsten Art beisammen an der Riss; 29. August ein Weibchen geschossen. Wolfegg: als Brutvogel zweifelhaft. Weissenau: 11. März einige kleine Flüge zwei Tage verweilend.

128) *Querquedula crecca* STEPH., Krieckente.

Warthausen: 16. September ein Weibchen geschossen. Wolfegg: brütet; 11 St. auf der Schussliste. Kisslegg: 17. Januar beim Entenfall auf dem Horgerweiher gesehen, 12. September 1 St. in einem Torfstich geschossen. Weissenau: war sehr selten; angekommen 11. März.

129) *Anas boschas* L., Stockente.

Warthausen: 6. April 4 Brutpaare im Ried bestätigt; 16. September etwa 40 St. bei Langenschemmern, 17. November etwa 30 St. auf der Riss; geschossen 12 St. Isny: in den Revieren Rohrdorf und Friesenhofen 27 und 16 St. geschossen. Osterhofen: 27. März 36 St., Tags darauf 52 St. bei Hochwasser im Ried, über den Winter einige an der Ach. Wolfegg: 80 „Schwerenten" auf der Schussliste. Kisslegg: geschossen 33 St. Weissenau: im Grenzbachthal wurden in einem Nest 9 Eier gefunden und vom Jagdpächter zum Ausbrüten nach Haus genommen; schon auf dem Transport schlüpften zwei Junge aus, die übrigen ebenfalls am gleichen Tag; sie gediehen vortrefflich, zerstückten „mit kannibalischer Gier" junge Frösche und flogen trotz gestutzter Flügel bald über Zaun und Hecken, so dass mehrere, des Bratens wegen, mit der Flinte erlegt werden mussten. Essendorf: 27. März schwimmen ein Dutzend Paare auf dem Lindenweiher. Weilimdorf: 2. December ein Flug von etwa 200 St. pfeilschnell gegen Südwest ziehend.

130) *Mareca penelops* STEPH. ALDR., Pfeifente.

Plochingen: 23. März wurde ein Männchen in schönstem Kleid von einem Forstwächter auf dem Neckar geschossen (ausgestopft).

131) *Fuligula cristata* STEPH. LCH., Reiherente.

Heilbronn: 14. März ein Paar auf dem „Petrolsee" geschossen.

132) *Mergus merganser* L., Grosser Säger.

Weissenau: selten; zweimal ausgefärbte Exemplare in Gesellschaft von solchen im Jugendkleid angetroffen.

133) *Mergus serrator* L., Mittlerer Säger.

Weissenau: den ganzen Winter hindurch immer wieder einzeln oder zu zweien, auch fünfen an der Schussen angetroffen, wiederholt erlegt, aber niemals ausgefärbte Männchen; nach den hiesigen Beobachtungen, die nun auf eine gewisse Continuität Anspruch machen, scheint es nicht mehr zweifelhaft, dass die in der Nordschweiz und bei uns an der oberen und unteren Argen brütenden Säger dieser als der hier häufigsten Art angehören. Kisslegg: 7. März „Sägenten" an der Argen gesehen.

134) *Mergus albellus* L., Weisser Säger.

Weissenau: auch heuer waren wie im Vorjahr paarweise oder zu dreien die reizenden Nonnensäger nicht selten an der Schussen und wurden sowohl ausgefärbt als im Jugendkleid erlegt.

135) *Larus (Chroicocephalus* Eyt.) *ridibundus* L., Lachmöve.

Warthausen: 24. März 4 St. an der Riss. Osterhofen: erste hier 14. April und von da ab, vom Rohrsee kommend, täglich auf den Feldern. Weissenau: der erste grosse Flug zeigte sich 24. März, lauter voll ausgefärbte Schwarzköpfe; von da an zieht allabendlich Zug um Zug bis 200 Köpfe stark in streng geordneter Keilform „dem See zu", fast einen Monat lang; dann werden die Züge seltener und hören endlich auf und es bevölkern dann die Paare die Wasserflächen auf den Höhen von Blitzenreute bis Altshausen, von Mitte Mai an mit den Jungen; kaum aber sind diese flugbar, so geht es auf und davon. Weingarten: die ersten 21. März. Schussenried: erste Lachmöve 28. März. Erbach: 18. Februar (?)*.

136) *Podicipes cristatus* Lath. L., Haubentaucher.

Wolfegg: brütet in mehreren Paaren auf den stehenden Gewässern, z. B. auf dem Rohrsee und Metzisweiler Weiher.

137) *Podicipes minor* Lath., Flusstaucher.

Warthausen: 28. März auf der Riss. Osterhofen: hin und wieder auf der Ach im Ried.

Säugethiere.

Auch diessmal haben wir unserem Bedauern darüber Ausdruck zu geben, dass die vaterländischen Schussregister, auch wenn sie

---

* Vielleicht eine der nordischen, auf die Donau kommenden Arten, Sturm- oder dreizehige Möve.

jagdlichen Fach-Zeitschriften nicht vorenthalten werden, in den meisten Fällen dem Organ des eigenen Landes nicht zugänglich sind, so sehr gerade für dieses ein Bedürfniss vorliegt, die württembergische Jagdstatistik für die eigene Zoologie zu verwerthen. Es ergeht deshalb an alle staatlichen wie privaten Forstbeamtungen die dringendste Bitte, Veranlassung zu nehmen, dass dem diese Berichte Ausarbeitenden ohne jedesmalige weitere (meist resultatlose) Schritte ein besseres Material ein für alle Male zugewiesen werde; mit mühsam zusammengebettelten Lückenbüssern ist wenig anzufangen.

1) *Cervus elaphus* L., Edelhirsch.

Isny: im gräflich QUADT'schen Jagdbezirk Rohrdorf-Friesenhofen wurden im Revier Rohrdorf 3 Hirsche, 8 Thiere, 4 Wildkälber, im Revier Kreuzthal 2 Thiere, im Revier Friesenhofen 1 Hirsch und 2 Thiere, zusammen 20 St. Rothwild geschossen; 10. Februar wurde von einem jungen Forstmann bei starken Schneewehungen der schwarze Grat innerhalb 3¾ Stunden erstiegen, um dem Hochwild die Heustadel zu öffnen. Leutkirch: 30. December v. J. wurde eine aus den Wäldern am schwarzen Grat versprengte „Hirschkuh" im oberen Stadtwald beim Herlazhofer Kopf geschossen; sie wog beinahe 180 Pfund und wurde per Pfund zu 35 Pf. verkauft. Wolfegg: freies Rothwild fehlt; im fürstlichen Park kamen 4 Hirsche und 3 Wildstücke zum Abschuss. Waldenbuch (am Schönbuch): 6. December wurde im Raischthal ein „zweifähriger" Hirsch von einem Forstwächter erlegt, nachdem einige Tage vorher ein Zehnender angeschossen worden war. Tübingen: am 12. December endigten die Treibjagden auf dem Schönbuch-Jagdgebiet S. K. H. des Prinzen WILHELM; in 22 Jagdtagen kamen 50 St. Hochwild, darunter 30 Hirsche zur Strecke (Zeitungsnotizen). Teinach: 26. Juni wurde ein ungrader Zehner (im Bast) von Bauern mit Schrot geschossen. Wildbad: 3 Hirsche und 5 Thiere wurden auf einer Treibjagd erlegt. Aus dem bayrischen Allgäu berichteten die Zeitungen um Mitte Februar, wie das Rothwild der Äsung wegen zu Thal zieht und überall gefüttert wird.

Vom Damhirsch, *Cervus dama* L. kamen im fürstlichen Park zu Wolfegg 6 Hirsche und 2 Thiere zum Abschuss, im kleinen Thiergarten von Warthausen nur 1 Schaufler und 4 Spiesser (in den beiden Vorjahren zusammen 27 St.).

2) *Capreolus pygargus* BLAS. et PALL., Reh.

Warthausen: dass die seit Jahren zahm laufende Rehgais 1. Januar ein tragisches Ende fand, ist im vorjährigen Bericht bereits erwähnt; 22. Februar musste innerhalb dem Schlossgarten eine weitere alte Gais geschossen werden, welche den Weg nicht mehr hinausgefunden und bei vergeblichen Durchbruch-Versuchen einen Lauf gebrochen hatte, der brandig wurde; 4. Mai junges Kitz im Boschach-Wald; 18. Mai brachten Kinder ein etwa acht Tage altes Kitz, das seiner Mutter, die es sogleich annahm, zurückgegeben werden konnte; 13 Böcke wurden von meinen Söhnen geschossen; Maximalgewicht 41 Pfund. Isny: 44 Rehe, nehmlich 32 St. von Rohrdorf und je 6 St. von Kreuzthal sind für das Jagdjahr (1. Juni 1888 bis dahin 1889) im gräfl. QUADT'schen Abschuss-Register. Zeil: von einem an Fürst WALDBURG-ZEIL angrenzenden Bauer wurde ein 6—7jähriger Rehbock geschossen, welcher ähnlich wie eine Rehkitze oder Damwild eine Menge weisser Tupfen auf der Decke hatte, was bei sehr hellrother Haarfärbung äusserst merkwürdig aussieht; als auf der Grenze geschossen, kam das Stück in den Besitz des Fürsten. In den Gemeinden Seibranz und Reichenhofen existiren noch immer die schon länger bekannten weissen Rehgaisen, zu welchen ein weiteres Stück hinzugekommen ist, das sich am Schlossberg aufhält. Osterhofen: Abschuss ein Eichel-, 3 Kreuz- und 3 Gabelböcke, zusammen 7 Stück; Dank den 50-Morgen-Jagden. der verlängerten Schusszeit und der Mordlust gewisser „Jagdliebhaber" ist der Bestand sehr schwach geworden. Wolfegg: 61 Böcke und 13 Gaisen in der Schussliste. Kisslegg: ebenso 39 Böcke und 12 Gaisen; 18. Juli bis 10. August sprangen die Böcke gut „auf's Blatt". Weissenau: erstes Rehkitz 6. Mai. Bietigheim: eine recht hässliche Gewohnheit des Rehwilds ist, dass es am hellen Mittag in die Felder auswechselt und, brunftend, daselbst Ringe mitten im Kornfeld springt, um schliesslich von den Bauern in den Äckern todtgeschossen zu werden; heuer hätte sich die Sache aus dem Mangel an Eicheln erklären lassen, aber die Rehe wechseln schon im Juni und Juli aus und stehen sogar noch Mitte November am hellen Tag eine Viertelstunde vom Wald entfernt im Klee. Heilbronn: auf Wunsch der Landwirthschaft wurde sehr stark abgeschossen; 26. August Morgens wurde noch ein Rehkitz im Stadtwald „am Hörnlisweg" gesetzt; eine 22. October erlegte Gais war noch so stark in der Milch, dass sie die Verendungsstelle mehrere Schritte im Umkreis mit dieser besprengte. Ein seit 5 Jahren gefangener Rehbock setzte während dieser Zeit als Spiesser, Gabler, Sechser und zwei Mal als Achter auf. Messbach: nach einer Correspondenz „aus dem Jagstthal" waren bei Abschluss der freiherrl.

v. Palm'schen Jagden am 23. December 13 Böcke zur Strecke gebracht und von Schrozberg (Gerabronn) werden 4 erlegte Rehe von einer 14. November im „Nonnenwald" abgehaltenen Treibjagd gemeldet.

3) *Capella rupicapra* K. et Bl., Gemse.

Zeitungscorrespondenzen vom 11. November und 2. December erwähnen von Isny nicht allein das vorjährige Vorhandensein von 2 Gemsen, sondern besagen, dass gegenwärtig wiederum einige dieser Hochgebirgsthiere auf der Adelegg, am schwarzen Grat sich aufhalten und Hoffnung sei, sie bleibend einzubürgern.

4) *Lepus timidus* L., Feldhase.

Warthausen: 48 St. von meinen Söhnen geschossen. Isny: in den verschiedenen gräfl. Quadt'schen Revieren zusammen 33 St. erlegt. Osterhofen: gutes Hasenjahr, 57 St. geschossen. Wolfegg: 219 in der Schussliste des Forstamts. Kisslegg: ebenso 100 St. Weissenau: ganz schlechtes Jahr: in manchen Lagen war nicht einmal mehr da, was im Vorjahr übrig gelassen wurde. Schussenried: 13. März wurde ein etwa vierwöchiger Junghase gefangen. Zwei Zeitungsberichte aus der Umgegend von Stuttgart melden 4. December von der „Solitude", dass eine an jenem Tag bei Ditzingen und Weilimdorf abgehaltene Hofjagd 245 Hasen geliefert habe, wie diess in den letzten dreissig Jahren noch nie erzielt worden sei und 10. December von Fellbach, dass gegenwärtig den Hasen ernstlich zu Leibe gegangen werde: während 6. d. M. auf Schmiedener Markung 81 Hasen erlegt wurden, seien durch die Jagdpächter der Cannstatter und Fellbacher Markung am 7. December in den Weinbergen 45 und am übernächsten Tage auf freiem Feld 84 Hasen zur Strecke gebracht worden. Bietigheim: Mitte November sind noch sehr kleine Hasen keine Seltenheit. Heilbronn: nur sehr wenige Hasen vorhanden. Schrozberg: auf der fürstl. Hohenlohe-Öhringen'schen Jagd wurden 14. November im „Nonnenwald" von ca. 20 Schützen 62 Hasen erlegt. Messbach (Künzelsau): 23. December fanden die freiherrl. v. Palm'schen Jagden ihren Abschluss; an diesem letzten Tage wurden 165, im Ganzen gegen 700 Hasen geschossen; ohne dass der Wildstand gross ist und dadurch Land- und Forstwirthschaft schädigt, könne man sehen, meint der Zeitungsbericht, wie eine rationell behandelte Jagd nützlich werden könne.

5) *Sciurus vulgaris* L., Eichhorn.

Warthausen: 33 St. geschossen! Osterhofen: wiederum sehr zahlreich. Bietigheim: das in anderen Jahren ziemlich seltene

14*

` Eichhorn ist heuer trotz Mangel an allen Waldsamen ungemein häufig:
„Gottlob man sieht doch ein lebendiges Thier im Walde!" Teinach:
27. und 30. April beobachtete Berichterstatter am Zavelstein ein
sehr hell gefärbtes Eichhörnchen mit weisser Fahne und grossen
weissen Rückenflecken.

6) *Myoxus glis* SCHREB., Siebenschläfer.

Warthausen: die Haselmäuse haben nicht abgenommen,
vielmehr am Spalierobst und an Pyramiden-Birnen sich recht bemerklich gemacht, es wurde aber versäumt, die Staarenhäuser rechtzeitig
zu revidiren. Am 11. Februar wurde ein recht winterschläfriges
Exemplar innerhalb vom Schloss aufgegriffen und zwischen die Fenster
meines Schlafzimmers verbracht; hier hat es Nachts ziemlichen Rumor
gemacht, am inneren Fenster ein daumendickes Loch durch die
Eichenholz-Rahme genagt und das tannene Vorfenster durchlöchert,
durch welches es drei Stockwerke herab am wilden Wein entkam;
am 20. Februar, als es ihm draussen wohl zu kühl war, ist es Abends
nach 8 Uhr zur Hausthür wieder eingetreten und die Steintreppen
hinaufwandelnd nochmals in Empfang genommen worden; in ein
Blechkäfig verbracht, hat es noch eine Parthie Nüsse und Obst nächt-
lich zu sich genommen, entschlief dann aber in einem aus Tüchern
zusammengeballten Nest für immer; 5. März ist das Erwachen verzeichnet.

7) *Mus sylvaticus* L., Waldmaus.

Fast aus dem ganzen Lande sind Klagen über Beschädigungen
eingelaufen, deren Urheber nicht immer richtig erkannt werden, die
aber unzweifelhaft auf diesen Nager zurückzuführen sind, der in der
Noth junge Baumrinden benagt und Winters in die Wohnungen eindringt um Vorräthe jeder Art, namentlich Obst in den Kellern zu
verzehren, wobei ihm seine Fähigkeit enorm hoch zu springen besonders zu gut kommt. Zwei Zeitungscorrespondenzen mögen genügen. Münsingen 5. November: Eine Folge der reichen Buchel-
ernte des vorigen Jahres ist die ungewöhnliche Vermehrung der
„Feldmäuse" (!), welche nun nicht nur die Wintersaat und die Klee-
felder gefährden, sondern auch in den Scheunen und Häusern, namentlich soweit sie an die Felder und Wiesen grenzen, ungewöhnlichen
Schaden anrichten. Auf einzelnstehenden Bauernhöfen kann man
sich derselben kaum erwehren. Lederwerk an Chaisen und Ge-
schirren, Säcke, Tücher, die Kleider, Betten, alles wird angefressen,
ja die Schuhe unter der Bettlade sind die Nacht über nicht sicher.

Auf dem Diezenhof zwischen Gruorn und Zainingen sind die Bewohner genöthigt, ihre Betten den Tag über in Kisten einzuschliessen; die für diese Zeit milde Witterung leistet dem Unwesen noch Vorschub. Von der Tauber 12. November: die Beschädigungen an den Waldpflanzen durch die Mäuse nehmen eine nicht geahnte Ausdehnung an; schon vor zwei Monaten wurden die jungen Eschen entrindet, jetzt sind umfangreiche Verletzungen an Buchen, Fichten und Lärchen zu bemerken, so dass viele Pflanzen absterben werden.

8) *Sus scrofa ferus* L., Wildschwein.

Im Gerlinger Wald (Leonberg) wurde 25. Februar ein Keiler von etwa 120 Pfund Gewicht geschossen und soll mit ihm die Ausrottung des Schwarzwilds vollzogen sein (Zeitungsnotiz).

9) *Meles taxus* SCHREB., Dachs.

Warthausen: 4 Dächse wurden von meinem Sohn FRITZ geschossen, davon 3 St. (alter Rüde und 2 jüngere) auf einem Stand im „Schwesternghau" bei der Treibjagd 28. October (Gewicht 34, 24 u. 24 Pfund). Isny: 1 St. aus dem Revier Kreuzthal. Osterhofen: in Graben und „im Hochrain" ein solcher im October während mehrerer Nächte beobachtet. Kisslegg: am 5. Januar wurde bei einer Treibjagd im freien Walde ein Dachs in einem Weisstannen-Unterwuchs schlafend angetroffen und auf Rufen der Treiber von einem Forstgehilfen geschossen. Nach dem „Oberschwäb. Anzeiger" grub 30. November im Altdorfer Wald (bei Weingarten) ein Forstwächter aus einem Bau 5 St., 3 alte und 2 Junge. Weissenau: 3 St. erlegt. Teinach: 4. Mai lief Abends 8 U. ein Dachs auf einem Strässchen im Röthenbacher Walde an. „Jäger und Bauern hassen den schleichenden Stänker"*.

10) *Canis vulpes* L., Fuchs.

Warthausen: eine 16. Mai im Garten geschossene „Fähne" hatte Tags zuvor am hellen Mittag 12½ U. im Garten eine Henne und einige Zeit früher unten im Dorf innerhalb zwei Tagen u. A. 16 Enten geholt; 10. Juni wurde mein Sohn FRITZ spät Abends in tiefer Dunkelheit auf zwei Schritte von einem knurrenden Thier angesprungen, das seine Annäherung im weichen Boden überhört hatte und nur ein Fuchs oder Dachs gewesen sein kann; eine unmittelbar vor die eigenen Füsse ungezielt abgegebener Schuss gieng fehl:

---

* Das ist nicht schön von ihnen. K.

am folgenden Tage schoss er an derselben Stelle einen Fuchs. Von 1. Januar 1889 bis dahin 1890 erlegten die Söhne zusammen 20 Füchse; einer derselben war 1. December bei tiefem Schnee und grosser Kälte in den in der Schlosssteige befindlichen, offenstehenden Felsen-Bierkeller eingetreten und hatte versucht, sich durch kühnen Sprung aus einem höher gelegenen Schachtloch zu retten. Isny: in den gräfl. QUADT'schen Revieren zusammen nur 10 St. erlegt. Oster-hofen: im Mai wurde eine Wurf von 5 Jungen ausgegraben und vernichtet; 9. August holt ein Fuchs am hellen Tage mitten aus dem Dorfe 2 Hennen; abgeschossen 15 St. Wolfegg: 64 St. er-legt. Kisslegg: von 1. Juni 1888 bis dahin 1889 38 Füchse. Weissenau: 26 St. aus dem ganzen Revier. Königseggwald (Saulgau): Füchse fehlen etwas, weil sie vielfach vergiftet werden. Weilimdorf: von Mitte October bis Mitte November wurden in der Fasanerie 3 Stück in Hohlfallen gefangen, darunter eines welches auf dem ganzen Körper weiss getupft war, was besonders auf der Innenseite des Balgs scharf sichtbar wurde. Teinach: Füchse sind hier wesentlich seltener geworden, indem in den letzten Jahren manche Jagdpächter mit Strychnin arbeiteten; Berichterstatter bekam binnen zwölf Jahren ausser ungezählten Milchfüchsen 109 alte.

11) *Felis catus* L., Wildkatze.

Weilimdorf: 10. November 1 Kuder gefangen. Kleinaspach (Marbach): 14. November wurde eine 17 Pfund schwere Wildkatze, Prachtexemplar mit 5 Pfund Fett, geschossen (Zeitungsnotiz). Möck-mühl (Neckarsulm): 3. December wurde auf Roigheimer Markung eine Wildkatze von ungewöhnlich schöner Färbung und Grösse im Gewicht von 16 Pfund erlegt (desgl.). Widdern (Neckarsulm): ein 2. October erlegter Kuder wog 15 Pfund und hatte die Länge von einem Meter (desgl.). Heilbronn: im angrenzenden Fleiner Wald erlegt: Mitte Juni sprang beim Pirschgang dem Jagdpächter (MÜNZING) aus einer etwa auf 2 m. Höhe abgesägten Eiche ein Thier entgegen, auf das er ohne Erfolg Feuer gab; der Eichenstumpf zeigte sich hohl mit einer Öffnung in $1\frac{1}{2}$ m. Höhe und im Inneren lagen 2 kleine Wildkätzchen. Glücklicher Weise wurden diese von der Alten nicht weggeschleppt, sie selbst aber war vorerst trotz allen Bemühens nicht mehr anzutreffen; erst später gelang es an einem stürmischen Regentag sie im Absprung zu erlegen; da in gleicher Gegend im Vorjahr zwei halbwüchsige Wildkatzen geschossen wurden und im Winter 1888/89 der Kuder erlegt worden ist, dürfte jetzt die ganze Familie ausgerottet sein. Simmersfeld: 11. März junges Männchen erlegt, das einige Male zuvor die auf Marder gestellte Prügelfalle gesprengt hatte.

Hauskatzen haben in Warthausen nur 4 St. das Leben eingebüsst; auf einer der oberländer Schusslisten befinden sich 25 St.

12) *Lutra vulgaris* ERXL., Fischotter.

Osterhofen: im Zeitraum von elf Jahren nur einer erlegt. Weissenau: 2 St. Königseggwald: ausnahmsweise 4 St. mit der WEBER'schen Falle gefangen. Teinach: ein Fischotter befreite sich 25. März und 2. April jedesmal aus dem vom Badgärtner gelegten Eisen.

13) *Mustela putorius* L., Iltis.

Warthausen: 3 St. gefangen; 19. November noch mitten im Haarwechsel. Isny: 2 St. aus dem Revier Rohrdorf. Osterhofen: 1 St. im „untern Wald" gefangen. Weissenau: 1 St. Weilimdorf: von Mitte October bis Mitte November 18 St. in Hohlfallen gefangen.

14) *Mustela martes* GM. BRISS., Edelmarder.

Isny: in den Revieren Rohrdorf und Friesenhofen je 1 St. Osterhofen: 2 St. aus „Haslach" und „Kuhreute". Wolfegg: 4 St. Weissenau: 2 St. Königseggwald: ausnahmsweise 4 St. Weilimdorf: 16. November sehr starkes Männchen gefangen.

15) *Mustela foina* GM. BRISS., Hausmarder.

Osterhofen: 1 St. im Dorf gefangen. Weissenau: 12 St. Weilimdorf: 2. Januar 1 St. in einer Prügelfalle, von Mitte October bis Mitte November 6 St. in Hohlfallen gefangen, 1. December 1 St. aus einem Haufen Hopfenstangen aufgestöbert.

16 u. 17) *Mustela erminea* L. u. *M. vulgaris* BRISS., Hermelin- und Kleines Wiesel.

Wolfegg und Kisslegg: es stehen dort 12, hier 21 Wiesel in den Jagdregistern ohne nähere Angabe der Art; für Osterhofen ist die öftere Beobachtung des kleinen Wiesels angegeben.

Über „**Amphibien**" ist so gut wie nichts verzeichnet.

Bei Teinach sind Erdsalamander (*Salamandra maculosa*

---

* Fischotter, Steinmarder und Iltis gehören im fürstl. Waldburg-Wolfegg'schen Jagdgebiet nebst dem Dachs den Forstwarten und sind deshalb nicht gebucht.

LAUR.) und Blindschleichen (*Anguis fragilis* L.) sehr häufig, nicht selten auch die Ringelnatter (*Tropidonotus natrix* EICHW. L.) und die Schlingnatter (*Coronella laevis* s. *austriaca* MERR.), während die Kreuzotter (*Pelias berus* MERR.) noch nicht gefunden ist. Der gemeine Grasfrosch (*Rana temporaria* L.) zeigte sich 20. und 21. März am Bache. Das erste Quacken der Frösche ist 18. April von Schussenried verzeichnet.

Auch die **Fische** präsentiren sich höchst bescheiden.

Vom Aal, *Anguilla vulgaris* FLEM. berichtet eine Zeitungscorrespondenz aus Laupheim 9. März, dass 4 Postsendungen zu je 5000 St. direct aus Italien eingehender junger Aale in die Riss, Rottum und Roth eingesetzt werden sollen., da sie in diesen Flüsschen recht gut zu gedeihen scheinen und einzelne in der Rottum gefangene Exemplare schon eine beträchtliche Grösse erlangten. Zum Einsetzen in die Donau und deren Nebenflüsse waren vom Deutschen Fischereiverein 150,000 St. 5—8 cm. langer Aale nach Hohenheim überwiesen. Auch in die Ach bei Osterhofen wurden 17. April mehrere Tausend von solcher Aalbrut eingesetzt. Tuttlingen: 2. Mai fieng sich an einer Legangel ein Aal von 850 Gramm Gewicht und 80 cm. Länge; hiemit, sagt der Zeitungsartikel, sei der Beweis geliefert, dass die Donau die nöthigen Existenzbedingungen biete.

Die Hechte, *Esox lucius* L. begannen in den Weihern bei Schussenried 1. April zu laichen.

Über einen grossartigen Fang von Brachsmen, *Abramis brama* CUV. L. im Bodensee berichtet eine Correspondenz aus Langenargen. Am 17. Januar wurde bei Schloss Montfort ein grosser Zug in Wanderung beobachtet und es gelang am folgenden Tag ihn mit einem grossen Netz (auf jeder Seite etwa 80 m. lang und 4—6 m. breit) zu umgarnen; sehr schwer hielt es, den auf mehr als 150 Centner geschätzten Fang in der Nähe des Ufers zu bergen und noch am anderen Tag dauerte die Entleerung des Netzes fort, in welchem die 1—3pfündigen Fische 1—2 m. hoch lagen: der Fischwasserpächter ordnete unentgeltliche Abgabe an die Armen an und es herrschte am Ufer ausserordentlich reges Treiben.

Die Bachforelle, *Salar Ausonii* VAL. war früher bei Osterhofen in der Ach häufig, ist aber jetzt selten geworden.

Das in einem Zwischenraum von je 2 Jahren stattfindende Abfischen des beim Elfinger Hof gelegenen, über 16 ha. grossen Aal-

kistensees wird in einer Zeitungscorrespondenz „Maulbronn, 6. Nov."
geschildert. Hechte bis zu 8 Pfund, Karpfen, Aale u. s. w. gaben
reiche Ausbeute und waren grösseren Theils schon im Voraus nach
Germersheim verkauft.

Über **Insecten** ist Nachfolgendes verzeichnet.

Schmetterlinge: das erste Fliegen von Citronfalter, Trauer-
mantel und Füchsen (*Gonopteryx rhamni* Lch., *Vanessa Antiopa* u. *V.
polychloros* L.) ist von Osterhofen, Esslingen, Weilimdorf, Teinach
5.—8. April angegeben; bei Schussenried war der erste Citronenfalter
schon 2. März gesehen worden. Tausende von Distelfaltern (*Vanessa
cardui* L.) haben 10. und 11. Juni auf der vom Park Josefslust nach
Sigmaringen führenden alten Strasse geschwärmt (Frhr. v. Wall-
brunn). Die Raupen der Nonne (*Liparis monacha*) wurden in den
gräflich Königsegg'schen Waldungen bei Königseggwald und in den
fürstlich Thurn u. Taxis'schen gegen Saulgau zu erstmals im Juni
d. J. bemerkt und noch im gleichen Jahre haben sie ziemlich bedeutende Flächen Nadelwald kahl gefressen (Forstverw. Henle).
Vereinzelte Nonnen-Schmetterlinge wurden Anfang August bei Wolfegg gesehen. Die Raupe des Processionsspinners (*Cnethocampa pro-
cessionea*) war bei Bietigheim 1. Mai so häufig, dass sie nach dem
Kahlfrass der Eichen Nadelholz angieng; es kamen mehrfach Er-
krankungen der Waldarbeiter vor.

Käfer: der Weisspunct-Rüsselkäfer (*Pissodes notatus*) war
11. Mai bei Bietigheim ziemlich häufig; der erste Maikäfer (*Melo-
lontha vulgaris* L.) wurde bei Schussenried 2. Mai bemerkt; bei
Bietigheim waren Maikäfer sehr selten. Marienkäfer (*Coccinella sep-
tempunctata* L.) krochen in Esslingen erstmals 24. März. Vom Kiefern-
markkäfer (*Blastophagus* s. *Hylesinus piniperda* Fabr.) verschnittene
Kiefern befinden sich zahlreich am Zavelstein.

Bienen: flogen in Esslingen 23. März, in Osterhofen trugen
sie 6. April den ersten Blüthenstaub ein.

11. Juni wurde von Gärtner Müller in Calw auf einem Baumgut unterhalb der Wilhelmshöhe (Teinach) die Honig- oder Russlaus
entdeckt; sie sei erst vor 30 Jahren zuerst in Holland, seit 6—8 J.
auch in Deutschland aufgetreten (? Dr. Wurm).

Erscheinungen in der Pflanzenwelt.

Warthausen: es blühen 19. März Winterling (*Eranthis hye-
malis* Salisb.), Huflattich (*Tussilago farfara* L.), Leberblume (*Hepa-
tica triloba* Chaix.), Schneeglocke (*Leucojum vernum* L.), Schnee-

tröpfchen (*Galanthus nivalis* L.). 28. März erste Schlüsselblume (*Primula elatior* JACQ.); 31. März Seidelbast (*Daphne mezereum* L.); 3. April erstes Veilchen (*Viola odorata* L.). 15. u. 22. November blühten nochmals Frühlingsenzian (*Gentiana verna* L.) und Seidelbast; im October gab es noch Erdbeeren neben Schlüsselblumen.

Osterhofen: es blühen 5. April Huflattich und Gänseblümchen (*Bellis perennis* L.); 7. April Schneeglöckchen; 15. April Primeln; 20. April Haselnuss, Salweide und Erle; 23. April Milzkraut (*Chrysosplenium alternifolium* L.); 30. April Apfel- und Birnblüthe an Spalieren, 15. Mai allgemeine Obstblüthe. 16. October sind die meisten Birnbäume entlaubt und beginnt auch das übrige Laub rasch zu fallen.

Schussenried: es beginnen zu blühen 19. März Huflattich, 31. März Schneeglöckchen; 1. April blühen Haselnuss und Seidelbast an sonnigen Lagen vollständig, letzterer hatte schon 20. Februar begonnen und stand 13. April überall in voller Blüthe. 13. April begann *Primula elatior* an warmen Stellen zu blühen; 19. April erste Veilchen; 22. April beginnen Frühlingsenzian und Anemonen (*A. nemorosa* L.) in sonnigen Lagen zu blühen; 6. April Anfang der Blüthe der Frühbirnspaliere und Kirschenblüthe. 13. April Frühlingsblüthen der Herbstzeitlose (*Colchicum autumnale*)! Es grünen 19. April Lärchen und *Ribes*-Arten (*grossularia, rubrum, nigrum* L.); 30. April frühe Rosskastanien (Schwellen der Knospen seit 20. d. M., volle Blüthen 15. Mai); 5. Mai Buchen, 7. Mai Früh-Eichen (*Quercus pedunculata* EHRH.). Bucheckern keimten 29. April.

Essendorf: der üppige, durch keine Spätfröste beeinträchtigte Mai begünstigte eine besonders schöne Blüthe des Fieberklees (*Menyanthes trifoliata* L.) am Lindenweiher und desgleichen der Sauerbeere ("Schnellbeere", *Oxycoccos palustris* PERS.)* im Unteressendorfer Ried: von letzteren waren grössere Plätze so mit Blüthen besetzt, dass sie auf eine Entfernung von mehreren hundert Schritten einen rothen Schein gaben. Die *Sturmia Loeselii* RCHB., welche am Lindenweiher durch die Spätfröste des Jahrs 1882 dem Verschwinden

---

* In der Flora v. Württbg. v. Martens u. Kemmler wird die Frucht „kaum essbar" genannt. Die im Spätherbst wegen ihrer Kleinheit allerdings nur mühsam einzusammelnden säuerlichen Beeren geben eine köstliche Confitüre. Schon Steller führt unter den essbaren Beeren Kamtschatkas die „Klukwa" auf, unter welchem Namen noch jetzt russische Conserven im Handel und hoch im Preise sind. Dr. C. Miller hat eben von Essendorf einst verschiedene Lieferungen zum Einmachen nach Warthausen besorgt; der verstorbene Apotheker Ducke liess einmal ein grosses Quantum einsammeln und hat daraus reine Citronsäure dargestellt.

nahe gebracht war, hat sich heuer doch so weit wieder erholt, dass
auf einem mässig grossen Umkreise ein Dutzend Pflanzen gefunden
wurden, doch hat sie den Stand von 1882 noch nicht wieder erreicht; diese Orchidee gehört zu jenen Pflanzen, welche in den oberschwäbischen Rieden und Sümpfen immer mehr zurückzugehen
scheinen. 17. April erstes offenes Veilchen.

Aus Ulm besagt eine Zeitungscorrespondenz vom 13. Mai, dass
gegenwärtig als seltenere Pflanze die wilde Tulpe (*Tulipa sylvestris* L.)
in einigen Grasgärten am Michelsberg und im Ruhethal blühe. Sehr
häufig ist sie im frhrl. KÖNIG'schen Schlossgarten zu Fachsenfeld (Aalen)
und von da auch nach Warthausen übergepflanzt.

Esslingen: Blüthenaufbruch, 10. März Huflattich; 11. März
Schneetröpfchen; 22. März Seidelbast („eigentlich den ganzen Winter
über"); 23. März Garten-Crocus; 24. März Schneeglocken, Gänseblümchen, Schlüsselblumen, Leberblumen, „Katzenäugle (*Veronica*)",
„Schwefelregen" von *Corylus avellana* L.; 30. März Dirrlitze (*Cornus
mas* L.); 1. April Sternhyacinthe (*Scilla bifolia* L.); 7. April Weiden
und Erlen; 22. April Pfirsiche und Aprikosen.

Bietigheim: es blühen 20. März Haselnuss; 2. April Schwarz-
erle (*Alnus glutinosa* GÄRTN.); 25. April Stachel- und Johannisbeeren,
Süsskirsche; 29. April Schlehdorn; 9. Mai Hainbuche, Birne; 10. Mai
Eichen, Esche, Rosskastanie; 11. Mai Syringe; 12. Mai Birke, Apfelbaum; 15. Mai gemeine Kiefer; 18. Mai Weissdorn; 27. Mai Akazie
(*Robinia pseudoacacia* L.); 1. Juni Winterroggen, Hollunder; 8. Juni
Winterweizen; 22. Juni Liguster; 28. Juni Sommer- und Winterlinde;
1. Juli Hafer. Ihre Blattoberflächen zeigten 23. April Lärche;
24. April Rosskastanie (allgemein belaubt 5. Mai); 29. April Roth-
buche (10. Mai war der Buchenwald grün); 8. Mai Sommerlinde;
9. Mai Eichen (Beginn des Schälens 13. Mai, 15. d. M. der Eichwald grün); 11. Mai Weinstock; 13. Mai Weisstanne; 14. Mai gem.
Kiefer. Erste Früchte 30. Juni Johannisbeeren; 1. Juli Himbeeren;
16. August schwarzer Hollunder; 15. September Liguster; 16. September Rosskastanien. Beginn der Erndte von Roggen 8. Juli, von
Weizen 1. August, von Hafer 14. August. An Waldsamen ist bei
Bietigheim nichts gerathen; die wenigen Eicheln fielen wie das spärliche Obst unreif ab oder wurden von Vögeln abgehauen. Die Laub-
verfärbung fiel vorzugsweise zwischen 16. September und 1. October.

Teinach: es blühen 2. März Schneeglöckchen in Zavelstein;
9. März dort erste Crocus-Blüthe, die noch 4. April spärlich ist;
21. März Feigwurzel (*Ranunculus ficaria* L.); 27. März Goldmilz

(*Chrysosplenium*); 29. März erste Schlüsselblumen am Aufblühen, der Kälte wegen aber bis 8. April in der Entwickelung stillstehend: 8. April Gänseblümchen; 9. April Dirrlitzen; 10. April Fingerkraut (*Potentilla verna* L.); 11. April Anemonen; 12. April Sauerklee (*Oxalis acetosella* L.); 6.—7. Mai Löwenzahn (*Taraxacum officinale* WIGG.) und Heidelbeere; 12. Mai viele Hundsveilchen (*Viola canina* L.); 16. Mai Besenprieme (*Sarothamnus scoparius* WIMM. L.) und Ginster, vollblühend erst 2. Juni; 31. Mai Waldmeister (*Asperula odorata* L.); 19. Juni rother Fingerhut (*Digitalis purpurea* L.) im Walde. Das Treiben der Blätter begann bei Stachelbeeren erst 4. April nur am warmen Bachufer, bei Birken und Lärchen im Garten 24. April, die eigentliche Belaubung 2. Mai, an welchem Tage auch einzelne Buchen bereits ausschlugen. Die Reife der Heidelbeeren trat 19. Juni ein: auch in diesem Jahr waren völlig gesunde weisse Früchte bei Teinach nicht selten. Die Kornerndte war 17. August erst im Beginnen und damals der Hafer theilweise noch grün. „Meteor-Gallerte", in diesem Falle sicherlich pflanzlichen Ursprungs, nehmlich die Schleimalge. *Nostoc commune* VAUCH., wurde 5. October wiederholt auf Waldwegen bei Wildbad gefunden und in einem Falle war nachzuweisen, dass das Gebilde zwischen Abends 5 und Morgens $8\frac{1}{2}$ U. entstanden war. Blühende Taubnesseln (*Lamium*), Gänseblümchen und *Campanula* kamen noch 12. November vor. Als interessantere Coniferen-Formen sind bei Teinach beobachtet die Latsche, *Pinus pumilio* HANKE und die Sumpfkiefer, *P. uliginosa* NEUM.; Hängetanne, Schlangenfichte, Haselfichte — von letzterer ein charakteristischer Ast an das K. Naturalienkabinet eingesendet — sind hübsche Abänderungen.

Neben den bereits angeführten Verspätungen ist aus Zeitungsberichten zu verzeichnen, dass 30. September bei Gammertingen (Hohenzollern) reife und blühende Erdbeeren gepflückt und 3. October ebensolche Früchte an einem Gartenzaun in Stuttgart gefunden wurden und dass in einem Garten von Langenburg 3. October ein Birnbaum in voller Blüthe stand.

Witterung.

Der **Januar** war schön, meist trocken, ohne Schneefälle, anfangs mit mässiger Kälte, relativ mild. In Warthausen waren 5. Januar $-9\frac{1}{2}^{0}$ R., Mittags in der Sonne $+2^{0}$ R., Tags darauf -10^{0} R. und Abends Regen; 7. Januar stieg bei Südwestwind die Temperatur auf den Nullpunct und erfolgte Mittags 12 U. eine ziemlich bedeutende Erderschütterung, über welche zahlreiche Berichte aus

Württemberg, dem Bodenseegebiet und der nordwestlichen Schweiz einliefen; am nachfolgenden Tag begann der Vesuv starke Rauchsäulen und Lavaströme zu entwickeln; auch in Memmingen waren schon in der Nacht vom 1./2. Januar Erdstösse gespürt worden. Für Heilbronn ist bemerkt, dass wenn auch mehrere Tage zu Anfang des Monats kälter waren, der Thermometer doch meist nur wenig unter, meist aber, und manchmal mit Regen, etwas über Null stand. In Teinach sind als bemerkenswerthe Temperatur-Minima angegeben 4. Januar — 13.3° C., 13. und 14. Januar — 19.8° C. In Süditalien trat 4. Januar so starker Schneefall ein, dass der Eisenbahnverkehr in der Provinz Molise (Neapel) unterbrochen wurde. Leichter Schneefall war in Oberschwaben 19. Januar und in den folgenden Tagen scharfer Ostwind; 22. Januar werden von Friedrichshafen Klagen laut, dass der anhaltende Frost (Schlittschuhbahn von dort bis Langenargen) und das Ausbleiben von Niederschlägen den Wasserstand des Bodensees zu Ungunsten der Schiffahrt bereits geschädigt haben. Am 1. **Februar** war im Oberland (Warthausen) Thauwetter. Bei Teinach waren gleichfalls Schnee- und Eisreste gegangen und fiel 2. Februar wieder Schnee; 26. Februar waren dort — 16.3° C. und am gleichen Tag in Schussenried — 15.2° C. Bei Heilbronn fiel 6. Februar erster Schnee, der liegen blieb bis zur Nacht vom 14./15. Februar, wo es stürmte und regnete; in dieser Zeit war die Temperatur von Null bis zu — 14° R. gefallen. Thauwetter war 15./21. Februar und ausser dieser Woche seit 6. d. M. ununterbrochene Kälte bis über die erste Woche des nächsten Monats hinüber, indem 22./23. Februar wieder — 5°, 25./26. Februar — 15° und 27. Februar — 10° Kälte eingetreten waren. 9. und 10. Februar wurden aus allen Landestheilen und aus ganz Mitteleuropa (auch Dänemark und Böhmen) enorme Schneestürme, Verwehungen und Verkehrsunterbrechungen in Menge gemeldet; bei Heidenheim z. B. lag der Schnee bis 1½ m. tief. In Stuttgart trat 11./12. Februar erheblicher Schneefall ein bei Nordsturm und — 6° R. In Künzelsau waren 13. Februar — 18° R. und 17. Februar + 2° R. In Holland hat der continentale Sturm 8./11. Februar Überschwemmungen gebracht. Mit 13. Februar (aus einigen Theilen Bayerns bis zu 25° R Kälte gemeldet) begann erneuter Schneesturm und Störung des Verkehrs; derjenige Belgiens mit den Nachbarstaaten wurde völlig unterbrochen; 15. Februar trat das Thauwetter auch am Bodensee ein; vom 22. d. M. an war neuer Frost (stellenweise 13—15° R.) mit abermaligem Schneefall (bei Ebingen durch-

schnittlich ½ m. hoch) und Schneetreiben. Starker Nordost hat
23. Februar in Kiel eine Sturmfluth gebracht. Für das Oberamt
Biberach schloss der Monat mit 14° Kälte und vortrefflicher Schlittenbahn. **März**: der Anfang des Monats behielt den seitherigen
Witterungscharakter; Heilbronn hatte 1. März — 2° R., 4. März
— 9° R., 8. März + 7° R. In Warthausen trat das Thauwetter
7. März ein. Schussenried hatte 4. März noch 32 cm. hohen
Schnee, flotte Schlittenbahn und — 14° C. Kälte, 16. März fusstiefen
Schnee bei — 15° C.; erst 24. d. M. froren die Seen vom Ufer aus
allmälig auf. Bei Teinach war 19. März im Thal auf der Sonnen-
seite fast aller Schnee weggeschmolzen. Nach wechselndem Wetter
kam später andauernder Regen bei mässiger Kälte. Der **April** war
meist heiter und ziemlich warm, vorherrschend trocken mit mässigen
Niederschlägen. 5. April waren in Schussenried die Seen wieder
eisfrei und bei Teinach im Thal aller Schnee gegangen, während
in den Waldungen der Höhen 1./28. April noch Schnee lag, anfänglich noch tragend und 20—50 cm. tief; hier war 7. April erster
Frühlingstag, erstes Gewitter 22. April; bei Wolfegg erstes Gewitter
9. April Abends 8 U. Der **Mai** war besonders warm mit starken
Gewitterregen (z. B. Warthausen 10. Mai), frei von den gewöhnlichen
Spätfrösten und von üppiger Vegetation, ebenso der **Juni,** d. h. sehr
warm und in der ersten Hälfte reich an Gewittern, jener mit 7,
dieser mit 8 Hageltagen Die erste Hälfte des **Juli** war sehr heiss
und trocken, die zweite mehr regnerisch und reich an Hagel (in
Württemberg 7 Hageltage, davon der bedeutendste 13. Juli); heftige
Gewitter, Blitzschläge mit zahlreichen Tödtungen und Bränden, auch
Überschwemmungen werden aus ganz Deutschland gemeldet; der
19. Juli hatte in Teinach das Minimum + 8.4° C. Der **August** war
etwas kühl und brachte viele kleine Gewitterregen; 24. August waren
Schneefälle im Gebirg; 28. August (Minimum + 2.6° C.) kam in
Teinach endlich schönes Wetter. Der **September** war bis zu seiner
Mitte schön, dann schlug in Folge von Gewittern das Wetter um
und kühlte sich bis unter Null ab. 15. September Vormittags 9 U.
fiel bei Lendsiedel (Gerabronn) Schnee und bei Teinach gab es
bei — 2.3° C. Eis, zugleich herrschte Dürre und die Brunnen liessen
nach; 19. September waren — 3.1° C., später wieder bis + 5.0° C.
Mit rückkehrender wärmerer Temperatur wurde es regnerisch. Heiter
und trocken begann der **October;** 1. October war heftiges Hagel-
wetter in Wildbad; 2. October begann in Mergentheim und an
anderen Orten des Taubergebiets die Weinlese bei gut ausgereiften,

vom Frost nur unbedeutend berührten Trauben; am nehmlichen Tage gieng (Correspondenz des D. Volksbl. „vom Hochgeländ") am nordöstlichen Himmel ein Meteor nieder, von weit intensiverer Helle als der gleichzeitig leuchtende Mond, einer Granate vergleichbar, aus deren Mündung lauter Feuer (blau-gelb-roth) ausstrahlte und endigend mit einer starken Detonation; gleichzeitig wurde die Erscheinung auch in Warthausen beobachtet. Vom 9. October an trat Regen und unfreundliches, später auch frostiges Wetter ein bis zum Schluss des Monats; 16. October — 1.6° C. in Teinach. Die erste Hälfte des **November** war vorherrschend mild und heiter; der erste Frost trat 13. November ein; nasskalte neblige Witterung und mässiges Frostwetter gieng dem ersten Schneefall voran; in Teinach fiel erster leichter Schnee 26. November Nachts (22. November — 8.2° C.), in Warthausen war erster starker Schneefall 27. November, 30. d. M. Schlittenbahn; vom 29. November ab blieb im ganzen Land die Schneedecke liegen, welche am Schluss des Monats bei Schloss Zeil 1.0 m. erreicht hatte. In der Nacht auf 30. November brachte ein anhaltender, heftiger Nordwestwind im O.A. Leonberg 20—30 cm. tiefen Schnee, so dass auf der Solitude früh Morgens Bahn geschleift werden musste. Nach den Beobachtungen der württemb. meteorologischen Stationen waren am Schluss des vielfach nebligen Monats, der keine Gewitter, auffallend wenige Graupenfälle und nur spärliche Niederschläge hatte, je nach den Orten 3—7 Schneetage zu verzeichnen. Diesen winterlichen Charakter behielt auch der **December,** z. Th. mit beträchtlicher Kälte, wobei eine Temperatur-Umkehr insoferne stattfand, als die Thäler verhältnissmässig kalt, die Höhen verhältnissmässig mild waren. Schon 3. December war auf österreichischen Bahnen (z. B. Wien-Neustadt, Raab-Ebenfurth) theils der Güter-, theils der Gesammtverkehr wegen kolossaler Schneemassen und Verwehungen eingestellt; 4. December dauerte die Schnee-Blocade Wiens fort und die Posten blieben aus. In Warthausen war 9. December Kälte von 12° R., am folgenden Tag vorübergehendes Thauwetter; Teinach hatte 3. December im Minimum — 14.3° C. und 9. December — 16.0° C.; 25. December war dort die Südseite ganz, die Nordseite beinahe schneefrei.

Warthausen, im Februar 1891.

Notiz über das Bohrloch bei Sulz.

(Nachschrift zu S. 119—129.)

Von Herrn H. Eck in Stuttgart.

In den auf S. 119—129 dieses Jahreshefts abgedruckten Bemerkungen zu Herrn v. SANDBERGER's Abhandlung „Über Steinkohlenformation und Rotliegendes im Schwarzwald und deren Floren" hat der Verfasser die im Bohrloch bei Sulz unter 810 m Teufe durchstossenen Gesteine nicht besprochen, weil ihm aus einer vorläufigen Notiz[1] über die Verhandlungen des Oberrheinischen geologischen Vereins zu Sigmaringen am 10. April 1890 bekannt war, dass eine Mitteilung über dieselben von Herrn E. FRAAS zu erwarten sei. Dieselbe ist nunmehr in dem Bericht über die XXIII. Versammlung des genannten Vereins, Stuttgart (1891), auf S. 35—40 erschienen. Ohne darauf im einzelnen einzugehen, beschränkt sich der Verfasser auf folgende Bemerkungen.

1) Die zwischen 810 (835 nach E. FRAAS) und 871 m durchteuften schwarzen und dunkel braunroten Schieferthone mit eingeschlossenen Partien schwarzen Kalksteins werden von Herrn E. FRAAS nunmehr dem unteren Rotliegenden zugerechnet. Da das letztere im ganzen Schwarzwalde nirgends lediglich aus Schieferthonen besteht und kalkige oder dolomitische Absätze hier nirgends im unteren, dagegen verbreitet im mittleren Rotliegenden auftreten[2], ist der Verfasser der Ansicht, dass die erwähnten Schichten samt den sie überlagernden, zwischen 654 und 810 m durchstossenen roten Schieferthonen als mittleres Rotliegendes zu deuten sind, entsprechend den schwarzen und roten Schieferthonen mit Dolomitsphäroiden,

---

[1] Vergl. Schwäbische Kronik 1890, 14. April, N. 87, Abendblatt, S. 710, und Mitteilungen der Grossh. Badisch. geologischen Landesanstalt, Heidelberg, I, 1890, S. 1055/6.

[2] Vergl. auch Benecke und van Werveke, Mittheil. d. geol. Landesanstalt v. Elsass-Lothringen, III, 1890, S. 45 f.

welche bei Sulzbach, Michelbach, Gaggenau, Rothenfels, Schwarzenberg, Langhärdtle, südöstlich und östlich von Schiltach (bei Rohrbach und auf der Steig) u. s. w. teils auf unterem Rotliegenden, teils direct auf Grundgebirge aufgelagert zu Tage stehen, und entsprechend denjenigen Schieferthonen, welche in den Bohrlöchern bei Schramberg zwischen 903 und 1157 w. Fuss, bei Oberndorf zwischen 1053,4 und 1532,4 w. Fuss, bei Dettingen zwischen 1308 und 1749,5 pr. Fuss Tiefe durchstossen wurden [1]. Kein Grund liegt vor, dieselben den am ehemaligen Hammerwerke bei Schramberg auftretenden Schichten zu parallelisiren, sie als in tieferem Wasser abgesetzte Äquivalente derselben zu betrachten.

2) Von dem zwischen 871 und 891 (?) m durchteuften Gesteine steht dem Verfasser nur eine Bohrkern-Probe zur Verfügung, welche als aus der Tiefe von 890 m stammend bezeichnet war. Da Dünnschliffe zeigten, dass dasselbe hauptsächlich aus zwillingsgestreiftem Plagioklas, (schwach pleochroitischem) Chlorit und opakem Erz (Magneteisen) besteht und von dem durch Herrn E. FRAAS beschriebenen Gestein etwas abweicht, bat der Verfasser Herrn Professor Dr. BUCKING in Strassburg um eine Untersuchung desselben, für deren Ausführung auch hier der beste Dank ausgesprochen sei. Danach ist dasselbe ein „sehr stark zersetzter Kersantit, wie solche auf schmalen Gängen oder am Salband breiterer Gänge zuweilen vorkommen. Das Gestein hat sehr grosse Ähnlichkeit mit dem Lamprophyr aus dem sog. Zuchthausbruch bei Schwarzenbach a. W. (zu vergl. GÜMBEL, Palaeolith. Eruptivgest. d. Fichtelgebirges, 1874, S. 36) und mit dem von COHEN (N. Jahrb. f. Min. 1879, S. 858) beschriebenen Kersantit von Laveline, auch mit manchen Spessart-Kersantiten (z. B. STENGERT's VIII a; s. auch GOLLER's Dissertation). Nur enthält das Gestein in den vorliegenden Schliffen — und darin abweichend von der Beschreibung von E. FRAAS — kaum sicher bestimmbare Hornblende, keinen deutlich erkennbaren Glimmer, keinen Augit und wahrscheinlich auch keinen Quarz. Es besteht vielmehr nur aus primärem Plagioklas und Magneteisen, anscheinend auch Orthoklas in kleinen Mengen, denen als sekundäre Bestandteile beigemengt sind: 1) Chlorit, als Zersetzungsprodukt von Glimmer und vielleicht auch von Augit und Hornblende, 2) Calcit in grossen Mengen, was auf das Vorhandensein von Augit oder Hornblende neben dem Glimmer schliessen lässt, 3) Brauneisen. Auch etwas Quarz, vielleicht

---

[1] Vergl. diese Jahreshefte Jahrg. 43, 1887, S. 343 u. 345.

auch ein Zeolith, ebenso etwas Epidot mögen noch vorhanden sein, doch gehört zu einem exakten Nachweis, dass man noch mikrochemische Reaktionen an einem Schliffe anstellt; dasselbe gilt auch für den oben als primär angegebenen Orthoklas, welchen ich mehr vermute, als wirklich sehe. Auffallend ist in Ihren Präparaten der fast vollständige Mangel an Einsprenglingen. E. Fraas erwähnt aber dergleichen, und liegt möglicherweise seinen Präparaten ein Gestein zu Grunde, welches näher der Gangmitte entstammt."

Da Kersantite, wie Ganggesteine überhaupt, keine Tuffe bildeten. ist es dem Verfasser nicht zweifelhaft, dass das zwischen 871 und 874 m getroffene Gestein nur als das durch Verwitterung und Infiltrationen veränderte Ausgehende des Ganges zu betrachten ist.

3) Das zwischen 891 (?) und 905 m durchbohrte Gestein ist nicht ein „arkoseartiges Trümmerprodukt", sondern ein echter, aber verwitterter Glimmergneiss. Dafür hält ihn auch Herr Professor Böcking, „und zwar für eine Varietät, wie solche häufig im Spessart in der Zone der glimmerreichen schiefrigen Gneisse sowohl, als in den tieferen Zonen, zumal in der Abteilung der körnig-streifigen Gneisse vorkommt."

4) Hiernach durchstiess das Bohrloch von Sulz, soviel bisher bekannt geworden:

	m
Mittleren und unteren Muschelkalk etwa	80
Buntsandstein und Oberes Rotliegendes, letzteres vorherrschend aus Sandsteinen, untergeordnet aus roten Schieferthonen bestehend (Thonsteine, d. h. dichte Porphyrtuffe wurden nicht angetroffen)	574
Mittleres Rotliegendes, oben aus 156 m roten Schieferthonen, unten aus 61 m schwarzen und braunroten Schieferthonen mit Partien schwarzen Kalksteins zusammengesetzt (Thonsteine wurden auch hier nicht durchteuft)	217
Kersantit	20 (?)
Biotitgneiss	14 (?)
	905.

Dasselbe hat somit unter mittlerem Rotliegenden sogleich Grundgebirge angebohrt, wie auch östlich von Schiltach ersteres dem letzteren unmittelbar auflagert[1]. Dass zwischen beiden an

---

[1] Vergl. H. Eck, Geognostische Karte der weiteren Umgebung der Schwarzwaldbahn, Lahr 1884.

anderen Stellen des hier in Rede stehenden Schwarzwälder Verbreitungsgebietes palaeozoischer Gesteine, wie bei Schramberg, Oberndorf und unweit Schenkenzell, auch ältere Sedimente zum Absatz gekommen sind, ist bekannt. Es ist vielleicht bemerkenswert, dass die südwest-nordöstlich gerichtete Verbindungslinie zwischen Schramberg und Oberndorf derjenigen von Schiltach nach Sulz parallel verlauft.

5) Es ist nicht erwiesen, vielmehr nach den anderweitigen Verhältnissen des Schwarzwälder Rotliegenden sehr unwahrscheinlich, dass die bei Schramberg im Tiefsten der beiden Bohrlöcher angetroffenen Porphyre eine „Porphyrdecke" bilden, welche „dem unteren Rotliegenden angehören" könnte. Dagegen ist durchaus wahrscheinlich, dass dieselben gangförmig im Granit aufsetzen und älter sind als das oberste Kohlengebirge. Über das Alter des Kersantits von Sulz ist uns nur bekannt, dass derselbe älter ist als mittleres Rotliegendes und jünger als der von ihm durchsetzte Gneiss.

Erdbeben-Kommission.

Uebersicht und Besprechung der in Württemberg und Hohenzollern in der Zeit vom 1. März 1889 bis zum 1. März 1891 wahrgenommenen Erderschütterungen.

Von Prof. Dr. A. Schmidt in Stuttgart.

Mit Tafel VIII.

1889.

II. März. In Sachsenhausen bei Giengen a. Br. wurde am Montag 11. März, abends ½9 Uhr, ein Erdstoss. verspürt. Auf einen dumpfen Schlag folgte ein länger anhaltendes, von W. nach O. fortschreitendes Rollen. Der Erdstoss brachte auf der Bühne des Schulhauses eine Holzbeige zum Einsturz. Das unterirdische Rollen unterschied sich ganz deutlich von dem Brausen des zu gleicher Zeit herrschenden Schneesturms. — Schwäbische Kronik 1889, 21. März, No. 69, S. 514.

1890.

I Juni. In der Umgegend von Hechingen wurde heute Nachmittag 5 Uhr ein ziemlich heftiger Erdstoss wahrgenommen. —— Neues Tagblatt 1890, 4. Juni, No. 127, S. 9.

6./7. Okt. Hechingen, 7. Okt. In verflossener Nacht wurde hier ein Erdbeben verspürt. — Schwäbische Kronik 1890, 8. Okt., No. 238, Mittagsbl., S. 1952.

Von der hohenzollernschen Grenze, 7. Okt. Letzte Nacht ½12 Uhr wurde in Gauselfingen ein starkes Erdbeben bemerkt, und zwar derart, dass viele Bürger vom Schlaf geweckt und teilweise Uhren von der Wand herabgeworfen wurden, Kästchen umfielen, Flaschen umstürzten u. s. w., was den Leuten etwas Auffallendes war und ängstliche Gemüter mit Schrecken erfüllte.

In Zürich und Schaffhausen sind gleichfalls zur selben Stunde Erdstösse verspürt worden. — Neues Tagblatt 1890, 10. Okt., No. 237, S. 2.

Hechingen, 10. Okt. Das kürzlich von hier gemeldete Erdbeben wurde besonders stark in den Alborten Gauselfingen und Neufra verspürt. Auch aus Scheer a. D. liegt eine weitere Mitteilung hierüber vor. — Schwäbische Kronik 1890, 11. Okt., No. 241, Abendbl., S. 1981.

Auch in Neufra ist der Erdstoss von Montag Nacht beobachtet worden; in einigen Häusern fielen Tafeln von den Wänden, die Glaswaren in den Kästen fingen zu klingeln an u. s. w. Die Sache soll so schnell von statten gegangen sein, dass viele sich nicht mehr erinnern können; doch war der Schrecken ein grosser. — Der Beobachter 1890, 12. Okt., No. 239.

In Grossengstingen auf der Reutlinger Alb ist in der Nacht vom 6. auf 7. d., kurz nach 12 Uhr, ebenfalls ein ziemlich heftiger Erdstoss bemerkt worden. Dieselbe Wahrnehmung wurde auch in Kleinengstingen gemacht. — Der Beobachter 1890, 11. Okt.. No. 238 [1].

Ein Bericht von Herrn Forstassistent ORTLIEB in Bernloch an die meteorologische Centralstation lautet:

„In der Nacht vom 6./7. Okt. $12\frac{1}{4}$ und $12\frac{1}{2}$ Uhr wurden in Offenhausen mehrere Erdstösse verspürt, die Öfen kamen in schwankende Bewegung, die Fensterscheiben zitterten. Dieselben Erscheinungen wurden in Grossengstingen, Kleinengstingen und Bernloch beobachtet. (Der Nachtwächter von Grossengstingen war während der Erschütterung auf der Strasse und konnte sich nur mit Mühe aufrecht erhalten.)"

Den vorstehenden Berichten über eine Erschütterung der Alb am 7. Okt. folgten weitere Zeitungsberichte über ein Erdbeben vom **14. Okt.,** nach welchen dasselbe beobachtet wurde: In Ebingen (Deutsche Reichspost 19. Okt.), in Hausen a. d. L. (Beobachter 18. Okt.), in Unterhausen und Erpfingen (Württ. Landeszeitung 17. Okt.), in Hechingen, Stetten und Ringingen (Schwäbische Kronik 15. Okt., Mittagsbl.), überall um die Zeit von $2\frac{1}{2}$ Uhr morgens.

Um eingehendere und vollständigere Mitteilungen zu bekommen, wurden von der Erdbeben-Kommission Fragebogen ausgesandt und

---

[1] Bis dahin sind die Berichte von Herrn Prof. Dr. v. Eck zusammengestellt. Auf dessen Wunsch hat Prof. Schmidt die weitere Berichterstattung übernommen.

nach Zusammenstellung der Berichte die geographischen Lücken noch durch besondere briefliche Anfragen möglichst ergänzt. Auch liessen die Zeitungen: Münsinger Albbote, Schwäbischer Merkur, Deutsches Volksblatt, Hohenzollernsche Blätter zur Einsendung von Mitteilungen an die Erdbeben-Kommission Aufforderungen ergehen, wofür die Erdbeben-Kommission den betreffenden Redaktionen zu besonderem Danke verpflichtet ist.

Aus den eingelaufenen Berichten, die wir hier unter Dankesbezeugung gegen die Herren Berichterstatter aufzählen, möge das Bemerkenswerteste herausgehoben werden. Es sind besonders auch die kleinen Züge in den Schilderungen der Beachtung wert.

1) Herr Schullehrer GFRÖREIS in Grossengstingen gibt als Zeiten: Die Nacht vom 6./7. Okt. früh $\frac{1}{2}$1 Uhr und die Nacht vom 13./14. Okt. früh $\frac{1}{2}$3 Uhr, nach der Uhr von Grossengstingen, welche nach der Postuhr von Kleinengstingen reguliert werde. Das erste stärkere Beben wird als ein starker Erdstoss geschildert, vom zweiten heisst es: „Keine einzelnen Stösse. Es war ein schnelles Hin- und Herschwanken (Zittern) in der Zeit, in welcher man schnell 1—5 zählt, es mögen etwa 10 gleichartige Schwankungen gewesen sein, Richtung S.—N. oder SO.—NW."

„Ich kann die ganze Erscheinung wirklich nicht besser vergleichen, als wenn sich ein grösserer Hund auf einem Stuhl oder einer Bank etwa fünfmal schüttelt („verschüttelt"). Das war auch mein erster Eindruck und Gedanke. Andere sagen, es sei ihnen vorgekommen, wie wenn man einen Stuhl schnell fünfmal hin und her schiebe. Meine beiden Stehlampen, die auf dem Boden standen, klirrten und kleine Gläschen und Porzellanfigürchen auf dem Kasten liessen sich hören. Uhren blieben nicht stehen. Das begleitende Geräusch (gleichzeitig mit den Schwankungen) mag wohl von den beweglichen Gegenständen in den Häusern hergerührt haben."

2) Herr Provisor HÖFER von Ringingen: Zeit: 14. Okt. 2$\frac{1}{4}$ Uhr, die Uhr geht nach der Telegraphenuhr Jungingen bei Hechingen. Nur ein Stoss, und zwar ein langsames wellenförmiges Schwanken, die meisten Einwohner wurden vom Schlafe erweckt. Richtung NO.—SW., Dauer etwa 5 Sekunden, Erschütterung von Möbeln, Klirren der Fenster, nachfolgendes anhaltendes Rollen.

3) Herr EGLER in Hechingen, Redakteur der Hohenzollernschen Blätter: Zeiten: 6./7. Okt. Nachts $\frac{1}{2}$2 Uhr (?) und 13./14. Okt. Nachts $\frac{1}{2}$3 Uhr, die Uhr geht übereinstimmend mit der württembergischen Bahnzeit. Beide Erdbeben wurden in Neufra, Ringingen,

Stetten, Gauselfingen und Hechingen beobachtet, es soll ein Getöse, wie wenn im Erdgeschoss etwas zusammengefallen wäre, mit der Erschütterung verbunden gewesen sein. Beidemal nur ein Stoss, einige Sekunden dauernd, Gläser klirrten, Bilder schwankten, in Neufra und Gauselfingen liefen die Leute auf die Strasse.

4) Herr Schullehrer MATTHES in Mägerkingen: Zeiten: 6./7. Okt. Nachts $12^h 20^m$, 13./14. Okt. Nachts $2^h 20^m$. Die Uhr geht mit der dortigen Postuhr. Beidemal zwei Stösse, der erste stärker als der zweite, beidemal ein kurzes ·Schwanken, Richtung SW.—NO., mit unterirdischem Donnern und darauffolgendem Klirren.

5) Herr Pfarrer STERCK in Wilsingen, Post Pfronstetten, berichtet: Unterzeichneter war in genannter Nacht noch nach 12 Uhr in seinem Arbeitszimmer beschäftigt, als 3 Minuten vor $12\frac{1}{4}$ Uhr in der Erde ein Getöse ganz ähnlich dem eines ganz nahen und heftigen Donners in der Richtung von N. nach S. und in der Dauer von 6—7 Sekunden erfolgte, worauf eine starke Erschütterung des Hauses ca. 2 Sekunden lang nachfolgte. Die Erschütterung der Häuser wurde noch von mehreren Personen wahrgenommen. Das Erdbeben vom 13./14. Okt. hat Berichterstatter nicht beobachtet, aber andere Personen im Ort um $2\frac{1}{4}$ Uhr morgens, es soll weniger heftig gewesen sein als das erste. Für das Erdbeben vom 6./7. Okt. gibt der Berichterstatter später genau die Zeit $12^h 14' 57''$, setzt aber hinzu: „Die Kirchenuhr differiert, wenn überhaupt Differenzen vorkommen, höchstens 5—8 Minuten von der Postuhr in Pfronstetten."

6) Herr Oberlehrer a. D. DIPPER in Pfullingen: Zeit Dienstag 14. Okt. etwa $2\frac{1}{2}$ Uhr morgens. In der Stadt Pfullingen selbst wurde nichts beobachtet, wohl aber in der LAIBLIN'schen Villa am Südende der Stadt im I. und II. Stock des Hauses, das auf Tuffsand steht. Ein Stoss, bestehend in wellenförmiger Bewegung von W.—O., Ächzen des Gebälks und Klirren der Fenster, Stoss und Geräusch gleichzeitig.

7) Herr Oberförster· SEITZ auf Lichtenstein: Zeiten: 7. Okt. $12^h 15^m$ und 14. Okt. $2^h 45^m$ morgens. Die Uhr geht womöglich mit der Honauer Postuhr. Der Beobachter im I. Stocke der Försterswohnung wurde beidemal aus dem Schlafe geweckt. Je ein Stoss, am 7. Okt. ein kurzer harter Schlag, wie wenn in einem Gewölbe von oben herab ein schwerer Sturz stattgefunden hätte, worauf die Wandungen kurz zitterten und die Fenster oder das im Zimmer befindliche elektrische Läutewerk klirrten. Am 14. Okt. war der Stoss weit geringer und ohne Zittern und Klirren. Der Stoss vom

7. Okt. schien unmittelbar unter der Försterwohnung zu sein, für den vom 14. Okt. war die Richtung nicht zu bestimmen. Dauer je etwa 2 Sekunden. Das Geräusch ging voran und dauerte gleichlang wie die Erschütterung.

8) Herr Postverwalter Glück in Kleinengstingen: Zeiten: 6./7. Okt. genau 12^h 10^m [1] und das zweite 14. Okt. früh $2\frac{1}{2}$ Uhr, die Uhr geht nach Stuttgarter Uhr. Je ein Stoss, am 7. stärker mit Zittern des Gebäudes, so dass der Berichterstatter mit Bettstelle sich gehoben fühlte, am 14. weniger bedeutender Stoss mit leichtem Zittern. Beidemal Richtung SW.—NO. Dauer des ersten Stosses etwa 4, des zweiten 2 Sekunden. Während der Stösse vernehmbares unterirdisches Getöse. Am 7. wurde das Vieh im Stalle beunruhigt.

9) Herr Reallehrer Lörch in Hechingen hat selbst das Erdbeben nicht beobachtet, gibt nach sicherem Gewährsmann die Zeit 14. Okt. 2^h 28^m nach der Bahnuhr. 4—5maliges Schwanken während 1—2 Sekunden, Richtung O.—W., begleitendes rollendes Geräusch und Ächzen des Gebälkes.

10) Herr Gestütsaufseher Schenz in Offenhausen (Gomadingen): Zeit: die Nacht vom 6./7. Okt. zwischen $\frac{1}{4}$ und $\frac{1}{2}$1 Uhr, Uhr nicht genau kontrolliert. Keine Stösse, sondern ein zitterndes, ca. 3 Sekunden dauerndes Schwanken, Ofen, Ofenrohr, Nachttisch und Lampe darauf verursachten ein ca. 3 Sekunden andauerndes Geräusch, Geklirr, als ob von Menschenhänden kräftig an genannten Gegenständen gerüttelt würde.

11) Herr Schullehrer Kern in Unterhausen: Zeiten: 7. Okt. nachts 12^h 20^m und den 15. (?) Okt. morgens $2\frac{1}{2}$ Uhr. Die Uhr geht etwa 5 Minuten vor der Post- oder Telegraphenuhr. Beide Erschütterungen wurden in mehreren Gebäuden des Ortes beobachtet. Einige Sekunden ein Schwanken des Hauses mit unterirdischem gleichzeitigem und nachtönendem Donner, Schwanken der Möbel und Klirren der Fenster, den 15. Okt. zugleich heftiger Sturm.

12) Herr Pfarrer Rothenbacher in Oberstetten: Zeiten: 6./7. Okt. 3—4 Minuten nach $\frac{1}{4}$1 Uhr und 13./14. Okt. etwa genau $\frac{1}{2}$3 Uhr. Der Erdstoss vom 7. war ein heftiger Stoss, dass die Häuser zitterten und man vom Schlafe aufgeweckt wurde. Manche standen auf, um im Hause herum nachzusuchen, da sie glaubten, es sei etwas eingefallen. Auch im benachbarten Steinhilben und

---

[1] Diese Zeitangabe dürfte unter allen die beste sein, da der Berichterstatter die Telegraphenzeit im Hause hat.

Trochtelfingen wurde das Erdbeben bemerkt. Auch das vom 14. wurde gut wahrgenommen, war aber nicht so stark wie das erste. Über die Richtung sagt Berichterstatter: Es war ein Stoss von unten, er schien von SW. zu kommen und sich gegen O. fortzupflanzen, höchstens ein paar Sekunden dauernd. Donnerähnliches unterirdisches Rollen und im unmittelbaren Zusammenhang damit eine momentane Erschütterung der Fenster, Möbel, Thüren.

13) Herr Oberförster Wölffle in Schloss Grafeneck, OA. Münsingen: Zeit: 14. Okt. zwischen ½3 und 3 Uhr morgens. Schwankende Bewegung aus SSW. gegen NNO. nur wenige Sekunden dauernd, nachfolgendes Geräusch, Knistern während etwa 10 Sekunden.

14) Herr Schullehrer Renner in Honau: Zeit: 14. Okt. morgens $2^h.35^m$ nach der dortigen Post- und Telegraphenuhr. Ein kurzer Stoss, die Bettlade schien sich von O. nach W. zu senken. Richtung O.—W. Einige Sekunden dauernd, Ächzen des Gebälkes, Klirren der Lampe und Zittern der Fenster.

15) Herr Pfarrer Merckle in Onstmettingen hat das Erdbeben selbst nicht beobachtet, es waren verhältnismässig wenige, welche die Erschütterung beobachteten, nach erhaltenen Mitteilungen: Zeit: 15. Okt. zwischen 1 und 2 Uhr morgens (??) ein heftiger Stoss, zu vergleichen einem heftigen Windstoss, der das Haus erzittern macht.

16) Herr W. Weiblen sr. in Ofterdingen: Zeit: 13./14. Okt. nachts zwischen 2 und 3 Uhr. „Ich hörte, wie wenn ein schwerer Gegenstand von grösserer Höhe auf weichen Boden gefallen wäre, worauf längeres Nachtönen, wie bei einem ähnlichen Falle, erfolgte und zugleich das ganze Haus leicht vibrierte. Von dem Beben spürte man wenig, dagegen hörte man das Geräusch sehr deutlich."

17) Herr Stadtpfarrer Volz in Hayingen: Zeit: 6./7. Okt. 12¼ Uhr (Minuten und Sekunden können nicht angegeben werden) nach der Postuhr. Das Erdbeben wurde nur in 2 Häusern verspürt, dem zweitletzten und drittletzten Hause an der Münsinger Poststrasse, auf Schuttboden stehend. Die Bewegung war zu vergleichen einem Gewehrschuss, Klirren von Gläsern, Näherrücken zweier Bettladen.

18) Herr Lehrer Dobler in Stetten u. H. bei Trochtelfingen: Zeiten: 7. Okt. ungefähr ¼1 Uhr vormittags und am 14. Okt. $2^h 25^m$ vormittags, die Uhr geht meist ein paar Minuten vor. Die Beobachtung wurde im Orte in den Wohnungen, vom Nachtwächter auf der Gasse, von einem Fuhrmann auf der Strasse und von einem Schäfer auf dem Felde gemacht. An beiden Tagen je ein Stoss, am 7. Okt. folgte auf den Stoss ein dumpfes Rollen und Schüttern (mehr unter-

irdisch), am 14. Okt. ging dem Stoss ein sich steigerndes Poltern (mehr oberirdisch) voraus, wie wenn ein Holzstoss einrutschte, worauf der Stoss als ein gewaltiger Ruck empfunden wurde. Richtung SSW.—NNO. Der Stoss währte beidemale nur eine Sekunde, das Zittern und Schüttern etwa 8 Sekunden. Zwei Thüren sprangen auf, beide waren in der Richtung von W.—O. Das Erdbeben am 14. war besonders heftig, die Schafe im Pferche seien aufgesprungen.

19) Das Bürgermeisteramt N e u f r a bei Gammertingen: Zeiten: 8. (?) Okt. nachts 15 Minuten nach 12 Uhr und 14. Okt. nachts 30 Minuten vor 3 Uhr. Die Uhr in Neufra geht 16 Minuten später als die Berliner Uhr. Die Leute erwachten von der Erschütterung in den unteren und oberen Stockwerken. Die Wahrnehmung war in den Gebäuden auf Felsengrund und in denen auf Tuffsandboden gleichmässig. Es wurde jedesmal nur ein Stoss verspürt, beginnend mit wellenförmiger Bewegung und schliesslich einem Kanonenschuss zu vergleichen. Die Stösse können über eine Minute gedauert haben. Richtung W.—O. Klirren von Fenstern, Bewegung leicht hängender Sachen und von Holzstössen. Erschütterung und Knall waren gleichzeitig, dem Knall ging das Rollen voraus.

20) Das Vogtamt B u r l a d i n g e n: Zeiten: 6./7. Okt. $2^h 25^m$ (?) vormittags und 13./14. Okt. $2\frac{1}{2}$ Uhr vormittags oder sogar $2^h 27^m$, die Uhr geht mit der Postuhr und Eisenbahnuhr zu Hechingen. Im Rathause im III. Stockwerke wurde der Beobachter vom Schlafe erweckt, die Bettstatt wurde erschüttert und die Fenster klirrten. Im I. Stock fiel ein Hirschgeweih von der Wand, der in gesundem Holze steckende Nagel löste sich, indem der obere Teil des Geweihes schwerer war als der untere; 0,13 qm des Wandverputzes fielen ab. Das Haus steht auf Schuttboden, darunter Kiesboden. Am 7. wurden schnell aufeinander zwei Stösse verspürt und ein dritter kam 1 Minute später, am 14. wurden bloss zwei Stösse schnell aufeinander verspürt, so dass ein Zwischenraum kaum anzugeben ist. Richtung SO.—NW. Kein Knall und kein anhaltendes Rollen, sondern eine Erschütterung, welche die Fenster klirren machte.

21) Frau Professor Eimer in T ü b i n g e n: Zeit: 13./14. Okt. nachts gleich nach $2\frac{1}{2}$ Uhr. Die Beobachtung wurde im I. Stock eines Hauses der Neckarhalde gemacht. Ein Geräusch, als ob ein Möbel im darüberliegenden Stockwerk umgeworfen würde, war unmittelbar von dem Stosse gefolgt, der nur einen Augenblick währte. Richtung von unten nach oben.

22) Herr Pfarrer Nagel von H u n d e r s i n g e n, OA. Ehingen,

schreibt, dass das Erdbeben vom 6./7. Okt. auch dort in einem Hause beobachtet wurde. Um Mitternacht habe man ein starkes Geräusch wahrgenommen, wie wenn im Hause eine Kommode umgefallen wäre.

23) Herr Lehrer HIEBER in Pfronstetten: Der Bericht verspätete sich bis 3. Dez. wegen Abwesenheit des Berichterstatters. Zeit 14. Okt. zwischen $\frac{1}{2}$ und $\frac{3}{4}$1 Uhr morgens (?). Zwei Stösse mit 1 Minute Zwischenpause. Wellenförmiges Zittern und Rollen wie bei übereinanderfallenden Steinen. Richtung S.—N. In einigen Häusern wurden Kästen von der Stelle gerückt in der angegebenen Richtung, in einem fiel die Wanduhr zu Boden. Als Geräusch wurde ein kurz anhaltendes Rollen verspürt.

Teils durch Hindernisse verspätet, teils auf nachträgliche Anfragen erfolgten noch Berichte aus:

24) Ebingen von Herrn Stadtpfleger MAAG, welcher als Richtung O.—W. angibt.

25) Mössingen von Herrn Pfarrer HOCHSTETTER: Zeit: wahrscheinlich 14. Okt. zwischen 2 und 3 Uhr, Richtung W.—O.

26) Thalheim von Herrn Pfarrer LUPPOLD: Zeit: 13./14. Okt. zwischen 1 und 2 Uhr (?). Einer rollenden Erschütterung, von welcher die Lagerstätten ergriffen wurden, folgte ein starker Stoss, durch welchen ein Milchfläschchen in heftiges Schwanken geriet. Die Erschütterung währte etwa 5 Sekunden.

27) Melchingen (Hohenzollern) vom Bürgermeisteramt: Das Erdbeben vom 7. Okt. war unbedeutend, das vom 14. dagegen stark verspürt, nachts $\frac{1}{2}$3 Uhr. Es war derart, dass die Leute vom Schlaf erwachten an der Erschütterung.

28) Salmendingen (Hohenzollern) vom Bürgermeisteramt: Bericht mit dem vorigen übereinstimmend.

29) Undingen von Herrn Lehrer BLEHER: Das Erdbeben vom 7. wurde nicht, dagegen das vom 14. Okt. verspürt.

30) Bodelshausen von Herrn Pfarrer FABER (der Berichterstatter war zur Zeit des Erdbebens noch nicht daselbst): Bestätigender Bericht, ob für 7. oder 14. Okt. zweifelhaft.

Nicht minder wichtig als diese positiven Meldungen sind die der Erdbeben-Kommission eingesandten negativen Berichte in betreff der Erdbeben vom 7. und 14. Okt. Solche sind eingelaufen: Von Herrn Dr. PALME in Gönningen für die dortige Gegend, von Herrn Pfarrer GUSSMANN für Eningen, von Herrn Dr. SCHMID · in Seeburg für das Urachthal, von Herrn Professor KRIMMEL für Reutlingen, von Herrn Dr. Levi für Buttenhausen, von Herrn Dekan Dr. Baur für Münsingen, von Herrn Pfarrer Scheiffele für Kohlstetten, von Herrn Waldschütz Bauder in Gächingen, von Herrn Pfarrer Dierlamm in Genkingen, vom k. w. Betriebsbauamt in Sigmaringen und von den Bürgermeisterämtern in Veringenstadt und in Hettingen.

26. Okt. 5 Minuten nach ½8 Uhr abends wurde in Hechingen wieder ein Erdstoss verspürt (Neues Tagblatt No. 254). Herr Redakteur Egler in Hechingen berichtet der Erdbeben-Kommission hierüber, dass es ein einfacher Stoss war, der sein aus Fachwerk am Bergabhange erbautes Wohnhaus erschütterte, dass die Möbel zitterten. In beiden Stockwerken dieses und noch in einem zweiten Hause in Hechingen wurde der Stoss beobachtet.

Eine wohl nicht auf Erdbeben zu deutende Nachricht brachte die Deutsche Reichspost vom 22. Okt., No. 247. Es sei am 19. früh 5 Uhr in Aulendorf deutlich ein Erdschwanken beobachtet worden, das etwa 5 Minuten währte.

Auf gemachte Anfragen erhielt die Erdbeben-Kommission verneinende Berichte von Baron von König-Warthausen für Warthausen, von dem Herrn Stationsvorstand in Altshausen und der k. Betriebsinspektion in Aulendorf. Letzterer Bericht fügte bei: Um jene Zeit erstmals ging 5 Uhr morgens ein ausserordentlicher Güterzug hier ab. Es bringt das Fahren eines solchen eine erdbebenartige Erschütterung auf dem Moorboden hervor, woher vielleicht das Missverständnis kam, dass ein Erdbeben stattgefunden habe.

Für die Erschütterungen der Alb am 7. und 14. Okt. hat Herr Inspektor Regelmann die unserem Jahresheft beigegebene Übersichtskarte entworfen.

Wenn auch, wenigstens für das Erdbeben vom 7. Okt., ein Zusammenhang mit anderweitigen Erderschütterungen (Zürich, Schaffhausen) wahrscheinlich ist, wenn es sich vielleicht empfohlen hätte, mit einer Beurteilung unserer Beben zu warten, bis die Erhebungen der Schweizer Erdbeben-Kommission veröffentlicht sein werden, so zeigt sich anderseits ein so ausgesprochener lokaler Charakter und eine so innige Beziehung der beiden Erschütterungen zu einander, dass eine Besprechung auf Grund des württembergisch-hohenzollernschen Beobachtungsmaterials nicht übereilt sein dürfte. Etwa sich bestätigenden gleichzeitigen Erschütterungen an anderen Orten dürfte nur die Bedeutung der Auslösung für unsere Beben zukommen.

Für die Zeitbestimmung war beidemal die Nachtstunde ungünstig und es schien zunächst zweifelhaft, ob aus den wenigen

Zeitbestimmungen, welche auf eine 5 Minuten nicht überschreitende Fehlergrenze Anspruch zu haben schienen, ein Resultat abgeleitet werden könnte, welchem auch nur einige Wahrscheinlichkeit zukäme. Der Versuch, das Epicentrum festzustellen, fiel indessen nicht ganz ungünstig aus, insofern für beide Beben die Zeitangaben auf dieselben Punkte führen, auf welche auch die Vergleichung der Intensitäten hinweist und insofern in beiden Fällen gleiche, freilich auffallend kleine Beträge der Fortpflanzungsgeschwindigkeit sich ergeben. Die niederste Zeitangabe für den 7. Okt. hat Kleinengstingen mit 12^h 10^m, und trotz der verdächtigen Abrundung dürfte die amtliche Eigenschaft des Berichterstatters, der die Telegraphenzeit im Hause hat, dieser Zeitangabe einen besonderen Wert verleihen. Vergleichen wir die Zeitdifferenzen und Entfernungen anderer Orte damit, so ergeben Oberstetten mit 6,3 km Entfernung und 8—9 Minuten Zeitdifferenz, Unterhausen mit 6 km und 10 Minuten, Lichtenstein mit 4 km und 5 Minuten, Mägerkingen mit 12 km und 10 Minuten, Offenhausen mit 6 km und 5 Minuten, Stetten u. H. mit 10,5 km und 5 Minuten, Neufra mit 17 km und 5 Minuten (indem wir die Angaben mit $12\frac{1}{2}$ Uhr, als zu stark abgerundet, ausser Berechnung lassen), eine durchschnittliche Fortpflanzungsgeschwindigkeit von $(6,3 : 8,5 + 6 : 10 + 4 : 5 + 12 : 10 + 6 : 5 + 10,5 : 5 + 17 : 5) : 7$ = 1,4 km, oder mit Verzicht auf das stark vom Mittel abweichende Neufra eine Geschwindigkeit von 1,1 km in der Minute oder rund 20 m in der Sekunde. Um den Einfluss zu prüfen, welchen ein Fehler in der Zeit von Kleinengstingen auf die Berechnung haben müsste, versuchen wir es mit ungefähr 12^h 15^m statt 12^h 10^m für Kleinengstingen. Dann sind Lichtenstein, Offenhausen und Stetten u. H. gleichberechtigt mit Kleinengstingen, der Mittelpunkt der 4 Orte fällt dann mehr nach Grossengstingen, von welchem das sonst wohl am besten bestimmte Oberstetten um 7 km entfernt ist, Mägerkingen um 11,5 km. Wir würden unter Annahme von 12^h 15^m für das Epicentrum aus den Zeitdifferenzen dieser beiden Orte Geschwindigkeiten von 2 und von 2,3 km berechnen, zwar den doppelten Betrag der vorigen, aber für denjenigen, welchem der kleine Wert von nur 20 m pro Sekunde anstössig ist, ist es auch ein Wert von 40 m. Für das Beben vom 14. Okt. kommen als niederste Zeitangaben in Betracht: Mägerkingen mit 2^h 20^m (anscheinend abgerundet), Stetten u. H. mit 2^h 25^m (wahrscheinlich wegen vorgehender Uhr ein paar Minuten weniger), Burladingen mit 2^h 27—30^m und Hechingen mit 2^h 28^m. Diese Zahlen deuten auf die Linie Stetten u. H. bis Mägerkingen als Ort des Epicentrums, während die ausgesprochene grösste Intensität auf Stetten u. H. deutet. Nehmen wir Stetten als Mittelpunkt und 2^h 21^m als Zeit für Stetten, so erhalten wir mit Oberstetten, das 2^h 30^m (genau) angibt und 10 km Entfernung hat, eine Fortpflanzungsgeschwindigkeit von 1,1 km, so dass Mägerkingen in 6 km Entfernung von Stetten einen Zeitfehler von 5 Minuten haben müsste. Der Durchschnitt der aus den übrigen Zeitangaben berechneten Geschwindigkeiten (Burladingen 7 km und 6—9 Minuten, Hechingen 16 km und 7 Minuten, Kleinengstingen 10,5 km und 9 Minuten, Wilsingen 12 km und 9 Minuten, Grossengstingen 10 km und 9 Minuten, Ringingen 6 km und 9 Minuten, Unterhausen 12 km und 9 Minuten, Honau 11 km und 14 Minuten) ergibt fast denselben Wert wie vorhin, nämlich 1,2 km, dabei bleibt nur Lichtenstein mit einer um 10 Minuten grösseren Zeitangabe, als das benachbarte Honau gibt, ausser Berücksichtigung. Für Tübingen mit der Zeitangabe: „nach 2^h 30^{m}" und mit 22 km Entfernung ergibt sich eine Geschwindigkeit kleiner als 2,4 km und für Grafeneck (Zeit 2^h 30^m—3^h, Entfernung 20 km) eine solche, die kleiner ist als 2,2 km, um wieviel kleiner, lässt sich aus den beiden Zeitangaben nicht folgern.

Das sind höchst interessante Resultate; so befremdlich es erscheinen mag, dass unsere harten Jurakalke für Erdbebenwellen so langsam leitend sein sollen, so stehen sie mit dem vom Verfasser dieses schon im Jahrgang 1888 unserer Jahreshefte aus theoretischen Überlegungen abgeleiteten Gesetze im vollen Einklang: Je höher der Herd, je lokaler das Erdbeben, um so kleiner die oberfläche Fortpflanzungsgeschwindigkeit. Und auch das andere Gesetz kann man bei Vergleichung der Zeitangaben und Entfernungen bestätigt finden, dass nämlich die Geschwindigkeit mit der Entfernung vom Epicentrum zunimmt, so wie es die Gesetze der Refraktion für ein Erdbeben mit fast oberflächlichem Herde verlangen.

Für Vorstellungen freilich, welche davon ausgehen, dass die Erdbebenwellen longitudinale Elasticitätswellen sein müssen in der Tiefe, wie an der Oberfläche, lässt sich eine Fortpflanzungsgeschwindigkeit in härten Kalkschichten von nur 20—40 m mit der Theorie der Elasticität nimmermehr vereinigen. In meiner Abhandlung im Jahrgang 1888 dieser Jahreshefte habe ich Seite 251 schon einen Gedanken angedeutet, auf welchen ich hier zurückkomme. Jedermann weiss, dass das Wasser ausser den Lichtwellen noch zweierlei Wellenbewegungen fortpflanzt, nämlich oberflächlich, aber nicht bis zu grosser Tiefe, die eigentlichen Wasserwellen mit 10—30 m

Geschwindigkeit, und (wahrscheinlich an der Oberfläche schlecht) Schall-
wellen mit 1400 m Geschwindigkeit, erstere können wir Gravitations-
wellen, letztere Elasticitätswellen nennen. Auch feste Körper und
sogar solche, die keiner Elasticitätsschwingungen fähig sind, Bleche,
Bretter, Tücher u. s. w. sind fähig, Wellen ersterer Art fortzupflanzen, bei welchen weniger die Druckfestigkeit, als die Verbiegungs-
festigkeit die Fortpflanzungsgeschwindigkeit bestimmt. Sollten nicht
die Erdbebenschwingungen in der Tiefe unter sehr hohem Druck
reine Elasticitätsschwingungen sein, in der Höhe aber mehr und mehr
sich in Gravitationsschwingungen umwandeln? Es sind Fälle bekannt,
wo die Erdoberfläche bei einem Erdbeben den Anblick eines wogen-
den Kornfeldes bot. Die Art der Erschütterung, wie sie z. B. in
Grossengstingen am 14. Okt. stattfand, hätte bei Tage und zur Zeit
der Kornreife denselben Anblick gewähren können.

Einer änderen Art von Beobachtungen als den Zeitbestimmun-
gen waren die nächtlichen Stunden günstiger, nämlich der Unter-
scheidung des verschiedenen Charakters und der Richtung der Stösse.
Im Zustande der Ruhe, bei horizontaler Lage, dürfte der menschliche
Körper viel besser im stande sein, Art, Stärke und Richtung von
Stössen zu unterscheiden, als in aufrechter Stellung und im Zustande
der Thätigkeit. Wie charakteristisch ist in den Schilderungen von
Grossengstingen und Lichtenstein der Unterschied zwischen den
Wahrnehmungen des Erdbebens vom 7. Okt. mit nahem Herd und
dessen vom 14. Okt. mit entfernterem Herd? Das erstere Beben
stärker, ein kurzer heftiger Stoss, das zweite hat sich, bis es in
Grossengstingen und Lichtenstein ankommt, durch Reflexionen und
Brechungen in einzelne Wellen zerteilt. Ähnlichen Unterschied fand
der Berichterstatter von Kleinengstingen, während das zweite Beben
vom 14. Okt. als das heftigere in Stetten u. H. empfunden wurde,
ebenso in Burladingen, wo ein Hirschgeweih von der Wand fiel und
wo das Beben vom 7. sich in drei Stösse zerteilt hatte, von denen
der eine eine ganze Minute (?) später kam, als die beiden anderen.
Von ganz besonderem wissenschaftlichem Werte aber sind die Beobachtungen über Stossrichtung. Unsere Karte spricht für sich selbst.
Nicht die Richtung, in welcher die Erschütterung sich fortpflanzt,
ist zugleich die Stossrichtung. Schon die Besprechung des ost-
schweizerischen und die des amerikanischen Erdbebens von Charleston
im vorigen Jahresheft hat es sehr wahrscheinlich gemacht, dass
Transversalschwingungen bei Erdbeben ebensogut sich fortpflanzen
können, als longitudinale; dass die Schwingungsrichtung durch die

Lagerungsverhältnisse vorgeschrieben ist. Das Studium des Charlestoner Erdbebens durch Kapitän DUTTON [1]; das der chilenischen Erdbeben, besonders des Erdbebens von Quillota [2] vom 23. Mai 1890, gelangt zum selben Ergebnis. Die chilenischen Erdbeben zeigen keine andere Schwingungsrichtung als entweder die des Fallens oder die des Streichens der Schichten des Gebirges. Unsere beiden Erdbeben der schwäbischen Alb geben durch die orographische Bearbeitung, welche Herr Inspektor REGELMANN im nachfolgenden gibt, einen sprechenden Beleg für dieselbe Erscheinung, welche nichts anderes ist als das, was wir in der Lehre vom Licht Doppelbrechung nennen. Solche Ergebnisse der Forschung müssen die alte MALLET'sche Theorie, nach welcher die Stossrichtung auf den Erdbebenherd hinweist, definitiv zu Falle bringen. Auch v. SEEBACH [3] hat zwar nach dieser MALLET'schen Theorie. noch eine Bestimmung der Herdtiefe versucht, aber er hat das grosse Verdienst, zuerst auf die Zeitbestimmungen als das wichtigste Moment für die Ermittelung der Herdtiefen hingewiesen und ein mathematisches Verfahren abgeleitet zu haben, um aus den Zeitdifferenzen und Entfernungen vom Epicentrum die Herdtiefe zu ermitteln. Wenn auch das Schema, welches seinem Verfahren zu Grunde liegt, noch zu einfach ist, um von der verschiedenen Oberflächengeschwindigkeit verschiedener Erdbeben genügende Rechenschaft zu geben, so liegt in seinem Verfahren doch der grosse Fortschritt der Befreiung von der Stossrichtung. Die Stossrichtung, welche nun nicht mehr als Strahlrichtung angesehen werden darf, als Normale der Erdbebenwelle, verliert ihre Bedeutung für die Ermittelung von Epicentrum und Centrum, sie gewinnt aber eine ungemein wichtige Bedeutung für die Erkennung der Lagerungsverhältnisse und der in den Schichten der Erdrinde wirksamen Druckkräfte. Auch die Bearbeitung des Charlestoner Erdbebens durch Kapitän DUTTON hat sich von der MALLET'schen Theorie befreit, weil diese nur den longitudinalen, nicht aber auch den transversalen Schwingungen gerecht werde. Darin liegt ein Fortschritt gegenüber der älteren Anschauung. Dagegen ist bei der genannten Bearbeitung des Charlestoner Erdbebens, die in eingehender Darstellung eine Menge interessanter Züge gibt, die Bekanntschaft mit der deutschen Wissenschaft sehr zu vermissen. SEEBACH's Arbeit und eine Methode,

---

[1] Ninth annual report of the U. S. Geological Survey by J. W. Powell, Washington 1889, p. 208 u. folg.

[2] Comptes rendus CX, No. 17.

[3] Seebach, Das mitteldeutsche Erdbeben vom 6. März 1872, Leipzig 1873.

um aus den Zeitangaben auf Epicentrum und Herdtiefe zu schliessen, scheint für den amerikanischen Forscher nicht zu existieren. Nach einem eigenen, auf die verschiedene Grösse der umstürzenden Kraft des Erdbebens begründeten Verfahren findet Dutton für das Charlestoner Erdbeben zwei ganz benachbarte Herde von etwa 13 und von etwa 19 km Tiefe, für welches wir im vorigen Jahresheft eine Herdtiefe von wahrscheinlich über 100 km abgeleitet haben. Um von diesem Verfahren und seinem Hauptfehler ganz in Kürze eine Vorstellung zu geben, sei ein Bild gestattet. Man denke sich einen Physiker vor einer schwach transparenten rauhen Wand stehend. Auf der anderen Seite der Wand befindet sich ein Licht in unbekannter Entfernung von der Wand. Um diese Entfernung zu messen, ohne sich auf die andere Seite der Wand zu begeben, prüft der Physiker sorgfältig messend die Stärke der Beleuchtung an verschiedenen Stellen der Wand. Er erkennt eine Stelle grösster Helligkeit, umgeben von stufenweise dunkler werdendem Gebiete. In einem gewissen Abstand vom Centrum ist nun die Abnahme der Lichtstärke am fühlbarsten und aus dem Radius dieses kritischen Gebietes des stärksten Abfalls berechnet nun der Gelehrte den Abstand der Lichtquelle von der Rückseite der Wand. Was würden wir aber von seinem Rechnungsergebnis denken, wenn derselbe in seiner Rechnung eine grosse Glaslinse ganz ausser acht liesse, von der er wissen sollte, dass sie sich zwischen Licht und Wand befindet? Und Dutton weiss es, dass mit grösster Wahrscheinlichkeit anzunehmen ist, dass mit der Tiefe die Fortpflanzungsgeschwindigkeit der Erdbebenwellen bedeutend zunehme [1]. Da er das annimmt, muss er auch weiter annehmen, dass die Erdbebenstrahlen gekrümmt sind, so dass die Erdbebenenergie vom Centrum aus sich nicht nach allen Richtungen gleich entladet, sondern weitaus am stärksten in der Richtung des kleinsten Druckwiderstandes, nach oben. Diese zweite Annahme ist eine notwendige Folge der ersten. Wir dürfen daher nicht zweifeln, dass Kapitän Dutton sich bereit finden wird, zuzugeben, dass seine Bestimmung der Herdtiefe zu klein ausgefallen ist. Derselbe Kontrast, der zwischen der Ausdehnung der Erschütterungsgebiete besteht (Charlestoner Beben 2 000 000, schwäbische Albbeben 800 qkm), und der zwischen der sekundlichen Fortpflanzungsgeschwindigkeit besteht (Charlestoner Beben 5000 m, schwäbische Albbeben 20 m), derselbe

---

[1] A. a. O. p. 389: „It is not to be expected that the superficial layers of the earth will transmit the waves with so high a speed as the deeper layers; for their elasticity must be very much less."

muss auch zwischen den Herdtiefen bestehen, und der letztere Kontrast muss die Ursache des zweiten und teilweise des ersten sein. Um zu entscheiden, ob die Herdtiefen unserer Albbeben über oder unter 100 m betragen, sind freilich unsere Zeitangaben nicht zureichend, sie müssten in grösserer Zahl eine Genauigkeit von 1 Sekunde haben.

In betreff der Ursache haben einige Berichterstatter aus der Art ihrer Wahrnehmungen schon den Schluss auf Höhleneinstürze angedeutet, eine gewiss nahe liegende Annahme. Man könnte aber auch an Schichtenberstung infolge von Gebirgsfaltung denken, ein Bruch zwischen Kleinengstingen und Lichtenstein könnte in derselben Bruchlinie einen solchen bei Stetten u. H. zur Folge gehabt haben. Der charakteristische Bericht aus Lichtenstein vom 7. Okt. könnte insbesondere die Vermutung nahe legen, dass der eine Herd nahe unter diesem Orte liege, denn für den heftigen Stoss wird als einzige Richtung die vertikale angegeben. Aber auch für den 14. Okt. kann die Richtung nicht angegeben werden und das hat wohl seinen Grund darin, dass ein Punkt am Rande des Plateaus, wo die Welle reflektiert wird, wie die Meereswoge bei der Brandung, zugleich der ankommenden und der zurückkehrenden Welle angehört. Die Bewegung kommt von unten, ihre kleinere horizontale Komponente hebt sich auf durch die Zurückwerfung, die Vertikale verstärkt sich. — Noch ist auf die begleitenden Geräusche aufmerksam zu machen. Die Berichte darüber sind sehr auseinandergehend. Sieht man ab von denjenigen, welche durch das Ächzen des Gebälks, Schwanken und Klirren der Geräte verursacht waren, so hatte das eigentliche Erdbebengeräusch meist den Charakter des Donnerrollens, 6—7 Sekunden anhaltend oder kürzer dauernd bis zum Eindruck eines plötzlichen Schusses. Bald ist es gleichzeitig, besonders das kurz dauernde Geräusch, bald vorausgehend, bald nachfolgend. Jede Erschütterung des Bodens pflanzt sich als Welle durch die Luft auch zu unserem Ohre fort und unser Ohr ist für viele Formen und Abstufungen dieser Wellen sehr empfänglich, für welche der übrige Körper unempfindlich ist. Bei der mannigfaltigen Teilung der Erdbebenwellen durch Zurückwerfung und Brechung kann es sich ereignen, dass auf dem kürzesten Wege vom Herd zum Beobachtungsort entgegenstehende Hindernisse nur eine geringe, nur dem Ohre wahrnehmbare Erschütterungsstärke durchlassen, während der Hauptstoss auf einem Umwege nachfolgt, es kann aber auch das Gegenteil eintreffen und so steht eine bunte Mannigfaltigkeit der Wahrnehmungen zu erwarten, besonders, wenn die Fortpflanzung durch die Luft von Thalwand zu Thalwand dazu kommt. Indem ich zum Schlusse den Herren Berichterstattern von der Alb noch einmal den Dank der Erdbeben-Kommission ausdrücke, habe ich noch einen Wunsch auf dem Herzen. Wenn es möglich wäre, in dem Gebiete der beiden Erdbeben ein künstliches Beben durch Dynamitentladung oder Felssprengung zu erzeugen und man in den umliegenden Orten zu gemeinsamer genauer Beobachtung mit der Uhr in der Hand gerüstet wäre, dann liesse sich ein sehr wichtiger Beitrag nicht nur für die Beurteilung unserer beiden Erdbeben, sondern ein wichtiger Beitrag zur allgemeinen Lösung der Erdbebenfrage gewinnen. Mein Wunsch ist, die Herren einmal zu solch gemeinsamem Unternehmen begrüssen zu dürfen.

Stuttgart, 15. März 1891.

Geognostische Betrachtung des Schüttergebietes.

Von C. Regelmann.

Die mittlere Alb, welche am 7. und 14. Oktober 1890 erschüttert wurde, zeigt im geognostischen Aufbau eigenartige Verhältnisse, welche den Verlauf der Erscheinung beeinflusst haben dürften.

Die landläufige Vorstellung vom Bau der schwäbischen Alb nimmt an, die Hochfläche senke sich von den felsgekrönten Gipfeln des nördlichen Steilrandes aus in gleichmässiger sanfter Abdachung zur Donau hinab. Allerdings ist das in einzelnen Teilen der Alb richtig, trifft aber in der mittleren Alb meist nicht zu. Ein Blick von den Höhen um Hülben, St. Johann oder Undingen südwärts, genügt, um zu erkennen, dass auf der Hochfläche noch eine Bergreihe aufsteigt. Bei näherer Betrachtung findet man als besonders schöne Gruppe eine Partie bei Dottingen heraus, bestehend aus Eisenrüttel (847 m), Buchhalde (870 m), Guckenberg (852 m) und Föhrenberg (857 m), und nur wenig rechts fesselt bei Gomadingen der kühn aufsteigende Sternenberg (844 m) den erstaunten Blick, welcher sich unwillkürlich von da aus noch weiter rechts bei Steinhülben der massigen Gruppe des „Augstberg" (847 m) zuwendet. Die genannten Berggruppen liegen fast genau auf einer geraden Linie, welche die Richtung N. 35° O. (hora 2⅔) einhält. Es sind Punkte, welche eine weitgedehnte überraschende

16*

Fernsicht bieten und deshalb bei der Landesvermessung als Triangulierungspunkte ersten Ranges dienten. Sie haben aber auch eine besondere Bedeutung im Gebirgsbau und ein Blick auf unsere Erdbebenkarte zeigt, dass sich um diese Linie herum das Maximum der beobachteten Erdstösse gruppiert; von hier nord- und südwärts nimmt die Intensität der Erscheinung rasch ab.

Die schwäbische Alb kann, trotz ihrem scheinbar so einfachen Bau, erst verstanden werden, wenn sie sorgfältig untersucht wird in ihren geotektonischen Elementen, wenn die einzelnen „Schollen" und „Platten" ins Auge gefasst werden, aus denen sie besteht. Diese Untersuchung hat, ausgerüstet mit zahlreichen Höhenbestimmungen in den verschiedenen geologischen Horizonten, das „Streichen" und „Fallen", sowie die „Mächtigkeit" der einzelnen Schichtgesteine festzustellen und auch auf die Thalbildung gebührende Rücksicht zu nehmen. Diese Untersuchung, deren Einzelheiten hier nicht gegeben werden (Näheres für einen Teil des vorliegenden Gebietes siehe: „Württ. Jahrbücher für Statistik und Landeskunde. Jahrg. 1877. V. S. 118 ff."), zeigt, dass das Streichen im Hangenden der Massenkalke des Weissen Jura hier sehr nahe die Richtung N. 35⁰ O. einhält, d. h. völlig übereinstimmt mit der oben hervorgehobenen Richtung Augstberg—Eisenrüttel. In enger Beziehung steht hiemit das Umbiegen der Donau bei Hundersingen und ihr Verlauf von da bis Rechtenstein. Bei der Einzeichnung der beobachteten Stossrichtungen für die beiden Erdbeben am 7. und 14. Okt. 1890 in unsere Karte fiel die Übereinstimmung zwischen der Richtung der Stösse und dem Streichen der Schichten ohne weiteres in das Auge. Die meisten Beobachter geben an: Richtung SW.—NO., d. h. N. 45⁰ O. (hora 3), mehrere aber (Stetten unter Hohlstein und Grafeneck): Richtung SSW.—NNO., d. h. N. 22⁰ 30' O. (hora 1⅜). Bemerkenswert ist ferner, dass am 7. Okt. gleichzeitig in Schaffhausen Erdstösse beobachtet wurden; Schaffhausen liegt aber genau auf der geraden Linie Augstberg—Eisenrüttel.

Durch die geotektonische Untersuchung ist ferner festgestellt worden, dass das Schichtgefälle den Albkörper in hiesiger Gegend in drei dem Streichen parallele Zonen scheidet: in eine nahezu horizontale nördliche Randzone, eine mit 0,98 % schwach gegen Süd geneigte Mittelzone und eine mit 2,41 % stark gegen Süd einfallende südliche Randzone. Letztere ist meist mit Tertiär bedeckt. Bei der Gebirgserhebung zur Miocänzeit hat also die Stabilität der Albplatte dem von Süden her wirkenden Druck nicht als

Einheit Stand halten können, sonst müssten die höchsten Erhebungen
am Nordrande liegen. Die nördliche Randzone brach ab und sank
teilweise wieder gegen Nord ein. Auf der Grenze zwischen
der nördlichen Zone und der Mittelzone liegt also seit
alten Zeiten ein Haupt-Gebirgsbruch — eine Firstlinie — hier brachen
mächtige Basaltmassen zu Tage und eben diese bilden im Eisenrüttel,
Sternberg und wohl auch unter dem Augstberg den festen Kern der
im Vorstehenden hervorgehobenen Linie Augstberg—Eisenrüttel. Die
Erdstösse am 7. und 14. Okt. 1890 sind also Bahnen gefolgt, welche
die gebirgsbildenden Kräfte schon in der mittleren Tertiärzeit eingehalten haben.

Eine geognostische Eigentümlichkeit des Schüttergebiets bilden
ferner die zahlreichen tiefen Querspalten, welche das Gebirge
200—300 m tief durchsetzen. Dieselben sind als alte Querbrüche
zu betrachten, entstanden bei der miocänen Hebung des Gebirges
und wie unsere Erdbebenkarte zeigt, heute noch von Bedeutung.
Die Echazspalte mit den vulkanischen Ausbruchstellen Gross- und
Klein-Engstingen einerseits und die hochbedeutsame Lauchert-
spalte andererseits sind unverkennbar von Einfluss gewesen auf den
Verlauf der Erdstösse am 7. und 14. Okt. 1890. Durch Auslösung der Spannungen in diesen Querrissen haben
die Stösse wohl eine grosse Gewalt, aber zugleich
auch ihr Ende erreicht. Am 7. Okt. $12^h 12^m$ morgens lag das
scheinbare Erdbebencentrum zwischen Lichtenstein und Gross- und
Klein-Engstingen, am 14. Okt. dagegen an der Lauchert in der Nähe
von Stetten unter Hohlstein.

Das Schüttergebiet gehört in der Hauptsache ganz den Felsen-
kalken des mittleren Weissen Jura an; am besten erklären sich
die Beobachtungen, wenn man annimmt, die dickbankigen Quader-
kalke des Delta haben den Hauptstoss erhalten und pariert. Da
diese sich bald unterhalb Neufra und Gammertingen tief unter das
Lauchertbett hinabsenken, so erklärt sich vielleicht ungezwungen,
warum am Unterlauf der Lauchert nichts verspürt wurde. Die plum-
pen Massenkalke (ε), an der Auchtert bei Genkingen nur wenige
Meter mächtig, schwellen gegen Süden gewaltig an; am Hochbuch
bei Mägerkingen erreichen sie schon 129 m Dicke. Überall, wo
dieser riesige Keil von Massenkalk eine grössere Dicke erreicht,
wurden die Erschütterungen nicht mehr verspürt.

Beiträge zur Kenntnis der Lichenenflora Württembergs und Hohenzollerns.

Von Professoratskandidat **X. Rieber** in Stuttgart.

Verfasser unternahm in den Sommerferien des vergangenen Jahres (1890) mit Unterstützung des Vereins für vaterländische Naturkunde in Württemberg eine 4wöchentliche Exkursion auf den oberen Heuberg, um für den Verein dort Flechten zu sammeln. Er besuchte hauptsächlich die Berge um Sigmaringen, um Ebingen und Balingen, um Schörzingen und Wehingen, also fast durchaus Lokalitäten, die dem weissen Jura angehören. Einige Tage botanisierte er jedoch auch im Muschelkalk bei Trillfingen (Haigerloch) und besuchte ausserdem noch den Hohentwiel. Von den gesammelten Flechten, die er an den Verein einsandte und die im Vereinsherbar konserviert werden, konnte er jedoch bis jetzt nur einen Teil bestimmen, da ihm seine Amtspflichten nur wenig Zeit übrig liessen. Herr Ritter v. Zwackh in Heidelberg hatte die Freundlichkeit, mehrere Bestimmungen zu revidieren, bezw. selbst vorzunehmen, wofür ihm der Verfasser an dieser Stelle seinen verbindlichsten Dank ausspricht.

Während dieser Exkursion hatte Verfasser die Ehre, in Herrn Pfarrer Sautermeister in Schörzingen einen eifrigen Lichenologen kennen zu lernen, der ihn mehrere Tage lang auf seinen Touren begleitete und ihm namentlich die schönen Fundplätze am Hochberg zeigte. Herr Pfarrer Sautermeister machte den Verfasser mit seinen Funden bekannt und stellte sie ihm zur Verfügung, wodurch das folgende Verzeichnis eine grosse Bereicherung erfuhr. Der noch unbestimmte Teil der gesammelten Flechten und weitere Beiträge sollen in ähnlicher Weise in den nächsten Jahresheften folgen. Es wäre sehr erwünscht, wenn für den schwäbischen Jura sich weitere Mitarbeiter finden würden.

In dem folgenden Verzeichnis bedeutet Rb. den Verfasser, Sm. Herrn Pfarrer Sautermeister.

USNEACEAE.

1. *Usnea barbata* Ach. v. *hirta* (L.) Fr.

An Weisstannen des Hundsrück bei Balingen, Heder bei Trillfingen Rb. Bei Hausen am Thann, Schörzingen, Obernheim; daselbst auch die Form *sorediifera* Arn. Sm.

v. *dasypoga* (Ach.) Fr.

Bei Schörzingen häufig mit Früchten Sm.

2. *Bryopogon jubatum* (L.) Link v. *prolixum* Ach.

An Tannen im Allmandwald bei Schörzingen; auch mit Apothecien Sm. An Kirschbäumen bei Streichen, an Weisstannen des Hundsrück Rb.

3. *Cornicularia aculeata* Schreb.

Auf kalkigem Heideboden des Schafbergs Rb.

4. *Alectoria sarmentosa* Ach.

An Tannen verbreitet im Allmandwald bei Schörzingen Sm. Rb.

5. *Evernia divaricata* (L.) Ach.

Zahlreich an Weisstannen im Allmandwald bei Schörzingen, von Pfarrer Sautermeister entdeckt, auch mit Apothecien.

6. *Evernia prunastri* (L.) Ach.

Überall zahlreich verbreitet, doch etwas seltener auf der Alb, als im Vorland. Mit Apothecien bei Trillfingen häufig, auf der Hardt bei Ebingen Rb. Schörzingen selten *fructif.* Sm.

7. *Evernia furfuracea* (L.) Ach.

Verbreitet. Mit Apothecien an Forchenrinde auf dem Gräblensberg, der Ebinger Hardt, im Eichwald bei Trillfingen Rb. Schörzingen nicht selten mit Apothecien Sm.

8. *Ramalina calycaris* (L.) Ach.

An Ahornen auf den Lochen Rb., an Tannen bei Schörzingen im Allmandwald Sm.

9. *Ramalina fraxinea* f. *ampliata* Ach.

Auf den Lochen an *Sorbus* und Ahornen. An Ahornrinde bei Winterlingen Rb. Schörzingen Sm.

f. *fastigiata* Pers.

An Ahornen mehrfach auf den Lochen Rb. Schörzingen Sm.

10. *Ramalina farinacea* (L.) Fr.

An Weisstannen auf den Lochen Rb. Schörzingen in Wäldern Sm. Immer steril.

11. *Ramalina pollinaria* Ach.

Überall häufig bei Schörzingen; mit Apothecien an alten Tannen Sm.

CLADONIACEAE.

12. *Stereocaulon tomentosum* (Fr.) Th. Fr.

Schörzingen am Fuss des Plattenbergs und bei Wellmendingen Sm.

13. *Cladonia rangiferina* L.

Auf Kalkboden am Hirschberg bei Balingen Rb. Eine niedrige, dunkle Form am Hochberg, hintere Geröllhalde Sm. Rb.

14. *Cladonia sylvatica* Hoffm.

Eine dürftige Form dieser Flechte kommt vielfach auf den Hochwiesen der Alb vor, z. B. Schafberg, Hörnle und Gräblensberg Rb. Eine an f. *alpestris* (L.) Schaer. grenzende Form am Hochberg Sm. Rb.

15. *Cladonia uncialis* (L.) Fr.

Sehr selten bei Schörzingen Sm.

16. *Cladonia alcicornis* (Leight.) Flk.

Schörzingen im Wilflinger Wäldchen Sm.

17. *Cladonia gracilis* (L.) Coem.

Plettenberg, Hochberg, Wellendingen auf Keuper Sm.

18. *Cladonia verticillata* Flk.

Schörzingen Sm.

19. *Cladonia glauca* (Flk.) Nyl.

Trillfingen auf Sandboden der Heder Rb.

20. *Cladonia degenerans* Flk. f. *euphorea* Ach.

Hochberg, hintere Geröllhalde Rb.

21. *Cladonia cariosa* (Ach.) Spr.

Schörzingen, auch die v. *leptophylla* beim Sonthof Sm.

22. *Cladonia pyxidata* L.

Verbreitet auf der Höhe der Berge über Kalkfelsen, die sie ganz überzieht, z. B. Ebingen am Äuchten und „Spitz" bei Sigmaringen Rb. Am Hochberg, hintere Geröllhalde Sm.

f. *neglecta.*

Ebingen am Äuchten Rb.

23. *Cladonia coccifera* Hoffm.

Schörzingen und Wellendingen Sm.

24. *Cladonia deformis* Hoffm.

·Trillfingen im Eichwald Rb.˙ Schörzingen, Plettenberg und Hochberg, Wellendingen Sm.

25. *Cladonia digitata* (Ehrh.) Hoffm.

Auf Kalkboden an der hinteren Geröllhalde des Hochbergs Sm. Rb. Bei Wellendingen Sm.

26.. *Cladonia macilenta* Hoffm.

Auf Sandboden der Heder bei Trillfingen Rb. Schörzingen Sm.

27. *Cladonia uncinata* Hoffm.

Häufig auf den Bergen und in der Ebene bei Schörzingen Sm.

28. *Cladonia squamosa* Hoffm.

Auf Kalkboden am Hirschberg Rb. Am Hochberg, hintere Geröllhalde Sm.

29. *Cladonia delicata* (Ehrh.) Flk.

Auf dem Plettenberg an einem buchenen Stumpfen Sm.

30. *Cladonia furcata* (Huds.) Fr. v. *crispata* (Ach.) Flk.

Auf Kalkboden am Hochberg, hintere Geröllhalde Sm. Rb.˙

f. *racemosa* Wahlb.

Auf Kalkboden mehrfach im Lochenwald, am Hundsrück Rb.

f. *regalis* Fw.

Hochberg, hintere Geröllhalde Rb. Sm.

PARMELIACEAE.

31. *Cetraria islandica* L.

Sehr zahlreich überall auf den Höhen der Berge verbreitet auf kalkigem Heideboden. Äuchten bei Ebingen, Lochen und Schafberg. Hörnle und Gräblensberg, Ruine Graneck Rb. Oberhohenberg, Ortenberg, Plettenberg, westlich Hochberg Sm.

32. *Cetraria glauca* (L.) Ach.

Auf Forchenrinde der Ebinger Hardt Rb. Obernheim mit Apothecien, Plettenberg, Witthau, Aspen bei Schörzingen Sm.

33. *Cetraria pinastri* (Scop.) Ach.

An Forchenrinde auf dem Gräblensberg, auf der Ebinger Hardt an mehreren Stellen, bei der Ruine Graneck Rb. Deilingen an Kiefern Sm.

34. *Cetraria aleurites* (ACH.). TH. FR.

An einer Pappel bei Trillfingen RB. Schörzingen an Kiefern auf dem Dirnenwasen SM.

35. *Parmelia perlata* (L.) ACH.

Nicht häufig. An Eichen bei Balingen RB.

f. *ciliata* (DC.).

An Weisstannen im Eckwald bei Schörzingen SM. und am Hundsrück RB.

f. *sorediata* (SCHAER.).

Buchenwald und Sonthofer Wald bei Schörzingen SM.

36. *Parmelia tiliacea* (HOFFM.) FR.

An Kirschbäumen bei Margarethenhausen, bei Waldstetten, an Buchen auf der Höhe der Lochen, und des Katzenbuckels bei Ebingen, an Linden bei Hechingen, an Vogelbeerbäumen *(Sorbus)* der Ebinger Hardt, an Birnbäumen bei Balingen RB.; auch die Form *scortea* ACH. Eine sehr hübsche Form auf dem Sandsteine des Kirchhofs in Trillfingen. Überall reich fruktifizierend. Schörzingen an Eichen, Buchen, Obstbäumen, auf Lattenzäunen, auf Ziegelplatten, auch *scortea* ACH. SM.

37. *Parmelia Borreri* TURN.

Auf dem Heuberg ziemlich selten. An Forchenrinde auf den Lochen RB. Trillfingen an Forchen am Hörnle und an Obstbäumen RB. Schörzingen auf Rottannen, auf Erlen am Sonthof, im ganzen selten; hier auch die Form *marginata* STEIN. SM.

38. *Parmelia saxatilis* (L.) FR.

Häufig. An Linden und Ahornen bei Intzigkofen, an Zwetschenbäumen bei Trillfingen RB.

39. *Parmelia physodes* (L.) ACH.

Reich fruktifizierend auf dem Gräblensberg an Forchenrinde, auf den Lochen an Tannenrinde RB.; ebenso im Allmandwald bei Schörzingen SM.

40. *Parmelia physodes* (L.) ACH. v. *vittata* ACH.

Auf Forchenrinde auf der Höhe des Gräblensberges RB.

41. *Parmelia Acetabulum* (NECK.) DUB.

Trillfingen an Birnbäumen, Hechingen an Linden gegen den Lindich, sehr schön fruktifizierend, Balingen an Kirschbäumen, an einer Buche auf der Höhe der Lochen RB. Schörzingen an Eichen,

Eschen, Weiden, Kirschbäumen, an Tannen, Fichten und Lärchen; auf einem Grabstein des Gottesackers, nicht selten fruchtend Sm.

42. *Parmelia olivacea* (L.) Ach.

Häufig. An Eschen auf dem Katzenbuckel bei Ebingen, Sigmaringen und Lochen an Ahornen, an Obstbäumen und Zäunen überall mit Apothecien Rb. Schörzingen an Laubbäumen, auch an Tannen, Fichten, Föhren und Lärchen; häufig fruktifizierend Sm.

v. *laetevirens* Fw.

An Weisstannen der „Heder" bei Trillfingen, am Hundsrück bei Balingen Rb. Im Allmandwald bei Schörzingen Sm.

43. *Parmelia aspidota* Ach.

An Ahornrinde auf den Lochen und auf der Ebinger Hardt, an Kirschbäumen bei Margarethenhausen Rb.

44. *Parmelia caperata* (L.) Ach.

An Lindenbäumen bei Intzigkofen, an Obstbäumen und Rottannen bei Trillfingen; mit Apothecien bei Trillfingen an Obstbäumen Rb. Schörzingen an Laub- und Nadelholzbäumen, immer steril Sm.

45. *Parmelia diffusa* Kbr.

An Forchenrinde auf dem Schafberg, bei der Ruine Graneck Rb. Schörzingen und Deilingen an Kiefern Sm.

46. *Menegazzia pertusa* (Schrank) Mass.

An Rottannen im Trillfinger Eichwald, steril Rb. Hausen am Thann, Schörzingen, Wellendingen an Tannen nicht selten, auch mit Apothecien Sm.

47. *Anaptychia ciliaris* (L.) Kbr.

Sehr häufig auf dem Heuberg, besonders an Schlehenhecken, die sie ganz überzieht. Trillfingen selten an Zwetschenbäumen. Bei Winterlingen an Ahornen mit zahlreichen blasigen Anschwellungen; mit sprossenden Apothecien auf den Lochen Rb. Schörzingen gemein Sm.

48. *Parmelia pulverulenta* (Schreb.) Nyl.

In verschiedenen Formen an Lindenbäumen bei Intzigkofen, an Ahornen bei Sigmaringen und an Kirschbäumen bei Waldstetten, an Obstbäumen bei Margarethenhausen, an Buchen auf dem Schafberg, an Ahornen beim Nollhaus (Sigmaringen) Rb.

49. *Parmelia stellaris* (L.) NYL. f. *aipolia* FR.

Häufig. An Zwetschenbäumen bei Trillfingen, an Buchen des Katzenbuckels bei Ebingen RB.

v. *tenella* SCOP.

An Ahornen bei Sigmaringen und Winterlingen, an verschiedenen Obstbäumen bei Trillfingen, auf Grabsteinen bei Wehingen und Trillfingen RB. Auf der Flechte sitzt oft der Pilz *Illosporium roseum* FR.

50. *Parmelia caesia* (HOFFM.) NYL.

Auf Grabsteinen in Trillfingen und Wehingen, am Äuchten bei Ebingen auf Jurakalk, auf Sandstein bei Balingen gegen Heselwangen RB. Bei Hausen am Thann, Deilingen auf Jurakalk, Schörzingen auf Marksteinen und Holz, am Ortenberg auch auf Moose übergehend SM.

51. *Parmelia obscura* (EHRH.) NYL.

Verbreitet an Ahornen und Eschen, auch Obstbäumen, z. B. Sigmaringen, Winterlingen, Trillfingen RB. Hausen am Thann, Deilingen, Schörzingen auf Kalkgestein, überall an Bäumen SM.

f. *ulothrix* ACH.

An Ahornen beim Nollhaus bei Sigmaringen RB.

52. *Xanthoria parietina* (L.) TH. FR.

Überall verbreitet, sowohl an Feld- als Waldbäumen; an Buchen auf der Höhe der Lochen, des Schafbergs und Gräblensbergs hatte der Thallus eine mehr grüngelbe Farbe RB.

53. *Xanthoria lychnea* (ACH.) TH. FR.

An Apfelbäumen bei Trillfingen RB.

54. *Xanthoria polycarpa* (EHRH.) TH. FR.

Schörzinger Wald beim Sonthof auf *Larix* und *Crataegus* SM.

55. *Tornabenia chrysophthalma* (L.) MASS.

Schörzingen auf einem Zwetschenbaum des Wochenbergs SM. Diese schöne Flechte scheint in Württemberg nicht gerade selten zu sein. In Kochendorf fand sie Dr. STEUDEL, E. KOLB in Stuttgart auf der Feuerbacher Heide, KARRER bei Maulbronn und Verfasser selbst in Menge bei Schornbach im Remsthale.

56. *Candelaria vulgaris* MASS.

Trillfingen an Obstbäumen nicht selten RB. Schörzingen an Obstbäumen, Fichten, Eichen; an Apfel- und Zwetschenbäumen fruchtend SM.

57. *Sticta scrobiculata* Ach.

Am Rappenstein, Hausen am Thann, Obernheim Sm.

58. *Sticta pulmonacea* Ach.

An Tannen im Allmandwald bei Schörzingen Sm. Rb. Rathshausen und Schörzingen mit Apothecien selten Sm.

59. *Stictina sylvatica* (L.) Nyl.

Bei Hausen am Thann, auch mit Apothecien Sm.

PELTIDEACEAE.

60. *Peltigera venosa* Ach.

Trillfingen, Weildorfer Halde Rb. Rathshausen an einem Wald-
weg Sm.

61. *Peltigera horizontalis* Ach.

Bei Schörzingen hier und da Sm.

62. *Peltigera polydactyla* Hoffm.

Auf Thonboden am Hirschberg und am Hundsrück bei Balingen
Rb. Bei Schörzingen häufig Sm.

63. *Peltigera pusilla* Dill.

Auf Phonolith am Hohentwiel, Nordseite Rb.

64. *Peltigera canina* (L.) Schaer.

Auf Kalkboden an den Lochen, am Ortenberg, in den Anlagen
bei Intzigkofen und am Hohentwiel Rb.

65. *Peltigera rufescens* Hoffm.

Auf Kalkboden im Lochenwald und bei Ehestetten. Am Äuchten
bei Ebingen Rb.

66. *Peltigera aphthosa* (L.) Hoffm.

Im Lochenwald Rb. Hausen am Thann, Rathshausen, Schörzingen Sm.

67. *Nephroma tomentosum* (Hoffm.) Nyl.

An Nadelholz bei Hausen am Thann, bei Feckenhaussen und
Harthaus (Rottweil) Sm. Trillfingen im Thalteich Rb.

68. *Solorina saccata* (Schaer.) Kbr.

Nicht selten, scheint im ganzen Jura verbreitet. An der „Spitz"
bei Sigmaringen, an den Felsen bei Strassberg, und in grosser Menge
am Äuchten bei Ebingen Rb. Wurde von mir auch am Rossberg,

bei Eybach und am Neuffen (schon von KURR) gefunden; Plettenberg,
Oberhohenberg SM.

69. *Heppia virescens* (DESPR.) NYL.

Auf Löss am „Hörnle" bei Trillfingen RB.

ENDOCARPEAE.

70. *Endocarpum miniatum* (L.) ACH. f. *vulgare* KBR.

Häufig. An Kalkfelsen der „Spitz" bei Sigmaringen, an dem
Schlossfelsen bei Ebingen, an den Lochen RB. Auf Muschelkalk bei
Trillfingen RB. Schörzingen, häufig SM.

f. *complicatum* ACH.

An Felsen bei Strassberg RB. Oberhohenberg und Plettenberg SM.

71. *Endopyrenium rufescens* (ACH.) KBR.

Auf Löss an den Jurafelsen zwischen Kaiseringen und Strassberg RB. Hausen am Thann an Jurafelsen häufig SM.

72. *Endopyrenium Michelii* (MASS.) KBR.

Schörzingen auf schlechten Wiesen SM.

73. *Endopyrenium monstruosum* ACH.

Zahlreich an Felsen der „Spitz" bei Sigmaringen RB.

74. *Lenormandia Jungermanniae* DEL.

Trillfingen an Weisstannen und Rottannen der Heder RB. Schörzingen an Weisstannen und Fichten, an Eichen und Buchen SM.

PANNARIEAE.

75. *Pannaria microphylla* (SW.) MASS.

Auf Phonolith an der Nordseite des Hohentwiel RB.

76. *Pannaria brunnea* (SW.) MASS.

Auf Moosen am Hochberg, hintere Geröllhalde; Hausen am
Thann gegen Obernheim SM.

77. *Pannaria rubiginosa* KBR.

Schörzingen an einer Buche des Hochberges SM.

LECANOREAE.

78. *Physcia elegans* LINK.

Auf Phonolith am Hohentwiel, auf Ziegelsteinen der Wehinger
Kirchhofmauer, an Grabsteinen in Trillfingen RB. Hausen am Thann,
Rathshausen, Deilingen, Schörzingen nicht selten SM.

79. *Physcia aurantia* PERS.

Auf Weissjurafelsen im Bittelschiesser Thälchen; Sigmaringen an der „Spitz“, Ebinger Schlossfelsen RB.

80. *Physcia murorum* HOFFM.

Trillfingen auf Ziegeldächern, an Kalkfelsen der Lochen, bei Sigmaringen verbreitet RB.

81. *Physcia murorum* (HOFF.) NYL. (v. *tegularis* (EHRH.) NYL. und *pusilla* MASS.)

Kalksteine der Ruine Graneck, Felsen der Lochen, auf Phonolith am Hohentwiel RB. Wenzelstein bei Hausen am Thann SM.

82. *Physcia decipiens* ARN.

Auf Sandstein am Wehinger Kirchhof, ebenso am Kirchhof von Trillfingen RB.

83. *Physcia cirrochroa* (ACH.) KBR.

Auf Phonolith am Hohentwiel; an Weissjurafelsen am Brenzkoferberg bei Sigmaringen, Ebinger Schlossberg, an den Lochen, auf Muschelkalk bei Trillfingen RB. Am Wenzelstein bei Hausen am Thann SM.

84. *Gyalolechia epixantha* ACH.

Auf Liassandstein am Wochenberg bei Schörzingen SM. RB.

85. *Gyalolechia ochracea* ACH.

Auf Weissjura am Schlossberg bei Ebingen, am Brenzkoferberg bei Sigmaringen RB.

86. *Placodium gypsaceum* (SM.) KBR.

Auf Weissjura der „Spitz“ bei Sigmaringen RB.

87. *Placodium albescens* (HOFFM.) MASS.

Nicht häufig. An Muschelkalksteinen, an Sandsteinen bei Trillfingen RB. Schörzingen an einer steinernen Brücke SM.

88. *Placodium crassum* (HUDS.) TH. FR.

Zahlreich in den Felsenritzen der „Spitz“ bei Sigmaringen RB.

89. *Placodium circinatum* (PERS.) KBR. v. *myrrhinum* und *radiosum* ACH.

Im weissen Jura verbreitet. Sigmaringen am Brenzkoferberg, auf den Lochen, Felsen bei Strassberg RB. Hausen am Thann, Deilingen SM.

90. *Placodium saxicolum* (POLL.) KBR.

Auf Ziegeldächern und Marksteinen, auf Grabsteinen in Trillfingen häufig; auf Sandsteinen bei Balingen RB.

v. *versicolor* PERS.

Verbreitet auf Weissjurafelsen. An den Lochen, „Spitz" bei Sigmaringen RB.

91. *Acarospora glaucocarpa* (WHLBG.) KBR.

Sehr verbreitet auf dem oberen Heuberg; Brenzkoferberg bei Sigmaringen, Ebinger Schlossfelsen, Lochen und Schafberg RB. Deilingen am Ortenberg SM.

v. *conspersa* FR.

Auf Kalksteinen im Wald bei Thanneck (Obernheim) SM.

92. *Acarospora squamulosa* (SCHRAD.) TH. FR.

Auf Weissjura am Lochenstein RB.

93. *Acarospora fuscata* (SCHRAD.) TH. FR.

Trillfingen auf Sandstein am Kirchhof, auf Marksteinen RB.

94. *Acarospora glebosa* KBR.

Auf Phonolith am Hohentwiel RB.

95. *Rinodina exigua* (ACH.) TH. FR.

Am tannenen Geländer beim Kaiseringer Bahnhof RB. An einer Tanne am Südende des Wittau SM.

96. *Rinodina controversa* MASS.

Schörzingen, am Oberhohenberg auf einem Felsblock SM.

97. *Rinodina caesiella* KBR. (*Lecanora atrocinerea* v. *crassescens* NYL.)

Auf Tuffstein der Berabrücke bei Wehingen. RB.

98. *Rinodina lecanorina* MASS.

Sigmaringen am Brenzkoferberg, auf den Lochen, an Felsen bei Strassberg RB. Wenzelstein bei Hausen am Thann SM.

99. *Rinodina Bischoffi* (HEPP.) KBR. f. *protuberans* KBR.

Bei Kaiseringen auf Weissjurafelsen, auf Muschelkalk bei Trillfingen RB. Schörzingen an Kalksteinen auf dem Wochenberg und beim Sonthof SM.

f. *immersa* KBR.

Ortenberg auf Weissjura SM.

100. *Callopisma flavovirescens* (Hoff.) Mass.

Auf Phonolith am Hohentwiel. Auf Weissjura am Äuchten bei Ebingen. Auf den Lochen, auch auf Moose übergehend Rb.

101. *Callopisma rubellianum* (Ach.) Kbr.

An Jurakalksteinen der Ruine Graneck Rb.

102. *Callopisma vitellinulum* Nyl.

Auf Phonolith am Hohentwiel Rb.

103. *Callopisma pyraceum* Ach. v. *pyrithroma* Ach.

Auf Kalksteinen bei Trillfingen Rb.

v. *holocarpum* (Ehrh.).

An altem Holze eines Geländers bei Trillfingen Rb.

104. *Callopisma cerinum* (Ehrh.) Kbr. v. *Erharti* (Schaer.) Th. Fr.

Trillfingen auf Birnbaumrinde Rb.

v. *stillicidiorum* (Sm.) Th. Fr.

Verbreitet auf Moosen auf der Höhe der Berge, wie an den Lochen, am Äuchten bei Ebingen, „Spitz“ bei Sigmaringen Rb. Schörzingen am Hochberg Sm.

105. *Callopisma ferruginea* (Huds.) Th. Fr. *α. genuinum* (Kbr.) Th. Fr.

Schörzingen am Stamm einer Eiche Sm.

106. *Callopisma sinapisperma* (DC.) Hepp.

Schörzingen auf dem Hochberg und Plettenberg Sm.

107. *Callopisma obscurellum* Lahm.

Schörzingen am Fuss einer Feldeiche Sm.

108. *Blastenia teicholyta* Ach.

Auf Phonolith am Hohentwiel Rb.

109. *Pyrenodesmia chalybaeum* Fr.

Auf Weissjura am Brenzkoferberg und auf den Lochen Rb. Deilingen am Ortenberg Sm.

110. *Pyrenodesmia variabilis* (Pers.) Kbr.

Auf Weissjura an den Felsen gegen das Nollhaus Rb. Wenzelstein bei Hausen am Thann Sm.

111. *Icmadophila aeruginosa* (Scop.) Trev.

An altem Buchenholz der hinteren Geröllhalde des Hochbergs Sm. Rb. Hausen am Thann, Wehingen, Schörzingen auf faulendem Holz Sm.

112. *Lecania syringea* (Ach.) Th. Fr.

Auf Ahornrinde selten bei Sigmaringen. An Pappeln bei Mühringen Rb. Schörzingen an einer Espe Sm.

113. *Lecanora glaucoma* Ach.

Auf Sandsteinen bei Trillfingen Rb.

114. *Lecanora atra* (L.) Ach. v. *saxicola* Rbh.

Auf Phonolith am Hohentwiel, Nordseite, auf Sandstein in Trillfingen Rb.

115. *Lecanora dispersa* (Pers.) Flk.

Verbreitet. Auf Weissjura an Felsen beim Nollhaus, am Äuchten bei Ebingen, auf Sandstein des Kirchhofs zu Trillfingen Rb. Schörzingen und Deilingen auf Kalkgestein Sm.

116. *Lecanora intumescens* (Rebent) Kbr.

Auf *Sorbus* am Hochberg, auf Buchen am Gräblensberg, auf der Ruine Graneck, Katzenbuckel bei Ebingen Rb.

117. *Lecanora subfusca* (L.) Ach.

Überall häufig.

.f. *allophana* Ach.

An Kirschbäumen bei Waldstetten bei Balingen, an Marksteinen bei Trillfingen Rb.

f. *pinastri* Schaer.

Forchenrinde am Gräblensberg und bei Sigmaringen gegen Bingen Rb.

118. *Lecanora pallida* (Schreb.) Kbr.

Häufig.

f. *cinerella* Flk.

An Ahornrinde bei Sigmaringen Rb.

f. *albella* (Hoffm.).

Trillfingen auf Weisstannenrinde Rb.

119. *Lecanora Hageni* (Ach.) Kbr.

Schörzingen an einer Weide Sm.

120. *Lecanora crenulata* (Dicks.).

Auf Weissjura am Äuchten bei Ebingen Rb. Schörzingen auf Kalkgestein Sm.

121. *Lecanora Sommerfeldtiana* Kbr.

Auf Weissjura an den Felsen hinter Strassberg, an Kalksteinen der Ruine Graneck, im Bittelschiesser Thälchen bei Sigmaringen Rb.

122. *Lecanora Agardhiana* Ach.

Auf Weissjura an den Felsen des Katzenbuckels bei Ebingen und der Lochen Rb. Auch bei Schörzingen von Sautermeister gefunden.

123. *Lecanora varia* Ach.

Trillfingen an tannenen Pfosten der Hopfenanlagen Rb.

124. *Lecanora symmictera* Nyl.

Auf dem Geländer des Bahnhofs in Kaiseringen Rb.

v. *maculiformis* Hoffm.

Schörzingen an Föhren Sm.

v. *aitema* Ach.

Altes Bildstöckchen bei Deilingen Sm.

125. *Lecanora sambuci* (Pers.) Nyl.

Schörzingen an Weiden, Espen, Syringen Sm.

126. *Aspicilia flavida* Hepp. (*micrantha* Kbr.).

Auf Weissjurakalk, beim Sonthof (Schörzingen) von Pfarrer Sautermeister gefunden.

127. *Aspicilia calcarea* (L.) Nyl.

Auf Weissjura sehr verbreitet Rb. Sm.

v. *farinosa* Flk.

Ebingen am Äuchten und Strassberg an Weissjurafelsen Rb.

128. *Ochrolechia pallescens* (L.) Kbr.

An Buchen bei Ebingen Rb.

v. *tumidula* Pers.

An Kirschbäumen am Fuss der Lochen Rb. Hausen am Thann, Rathshausen und Schörzingen an Kirschbäumen Sm.

GYALECTEAE.

129. *Secoliga fagicola* (Hepp.) Kbr.

Schörzingen an einer Weide und an einer Eiche Sm.

130. *Petractis exanthematica* (ACH.).

Verbreitet auf Weissjura. Schalksburg auf Weissjura, „Spitz“ bei Sigmaringen, Lochen, auf Muschelkalk bei Trillfingen RB. Hausen am Thann beim gelben Felsen, Plettenberg, Oberhohenberg, Hochberg SM.

131. *Gyalecta cupularis* (EHRH.) KBR.

Sehr verbreitet im ganzen weissen Jura. „Spitz“ bei Sigmaringen, Katzenbuckel und Raiden bei Ebingen, Ehestetten, Gräblensberg, Lochen RB. Hausen am Thann, Rathshausen, Schörzingen, Schömberg am Ufer der Schlichen SM. Auf Muschelkalk (Malbstein) bei Trillfingen und Felldorf RB.

132. *Gyalecta truncigena* ACH.

Schörzingen am Grunde alter Bäume SM.

133. *Thelotrema lepadinum* ACH.

Selten. An Weisstannen am Hundsrück RB. Ebenso bei Hausen am Thann SM.

134. *Urceolaria scruposa* (L.) KBR. v. *bryophila* EHRH.

Auf Kirschbaumrinde am Fuss der Lochen RB. Felsenritzen der „Spitz“ bei Sigmaringen RB. Auf dem Thallus von Cladonien häufig am Hochberg und Ortenberg SM. RB.

v. *albissima* ACH. (*cretacea* MASS.).

Hausen am Thann, am Schafberg mit Früchten SM.

135. *Sagiolechia protuberans* (ACH.) MASS.

Auf Weissjura besonders charakteristisch am Hochberg und Ortenberg in den dortigen Geröllhalden SM. RB. Plettenberg, im Walde bei Wehingen SM.

PERTUSARIEAE.

136. *Pertusaria ocellata* (WALLR.) KÖRB. f. *variolosa* Fw.

Auf Sandstein des Kirchhofs von Trillfingen RB.

137. *Pertusaria communis* DC. f. *pertusa* SCHAER.

An Buchenrinde bei Margarethenhausen und am Schafberg RB.

138. *Pertusaria leioplaca* (ACH.) SCHAER.

Auf Buchenrinde am Raiden bei Ebingen, an *Sorbus* bei Sigmaringen und am Hochberg RB. Scheint auf dem Heuberg die häufigste Art zu sein.

139. *Phlyctis agelaea* Mass.

Buchenrinde der Ebinger Hardt, an Eschen bei Margarethen-hausen Kb. Hausen am Thann, Schörzingen an Laubholz Sm.

LECIDEACEAE.

1. Psorinae.

140. *Psora decipiens* (Ehrh.) Kbr.

Auf Löss am Hörnle bei Trillfingen, Sigmaringen an der so-genannten „Spitz" Rb.

141. *Psora lurida* (Ach.) Kbr.

In grosser Menge am „Hörnle" bei Trillfingen auf Muschelkalk spärlich an den Jurafelsen der Lochen und „Spitz" bei Sigmaringen Rb. Hausen am Thann an Felsen des Lochensteins Sm.

142. *Thalloidima candidum* (Web.) Kbr.

Im schwäbischen Jura sehr verbreitet. „Spitz" bei Sigmaringen, Felsen bei Kaiseringen, Raiden und Äuchten bei Ebingen, Lochen Rb. Plettenberg, Schafberg, Wenzelstein, Lochenstein, Ortenberg Sm. Auf Muschelkalk bei Trillfingen am Hörnle Rb.

143. *Thalloidima vesiculare* Kbr.

Ziemlich verbreitet. Zwischen Moosen am Brenzkoferberg bei Sigmaringen, bei Strassberg, auf den Lochen Rb. Bei Hausen am Thann am Schafberg, Plettenberg, Thieringen, Wehingen Sm.

144. *Thalloidima tabacinum* Ram.

In Felsenritzen des Muschelkalks auf Löss am Hörnle bei Trill-fingen Rb.

2. Biatorineae.

145. *Biatorella fossarum* (Duf.) Th. Fr.

In sumpfigen Gräben bei Deilingen Sm.

146. *Bacidia rosella* (Pers.) De Ntr.

An einer Buche im „Buchwald" des Oberhohenbergs und im Zimmerwald am Plettenberg Sm.

147. *Bacidia rubella* (Ehrh.) Mass.

Verbreitet.

f. *luteola* (Schrad.) Th. Fr.

An Eichen bei Zillhausen bei Balingen und am Hohenzollern. Eschen bei Hornstein, Ahorn bei Ebingen, auf *Syringa* am Hohen-twiel Rb. Schörzingen an Birnbäumen Sm.

f. *porriginosa* (Turr.) Arn.

Schörzingen am Fusse einer Feldeiche Sm.

148. *Biatorina lutea* (Dicks.) Kbr.

An Eichen bei Balingen gegen Heselwangen, und bei Sigmaringen im Bittelschiesser Thälchen Rb.

149. *Biatorina pineti* (Fr.) Kbr.

An jüngeren Forchen der Heder bei Trillfingen Rb. Schörzingen in Wäldern an Fichten, Forchen, manchmal auf Waldboden übergehend Sm.

150. *Biatorina Bouteillii* (Desm.) Arn.

An Zweigen feuchtstehender Weiss- und Rottannen im Nonnenwäldchen bei Trillfingen Rb. Ebenso bei Schörzingen in Nadelwäldern Sm. Gewöhnlich mit Apothecien.

151. *Biatorina lenticularis* (Fw.) Kbr.

Auf Weissjura bei Ehestetten im Walde an schattigen Felsen Rb.

152. *Biatorina Arnoldi* Krphb.

Auf der Schattenseite der Felsen der hinteren Geröllhalde am Hochberg Rb.

153. *Biatora coarctata* (Sm.).

Schörzingen auf Lehmboden und auf Bruchstücken von Ziegelplatten auf Grasplätzen Sm.

154. *Biatora rupestris* (Scop.) Fr. f. *calva* (Dicks.).

Auf halbverwittertem Phonolith am Hohentwiel; häufig besonders auf den sogenannten „blauen Kalken" des Hundsrücks und der Lochen Rb. Am Hochberg auf Weissjura Sm.

v. *incrustans* DC.

Auf Weissjura am Gräblensberg und auf den Lochen Rb.

v. *rufescens* Lghtf.

Auf Weissjura bei Kaiseringen Rb. Hausen am Thann und Schörzingen Sm.

155. *Biatora irrubata* Ach.

Trillfingen auf Sandstein Rb.

156. *Biatora fuscorubens* Nyl.

Trillfingen auf Kalksteinen am „Hörnle" Rb.

157. *Biatora uliginosa* (Schrad.) Fr.

Auf Sandboden am Wochenberg und am Hochberg bei Schörzingen Sm. Rb.

3. Baeomyceae.

158. *Baeomyces roseus* Pers.

Am Waldrande zwischen Trillfingen und Felldorf häufig; Trillfingen auf der Heder auf Sandboden Rb. Weilen unter den Rinnen, Schörzingen, Wellendingen Sm.

159. *Sphyridium byssoides* (L.) Th. Fr.

Auf Lettenkohlensandstein auf der Heder bei Trillfingen Rb. Hausen am Thann, Weilen unter den Ruinen, Schörzingen, Wellendingen, überall auf Sandboden Sm.

4. Eulecidineae.

160. *Diplotomma alboatrum* (Hoff.) Kbr.

Auf Sandstein der Kirchhofmauer in Trillfingen Rb.

v. *epipolium* Ach.

Sehr verbreitet im Weissjura: „Spitz" bei Sigmaringen, Lochenstein, Strassberg Rb.

v. *ambiguum* Ach.

Auf Ziegelsteinen des Kirchhofs von Wehingen Rb.

161. *Buellia scabrosa* (Ach.) Kbr.

Schörzingen auf einer Wiese auf der Kruste von *Sphyridium fungiforme* Sm.

162. *Buellia myriocarpa* (DC.) Mudd.

Trillfingen auf Birnbäumen Rb. Deilingen an einer Kiefer Sm.

163. *Rhizocarpum geographicum* (L.) DC.

Überzieht einen grossen Teil der Phonolithfelsen des Hohentwiel auf der Westseite; auf Ziegelsteinen des Wehinger Kirchhofs Rb. Deilingen auf Sandsteinplatten der Kirchhofmauer Sm.

164. *Rhizocarpon distinctum* (Th. Fr.) Nyl.

Auf Phonolith am Hohentwiel, Nordwestseite Rb.

165. *Catillaria athallina* (Hepp.) Hellb.

Schörzingen am Wasenberg auf einzeln umherliegenden kleinen Kalksteinen Sm.

166. *Lecidella (Lecidea) latypiza* Nyl.

Auf Phonolith am Hohentwiel Rb.

167. *Lecidella ochracea* Arn.

Auf Weissjura am Ortenberg Rb.

168. *Lecidea latypea* Ach.

Trillfingen auf Sandsteinen des Kirchhofs Rb.

169. *Lecidea crustulata* (Ach.) Kbr.

Auf Sandstein bei Wellendingen Sm.

170. *Lecidea parasema* Ach.

Häufig. An Ahornen bei Sigmaringen und bei Winterlingen mit zerstreuten, auffallend grossen Apothecien Rb.

171. *Lecidea jurana* Schaer.

Am Lochenstein Rb. Hochberg und Ortenberg ·sehr verbreitet; Schafberg, Plettenberg Sm.

172. *Sarcogyne pruinosa* Sm.

Auf Weissjura bei Ehestetten, auf Muschelkalk bei Trillfingen Rb. Hausen am Thann, Schörzingen, Wehingen auf Kalksteinen Sm.

173. *Arthrosporum accline* (Fw.) Kbr.

An Syringenbäumchen des Pfarrgartens zu Schörzingen Sm.

GRAPHIDEAE.

I. Opegrapheae.

174. *Lecanactis biformis* (Fek.) Kbr.

An Eichen im Fasanengarten bei Hechingen Rb.

175. *Lecanactis Stenhammari* Fr.

Kleidet die Felsengrotten in den Anlagen bei Intzigkofen aus Rb. Bei Schömberg an Kalkfelsen nahe der Schlichem Sm.

176. *Opegrapha rupestris* (Pers.) Kbr.

Auf Weissjurafelsen am Katzenbuckel bei Ebingen und am Schafberg Rb.

v. *nuda* Kbr.

An Weissjurafelsen am Hochberg Sm.

177. *Opegrapha lithyrga* Ach.

Am Hohentwiel auf Phonolith Rb.

178. *Opegrapha atra* PERS.

Auf Buchenrinde am Ebinger Schlossfelsen, an jungen Eschen am Hohentwiel RB.

179. *Opegrapha varia* PERS. v. *rimalis* FR.

Auf Hainbuchen am Ebinger Schlossfelsen.

f. *pulicaris* HOFFM.

Auf Tannenrinde an der „Spitz" bei Sigmaringen RB.

180. *Opegrapha vulgata* (ACH.) HEPP.

Auf Tannenrinde bei Trillfingen RB. Am Hochberg SM.

181. *Opegrapha rufescens* PERS.

Auf Buchenrinde bei Ehestetten RB.

f. *subocellata* ACH.

Schörzingen am Stamme einer Weide SM.

182. *Opegrapha herpetica* ACH.

Auf Buchen an der Schalksburg RB.

183. *Zwackhia involuta* KBR.

Auf Weisstannenrinde im Allmandwald bei Schörzingen SM. Ebenso am Hundsrück RB.

184. *Graphis scripta* ACH. f. *vulgaris* KBR.

An Weisstannen auf dem Hundsrück und bei Wehingen, Buchen auf dem Schafberg RB.

f. *abietina* SCHAER.

Auf Weisstannen bei Wehingen und bei Zillhausen RB.

f. *recta* HUMB.

Auf Weisstannen am Hirschberg RB.

f. *serpentina* ACH.

Auf Buchenrinde am Ebinger Schlossfelsen, auf den Lochen RB.

185. *Platygrapha periclea* (ACH.) NYL.

An Weisstannen im Nonnenwäldchen bei Trillfingen RB.; Schörzingen an Fichten im Allmandwald und Wald „Aspen" SM.

2. Arthonieae.

186. *Arthonia vulgaris* SCHAER. f. *Swartziana* ACH.

Auf Buchen bei Sigmaringen RB.

f. *astroidea* ACH.

An Buchen bei Ehestetten RB. Schörzingen an Weisstannen SM.

187. *Coniangium fuscum* MASS.

Auf Weissjurakalk am Oberhohenberg in der Nähe des Sonthofs SM.

188. *Coniangium lapidicolum* T.

Spärlich auf Muschelkalk im Steig bei Trillfingen RB.

189. *Coniangium luridum* (ACH.) KBR.

Trillfingen an Forchen der Heder RB. Schörzingen im Allmandwald auf Rottannen und Forchen SM. RB.

CALICIEAE.

190. *Calicium pusillum* FLK.

Auf einer dürren *Salix caprea* bei Sigmaringen RB.

191. *Calicium Trachelinum* ACH.

An einer Weide bei Schörzingen SM.

192. *Cyphelium trichiale* (ACH.) MASS.

An Weisstannen bei Graneck RB.

193. *Coniocybe stilbea* ACH.

An Birnbäumen in Trillfingen RB.

194. *Coniocybe furfuracea* (L.) ACH.

Hechingen an alten Eichen des Fasanengartens, Trillfingen an Wurzeln ziemlich häufig RB.

195. *Coniocybe gracilenta* ACH.

An entblössten Tannenwurzeln in der Otterngrube bei Trillfingen RB.

VERRUCARIEAE.

196. *Thelidium absconditum* KMPHBR.

Auf Weissjurafelsen am Äuchten bei Ebingen RB., am Ortenberg bei Deilingen RB. Auf Muschelkalk im Steig bei Trillfingen RB.

197. *Polyblastia caesia* ARN.

An Felsen der „Spitz" bei Sigmaringen, an den Lochen RB.

198. *Polyblastia albida* ARN.

Auf Weissjura am Äuchten bei Ebingen RB.

199. *Amphoridium Hochstetteri* FR.

Auf Weissjura des Ebinger Schlossfelsens, der Lochen, bei Hornstein, „Spitz" bei Sigmaringen RB.

200. *Verrucaria purpurascens* KBR. v. *Hoffmanni* KBR.

Sehr schön an Weissjurafelsen des Brenzkofer Berges und der Lochen RB.

201. *Lithoicea nigrescens* (PERS.).

Verbreitet. Auf Braunjurakalk bei Streichen, auf Muschelkalk bei Trillfingen RB.

202. *Verrucaria fuscella* (MASS.) NYL.

Auf Muschelkalk am Hörnle bei Trillfingen RB.

203. *Lithoicea hydrela* (ACH.) MASS.

An feuchten Felsen bei Ehestetten, bei Ebingen. RB.

204. *Verrucaria calciseda* DC.

Trillfingen bei Haigerloch auf Muschelkalk, auf Weissjura an den Lochen, „Spitz" bei Sigmaringen RB.

205. *Verrucaria plumbea* ACH.

An Weissjura des Hundsrücks, auf Muschelkalk bei Trillfingen RB. Hausen am Thann, Rathshausen, Schörzingen, Wehingen auf Kalksteinen SM.

206. *Verrucaria muralis* ACH.

Auf Muschelkalk (Malbstein) bei Trillfingen RB. Schörzingen auf Kalksteinen SM.

207. *Thrombium epigaeum* (PERS.) WALLR.

Hirschberg bei Balingen auf sandigem Lehmboden, Trillfingen auf Sandboden RB. Schörzingen am Wochenberg SM.

PYRENULACEAE.

208. *Acrocordia conoidea* (FR.) KBR.

Ziemlich verbreitet an schattigen Jurafelsen: am Schlossfelsen bei Ebingen, im Felsenmeer des Schafbergs RB. Hausen am Thann am Rappenstein, Reichenbach an Kalkfelsen SM.

209. *Arthopyrenia fallax* NYL.

Auf Birkenrinde der Ebinger Hardt RB.

210. *Arthopyrenia stenospora* KBR.

Schörzingen am Stamm einer jungen Buche am Lemberg SM.

211. *Arthopyrenia punctiformis* Pers.

Auf jungen Eschen am Hohentwiel Rb.

212. *Sagedia carpinca* (Pers.) Mass. f. *abietina* Kbr.

Schörzingen am Stamm einer jungen Tanne im Wittau Sm.

213. *Pyrenula nitida* Ach.

Auf Buchenrinde zwischen Ehestetten und Ebingen, bei Margarethenhausen Rb. Hausen am Thann und Schörzingen Sm.

f. *nitidella* Flk.

Auf jungen Eschen am Hohentwiel Rb.

214. *Pyrenula glabrata* Mass.

Auf Buchen zwischen Ehestetten und Ebingen, bei Margarethenhausen Rb.

LECOTHECIEAE.

215. *Lecothecium corallinoides* (Hoffm.) Kbr.

Verbreitet. Trillfingen auf Muschelkalk, auf Kalktuff der Berabrücke bei Reichenbach Rb. Auf Weissjura am Hochberg, Lemberg, Ortenberg, Plettenberg häufig Sm.

216. *Collolechia caesia* Mass.

Überzieht einen grossen Teil der Felsen von Intzigkofen bis Kaiseringen und gibt denselben eine eigentümliche blaue Farbe, die weithin sichtbar ist. Mit Apothecien am Katzenbuckel bei Ebingen Rb. Deilingen an Kalkfelsen Sm.

217. *Physma compactum* Kbr.

Hochberg, Plettenberg, Schafberg an Felsblöcken Sm.

218. *Synechoblastus Laureri* Fw.

Auf Weissjuragestein am Westabhang des Ortenberg Sm. Rb.

219. *Synechoblastus flaccidus* (Ach.) Kbr.

An Eschen am Nordabhange des Hohentwiels mit Apothecien Rb.

220. *Synechoblastus turgidus* Kbr.

Auf Weissjura an den Felsen des Lochensteins Rb.

221. *Synechoblastus nigrescens* (Ach.).

Lemberg, Hochberg, Plettenberg c. Apothecien Sm.

222. *Collema byssinum* Hoffm.

Schörzingen auf Lehmboden, im Wald am Fuss vom Plettenberg Sm.

223. *Collema quadratum* Lahm.

Auf der Rinde von Apfelbäumen bei Schörzingen Sm.

224. *Collema pulposum* (Bernh.) Ach. v. *nudum* Kbr.

Auf Kalkboden zwischen Ehestetten und Ebingen Rb. In Wäldern bei Schörzingen Sm.

v. *granulatum* Sw.

Schörzingen häufig Sm.

225. *Collema conchilobum* Fw.

Am Hochberg, Ostabhang und Plettenberg, von Herrn Pfarrer Sautermeister aufgefunden.

226. *Collema furvum* Ach.

Auf Kalksteinen der Ruine Graneck Rb. Hochberg in den Geröllhalden, Plettenberg, Lemberg, Ortenberg c. Apothecien häufig Sm.

227. *Collema auriculatum* Hoffm.

Hochberg, Plettenberg, Deilinger Berg, auch mit Apothecien Sm.

228. *Collema multifidum* (Scop.) Kbr.

Auf Weissjura am Raiden und am Äuchten bei Ebingen Rb.

229. *Collema polycarpon* (Schaer.) Kmphb.

Auf Kalkfelsen am Brenzkoferberg und am Nollhaus bei Sigmaringen, im Bittelschiesser Thälchen Rb. Am Hochberg, hintere Geröllhalde, Plettenberg, Ortenberg Sm.

230. *Leptogium sinuatum* Kbr.

Neukirch auf kleinen Steinen in Hecken, Schörzingen an mehreren Orten Sm.

231. *Leptogium lacerum* (Ach.) Fr.

Trillfingen verbreitet Rb. Schörzingen auf allen Bergen, auch auf Wiesen Sm. c. Apothecien.

v. *pulvinatum* (Ach.) und v. *lophaeum* Ach.

In Schörzingen Sm.

232. *Leptogium minutissimum* Flk.

Auf Moosen am Ortenberg Sm. Rb.

233. *Leptogium Schraderi* (Bernh.) Schaer.

Auf herumliegenden Kalksteinen der Geröllhalden des Hochbergs mit Apothecien Sm. An der Rutsche bei Wehingen Rb.

234. *Leptogium diffractum* Kmphb.

In der hinteren Geröllhalde des Hochbergs von Herrn Pfarrer Sautermeister entdeckt.

235. *Leptogium microscopicum* Nyl.

In den vorderen Geröllhalden des Hochbergs von Herrn Pfarrer Sautermeister entdeckt und dort auch auf Tierknochen von mir gefunden.

236. *Leptogium Massiliense* Nyl.

In der hinteren Geröllhalde des Hochbergs von Herrn Pfarrer Sautermeister aufgefunden.

237. *Leptogium tenuissimum* (Diks.) Kbr.

Schörzingen und Rathshausen auf Wiesen c. Apothecien Sm.

238. *Leptogium subtile* (Schrad.) Kbr.

Planta saxicola bei Schörzingen, Pl. lignicola bei Weilen unter den Rinnen Sm.

239. *Mallotium tomentosum* (Hoffm.) Kbr.

Auf Eschen am Hochberg, auch mit Apothecien Sm. Auf Eschen am Hohentwiel Rb.

240. *Omphalaria pulvinata* (Schaer.) Nyl.

An Felsen des Katzenbuckels bei Ebingen Rb.

241. *Peccania coralloides* Mass.

Von Herrn Pfarrer Sautermeister am westlichen Abhang des Schafbergs entdeckt.

242. *Plectospora cyathodes* Mass.

An einem Felsen bei Hausen am Thann Sm.

243. *Synalissa ramulosa* (Schrad.) Kbr.

Auf Weissjura Sigmaringen am Brenzkoferberg, an Felsen bei Strassberg, auf den Lochen Rb. Lautlingen in Felsenritzen Sm. Auf Muschelkalk mit *Psora lurida* Trillfingen bei Haigerloch Rb.

Katalog der Vereinsbibliothek

von Prof. Dr. **E. Hofmann.**

———

Seit dem Erscheinen des letzten Katalogs im 36. Band der Jahreshefte — Juni 1880 — hat sich die Bibliothek des Vereins für vaterländische Naturkunde in einer Weise vermehrt, dass die Anfertigung eines neuen Katalogs unabweisbares Bedürfnis wurde. Den mächtigen Zuwachs verdankt der Verein hauptsächlich der unermüdlichen Thätigkeit seines langjährigen Vorstandes, des verstorbenen Direktors Dr. v. Krauss, der es sich angelegen sein liess, durch neue angeknüpfte Verbindungen die Vereinsbibliothek zu vergrössern. Ebenso hatte sich in seiner Privatbibliothek im Laufe seiner 50jährigen Amtsthätigkeit eine grosse Anzahl von Schriften, meist Separat-Abdrücken aus dem Gebiete der Zoologie, Geologie und Botanik angesammelt, welche von den Hinterbliebenen desselben der Vereinsbibliothek nebst einzelnen grösseren Werken geschenkweise überwiesen wurden.

Inhalt des Katalogs der Bibliothek.

		Seite
I.	Akademie- und Gesellschaftsschriften	273
II.	Schriften allgemein naturwissenschaftlichen Inhalts	313
III.	Zoologie, Anatomie	325
III a.	Insekten und Arachniden	
	1. Systematische Werke, meist über Insekten	357
	2. Coleoptera	363
	3. Hymenoptera	367
	4. Lepidoptera	368
	5. Diptera	371
	6. Neuroptera und Orthoptera	373
	7. Hemiptera	373
	8. Arachnidae	375
IV.	Botanik	375
V.	Mineralogie, Geognosie, Palaeontologie	390
VI.	Geologische und andere Karten	408
VII.	Chemie, Physik, Mathematik, Astronomie und Meteorologie	414
VIII.	Heilquellen und Brunnen	432
IX.	Schriften verschiedenen Inhalts	437

Die Mitglieder des Vereins für vaterländische Naturkunde
werden ersucht, ihnen entbehrliche naturwissenschaftliche Schriften, welche in vorstehendem Verzeichnis nicht aufgeführt oder als
unvollständig angegeben sind, der Vereinsbibliothek gefl. zu stiften.
Alle derartigen Geschenke werden mit grösstem Danke angenommen und mit dem Namen des Stifters in den Jahresheften bekannt
gemacht.

I. Akademie- und Gesellschaftsschriften.

Albany.

New York State University of Natural History.
Annual Report of the University. Nro. 15. 16. 20—30. 35—39. 41.
42. 1862—89. 8⁰.
B. A. Gould, Reply to the Statement of the trustees of the Dudley
observatory 1859. 8⁰.

Amiens.

Société Linnéenne du Nord de la France.
Mémoires, Tom. 1—7. 1869—88. 8⁰.
Bulletin, Tom. 1—9. 1872—88. 8⁰.

Amsterdam.

K. Nederlandsche Instituut van Wetenschappen etc.
Verhandelingen der eerste Klasse. Deel 1—7. 1812—25; Nieuwe
Verb. Deel 1—13. 1827—48; Derde reeks. Deel 1—5. 1849—52. 4⁰.
Tijdschrift voor de wis- en natuurkundige wetenschappen. Deel 1—5.
1848—52. 8⁰.
Jaarboek, 1847—51. 8⁰.
Het Instituut of Verslagen en Mededeelingen, uitg. door de vier
Klassen van het Kon. Nederl. Inst. Bd. 1—6. 1841—46.
Koninklijke Akademie van Wetenschappen.
Verhandelingen, Deel 1.—27. 1854—90. 4⁰. Afdeeling, Letterkunde
Deel 7—18. 1872—89. 4⁰.
Allgemeene Stukken. Octaviae Querela. Carmen cuius auctori J. v. Jee-
uwen 1857; ad juvenem satira Petri Esseiva Friburg. Helvetii cui
certami is poëtici praemium e legato. J. H. Hoeufft 1872; Gaudia
domestica 1873; Musa 1874; Carmina latina 1875; Hollandia 1876;
Carmina latina 1877; Idyllia aliaque poemata 1878. 8⁰.
Tria carmina 1881; Tria carmina latina 1882; Judas Machabaeus,
Nupta ad amicam, Carmina 1886; Matris querula et Esther 1887;
Susanna, Me puere ad urbem Bononiam, Carmen 1888; Adam et
Christus 1889; Epistola ad Abraham 1889. 8⁰. Amor, Preiss
carmen 1890.

Verslagen en Mededeelingen. Natuurkunde, Deel 1—17. 1853—65.
Tweede reeks, Deel 1—20. 1866—84. Derde reeks, Deel 1—7.
1885—90; Letterkunde, Deel 1—12. 1856—69; Tweede reeks,
Deel 1—12. 1871—81. Derde reeks, Deel 1—5. 1884—89. 8⁰.'
Processen-Verbaal van de gewone vergaderingen der k. akademie van
wetenschappen. Afdeeling Natuurkunde. 1866—84. 8⁰.
Naam- en Zaakregister. Afdeel. Natuurkunde Deel 1—17. 1880; 2.reeks
Deel 1—20. 1884. Afdeel. Letterkunde Deel 1—12. 1882; II. Ser.
Deel 1—12. 1883.
Register op den Catalogus van de Boekerij 1885. 8⁰.
Jaarboek van de k. akademie te Amsterdam voor 1857—89. 8⁰.
Catalogus van de boekerij der k. akademie van wetenschappen ge-
vestigd te Amsterdam. Eerste aflevering. Deel 1. Stuk 1. 2. 1855.
1860. Deel 2. Stuk 1—2. 1866. 1868; Deel 1. Stuk 1. Nieuw.
uitg. 1874; Deel 3. 1876. 2.' Stuk 1881. 8⁰.
Overzigt van de boeken, kaarten, pfenningen, enz, ingekomen bij de
k. akademie van wetenschappen te Amsterdam van. 1857—60. 8⁰.

Zoologisch Genootschap „Natura artis magistra".
Bijdragen tot de dierkunde. Aflevering 1—9. 1848—69. Fol.
Festnummer uitgegeben bij gelegenheit van het 50jarig. bestaan van
het Genootschap. 1888. Fol.
Jaarboekje. Jaargang 1852—75, mit Plan des zoologischen Garten. 1877.
Nederlandsch Tijdschrift voor de Dierkunde. Jaargang 1—4. 1854—73.
Jaarg. 5. afl. 1. 1884. 8⁰.
Linnäana in Nederland aanwezig. Tentoongesteld op 10. Jan. 1878. 8⁰.
Rede ter herdenking van den sterfdag von Carolus Linnaeus etc. door
Dr. Oudemans 1878. 8⁰.
Openingsplechtigheid van de Tentoonstelling. 1878. 8⁰.
Catalogus der Bibliothek. 1881. 8⁰.

Augsburg.
Naturhistorischer Verein.
Berichte, Bd. 1—29. 1848—87. 4⁰ und 8⁰.

Baltimore.
John Hopkins University.
Studies from the biological laboratory. Vol. 2—4. 1882—90. gr. 8⁰.
University circulars. No. 4—34. 1879—90. 4⁰.
Brooks, developement and protection of the Oyster in Maryland. 1884. 4⁰.

Bamberg.
Naturforschender Verein.
Berichte, Bd. 1—15. 1852—90. 4⁰ und 8⁰.

Basel.
Naturforschende Gesellschaft.
Berichte, Bd. 1—10. 1834—52. 8⁰.

Verhandlungen, Teil 1—8. 1857—90. 8⁰.

Anhang zu Teil 7. Die Basler Mathematiker D. Bernoulli und L. Euler. 1884. 8⁰.

Festschrift zur Feier des 50jährigen Bestehens derselben. 1867. 8⁰.

Acta helvetica, physico-mathematico-botanico-medica. Vol. 1—9. 1751—87. 4⁰. (Vol. 9 auch als N. Acta helvetica Vol 1.)

Batavia.

Natuurkundige Vereeniging in Nederlandsch Indië.

Acta societatis scientiarum Indo-neerlandiae, Vol. 1—6. 1856—59. 4⁰.

Verhandelingen, Vol. 1—6. 1855—59. 4⁰.

Natuurkundig Tijdschrift voor Nederlandsch Indië, Deel 1—48 1850—90. 8⁰.

Catalogus der Bibliothek. 1884.

Berlin.

Botanischer Verein für die Provinz Brandenburg etc.

Verhandlungen, Jahrg. 1—30. 1859—88. 8⁰.

Deutsche geologische Gesellschaft.

Zeitschrift, Bd. 1—42. 1849—90. 8⁰.

Register zu Bd. 1—10. 1849—58 (in Bd. 10); zu Bd. 11—20. 1859—68 (in Bd. 20); zu Bd. 21—30. 1869—78 (in Bd. 30); zu Bd. 31—40. 1879—88 (in Bd. 40), 8⁰.

Entomologischer Verein.

Berliner entomologische Zeitschrift, Jahrg. 1—18. 1857—74. 8⁰.

Deutsche entomologische Zeitschrift, Jahrg. 19—24. 1875—80.

Katalog der Bibliothek. 1867. 8⁰.

Inhaltsverzeichnis zu Jahrg. 1—6. 1863; zu Jahrg. 7—12. 1868; zu Jahrg. 13—18. 1874. 8⁰.

Deutsche entomologische Gesellschaft.

Zeitschrift, herausgegeben von Dr. Kraatz. Jahrg. 25—32. 1881—88. Jahrg. 1888—90. 8⁰.

Entomologische Nachrichten, s. Insekten.

Gesellschaft naturforschender Freunde.

Beschäftigungen, Bd. 1—4. 1775—79. 8⁰.

Schriften, Bd. 1—9. 1780—89. 8⁰.

Beobachtungen und Entdeckungen aus der Naturkunde, Bd. 4—5. 1792—94. 8⁰. (Schriften, Bd. 10—11.)

Neue Schriften, Bd. 1—4. 1795—1803. 4⁰.

Mittheilungen, 1—3. Jahrg. 1836—38. 8⁰.

Sitzungsberichte, 1860—63. 1865—89. 4⁰ und 8⁰.

K. preuss. geologische Landesanstalt und Bergakademie.

Jahrbuch für 1880—88. 8⁰.

Abhandlungen zur geologischen Specialkarte von Preussen. Bd. 1—6, 1874—85.

K. preussische Akademie der Wissenschaften.
Abhandlungen, physikalische, aus den Jahren 1850—89. 4⁰.
Abhandlungen, mathematische, aus den Jahren 1850—88. 4⁰.
Verzeichniss der Abhandlungen vom Jahre 1710—1870. 8⁰.
Inhaltsverzeichniss der Abhandlungen aus den Jahren 1822—72. 8⁰.
Verzeichniss der Bibliothek, 1874. 8⁰.
Monatsberichte aus den Jahren 1854—81. 8⁰.
Sitzungsberichte, Jahrg. 1882—90. gr. 8⁰.
Register zu den Monatsberichten aus den Jahren 1836—73. 8⁰.

Bern.

Naturforschende Gesellschaft.
Mitteilungen aus den Jahren 1843—89. No. 1—1243. 8⁰.

Allgemeine schweiz. Gesellschaft für die gesammten
  Naturwissenschaften.
Naturwissenschaftlicher Anzeiger, Jahrg. 1—5. 1818—23. 4⁰.
Annalen, herausgegeben von Fr. Meisner. Bd. 1. 2. 1824—25. 8⁰.
Denkschriften, Bd. I. 1. 2. 1829. 1833. 4⁰.
Neue Denkschriften, Bd. 1—32. 1837—90. 4⁰.

Schweizerische naturforschende Gesellschaft.
Verhandlungen der Jahresversammlungen (1. 2 keine erschienen).

3.	Zürich	1817.	28.	Lausanne	1843.	51.	Rheinfelden	1867.
4.	Lausanne	1818.	29.	Chur	1844.	52.	Einsiedeln	1868.
5.	St. Gallen	1819.	30.	Genf	1845.	53.	Solothurn	1869.
7.	Basel	1821.	31.	Winterthur	1846.	54.	Frauenfeld	1871.
8.	Bern	1822	32.	Schaffhaus.	1847.	55.	Freiburg	1873.
9.	Aarau	1823.	33.	Solothurn	1848.	56.	Schaffhaus.	1873.
10.	Schaffhaus.	1824.	34.	Frauenfeld	1849.	57.	Chur	1873/74.
11.	Solothurn	1825.	35.	Aarau	1850.	58.	Andermatt	1874/5.
12.	Chur	1826.	36.	Glarus	1851.	59.	Basel	1875/76.
13.	Zürich	1827.	37.	Sion	1852.	60.	Bex	1876/77.
14.	Lausanne	1828.	38.	Porrentruy	1853.	61.	Bern	1877/78.
15.	St. Bernhard	1829.	39.	St. Gallen	1854.	62.	St. Gallen	1879.
16.	St. Gallen	1831.	40.	Chaux de		63.	Brieg	1880.
17.	Genf	1832.		Fonds	1855.	64.	Aarau	1881.
18.	Lugano	1833.	41.	Basel	1856.	65.	in Linthal	1882.
19.	Luzern	1834.	42.	Trogen	1857.	66.	Zürich	1883.
20.	Aarau	1835.	43.	Bern	1858.	67.	Luzern	1884.
21.	Solothurn	1836.	44.	Lugano	1860.	68.	Locle	1885.
22.	Neuchatel	1837.	45.	Lausanne	1861.	69.	Genève	1886.
23.	Basel	1838.	46.	Luzern	1862.	70.	Frauenfeld	1887.
24.	Bern	1839.	47.	Samaden	1863.	71.	Solothurn	1888.
25.	Freiburg	1840.	48.	Zürich	1864.	72.	Lugano	1889.
26.	Zürich	1841.	49.	Genève	1865.			
27.	Altdorf	1842.	50.	Neuchatel	1866.			

Festschrift, herausgegeben von der Aargauischen naturforschenden
Gesellschaft zur Feier ihrer 500sten Sitzung am 13. Juni 1869.
Mit 1 Karte der erratischen Blöcke des Kanton Aargau 1869. 8^0.
Compte rendu des travaux etc. 1880—89. 8^0.

Bologna.
Accademia della Scienze dell' Istituto.
Memorie, Ser. III. Tom. 1—9. 1871—79; Ser. IV. Tom. 1—9.
1880—88.
Rendiconto della sessione. Anno accademico. 1875—87. 8^0.
Indici generali dei dieci tomi della III. Ser. 1871—79. 4^0.
Accademia della scienze dello istituto di Bologna della sua origine
a tutto il. 1880. 8^0.
Collazione della opere del Prof. L. Galvani 1841 et aggiuntas. 1842. 4^0.
Note sur les progrès de la question l'unification du calendrier dans
ses rapports avec l'heure universelle. 1888. 8^0.
Nouveaux progrès. etc. 1889. 8^0.

Bonn.
Naturhistorischer Verein der preussischen Rheinlande,
Westfalens und des Reg.-Bezirks Osnabrück.
Verhandlungen, Jahrg. 1—47. 1844—90. 8^0.
Autoren und Sachregister zu Bd. 1—40. 1885. 8^0.

Bordeaux.
Société des Sciences physiques et naturelles.
Mémoires, Tom. 1—10. 1854—75; Sér. II. Tom. 1—5. 1876—83;
Sér. III. Tom. 1—5. 1884—89. 8^0.
Extraits des procès verbaux et bulletin bibliographique No. 1—96.
1874—76. 8^0.
Observations pluviométriques et thermométriques faites dans le dé-
partement de la Gironde 1882—89. 8^0.

Boston.
American Açademy of Arts and Sciences.
Memoirs, Vol. 1—4. 1785—1821. New Ser. Vol. 1—10. 1833—82.
Vol. 11. Centennial Volum. 1882—87. 4^0.
Proceedings, Vol. 1—23. 1848—88. 8^0.
Boston Society of Natural History.
Journal, containing papers and communications. Vol. 1—7. 1837
—1863. 8^0.
Memoirs, Vol. 1—4. 1866—90.
Anniversary memoirs etc. published in celebration of the 50 anni-
versary of society's foundation. 1830—80. 4^0.
Proceedings, Vol. 1—24. 1844—90. 8^0.
Conditions and doings 1865—68. 8^0.
Constitution and bye-laws with a list of the membres. 1855. 8^0.
Annual 1868—69. 8^0.

L. Agassiz, Address delivered · on the centennial anniversary of the
birth of Alexander von Humboldt. 1869. 8^0.
Jeffries Wyman, Memorial meeting. 1874. 8^0.
Occasional Papers: No. 1. Scudder, S. H., entomological correspon-
dence of Th. W. Harris. 1869. No. 2. Hentz, N. M., the spiders
of the United States. 1874. No. 3. Crosby, W. O., contributions
of the eastern Massachusetts. 1880. 8^0.

Braunschweig.

Verein für Naturwissenschaft.
Jahresberichte von 1879—87. Bd. 1—5. 8^0. (Bd. 5. Festschrift zur
Feier des 25jährigen Bestehens.)

Bremen.

Naturwissenschaftlicher Verein.
Abhandlungen, Bd. 1—11. 1868—90. 8^0.
Beilagen 1—8. 8^0.

Breslau.

Schlesische Gesellschaft für vaterländische Cultur.
Correspondenz der schlesischen Gesellschaft für vaterländische Cultur.
Bd. 1. 1820. 8^0.
Uebersicht der Arbeiten und Veränderungen im Jahre 1824—49. 4^0,
(als 1.—27. Band der Jahresberichte).
Jahresberichte, Bd. 28—67. 1851—89. 4^0 und 8^0.
Abhandlungen, Abth. für Naturwissenschaften und Medicin. Jahrg.
1861—73. 8^0.
— philosophisch-historische. 1861—74. 8^0.
Verzeichniss der Aufsätze von 1804—63. 1868; von 1864—76.
1878. 8^0.
General-Sachregister von 1804—76. 1878. 8^0.
Denkschrift zur Feier ihres 50jährigen Bestehens. 1853. 4^0.
Die entomologische Sektion in ihrem 50jährigen Bestehen, von
K. Letzer. 1858. 8^0.
Der Königlichen Universität Breslau bringt zur Feier ihres 50jährigen
Jubiläums die Schlesische Gesellschaft etc. ihre Glückwünsche dar.
Breslau 1861. Enth. F. Römer, fossile Fauna, s. Mineralogie.
Zur Feier ihres 75jährigen Bestehens: Eine Audienz Breslauer Bürger
bei Napoleon I. 1813; Schlesische Inschriften vom XIII. bis XVI.
Jahrhundert, von Dr. H. Luchs. 1878.
Festgruss der schlesischen Gesellschaft für vaterländische Cultur an
die 47. Versammlung deutscher Naturforscher und Aerzte. 1874. 8^0.

Brooklyn.

Entomological Society.
Bulletin, Vol. 1—7. 1878—85. 8^0.
Entomologica americana, a monthly Journal. Vol. 1—5. 1885—89. 8^0.

Brünn.

Naturforschender Verein.
Verhandlungen, Bd. 1—27. 1862—88. 8^0.
Katalog der Bibliothek, 1875. Supplement 1880. 8^0.
Bericht der meteorologischen Commission von 1881—88. I—VII. 8^0.

Werner-Verein zur geologischen Durchforschung von Mähren und Schlesien.
Jahresberichte, 1—15. 1852—66. 8^0.
Hypsometrie von Mähren und österr. Schlesien, verfasst von Köristka.
Brünn. 1863. 4^0.

Brüssel.

Académie Royale des Sciences etc. de Belgique.
Bulletin, Tom. 13—23. 1846—56. Sér. II. Tom. 1—50. 1857—80.
Sér. III. Année 50—59. Tom. 1—17. 1881—89.
Tables générales aux Tom. 1—23. 1853—54; Sér. II. Tom. 1—20.
1867. Sér. II. Tom. 21—50. 1883. 8^0.
Bibliographie académique. 1854. 8^0.
Annuaire, Années 12—55. 1846—89. 8^0.
Centième anniversaire de fondation de l'académie (1772—1872).
Tom. I. II. 1872. 8^0.

Société malacologique de Belgique.
Annales, Tom. 1—23. 1863—88. 8^0.
Procès-verbaux des séances Tom. 6—17. 1877—88. (1—5 in den Annales.)

Société entomologique Belge.
Annales, Tom. 1—32. 1857—88. 8^0.
Comptes-rendus des scéances. 1866—83. 8^0.
Tables générales zu Tom. 1—30 par Laméere 1887. 8^0.
Assemblée générale extraordinaire convoqué pour la commémoration de la fondation de la société. 16. Oct. 1880. 8^0.

Budapest.

K. Ungarische geologische Gesellschaft.
Földani-Közlöny. (Geologische Mitteilungen.) Jahrg. 13—19. 1883 —90. 8^0.
Jahresberichte für 1882—88. 8^0.
Mitteilungen, Bd. 1—8. 1871—89. 8^0.
General-Index sämtlicher Publikationen von 1852—82. 1884. 8^0.
Katalog der Bibliothek. 1884 1. Nachtrag; 1886 2. Nachtrag. 1889. 8^0.
Specialkatalog der 6. Gruppe für Bergbau, Hüttenwesen und Geologie der allg. Landesausstellung zu Budapest. 1885. 8^0.
Petrik, über die Verwendbarkeit der Rhyolithe für die Zwecke der keramischen Industrie. 1888. 8^0.
Petrik, der Hollóházer Rhyolith-Kaolin. 1889. 8^0.

Buenos Aires.

Museo nacional (früher Museo publico).

Anales, Entrega 1—16. 1864—90. Fol.

Description physique de la république Argentine par Dr. H. Burmeister.

Tom. 1. Histoire de la découverte et la géographie. Paris 1876. 8⁰.

— 2. Climatologie et le tableau géognostique du pays. Paris 1876. 8⁰.

— 3. Animales vertébrés.
  2. Sect. Mammifères. 1. Livr. Die Bartwale der argentinischen Küsten. 1881. 4⁰.
  2. Livr. Die Seehunde der argentinischen Küsten. 1883. 4⁰.

— 5. Lépidoptères. Livr. 1. 2. avec Atlas. Buenos Aires 1879. 1880. 4⁰.

Bericht über die Feier des 50jährigen Doktor-Jubiläums des Prof. Dr. Burmeister. Buenos Aires 1880. 8⁰.

H. Burmeister, die fossilen Pferde der Pampasformation mit Nachtragsbericht 1874. 1889. Fol.

Buffalo.

Society of Natural Sciences.

Bulletin, Vol. 1—5. 1873—86. 8⁰.

G. F. Kittredge, the present condition of the earth's interior. 1876. 8⁰.

Caen.

Société Linnéene du Calvados.

Mémoires, Année 1824. Tom. 1. Année 1825 (nur Vorrede) 8⁰ und Atlas pour l'année 1825. Paris 1825. Quer Fol.

Société Linnéene de Normandie.

Mémoires, Années 1826—28. Tom. 3—4. 1826—28. 8⁰; Année 1829. Tom. 1 part. 1; Tom. 5—14. 1834—65, Tom. 16. 1872. Paris. 4⁰.

Bulletin, Vol. 1—10. 1855—65. Sér. II. Vol. 3—9. 1869—75. Sér. III. Vol. 1—7. 1876—83; Sér. IV. Vol. 2—3. 1887—89. 8⁰.

Annuaire du Musée d'histoire naturelle publié par M. E. Eudes-Deslongchamps. Vol. 1. Année 1880. 8⁰.

Cairo.

Société Khediviale de Géographie.

Bulletin, No. 1—4. 1876—77. 8⁰.

Notice nécrologique sur le M. de Compiègne, secrétaire général etc. par M. C. Guillemine. 1877. 8⁰.

Statuts. Alexandrie 1875. 8⁰.

Discours prononcé au Caire a la séance d'inauguration par Dr. Schweinfurt. Alexandrie 1875. 8⁰.

Calcutta.

Asiatic Society of Bengal.
Journal, part 1. Edited by philological secretary. New Series. Vol. 43
—57. 1874—88. Part 2. Edited by natural history secretary.
New Series. Vol. 43—57. 1874—89. 8⁰.
Proceedings, 1874—88. 8⁰.
List of periodicals and publications received in the library. 1878. 8⁰.
Ruls of the Asiatic Society of Bengal. 1876. 8⁰.
Centenary review from 1784—1883. 8⁰.
Moore, Fr., descriptions of New Indian. Lepidopterous Insects: Hetero-
cera. 1882. 4⁰.

Cambridge.

Museum of Comparative Zoology at Harvard College.
Annual Report of the Trustees of the Museum etc. 1862—90. 8⁰.
Bulletins, Vol. 1—20. 1863—90. 8⁰.
Memoirs (Illustrated Catalogue No. 1—8), Vol. 1—16. 1862—90. 4⁰.

National Academy of Sciences.
Annual for 1866—67. 8⁰.

Canada.

Geological and natural history Survey of Canada.
Report of progress for the years 1844—88. 8⁰.
Summary report of progress in geological investigations. 1869—70. 8⁰.
List of the publications of the Museum, Offices and library. 1884. 8⁰.
Figures and descriptions of Canadian organic remains. Decade 1—4.
1858—65. 8⁰.
Dawson, J. W., Fossil plants of the Devonian and upper silurian for-
mation of Canada. Part. 1. 2. 1871—82.
Dawson, J. W., Lower carboniferous and millstone grit formations.
1873. 8⁰.
Mesozoic fossils. Vol. 1. Part 1—3. 1876—84. 8⁰.
Selwyn, A. R. C. and Dawson, G. M., descriptive sketch of the phy-
sical geography and geology dominion of Canada Map of the
dominion of Canada, geologically colored from surveys made by
the geological corps. 1842—82.
Macoun, J., Catalogue of Canadian plants. Part. 1—3. 1883—86.
Montreal. 8⁰.
Whiteaves, contributions to Canadian Palaeontology. Vol. 1. Part 2.
1889.
Dawson, G. M., comparative vocabularies of the Indian Tribes of
British Columbia with a map illustrative distribution by W. Fraser.
Montreal 1884. 8⁰.

Capstadt.

The south African quarterly Journal. No. 1—4. 1830; No. 1—4.
1833—34. 8⁰.

Cassel.

Verein für Naturkunde.
Jahresberichte, Bd. 1—11. 1837—47. 4⁰.
Berichte, Bd. 12—35. 1847—88. 8⁰.
Statuten 1863. Katalog der Bibliothek, 1875. 8⁰.
Repertorium der landeskundlichen Litteratur für Kassel von Dr.
K. Ackermann. 1883. 8⁰.

Chemnitz.

Naturwissenschaftlicher Verein.
Berichte, 5. v. 1. Jan. 1873 bis 31. Dez. 1874. 8⁰.

Cherbourg.

Société nationale des Sciences naturelles.
Mémoires, Tom. 1—25. 1852—87. 8⁰.
Catalogue de la bibliothèque. 1. partie 1870—73. Deux. partie 2. Livr.
1878. 2. edition. 1881. 3. Livr. 1883. 8⁰.
Compte-rendu de la séance extraordinaire de 30. Dec. 1876, a
l'occasion du 25. anniversaire de sa fondation. 1877. 8⁰.

Christchurch.

Acclimatisation Society.
Annual-Report, 3. 1866. 5—6. 1870. 8⁰.

Christiania.

Archiv for Mathematik og Naturvidenskab, udgivet af S. Lie,
W. Müller og G. O. Sars. Bind 1—14. 1876—90. 8⁰.
Christiania Observatorium.
Meteorologiske Jagttagelser 1862—65. 4⁰.
Forhandlinger ved de Skandinaviske Naturforskeres. Syvende Möde.
1. 1857. 8⁰.
Det kongelige Norske Frederiks Universitets. Aarsberetning for Aaret
1867. 1868. 8⁰.
Norske Nordhavs Expedition.
1. Collett, R., Pioce. 1880; 2. Toenoe, H., Chemi. 1880; 3. Da-
nielssen, D. C. and Koren, J., Gephyrea. 1881; 4. Witte, C.,
historisk Berotning. Apperaterne og deres Brug. 1882; 5. Mohn, H.,
astronomiske observationer and geografi og naturhistorie. Witte, C.,
magnetiske observationer. 1882; 6. Danielssen, D. C. and Koren, J.,
Holothurioidea. 1881; 7. Hansen, C. A., Annelida. 1882; 8. Friele, H.,
Mollusca I. Buccinidae. 1882; 9. Schmelck, L., Chemi. 1882;
10. Mohn, H., Meteorologi. 1883; 11. Danielssen, D. C. and
Koren, J., Asteroidea. 1884; 12. Dieselben: Pennatulida: 1884;
13. Hansen, G. A., Spongiadae. 1885; 14. Sars, G. O., Crustacea
a. b. 1885; 15. Sars, G. O., Crustacea II. 1886; 16. Friele, H.,
Mollusca II. 1886; 17. Danielssen, D. C., Alcyonidae. 1887; 18.
a. b. Mohn, H., nordhavets Dybder, Temperatur og Stromninger.
1887; 19. Danielssen, D. C., Actinidae. 1890.

Chur.

Naturforschende Gesellschaft Graubündens.
Jahresberichte, Neue Folge. Jahrg. 1—33. 1854—90.
Naturgeschichtliche Beiträge zur Kenntniss der Umgebungen von Chur.
Als Erinnerung an die 57. Versammlung der schweizerischen naturforschenden Gesellschaft. 1874. 8^0.

Cincinnati.

Society of Natural History.
Journal, Vol. 3—13. 1880—90. 8^0.

Colmar.

Société d'histoire naturelle.
Bulletin, Années 1—29. 1860—88. 8^0.
Bibliothèque de la société. 1869. 8^0.

Cordova.

Academia Nacional de Ciencias exactas.
Acta, Tom. 1. 1875; Tom. 3. 1877—78; Tom. 4. Entreg. 1. 1882;
Tom. 5. Entreg. 1—3. 1884—86; Tom. 6. 1889. Mit Atlas.
Expedicion al Rio Negro an 1879. Entreg. 1. Zoologia; Entreg. 2.
Botanica; Entreg. 3. Zoologia. 1881. 1882.

Costa Rica.

Museo Nacional della Republica de Costa Rica.
Anales, Tom. 1. 1887. 4^0.

Danzig.

Naturforschende Gesellschaft.
Neueste Schriften, Bd. 1—6. 1820—62. 4^0.
Schriften, Neue Folge, Bd. 1—7. 1863—90. 8^0.
Rede zur Feier des ersten Säkularfestes am 2. Januar 1843. 4^0.
Danzig in naturwissenschaftlicher und medizinischer Beziehung. Gewidmet den Mitgliedern und Teilnehmern der 53. Versammlung Deutscher Naturforscher und Aerzte. Danzig 1880. 8^0.

Darmstadt.

Grossherzoglich Hessische Geologische Landesanstalt.
Abhandlungen des mittelrheinischen geologischen Vereins. Bd. 1.
1882. 4^0.
Abhandlungen, Bd. 1. 1884—88. 4^0.

Verein für Erdkunde.
Notizblatt, 1850—88. 8^0.

Davenport.

Academy of natural Sciences.
Proceedings, Vol. 1—5 part. 1. 1876—89. 8^0.
Putnam, Elephant Pipes in the Museum. 1885. 8^0.

Dijon.

Académie des Sciences, arts et belles-lettres.
Mémoires, Années 1830—34. 1836. 1839—40. 1843—50. Sér. II.
  Tom. 1—16. 1851—70; Sér. III. Tom. 1—10. 1871—87; Sér. IV.
  Tom. 1. 1888—89. 8⁰.
Monographie géologique des anciens glaciers et du terrain erratique
  de la partie moyenne du Bassin du Rhône par A. Falsan et E.
  Chantre. Atlas. Lyon 1875.
Nodot, Description d'un nouveau genre d'édenté fossile renfermant
  plusieurs espèces voisines du Glyptodon. Atlas zu Tom. 5 der
  Mémoires. 1865. Fol.
Séance publique du 25. août 1829, 26. août 1836, 21. août 1843. 8⁰.
Partie des lettres: Années 1883—84; des sciences: Années 1883—84.
  Sér. III. Tom. 9—10. 1885—86.

Dorpat.

Dorpater Naturforscher-Gesellschaft.
Archiv für Naturkunde Liv-, Ehst- und Kurlands. Ser. I. Minera-
  logische Wissenschaften nebst Chemie etc. Bd. 1—9. 1854—89. 8⁰.
Ser. II. Biologische Naturkunde. Bd. 1—10. 1854—85. 8⁰.
Bericht über die Ergebnisse der Beobachtungen der Regenstationen.
  1887. 4⁰.
Schriften, I—V. 1884—90. gr. 8⁰.
Sitzungsberichte, Bd. 1—8. 1854—88. 8⁰.

Dresden.

Naturwissenschaftliche Gesellschaft „Isis".
Sitzungsberichte, Jahrg. 1861—89. 8⁰.
Festgabe zur Feier ihres 25jährigen Bestehens. Von Dr. Drechsler.
  1860. 8⁰.
Festschrift zur Feier ihres 50jährigen Bestehens. 1885. 8⁰.

Dublin.

Dublin University zoological and botanical Association.
Proceedings, Tom. 2. Part. 1. 2. Dublin 1860—63. 8⁰.

Natural History Society.
Proceedings, Vol. 1. 2; Vol. 3, part. 1—2; Vol. 4, part. 1—3. 1849
  —65. 8⁰.

Dürkheim.

Naturwissenschaftlicher Verein „Polichia".
Jahresberichte, Bd. 1—46. 1822—88. 8⁰.
Mitteilungen, 47.—48. Jahresbericht. 1888—90. 4⁰.
Verzeichnis der Bibliothek. 1866. 8⁰.
Gümbel, R., die 5 Würfelschnitte. Denkschrift auf den 6. Oktober
  1851. 4⁰.
Mehlis, C., der Grabfund aus der Steinzeit von Kirchheim a. Eck.
  1881. 8⁰.

Royal Geological Society of Ireland.
Journal, Vol. 1—10. 1844—64. New Ser. Vol. 1—7. 1865—87. 8⁰.
An adress belivered at Annual Meeting 1, 5, 7, 9. 1832—40. 8⁰.

Royal Dublin Society.
Journal, Vol. 1—7. No. 1—45. 1856—78. 8⁰.
Proceedings, New Serie. Vol. 1—6. 1877—90 8⁰.
Transactions, New Serie. Vol. 1—4. 1877—89. 4⁰.
Review, the natural history and quarterly journal of science. Vol. 1—7. 1854—60. 8⁰.

Edinburgh.

Geological Society.
Transactions, Vol. 1—5. 1868—87. 8⁰.

Royal Physical Society.
Proceedings, Vol. 1—10. 1856—89. 8⁰.

Royal Society.
Proceedings, Vol. 1—6. 1845—68; Vol. 8—16. 1872—1889. 8⁰.
Transactions, Vol. 1—35. 1798—1890. 4⁰.

Erlangen.

Physikalisch-medizinische Societät.
Verhandlungen, Heft 1—2. 1865—70. 8⁰.
Sitzungsberichte, Heft 3—22. 1870—90. 8⁰.

Florenz.

Società entomologica italiana.
Bulletino, Anno 1—22. 1869—90. 8⁰.
Catalogo sinonimico e topographico dei Coleotteri d'Italia del Stefano de Bertolini. 1872. 8⁰.
Catalogo della collezione di insetti italiani des R. museo di Firenze. Coleotteri. Ser. Ia. 1876; Ser. Ha 1879. 8⁰.
Resoconti della adunanze compilati dal Segretario G. Cavanna. 1881.
Statuto delle societa 1885. 8⁰.

Frankfurt a. M.

Zoologische Gesellschaft.
Der zoologische Garten, Jahrgang 1—31. 1860—90. 8⁰.

Senckenbergische naturforschende Gesellschaft.
Bericht von 1868—90. 8⁰.

Freiburg i. Br.

Naturforschende Gesellschaft (früher Gesellschaft für Beförde-derung der Naturwissenschaften).
Berichte über die Verhandlungen, Bd. 1—8. 1858—85. 8⁰.
Berichte, Bd. 1—4. 1886—1889. 8⁰.
Festschrift zur Feier des 25jährigen Jubiläums. 1871. 8⁰.

Fulda.

Verein für Naturkunde.
Berichte, 1—2. 1870—1875. 8⁰.

Genf.

Société de Physique et d'Histoire Naturelle.
Mémoires, T. 1—30. 1821—90 4⁰.
Table des Mémoires cont. dans Tom. 1—20. 1871. 4⁰.

Genua.

Museum Civico di Storia naturale.
· Annali, Vol. 1—20. 1870—82. Ser. II. Vol. 1—9. 1884—90. 8⁰.

Giessen.

Oberhessische Gesellschaft für Natur- und Heilkunde.
Berichte, 1—27. 1847—90. 8⁰.
Jahresberichte über die Fortschritte der Chemie etc. Herausgegeben
von J. Liebig, H. Kopp, H. Will, A. Strecker, A. Naumann und
Fr. Fittica für 1851—86. 8⁰.
Register zu den Berichten für 1847—66. 1868. für 1867—76, 1878
—1880. 8⁰.

Glasgow.

Natural History Society.
Proceedings and Transactions. Vol. 1—5. 1868—83. New Ser.
Vol. 1—3. 1883—89. 8⁰.
Index to the Proceedings, Vol. 1—5. 1851—83. 8⁰.

Görlitz.

Naturforschende Gesellschaft.
Abhandlungen, Bd. 1—19. 1827—87. 8⁰.
· Zwei Karten zur geognostischen Beschreibung der Pr. Oberlausitz
von E. F. Glocker. Zu 8. Bd. 1857. Fol.

Gravenhage.

Nederlandsche Entomologsche Vereeniging.
Tijdschrift voor Entomologie. Deel 1—33. 1858—90.

Graz.

Naturwissenschaftlicher Verein für Steiermark.
Mitteilungen, Jahrg. 1863—89. 8⁰.
Hauptrepertorium über sämtliche Vorträge von 1863—83. 8⁰.
Lebal, v., das chemische Institut der K. K. Universität Graz. 1880. 8⁰.
Graff, L. v., Gedächtnisrede auf E. O. Schmidt. 1888. 8⁰.

Greifswald.

Naturwiss. Verein von Neu-Vorpommern und Rügen.
Mitteilungen, Jahrg, 1—22. Berlin 1869—90. 8⁰.

Haarlem.

Hollandsche Maatschappij der Wetenschappen.
Verhandelingen, Deel 1—30. 1754—93. 8⁰.

Natuurkundige Verhandelingen van de Bataafsche Maatschappij der wetenschappen te Haarlem. Deel 1—24. 1799—1844. 8⁰.

2. Verzameling, Deel 1—25. Haarlem 1841—68. 4⁰.
3. „ „ 1—4. Haarlem 1870—87. 4⁰.
Werktuig- en wiskundige verhandelingen, Deel 1. 1802. 8⁰.
Wijsgeerige verhandelingen, Deel 1. 1811; Deel 1—2. 1821—22. 8⁰.
Historische en letterkundige verhandelingen, Deel I. II. 1851—53. 4⁰.
Dissertation sur l'origine, l'invention et le perfectionnement de l'imprimerie par J. Koning. Amsterdam 1819. 8⁰.
Ueber die Gründe der hohen Verschiedenheit des Philosophen im Ursatze der Sittenlehre bei ihrer Einstimmigkeit in Einzel-Lehren derselben. Preis-Schrift. Züllichau 1812. 4⁰.
Everth, J. E., nieuwe naamlist van Nederlandsche schildvleugelige Insecten. 1887. 8⁰.

Société hollandaise.
Archives néerlandaises des sciences exactes et naturelles. Vol. 1—24. 1866--90. 8⁰.
Programme Année 1875—78. Notice historique etc. liste des publications de la société, depuis sa fondation en 1752 et liste des publications des sociétés savants etc. qui trouvent dans la bibliothèque de la société. 1876. 8⁰.
Oeuvres complèts de Christian Huggens. Tom. I. Cowespord. 1638 --56; Tom. II. 1657—59. La Haye. 1880. 4⁰.

Teyler Genootschap.
Archiv du Musée Teyler. Vol. 1—5. 1867—80; Sér. II. Vol. 1—3. 1881—1890. gr. 8⁰.
Catalogue systématique de la collection paléontologique par T. C. Winckler. Livr. 1—6. 1863—76. 1. Supplément 1867. 2. Suppl. 1876. gr. 8⁰.
Catalogue de la bibliothèque par C. Ekama. Livr. 1—8. 1885—88. Vol. 2. Livr. 1. 1889.
Origine et but de la fondation Teyler et de son cabinet de physique publié par E. van der Ver. 1881. 8⁰.

Halle.

K. K. Leopoldino-Carolinischen Deutsche Akademie.
Leopoldina, Heft 1—25. 1859—89. 4⁰.

Naturforschende Gesellschaft.
Abhandlungen, Bd. 1—17. 1853--88. 4⁰.
Bericht über die Sitzungen im Jahre 1882—87. 8⁰.
Festschrift zur Feier des 100jährigen Bestehens der Gesellschaft. 1879. 4⁰.

Naturwissenschaftlicher Verein für Sachsen und Thüringen.
Jahresbericht, Jahrg. 1—5. 1848—52. 8⁰.
Zeitschrift für die gesamten Naturwissenschaften, Bd. 1—34. 1853
—69. Neue Folge Bd. 1—14 (Bd. 35—48 der ganzen Reihe). 1870
—76. Dritte Folge. Bd. 1—6. (Bd. 49—54 d. g. R.). 1877—81.
Vierte Folge Bd. 1—8. (Bd. 55—62). 1882—1889. Fünfte Folge
Bd. 1. (Bd. 63). 1890. 8⁰.

Verein für Erdkunde.
Mitteilungen, Jahrg. 1877—90. 8⁰.

Hamburg.

Naturwissenschaftlicher Verein.
Abhandlungen aus dem Gebiete der Naturwissenschaften, Bd. 1—11.
. 1846—89. 4⁰.
Verhandlungen, Neue Folge 1—6. 1877—82. 8⁰.
Übersicht der Ämter-Verteilung und wissenschaftlichen Thätigkeit des
Vereins im Jahre 1871. 1873—74. 4⁰.

Verein für naturwissenschaftliche Unterhaltung.
Verhandlungen, Bd. 1—6. 1875—87. 8⁰.

Wissenschaftliche Anstalten.
Jahrbuch, Jahrg. 1—7. 1854—84. 8⁰.

Hanau.

Wetterauer Gesellschaft für die gesammte Naturkunde.
Annalen, Bd. 1—4. 1809—19. Frankfurt a. M. 4⁰.
Jahresberichte über die Gesellschaftsjahre 1843—89. 8⁰.
Naturhistorische Abhandlungen aus dem Gebiete der Wetterau. Eine
Festgabe bei ihrer 50jährigen Jubelfeier am 11. August 1858. 8⁰.
Der Gesellschaft zur Feier ihres 50jährigen Bestehens am 11. August
1858 im Namen der Gesellschaft zur Beförderung der gesamten
Naturwissenschaften zu Marburg. 1858. 8⁰.
Der Gesellschaft zur Feier ihres 50jährigen Bestehens am 11. August
1858, vom Verein für Naturkunde im Herzogtum Nassau. Enth.:
C. L. Kirschbaum, Die Athysanus-Arten. Wiesbaden 1858. 4⁰.

Hannover.

Naturhistorische Gesellschaft.
Jahresberichte, 1—2. 4—7. 9—39. 1851—89. 8⁰.

Heidelberg.

Grossherzoglich badische geologische Landesanstalt.
Mitteilungen, Bd. 1. 1890. 8⁰.

Naturhistorisch-medizinischer Verein.
Verhandlungen, Bd. I. II. 1—3. III. IV. V. 2—5. VI. 1857—72. 8⁰.
Neue Folge, Bd. 1—4. 1874—89. 8⁰.

Helsingfors.

Societas pro fauna et flora Fennica.
Notiser ur sällskapets pro fauna et flora Fennice in Helsingfors,
Förhandlingar, Häftet 1—3. 1848—57. 4⁰. Ny Serie. Häftet 1—11.
1858—75. 8⁰. Ny Serie. Häftet 1. 1882. 8⁰.
Meddelanden af societas pro fauna et flora Fennica, Häftet 1—15.
1876—89. 8⁰.
Acta societatis pro fauna et flora Fennica, Vol. 1—5. 1875—88. 8⁰.
Sällskapets för tiden från den 1. Nov. 1821 till samma dag 1871;
inrättning och verksamhet ifrån dess stiftelse den 1. Nov. 1821
till den 1. Nov. 1871. 1871. 8⁰.
Genmäle med anledning af Sällskapets pro fauna et flora Fenica
Notiser. Häftet 5 och 6, af Th. Fries. Upsala 1862. 8⁰.
Beobachtungen über die periodischen Erscheinungen des Pflanzen-
lebens in Finnland von Dr. A. O. Kihlmann. 1886. 8⁰.
Herbarium musei Fennici. 2. Edit. I. Plantae vasculares curanti-
bus Th. Saelan, A. O. Kihlmann, H. Hjelt. 8⁰.
H. Hjelt, Notae conspectus florae Fennicae. Helsingfor 1888. 8⁰.

Hermannstadt.

Siebenbürgischer Verein für Naturwissenschaften.
Verhandlungen u. Mitteilungen, Jahrg. 1. Heft 1. 5. 2—39. Jahrg. 1850
—1889. 8⁰.

Hohenheim.

Land- und forstwirtschaftliche Akademie.
Beschreibung, herausgegeben von dem Direktor und den Lehrern der
Anstalt. Stuttgart. 1863. 8⁰.
Festschrift zum fünfzigjährigen Jubiläum der K. land- und forstwirt-
schaftlichen Akademie Hohenheim. Stuttgart. 1868. 8⁰.
Wolff, Prof. Dr. E., die landw.-chemische Versuchsstation Hohenheim,
deren Einrichtungen und Thätigkeit in den Jahren 1866—70.
Programm zur 52. Stiftungsfeier. Berlin. 1870. 8⁰.
Zipperlen, W., die Landespferdezucht in Württemberg. Programm.
Ulm. 1872.
Weber, F., die specifischen Wärmen der Elemente Kohlenstoff, Bor
und Silicium. Programm. Stuttgart. 1874. 8⁰.
Nies, F., aphoristische Studien über den Verwitterungsprozess der
Gesteine. 1. Teil. Programm. Stuttgart. 1875. 8⁰.
Winkelmann, A., über eine Beziehung zwischen Druck, Temperatur
und Dichte des gesättigten Wasserdampfes. Programm. 1879. 8⁰.
Lorey, F., über Stammanalysen. Bemerkungen und Erläuterungen an
Ertragserhebungen der K. W. forstlichen Versuchsstation. Programm.
Stuttgart. 1880. 8⁰.
Winkelmann, A., wie erhält man Regen-Beobachtungen, eine Be-
grenzung von Prognosenbezirken? Programm. 1881. 8⁰.
Kirchner, O., über die Empfindlichkeit der Wurzelspitze für die Ein-
wirkung der Schwerkraft. Programm. 1882. 8⁰.

Strebel, E. V., Beiträge zur mechanischen Bearbeitung des Acker-
bodens. Programm zur 65. Jahresfeier. 1883. 8^0.

Behrend, Fr., zur Kenntnis des Stoffumsatzes bei der Malzbereitung
und Spiritusfabrikation. Programm zur 66. Jahresfeier. Stuttgart.
1884. 8^0.

Wolff, E., Grundlagen für die rationelle Fütterung des Pferdes. Programm der 67. Jahresfeier der K. Akademie Hohenheim. (1885.)

Sieglin, H., die Rinderzucht in Württemberg. Programm zur 69. Jahresfeier. 1887. 8^0.

Nies, F., über das Verhalten der Silikate beim Übergange aus dem
glutflüssigen in den festen Aggregatzustand. Programm zur 70.
Jahresfeier. 1888. 8^0.

Mack, K., die klimatischen Verhältnisse von Hohenheim. Programm
zur 71. Jahresfeier. Stuttgart. 1889. 8^0.

Vossler, chemische Untersuchung einiger Gesteine und Bodenarten
Württembergs. (Mitteilungen aus Hohenheim.) Stuttgart. 1887. 8^0.

Indianopolis.

Geological Survey of Indiana.
Annual report of the year 1869 by E. T. Cox, 8^0.
Maps and colored section referred to in the report of state geo-
logist. 1869.

Innsbruck.

Naturwissenschaftlich-medizinischer Verein.
Berichte, 1—18. 1870—89. 8^0.

Kaesmark.

Ungarischer Karpathen-Verein.
Jahrbuch, Jahrg. 7. 1880. Jahrg. 9—16. 1882—89. 8^0.
Bibliotheca carpatica. 1880. 8^0.
Gründung, Entwicklung und Thätigkeit des Vereins. 1883. 8^0.
Denes, F., Wegweiser durch die Ungarischen Karpathen. Iglo. 1888. 8^0.

Karlsruhe.

Naturwissenschaftlicher Verein.
Verhandlungen, Heft 1—10. 1864—88. 4^0 und 8^0.

Kiel.

Naturwissenschaftl. Verein für Schleswig-Holstein (früher
Verein nördl. der Elbe zur Verbreitung naturwissensch. Kenntnisse).
Mitteilungen, Heft 1—9. 1857—69. 4^0 und 8^0.
Schriften, Bd. 1—8. 1873—89. 8^0.

Klagenfurt.

Naturhistorisches Landesmuseum von Kärnten.
Jahrbuch, Heft 5—6. 1862—63. 8^0.

Königsberg.

K. physikalisch-ökonomische Gesellschaft.
Schriften, Jahrg. 1—30. 1860—89. 4⁰.

Beiträge zur Naturkunde Preussens.
1) Mayer, Ameisen des baltischen Bernsteins. 1868. 4⁰.
2) Heer, miocäne baltische Flora. 1869. 4⁰.
3) Steinhardt, die bis jetzt in preuss. Geschieben gefundenen Trilobiten. 1874. 4⁰.
4) Lentz, Katalog der preuss. Käfer. 1879. 4⁰.
5) Klebs, Bernsteinschmuck der Steinzeit. 1882. 4⁰.

Kopenhagen.

Kongelige nordiske Oldskrift-Selskab.
Tilläg til Aarböger. Aarg. 1832. 3. 8⁰·

Landshut.

Botanischer Verein.
Berichte, 1—11. 1871—89. 8⁰.
Hofmann, J., Flora des Isargebietes von Wolfratshausen bis Deggendorf. 1883. 8⁰.

Lausanne.

Société Vaudoise des Sciences naturelles.
Bulletin, Vol. 1—25. 1842—90. 8⁰.

Leiden.

Niederländisches Archiv für Zoologie.
Bd. 1—5. 1871—82. 8⁰.
Nederlandsche Dierkundige Vereeniging.
Tijdschrift, Deel 1—6. 1874—83. Ser. 2. Deel 1—2. 1885—89. 8⁰.

Leipzig.

Naturforschende Gesellschaft.
Sitzungsberichte, Jahrg. 1—16. 1874—90. 8⁰.
C. A. Wunderlich, Nekrolog. 1878. 8⁰.
Bericht der Naturforscher-Versammlungen.
Amtlicher Bericht über die Versammlung:
(1—6 s. Isis von Oken.)
6. in München 1827. (Isis von Oken. 1828. Heft 5—6.) 4⁰.
8. in Heidelberg 1829. Heidelberg. 1829. 4⁰.
9. zu Hamburg 1830. (Isis von Oken. 1831. Heft 8—10.) 4⁰.
11. in Breslau 1833. Breslau. 1834. 4⁰.
12. zu Stuttgart 1834. Beschreibung von Stuttgart hauptsächlich nach seinen naturwissenschaftlichen und medizinischen Verhältnissen. Verfasst von Professor Dr. Plieninger. 4⁰ (und Isis von Oken. 1836. Heft 3.) 4⁰.
14. zu Jena 1836. Weimar. 1837. Mit 5 lithographischen Tafeln und den Faksimiles der Mitglieder der Versammlung. 4⁰.

15. in Prag 1837. Prag. 1838. 4^0.
16. Bericht in Freiburg. Freiburg. 1839. 8^0.
18. zu Erlangen 1840. Mit den Faksimiles der Teilnehmer. Erlangen. 1841. 4^0.
19. zu Braunschweig. Braunschweig. 1842. 4^0.
20. zu Mainz 1842. Mit 2 Steindrucktafeln. Mainz. 1843. 4^0.
21. in Graz. 1843. 4^0.
22. in Bremen. Bremen. 1845.
23. in Nürnberg 1845. Nürnberg. 1846. 4^0.
24. in Kiel 1846. Special-Bericht über die Verhandlungen in der Sektion für Mineralogie, Geognosie und Geographie. Kiel. 1847. 4^0.
25. in Aachen 1847. Mit 6 Steindrucktafeln. Aachen. 1849. 4^0.
26. in Regensburg 1849. Abhandlungen des zoologisch-mineralogischen Vereins in Regensburg. 1849. 8^0.
27. in Greifswald 1850. Gedichte, Berlin. 1850. 8^0.
29. zu Wiesbaden 1852. Wiesbaden. 1853. Zum 200jährigen Jubiläum der Leop.-Carol. deutsch. Akademie. 1852. 4^0.
30. in Tübingen 1853. Wegweiser durch Tübingen, seine Umgebung, seine Geschichte, seine wissenschaftlichen und insbesondere naturwissenschaftlichen und medizinischen Institute. Zum Andenken an die 30. Versammlung deutscher Naturforscher und Ärzte. Tübingen 1853. 4^0.
31. in Göttingen. 1854.
32. in Wien 1856. Tageblatt No. 1—8. 4^0. Hiezu: Kalevatá, die Parasiten der Chiropteren. Wien 1885, und Erinnerungsblätter. Fol. 8^0.
33. zu Bonn 1857. Mit 2 Tafeln. Bonn. 1859. 4^0.
34. in Karlsruhe 1858. Mit 5 Tafeln und 16 Holzschnitten. Karlsruhe. 1859. 4^0.
39. in Giessen 1864. Mit 6 Tafeln. Giessen. 1865. 4^0.
   Festgabe für die 42. Versammlung Deutscher Naturforscher und Ärzte am 19. September 1868 zu Dresden. v. Geinitz, fossile Fischschuppen.
41. Ein Liederbuch für Naturforscher und Ärzte. Frankfurt a. M. 1867.
43. in Innsbruck. Zoologische Mitteilungen. 1869. 8^0. Wiesbaden.
49. in Hamburg, Festgabe der Mitglieder etc. vide Hamburg. Abh. Bd. 6. Abt. 2—3.
50. in München. 1877. 4^0. Hiezu: München in naturwissenschaftlicher und medizinischer Beziehung. 8^0.
52. in Baden. 1879. 4^0.
57. die 57. Versammlung heisst willkommen das Realgymnasium zu Magdeburg. Hiezu: Ergo bibamus. 8^0.
62. in Heidelberg. 1889. 4^0.

Linz.

Museum Francisco-Carolinum.
   Berichte, 3—48, nebst den Beiträgen zur Landeskunde von Österreich ob der Ens. Lief. 1—42. 1839—90. 4^0 und 8^0.
Das oberösterreichische Museum Francisco-Carolinum. 1873. 8^0.

Ehrlich, C. v., geognostische Wanderungen im Gebiete der nordöstlichen Alpen. 1854. 8⁰.
Kaiser, die litterarische Thätigkeit des Museum Francisco-Carolinum von 1833—83. 8⁰.
Festschrift zur Feier des 50jährigen Bestands. 1883. 4⁰.
Duftschmid, Flora von Oberösterreich. 1883—85. 8⁰.
Verein für Naturkunde in Österreich zu Linz.
Jahresbericht 1—3. 5. 6. 8—15. 1870—85. 8⁰.

London.

Geological Society.
Quarterly Journal. Vol. 1. No. 1—3. Vol. 2—46. 1846—90. 8⁰.

Linnean Society.
Journal of the Proceedings, Botany. Vol. 1—27. 1857—90. 8⁰.
Zoology. Vol. 1—23. 1857—89. 8⁰.
Proceedings of the sessions 1873—87. 8⁰.
Additions of the library. 1873—75. 8⁰.
List of the Linnean society, 1863—64. 1866—67. 1873. 1876—90. 8⁰.
Alterations of Bye-Laws. 1874. 8⁰.
General-Index to the first 20 Volumes of the Journal (Botany) and the Proceedings. 1888. 8⁰.

Zoological Society.
Transactions, Vol. 1—12. 1835—90. 4⁰.
Proceedings, Part. 1—28. 1830—60. For the year 1860—90. 8⁰.
Index to the Proceedings 1830—47. 1866; to 1848—60. 1863; to 1861—70. to 1871—80. 1882. 8⁰.
List of the vertebrated animals in the garden of the zoolog. society. 1862; 2d edition 1863; 4th edition 1866; 5th edition 1872; Supplement 1875; 6th edition 1877; 7th edition 1879. 8⁰.
Catalogue of the library 1872 und 1880. 8⁰.
General-Index of the Transactions Vol. 1—10. 1835—79. 4⁰.
Report of the council to 1865, 1866, 1868, 1870. 8⁰.

The geological Magazine.
No. 89—179. 1871—79. 8⁰.

Lüttich.

Société royal des sciences.
Mémoires, T. 1—20. 1843—66. Sér. II. T. 1—16. 1866—90. 8⁰.
Société géologique de Belgique.
Annales, T. 1—17. 1874—90. 8⁰.
Macar, J. de, Bassin de Liège. Tracés des failles et allures de Couches. Karten zu T. 6.
Catalogue des ouvrages de géologie, minéralogie, paléontologie et des cartes géologiques etc. par Dewalque. 1884. 8⁰.
Procès-verbal de l'assemblée générale du 21. Nov. 1886. 8⁰.

Lund.

Lunds Universitets Års-scrift. Matematik och Natur-
wetenskap.
Acta Tom. 15—25. 1878—89. 4^0.
Lunds universitets bibliotek Accessions Katalog 1879—85.

Luxemburg.

Institut royal Grand ducal de Luxembourg (früher Société
des sciences naturelles.)
Années 1853—1866. Tom. 1—10. 8^0.
Publications, Tom. 11—19. 1869—83. 8^0.
Reuter, F., observations métérologiques faites à Luxembourg. Vol.
1—4. 1867—87. 8^0.

Société de botanique.
Recueil des mémoires et des travaux. No. 1—11. 1874—86. 8^0.

Lyon.

Académie des Sciences, belles-lettres et arts.
Mémoires, Classe des sciences, Tom. 1—2. 1845—47. Nouv. Sér.
Tom. 1—28. 1851—88. 8^0. Classe des lettres. Nouv. Sér. Tom. 1—23.
1851—86. 8^0.
Compte-rendu des traveaux pendant le premier semestre de 1815.
1822. Pendant l'année 1816. 1822. Pendant le premier semestre
de 1823. 1825. Pendant l'année 1836. 1837. 8^0.

Museum d'histoire naturelle.
Archives. Tom. 1—4. 1876—87. Fol.
Saint Lager, nouvelles remarques sur la nomenclature botanique 1881;
table de matières contenues dans le Mémoires publies de 1845—81;
recherches historiques sur les mots plantes males et plantes fe-
melles. Paris 1884. 8^0.
— le procès de la nomenclature botanique et zoologique. 1886.
— recherches sur les anciens Herbaria. 1886. 8^0.

Société d'agriculture, d'histoire nat. et arts utiles.
Annales, Sér. I. Tom. 1—11. 1838—48; Sér. II. Tom. 1—8. 1849
—56; Sér. III. Tom. 1—11. 1857—67; Sér. IV. Tom. 1—10. 1868
—77; Sér. V. Tom. 1—10. 1878—87; Sér. VI. Tom. 1. 1888. 8^0.

Madrid.

Real Academia de ciencias.
Memorias de la real academia de ciencias. Ser. I. Ciencias exactas
Tom. I. Part. 2. 1863. Ser. II. Ciencias fisicas. Tom: I. Part.
1—3. Tom. 2. Part. 1. 1856—64. 4^0. Ser. III. Ciencias naturales Tom. 2. Part. 1—3. Tom. 3. Part. 1. 1856—61. 4^0.
Resumen de la actas de la real academia de ciencias exactas, fisicas y naturales de Madrid en anno do 1852—62. 8^0.
Resumen de los Trabajos meteorologicas correspondientes al anno
1854 etc. de Don M. Rico y Sinobas. 1857. 4^0.

Libros del saber de astronomia del rey D. Alfonso X. de Castilla.
Tom. 1—2. 1863. Tom. 4—5. 1866—67. Fol.

Magdeburg.

Naturwissenschaftlicher Verein.
Jahresberichte, 1—8. 1872—78. 13—15. 1885. 8⁰.
Jahresbericht und Abhandlungen. 16. 1885.
Sitzungsberichte, 1870. 8⁰.
Abhandlungen, Heft 1—7. 1869—76. 8⁰.

Mailand.

Reale istituto Lombardo di scienze e lettere.
Rendiconto, Ser. II. Vol. 10—21. 1877—88. 8⁰.

Mannheim.

Verein für Naturkunde.
Jahresberichte, 1—55. 1834—1888. 8⁰.
Statuten des Mannheimer Vereins für Naturkunde. 1836. 8⁰.
Kilian, Fr., Wegweiser durch die Säle des grossh. naturhist. Museums.
1838. 8⁰.

Melbourne.

Zoological and acclimatisations Society of Victoria.
Proceedings, Vol. 1—4. 1872—73. Vol. 5. 1878. 8⁰.

Acclimatisations Society of Victoria.
Annual-Report, 3—4. 5—7. 1864—71. 8⁰.

Philosophical Institut of Victoria.
Transactions, Vol. 4. 1860. 8⁰.

Royal Society of Victoria.
Transactions and Proceedings, Part. 2. Vol. 8. 1867—68. 8⁰.

Geological Survey of Victoria.
Report of progress of the Palaeontology of Victoria. Decade 1—5.
1874—77. 8⁰.

Pharmaceutical Society of Victoria.
Quaterly Journal and transactions 1—9. 1858. 8⁰.

Horticultural society.
Annual Report for the year 1869—71. 8⁰.
Several mineral statistics of Victoria and reports of the mining sur-
veyors and registrars etc. 1864—70. 1875. Fol.
Reports of the mining surveyors and registrars. Quarter end. 30. June
1875—76. Victoria 1875—76. Fol.
Annual Report of the board sciences 1859—60; of Agriculture 1861.
No. 2. 3. 6. Fol.
Report of the chief inspector of Mines for 1875—77. Fol.
Report of the select comittee of the legislative council on the Ab-
origines. 1856—59. Fol.

Geological Survey of Victoria. Prodromus of the palaeontology of Victoria, or figures and descriptions of the Victorian organic remains by F. M Coy. Decade 6. 1879.

Public library Museum and national Gallery of Victoria. 8⁰.

Second systematic census of Australian Plants by Baron F. v. Müller. Part 1. Vasculares. Quer-Fol.

The aborigines of Victoria with notes relating to the habits of the natives of others parts of Australia and Tasmania. Compiled from various sources for the goverment of Victoria by R. B. Smyth. Vol. 1. 2. Melbourne. 1878. 8⁰.

Victorian branch of the geographical society of Australia. 1886. 8⁰.

Prodromus of the zoology of Victoria. (Natural history of Victoria) or figures and descriptions of the living species of all classes of the Victorian indigenous animals by F. Mc Coy. Decade 1—20. 1878—90. Melbourne. 4⁰.

Metz.

Société d'histoire naturelle.
Bulletin, Cah. 1—17. 1843—87. 8⁰

Mexico.

Sociedad mexicana de historia natural.
La naturaleza, Tom. 1—7. 1869—86; Ser. II. Tom. 1. 1887--90. 4⁰.
Informe rendido porel primer secretario. 1875. 4⁰.

Moskau.

Société impériale des naturalistes.
Bulletins, Tom. 1—2. 1829—30; Tom. 4—8. 1832—35; Tom. 10 —59. 1837—84. Année 1885—90.

Table générale et systématique des matières, contenues dans les premiers 56 Volumes. 1829—81. 8⁰.

Mémoires, 2. Ed., Tom. 1. 1811; Tom. 3—5. 1812—17. 4⁰.

Nouveaux Mémoires, Tom. 1—4. 1829—35; Tom. 6—20. 1839 —89. 4⁰.

Rapport sur les traveaux de la société etc. par Fischer de Waldheim. 1855. 4⁰.

Rapport sur la séance extraordinaire solenelle du 28. Déc. 1855 à l'occasion du jubilé semi-séculaire de la société. 1856. 8⁰.

München.

Deutscher und österreichischer Alpenverein.
Zeitschrift, Jahrg. 1875—84.
Mitteilungen, 1875—84.
Anleitung zu wissenschaftlichen Beobachtungen auf Alpenreisen. Abt. I —V. 1878—82. 8⁰.
Zweiter Nachtrag zum Verzeichnis der Mitglieder. Salzburg 1883. 8⁰.

Deutsche Gesellschaft für Anthropologie, Ethnologie und Urgeschichte.
Correspondenzblatt, Jahrg. 10—14. 1879—83. 4⁰.

Münster.

Westfälischer Provinzial-Verein für Wissenschaft und Kunst.
Jahresbericht, 1—17. 1874—88. 8⁰.

Neapel.

Accademia della scienze fisiche e matematiche.
Atti, Vol. 1—9. 1863—82. Ser. II. Vol. 1—3. 1885—89. 4⁰.
Rendiconto, Anno 1—25. 1862—86; Ser. II. Vol. 1—3. 1887—89. 4⁰.
Zoologische Station.
Mitteilungen, Bd. 1—9. 1878—89.
Jahresbericht mit 6 Plänen der Station. 1876.· 8⁰.

Neu-Brandenburg.

Verein der Freunde der Naturgeschichte in Mecklenburg.
Archiv, Jahrg. 1—43. 1847—89. 8⁰. •
Systematisches Verzeichnis der Jahrgänge 21—30 und alphabetisches Register zu Jahrg. 11—30. 1879. 8⁰.

Neuchâtel.

Société des Sciences naturelles.
Bulletin, Vol. 1—16. 1843—88. 8⁰.
Mémoires, Tom. 1—6. 1835—74. 4⁰.

New Haven.

Connecticut Academy of arts and sciences.
Transactions, Vol. 1—7. 1866—88. 8⁰.

New York.

New York Academy of Sciences (früher Lyceum of natural history).
Annals of Lyceum of Nat. Hist., Vol. 1—11. 1824—76. 8⁰.
Annals, Vol. 1—5. 1877—89. 8⁰.
Transactions, Vol. 1—9. 1881—90. 8⁰.
Proceedings, Vol. 1 (fehlt Schluss) 1870—71; Ser. II. Jan. 1873 (fehlt Schluss). March 73. 1874. Nr. 3—4. 8⁰.
Charter, constitution and bye-laws with a list of the members. 1864. 8⁰.

New York state Museum of natural history (früher American Museum of natural history).
Annual Report 1. 1870. 20—38. 1868—85. 8⁰.
Hall, J., contributions to Palaeontology. 1859—60.

United States Sanitary Commission.
Bulletins, 1863—65. 8⁰.
Documents, Vol. 1—2. 1866. 8⁰.

Nürnberg.

Naturhistorische Gesellschaft.
Abhandlungen, Bd. 1—7. 1858—81, jetzt
Jahresbericht nebst Abhandlungen. 1882—89. 8⁰.
Festschrift zur Begrüssung des XVIII. Kongresses der deutschen an-
thropologischen Gesellschaft in Nürnberg. 1887. gr. 8⁰.

Offenbach.

Verein für Naturkunde.
Berichte, 1—28. 1859—89. 8⁰.
Der Dr. Joh. Ch. Senckenbergischen Stiftung widmet zu ihrer Säkular-
feier am 18. Aug. 1863 diese Denkschrift der Offenbacher Verein. 1863.

Padua.

Società Veneto-Trentina di scienze naturali.
Atti, Vol. 1—11. 1872—89. 8⁰.
Bulletino, Tom. 1—4. 1879—89.

Paris.

Société entomologique de France.
Annales, T. 1. Heft 2—4. 1832. Tom. 2—11. 1833—42; Sér. II.
Tom. 1—10. 1843—52; Sér. III. Tom. 1—8. 1853—60; Sér. IV.
Tom. 1—10, 1861—70; Sér. V. Tom. 1—10. 1871—80; Sér. VI.
Tom. 1—9. 1881—89. 8⁰.
Tables générales alphabétique et analytiques des Séries 1832—60.
1861—80. 8⁰.

Société géologique de France.
Bulletin, Sér. II. Tom. 1—29. 1840—72; Sér. III. Tom. 1—18.
1873—90. 8⁰.
Séance générale annuelle et célébration du cinquantenaire de la
société. 1888. 8⁰.

Société zoologique de France.
Bulletin, Vol. 1—15. 1876—90. 8⁰.

Passau.

Naturhistorischer Verein.
Jahresberichte, 1—8. 1857—68, jetzt
Berichte 9—15. 1869—89. 8⁰.

Philadelphia.

Academy of natural Sciences.
Proceedings, Vol. 1—8. 1841—56; for 1857—90. 8⁰.
Ruschenberger, a notice of the origin, progress and present condition
of the academy. 1852. 8⁰.
Philadelphia centenial exhibition. 1876. 8⁰.

American philosophical Society.
Transactions, Vol. 1—6. 1789—1808. New Series Vol. 1—16. 1818
—1890. 4⁰.
Proceedings, No. 1—4. 6—12. 16. 18. 27. 32—33. 35—133. 1838
—1879. 8⁰.
Catalogue of the published Works of J. Lea from 1817—76. 1876.
Further notes of inclusions in Genus Unio etc. by J. Lea. 1876. 8⁰.
List of surviving members. 1878. 1880. 8⁰.
Register of papers published in the Transact. a. Proceedings. 1881.
Subject Register etc. 1881—89. Supplem. Register. 1890. 8⁰.
List of membres. 1880. 8⁰.

Zoological Society.
Annual Report of the board of managers, 2—5. 1874—77. 8⁰.

Wagner Free Institute.
Transactions, Vol. 1—3. 1887—90. 8⁰.

Pisa.

Società Toscana di science naturali.
Atti, Vol. 1—10. 1875—1889. 8⁰.
Processi Verbali, Vol. 1—7. 1878—89.

Prag.

Naturhistorischer Verein „Lotos".
Zeitschrift für Naturwissenschaften, Jahrg. 1—25. 1851—75.
Jahresberichte, Jahrg. 26—28. 1876—78. 8⁰; jetzt:
„Lotos", Jahrbuch für Naturwissenschaften. Neue Folge. Bd. 1—11
(Jahrg. 29—38). 1880—91.

Naturwissenschaftl. Landdurchforschung von Böhmen.
Jahresbericht im Jahre 1864—66, 1. 2. 8⁰.
Arbeiten der zoologischen Sektion. Archiv der naturwissenschaftlichen
Landesdurchforschung IV. Abt. Bd. 1. 2. 1869 u. 1872. 8⁰.
Thätigkeitsbericht der Gesellschaft für Physiokratie in Böhmen. 1875
—1877. 8⁰.
Bericht des Landeskulturrats für das Jahr 1875. 8⁰.

Pressburg.

Verein für Natur- und Heilkunde.
Verhandlungen, Jahrg. 1—9. 1856—66. Neue Folge, Heft 1—6.
1871—87. 8⁰.
Katalog, 1., der Bibliothek, von Dr. G. Böckh. 1871. 8⁰.

Regensburg.

Naturwissenschaftlicher Verein (früher Zoologisch-minera-
logischer Verein).
Abhandlungen, Heft 1—11. 1849—78. 8⁰.
Correspondenzblatt, Jahrg. 1—40. 1847—87, jetzt
Berichte des naturwissenschaftlichen Vereins. Heft 1. 2. 1886—89. 8⁰.

Übersicht der in den 20 Jahrgängen des Corresp.-Blattes und den
9 Heften der Abhandlungen erschienenen Aufsätze und Notizen von
Pr. Dr. Singer. 1866.
K. Bayr. botanische Gesellschaft.
Denkschriften, Bd. 1—5. 1 Heft. 1813—64. Bd. 6. 1890. 4⁰.

Riga.
Naturforschender Verein.
· Correspondenzblatt, Jahrg. 1—33. 1846—90. 8⁰.
Arbeiten, neue Folge. Heft 1—5. 1865—73. 8⁰.
Denkschrift zur Feier des 25jährigen Bestehens. 1870. 4⁰.
Denkschrift der Gesellschaft für Geschichte und Altertumskunde der
Ostseeprovinzen zur Feier des 25jährigen Bestehens des Vereins:
W. v. Gutzeit, zur Geschichte der Forschungen über die Phospho-
rite des mittleren Russland. 1870. 4⁰.
Festschrift zur Feier des 50jährigen Bestehens der Gesellschaft prak-
tischer Ärzte zu Riga am 15. Sept. 1872: L. Stieda, die Bildung
des Knochengewebes. Leipzig 1872. 4⁰.

Rio de Janeiro.
Museum Nacional.
Archivos, Vol. 1—7. 1876—1887. 4⁰.

Rom.
Reale Accademia dei Lincei.
Atti, Ser. II. Vol. 1—3. 1873—76; Transunti, Ser. III. Vol. 1—8.
1887—84; Rendiconti, Ser. IV. Vol. 1—6. 1884—90. 4⁰.
Nuovo statuto della R. Accademia. 1875. 4⁰.
Accademia Pontificia de'nuovi Lincei.
Atti, Anno 24—43. 1871—90. 4⁰.
Triplice omaggio alla Santità di Papa Pio IX. nell suo giubileo
episcopale etc. 1877. 4⁰.
Accademia. Anno 32. 1878—79. 8⁰.
R. Comitato geologico d'Italia.
Bollettino, Vol. 1—20. (Anno 1--19.) 1870—89. 8⁰.
Relazione sul servizio minerario nel 1882. 1884. 8⁰.

Salem.
Proceedings of the American association for the advancement of science.

Meeting 1. Philadelphia	1848.	Meeting 8. Washington	1854.
— 2. Cambridge	1849.	— 9. Providence	1855.
— 3. Charleston	1850.	— 10. Albany	1856.
— 4. New Haven	1850.	— 11. Montreal	1857.
— 5. Cincinnati	1851.	— 12. Baltimore	1858.
— 6. Albany	1851.	— 13. Springfield	1859.
— 7. Cleveland	1853.	— 14. Newport	1860.

Meet.	15.	Buffalo	1866.	Meet.	27.	St. Louis	1878.
—	16.	Burlington	1867.	—	28.	Saratoga Springs	1879.
—	17.	Chicago	1868.	—	29.	Boston	1880.
—	18.	Salem	1869.	—	30.	Cincinnati	1881.
—	19.	Troy	1870.	—	31.	Montreal, Canada	1882.
—	20.	Indianopolis	1871.	—	32.	Minneapolis Mich.	1883.
—	21.	Dubuque	1872.	—	33.	Philadelphia	1884.
—	22.	Portland	1873.	—	34.	Ann Arbor Mich.	1885.
—	23.	Hartford	1874.	—	35.	Buffalo New York	1886.
—	24.	Detroit	1875.	—	36.	New York	1887.
—	25.	Buffalo	1876.	—	37.	Cleveland	1888.
—	26.	Nashville	1877.	—	38.	Toronto	1889.

San Francisco.

Californian Academy of natural Sciences.
Proceedings, Vol. 1. 1854—57. Vol. 3—7. 1867—76. Ser. II. Vol. 1.
2. 1888—89. 8⁰.
Memoirs, Vol. 1. 1868. Vol. 2. No. 1—2. 1888. 4⁰.
Bulletin, Vol. 1—2. 1884—87. 8⁰.
Report of the commissioners to manage the Yosemite valley. 1866
—1867. 8⁰.
The presidents annual address, delivered Jan. 6. 1868, together with
the constitution etc. 1868. 8⁰.
Strech, R. H., s. Entomologie.
Harkness a. Moore, s. Botanik.

Santiago.

Deutscher wissenschaftlicher Verein.
Verhandlungen Bd. I. II 1. 1885—89.

St. Gallen.

Naturwissenschaftliche Gesellschaft.
Bericht über die Thätigkeit derselben. 1858—1887/88. 8⁰.

St. Louis.

Academy of Science.
Transactions, Vol. 1—5. 1856—88. 8⁰.

St. Petersburg.

Kaiserliches physikalisches Central-Observatorium.
Annales, Années 1853—89. 4⁰.
Compte-rendu annuel par A. T. Kupfer, Année 1855—64. 4⁰.
Repertorium für Meteorologie, Bd. 1—13. 1869—90. 4⁰.
Supplementband: die Temperaturverhältnisse des russischen Reichs.
1877. 4⁰.
Jahresbericht für 1869—72. 4⁰.
Rykatschero, über den Auf- und Zugang der Gewässer des russischen
Reiches. 2. Suppl. 1887. 4⁰.

Wahlen, wahre Tagesmittel und tägliche Variation der Temperatur von 18 Stationen des russischen Reiches. 3. Suppl. 1887. 8⁰.
Leyst, Katalog der meteorologischen Beobachtungen in Russland und Finnland. 4. Suppl. 1887. 4⁰.

Comité géologique.
Bulletin, Tom. 1—9. 1882—90.
Bibliothèque géologique de la Russie par Nikitin. 1885—87. 8⁰.
Mémoires, Vol. 1—11. 1883—89. 4⁰.
Romanovski, G., Materialien zur Geologie von Turkestan. 1.—2. Lief. 1880—84. 4⁰.
Karpinsky, A., geologische Karte des Ostabhangs des Urals. 1884. 4⁰.

Stettin.
Entomologischer Verein.
Entomologische Zeitung, Jahrg. 1—51. 1840—90. 8⁰.
Repertorium der Jahrg. 1840—62, in Jahrg. 1862, der Jahrg. 1863 —1870, in Jahrg. 1870, der Jahrg. 1871—78, in Jahrg. 1878 —1879 mit General-Registern nebst Erklärung der Tafeln von M. Wahnschaffe. 8⁰.
Linnea entomologica, Zeitschrift herausgegeben vom entomologischen Verein. Bd. 1—16. Stettin und Leipzig 1846—66. 8⁰.

Stockholm.
Kongl. svenska Vetenskaps Akademien.
Handlingar: Argangen 1—2. 1844—45. Arg. 3. No. 1—5. 1845. Ny Föjd. Bd. 5. Häft. 2. 1864. Bd. 6—21. 1865—85. Mit Atlas zu 1872. 4⁰.
Bihang, Bd. 1—13. 1872—88. 8⁰.
Öfversigt: Arg. 1. 2. 1844—45; Arg. 19—45. 1876—88. 8⁰.
Lefnadsteckningar efter är 1854 aflindna Ledamötter. Bd. 1—2. 1869—85. 8⁰.
Meteorologiska Jakttagelser of Er. Edlund. Bd. 6—14. 1864—72. Ser. II. Vol. 1—12. (Bd. 15—26.) 1873—84. Fol.
Minnesteckning öfver Gustav Geijer. Af T. T. Carlson 1870; af Henning Hamilton 1872; Hans Järta af Louis de Geer 1874; Jacob August v. Hartmannsdorf a. A. Ehrensvärot 1876, öfver Chr. Carlander, Pehr af Bjerkén, C. v. Linné, C. F. Sundevall, J. Hallenberg 1877—80. 8⁰.
Dahlgren, E. W., förteckning öfver innehättet Sv. Vetensk. Ac.-Skrifter. 1826—83. Stockholm. 1884. 8⁰.
Angelin, N. P., geologisk öfversigtskarta öfver Skåne. 1877.
Kongl. svenska Vetenskaps-Academiens. Bd. 5—14. 1864—75. 8⁰.

Strassburg.
Société d'Histoire naturelle.
Mémoires, Tom. 1—6. 1830—70. 4⁰.
Bulletin, Année I. No. 1—11. Année II. No. 1—7. 1868—69. 8⁰.

L'association philomatique Vogeso-Rhenane suite à la
Flora d'Alsace.
Annales, Vol. 1—10. 1852—58. Nouv. Série. Liv. 1—9. 1863—68. 8⁰.

Stuttgart.

K. Württ. Centralstelle für die Landwirtschaft.
Correspondenzblatt, Bd. 1—42. 1822—42. Bd. 44—53. 1843—48. 8⁰.
Inhalts-Verzeichnis des Corresp.-Bl. von 1822—48. 8⁰.
Übersicht der Beschäftigungen der Centralstelle. 1848. 8⁰.
Muster-Plane zu ländlichen Bauwesen. Stuttgart. 1. Heft. Fol.

K. Statistisches Landesamt (früher K. statistisch-topographisches
Bureau).
Württembergische Jahrbücher für vaterländische Geschichte, Geographie, Statistik und Topographie. Jahrg. 1821—31. 1843—89.
4⁰ und 8⁰.

Oberamtsbeschreibungen.

Reutlingen	1824.	Hall	1847.	Horb	1865.
Münsingen	1825.	Gerabronn	1848.	Oehringen	1885.
Ehingen	1826.	Nürtingen	1848.	Heilbronn	1865.
Riedlingen	1827.	Böblingen	1850.	Marbach	1866.
Rottenburg	1828.	Waiblingen	1850.	Tübingen	1867.
Saulgau	1829.	Stuttgart	1851.	Oberndorf	1868.
Blaubeuren	1830.	Schorndorf	1851.	Gmünd	1870.
Urach	1831.	Leonberg	1852.	Maulbronn	1870.
Cannstatt	1832.	Gaildorf	1852.	Backnang	1871.
Waldsee	1834.	Besigheim	1853.	Neresheim	1872.
Ulm	1836.	Aalen	1854.	Brackenheim	1873.
Ravensburg	1836.	Herrenberg	1855.	Rottweil	1875.
Biberach	1837.	Laupheim	1856.	Spaichingen	1876.
Tettnang	1838.	Stuttgart, St.	1856.	Tuttlingen	1879.
Wangen	1841.	Vaihingen	1856.	Mergentheim	1880.
Kirchheim	1842.	Freudenstadt	1858.	Balingen	1880.
Geislingen	1842.	Ludwigsburg	1859.	Neckarsulm	1881.
Leutkirch	1843.	Calw	1860.	Künzelsau	1883.
Göppingen	1844.	Neuenbürg	1860.	Crailsheim	1884.
Heidenheim	1844.	Weinsberg	1861.	Ellwangen	1886.
Esslingen	1845.	Nagold	1862.		
Welzheim	1845.	Sulz	1863.		

Deutsches meteorologisches Jahrbuch. Württemberg. Mitteilungen der
mit der K. statistischen Landesamt verbundenen meteorologischen
Centralstation für 1887—88.
Regelmann, hydrographische Übersichtskarte des Königreich Württem-
berg. 2. Ausgabe. 1885. 4⁰.
Regelmann, Wassermessungen in und an dem Bodensee zu Kress-
bronn. (Sep.-Abdr. Württ. Jahrb. für Statistik.) 1886. 4⁰.
Die geognostische Profilierung der württembergischen Eisenbahnlinien,
herausgegeben vom K. statistischen Landesamt. 4. Lief. VII: Die
Gäu-Kinzigbahn.

Verein für vaterländische Naturkunde in Württemberg.
Jahreshefte, Jahrg. 1—46. 1845—90. 8⁰.
Register zu den Jahrgängen 1—20. 1845—64. 1864; zu den Jahrg.
1—39. 1845—83; 1883. 8⁰.
Katalog der Bibliothek in Jahrg. 1865, in Jahrg. 1880.

Stuttgarter ärztlicher Verein.
Jahresbericht, medizinisch-statistischer, über die Stadt Stuttgart.
Jahrg. 1—17. 1873—89. 8⁰.

Sydney.

Royal Society of New South Wales.
Transactions, Vol. 1—9 for the year 1867—76. 8⁰.
Journal and Proceedings, Vol. 10—23. 1876—89.
Rules and list of members 1877. 8⁰.
Clarke, W. B., remarks on the sedimentary formations of N. S. Wales.
4. edit. 1878. 8⁰.
Catalogue of the natural and industrial products of New South Wales,
forwarded by the Paris universal exhibition of 1867. 8⁰.
XI. Catalogue of scientific books in the library of the Royal Society.
Part 1. General catalogue. 1889. 8⁰.
Entomological Society of New South Wales.
Transactions, Vol. 1. 2. prt. 1—3. 1863—71. 8⁰.
Linnean Society of New South Wales.
Proceedings, Vol. 2—10. 1877—86. Ser. II. Vol. 1—4. 1887—89. 8⁰.
List of the names of contributors to the first serie (Vol. 1—10).
1887. 8⁰.
Philosophical Society of New South Wales.
Transactions, 1862—65. 8⁰.
Mines and Mineral Statistic.
Annual report of the department of mines, New South Wales for
the year. 1876—86. 4⁰.

Tasmania.

Monthly notices of papers and proceedings of the R. Society for
1870—74. 8⁰.

Tokio.

College of Science, Imperial University.
Journal, Vol. 1—3. 1886—90. 4⁰.
Calendar for the years 1888—90. 8⁰.

Trenton.

Natural history Society.
Journal, Vol. 1. 1886—88; Vol. II. No. 1. 1889. 8⁰.

Triest.

Società Adriatica di Scienze naturali.
Bollettino, Vol. 1. No. 1—3. 5—7; Vol. 2. No. 1. 3; Vol. 3—12.
1874—90. 8⁰.

Tübingen.

Denkschriften der vaterländischen Gesellschaft der Ärzte und Naturforscher Schwabens. Bd. 1. 1805. 8⁰.

Tübinger Blätter für Naturwissenschaften und Arzneikunde, herausgegeben von J. H. F. v. Autenrieth und J. G. F. v. Bohnen-
berger. Bd. 1—3. 1. Stück. 1815—17. 8⁰.

Naturwissenschaftliche Abhandlungen, herausgegeben von einer Gesellschaft in Württemberg. Bd. 1. 2. 1827—1828. 8⁰.

Universitäts-Bibliothek.
Universitätsschriften aus den Jahren 1848—78. 4⁰.
Zuwachsverzeichnis 1—28. 1853—81. 4⁰.
Hauptkatalog, systematisch-alphabetischer. A. Philosophie. 1. Heft.
1853. K. Allgemeine Schriften; 2. Heft. 1855. G. Theologie 1861.
F. Geschichte und ihre Hilfswissenschaften 1865—69. C. Philologie,
1. 2. Hälfte 1876—79. 4⁰.

Festschriften.
Festschrift zum 400jährigen Jubiläum der K. Universität Tübingen.
Dargebracht von der K. Akademie Hohenheim. Enthaltend: W. Funke,
Grundlagen einer wissenschaftlichen Versuchsthätigkeit auf grösse-
ren Landgütern. Berlin 1877. 4⁰.

Zur vierten Säkularfeier der Universität Tübingen im Sommer 1877.
Festprogramm der juristischen, philosophischen, evangelisch- und
katholisch-theologischen Fakultät. Tübingen 1878. 8⁰

Festschrift zur vierten Säkularfeier der Eberhard-Karls-Universität zu
Tübingen. Dargebracht von der K. öffentlichen Bibliothek zu Stuttgart. Stuttgart 1877. 4⁰.

Festgruss zum 400sten Jahrestag der Stiftung der Universität Tübingen im Jahr 1877. Dargebracht von der Direktion des Geh.
Königl. Haus- und Staatsarchivs zu Stuttgart. Stuttgart 1877. 4⁰.

Festschrift zur Feier des 400jährigen Bestandes der Eberhard-Karls-
Universität Tübingen vom K. Polytechnikum zu Stuttgart. 4⁰.

Das freie deutsche Hochstift für Wissenschaften, Künste und allgemeine Bildung in Goethe's Vaterhause zu Frankfurt a. M. zur Jubelfeier 400jähriger Wirksamkeit der Eberhard-Karls-Hochschule zu
Tübingen. Frankfurt 1877. 4⁰.

Inclutae Academiae Eberhardinae Carolinae Tubingensi d. IX. mensis
Aug. a. 1877 quarta saecularia etc. gratulantur Universitatis Mar-
burgensis Rector et Senatus. Marburgi. 4⁰.

Universitati Eberhardinae Carolinae Tubingensi saecularium quar-
torum diem festum d. IX. Aug. a. 1877 gratulatur Universitas
Friedericia Guilielmia Rhenana. Bonnae. 4⁰.

Gratulationsschrift der Universität Zürich an die Universität Tübingen
zu deren 400jähriger Stiftungsfeier. Zürich 1877. 4⁰.

Literarum universitati Eberhardo - Carolinae saecularia quarta gratulatur Rector et Senatus literarum Universitatis Bernensis. Bernae
1877. 4⁰.

Fürstlich württembergisches Dienerbuch vom 9.—19. Jahrhundert.
Hg. v. Eberh. Emil v. Georgii-Georgenau. Stuttgart 1877. 8⁰.

Die vierte Säkularfeier der Universität Tübingen im Jahr 1877. Tübingen 1878. 4⁰.

Die unter der Regierung Seiner Majestät des Königs Karl an der
Universität Tübingen errichteten und erweiterten Institute der naturwissenschaftlichen und der medizinischen Fakultät. Tübingen 1889. 4⁰.

Turin.

Accademia della Scienze.
Atti, Vol. 12—25. 1876—90. 8⁰.

Osservatorio della Regia Università.
Bollettino, Anno 13—22. 1879—89. Quer-Fol.
Il primo secolo della R. Acc. Notizie storiche e bibliografiche. 1783
—1883. 4⁰.
Govi, G., l'ottica dio Claudio Tolomeo da Eugenio etc. 1885. 8⁰.
Rizza, osservazioni meteorologiche fatta nell' anno. 1888—89. 8⁰.

Washington.
United States Government.

U. St. geological and geographical survey of the territo-
ries F. V. Hayden.
Annual report No. 1—12 for the years 1867—78. 8⁰.
Bulletins, Vol. I. No. 1—2. 1874; 2. Ser. Vol. 1—6. 1875—83. 8⁰.

U. St. geological survey. F. V. Hayden.
Miscellaneous publications.
No. 1. Gannett, H., list of elevations in that portion of the united
states West of the Mississippi River. 3. edit. 1875. 4. edit. 1877:
No. 2. Gannett, H., meteorological observations. 1873; No. 3.
Coues, E., birds of the Northwest 1874; No. 4. Porter T. and
J. Coulter, synopsis of the flora of Colorado. 1874; No. 5. Jackson,
W. H., descriptive catalogue of the photographs. 2. edit. 1875;
No. 6. Chittenden, G. B., meteorological observations. 1874; No. 7.
Matthews, W., ethnography and philology of the Hidatsa Indians.
1877; No. 8. Coues, E., monograph of north american Mustelidae.
1877; No. 9. Jackson, W. H., descriptive catalogue of photographs
of North Americans Indians. 1877; No. 10. White and H. A.
Nicholson, bibliography of North American invertebrate palaeontology. 1878; No. 11. Coues, E., birds of the Colorado Valley.
Passeres et Laniidae. 1878. 8⁰.
Reports. Vol. 1. Leidy J., contributions to the extinct vertebrate
fauna of the western territories 1873; Vol. 2. Cope, E. D., the
vertebrata of the cretaceous formations. 1875; Vol. 3. Cope, E. D.,
the vertebrata of the tertiary formation of the West, Book I. 1883. 4⁰

(Vol. 4 nicht erschienen); Vol. 5. Thomas, C., synopsis of the Acrididae of North America. 1873; Vol. 6. Lesquereux, L., contributions of the fossil flora of the Western territories. Part 1. the cretaceous flora 1874; Vol. 7. Lesquereux etc. the tertiary flora. Part 2. 1877; Vol. 8. Lesquereux, the cretaceous and tertiary Floras. 1883. With Illustrations. 1878; Vol. 9. Meek, F. R., a report of the invertebrate cretaceous and tertiary fossils of the Upper Missouri country. 1876; Vol. 10. Packard, A. S., a monograph of the geometrid moths or Phalaenidae of the United States. 1876; Vol. 11. Coues, E. and A. Allen, monographs of North American Rodentia. 1877; Vol. 12. Leidy, J., fresh-water Rhizopods of North America. 1879. 4⁰.
Catalogue of the publications. Edit. 2. 1877; Edit. 3. 1879. 8.
Sketch of the origin and progress. 1877. 8⁰.

U. St. Geological Survey. J. W. Powell.

Annual Reports I—IX. 1880—90. 8⁰.
Bulletins, No. 1—61. 1883—90. No. 1. On Hypersthene-Andesite and on Triclinic Pyroxene in Augitic Rocks by Wh. Cross, with a Geological Sketch of Buffallo Peaks, Colorado, by S. F. Emmons, 1883; No. 2. Gold and Silver Conversion Tables, giving the coining values of troy ounces of fine metal, etc., computed by Albert Williams, jr. 1883; No. 3. On the Fossil Faunas of the Upper Devonian, along the meridian of 76⁰ 30', from Tompkins County. N. Y., to Bradford County, Pa., by Henry S. Williams. 1884; No. 4. On Mesozoic Fossils, by Charles A. White. 1884; No. 5. A Dictionary of Altitudes in the United States, compiled by H. Gannett. 1884; No. 6. Elevations in the dominion of Canada, by J. W. Spencer. 1884; No. 7. Mapoteca Geologica Americana. A Catalogue of Geological Maps of America (North and South), 1752—1881, in geographic and chronologic order, by Jules Marcou and J. B. Marcou. 1884; No. 8. On Secondary Enlargements of Mineral Fragments in Certain Rocks, by R. D. Irving and C. R. Van Hise. 1884; No. 9. A Report of work done in the Washington Laboratory during the fiscal year 1883—84. F. W. Clarke. 1884; No. 10. On the Cambrian Faunas of North America. Preliminary Studies, by Ch. D. Walcott. 1884; No. 11. On the Quaternary and Recent Mollusca of the Great Basin; with Descriptions of New Forms, by R. E. Call. Introduced by a sketch of the Quaternary Lakes of the Great Basin, by G. K. Gilbert. 1884; No. 12. A Crystallographic Study of the Thinolite of Lake Lahontan, by Ed. S. Dana. 1884; No. 13. Boundaries of the United States and of the Several States and Territories, with a Historical Sketch of the Territorial Changes, by H. Gannett. 1885. 8⁰; No. 14. The Electrical and Magnetic Properties of the Iron-Carburets, by C. Barus and V. Strouhal. 1885; No. 15. On the Mesozoic and Cenozoic Paleontology of California, by Ch. A. White. 1885; No. 16. On the Higher Devonian Faunas of Ontario County, New York, by J. M. Clarke. 1885; No. 17. On the Developement of Crystallization

20*

in the Igneous Rocks of Washoe, Nevada, with Notes on the Geology of the District, by A. H. and J. P. Iddings. 1885; No. 18. On Marine Eocene, Fresh-water Miocene, and other Fossil Mollusca of Western North America, by C. A. White. 1885; No. 19. Notes on the Stratigraphy of California, by G. F. Becker. 1885; No. 20. Contributions to the Mineralogy of the Rocky Mountains, by Wh. Cross and W. F. Hillebrand. 1885; No. 21. The Lignites of the Great Sioux Reservation. A Report on the Region between the Grand and Moreau Rivers, Dakota, by B. Willis. 1885; No. 22. On New Cretaceous Fossils from California, by Ch. A. White. 1885; No. 23. Observations on the Junction between the Eastern Sandstone and the Keweenaw Series on Keweenaw Point, Lake Superior, by R. D. Irving and T. C. Chamberlin. 1885: No. 24. List of Marine Mollusca, comprising the Quaternary Fossils and recent forms from American Localities between Cape Hatteras and Cape Roque, including the Bermudas, by W. H. Dall. 1885; No. 25. The Present Technical Condition of the Steel Industry of the United States, by Ph. Barnes. 1885; No. 26. Copper Smelting, by Henry M. Howe. 1885; No. 27. Report of work done in the Division of Chemistry and Physics, mainly during the fiscal year 1884—85. 1886; No. 28. The Gabbros and Associated Hornblende Rocks occurring in the Neighborhood of Baltimore, Md., by G. H. Williams. 1889; No. 29. On the Fresh-water Invertebrates of the North American Jurassic, by Ch A. White. 1886; No. 30. Second Contribution to the Studies on the Cambrian Faunas of North America, by Ch. D. Walcott. 1886; No. 31. Systematic Review of our Present Knowledge of Fossil Insects, including Myriapods and Arachnids, by S. H. Scudder. 1886; No. 32. Lists and Analyses of the Mineral Springs of the United States; a Preliminary Study, by A. C. Peale. 1886; No. 33. Notes on the Geology of Northern California, by J. S. Diller. 1886; No. 34. On the relation of the Laramie Molluscan Fauna to that of the succeeding Fresh-water Eocene and other groups, by Ch. A. White. 1886; No. 35. Physical Properties of the Iron Carburets, by C. Barus and V. Strouhal. 1886; No. 36. Subsidence of Fine Solid Particles in Liquids, by C. Barus. 1886; No. 37. Types of the Laramie Flora, by L F. Ward. 1887; No. 38. Peridotite of Elliott County, Kentucky, by J. S. Diller. 1887; No. 39. The Upper Beaches and Deltas of the Glacial Lake Agassiz, by W. Upham. 1887; No. 40. Changes in River Courses in Washington Territory due to Glaciation, by B. Willis. 1887; No. 41. On the Fossil Faunas of the Upper Devonian—the Genesee Section, New York by H. S. Williams. 1887; No. 42. Report of work done in the Division of Chemistry and Physics, mainly during the fiscal year 1885—86. F. W. Clarke. 1887; No. 43. Tertiary and Cretaceous Strata of the Tuscaloosa, Tombigbee, and Alabama Rivers, by E. A. Smith and L. C. Johnson. 1887; No. 44. Bibliography of North American Geology for 1886, by N. H. Darton. 1887; No. 45. The Present Condition of Knowledge of the Geology of Texas, by R. T. Hill. 1887; No. 46. Nature and Origin of Deposits of Phosphate of Lime, by R. A. F. Penrose, jr., 1888; No. 47. Analyses of Waters of the Yellowstone National Park, with an Account of the Methods of Analysis employed, by F. A. Gooch and J. E. Whitfield. 1888; No. 48. On the Form and Position of the Sea Level, by R. S. Woodward. 1888; No. 49. Latitudes and Longitudes of Certain Points in Missouri, Kansas, and New Mexico, by R. S. Woodward. 1889; No. 50. Formulas and Tables to facilitate the Construction and Use of Maps, by R. S. Woodward. 1889; No. 51. On Invertebrate Fossils from the Pacific Coast, by C. A. White. 1889; No. 52. Subaërial Decay of Rocks and Origin of the Red Color of Certain Formations, by J. C. Russell. 1889; No. 53. The Geology of Nantucket, by N. S. Shaler. 1889; No. 54. On the Thermo-Electric Measurement of High Temperatures, by C. Barus. 1889; No. 55. Report of work done in the division of Chemistry and Physics, mainly during the fiscal year 1886—87. F. W. Clarke. 1889; No. 56. Fossil Wood and Lignite of the Potomac Formation, by Fr. H. Knowlton. 1889; No. 57. A Geological Reconnaissance in Southwestern Kansas, by R. Hay. 1890; No. 59. The Gabbros and Associated Rocks in Delaware, by F. D. Chester. 1890. No. 60. A Report of work done in the Division of Chemistry and Physics, mainly during the fiscal year 1887—88. F. W. Clarke. 1890; No. 61. Contributions to the Mineralogy of the Pacific Coast, by W. H. Melville and W. Lindgren. 1890. 8⁰.

Monographs, Vol. 1—16. 1882—90. Vol. 1. Lake Bonneville, by Grove Karl Gilbert. 1890; Vol. II. Tertiary History of the Grand Cañon District, with atlas, by C. E. Dutton. 1882; Vol. 3. Geology of the Comstock Lode and the Washoe District, with atlas, by G. F. Becker. 1882; Vol. 4. Comstock Mining and Miners, by E. Lord. 1883; Vol. 5. The Copper-Bearing Rocks of Lake Superior, by R. D. Irving. 1883; Vol. 6. Contributions to the Knowledge of the Older Mesozoic Flora of Virginia, by W. M. Fontaine. 1883; Vol. 7. Silver-Lead Deposits of Eureka, Nevada, by J. St. Curtis. 1884; Vol. 8. Paleontology of the Eureka District, by Ch. D. Walcott. 1884; Vol. 9. Brachiopoda and Lamellibranchiata of the Rarytan Clays and Greensand Marls of New Jersey, by R. P. Whitfield. 1885; Vol. 10. Dinocerata. A Monograph of an Extinct Orter of Gigantic Mammals, by O. Ch. Marsh. 1886; Vol. 11. Geological History of Lake Lahontan, a Quaternary Lake of Northwestern Nevada, by I. C. Russell. 1885; Vol. 12. Geology and Mining Industry of Leadville, Colorado, with atlas, by S. F. Emmons. 1886; Vol. 13. Geology of the Quicksilver Deposits of the Pacific Slope, with atlas, by G. F. Becker. 1888; Vol. 14. Fossil Fishes and Fossil Plants of the Triassic Rocks of New Jersey and the Connecticut Valley, by J. S. Newberry. 1888; Vol. 15. The Potomac or Younger Mesozoic Flora, by W. M. Fontaine. 1889; Vol. 16. The Paleozoic Fishes of North America, by J. St. Newberry. 1889. 4⁰.

Statistical papers: Mineral Resources of the United States 1882/88.
1882—90.

U. St. Commission of Fish and Fisheries.
Bulletin, Vol. 1—7. 1881—87. 8⁰.
Report, Part. 1—14. 1871—86. 8⁰.
The Fishery Industries by G. B. Goode. Section 1. History of aquatic
animals. Texte and plates. Washington 1886. 4⁰.
— Sect. II., a geographical review of the fisheries industries and
fishing communities for the year 1880. Washington 1887. 4⁰.
— Sect. III. IV., the friting grounds of North America and the
fishermen of the U. S. 1887. 4⁰.
— Sect. V., history and methods of the fisheries. Text. Vol. 1—2.
Plates. 1887. 4⁰.

U. St. Commission of Agriculture.
Report for the years 1854—77. 8⁰.
Monthly Report of the department of agriculture for the years 1868
—69. 8⁰.
N. American Fauna, No. 1. Merriam, C. H., N. American pocket Mice;
14 new Species and new genus of N. Am. Mammals 1889. 8⁰.
— No. 3. Merriam, C. H., Results of a Biological Survey of the San
Francisco Mountain region and dessert of the Little Colorado,
Arizona.-Steineger, list of Reptiles and Batrachians. 1890. 8⁰.
— No. 4. Merriam, C. H., description of twenty six new species of
North American Mammals. 1890. 8⁰
Bulletin 1. Barrows, W. B., the english sparrow in North America.
1889. 8⁰.
Merriam, C. H., report of the ornithologist for the year 1886—87. 8⁰.

U. St. Commission of Entomology.
Annual Report for the year 1877, relating to the Rocky mountain
Locusts. 1. 1878. 8⁰.
3. Report. 1883.
Bulletin, No. 1. 1877; No. 3. Riley, Ch. V., the Cotton Worm. 1889;
No. 4. Packard, J. M., the Hessian-fly. 1880.

U. St. Departement of the interior.
Census office. Part. 1—2. 1883. 8⁰.

Smithsonian Institution.
Smithsonian contributions to knowledge, Vol. 1—26. 1848—90. 4⁰.
Smithsonian miscellaneous collections, Vol. 1—33. 1862—88. 8⁰.
Annual report of the board of regents of the Smithsonian Institution
ı for the years 1849—89. 8⁰.
Bulletins of the united states national Museum.
— No. 1. Cope, E., check-list of North American Batrachia and
Reptilia. 1875. 8⁰.
— No. 2. Coues, E., ornithology of the Kerguelen Island. 1875. 8⁰.
— No. 3. Kidder, J. H., contributions to the natural history of
Kerguelen Island. 1876. 8⁰.

Bulletin No. 4. Lawrence, G. N., birds of Southwest Mexico. 1875.
— No. 5. Goode, Br., catalogue of the fishes of the Bermudas. 1875.
— No. 6. Brown-Goode, G., classification of the collection to illu-
strate the animal resources of the United states. 1876. 8⁰.
— No. 7. Streets, Th., contribution to the natural history of the
Hawaiian and Fanning Islands and Lower California. 1877. 8⁰.
— No. 8. Dall, W. H., index to the names which have been applied
to the subdivisions of the Class Brachiopoda. 1877.
— No. 9 and 10. Jordan, D., contributions to North American Ich-
thyology. I. II. 1877. 8⁰.
(Bull. No. 1—10 = Bull. Nat. Mus. Vol. I. s. Smiths. misc.
Coll. Vol. XIII. 1878.)
— No. 12. Jordan, D., Ichthyology III. and Brayton, A., synopsis of
the family Catostomidae. 1878. 8⁰.
— No. 13. Eggers, H. F. A., the flora of St. Croix and the Virgin
Island. 1879. 8⁰.
— No. 14. Brown-Goode, G., catalogue of the collection illustrating
the animal resources and the fisheries of the U. St. 1879. 8⁰.
— No. 15. Kumlien, L., contributions to the natural history of
Arctic America. 1879. 8⁰.
(Bull. No. 11—15 = Bull. Nat. Mus. Vol. II. s. Smiths. misc.
Coll. Vol. XXIII. 1882.)

First Annual report of the bureau of Ethnology to the secretary of
Smithsonian Institution by J. P. Powell, director. 1881.
Annual report, 1—6. 1879—88. 8⁰.
Results of meteorogical observations, made under the direction of
'the U. S. Patent Office and the Smithsonian Institution from the
year 1854 to 1859. Vol. I., II. 1. 1861—64. 4⁰.
On the construction of catalogues of libraries, etc. 1853.

Wellington.

New Zealand Institute.
Transactions and Proceedings, Vol. 1—22. 1869—90. 8⁰.
Broun, C. Th., manual of the New Zealand Coleoptera. 1880—86. 8⁰.
Official record of the New Zealand industrial exhibition 1885.
1886. 8⁰.

Colonial Museum and geological Survey Department.
Meteorological report. 1875—85. 8⁰.
Annual Report on the laboratory. 11—24. 1876—90. 8⁰.
Report of geological explorations during. 1874—88. 8⁰.
Index to reports of the geol. Surv. 1865—85. 8⁰.
Hutton, F. W., catalogus of the N. Zealand Diptera, Orthoptera,
Hymenoptera. 1881. 8⁰.
Hector, J., handbook of N. Zealand. 1883. 8⁰. 4. ed. 1886.
Hector, J., detailed Catalogue and guide to the geological exhibits.
1886. 8⁰.
Studies in Biology for N. Zealands students. No. 1—4. 1887—89. 8⁰.

Hector, J., Phormium tenax. 2. edit. 1889. 8^0.
Catalogue of the Colonial Museum Library. 1890. 8^0.

Wien.

Kaiserl. Akademie der Wissenschaften.
Almanach, Jahrg. 1—12. 1851—62. 8^0.
Sitzungsberichte, mathematisch-naturwissenschaftliche Klasse.
Bd. 1—42, Jahrg. 1848—60. 8^0.
Bd. 43—99, Jahrg. 1861—90. 1. Abt. aus dem Gebiete der Mineralogie, Botanik, Zoologie und Palaeontologie.
Bd. 43—99, Jahrg. 1861—90. 2. Abt. Mathematik, Physik, Chemie, Mechanik, Meteorologie, Astronomie.
Bd. 65—99, Jahrg. 1872—90. 3. Abt. Physiologie, Anatomie und theoretische Medizin. 8^0.
Register zu Bd. 1—75. 1854—78; zu No. 76—96. 1880—88.

K. K. geographische Gesellschaft.
Mitteilungen, Jahrg. 1—10. 1857—67. Neue Folge, Jahrg. 1—22. 1868—89. 8^0.

K. K. geologische Reichsanstalt.
Jahrbuch, Bd. 1—40. 1850—90. 8^0.
Generalregister zu Bd. 1—10. 1850—59. 1863; zu Bd. 11—20 des Jahrbuchs und der Jahrg. 1860—70 der Verhandlungen. 1872. 8^0.
Verhandlungen, Jahrg. 1867—90. 8^0.
Abhandlungen, Bd. 1—13. Heft 1. Bd. 14, 15 Heft 1. u. 2. 1852—90.
Mitteilungen, mineral., von G. Tschermak, Jahrg. 1871—77. 8^0.
Das K. K. montanistische Museum und die Freunde der Naturwissenschaften in Wien in den Jahren 1840—50. Erinnerung an die Vorarbeiten zur Gründung der K. K. geologischen Reichsanstalt. Von W. Ritter v. Haidinger, Wien 1869. 8^0.
Ansprache, gehalten am Schluss des 1. Decenniums von Dr. Haidinger am 22. Nov. 1859. 8^0.
Wolf, geologische Gruben-Revierkarte des Kohlenbeckens von Teplitz-Dux-Brüx im nordwestl. Böhmen, nebst Begleitworten hierzu. Wien 1880. Fol.

K. K. zoologisch-botanische Gesellschaft (früher zoologisch-botanischer Verein).
Verhandlungen, Bd. 1—40. 1851—90. 8^0.
Personen-, Orts- und Sachregister zu Bd. 1—5 in Bd. 5, zu Bd. 6—20. 1857—72, zu Bd. 21—30. 1871—80. 1884. 8^0.
Bericht über die österr. Litteratur der Zoologie, Botanik und Palaeontologie aus den Jahren 1850—1853. 1855. 8^0.
Festschrift zur Feier des 25jährigen Bestehens. 1876. 4^0.

Gesellschaft der Freunde der Naturwissenschaften.
Berichte über die Mitteilungen, Bd. 1—7. 1846—51. 8^0.
Abhandlungen, naturwissenschaftl., Bd. 1—4. 1847—51. 4^0.

Verein zur Verbreitung naturwiss. Kenntnisse in Wien.
Schriften, Bd. 1—29. 1862—89. 8⁰.
Inhaltsverzeichnis von Bd. 1—20 in Bd. 21. 1881. 8⁰.
K. K. naturhistorisches Hofmuseum.
Annalen, Bd. 1—5. 1885—90. gr. 8⁰.
Österr. botanisches Wochenblatt, Jahrg. 1—3. 1851—53. 8⁰.

Wiesbaden.

Nassauischer Verein für Naturkunde.
Jahrbücher, Heft 1—20. 1844—66. Jahrg. 21—43. 1867—90. 8⁰.
Fr. Odernheimer, das Festland Australien. Geographische, naturwissenschaftliche und kulturwissenschaftliche Skizzen. Beilage zum
15. Heft. 1861. 8⁰.

Würzburg.

Physikalisch-medizinische Gesellschaft.
Verhandlungen, Bd. 1—10. 1850—60.
Würzburger naturwiss. Zeitschrift, Bd. 1—6. 1860—67. 8⁰.
Verhandlungen, Neue Folge. Bd. 1—23. 1868—89. 8⁰.
Sitzungsberichte, Jahrg. 1881—89. 8⁰.
Verzeichnis der Bibliothek, 1869. 8⁰.

Zürich.

Naturforschende Gesellschaft.
Mitteilungen, Bd. 1—4. 1847—56. 8⁰.
Vierteljahresschrift, Bd. 1—34. 1856—89. 8⁰.
Denkschrift zur Feier des 100jährigen Stiftungsfestes am 30. No-
vember 1846. 4⁰.

Zwickau.

Verein für Naturkunde.
Jahresberichte, Jahrg. 1871—75. 8⁰.
Monatsblätter des Vereins für Naturkunde und des ärztlichen Vereins.
1870. 4⁰.

II. Schriften
allgemein naturwissenschaftlichen Inhalts.

Album von Combe-Varin. Zur Erinnerung an Th. Parker und H.
L. Küchler. Zürich. 1881. 8⁰.
Anderson, B., narrative of a journey to Musardu. New York. 1870. 8⁰.
Archer, F., R. Müller, B. Smyth, die Colonie Victoria in Austra-
lien. 1861. Melbourne. 8⁰.
Archiv für Naturgeschichte von A. F. Wiegmann. Bd. 1—6.
1838—40. 8⁰.
Ave-Lallemant, R., Wanderungen durch die Tropen. Breslau. 1880. 8⁰.
Bärenbach, F. v., Herder als Vorgänger Darwins. Berlin. 1877. 8⁰.
Bärlocher, K., Rorschach und seine Umgebung. Rorschach. 1851. 8⁰.

Bericht, ausführlicher, von dem letzten Ausbruch des Vesuvs am 15. Juni 1794 etc. Aus dem Italienischen. Dresden. 1795. 4⁰.

Blumenbach, J. Fr., über den Bildungstrieb. Göttingen. 1791. 8⁰.

Bogdanow, M., Übersicht der Reisen und naturhistorischen Untersuchungen im Aralo-Kaspi-Gebiete seit den Jahren 1720—1874. St. Petersburg. 1876. 8⁰.

Bois-Reymond, E. du, über die Grenzen des Naturerkennens. 3. Aufl. Leipzig. 1873. 8⁰.

Borne, M. v., Wegweiser für Angler durch Deutschland, Österreich und die Schweiz. Berlin. 1877. 12⁰.

Bronn, H. G., die Entwicklung der organischen Schöpfung. Stuttgart. 1858. 8⁰.

Brunner v. Wattenwyl, C., über die heutige Aufgabe der Naturgeschichte. Bern. 1878. 8⁰.

Calderon, organizacion y arreglo de los museos de historia natural. Madrid. 1884. 8⁰.

Cast, J. G., Comitébericht des deutschen Ansiedlungsvereins in Valdivia in Süd-Chile. Stuttgart. 1851. 8⁰.

Collet, R., zoologisk botaniske Observationer fra Hvaloerne. Christiania. 1866. 8⁰.

Darwin, Ch., Reise eines Naturforschers um die Welt. Aus dem Engl. von J. V. Carus. Stuttgart. 1875. 8⁰.

Denkschrift des Vereins für deutsche Nordpolfahrt, betreffend die 1876 zu veranstaltende wissenschaftliche Forschungsreise nach West-Sibirien. Bremen. 1876. 8⁰.

Desor, E., de la physiognomie des lacs suisses. (Extr. Bull. Neufchâtel.) 1860. 8⁰.

Döderlein, L., die Liu-Kiu-Inseln Amami Oshima. Yokohama. 1881. Fol.

Donaldson, J., the enemies to agriculture, botanical and zoological. London. 1847. 8⁰.

Drechsler, A., die Philosophie im Cyklus der Naturwissenschaften. Dresden. 1863. 8⁰.

Ebel, W., zwölf Tage in Montenegro. Königsberg. 1844. 8⁰.

Ehrhart, G. v., physisch-mediz. Topographie von Memmingen. 1813. 8⁰.

Ehrlich, F. K., Ober-Österreich in seinen Naturverhältnissen. Linz. 1871. 8⁰.

Eifeld, C. J., die Religion und der Darwinismus. Leipzig. 1882. 8⁰.

Elvert, Ch. de, zur Geschichte der Pflege der Naturwissenschaften in Mähren etc. Brünn. 1868. 8⁰.

Eschenmeyer, C. A., de vitae organicae conspectu et legi commentatur. Tubingae. 1820. 4⁰.

Euting, J., ein gelehrter Benediktiner als Tourist auf dem Donon. Strassburg. 1882. 8⁰.

Ferguson, S., Ansichten von Neuholland. Taf. 7—12. Melbourne. Fol.

Finsch, O., Reise nach W.-Sibirien im Jahre 1876. Unternommen mit Dr. A. E. Brehm und Karl Graf von Waldburg-Zeil-Trauchburg. 1. 2. Abt. Berlin. 1879. 8⁰.

Finsch, O.: über Bekleidung, Schmuck und Tätowierung der Papuas der Südostküste von Neu-Guinea. Wien. 1885. 4⁰.

Fischer, J. G., die Einheit in der organischen Natur. Hamburg. 1853. 8⁰.

Förhandlingen ved de Skandinaviske Naturforskeres syvende möde i Christiania. 1856. 8⁰.

Forreste, J., Journal W.-Australian exploring expedition through the Central of Australia. London. 1876. 8⁰.

Fraas, O., drei Monate am Libanon. Stuttgart. 1876. 8⁰.

— das todte Meer, 1867; der Schwefel im Jordanthal. 8⁰.

— die Albwasser-Versorgung im Königreich Württemberg. Stuttgart. 1873. 8⁰.

— u. Eberh., aus dem Süden. Reisebericht aus Südfrankreich und Spanien. Stuttgart. 1886. 8⁰.

Frank, E., die Pfahlbaustation Schussenried. Lindau. 1877. 8⁰.

Frauenfeld, G. v., der Aufenthalt während der Weltreise der Fregatte Novara. Wien. 1861. 8⁰.

— Bericht über eine Reise durch Schweden und Norwegen im Sommer 1863. Wien. 1863. 8⁰.

Fritz, M., das Scioptikon, vervollkommneter Projektionsapparat für den Unterricht. Görlitz. 1879. 8⁰.

Froriep, L. F. v., Notizen, Bd. 1—50. Erfurt und Weimar. 1822 —1836. 4⁰.

— neue Notizen, Bd. 1—36. Weimar. 1837—1845. 4⁰.

— Fortschritte der Geographie und Naturgeschichte. Bd. 2—3. 1847. 4⁰.

Ganzenmüller, K., Tibet nach den Resultaten geographischer Forschungen. Stuttgart. 1878. 8⁰.

Gedächtnissrede auf Leopold von Buch, gehalten am 6. April 1853 in der Versammlung der deutschen geologischen Gesellschaft. Berlin. 1853. 4⁰.

Gerber, N., chemisch-physikalische Analyse der verschiedenen Milcharten und Kindermehle unter besonderer Berücksichtigung der Hygiene und Marktpolizei. Bremen. 1880. 8⁰.

Giebel, Tagesfragen aus der Naturgeschichte. 2. Aufl. Berlin. 1858. 8⁰.

Giles, E., explorations in South Australia. 1873—74. Fol.

— geographic travels in Central Australia from 1872—74. Melbourne. 1875. 8⁰.

Glaubensbekenntnis eines modernen Naturforschers. Berlin. 1873. 8⁰.

Goethe, zur Naturwissenschaft überhaupt, besonders zur Morphologie. Stuttgart. 1823. 8⁰.

Griesbach, H., zum Studium der modernen Zoologie. Leipzig. 1878. 8⁰.

Gruber, A., über den Wert der Specialisierung für die Erforschung und Auffassung der Natur. Freiburg i. B. 1889. 8⁰.

Guide for excursionists from Melbourne. 1869. 8⁰.

— for excursionists from the Mainland to Tasmania. Melbourne. 1869. 8⁰.

— to excursionist between Australia and Tasmania. Melbourne. 1872. 8⁰.

Häckel, E., freie Wissenschaft und freie Lehre. Entgegnungsrede auf R. Virchows Münchner Rede. Stuttgart. 1878. 8⁰.

Hagenbach, E., Christ. Fr. Schönlein. (Programm.) Basel. 1868. 4⁰.

Hahn, O., die Urzelle. Tübingen. 1879. 8^0.

— Canada. Die Berichte der vier deutschen Delegierten über ihre Reise nach Canada im Jahre 1881. Reutlingen. 1883. 8^0.

Haidinger, W. v., der 8. November 1875. Jubelerinnerungstage. Rückblick auf die Jahre 1845—70. Wien. 1870. 8^0.

Handelsgeographischer Verein. 7. u. 8. Jahresbericht. Die Württemberger in der weiten Welt. Stuttgart. 1890. gr. 8^0.

Hast, F. v., in memoriam: Ferdinand von Hochstetter. New Zealand. 1884. 8^0.

Hauer, v. und Hörnes, das Buch-Denkmal. Wien. 1858. 8^0.

Hayden, F. V., the great West; its attractions and resources. Containing a popular description of the marvelous scenery, physical geography, fossils, and glaciers of this wonder; and the recent explorations in the Yellowstone park „the wonderland of America". Philadelphia. 1880. 8^0.

Hedinger, A., die Insel Corsica. (Sep.-Abdr.) Prag. 1888. 8^0.

Herschel, J. F., über das Studium der Naturwissenschaften. Aus dem Englischen von F. Henrici. Göttingen. 1836. 8^0.

Heuglin, Th. v., Expedition nach Inner-Afrika zur Aufhellung des Schicksals Dr. E. Vogels. Gotha. 1860. 8^0.

Heumann, K., das Feuer. (Vortrag.) Basel. 1883. 8^0.

Hilpert, J. W., zum Andenken an Dr. Jacob Sturm. Nürnberg. 1849. 8^0.

Hiorthal, Th., om Underberget ved Kongsberg og om Guldets Forekomst sammesteds. Christiania. 1868. 8^0.

Hirth, F., Reise nach dem grossen See (Tai-hu) bei Su-chou. 8^0.

Hochstetter, F., Schreiben an Alexander von Humboldt. (Sep.-Abdr. Sitzungsber.) Wien. 1859. 8^0.

Hofmann, F., Grundzüge der Naturgeschichte für den Gebrauch beim Unterricht. 1. Teil. Das Tierreich. 5. Aufl. 1879; 2. Teil. Das Pflanzenreich. 5. Aufl. 1883; 3. Teil. Mineralogie. 4. Aufl. 1881. München und Leipzig. 8^0.

Holub, E., die Kolonisation Afrikas. 1. Die Franzosen in Tunis. 2. Die Engländer in Südafrika. a. Die Eingebornenfrage in Südafrika. b. Der Export und Import des Kaplandes; die Stellung des Arztes in den transoceanischen Gebieten. Wien. 1882. 8^0.

— die national-ökonomische Bedeutung der Afrikaforschung. Wien. 1881. 8^0.

— die Elephantenjagden in Südafrika. Wien. 1882. 8^0.

Hopf, Ph. H., Gottl. Fr. Rösler's Beiträge zur Naturgeschichte des Herzogthums Wirtemberg. 3. Heft. Tübingen. 1791. 8^0.

Jäger, G. F., Beiträge zur vergleichenden Naturgeschichte der Thiere und Menschen. Stuttgart. 1830. 8^0.

Jäger, Georg, über den relativen Werth der Naturwissenschaften. 1841. 8^0.

— über den Einfluss der Naturwissenschaften und ihrer Fortschritte auf den Fortschritt der Humanität. Aachen. 1847. 4^0.

— Ehrengedächtniss des K. Württemb. Staatsraths v. Kielmaier. 4^0.

Jäger, Georg, Festrede bei der Jubelfeier der K. Leop.-Carolinischen Akademie der Naturforscher. Breslau. 1853. 4⁰.

Jäger, Gust., die Neuralanalyse, insbesondere in ihrer Anwendung auf die homöopathischen Verdünnungen. Leipzig. 1881. 8⁰.

— die Homöopathie. Urteil eines Physiologen und Naturforschers. Stuttgart. 1888. 8⁰.

— Gleich und Ähnlich (Ison und Homoion), Notschrei eines misshandelten Naturgesetzes. Stuttgart. 1891. 8⁰.

— die homöopathische Verdünnung im Lichte der täglichen Erfahrung und des gesunden Menschenverstandes betrachtet. Stuttgart. 1889. 8⁰.

Jeitteles, L. S., die vorgeschichtlichen Alterthümer der Stadt Olmütz und ihrer Umgebung. Wien. 1872. 8⁰.

Jickeli, Reisebericht aus Aegypten. 8⁰.

Kappler, A., Surinam, sein Land, seine Natur, Bevölkerung und seine Kulturverhältnisse mit Bezugnahme auf Kolonisation. Stuttgart. 1887. 8⁰.

— die holländisch-französische Expedition ins Innere von Guiana. September bis November 1861. 4⁰.

Kaup, Grundriss zu einem System der Natur, herausgegeben von K. Röder. Wiesbaden. 1877. 8⁰.

Kielmeyer, C. F., über die Verhältnisse der organischen Kräfte etc. 1793. 8⁰.

Kiesewetters ethnographische Reisebilder. Berlin. 1884. 8⁰.

Kirchhoff, A., Bericht der Centralkommission für wissenschaftliche Landeskunde von Deutschland. (Sep.-Abdr. der Verhandlungen des deutschen Geographentags in Karlsruhe.) 1887. 8⁰.

Klunzinger, B., Bilder aus Oberegypten, der Wüste und dem rothen Meere. Stuttgart. 1877. 8⁰.

— gesammelte geographische und naturwissenschaftliche Abhandlungen über Kosseir und Umgegend: Beiträge zur Kenntniss der Limnadiden, 1865; die Zweibrüderinseln im rothen Merre, 1865; statistisch-topographisch-ethnographische Schilderung von Kosseir, 1866; über eine Süsswassercrustacee im Nil, 1866; über Branchipus rubricaudatus n. sp., 1866; über den Fang und die Anwendung der Fische und anderer Meeresgeschöpfe im rothen Meere, 1871; Resultate der meteorologischen Beobachtungen in Kosseir, 1877; die Vegetation der egyptisch-arabischen Wüste bei Kosseir; über den Schmalfuchs (Megalotis famelicus) und einiges über die Hyäne; zur Wirbelthierfauna in und am rothen Meere, 1878; die Umgegend von Kosseir am rothen Meere. Mit einer Karte. 1880. 8⁰.

— Nil und Rhein als geographische Homologien. (Sep.-Abdr. Natur. 1881.)

Knight, W. N., Western Australia: its history, progress etc. Perth. 1870. 8⁰.

Kobelt, Reiseerinnerungen aus Algerien und Tunis. Frankfurt a. M.1885. 8⁰.

Kossmann, R.. war Goethe ein Mitbegründer der Descendenztheorie. Heidelberg. 1877. 8⁰.

König-Warthausen, Baron v., zur Erinnerung an Th. v. Heuglin. (Sep.-Abdr. Journ. Ornithol.) 1877. 8⁰.

Köstlin, O., Gott in der Natur. Die Erscheinungen und Gesetze der Natur im Sinne der Bridgewaterbücher als Werke Gottes geschildert. Mit zahlreichen Abbildungen. Stuttgart. 1851. 8^0.

Krause, Ch., Erasmus Darwin und seine Stellung in der Geschichte der Descendenztheorie. Leipzig. 1880. 8^0.

Kraut, K., welche Bedeutung hat der Zufluss der Effluvien der Chlorkaliumfabriken bei Aschersleben und Bernburg für den Gebrauch des Elbwassers? Hannover. 1884. 4^0.

Krönig, das Dasein Gottes und das Glück der Menschen. Berlin. 1874. 8^0.

Kühn, H., die Bedeutung des Anpassungsgesetzes für die Therapie. Leipzig, 1878. 8^0.

Kurr, G. J., Deutschlands Pflanzen- und Thierreich. Stuttgart. 1834. 8^0.

Lees J., the six months seasons of the tropics. London. 1860. 8^0.

Lehmann, B., Bericht über die Thätigkeit der Centralkommission für wissenschaftliche Landeskunde. München. 1883. 8^0.

Loret, L., causes des déformations que presentent les cranes des syrophéniciens. Lyon. 1884. 8^0.

Lucas, Clarke and Liversidge, New South Wales intercolonial and Philadelphia international Exhibition. Sydney. 1875. 8^0.

Ludeking, E. W. A, natuur- en geneeskundige topographie der Assistent-residentie Agam. s'Gravenhage. 1867. 8^0.

— schets van der residentie Amboina. s'Gravenhage. 1868. 8^0.

Malherbe, A., ascension à l'Etna. Metz. 1841 u. 1851. 8^0.

Mappes, J. M., zum Andenken an Dr. phil. J. Cretzschmar. Frankfurt. 1846. 8^0.

— Festreden im naturgeschichtlichen Museum zu Frankfurt. 1842. 8^0.

Marktanner-Turneretscher, die Mikrophotographie als Hilfsmittel naturwissenschaftlicher Forschung. Halle. 1890. 8^0.

Martens, G. v., Reise nach Venedig. Ulm. 1824. 8^0.

Martins, Ch., von Spitzbergen zur Sahara. Jena. 1868. 8^0.

Martius, v., Denkrede auf C. F. v. Kielmeyer am 8. März 1845. 4^0.

Mauch, Reisen ins Innere von Afrika. (Sep.-Abdr. Petermanns Mitt.) 4^0.

Memminger, J. D. G. v., Beschreibung von Württemberg. 3. Aufl. Stuttgart und Tübingen. 1841. 8^0.

Messikommer, H., zur Bearbeitung des Feuersteins. (Sep.-Abdr. Antiqua.) 1887. 8^0.

Meyer, A. B., Charles Darwin und Alfred Russel Wallace. Erlangen. 1870. 8^0.

Miller, C., das untere Argenthal. (Sep.-Abdr.) 1885. gr. 8^0.

Mohr, Karl Th., eine biographische Skizze mit Einleitung. Aphorismen zur Geschichte der Pharmacie. New York. 1887. Fol.

Moré, J. Ch., die Kolonisation in der Provinz Sao Pedro de Rio Grande do Sul in Brasilien; aus dem Französischen übersetzt von H. Wortheim. Hamburg. 1863. 8^0.

Mühry, A., über die exakte Naturphilosophie. Göttingen. 1879. 8^0.

Müller, A., ein Fund vorgeschichtlicher Steingeräthe bei Basel. Basel. 1875. 4^0.

Müller, F. B. v., das Schicksal Dr. L. Leichhardts und eine erneute Anregung zu seiner Aufsuchung. 1865. 8^0.

Naturforscher, der, 1—24. Stück. Halle. 1774—88. 8⁰.

Naturforscher, der, Jahrg. 19—21. Tübingen. 1886—88. 4⁰.

Nees v. Esenbeck, allgemeine Formenlehre der Natur. Breslau. 1852. 8⁰.

Netto, Lad., Dr., Conférence faite au Muséum national en prés. de L. L. M. M. Impériales. Rio de Janeiro. 1883. 8⁰.

Noll, F. C., der Main in seinem unteren Laufe. (Dissertation.) Frankfurt a. M. 1866. 8⁰.

Normalbestimmungen für die Zusammenstellungen der landeskundlichen Litteratur, herausgegeben von der Centralkommission für wissenschaftliche Landeskunde von Deutschland. 28. April 1886.

Odernheimer, das Festland Australien. (Beilage zu Jahrb. Nassau.) 1861. 8⁰.

— das Berg- und Hüttenamt im Herzogthum Nassau. Bd. 1 und Schlussheft. 1865—67. 8⁰.

Osborne, W., haben die vorgeschlagenen Neuerungen in unserer Zeiteinteilung Aussicht eingeführt zu werden? Dresden. 1890. 8⁰.

Pel, H. S., gehouden op eene reis van St. George Delmina naar Comassie. Leiden. 1842. 8⁰.

Perty, die Realität der magischen Kräfte und Wirkungen des Menschen. Leipzig und Heidelberg. 1862. 8⁰.

Petermann, die deutsche Nordpolexpedition. 1868 4⁰.

Pfaff, F., Kraft und Stoff und über den Einfluss des Darwinismus auf unser staatliches Leben. Heidelberg. 1879. 8⁰.

Piller, A. et Mitterpacher, iter per Poseganum Sclavoniae provinciam, mensibus Junio et Julio. Rude. 1783. 4⁰.

Pirmez, O., Jours de Solitude. Paris. 1883. 8⁰.

Pössnecker, W., die einheitliche Ursache aller Kräfte-Erscheinungen im Universum. München. 1863. 8⁰.

Pollen, Fr., un mot sur acclimatation du Canarda Bosae (Sarkidiornis africana). (Extr.) St. Denis. 1866. 8⁰.

Probst, J., Klima und Gestaltung der Erdoberfläche in ihren Wechselwirkungen. Stuttgart. 1887. 8⁰.

Quetelet, A., observations de phénomènes périodiques pendant 1865 et 1866. 8⁰.

Rac, F., Railways of New South Wales. Report of their construction and working during. Sydney. 1878. Fol.

Rade, E., h le Darwin und seine deutschen Anhänger. Strassburg. 1877. 8 C ar s

Rath, G. v., ein Ausflug nach Calabrien. Bonn. 1871. 8⁰.

— naturwissenschaftliche Studien. Erinnerungen an die Pariser Weltausstellung 1878. Bonn. 1879. 8⁰.

— Siebenbürgen, Reisebeobachtungen und Studien. Heidelberg. 1880. 8⁰.

Renard, Dr., Rapport à l'occasion du Jubilé semi-seculaire du doctorat Exc. Mr. Fischer de Waldheim. Moscou. 1847. 8⁰.

Report of the superintendent of the coast survey, showing the survey during the year 1855. Washington. 1856. 4⁰.

Richards, Th., New South Wales. Sydney. 8⁰.

Riecke, v., die Aufgaben des K. statistisch-topographischen Bureau. (Vortrag.) Stuttgart. 1874. gr. 8⁰.

Ritter, W., Flut und Ebbe. Basel. 1884. 8⁰.

Robinson, Ch., New South Wales its progress and resources. Sydney. 1877. 8⁰.

Rueff, A., das Fleisch als menschliches Nahrungsmittel. Stuttgart. 1866. 8⁰.

Sammlung gemeinverständlicher wissenschaftlicher Vorträge, herausg. von Rud. Virchow und Fr. v. Holtzendorff. Berlin. 1866—79. 8⁰.

Inhalt. I. Serie (Heft 1—24): 1. Virchow, Hünengräber. 2. Bluntschli, Völkerrecht. 3. Dove, Kreislauf des Wassers. 4. Lette, Wohnungsfrage. 5. Foerster, Zeitmasse. 6. Osenbrüggen, Urschweiz. 7. Meyer, Sinnestäuschungen. 8. Schulze - Delitzsch, soz. Rechte. 9. Rosenthal, elektrische Erscheinungen. 10. Kühns, Wechsel. 11. Rosenstein, Aberglaube. 12. Zschokke, Heinrich Zschokke. 13. Müller, organisches Wesen. 14. Meyer, Volksbildung. 15. Baeyer, Kohlenstoff. 16. Grimm, Albrecht Dürer. 17. v. Holtzendorff, R. Cobden. 18. Mittermaier, Volksgericht. 19. Roth, Steinkohlen. 20/21. Engel, Preis der Arbeit. 22. Siemens, elektrischer Telegraph. 23. Rammelsberg, Licht und Wärme. 24. Zeller, Religion der Römer.

II. Serie (Heft 25—48): 25. Gneist, Stadtverwaltung von London. 26. v. Belle, Wilhelm von Oranien. 27. v. Gräfe, Sehen und Sehorgan. 28. Perels, Maschinenwesen. 29. Zelle, Waisenpflege. 30. Oppenheimer, Klima. 31. Woltmann, deutsche Kunst. 32. Weber, schmerzstillende Mittel. 33. Endemann, Handelsgesellschaft. 34. Bohn, Schutzpockenimpfung. 35. Wattenbach, Algier. 36. John, Todesstrafe. 37. Nissen, Pompeji. 38. v. Seebach, Vulkan von Santorin. 39. Preyer, Empfindungen. 40. v. Holtzendorff, Stellung der Frauen. 41. Möller, über den Alkohol. 42. Stark, Winckelmann. 43. Schumacher, Rettungswesen zur See. 44. Hebler, Philosophie. 45. Bolley, Farbenchemie und Farben. 46. v. Waldbrühl, Hexenglaube. 47. Volz, das rote Kreuz. 48. Virchow, Nahrungsmittel.

III. Serie (Heft 49—72): 49. Twesten, Machiavelli. 50. v. Wittich, Empfinden und Wollen. 51. Adler, Weltstädte in der Baukunst. 52/53. Haeckel, Entstehung des Menschengeschlechts. 54. Bluntschli, amerikanische Union. 55/56. Runge, Bernstein. 57. Cohn, Börse und Spekulation. 58. Angerstein, Volkstänze. 59. Meyer, Entstehung der Bewegungen. 60. v. Gross, irländische Gefängnisse. 61. Stricker, Amazonen. 62. Bastian, Mexiko. 63. Leyden, Sinneswahrnehmungen. 64. Brugsch, Bildung der Schrift. 65. Jordan, Kaiserpaläste. 66. Hoppe-Seyler, Spektral - Analyse. 67. Meibauer, Sternwarte zu Greenwich. 68. Goeppert, Riesen des Pflanzenreiches. 69/70. Koner, Entdeckungen in Afrika. 71. Kühns, Feudalismus. 72. Virchow, Hospitäler und Lazarette.

IV. Serie (Heft 73—96): 73. Nagel, Der Farbensinn. 74. Dobbert, monumentale Darstellung der Reformation. 75. Toepfer, das Wärmeäquivalent. 76. v. Lasaulx, Entstehung des Basaltes. 77. Braun, Weinbau im Rheingau. 78. Haeckel, Arbeitsteilung. 79. Alberti, Heinrich

Pestalozzi. 80. Cohn, Licht und Leben. 81. Henke, Johann Huss. 82. Nippold, Ägyptens Stellung. 83. Ribbeck, Sophokles und seine Tragödien. 84. Emminghaus, hauswirtschaftliche Zeitfragen. 85. Lammers, Freihandel. 86. Zaddach, Tertiärzeit. 87/88. de Bary, Schimmel und Hefe. 89. Bernstein, Alexander v. Humboldt. 90. Maurenbrecher, Don Carlos. 91. Perty, Parasitismus. 92. Roemer, Formen des organischen Lebens. 93. Wedding, die Eisenhüttenwerke. 94. Braun, Eiszeit der Erde. 95. v. Holtzendorff, Englands Presse. 96. Virchow, Menschen- und Affenschädel.

V. Serie (Heft 97—120): 97. Steinthal, Mythos und Religion. 98. v. Wittich, Physiognomik. 99. Petersen, das Zwölfgöttersystem. 100. Volz, der ärztliche Beruf. 101. Zelle, Vormundschaftsgesetzgebung. 102. Zoeppritz, Arbeitsvorgang der Natur. 103. Oncken, Aristoteles. 104. Noeggerath, der Laacher See. 105. Bluntschli, Staatenbildung. 106. Settegast, moderne Tierzucht. 107. Bernhardt, Lord Palmerston. 108. Wedding, Eisenhüttenwerke, II. Abteilung. 109. Meyer, Gewerbezeichenschulen. 110. Haeckel, Leben in den Meerestiefen. 111. Roth, geologische Bilder der norddeutschen Ebene. 112. Berger, Heizung und Ventilation. 113. Lewinstein, Alchemie und Alchemisten. 114. Boretius, Friedrich der Grosse. 115. Henke, Zeichnen und Sehen. 116. Friedberg, Civilehe. 117. Naumann, Ludwig van Beethoven. 118. Arnold, Sappho. 119. v. Holtzendorff, britische Kolonien. 120. Virchow, über das Rückenmark.

VI. Serie (Heft 121—144): 121. Twesten, die Zeit Ludwig XIV. 122. Möbius, Tierleben der Ost- und Nordsee. 123. Schmoller, Bevölkerungs- und Moralstatistik. 124. v. Hellwald, Sebastian Cabot. 125. Kapp, über Auswanderung. 126. Karsten, Mass und Gewicht. 127. Wagner, Veränderung der Karte von Europa. 128. Meyer, Stimm- und Sprachbildung. 129. Lefmann, deutsche Rechtschreibung. 130. Magnus, Gehörorgan. 131. Ebers, Hier. Schriftsystem. 132. Bessel, Bewegung der Erde. 133. Bergau, Ordenshaupth. Marienburg. 134. Jensen, Träumen und Denken. 135. Martin, Goethe in Strassburg. 136. Zirkel, Mineralreich. 137. Diestel, die Sintflut. 138. Hoppe-Seyler, Lebenskräfte. 139. Huber, Philosophie. 140. Mensinga, alte und neue Astrologie. 141. Kreyssig, Realismus und Realschulwesen. 142. Berendt, Alt-Preussens Urzeit. 143. Strümpell, Folge der Gedanken. 144. v. Holtzendorff, Eroberungen.

VII. Serie (Heft 145—168): 145. Meyer, Arthur Schopenhauer, 146. Foerster, Johann Kepler. 147/48. Stark, aus dem Reiche des Tantalus. 149. Fick, Kreislauf des Blutes. 150. Doehler, die Orakel. 151. Rammelsberg, die Meteoriten. 152. Osenbrüggen, die Ehre. 153. v. Seebach, Wellen des Meeres. 154. Winckler, Reichskleinodien. 155. Flemming, Geistesstörungen. 156. Wirth, die sociale Frage. 157. Buchenau, Petroleum. 158/59. Abel, Begriff der Liebe. 160. Weger, der Graphit. 161. Bamberger, Münzgesetzgebung. 162. Masing, die tragische Schuld. 163. Münter, über Korallentiere. 164. Stricker, der Blitz. 165. Cohn, über Bakterien. 166. Wendt, Sinneswahrnehmungen. 167. Pfleiderer, Aberglauben. 168. Fraas, Höhlenbewohner.

VIII. Serie (Heft 169—192): 169. Czermak, Ohr und Hören.
170. Naumann, musikalische Heroen. 171. Mayer, Sturmfluten. 172. Rösch,
Wesen der Sprache. 173. Peters, Entfernung der Erde von der Sonne.
174. Beta, Wassernutzung der Fischzucht. 175. Kohl, Klangmalerei in
der Sprache. 176. Blümer, Dilettanten etc. im Altertum. 177. Ackermann, epidemische Krankheiten. 178. Justi, aus dem Leben des Darius.
179. Claus, der Bienenstaat. 180. Kugler, Wallenstein. 181. .v. Hochstetter, der Ural. 182. Corrodi, Burns und Hebel. 183. v. Seebach,
Central-Amerika. 184. Schönberg, Volkswirtschaftslehre. 185. vom Rath,
der Vesuv. 186. Seuffert, das Autorrecht. 187. Perls, pathologische
Anatomie und Institute. 188. Adler, der Felsendom zu Jerusalem.
189. Lissauer, Albrecht v. Haller. 190. Gmelin, Christensklaverei.
191. Küppers, Apoxyomenos. 192. Geisenheimer, Erdmagnetismus.
IX. Serie (Heft 193—216): 193. Virchow, Urbevölkerung Europas.
194. Riegel, Art, Kunstwerke zu sehen. 195. Perty, Grenzen der sichtbaren Schöpfung. 196. Helbig, Sage vom »ewigen Juden«. 197. Luerssen.
die Farne. 198. Holtzmann, Christentum in Rom. 199. Stricker, die
Feuerzeuge. 200. Essellen, das varianische Schlachtfeld. 201. Richter,
die Piccolomini. 202. Möhl, Erdbeben und Vulkane. 203. Bucher,
ornamentale Kunst aus der Wiener Weltausstellung. 204. Engel, Sinnen-
und Seelenleben. 205. Doebler, religiöse Kunst bei den Griechen.
206. Möller, das Salz. 207. Cramer, Despotismus und Volkskrieg.
208. v. Boguslawski, Sternschnuppen. 209. Pfotenhauer, die Gifte.
210. Boll, über elektrische Fische. 211. Baron, das Heiraten.
212. Wiener, die Sätze der Erkenntnis. 213. Wernher, Armen- und
Krankenpflege. 214. v. Martens, Purpur und Perlen. 215. Rüdinger,
Verunstaltung des Körpers. 216. Salkowski, das Fleisch.
X. Serie (Heft 217—240): 217. Förster, Peter v. Cornelius.
218. Jordan, die lybische Wüste. 219/20. Dannehl, niederdeutsche
Sprache. 221. Virchow, Heilkräfte des Organismus. 222. Aron, Liefe-
rungsgeschäfte und Schwindel. 223/24. Kny, Pflanzenleben des Meeres.
225. Dondorff, die Normannen. 226. Bastian, die Seele. 227. Hirzel,
Jeanne d'Arc. 228. Joseph, Tropfsteingrotten zu Krain. 229. Eyssen-
hardt, homerische Dichtung. 230. Noeggerath, Torf. 231. Weniger, alex.
Museum. 232. v. Holtzendorff, Psychologie des Mordes. 233. Sohncke,
Stürme und Sturm-Warnung. 234. Winckler, Gregor VII. 235. Winkel-
mann, Kautschuk und Guttapercha. 236. Stern, Milton und Cromwell.
237. Frentzel, Landespferdezucht. 238. Ritter, Heilkünstler Roms.
239. Mannhardt, Klytia. 240. Engel, Nacht und Morgen unter den Tropen.
XI. Serie (Heft 241—264): 241. Kleefeld, der Diamant. 242/43.
Kluckhohn, Luise von Preussen. 244. Lipschütz, theoretische Mechanik.
245/46. Furtwängler, Dornauszieher. 247. Hartmann, menschenähnliche
Affen. 248. Naumann, Tonkunst. 249. Horwicz, Naturgeschichte der
Gefühle. 250. Buchner, der Rhein, des Deutschen Lieblingsstrom.
251. Zittel, die Kreide. 252. Osenbrüggen, die Schweiz. 253. Möhl,
der Boden. 254. Tollin, Michael Servet. 255. Schwimmer, Heilkunst
im alten Ägypten. 256. Schmidt, Schiller und Rousseau. 257. Buch-
holz, Land und Leute in Westafrika. 258. Sadebeck, europäische Grad-

messung. 259. Mehlis, der Rhein in Kelten- und Römerzeit. 260. Münter, Muscheln und Schnecken. 261. Stricker, Goethe und seine Vaterstadt. 262. Meyer, die Minahassa. 263. Trosien, Lessings Nathan der Weise. 264. Noeggerath, Achat-Industrie. XII. Serie (Heft 265—288): 265. Remy, Goethe in Weimar. 266/67. Willkomm, Südfrüchte. 268. Stammler, Stellung der Frauen im alten deutschen Recht. 269. Cubasch, der Alp. 270. Maenss, Franz von Sickingen. 271. Töpfer, gasförmige Körper etc. 272. Hopf, Bonifaz von Monferrat. 273. Fick, Wesen der Muskelarbeit. 274. Frey, die Alpen. 275. Cantor, das Gesetz im Zufall. 276. Speyer, das Komische in der Poesie. 277. Kleefeld, Edelsteine. 278. Blümner, Kunst und Handwerk der Alten. 279. Siebeck, Traumleben der Seele. 280. Heyer, Priesterherrschaft und Inquisition. 281. Magnus, Gehör und Sprache. 282. Herz, die Nibelungensage. 283. Hartung, die skandinavische Halbinsel. 284. Wiegand, platonische Liebe. 285. Schmidt, sinnliches Unterscheidungsvermögen. 286/87. Mehlis, Rhein im Mittelalter. 288. Grashof, Arbeitsvermögen in Natur und Gewerbe.

XIII. Serie (Heft 289—312): 289. Wolf, die Mechanik des Riechens. 290. Görgens, Mohammed, ein Charakterbild. 291. Weissmann, über das Wandern der Vögel. 292. Haupt, Staat und Kirche vor 800 Jahren. 293/94. Kjerulf, die Eiszeit. 295. Geiger, die Satiriker des 16. Jahrhunderts. 296. Schrader, die älteste Zeiteinteilung des indogermanischen Volkes. 297. Hesse, Minchen Herzlieb. 298. Braun, über den Samen. 299. Lehmann, Pommern zur Zeit Ottos von Bamberg. 300/1. Rath, v., über den Granit. 302. Schulze, das alte Rom als Grossstadt und Weltstadt. 303. Hagen, der Roman vom König Apollonius von Tyrus. 304. Jensen, Thun und Handeln. 305. Genêr, die englischen Mirakelspiele. 306. Roth, Flusswasser, Murwasser, Steinsalz. 307. Löhrer, Cypern in der Geschichte. 308. Schott, Columbus und seine Weltanschauung. 309. Menge, römische Kunstzustände im Zeitalter des Augustus. 310—11. Boguslawski, die Tiefsee und ihre Boden- und Temperatur-Verhältnisse. 312. v. Huber-Liebenau, das deutsche Zunftwesen im Mittelalter.

XIV. Serie (Heft 313—314): Kluckhohn, Blücher. 315/16. Pagenstecher, über die Tiere der Tiefsee. 317. v. Holtzendorff, John Howard. 318. Ranke, Anfänge der Kunst. 319. Kaiser, Kaulbachs Bilderkreis der Weltgeschichte. 320. Reess, über die Natur der Flechten. 321. Holle, die Prometheussage. 322. Semper, über die Aufgabe der modernen Tiergeographie. 323. Winckler, die Krönung Karls des Grossen zum Römischen Kaiser. 324/25. G. vom Rath, über das Gold.

Sander, G. C., Aphorismen über die Natur der Dinge. Braunschweig. 1841. 8⁰.

Saucerotte, N., notice nécrologiques par Lereboullet. Strasbourg. 1861. 4⁰.

Saussure, H. de, coup d'oeil sur l'Hydrologie du Mexique. Genève. 1862. 8⁰.

Schiel, J., Reise durch die Felsengebirge und die Humboldtsgebirge nach dem stillen Ozean. Schaffhausen. 1859. 8⁰.

Schlaginweit-Sakünlünski, H. v., die wichtigsten Höhenbestimmungen in Indien, im Himalaya, in Tibet und in Turkistan. München.
1867. 8⁰.

Schlegel, rapport over de inrigting van eenige Voorname Muse van
natuurlijke historie in het Buitenland. Leiden. 1878. 8⁰.

Schlossberger, J., zur Orientirung in der Frage von den Ersatz-
mitteln des Getreidemehls. Stuttgart. 1847. 8⁰.

Schmitz, J. W., die Religion und die Naturforschung. Köln. 1853. 8⁰.

— der kleine Kosmos. Köln. 1862. 8⁰.

Schomburgk, B. R., on the urari: the deadly arrow-poison of the
Macuses, an Indian tribe in British Guiana. Adelaide. 1850. 4⁰.

Schütz, C. v., Reise von Linththal über die Limmern-Alp nach Brigels.
Zürich. 1812. 8⁰.

Schütz, E., vom Schwarzwald ins Morgenland. Calw. 1870. 8⁰.

Sea and River-side Rambles in Victoria. London. 1860. 8⁰.

Smyth, R. Br., the aborigines of Victoria: with notes relating to
the habits of the natives of other parts of Australia and Tasmania.
Compiled from various sources for the government of Victoria.
Vol. 1. 2. Melbourne. 1877. 8⁰.

Spengel, J. W., die Darwinsche Theorie. Verzeichnis der über dieselbe erschienenen Schriften und Aufsätze. Berlin. 1872. 8⁰.

Spiller, Ph., die Einheit der Naturkräfte. Berlin. 1868. 8⁰.

Stahlberg, E., gesammelte Vorträge über die physiologische und
therapeutische Wirkung des Kumys. Leipzig. 1873. 8⁰.

Stanelli, R., die Zukunfts-Philosophie des Paracelsus als Grundlage
einer Reformation für Medicin und Naturwissenschaften. Wien. 1884. 8⁰.

Stern, M. L., philosophischer und naturwissenschaftlicher Monismus.
Ein Beitrag zur Seelenfrage. Leipzig. 1885. 8⁰.

Sulzfluh, Excursion der Section Rhätia in Chur. 1865. 8⁰.

Szontagh, A. v., über die Bedingungen der Grösse der Arbeitskraft.
Pressburg. 1859. 8⁰.

Thomae, C., Geschichte des Vereins für Naturkunde im Herzogthum
Nassau und des naturhistorischen Museums in Wiesbaden. 1842. 8⁰.

Torre, J. M. dalla, Geschichte und Naturbegebenheiten des Vesuvs
von den ältesten Zeiten bis zum Jahre 1799. Altenburg. 1783. 8⁰.

Ullersperger, memoria sobre la influencia del cultivo del arroz y
exposicion de las medidas conducentes a evitar danuo o rebajar
los que sean inevitables etc. Madrid. 1864. 4⁰.

Ural, der nördliche, und das Küstengebirge Pai-chol, untersucht
und beschrieben von einer 1847, 1848 und 1850 durch die k. russische geographische Gesellschaft ausgerüsteten Expedition. Bd. 1. 2.
St. Petersburg. 1853—56. 4⁰.

Virchow, R., die Freiheit der Wissenschaft im modernen Staat. Berlin 1877. 8⁰.

Vogt, C., über den heutigen Stand der beschreibenden Naturwissenschaften. Giessen. 1847. 8⁰.

Waldburg-Zeil, Graf v., Literatur-Nachweis für das Gebiet des
»unteren Ob«. 2. Anhang. 1876. 8⁰.

Waldburg-Zeil, Graf v., Bericht über eine 1881 an Bord des Dampfers »Louise«, Kapitän Burmeister, von Bremerhafen über Hammerfest nach dem Jenisei unternommenen Fahrt. (Vortrag.) 1882. 4⁰.

Wartmann, J., Lehrbuch der Naturgeschichte. St. Gallen. 1855. 8⁰.

Warth, H., die Salzkette in Pandschab. (Vortrag.) Stuttgart. 8⁰.

Weismann, A., über die Dauer des Lebens. Jena. 1882. 8⁰.

— über die Ewigkeit des Lebens. Freiburg i. B. 1883.

Werner, G., die Naturkunde, Bd. 1. 2. Stuttgart. 1879. 8⁰.

Western Australia. Descriptive catalogue of the collection of products, contributed by that colony to the Intercolonial exhibition of Australasia, held at Melbourne. 1860. 8⁰.

Widenmann, G., natürliches System aller Naturwissenschaften. Aus dem Französischen des A. v. Ampère. Stuttgart. 1844. 8⁰.

Wigand, A., der Darwinismus, ein Zeichen der Zeit. Heilbronn. 1878. 8⁰.

Wild, A., zur Wasserversorgung von Stuttgart. 1877. 12⁰.

Wolff, E., Grundlagen für die rationelle Fütterung des Pferdes. Programm der 67. Jahresfeier der .K. Akademie Hohenheim.

Wright, L., the practical poultry keeper. London.

Württemberg, Paul Wilhelm, Herzog von —, erste Reise nach dem nördlichen Amerika in den Jahren 1822—24. Stuttgart. 1835. 8⁰.

Zeppelin, Dr., Max, Graf von, Reiseskizzen aus Norwegen, Schweden und Dänemark, sowie ein Besuch der Insel Helgoland. Schorndorf. 1885. 8⁰.

Zimmermann's, H. von Wissloch in der Pfalz, Reise um die Welt mit Kapitän Cook. Mannheim. 1781. 8⁰.

III. Zoologie, Anatomie.

Adams, A., Zoology of the Voyage of H. M. Ship Samarang. a) Vertebrata, by J. E. Gray; b) Fishes, by Sir J. Richardson; c) Crustacea, Part 1, by A. Adams and A. White; d) Mollusca, Part 1—3, by A. Adams and L. Reeve. London. 1848—50. 4⁰.

Agassiz und Gould, Grundzüge der Zoologie. Stuttgart. 1851. 8⁰.

— on the embryology of Echinoderms. (Extr. Mem.) Cambridge. 1864. 4⁰.

— the history of Balanoglossus and Tornaria. Philadelphia. 1873. 4⁰.

— on the embryology of Asterocanthus berylinus Ag. and a species allied to the A. rubens M. T. and A. pallidus Ag. Cambridge. 8⁰.

Albers, J. Ch., die Heliceen nach natürlicher Verwandtschaft systematisch geordnet. 2. Ausg. von E. v. Martens. Leipzig. 1860. 8⁰.

Allen, J. A., history of North-American Pinnipedes, a monograph of the Walzuses, Sea-Lions, Sea-Bears and Sea of North-America. Washington. 1880. 8⁰.

Bachmann, O., die Mollusken der Umgebung von Landsberg a. B. (Programm.) 1883—84.

Bachtold, J. J., die Giftwerkzeuge der Schlangen. (Dissertation.) Tübingen. 1843. 4⁰.

Baird, catalogue of the american mammals. Washington. 1857. 4⁰.

Baird and C. Girard, catalogue of north american Reptiles in the museum of the Smithsonian Institution. Part 1. Serpens. Washington. 1853. 8^0.

Barboza du Bocage, J. V., aves possessoes, portuguezas d'Africa occidental, qui existem no Museo de Lisboa. (Extr. Journ. sc. math. et phys.) 1867. Forts. 1868. 1871 et 1872.

— notice sur l'habitet et les caractères du Macroscincuscocti. Lisboa. 1873. 8^0.

— reptiles nouveaux de l'intérieur de Massanedes. Lisboa. 1873. 8^0.

— notice sur les espèces du genre Philothamnus, qui se trouvent au Museum de Lisbonne. 1882. 8^0.

Barrawo, W., the english sparrow (Passer domesticus) in North-America. Washington. 1889. 8^0.

Bartsch, S., die Räderthiere. (Dissertation.) Stuttgart. 1870. 8^0.

Batsch, G. C., Naturgeschichte der Bandwurmgattung. Halle. 1786. 8^0.

Bauer, H., de mammalibus mergentibus. (Dissert.) Tübingen. 1832. 4^0.

Baumeister, W., die Knochenlehre des Rindes. 2. Aufl. Stuttgart. 1857. 8^0.

— Handbuch der landwirthschaftlichen Thierkunde und Thierzucht. 3 Bde. 4. Aufl. Stuttgart. 1863. 8^0.

— Anleitung zur Schweinezucht und Schweinehaltung. 4. Aufl. Von A. Rueff. Stuttgart. 1871. 8^0.

Bechstein, J. M., kurze, aber gründliche Musterung aller bisher mit Recht oder Unrecht von dem Jäger als schädlich geachteten und getödteten Thiere etc. Gotha. 1792. 8^0.

Beneden, P. J. van, un mot sur le mode de reproduction des animaux inferérieurs. Bruxelles. 1847. 8^0.

— recherches sur là circulation dans quelques animaux inférieurs. (Extr. Bull. Belg. T. XII.) 8^0.

— sur le mémoire de M. le Dr. Verhaeghe, ayant pour titre : recherches sur la cause de la phosphorescence de la mer dans les parages d'Ostende. (Extr. Bull. Belg. T. XIII.) 8^0.

— recherches sur l'anatomie, la physiologie et l'embryogénie des Bryozoaires. Bruxelles. 1845. 4^0.

— recherches sur l'embryogénie, l'anatomie et la physiologie des Ascidies simples. Bruxelles. 1846. 4^0.

— memoire sur le développement et l'organisation des Nicothoés. (Extr. Mém. Belg. 1848.) 4^0.

— recherches sur l'organisation et le développement des Linguatules (Pentastoma Rud.). Bruxelles. 1849. 4^0.

— histoire naturelle des polypes composés d'eau douce ou des Bryozoaires fluviatiles. Bruxelles. 1850. 4^0.

— les vers cestoides ou Acotyles. De leur classification, de leur anatomie et leur développement. Bruxelles. 1850. 4^0.

— recherches sur la fanne littorale de Belgique. Crustacés. Bruxelles. 1861. 4^0.

— notice sur une Balaine prise près de l'île Vlieland. (Extr. Bull. Belg. T. XXIV.) 8^0.

Beneden, P. J. van, sur un dauphin nouveau et un ziphoide rare. Ibid. 8⁰.

— les squelettes de cétacés et les musées qui les renferment. Ibid. 8⁰.

— recherches sur l'embryogénie des Tubulaires et l'histoire naturelle des différents genres de cette famille. (Extr. Mem. Belg. T. XVII.) 4⁰.

— mémoire sur un dauphin nouveau de la baie de Rio de Janairo. Ext. ibid. 1874. 4⁰.

— note sur la structure des Grégarines. (Extr. Bull. Belg. T. XXXIII.) 8⁰.

— M. v., la cote d'Ostende et les fouilles d'Anvers. Bruxelles. 1862. 8⁰.

Berge, die Vertebraten Württembergs. (Sep.-Abdr. Corresp.-Bl. Bd. 2.) 8⁰.

Bergh, R., om forekomsten af Neldefüm hos Molusker. 1861. 8⁰.

— contribution to a monography of the genus Fiona Hano. 1859. 8⁰.

— anatomisk ander so gelse af Saneasa quadrilateralis. 1863. 8⁰.

— lampaspe pusilla, en ny straegtsform af Dendronotiderus gruppe. 1863. 8⁰.

— Phidiana lynceus og Ismaila monstrosa. Kjöbenhavn. 1867. 8⁰.

— anatomische Untersuchung der Pleurophyllidia formosa. Wien. 1869. 8⁰.

Bergroth, anmärkingar om fiskfaunan i nedra Irtisch och Ob. 1880. 8⁰.

Bernard, A., monographie du genre Conus. Paris et Leipzic. 8⁰.

Berthold, A. A., Mittheilungen über das zoologische Museum zu Göttingen. Verzeichniss der aufgestellten Säugethiere. Göttingen. 1850. 8⁰.

Bessels, E., einige Worte über die Entwicklungsgeschichte und den morphologischen Werth des kegelförmigen Organs der Amphipoden. (Sep.-Abdr. Jen. Zeitschr. Bd. V.) 8⁰.

Biber, R., Carl Vogts naturwissenschaftliche Vorträge über die Urgeschichte der Menschen. 2. Aufl. Elbing. 1870. 8⁰.

Bielz, E. A., malakologische Notizen aus Siebenbürgen; eine malakologische Excursion in das Burgenland; die Beschädigungen an den Schalen der Süsswassermuscheln und ihre Ursachen; über das Vorkommen der Pupa truncatella Pff.; Revision der Nacktschnecken Siebenbürgens. (Sep.-Abdr. Siebenb. V.) Hermannstadt. 1856—63. 8⁰.

— Verzeichniss der Mollusken- und Conchylien-Sammlung. Ebenda. 1863 und 1865. 8⁰.

— Fauna der Wirbelthiere Siebenbürgens, eine systematische Aufzählung. Beschreibung der in Siebenbürgen vorkommenden Säugethiere, Vögel, Amphibien und Fische. Hermannstadt. 1856. 8⁰.

— Verzeichniss der Land- und Süsswassermollusken. Siebenbürgens. Hermannstadt. 1863. 8⁰.

— Fauna der Land- und Süsswasser-Mollusken Siebenbürgens. 1863. 8⁰.

Birds of North-America. Checklist with Supplement. 1889. 8⁰.

Blainville, essai d'une monographie de la famille des Hirudinés. Paris. 1827. 8⁰.

Blanchard, E., du système nerveux chez les invertébrés. Mollusques et Annels. (Extr.) Paris. 1849. 8⁰.

Blasius, W. und R., Bericht über die 21. Versammlung der deutschen Ornithologen-Gesellschaft zu Braunschweig. 1875. 8⁰.

— über eine kleine Sammlung von Vögeln aus Java. 1881.

Blasius, W. und R., über Spermophilus rufescens Keys. u. Bl., den Orenburger Ziesel, besonders dessen Eigenschaften, Lebensweise, Knochenbau und fossile Vorkommnisse. 1881—82. 8^0.
— über wahrscheinlich schon von den eingeborenen Sammlern und Jägern ausgeführte Fälschungen von Vogelbälgen aus Ecuador. 1881. 8^0.
— über die letzten Vorkommnisse des Riesen-Alks (Alca impennis) und die in Braunschweig und an andern Orten befindlichen Exemplare dieser Art. (Sep.-Abdr.) Braunschweig. 1881—82. 8^0.
— zur Geschichte der Überreste von Alca impennis L. Naumburg. 1884. 8^0.
— und Nehrkorn, Dr. Platens ornithologische Sammlungen aus Amboina. (Sep.-Abdr.) Wien. 1882.
Bogdanow, M., quelques mots sur l'histoire de la fauna de la Russie d'Europe. (Extr.) 1876. 8^0.
— Bemerkungen über die Gruppe der Pterocliden. (Extr. Bull. St. Petersburg.) 1880. 8^0.
Bosgoed Muldor, bibliotheca ichthyologica et piscatoria. Haarlem. 1873. 8^0.
Böttger, O., Reptilien und Amphibien aus Syrien. 1878—79. 8^0.
— Diagnosen neuer Mollusken Transkaukasiens, Armeniens und Persiens. 8^0.
— die Reptilien und Amphibien von Madagascar. 1877. 4^0.
— die Reptilien und Amphibien von Syrien, Palästina und Cypern. 1880. 8^0.
— Mitteilungen aus dem Gebiete der Malakozoologie. Diagnosen neuer Clausilienformen. 8^0.
— über eine neue Eidechse aus Brasilien. (Sep.-Abdr. Senckenb. naturf. Gesell.). Frankfurt a. M. 8^0.
Brandt, F., Ergänzungen und Berichtigungen zur Naturgeschichte der Familie der Alciden. 1869. 8^0.
— neue Untersuchungen über die systematische Stellung und die Verwandtschaften des Dodo (Didus ineptus). 1867. 8^0.
— einige Schlussworte zum Nachweis der Vertilgung der Rhytina. Moskau. 1867. 8^0.
— wenige Worte in Bezug auf die Erwiderungen in Betreff der Vertilgung der nordischen Seekuh. Moskau. 1868. 8^0.
— Bericht über die Cyamiden des zoologischen Museums zu St. Petersbourg. 1872. 8^0.
— über die bisher in Russland aufgefundenen Reste untergegangener Cetaceen. St. Petersburg. 1873. 8^0.
— Beiträge zur Naturgeschichte des Elens, in Bezug auf seine morphologischen und palaeontologischen Verhältnisse sowie seine geographische Verbreitung. St. Petersburg. 1870. 4^0.
Brass, Ar., die tierischen Parasiten des Menschen mit Tabellen, enthaltend die wichtigsten Merkmale der Parasiten. Cassel 1885. 8^0.
Brehm, Ch. L., die Kunst, Vögel als Bälge zu bereiten, auszustopfen, aufzustellen und aufzubewahren. Nebst einer kurzen Anleitung Schmetterlinge und Käfer zu fangen, zu präpariren, aufzustellen und aufzubewahren. Weimar. 1842. 8^0.

Brongniart, A., essai d'une classification naturelle des Reptiles. Paris. 1805. 4⁰.

Bronn, H. G., die Klassen und Ordnungen des Thierreichs wissenschaftlich dargestellt in Wort und Bild. Leipzig. 8⁰.

Bd. 1. Formlose Thiere (Amorphozoa). 1859.

Bd. 1, neu bearbeitet von Dr. O. Bütschli. Abt. 1. Sarkodina und Sporozoa. 1880—82; Abt. 2. Mastigophora. 1883—87; Abt. 3. Infusoria und System der Radiolaria. 1887—89.

Bd. 2. Strahlentiere (Actinozoa). 1860.

Bd. 2 Abt. 1. Spongien (Porifera) von Dr. G. C. J. Vosmaer. 1887.

Bd. 2. Abt. 2. Hohlthiere (Coelenterata) von Dr. Carl Clum.

Bd. 2. Abt. 3. Echinodermen (Stachelhäuter), bearbeitet von Dr. H. Ludwig. Lief. 1—9. 1889—90.

Bd. 3. Abt. 1. Kopflose Weichthiere (Malacozoa acephala). 1862.

Bd. 3. Abt. 2. Kopftragende Weichthiere (Malacozoa cephalophora), fortgesetzt von Prof. W. Keferstein. 1862—66.

Bd. 5. Abt. 1. Gliederfüssler (Arthropoda), 1. Hälfte Crustacea von Dr. A. Gerstäcker. 1866—79.

Bd. 5. Abt. 2. Gliederfüssler (Arthropoda) von Dr. A. Gerstäcker. Lief. 1—28. 1881—90.

Bd. 6. Abt. 1. Fische (Pisces) von Dr. A. A. W. Hubrecht. Lief. 1—4. 1876—85.

Bd. 6. Abt. 2. Amphibien von Dr. C. K. Hoffmann. 1873—78.

Bd. 6. Abt. 3. Reptilien von Dr. C. K. Hoffmann. 1. Schildkröten; 2. Eidechsen und Wasserechsen; 3. Schlangen und Entwickelungsgeschichte der Reptilien. 1890.

Bd. 6. Abt. 4. Vögel (Aves) von Dr. Hans Gadow, fortgesetzt von Dr. E. Selenka. Lief. 1—6. 1869—70.

Bd. 6. Abt. 5. Säugetiere (Mammalia) von Dr. C. G. Giebel, fortgesetzt von Dr. W. Leche. Lief. 1—34. 1874—90.

Brüggemann, F., Beiträge zur Ornithologie von Celebes und Sangir. Bremen. 1876. 8⁰.

Brusina, Sp., contribuzione della Fauna dei Molluschi Dalmati. 1866. 8⁰.

Buchner, O., Beiträge zur Kenntnis des Baues der einheimischen Planorbiden. (Dissertation.) Stuttgart. 1890.

Buffon, allgemeine Historie der Natur. Aus dem Französischen. Theil 1—7. 9—11. Leipzig. 1775—82. 4⁰.

Burbach, O., der einheimischen Vögel Nutzen und Schaden. 3. Aufl. Gotha. 1880. 8⁰.

Burgersdijk, L. A., anotationes de quibusdam crustaceis indigenis. (Dissertation.) Lugduni. 1852. 8⁰.

Burmeister, H., systematische Übersicht der Thiere Brasiliens. II. Theil. 1. Heft. Raubvögel; 2. Heft. Klettervögel. Berlin. 1855. 8⁰.

— Erläuterungen zur Fauna Brasiliens. Ictycin. Didelphis albiventris und Azarae. Berlin. 1856. Fol.

Büttikofer und C. Sala, Mitteilungen über die im Jahre 1880 erzielten Ergebnisse der zoologischen Forschungen in Liberia. 1881. 8⁰.

Cailliaud, M. F., notice sur le genre Clausilie. Nantes. 1854. 8⁰.
— procédé employé par les Pholades, dans leur perforation. 1857. 8⁰.
— des monstruosites chez divers Mollusques; observations sur les ousins perforants de Bretagne. (Extr. Ann. S. Nantes.) 8⁰.
— catalogue des radiaires, des annelides, des cirrhipèdes et des mollusques marins, terrestres et fluviatiles. Nantes. 1865. 8⁰.
Capellino, G., della Balena di Taranto. Bologna. 1877. 4⁰.
Capello, F., catalogo dos crustaceos de Portugal. Lisboa. 1878. 8⁰.
Carus, J. V., und W. Engelmann, Bibliotheca zoologica. Verzeichniss der Schriften über Zoologie, welche in den Jahren 1846—60 erschienen sind. Mit Einschluss der allgemein naturgeschichtlichen, periodischen und palaeontologischen Schriften, Bd. 1. 2. Leipzig. 1861. 8⁰.
Cavallini, S. G., observationes zoologicae. (Dissertation.) Lundae. 1844. 8⁰.
Cenni, sul museo civico di Milano et indice sistematico dei rettili et amfibi esposti nel medesimo. Milano. 1857. 8⁰.
Chemnitz, J. H., von einem Geschlecht vielschalichter Conchylien mit sichtbaren Gelenken, welche bei Linné Chiton heissen. Nürnberg. 1784. 4⁰.
Chiaie, S. d., Compendio di elmintographia umana compilato. Napoli. 1833. 8⁰.
Clessin, S., über Missbildungen der Mollusken und ihrer Gehäuse. 1873. 8⁰.
— Beiträge zur Molluskenfauna der oberbayerischen Seen. 1873. 8⁰.
— deutsche Excursions-Mollusken-Fanna. Lief. 1—4. Nürnberg. 1877. 8⁰.
— die Molluskenfauna Holsteins. 1876. 8⁰.
— die Familie der Najaden. 1874. 8⁰.
Collett, R., bidrag til kundskaben om Norges Golier. Christiania. 1874. 8⁰.
Cory, Ch., a list of the Birds collected by Mr. W. B. Richardson in the Island of Martinique. W.-Indies. (Sep.-Abdr. from the Auk.) 1887.
— a list of the Birds taken by Mr. Rob. Henderson in the Island of Old Providence and St. Andrews, Caribbean sea, during the winter of 1886—87. (Sep.-Abdr. from the Auk.)
— description of a new species of Rhamphocinclus (Sancta Lucia n. sp.) from St. Lucia, West-Indies. (Sep.-Abdr. from the Auk.)
— description of six supposed new species of Birds. (Sep.-Abdr. from the Auk.) 1887.
Cornalia, E., illustrazione della Mumia peruviana. Milano. 1860. Fol.
Creplin, Fr. Ch. H., novae observationes de Entozois. Berolinum.
Crosse, H., observations sur le genre Cone, Bulimus, Dibaphus etc.
Cuvier, G., Vorlesungen über vergleichende Anatomie, übersetzt von J. H. Froriep und J. F. Meckel, Bd. 1—4. Leipzig. 1809—10. 8⁰.
— 2. Aufl., herausgeg. von F. Cuvier, G. L. Duvernoy und Baurillard, übersetzt von G. Duvernoy, Bd. 1. Erste Hälfte. Stuttgart. 1837—1839. 8⁰.

D a l l, W., some american conchologist's. (Sep.-Abdr.) Washington. 1888. 8⁰.

D a l l a T o r r e, K. W. v., Anleitung zur Beobachtung der alpinen Thierwelt. Innsbruck. 1880. 8⁰.

D a r w i n, Ch., über den Bau und die Verbreitung der Corallenriffe. Aus dem Englischen von V. Carus. Stuttgart. 1876. 8⁰.

— der Ausdruck der Gemüthsbewegungen bei den Menschen und den Thieren. Aus dem Englischen von V. Carus. Stuttgart. 1872. 8⁰.

— die Abstammung des Menschen und die geschlechtliche Zuchtwahl. Aus dem Englischen von V. Carus. 3. Aufl. Stuttgart. 1875. 8⁰.

— das Variiren der Thiere und Pflanzen im Zustande der Domestication. Aus dem Englischen von V. Carus. 2. Aufl. 2 Bde. Stuttgart. 1873. 8⁰.

— die Bildung der Ackererde durch die Thätigkeit der Würmer mit Beobachtung über deren Lebensweise. Aus dem Englischen von V. Carus. Stuttgart. 1884. 8⁰.

— über die Entstehung der Arten durch natürliche Zuchtwahl. Aus dem Englischen von V. Carus. 6. Aufl. Stuttgart. 1876. 8⁰.

D e l a r o c h e, M., observations sur des poissons recueillis dans un voyage aux Baléares et Pythiuses. Paris. 1809. gr. 4⁰.

D e n n y, H., monographia anoplurorum Britanniae. London. 1842. 8⁰.

D i e s i n g, C. M., systema Helminthum. Vol. I. II. Vindobonae. 1850—1851. 8⁰.

D o b r o m, G. E., report on accession to one knowledge of chiroptera during the past years (1874—80). London. 1880. 8⁰.

— monograph of the asiatic Chiroptera. London. 1876. 8⁰.

D ö d e r l e i n, L., über das Skelet des Tapirus Pinchacus. (Dissertation.) Bonn. 1877. 8⁰.

— japanesische Seeschlangen; über einige japanesische Säugetiere; Termiten in Japan. Yokohama. 1881. 8⁰.

— phylogenetische Betrachtungen. (Sep.-Abdr. Biol. Centr.-Bl.) 1887. 8⁰.

— Echinodermen von Ceylon. Bericht über die von Herrn Dr. Sarasin gesammelten Asteroidea, Ophiuroidea und Echinoidea. 8⁰.

— naturhistorisches Museum der Stadt Strassburg. Zoologisch-osteologische Abteilung. 4⁰; Zoologische Abteilung 1889. 8⁰.

D o r a n, A., morphology of the mammalian ossicula auditus. London. 1878. 4⁰.

D u b o i s, A., conspectus systematicus and geographicus avium europaearum. Bruxelles. 1891. gr. 8⁰.

D u j a r d i n, F., histoire naturelle des Helminthes. Paris. 1845. 8⁰.

D u m e r i l, C., analytische Zoologie, übersetzt von Froriep. Weimar. 1806. 8⁰.

— allgemeine Naturgeschichte. Erfurt. 1806. 8⁰.

— observations faites à la ménagerie du Muséum d'histoire naturelle sur la reproduction des Axolotls, Batraciens, Urodèles à branchies extérieures. Paris. 1866. 8⁰.

— observations sur des Lepidosiriens (Protopterus annectens). Paris. 1866. 4⁰.

D u n k e r, G., mollusca japonica descripta et tabulis tribus iconum illustrata. Stuttgartiae. 1861. 8⁰.

Duttenhofer, F. U., die zusammengesetzten Mägen verschiedener Thiere. (Dissertation.) Tübingen. 1832. 4⁰.

Dybowski, B., Versuch einer Monographie der Cyprinoiden Livlands, nebst einer synoptischen Aufzählung der europäischen Arten dieser Familie. (Dissertation.) Dorpat. 1862. 8⁰.

Ecker, A., zur Lehre vom Bau und Leben der contractilen Substanz der niedersten Thiere. (Programm.) Basel. 1848. 4⁰.

— die Anatomie des Frosches, ein Handbuch für Physiologen, Ärzte und Studierende. Braunschweig. 1881. 8⁰.

Ehlers, E., die Esper'schen Spongien in der zoologischen Sammlung der K. Universität Erlangen. (Programm) 1870. 4⁰.

Eichhorn, J. C., Beiträge zur Naturgeschichte der kleinsten Wasserthiere etc. Berlin und Stettin. 1781. 4⁰.

Eimer, Th., zoologische Studien auf Capri. Leipzig. 1874. 4⁰.

— über künstliche Theilbarkeit von Aurelia aurita und Cyanea capita in physiologische Individuen. Würzburg. 1874. 8⁰.

— über die künstliche Theilbarkeit und über das Nervensystem der Medusen. Bonn. 1877. 8⁰.

— Versuche über künstliche Theilbarkeit von Beroe ovatus. (Sep.-Abdr. Arch. mikr. Anatom.). 1879. 8⁰.

— über Tastapparate bei Eucharis multicornis. (Sep.-Abdr.) 1879. 8⁰.

— Untersuchungen über das Variieren der Mauereidechse; Berlin. 1881. 8⁰.

— neue und alte Mitteilungen über Fettresorption im Dünndarm und im Dickdarm. 1883. 8⁰.

— die Verwandtschaftsbeziehungen der Raubsäugethiere. (Sep.-Abdr. Humboldt Bd. 9.) gr. 8⁰.

Elliot, D. G., the humming-birds of West-Indies. 1872. 8⁰.

— classification and synopsis of the Trochilidae. Washington. 1879. 4⁰.

Elsässer, disquisitiones zoologico - physiologicae circa differentias sexuales Mammalium praetèr organa generationis. (Dissertation.) 1830. 4⁰.

Essig, H., Beiträge zur Anatomie und Entwicklungsgeschichte der Geschlechtsorgane von Lymnaeus. (Sep.-Abdr. Zeitschr. wiss. Zool. Bd. 19.) 8⁰.

— Beschreibung einer Filaria aus Halmaturus. (Ebenda. Bd. 20.) 8⁰.

— sulla struttura della cute della Stellio caucasicus. (Extr. Mem.) Turin. 1865. 4⁰.

Fauna Württembergs, aus dem Correspondenzblatt des landwirthschaftlichen Vereins. Stuttgart. 1830. 8⁰.

Fauna von Württemberg. (Sep.-Abdr. Königreich Württemberg.) 1873. 8⁰.

Fedtschenko, A. P., isogeographische Studien. Die Mollusken von Turkestan. (Russisch.) 1874. 4⁰.

Filippi, F. de, über die Larve von Triton alpestris. (Sep.-Abdr.) Genua. 1861. 8⁰.

— nuove o poco note specie di animal vertebrati recolte in un viaggio in Persia. (Sep.-Abdr.) Modena. 1863. 8⁰.

— osservazioni fatte nella traversata da Gibiltersa a Rio Janeiro. (Sep.-Abdr.) Torino. 1866. 8⁰.

Filippi, F. de: troisième mémoire pour servir à l'histoire génétique des Trematodes. Turin. 1857. 8⁰.

Finsch, on the new species of Birds from New Ireland. (Sep.-Abdr.) 1888. 8⁰·

Finsch und A. B. Meyer, Vögel von Neu-Guinea. 1. Paradiseidae. (Sep.-Abdr. Zeitschr. Ornith.) Budapest. 1885—86. gr. 8⁰.

Fischer, J., de Pelvi mammalium. (Dissertation.) Tübingen. 1798. 8⁰.

Fischer, J. B., synopsis mammalium. Nebst Addenda. Stuttgart. 1829. 1830. 8⁰.

Fischer, J. G., das Prinzip des Wechsels im Bildungsgange der Organismen. Hamburg. 1876. 8⁰.

— neue oder wenig bekannte Reptilien. (Sep.-Abdr.) Hamburg. 1879. 8⁰.

— neue Reptilien von Guatemala und Westaustralien. (Sep.-Abdr.) Bonn. 1881. 8⁰.

— anatomische Notizen über Heteroderma horridum WIEG. (Sep.-Abdr.) Hamburg. 1882. 8⁰.

— neue Amphibien und Reptilien. (Sep.-Abdr. Arch. Naturg.) 1880. 8⁰.

— herpetologische Bemerkungen vorzugsweise über Stücke aus dem naturhistorischen Museum in Bremen. (Sep.-Abdr.) 1881.

— herpetologische Bemerkungen. (Sep.-Abdr. Arch. Naturg.) 1882. 8⁰.

— Beschreibungen neuer Reptilien. (Schul-Programm.) Hamburg. 1883. 4⁰.

— über einige afrikanische Reptilien, Amphibien und Fische des naturhistorischen Museums in Hamburg. (Sep.-Abdr.) 1884. 8⁰.

— herpetologische Bemerkungen. (Sep.-Abdr. Naturw. Verein.) Hamburg. 1884. 4⁰.

— über eine Collection von Amphibien und Reptilien aus Süd-Ost-Borneo. (Sep.-Abdr. Arch. Naturg.) 1885. 8⁰.

— ichthyologische und herpetologische Bemerkungen. (Sep.-Abdr.) Hamburg. 1885. 4⁰.

— über eine Kollektion Reptilien und Amphibien von der Insel Nias und über eine zweite Art der Gattung Anniella GRAY. (Sep.-Abdr. Abh. naturw. Mus.) Hamburg. 1865. 4⁰.

— herpetologische Mitteilungen. (Ebenda.) 1888. 8⁰; Notizen. 1886. 4⁰.

— über zwei neue Eidechsen des naturhistorischen Museums in Hamburg. (Sep.-Abdr.) 1886. gr. 8⁰.

— Amphiborum nudorum neurologiae specimen. Berol. 1843. 4⁰.

— die Gehirnnerven der Saurier. Hamburg. 1852. 4⁰.

— anatomische Abhandlungen über die Perennibranchiaten und Derotremen. Heft 1. Hamburg. 1864. 4⁰.

— Führer durch das naturhistorische Museum. Hamburg. 1854. 8⁰.

Fischer, L. H., das zoologische Museum in Freiburg nebst Winken bezüglich der Pflege der naturwissenschaftlichen Studien. (Programm.) Freiburg. 1870. 8⁰.

Fitzinger, L. J., systematische Übersicht der Säugethiere Nordost-Afrikas mit Einschluss der arabischen Küste, des Rothen Meeres, der Somáli- und der Nilquellen-Länder, südwärts bis zum vierten Grade nördlicher Breite. Von Th. v. Heuglin. 1866; geographische Verbreitung einiger Säugethiere. 1851.

Fitzinger, L. J.: über die Schädel der Avaren, insbesondere über die seither in Österreich aufgefundenen. Wien 1853. 4⁰.

— Untersuchungen über die Existenz verschiedener Arten unter den asiatischen Orang-Affen. 1853. 8⁰.

— Revision der Ordnung der Halbaffen oder Äffer (Hemipitheci). 1. Abth. Familie der Makis (Lemures), 1870; 2. Abth. Familie der Schlafmakis (Stenopes), Galagos (Otolicni) und Flattermakis (Galeopitheci). 1870. 8⁰.

— kritische Durchsicht der Ordnung der Flatterthiere oder Handflügler (Chiroptera). Familie der Fledermäuse. Abth. 1—8. 1870—72. Familie der Kammnasen (Rhinolophi). 1869—70. Familie der Flughunde (Cynopteri). 1869.

— Vortrag über eine neue Katzenart (Felis poliopardus). 1855. 8⁰.

— Revision der zur natürlichen Familie der Katzen (Feles) gehörigen Formen. Abth. 1—4. 1868—69.

— die Racen des zahmen Hundes. 1867. Untersuchungen über die Abstammung des Hundes. 1865.

— die natürliche Familie der Igel (Erinacei) nach dem gegenwärtigen Stande der Wissenschaften. 1867.

— die natürliche Familie der Maulwürfe (Talpae) und ihre Arten nach kritischen Untersuchungen. 1869.

— kritische Untersuchungen über die der natürlichen Familie der Spitzmäuse (Sorices) angehörigen Arten. Abth. 1—3. 1868.

— über die natürliche Familie der Rohrrüssler (Macroscelides) und die derselben angehörigen Arten. 1867. 8⁰.

— die natürliche Familie der Spitzhörnchen (Cladobatae). 1869.

— Versuch einer natürlichen Anordnung der Nagethiere (Rodentia) mit Schluss. 1867.

— die natürliche Familie der Schuppenthiere (Manes). 1862.

— die Arten der natürlichen Familie der Faulthiere (Bradypodes) nach äusseren und osteologischen Merkmalen. 1871.

— die natürliche Familie der Gürtelthiere (Dasypodes). Abth. 1—2. 1871.

— Revision der bis jetzt bekannt gewordenen Arten der Familie der Borstenthiere oder Schweine (Setigera). 1864.

— die Gattungen der Familie der Antilopen (Antilopae) nach ihrer natürlichen Verwandtschaft. 1869.

— Bericht über die Untersuchung eines angeblichen Bastard-Kalbes von Hirsch und Kuh. 1854.

— die Gattungen der Hirsche (Cervi) nach ihrer natürlichen Verwandtschaft. Abth. 1—4. 1870—74.

— über das System und die Charakteristik der natürlichen Familien der Vögel. Abth. 1—3. 1856—65.

— Versuch einer natürlichen Classification der Fische. 1873.

— die Gattungen der europäischen Cyprinen nach ihren äusseren Merkmalen. 1873.

Fitzinger, L. J.: Geschichte des K. K. Hof-Naturaliencabinets zu Wien. Abth. 2—5. 1868—80. (Sämtliche Separat-Abdrücke aus den Sitzungsberichten der K. K. Akademie in Wien.)

— über den Proteus anguineus der Autoren. Wien. 1850. 8⁰.

— systema Reptilium. Fasc. 1. Amblyglossae. Vindobonae. 1843. 8⁰.

— die Ausbeute der österreichischen Naturforscher an Säugethieren und Reptilien während der Weltumsegelung S. Maj. Fregatte Novara. (Sep.-Abdr.) Wien. 1860. 8⁰.

Fleischmann, A., zur Entwickelungsgeschichte der Raubtiere. (Sep.-Abdr. Biol. Centr.-Blatt.) 1887. 8⁰.

Flourens, P., de l'instinct et de l'intelligence des animaux. 2. éd. Paris. 1845. 8⁰.

Focke, G. W., neues Infusorium. (Sep.-Abdr.). Bremen. 1878. 8⁰.

Forel, F. A., Beiträge zur Entwicklungsgeschichte der Najaden. (In-aug.-Abh.) Würzburg. 1867. 8⁰.

Forskal, descriptiones Animalium, Avium, Amphibiorum, Piscium, Insectorum, Vermium, quae in itinere orientali observavit. Hauniae. 1775. 4⁰.

Fraise, P., über Zähne bei Vögeln. Würzburg. 1880. 8⁰.

Franque, J. B., de serpentium quorundam genitalibus ovisque incubitis. (Dissertation.) Tübingen. 1817. 4⁰.

Frauenfeld, G. v., das Vorkommen des Parasitismus im Thier- und Pflanzenreiche. Wien 1846. 8⁰.

— Verzeichniss der Namen der fossilen und lebenden Arten der Gattung Paludina LAM. Wien. 1865. 8⁰.

— die Grundlagen des Vogelschutzgesetzes. Wien. 1871. 8⁰.

Fricker, A., de oculo Reptilium. (Dissertation.) Tübingen. 1827. 4⁰.

Fries, Mittheilungen aus dem Gebiete der Dunkel-Fauna. (Sep.-Abdr.) 1879. 8⁰.

Führer durch den zoologischen Garten in Hamburg. 1875.

— durch die Walfischausstellung in Hamburg. 1884.

— durch das K. zoologische Museum in Dresden. 1881, 1884.

— durch den zoologischen Garten in Leipzig. 1884.

— durch das Berliner Aquarium. 1885.

— durch den zoologischen Garten in Berlin. (Tierwelt.) 8⁰.

Geubel, H. C., zoologische Notizen über mehrere Weich- und Gliederthiere. Landau. 1852. 8⁰.

Gibbes, L., on the carcinological collection of the cabinets of natural history in the united states. Charleston. 1850. 8⁰.

Giebel, C. G., Lehrbuch der Zoologie. Darmstadt. 1857. 8⁰.

— Beiträge zur Osteologie der Nagethiere. Berlin. 1857. 4⁰.

— Thesaurus ornithologiae. Repertorium der gesamten ornithologischen Litteratur und Nomenclator sämtlicher Gattungen und Arten der Vögel. Nebst Synonymen und geographischer Verbreitung. Bd. 1—3. Leipzig 1872—76. 8⁰.

Glitsch, C., Beitrag zur Naturgeschichte der Antilope Saiga PALLAS. Moskau. 1865. 8⁰.

Göller, K. F., der Prachtfinken Zucht und Pflege. Weimar. 1878. 8⁰.

Götte, A., Abhandlungen zur Entwickelungsgeschichte der Tiere. Heft 1—2. Würmer. Hamburg. 1882—84. 8⁰.

Götze, J. A. E., Versuch einer Naturgeschichte der Eingeweidewürmer thierischer Körper. Blankenburg. 1782. 4⁰.

Gosse, Ph., on Sphenostrechus Weightii. (Extr. nat. hist. Rev. d. Quat.) 8⁰.

Gould, A., report of the Invertebrata of Massachusetts. 2. ed., comprising the Mollusca. Edited by W. G. Binney. Boston. 1870. 8⁰.

Graells, M. P., catalogo de los Moluscos terrestres. Madrid. 1846. 8⁰.

Gravenhorst, J. L. C., Naturgeschichte der Infusionsthierchen. Breslau. 1844. 8⁰.

Gray, G. R., birds of the West Africa; a list of the birds of New Ireland. London. 1862. 8⁰.

Gray, M. E., figures of molluscous animals. Val. 1—4. 1859. 8⁰.

Greeff, R., über das Auge der Alciopiden. Marburg. 1876. 8⁰.

Gruber, A., über Dimorpha mutans und Amoeba tentaculata n. sp. (Sep.-Abdr.). 1878. 8⁰.

Gudberg, G. A., bidrag til Kundskab om Delphinus albirostris GRAY, (Extr. Christiania Vid. Förh.) 1882. 8⁰.

Gudden, B., Beiträge zur Lehre von den durch Parasiten bedingten Hautkrankheiten. Stuttgart. 1885. 8⁰.

Günther, A., on sexual differences found in bones of some recent and fossil species of frogs and fishes. London. 1859. 8⁰.
— description of a new characinoid genus of Fishes from West-Africa. 1865. 8⁰.
— description of Freshwater Fishes from Surinam and Brasil. 1868. 8⁰.
— report on a collection of Fishes made at St. Helena. 1868. 8⁰.
— the Fishes of the Nile. Append. 8⁰.
— contribution to the anatomy of Hatteria (Rhynchocephalus). Philadelphia 1867. 4⁰.

Guisan, F. L., de Gymnoto electrico. (Dissertation.) 1819. 4⁰.

Haasis, K., Beiträge zur Anatomie der Krätzmilbe. (Dissertation.) Tübingen. 1844. 4⁰.

Haast, J., Moas and Moa hunters. Christchurch. 1871. 8⁰.

Häckel, E., Ziele und Wege der heutigen Entwickelungsgeschichte. Jena. 1875.
— das Protistenreich, eine populäre Übersicht über das Formengebiet der niedrigsten Lebewesen. Leipzig. 1878. 8⁰.
— Anonymus, offener Brief an Herrn Professor Häckel, Verfasser der natürlichen Schöpfungsgeschichte. Berlin. 1874. 8⁰.

Häcker, Untersuchung über die Zeichnung der Vogelfedern (Sep.-Abdr. a. d. zool. Jahrb. Bd. 3.)

Hahn, C. W., gründliche Anweisung Krustenthiere, Vielfüsse, Asseln, Arachniden und Insekten aller Klassen zu sammeln, zu präpariren, aufzubewahren und zu versenden. Nürnberg. 1834. 8⁰.

Halford, G. B., not like man bimanous and biped, nor yet quadrumanous, but cheiropodous. Melbourne. 1863. 8⁰.
— limes of demarcation between Man, Gorilla and Macaque. Melbourne. 1864. 4⁰.

Haughton, S., notes on animal mechanics. 1864. 8^0.

Haux, C. F., Observationes de situ tubi intestinalis mammalium. (Dissertation.) Tübingen. 1820. 4^0.

Hartlaub, G., die Gattung Hyliota Sw. Naumburg. 1868. 8^0.
— zweiter Beitrag zur Ornithologie der östlich-äquatorialen Gebiete Afrikas. (Sep.-Abdr. Naturh. Vereins Bremen.) 1882. 8^0.
— dritter Beitrag. 1887. (Sep.-Abdr. Zool. Jahrb.) 8^0.
— on a new species of Barbet of the genus Trachyphonus. (Ibid.) 1886. 8^0.
— description de trois nouvelles espèces d'Oiseaux. (Extr. Bull. Belg.) 1886. 8^0.
— Beitrag zur Kenntnis der Comatuliden-Fauna des Indischen Archipels. (Sep.-Adr.) Göttingen. 1890. 8^0.
— aus den ornithologischen Tagbüchern Dr. Emin Paschas. (Sep.-Abdr. Journ. Ornith.) 1885. 8^0.

Hartert, E., zur Ornithologie der Indisch-malayischen Gegenden. Naumburg. 1889. 8^0.

Heller, die Zoophyten und Echinodermen des Adriatischen Meeres. Wien. 1868. 8^0.

Hensel, B., Bericht über die Leistungen in der Naturgeschichte der Säugethiere während der Jahre 1859—61. 8^0.
— Beiträge zur Kenntniss der Wirbelthiere Südbrasiliens. 1867. 8^0.
— über Homologien und Varianten in den Zahnformeln einiger Säugethiere. 1879. 8^0.
— vergleichende Betrachtungen über die Ossa interparietalia des Menschen. (Sep.-Abdr.) 8^0.
— zur Kenntniss der Zahnformel für die Gattung Sus. (Sep.-Abdr. Nov. Act.) 1875. 4^0.

Herklots, J. A., deux nouveaux genres de crustacées vivant en parasites sur poissons. 8^0.
— sur quelques monstrositées observées chez des crustacées. Harlem. 1870. 8^0.

Hess, W., die Hausgenossen des Menschen unter den Gliedertieren. 1884. 8^0.

Heuglin, Th., Diagnosen neuer Säugethiere aus Afrika am rothen Meere. (Sep.-Abdr. Abh.) Jena. 1861. 4^0.
— Beiträge zur Zoologie Central-Afrikas. (Sep.-Abdr. Verh. Ak.) Dresden. 1864. 4^0.
— Synopsis der Vögel Nordost-Afrikas, des Nilquellengebietes und der Küstenländer des rothen Meeres. 1868. 8^0.
— note on Hypocolius ampelinus Bp. and Cichladusa arquata and guttata. 1868. 8^0.

Heynemann, D. F., die Nacktschnecken in Deutschland seit 1800
— und eine neue Limax. 1862. 8^0.
  die nackten Landpulmonarien des Erdbodens. 1885. 8^0.
— über Vaginula-Arten Afrikas und im British Museum. London. 1885. 8^0.
— neue Nacktschnecken vom Himalaya. (Sep.-Abdr.) 1862. 8^0.

Hilgendorf, F., Crustaceen. (Reisen van der Deckens in Ost-Afrika.) 1869. 8⁰.

— Planorbis multiformis im Steinheimer Süsswasserkalk. Berlin. 1868. 8⁰.

Hölder, v., Photographien der in Württemberg vorkommenden Schädelformen. Stuttgart. 1876. 4⁰.

— die menschlichen Skelette der Bocksteinhöhle und Herr Professor Schaafhausens Beurteilung derselben. (Ausland.) 1885. Fol.

Höpfner, G., ad Ovis (Tragelaphi) Nahur Hodgs. Kiliae. 1861.

Hogberg, D. S., om nagra för Sverige nya astes och formforändringar af Land- och Jerjsonacker. 8⁰.

Hoffmann, C. K., zur Anatomie der Osteriden. Leiden. 1872. 8⁰.

Hoffmann, J., die Waldschnepfe. Stuttgart. 1876. 8⁰.

Hoffmann, L., die Abstammung der Hunde und die Entstehung der Rassen. Stuttgart. 1890. 8⁰.

Hohenacker, F., enumeratio animalium, quae in provinciis Transcaucasicis, Karabach, Schirwan et Talysch nec non in territorio Elisabethopolensi observavit. 8⁰.

Holub, E., über die Vogelwelt Südafrikas; die südafrikanische Vogelwelt. (Sep.-Abdr.) Prag. 1882. 8⁰.

Holub und Aug. v. Pelzeln, Beiträge zur Ornithologie Südafrikas. Wien. 1882. 8⁰.

Humbert, A., études sur les Myriapodes. 1872. 8⁰.

Humboldt und Bonpland's Reise. Beobachtungen aus der Zoologie und vergleichenden Anatomie. 1. Lieferung mit 7 Kupfern. Tübingen. 1806. 4⁰.

Huxley, T. H, Handbuch der Anatomie der Wirbelthiere. Übersetzt von F. Ratzel. Breslau. 1873. 8⁰.

Hyatt, A., observations on Polyzoa, sub-order Phylactolaemata. Salem. 1866—68. 8⁰.

Illiger, C., Prodromus systematis mammalium et avium. Berolini. 1811. 8⁰.

Jäckel, A., 1. die bayrischen Chiropteren; 2. die Fische Bayerns; 3. Materialien zur bayrischen Ornithologie. (Sep.-Abdr. Abh. z. b. V. Regensburg 60—64.) 1889. 8⁰.

Jäger, G. F., de Holothuriis. (Dissertation.) Turici. 1833. 4⁰.

Jäger, H. Fr., anatomische Untersuchung des Orycteropus capensis. (Dissertation.) Stuttgart. 1837. 4⁰.

Jäger, G., unvollständige Entwickelung eines zweiten Kiefers von der Symphyse des Unterkiefers von zwei Schweinen. 8⁰.

— osteologische Bemerkungen. (Sep.-Abdr. Nov. Act.) 1855. 4⁰.

— über Symmetrie und Regularität. Wien. 1857.

— das Os humeroscapulare der Vögel Wien. 1857. 8⁰.

— das Wirbelkörpergelenk der Vögel. Wien. 1859. 8⁰.

— spontanes Zerfallen der Süsswasserpolypen nebst einigen Bemerkungen über Generationswechsel. Wien 1860. 8⁰.

— über die Entwickelung und Zusammensetzung des Wirbelthierkopfes. Wien. 1864. 8⁰.

— Morphologisches und Genealogisches über die Wirbelthiere. Wien. 1865. 8⁰.

Jäger, G.: Lehrbuch der allgemeinen Zoologie. 1. Abth. Zoochemie und Morphologie. Leipzig. 1871. 8⁰.
— Deutschlands Thierwelt nach ihren Standorten eingetheilt. Bd. 1. 2. Stuttgart. 1874. 8⁰.
— Zoologische Briefe. 3. (Schluss-)Lieferung. Wien. 1876. 8⁰.
— über die Bedeutung der Geschmacks- und Geruchsstoffe.
— in Sachen Darwin's insbesondere contra Wigand. Ein Beitrag zur Rechtfertigung und Fortbildung der Umwandlungslehre. Stuttgart. 1874. 8⁰.
— Entdeckung der Seele. Bd. 1. 2. 1884—85. 8⁰.
— über das Längenwachstum der Knochen. Jena 8⁰.
— über Wachstumsbedingungen. 8⁰.
Jahn, G., clavis systematicae distributionis generum Testaceorum in Museo Mediolanensi eztrarium. 1844. 8⁰.
— dell' Uomo considerato come un proprio regno dell' istoria naturale. Parma. 1845. 8⁰.
— additions et rectifications aux plan et prodrome de l'iconographie descriptive des Ophidiens, Toxicodonta, Typhlopiens, Uropeltiens, 1859. 8⁰.
— prodromus della iconografia generale degli Ofidi. Genova. 1862. Modena 1863. 4⁰.
Jay, J., catalogue of the stelles arranged according to the Lamarckian system. New York. 1850. 4⁰.
Jeitteles, L. H., zur Geschichte des Haushahns. (Sep.-Abdr. Zoolog. Garten.) 1873. 8⁰.
— die Fische der March bei Olmütz. (Programm.) 1863. 8⁰.
— die Stammväter unserer Hunde-Rassen. Wien. 1877. 8⁰.
Jenntink, a list of species of mammals from West-Sumatra and North Celebes, with descriptions of undescribed or rare species. (Sep.-Abdr.) 1888. 8⁰.
— observations relat. Eupetaurus cinereus, Sciuropterus platurus from Sumatra; mammals from Billiton. (Extr. Nat.) Leyden. 1890. 8⁰.
Jerdon, H. K., illustrations of Indian Ornithology. Madras. 1847. 4⁰.
Jickeli, C. F., Rückblick auf die Land- und Süsswasser-Mollusken Nord-Ost-Afrikas. 8⁰.
— Studien über die Conchylien des rothen Meeres. 8⁰.
— über einige seltene und wenig bekannte Säugethiere des südöstlichen Deutschlands. (Programm.) St. Pölten. 1867.
Jonas, J. H., molluskologische Beiträge. (Sep.-Abdr.) Hamburg. 1844. 4⁰.
Joseph, C. A., ein Rehbock mit Eckzähnen (Granen). (Sep.-Abdr. Monatschrift für Forst- und Jagdwesen.) 1875. 8⁰.
Kaup, die aalähnlichen Fische des Hamburger Museums. Hamburg. 1859. 4ᶜ.
Kaulla, H., Monographia Hyracis. (Dissertation.) Tübingen. 1830. 4⁰.
Kehrer, G., Beiträge zur Kenntnis des Carpus und Tarsus der Amphibien, Reptilien und Säuger. (Sep.-Abdr. naturf. Gesellsch.) Freiburg i. B. 1886. 8⁰.
Keller, C., Grundlehren der Zoologie für den öffentlichen und privaten Unterricht bearbeitet. Leipzig. 1880. 8⁰.

Kirchenpauer, über die Bryozoen-Gattung Adeona. Hamburg. 1879. 4⁰.

Kirschbaum, C. L., die Reptilien und Fische des Herzogtums Nassau. Verzeichnis und Bestimmungstabelle. Nassau. 4⁰.

Klees, J., characteristicon et descriptiones testaceorum circa Tubingam indigenorum. (Dissertation.) Tübingen. 1818. 8⁰.

Klein, J. E., Bos bubalus. (Dissertation.) Tübingen. 8⁰.

Klein, Beiträge zur Anatomie der ungeschwänzten Batrachier. (Sep.-Abdr.) Stuttgart. 1850. 8⁰.

— die retrograde Metamorphose des menschlichen Kieferknochens. (Sep.-Abdr. Vierteljahreshefte f. Zahnheilkunde XVII.) 8⁰.

— Beiträge zur Anatomie des Lepidosiren annectens. (Sep.-Abdr.). 8⁰.

Klein, J. Th.: naturalis dispositio Echinodermatum acc. luc. de aculeis Echinorum marinorum. Gedani. 1834. 8⁰.

Klencke, zootom. Taschenlexikon für Anatomen etc. Leipzig. 1844. 8⁰.

Klunzinger, B., über Branchipus rubricaudatus n. sp., eine Süsswassercrustacee im Nil. (Sep.-Abdr. Zeitschr. w. Zool.) 1866. 8⁰.

— Beiträge zur Kenntniss der Limnadiden. (Ibid.) 1864. 8⁰.

— die Wirbelthierfauna im und am rothen Meere. (Sep.-Abdr.) 1878. 8⁰.

— die von Müller'sche Sammlung australischer Fische in Stuttgart. (Sep.-Abdr.) Wien. 1878. 8⁰.

— die Korallenthiere des rothen Meeres. Theil 1—3. 1877—78. 4⁰.

— die Fische des rothen Meeres. 1. Theil. Acanthoptera. Stuttgart. 1884. Fol.

Knauer, F. K., Naturgeschichte der Lurche. Wien. 1878. 8⁰.

— Naturgeschichte des Thierreichs. Wien. 1878. 8.

Kner, R., über ein neues Genus aus der Familie der Welse (Siluridei). Wien. 1855. 8⁰.

— ichthyologische Beiträge. 1.—11. Abhandlung. (Sep.-Abdr. Sitzungsberichte d. Akademie Wien.) 1855—58. 8⁰.

— die Panzerwelse des k. k. Hof-Naturalien-Kabinets in Wien. (Sep.-Abdr. Denkschrift d. k. k. Akademie Wien.) 1853. 4⁰.

— die Hypostomiden. Zweite Hauptgruppe der Familie der Panzerfische. Wien. 1854. 4⁰.

Kober, J., Maulwurf und Scheermaus. (Sep.-Abdr.) 1876. 8⁰.

— vergleichende anatomische Beiträge der Geschichte des Thränenbeins. (Dissertation.) Basel. 1879. 8⁰.

Koch, C.; Formen und Wandelungen der ecaudaten Batrachier des Unter-Main- und Lahn-Gebietes. Frankfurt a. M. 1872. 8⁰.

Koch, F., die Schlangen Deutschlands. Stuttgart. 1862. 4⁰.

Koch, G. v., die Stellung der Vögel. Heft 1. 2. Heidelberg. 1871—72. 8⁰.

Kölliker, A., eine neue Pennatulide aus Australien (Pt. Mülleri). (Sep.-Abdr. Sitzungsbericht.) Würzburg. 1878. 8⁰.

— die Pennatulide Umbellula und zwei neue Typen der Alcyonarien. Würzburg. 1875. 4⁰.

König-Warthausen, R. v., zur Fortpflanzungsgeschichte der Spottsänger. Moskau 1859. 8⁰.

— zur Fortpflanzungsgeschichte des Europäischen Seidenschwanzes. Moskau. 1860. 8⁰.

König-Warthausen, R. v.: Verzeichniss der Wirbelthiere Oberschwabens. 1. Abtheilung, Säugethiere. (Sep.-Abdr.) Stuttgart. 1875. 8⁰.

Köstlin, O., körperliche Beschaffenheit. (Sep.-Abdr. das Königreich
Württemberg.) 1884. 8⁰.

— die Fischzucht im Grossen. (Vortrag.) Stuttgart. 1854. 8⁰.

Kollar, bildliche.Naturgeschichte der drei Reiche. 1. Lieferung, die
Säugethiere. Pest. 1848. gr. 8⁰.

Kollbrunner, E., die Thurgauische Fischfauna und bezügliche Ge-
wässer-Verhältnisse. (Sep.-Abdr.) Frauenfeld. 1879. 8⁰.

Kolonati, F. A., Monographie der europäischen Chiropteren und deren
Parasiten. Brünn. 1860. 8⁰.

— die Turjagd am Kasbek; die Falkenjagd der Tatarei; der Anstand
beim Aase bei Elisabethpol. 1845. 8⁰.

— die Parasiten der Chiropteren.

Krauss, Fr. v., Beiträge zur Kenntniss der Corallineen und Zoophyten
der Südsee nebst Abbildungen der neuen Arten. Stuttgart. 1837. 4⁰.

— die südafrikanischen Crustaceen. Stuttgart. 1843. 8⁰.

— die südafrikanischen Mollusken. Stuttgart. 1848. 4⁰.

— über Dasypus gigas und Dicotyles torquatus. (Sep.-Abdr. Arch.
Naturg. 39.) 8⁰.

— das Thierreich in Bildern nach seinen Familien und Gattungen.
Säugethiere. 1. Lieferung. Stuttgart und Esslingen. 1848. Fol.

— Beiträge zur Osteologie von Halicore. (Sep.-Abdr.) 1870. 8⁰.

— über ein neues Gürtelthier aus Surinam; über Choloepus didacty-
lus. (Sep.-Abdr.) 8⁰.

— die Fauna Württembergs. (Sep.-Abdr. Königreich Württemberg.)
1882. 8⁰.

Krefft, G., the snakes of Australia. Sydney. 1869. 4⁰.

Kreglinger, C., Verzeichniss der lebenden Land- und Süsswasser-Conchylien des Grossherzogthums Baden. Carlsruhe. 1864. 4⁰.

Krimmel, O., über die in Württemberg lebenden Clausilien. Programm.
Reutlingen. 1885. 4⁰.

Kurr, Fauna von Württemberg. 1863. 8⁰.

Küchenmeister, F., de la Linguatula ferox. (Sep.-Abdr.) Bruxelles.
1849. 8⁰.

Küster, H. C., systematisches Verzeichniss der in der Umgebung Erlangens beobachteten Thiere. Erlangen. 1840. 8⁰.

Lampert, K. die während der Expedition S. M. S. »Gazelle« 1874—76
von Prof. Dr. Studer gesammelten Holothurien. (Sep.-Abdr. Zool.
Jahrb. Bd. IV.) 8⁰.

— die Tiefsee und ihre Erforschung. (Sep.-Abdr. Gemeinn. Wochenschrift. 1886. 8⁰.)

— über einige neue Thalassemen. (Sep.-Abdr. Zeitschr. f. wissensch.
Zool. 34.) 8⁰.

— zur Genese der Chorda dorsalis beim Axolotl. (Dissertation.) Erlangen. 1883. 8⁰.

— über Variationsfähigkeit der Seewalzen nebst Bemerkungen über das
System. (Sep.-Abdr. Biol. Centralblatt Bd. V.)

Lampert, K.: die Holothurien von Süd-Georgien nach der Ausbeute der deutschen Polarstation im Jahre 1882 n. 1883. (Sep.-Abdr.) Hamburg. 1886. 8⁰.

— die Seewalzen, Holothurioidea. Eine systematische Monographie mit Bestimmungs- und Verbreitungstabellen. Wiesbaden. 1885. 4⁰.

Landbeck, die Vögel Württembergs. Stuttgart. 1834. 8⁰.

Lea, I., description of 19 species of Colimacea. 1840. 4⁰.

— description of the embronic forms of 38 species of Unionidae. 4⁰.

— synopsis of the family of Najades. 3. ed. 1852. 4⁰.

— observations of the genus Unio. Vol. 1—13. Philadelphia. 1857 —1863. 4⁰.

— index to Vol. I—XI of observations of the genus Unio. Together with description of new species of the family Unionidae and description of new species of the Melanidae, Paludinae, Helicidae etc. Philadelphia. 1867. 4⁰.

— index to Vol. XII and supplementary index to Vol. I—XI. Vol. II. Philadelphia. 1869. Fol.

— descriptions of new species of the Melanida, Paludina, Helicidae etc. Philadelphia. 1867. 4⁰.

— check List of the Shells of North America. 1860.

— descriptions of eight new species of Unionidae from Georgia, Mississippi and Texas. 1860.

— check list of Shells of North America, Unionidae. 1860.

— publications of Isaac Lea on recent Conchology. 1861.

— descriptions of eighteen new species of Uruguayan Unionidae. 1862.

— description of four new species of Unionidae from Brasil and Buenos Aires. 1862. 8⁰.

— description of a new genus of the family Melanidae and of forty-five new species. 1862. 8⁰.

— descriptions of fourteen new species of Melanidae and one Paludina. 1866.

— description of twelve new species of Unionidae from S. America. 1868. 8⁰.

— synopsis of the family Unionidae. 4. ed. 1870. 8⁰.

— rectification of T. A. Conrad's Synopsis of the family of Naïades of North America. New edition. Philadelphia. 1872. 8⁰.

— description of new species of Unionidae. Philadelphia. 1874. 8⁰.

— further notes of »Inclusions« in gems etc. Philadelphia. 1876. 8⁰.

— catalogue of the published works of, from 1817—76. Philadelphia. 1876. 8⁰.

Leche, W., zur Kenntniss des Milchgebisses und der Zahnhomologien der Chiroptera. Th. 1. 2. Lund. 1875—78. 4⁰.

Ledermüller, M. F., physicalische Beobachtungen deren Saamenthiergens etc. Nürnberg. 1755. 4⁰.

Lereboullet, M., description de deux nouvelles espèces d'Ecrevisse de nos rivières. Strassburg. 1851. 4⁰.

Leske, N. G., additamenta ad J. Th. Klein natur. disp. Echinodermata. Lipsiae. 1738. 4⁰.

Leuckart, F. S., Versuch einer naturgemässen Eintheilung der Helminthen. Heidelberg. 1827. 8⁰.

— zoologische Bruchstücke. III. Helminthologische Beiträge. Freiburg. 1842. 4⁰.

Leuckart, R., die menschlichen Parasiten und die von ihnen herrührenden Krankheiten. Ein Hand- und Lehrbuch für Naturforscher und Ärzte. 1. Bd. 1. Abth. 2. Aufl. 1879—86. 2. Abth. Lief. 1. 2 Bd. Leipzig. 1875.

— zur Entwicklungsgeschichte des Leberegels. (Sep.-Abdr. Zool. Anz.) 1881. 8⁰.

Leuthner, F., die mittelrheinische Fischfauna mit besonderer Berücksichtigung des Rheines bei Basel. Basel. 1877. 8⁰.

Leydig, F., die Hautdecken und Schale der Gasteropoden nebst einer Übersicht der rheinischen Limacinen. Bonn. 1876. 8⁰.

— über die Molche (Salamandrina) der Württembergischen Fauna. Berlin. 1868. 8⁰.

Leyh, Fr. A., Handbuch der Anatomie der Hausthiere. 2. Aufl. Stuttgart. 1859. 8⁰.

Lichtenstein und Peters, über neue merkwürdige Säugethiere des königlichen zoologischen Museums. Berlin. 1855. 4⁰.

Lidth von de Jeude, Th. G., recueil de figures des vers intestinaux. Leide. 1829. Fol.

Lindermayer, Verzeichniss der Vögel Griechenlands. 1856.

Linstow, v., helminthologische Untersuchungen. (Sep.-Abdr. Württ. naturw. Jahresh.) 1879. 8⁰.

Lipp, Fr. J., de piscibus venenatis. (Dissertation.) Tübingen. 1829. 8⁰.

List of vertebrates animals living in the gardens of the zoological society of London. 1882. 8⁰.

Loriol, P. de, description de trois espèces d'Echinides appartenant à la famille des Cidaridées. (Sep.-Abdr.). Neuchâtel. 1873. 4⁰.

Lowén, F., index molluscorum litora Scandinaviae occidentali habitantium. 1—3. (Sep.-Abdr.) Holmiae. 1846. 8⁰.

—- Malacozoologie Holmiae. 1847. 8⁰.

— om några i Vettern och Venern fauna Crustaceer. (Sep.-Abdr.) Holmiae. 1862. 4⁰.

— om Östersjön. Stockholm. 1864. 8⁰.

Lütken, Ch. F., oversigt over Grönlands Echinodermata, samt over denne Dyreklasses geografiske og bathymetriske Udbrednings forhald in de nordiske Have. Kjöbenhavn. 1857. 8⁰.

— endnu et par or dom de gamle Söliliers »Snabel« og Mund. (Sep.-Abdr.) Kjöbenhavn. 1870. 8⁰.

— bidrag til kundskab om Arterne af Slaegten Cyamus LATR. eller Hvallusene. (Sep.-Abdr.) Kjöbnhavn. 1873. 4⁰.

— antikritiske Bemärkninger i anledning af Kaempe-Dovendyr-Slägten Coelodon. Kjöbenhavn. 1886. 8⁰.

— Siluridae novae Brasiliae centralis 1873. Cherocinae novae Brasiliae centralis; ichthyographiske bidrag. 1874; Fische und Invertebraten von Grönland; Histiophorus orientalis. 1875; Exocoeternus. 1876;

nordische Cottoidei. 1876; Beryciden. 1877; Notocanthus nasus. (Sep.-Abdr.). Kjöbenhavn. 8⁰.

Lütken, Ch. F.: Velhas-Flodens Fiske. Et bidrag til Brasiliens Ich-thyologie. Kjöbenhavn. 1875. 4⁰.

Lucae, J. Ch. G., der Fuchs-Affe und das Faulthier in ihrem Knochen-und Muskelskelet. Frankfurt a. M. 1882. 4⁰.

— zur Statik und Mechanik der Quadrupeden (Felis und Lemur). 1881. 4⁰.

Lymann, Th., mode of forking among Astrophytons. (Sep.-Abdr.) Boston. 1877. 8⁰.

— a structural feature hitherto unknown among Echinodermata found in deep-sea-Ophiurans. (Sep.-Abdr.) Boston. 1880. 4⁰.

— a preliminary list of the known genera and species of living Ophi-uridae and Asterophytidae. Cambridge. 1880. 4⁰.

Mac Leod, J., la structure des trachées et la circulation péritrachéenne. Bruxelles. 1880. 8⁰.

Mäklin, F. W., die Arten der Gattung Acropteron PERTY. (Sep.-Abdr.) Helsingfors. 4⁰.

Malherbe, A., Fauna ornithologique de la Sicile. Metz. 1843. 8⁰.

Malherbe, M., description de quelques nouvelles espèces de Picinées; note quelques nouvelles especes de Pici; nouvelle classification des Picinées ou Pics. (Extr. soc. hist. nat. Moselle.) 1845—49. 8⁰.

— catalogue raisonné d'oiseaux d'Algérie. Metz. 1847—55. 8⁰.

Malmgren, A. J., om tandbyggnaden hos Hvalrossen (Odobaenus ros-marus L.) och tandombytet hos haus ofödda unge. (Sep.-Abdr.) Holmiae. 1863. 8⁰.

Mann, G., Naturgeschichte der reissenden Thiere. 1. Katzen. Stutt-gart. 1857. 8⁰.

Marshal, C. H. T., a monograph of the Capitonidae or scansorial barbets. London. 1870. 8⁰.

Martens, E. v., über die Verbreitung der europäischen Land- und Süsswasser-Gasteropoden. (Dissertation.) Tübingen. 1855. 8⁰.

— eine eingewanderte Muschel. Frankfurt. 1865. 8⁰.

— über die Ordnung der Bänder an den Schalen mehrerer Landschnecken. (Sep.-Abdr. Act. Leop. Carol.) 1832. 4⁰.

— über einige Fische und Crustaceen der süssen Gewässer Italiens; Bemerkungen über einige Säugethiere in geographischer und histo-rischer Beziehung; über einige Velutinen; über einige Brackwasser-bewohner Venedigs. (Sep.-Abdr. Arch. Naturg. Bd. 23—24.) 8⁰.

— über einige südafrikanische Mollusken, nach der Sammlung des Herrn Dr. Fritsch. 1874. 8⁰.

— Seesterne, Seeigel, Holothurien und Mollusken von den Reisen Decken's in Ostafrika. 1869. 4⁰.

— die Binnenmollusken Venezuela's. Berlin. 1873. 4⁰.

— Verzeichniss der von Dr. E. Schweinfurth im Sommer 1864 auf seiner Reise am rothen Meere gesammelten und nach Berlin ein-gesendeten zoologischen Gegenstände. (Sep.-Abdr.) Wien. 1866.

— die preussische Expedition nach Ost-Asien. Theil 1. 2. Zoologischer Theil. Berlin. 1856—76. gr. 8⁰.

Martens, E. v., die Weich- und Schalthiere. Leipzig. 1883. 8⁰.

Martin, Ph. L., die Praxis der Naturgeschichte. Theil 1. Taxidermie. Theil 2. Dermoplastik und Museologie. Weimar. 1869—76. 8⁰.

Meyer, A. A. Fr. v., Magazin für Thiergeschichte, Thieranatomie und Thierarzneikunde. Bd. 1. Stück 1—4. Göttingen. 1790. 8⁰.

Meyer, A. und Möbius, K., kurzer Überblick der in der Kieler Bucht von uns beobachteten wirbellosen Thiere. (Sep.-Abdr.) Hamburg. 1862. 8⁰.

— südbrasilische Süss- und Brackwasser-Crustaceen nach den Sammlungen des Dr. R. Hensel. 8⁰.

Meyer, A. B., Übersicht der von mir auf Neu-Guinea und den Inseln Jobi, Mysore und Mafoor im Jahre 1873 gesammelten Amphibien. (Sep.-Abdr.) Berlin. 1874. 8⁰.

— über neue und ungenügend bekannte Vögel von Neu-Guinea und den Inseln der Geelvinksbai. (Sep.-Abdr.) Wien. 1874. 8⁰.

— anthropologische Mittheilungen über die Papuas von Neu-Guinea. (Vortrag.) Wien. 1874.

— über die Mafoor'sche und einige andere Papua-Sprachen auf Neu-Guinea. (Sep.-Abdr.) Wien. 1874. 8⁰.

— Notizen über Glauben und Sitten der Papuas des Mafoor'schen Stammes auf Neu-Guinea. (Sep.-Abdr.) Dresden. 1875. 8⁰.

— ornithologische Mittheilungen. (Sep.-Abdr. Mitth. Zool. Mus. Dresden.) 4⁰.

— über hundertfünfunddreissig Papua-Schädel von Neu-Guinea und der Insel Mysore (Geelvinksbai). Ibid. Heft III. IV. 4⁰.

— die Kalangs auf Java. (Sep.-Abdr. Leopold.) 1877. 4⁰.

— IV. Jahresbericht der ornithologischen Beobachtungsstationen im Königreich Sachsen. Dresden. 1889. 4⁰.

— Anthropoiden-Affen; über die Anthropoiden-Affen des K. zoologischen Museums in Dresden. (Sep.-Abdr.) 1876. 8⁰.

— einige Bemerkungen über den Werth, welcher im Allgemeinen den Angaben in Betreff der Herkunft menschlicher Schädel aus dem ostindischen Archipel beizumessen ist. (Sep.-Abdr.) Wien. 1874. 8⁰.

— Beschreibung der bisher unbekannten Weibchen von Astrarchia Stephaniae und Epimachus macleayanae. (Extr. Journ. Ornithol.) 1889. 8⁰.

— der Knochen-Entfettungsapparat des K. zoologischen Museums in Dresden. 1890. 8⁰.

Miller, K., die Binnenmollusken von Ecuador. 1879. 8⁰.

— die Schalthiere des Bodensee's. 1873. gr. 8⁰.

Mitchel, catalogue of the mollusca in the collection of the Government Central-Museum. Madras. 1867. 8⁰.

Möbius, K., die echten Perlen. Ein Beitrag zur Luxus-, Handels- und Naturgeschichte derselben. (Sep.-Abdr.) Hamburg. 1887. 4⁰.

— über den Bau, den Mechanismus und die Entwicklung der Nessel- 'kapseln einiger Polypen und Quallen. (Sep.-Abdr.) Hamburg. 1866. 4⁰.

— über zwei gestreifte Delphine (Grampus griseus L.) aus der Nordsee und über die in der Kieler Bucht beobachteten Cetaceen. (Sep.-Abdr.) 1873. 8⁰.

Möbius, K.: die Bewegungen der fliegenden Fische durch die Luft. (Sep.-Abdr.) Halle. 1878. 8⁰.

Möller, H. P. C., index molluscorum Groenlandiae. Hafniae. 1842. 8⁰.

Mösch, O. A. L., catalogus conchyliorum, quae reliquit D. A. d'Aguirra a Godea Comes de Yaldi. Hafniae. 1852. 8⁰.

— das Thierreich der Schweiz. (Sep.-Abdr.) Brugg. 1869. 8⁰.

Modeer, A., bibliotheca helminthologica. Erlangen. 1786. 8⁰.

Mojsisovics, A., kleine Beiträge zur Kenntniss der Anneliden. Die Lumbricidenhypodermis. (Sep.-Abdr.) Wien. 1877. 8⁰.

Moranville, L. S., die Vögel Europa's, eine systematische Übersicht. Wien. 1844. 8⁰.

Mousson, A., coquilles terrestres et fluviatiles de l'Orient. 1—2. Zürich. 1854. 1863. 8⁰.

— revision de la faune malacologique des Canaries. 4⁰.

Müllenhoff, K., die Grösse der Flugflächen und der Flugarbeit. Berlin. 1884/85. 8⁰.

— die Ortsbewegung der Thiere. Berlin. 1885. 4⁰.

Müller, A., die Ornis der Insel Salanga. (Dissertation der Universität Erlangen.) Naumburg. 1882. 8⁰.

Müller, F., die Verbreitung der beiden Viperarten in der Schweiz. Basel. 1883. 8⁰.

— Katalog der herpetologischen Sammlung des Baseler Museums. 3—6. Nachtrag. Basel. 1883. 8⁰.

— zur Crustaceenfauna von Trincomali. (Verb. naturf. Gesellsch.) Basel. 1887. 8⁰.

— Clepsine costata. (Extr. Arch. Naturg.) 1846. 8⁰.

— Mittheilungen aus der herpetologischen Sammlung des Basler Museums. (Mit Nachtrag.) Basel. 1877. 8⁰.

— Katalog der im Museum und Universitätskabinet zu Basel aufgestellten Amphibien und Reptilien. Basel. 1874. 8⁰.

Müller, J. W. v., das Einhorn. Stuttgart. 1852. 8⁰.

— des causes de la coloration de la peau etc. Stuttgart. 1853—54. 8⁰.

— Beiträge zur Ornithologie Afrika's. Stuttgart. 1853. Fol.

— systematisches Verzeichniss der Wirbelthiere Mexico's. 1864. 8⁰.

Müller, O. Fr., Entomostraca seu Insecta testacea, quae in aquis Daniae et Norvegiae reperiuntur (Daphnia, Cypris). Lipsiae. 4⁰.

Münter, J., über den Häring der pommerschen Küsten und die an denselben sich anschliessenden Industriezweige. Bonn. 1863. 8⁰.

Museo civico Ferd. Maximiliano in Trieste. 1866. 8⁰.

Museum, naturhistorisches, der Stadt Bern. 8⁰.

Museum zu Braunschweig. 1879. 8⁰.

Nagy, J., die Vögel der Unter-Neitraer Gespanschaft. Pressburg. 1859. 8⁰.

Nathusius-Königsborn, W. v., die Eihaut von Python bivittatus. Mit Bemerkungen über einige andere Reptilieneier und die Genesis dieser Eihäute. (Sep.-Abdr. Zeitschr. wiss. Zool. Bd. 35.) 8⁰.

Naturgeschichte in getreuen Abbildungen und mit ausführlicher Beschreibung derselben. Würmer. Leipzig. 1842. 8⁰.

Nehring, über eine neue Grisonart aus dem tropischen Südamerika. 1885.
— über einen in der Gefangenschaft gezüchteten täckel-beinigen Hasen. 1886. 8⁰.
— über die Artberechtigung des grossen Grison neben dem kleinen Grison. 1886. 8⁰.
— über die Gray'schen Fischotter-Gattungen Lutronectes, Lontra und Pteronura. (Sep.-Abdr. Sitzungsb. naturf. Fr.) Berlin. 1887. 8⁰.
— Beiträge zur Kenntniss der Galictes-Arten. (Sep.-Abdr. Zool. Jahrb. 1. Bd.) 8⁰.
Nicati, C., de labii leporini congeniti natura et origine. Amsterdam. (Dissertation.) 1822. 8⁰.
Nenning, St., die Fische des Bodensees. Konstanz. 1843. 8⁰.
Noll, F. C., der Main in seinem unteren Laufe. (Dissertation.) Tübingen. 1866. 8⁰.
Nüsslin, O., Kritik des Amphioxus-Auges. (Dissertation.) 1877. 8⁰.
— Beiträge zur Anatomie und Physiologie der Pulmonaten. (Habilitationsschrift.) Tübingen. 1879.
Oesterlen, O., Versuch einer Darstellung der forensischen Bedeutung des menschlichen Haares. Tübingen. 1871. 4⁰.
Oken, Lehrbuch der Naturgeschichte. Bd. 1. Leipzig. 1815. Bd. 3. Abt. 1. 2 mit Atlas Taf. 1—40. Jena. 1815—16. 8⁰.
Olfers, J. Fr. M. de, de vegetativis et animatis corporibus in corporibus animatis reperiundis commentarius. Pars 1. Berolini. 1816. 8⁰.
— die Gattung Torpedo. Berlin. 1831. 4⁰.
— über die grosse Seeblase (Physalia arethusa) etc. Berlin. 1832. 4⁰.
Oppel, A., eine Methode zur Darstellung feinerer Strukturverhältnisse der Leber. (Sep.-Abdr.) 1890. 8⁰.
— über Pigmentzellen des Wirbelthierarmes.(Sep.-Abdr.)München.1879.8⁰.
— Beiträge zur Anatomie des Proteus anguineus. (Sep.-Abdr. Arch. mikrosk. Bd. 34.) 8⁰.
Ornithologen-Kongress, 1. internationaler, vom 7.—11. April 1884. Wien. 1884. 4⁰.
Ortmann, A., japanische Cephalopoden; Studien über Systematik und geographische Verbreitung der Steinkorallen. (Sep.-Abdr. Zool. Jahrb. Bd. 3.) 8⁰.
Osorio, nota aerea da colleccão de crustaceos provinientes de Mocambique, Timor, Macau, Indian Portugueza e ilha de S. Miquel que existem de Museo de Lisboa. (Extr.) 1888. 8⁰.
— liste des Crustacées des possessions portugaises d'Afrique occidentale. (Extr.) 1887—88. 8⁰.
Owen, F. B., osteological contributions in the natural history of the Chimpanzees, incl. the description of the skull of a large species (T. Gorilla) disc. by Th. Savage, in the Gaboon country, W. Africa. (Trans. Zool. S. Vol. 3.) London. 4⁰.
Pallas, P. S., Naturgeschichte merkwürdiger Thiere etc. Aus dem Lateinischen von E. G. Baldinger. 1—9. Sammlung. 1769—77. 4⁰.
Parker, W. K. und Bettany, G. F., die Morphologie des Schädels. Deutsch von B. Vetter. Stuttgart. 1879. 8⁰.

Pelzeln, brasilische Thiere. Wien. 1883. 8⁰.

Peters, W., über die an der Küste von Mossambique beobachteten Seeigel. Berlin. 1855. 4⁰.

— über die Chiropterengattung Mormops und Phylostoma. Berlin. 1857. 4⁰.

— de serpentum familia Uropeltaceorum. Berlin. 1861. 4⁰.

— über Cercosaura und die mit dieser Gattung verwandten Eidechsen aus Südamerika. Berlin. 1862. 4⁰.

— über die Säugethiergattung Solenodon. Berlin. 1863. 4⁰.

— über die Säugethiergattung Chiromys. Berlin. 1866. 4⁰

— Sciuridae. 1864; Typhiopinae. 1865; Reptilien. 1867; neue Amphibien und Fische. 1869. 8⁰.

— über das Wohnen und Wandern der Thiere. (Vortrag.) Berlin. 1867. 8⁰.

— über die zu den Vampyren gehörigen Flederthiere und über die natürliche Stellung der Gattung Anthrozous; über einige weniger bekannte Flederthiere; über die brasilianischen, von Spix beschriebenen Flederthiere. 1865.

— über neue oder ungenügend bekannte Flederthiere; über die Ohrenrobben; Nachtrag zu den Ohrenrobben. 1866.

— über Mimon und Saccopteryx; Fortsetzung und Schluss der Flederhunde; über eine neue Gattung von Nagern von Nord-Australien; über das Os tympanicum und die Gehörknöchelchen der Schnabelthiere; über Flederthiere, Glossophagae und Celëura; über Flederhunde; über Fledermäuse; über Flederthiere. (Sep.-Abdr. Monatschr.) Berlin. 8⁰.

— note on the systematic position of Platacanthomys lasiurus. (Extr. Pr. zool. S.) London. 1869. 8⁰.

— Säugethiere und Amphibien gesammelt von Decken in Ostafrika. Berlin. 4⁰.

— über die von Spix in Brasilien gesammelten Batrachier. Berlin. 1872. 8⁰.

— über den Ductus pneumonaticus im Unterkiefer der Krokodile. Berlin. 1870. 8⁰.

Pfeiffer, L., symbolae ad historiam Heliceorum. Casselis. 1846. 8⁰.

Philipp, S., über Ursprung und Lebenserscheinungen der thierischen Organismen. Leipzig. 1883. 8⁰.

Plinius, Naturgeschichte. Prenzlau. 1828—30. 12⁰.

Ploss, H., das Weib in der Natur- und Völkerkunde. Anthropologische Studien. 2. stark vermehrte Auflage von Dr. Max Bartels. Leipzig. 1887. 8⁰.

Preyer, W., Elemente der allgemeinen Physiologie. Leipzig. 1883. 8⁰.

Rapp, W. v., anatomische Untersuchungen über die Edentaten. 2. Aufl. Tübingen. 1852. 4⁰.

— die Fische des Bodensees. Text 8⁰; Tafeln colorirt in Folio. Stuttgart. 1854.

— neue Batrachier. (Sep.-Abdr. Arch. Naturg. Bd. 8.) 8⁰.

Rehberg, H, Beitrag zur Kenntniss der freilebenden Süsswasser-Copepoden. Bremen. 1880. 8⁰.

Reichenbach, H. E. D., über die Entstehung des Menschen. (Vortrag.) Altona. 1854. 8⁰.

Reichenow, A., Monographie der Gattung Ploceus Cuv.; Symplectes Sw.; Fortschritte der Ornithologie während des Jahres 1886; die Begrenzung zoogeographischer Regionen vom ornithologischen Standpunkt; die Wildziege der Insel Toura. (Sep.-Abdr. Zool. Jahrb. Bd. 1—3.) 8⁰.

— Dr. Fischer's ornithologische Sammlungen während der letzten Reise zum Victoria Njansa. Naumburg. 1888. 8⁰.

Reinhardt, A., om vingens anatomiske bigning hos Stormfugle-Familien (Procellaridae, Tubinares). (Sep.-Abdr.) Kjöbenhavn. 1873. 8⁰.

Reisser, E., der Bau des centralen Nervensystems der ungeschwänzten Batrachier. 1864. 4⁰.

Reptilien und Amphibien in der zoolog. Sammlung der K. Universität Berlin nach ihren Ordnungen, Familien und Gattungen. Berlin. 1856. 8⁰.

Retzer, W., die deutschen Süsswasserschwämme. (Dissertation.) Tübingen. 1883. 8⁰.

Retzius, A., Blick auf den gegenwärtigen Standpunkt der Ethnologie in Bezug auf die Gestalt der knöchernen Schädelgerüstes. Berlin. 1857. 8⁰.

Reuvens, C. L., on Cercopithecus talapoin Erxl. (Extr. Nat. Leyden.) 1890. 8⁰.

Rey, E., Synonymik der europäischen Brutvögel und Gäste. Halle. 1872. 8⁰.

Richiardi, S., sopra il sistema vascolarae sanguifero dell' occhio del feto umano e dei mammiferi. Bologna. 1869. 8⁰.

— monografia della famiglia di Pennatularii. Bologna. 1869. 8⁰.

— intorno ad una nuova specie del genere Bomolchus. Bologna. 1870. 8⁰.

— sulla distribuzione deinervi nella cornea di Mus decumanus, Rattus, Alexandrinus et sylvaticus. (Sep.-Abdr:) 8⁰.

— descrizione di due specie nuove di Lernaeenicus Les. (Extr. Atti Toscan. Vol. 3. Pisa.) 8⁰.

— intorno al Peroderma cylindricum, e sopra due specie nuove del genere Philichthys. (Ibid. Voll. 2.) 8⁰.

— descrizione di cinque specie nuove del genere Philichthys ed una di Sphaerifer. (Ibd.) 1877. 8⁰.

— dei filicti di osservazioni critiche a descrizione di sei specie nuove. (Ibid.) 1877. 8⁰.

Ritgen, natürliche Eintheilung der Säugethiere. Giessen. 1824. 8⁰.

Römer, E., kritische Untersuchung der Arten des Molluskengeschlechts Venus bei Linné und Gmelin. Cassel. 1857. 8⁰.

Roser, R., naturhistorische und medicinische Beobachtungen über Gnadenthal in Südafrika. (Dissertation.) Tübingen. 1856. 8⁰.

Ross, A. M., catalogue of mammals, birds, reptiles et fishes of the dominion of Canada. Montreal. 1878. 8⁰.

Rossmässler, F. A., das Süsswasser-Aquarium. Leipzig. 1875. 8⁰.

— die Zunge der Weichthiere. (Natur. Bd. 6.) 8⁰.

Roth, J. R., spicilegium Molluscorum terris orientalis provinciae medi-terranensis peculiarium ex nobis inde repertatis collectionibus com-pilatum. Cassellis. 1855. 8^0.

— molluscorum species, quas in itinere per Orientem facto comites clariss. Schuberti, Dr. et J. R. Roth, collegerunt. Monachii. (Disser-tation.) 1839. 4^0.

Rougemont, Ph. de, Naturgeschichte von Gammarus puteanus Kɴ. (Dissertation.) München. 1875. 8^0.

— die Fauna der dunkeln Orte. (Quest. inang.) München. 1875. 8^0.

— note sur le grand Verment (Vermetus gigas Bɪs.). (Sep.-Abdr. Bull.) Neuchâtel. 1879. 8^0.

Ruchte, S., Repetitorium der Zoologie. Neunundzwanzig Fragen aus der Zoologie für Mediciner und Pharmaceuten. München. 1866. 8^0.

Rudolphi, C. A., Entozoorum synopsis. Berol. 1819. 8^0.

Rütimeyer, L., über Art und Race des zahmen europäischen Rindes. (Sep.-Abdr.) Braunschweig. 1866. 8^0.

— Versuch einer natürlichen Geschichte des Rindes in seinen Bezie-hungen zu den Wiederkäuern im Allgemeinen. Abt. 1—2. (Sep.-Abdr.) 1866. 4^0.

— über die Herkunft unserer Thierwelt. Eine zoogeographische Skizze. Basel und Genf. 1867. 4^0.

— Charles Darwin. (Sep.-Abdr) 1882. 8^0.

— Beiträge zur Geschichte der Hirschfamilie. 1. Schädelbau. 2. Gebiss. (Sep.-Abdr.) Basel. 1882. 8^0.

Ruisch, Fr., Thesaurus animalium. Het erste Cabinet der Dieren. Amstelaedami. 1710. 4^0.

Rumph, G. E., amboinische Raritätenkammer oder Abhandlung von den steinschaalichten Thieren, welche man Schnecken und Muscheln nennt. A. d. Holländ. v. Ph. L. St. Müller, mit Zusätzen von J. H. Chemnitz. Wien. 1766. Fol.

Salvin, M. und Elliot, D., notes on the Trochilidae. The genus Phaethorinis. (Sep.-Abdr.) 1873. 8^0.

Sandberger, F, zur Conchylienfrage der Umgebung von Würzburg. (Sep.-Abdr.) 8^0.

— Bemerkungen über einige Heliceen im Bernstein der preussischen Küste. (Sep.-Abdr. Abh. n. G. Danzig. Bd. 4.) 8^0.

Sars, M., Bidrag til kundskaben om Middelhavets Littoral-Fauna. Reisebemärkninger fra Italien. II. 8^0.

— om siphonodentalium vitreum. Christiania. 1861. 4^0.

— om Lophogaster typicus. Christiania. 1862. 4^0.

— Cladocera ctenopoda. Christiania. 1861. 4^0 und 1865. 4^0.

— Bidrag til kundskab om Christiania fjordens Fauna. 1868. 8^0.

— Mémoires pour servir à la connaissance des Crinoïdes vivants. Christiania. 1868. 4^0.

— fortsatte Bemärkninger over det driske Livs Udbredning i Havets Dybder. 1868. 8^0.

Sars, G. O., zoologisk Reise i Christiania og Trondhjems Stifter. Christiania. 1863. 8^0:

S a r s, G. O: beretning om en i Sommeren 1865 foretagen zoologisk Reise ved Kysterne af Christianias og Christiansands Stifter. Christiania. 1865. 8⁰.

— om individuelle Variationer hos Rorhvalerne og de deraf betingede Uligheder i den ydre og indre Bygning. Christiania. 1868. 8⁰.

— untersegelser over Christianiafjordens Dybrandsfauna etc. Christiania. 1869. 8⁰.

— on some remarkable forms of animal life from the great deeps of the Norwegian coast. I. Partly from posthumous manuscripts of the late Prof. Dr. M. Sars. II. Researches of the structure and affinity of the genus Brisinga, based on the study of the new species: Brisinga coronata. Christiania. 1872. 1875. 4⁰.

— Carcinologiske Bidrag til Norger fauna. I. Monogr. over de ved Norges Kyßter forekommende Mysider. Andet Hefte. Christiania. 1872. 4⁰.

— Bidrag til kundskaben om Christianiafjordens Fauna III. Christiania. 1873. 8⁰.

— Bemärkninger om de til Norges Fauna borende Phyllopoder. Christiania. 1873. 8⁰.

— Bidrag til kundskaben om Norges Hydroider. Christiania. 1873. 8⁰.

— om »Blaahvalen« (Balaenoptera Sibbaldii Gray) etc. Christiania. 1874. 8⁰.

— om Hummerens postembryonale Udvikling. Christiania. 1874. 8⁰.

S a u s s u r e, M. A., note sur quelques oiseaux du Mexique. (Sep.-Abdr. Extr. Rev. et Mag.) 1853. 8⁰.

— mémoires pour servir à l'histoire naturelle du Mexique. Livr. 1. Crustacés. Genève. 1858. 4⁰.

— notes sur quelques mammifères du Mexique. (Extr. Rev. et Mag. Zool.) 1860. 8⁰.

S c l a t e r, P. L., über den gegenwärtigen Stand unserer Kenntnisse der geographischen Zoologie. (Deutsche Ausgabe von A. B. Meyer.) Erlangen. 1876. 8⁰.

— synopsis avium Tanagrinarum. A descriptive catalogue of the species of Tanagers. London. 1856. 8⁰.

— on the present state of our knowledge of geographical Zoology. (Sep.-Abdr.) 1875. 8⁰.

— mammals et birds of East Africa. (Sep.-Abdr.) 8⁰.

S c h ä f f, E., über Lagomys rutilus Sev. (Sep.-Abdr. Zoolog. Jahrb.) 1887. 8⁰.

S c h a e f f e r, J. Ch., die grünen Armpolypen; die geschwänzten und ungeschwänzten Wasserflöhe und eine besondere Art kleiner Wasseraale. Regensburg. 1785. 4⁰.

S c h i n z, H. R., Monographien der Säugethiere. Heft 15. Zürich. 1846. 4⁰.

S c h m i d t, P., Beschreibung zweier neuer Reptilien aus dem naturhistorischen Museum in Hamburg. (Sep.-Abdr.) 4⁰.

S c h n e i d e r, G., die Vögel von Oberelsass, Oberbaden, Basel und den angrenzenden Kantonen. Basel. 1888. 8⁰.

— die Binnenmollusken der Umgebung von Schweinfurt. 1856. 4⁰.

Schneider, G., Dysopes Cestonii in Basel, eine für die Schweiz neue Fledermaus. Basel. 1870. 4^0.

Schneider, J. G., allgemeine Naturgeschichte der Schildkröten. Leipzig. 1873. 8^0.

Schrank, F. v. P., Grundriss der allgemeinen Naturgeschichte und Zoologie. Erlangen. 1801. 8^0.

Schreber, die Säugethiere, Theil 1—4. (Theil 4 defekt.) Erlangen. 1785—78. 4^0.

Schweiger, Handbuch der Naturgeschichte der skelettlosen und ungegliederten Thiere. Leipzig. 1820. 8^0.

Seckendorf, die lebenden Land- und Süsswasser-Mollusken Württembergs. (Sep.-Abdr.) 1865. 8^0.

Seeger, G., die Bandwürmer des Menschen. Stuttgart. 1852. 8^0.

Seidlitz, G., Karl Vogt's Affenmenschen und Dr. A. Schumann's Brochüre über dieselben. Dresden. 1868. 8^0.

Selenka, E., Beobachtungen über die Befruchtung und Theilung des Eies von Toxopneustes variegatus. Erlangen. 1877. 8^0.

— über die Stellung von Tragocerus amaltheus RATH u. WGL. in Bezug auf die nächstverwandten Formen.

— über einige neue Schwämme aus der Südsee.

— über einen Kieselschwamm von achtstrahligem Bau und über Entwicklung der Schwammknospen. (Sep.-Abdr. Zeitschr. wiss. Zool. XVII. XVIII.) 8^0.

— die Keimblätter und Organanlage der Echiniden. Leipzig. 1879. 8^0.

— zur Entwicklungsgeschichte der Seeplanarien (Sep.-Abdr. Biol. Centralbl. Bd. 1.) 8^0.

— Keimblätter und Gastrulaform der Maus. Ebenda. Bd. 2. 8^0.

— zoologische Studien. II. Zur Entwicklungsgeschichte der Seeplanarien. Leipzig. 1881. 4^0.

— die Sipunculiden. Eine systematische Monographie. 1. 2. Hälfte. 1883—84. 4^0.

Semper, zum feineren Baue der Molluskenzunge. (Sep.-Abdr. Zeitschr. wiss. Zool. Bd. 9.) 8^0.

— über die Entwicklung der Eucharis multicornis. (Sep.-Abdr. Arch. Naturg. 1856.) 8^0.

Sharpe, R., on the birds collected by Prof. J. B. Steere in the Philippine Archipelago. (Extr. Pr. Linn. S.) London. 1877. 4^0.

— catalogue of African birds. London. 1872. 8^0.

— a monograph of the Alcedinidae, or family of Kingfishers. London. 1871. 4^0.

Shelley, G. E., Forber's Birds in the Niger Region 1881; on Mst. F. S. Philipps collection of the Birds from Somali-Lands 1885; a review of the species of the family Ploceidae of the ethiopian Region 1887; on the Hornbills of the ethiopian Region. 1868; on the collection of Birds made by Emin Pasha in equatorial Africa. (Sep.-Abdr.) 1888. 8^0.

Sichler, J., de piscibus venenatis. (Dissertation.) Tübingen. 1830. 8^0.

Sicherer, P. F., de Seps tridactylus. (Dissert.) Tübingen. 1825. 4^0.

Siebold, C. Th. v., über die Fische des Oberengadins. (Sep.-Abdr.) 1863. 8⁰.

— über das Receptaculum seminis der weiblichen Urodelen. (Zeitschr. wiss. Zool.) 1858. 8⁰.

— über die geschlechtliche Entwicklung der Urodelenlarven. Ibid. 1877. 8⁰.

— Zusatz zu den Mittheilungen über die Verwandlung des Axolotl in Amblystoma. München. 1876. 8⁰.

Sonnenburg, L., zoologisch-kritische Bemerkungen zu Aristoteles, Thiergeschichte. (Programm.) Bonn. 1857. 8⁰.

Souza, J. A., notes sur le Bucorax pyrrhops ELL. 1884; sobre duas especies de Plectropterus da Africa occidentali portugueza. Lisboa. 1869. 8⁰.

Spix, mémoire pour servir à l'histoire de l'astérie rouge. 4⁰.

Stannius, H., Beiträge zur Kenntniss der amerikanischen Manati. Rostock. 1845. 4⁰.

Steenstrup, J. J. S., réclamation contre la génération alternante et la digenèse. Copenhague. 1854. 8⁰.

— om Skjaevheden hos flynderne og navnlig om Vandringen af det övre öie fra Blindsiden til Öiesiden tvers igjennem Hovedet. Kjöbenhavn. 1861. 8⁰.

— Philichthys Xiphiae en ny Snylter hos Svärdfisken. Kjöbenhavn. 1862. 8⁰.

— mindre Meddelelser fra Kjöbenhavns Universitets zoologiske Museum. 1861. 8⁰.

Steindachner, F. und Kner, neue Fische aus dem Museum Godefroy & Sohn in Hamburg. 1866. 8⁰.

— die Süsswasserfische des südöstlichen Brasiliens. 1874—75. 8⁰.

— über einige neue brasilianische Siluriden aus der Gruppe der Doradinen. 1875. 8⁰.

— Beiträge zur Kenntniss der Chromiden des Amazonenstromes. 1875. 8⁰.

— ichthyologische Beiträge. III. IV. VIII. IX. XI. (Sämmtl. Sep.-Abdr. aus Sitz.-Ber. Ak. Wiss.) Wien. 1876—81. 8⁰.

— die Fischfauna des Magdalenen-Stromes. (Denkschr.) Wien. 1879. 4⁰.

— über einige neue und seltene Fischarten aus den zoologischen Museen zu Wien, Stuttgart und Warschau. 1879. 4⁰.

Stieda, L., über das Rückenmark und einzelne Theile des Gehirns von Esox Lucius L. (Dissertation.) Dorpat. 1861. 4⁰.

Stimpson, W., the Crustacea and Echinodermata of the pacific shores of North America. Cambridge. 1857. 8⁰.

— prodromus descriptionis animalium evertebratorum, quae in expeditione ad oceanum pacificum septentrionalem Joh. Rodgers duce a republica federata missa observavit et descripsit. Prs. 1. 2 6. 8. (Sep.-Abdr.) Philadelphia. 1857. 8⁰.

— synopsis of the marine invertebrata of grand manan, or the region about the mouth of the bay of Fundy, New Brunswick. (Extr. Smith. Contr.) 1856. 4⁰.

Stölker, C., über Schnabelmissbildungen. St. Gallen. 1873. 8⁰.

Strahl, C., einige Thalassinen, deren Verwandtschaft mit den Astaciden und ihre systematische Stellung überhaupt. (Sep.-Abdr.) Berlin. 1861. 8⁰.

Strasser, H., zur Lehre von der Ortsbewegung der Fische durch Biegungen des Leibes und der unpaaren Flossen. Stuttgart. 1882. 8⁰.

Strauch, A., über die Arten der Eidechsengattung Cyclodus WAGL. St. Petersburg. 1866. 8⁰.

— Bemerkungen über die Eidechsengattung Scapteira FITZ. (Sep.-Abdr.) St. Petersburg. 1867. 8⁰.

— Charakteristik zweier neuen Eidechsen aus Persien. 1863. Ibid. 8⁰.

— über Adanson's Crocodile noir. Entgegnung auf Dr. J. E. Gray's gleichnamige Notiz. Ibid. 1868. 8⁰.

— über Eichwald's Tomyris oxiana, eine Giftschlange aus der Familie der Elapiden. Ibid. 1868. 8⁰.

— über die Arten der Eidechsengattung Ablepharus FITZ. Ibid. 1868. 8⁰.

— Beschreibung der Reptilien und Amphibien der Expedition des Oberstl. Pargewaliski von der Mongolei und dem Lande der Tangaten. (Russisch.) 8⁰.

— Bemerkungen über die Schlangengattung Elapomorphus aus der Familie der Calamariden. St. Petersburg. 1884. 8⁰.

— chelonologische Studien, mit besonderer Beziehung auf die Schildkrötensammlung der K. Akademie zu St. Petersburg. (Extr. Mém. St. Petersburg.) 1862. 4⁰.

— Synopsis der gegenwärtig lebenden Crocodilidae. Ibid. 1866. 4⁰.

— Synopsis der Viperiden, nebst Bemerkungen über die geographische Verbreitung dieser Giftschlangenfamilie. Ibid. 1869. 4⁰.

— Revision der Salamandriden-Gattungen nebst Beschreibung einiger neuen oder weniger bekannten Arten dieser Familie. Ibid. 1870. 4⁰.

— die Schlangen des russischen Reiches in systematischer und zoogeographischer Beziehung. Ibid. 1873. 4⁰.

— Bemerkungen über die Eidechsenfamilie der Amphisbaeniden. St. Petersburg. 1881. 8⁰.

— das zoologische Museum zu St. Petersburg in seinem 50jährigen Bestehen. 1889. 8⁰.

Studer, Th., über die Seethiere aus dem antarktischen Meere. (Sep.-Abdr.) Bern. 1876. 8⁰.

— Beitrag zur Fauna der Steinkorallen von Singapore. (Sep.-Abdr.) Bern. 1880. 8⁰.

Sundevall, C., die Thierarten des Aristoteles. Stockholm. 1863. 8⁰.

— conspectus avium Picinarum. Stockholm. 1866. 8⁰.

— ornithologiske System. Stockholm. 8⁰. Corvus umbrinus HAD. 8⁰.

— anteckningar till Skandinaviens Ornithologie. (Sep.-Abdr.) 1840. 8⁰.

— tvenne for Sverige nya Gnagaret arter sumt tandbyggnaden hos Arvicola och Myodes; öfversigt af slägtet Erinaceus. (Sep.-Abdr.) Stockholm. 1840. 8⁰.

— om slägtet Sorex, med nagra nya arters beskrifning. 1842. 8⁰.

— om foglarnensvingas. 1843. 8⁰.

Sussdorf, M., die Verteilung der Arterien und Nerven an Hand und Fuss der Haus-Säugetiere. Eine vergleichende anatomische Studie zum Zweck der Erzielung einer sachgemässen Benennung derselben. Stuttgart. 1889. 8⁰.

Tapparone-Canefri, C., contribuzione per una fauna malacologica delle Isole Papuane. (Extr. An. Genova.) 1874. 8⁰.

— zoologia del viaggio intorno globo della regia fregate Magenta durante gli anne 1865—68. Torino. 4⁰.

Taschenberg, bibliotheca zoologica. Verzeichniss der Schriften über Zoologie, welche in den periodischen Werken enthalten sind. Lief. 1. Leipzig. 1886. 8⁰.

Thierkunde, japanesische, Naturgeschichte fürs Volk. 4⁰.

Troschel, F. H., das Gebiss der Schnecken, zur Begründung einer natürlichen Classification, Bd. I. II. Lief. 1—4. Berlin. 1856—75. 4⁰.

— Bericht über die Leistungen in der Naturgeschichte der Säugethiere während des Jahres 1856-71. (Sep.-Abdr. Arch. Naturg. Bd. 33.) 8⁰.

— über die Rieseneidechse der Inseln des grünen Vorgebirges. 8⁰.

— die Familie der Echinocidariden. (Sep.-Abdr. Arch. Naturg. Bd. 38.) 8⁰.

Tryon, G, a monograph of the order Pholadacea and other papers. Philadelphia. 1862. 8⁰.

— list of the american writers on recent conchology. New York. 1861. 8⁰.

Vaillant, Naturgeschichte der afrikanischen Vögel mit Anmerkungen von Dr. J. R. Forster. Halle 1782. 8⁰.

Verslag over den Paalworm, uitgegeven door de natuurkund. afdeel. der k. Akademie van wetenschappen. Amsterdam. 1860. 8⁰.

Vert, W., über den Werth der Mollusken-Gehäuse für die Wissenschaft im Allgemeinen und Wahrnehmungen über die Schale von Tellina L. insbesondere. (Sep.-Abdr. Siebenb. Ver.) Hermannstadt. 1866. 8⁰.

— über Margaritana Bonellii Fer. (Alasmodonta compressa Mke.) Ebenda. 1886. 8⁰.

— über den Schliess-Apparat der Clausilien. Ebenda. 1867. 8⁰.

— über Clausilia fallax Rssm.; über das Wasserspritzen der Flussmuscheln. Ebenda. 1864. 8⁰.

Vierordt, C., Mittheilung zweier neuen Methoden der quantitativen mikroskopischen und chemischen Analyse der Blutkörperchen und Blutflüssigkeit. Stuttgart. 1857. 8⁰.

Villa, A. J. B., dispositio systematica Conchyliarum terrestrium et fluviatilium, quae adservantur in collectione fratrum Anton u. Jos. Villa. Mediolani. 1841. 8⁰.

Virchow, R., Darstellung der Lehre von den Trichinen, mit Rücksicht auf die dadurch gebotenen Vorsichtsmassregeln für Laien nnd Ärzte. Berlin. 1884. 8⁰.

— Vorstellung eines Hermaphroditen. (Vortrag.) Berlin. 1872. 8⁰.

Vogt, C., Menschen, Menschenaffen und Professor Dr. Bischoff in München. (Sep.-Abdr.) 8⁰.

— über die Microcephalen oder Affen-Menschen. (Sep.-Abdr. Arch. Anthrop.) 1867. 4⁰.

— ein Blick auf die Urzeiten des Menschengeschlechtes. Genf. 1865. 4⁰.

— zoologische Briefe. Naturgeschichte der lebenden und untergegangenen Thiere. Bd. 1. 2. Frankfurt a. M. 1851. 8⁰.

Vogt, C.: Vorlesungen über den Menschen, seine Stellung in der Schöpfung und in der Geschichte der Erde. Giessen. 1863. 8⁰.

Volborth, A., de bobus uro, arni et caffro. (Dissertation.) Berlin. 1825. 4⁰.

Voltz, Fr., Abbildungen der Rindviehstämme Württembergs, nach der Natur gezeichnet. 2. Aufl. Stuttgart. 1862. 4⁰.

Vosseler, J., die freilebenden Copepoden Württembergs und angrenzender Länder. (Dissertation.) Tübingen. 1886. 8⁰.

Vrolik, G. und W., Catalogue de la collection d'anatomie humaine, comparée et pathologique. Amsterdam. 1865. 8⁰.

Vrolik, W., note sur l'encephale de l'orang-outang. Amsterdam. 1861. 8⁰.

Wagler, J., natürliches System der Amphibien. Stuttgart. 1830. 8⁰.

— descriptiones et icones Amphibiorum. Stuttgardtiae. 1828—33. Fol.

Wagner, M., die Entstehung der Arten durch räumliche Sonderung. Leipzig. 1880. 8⁰.

Wagner, R., Lehrbuch der Anatomie der Wirbelthiere. Leipzig. 1843. 8⁰.

Weber, zoologisches Ergebnis einer Reise in den niederländischen Ost-Indischen Archipel. Leyden. 1890. 8⁰.

Weight, Donders parthogeny of Squint. Dublin. 1864. 8⁰.

Weinland, D. F., human cestoides. Cambridge. 1858. 8⁰.

— der Thiergarten, Jahrg. 1. Stuttgart. 1864. 8⁰.

— über den Beutelfrosch. (Sep.-Abdr. Müller Arch.) 1854. 8⁰.

— Beschreibung zweier neuen Taenioden aus dem Menschen. (Sep.-Abdr. Verh. Jena.) 1861. 4⁰.

— zur Molluskenfauna von Haiti. (Sep.-Abdr.) 1880. 8⁰.

Weisse, J. F., Verzeichniss aller von mir zu St. Petersburg beobachteten Infusorien, Bacillarien und Räderthiere. 1863. 8⁰.

Weismann, A., das Thierleben im Bodensee. Lindau. 1877. 8⁰.

Welker, Bau und Entwicklung der Wirbelsäule. (Vortrag.) Halle. 1878. 8⁰.

— die Einwanderung der Bicepssehne in das Schultergelenk. (Sep.-Abdr.) 1878. 8⁰.

— über Wirbelsäule und Becken. Halle. (Vortrag.) 1881. 8⁰.

Welty, H., sistens anatomiam suis scrophae. (Dissertation.) Tübingen. 8⁰.

Werner, H., Beobachtungen über jährlich periodisch wiederkehrende Erscheinungen im Thier- und Pflanzenreich. (Dissertation.) Tübingen. 1831. 8⁰.

Wiebel, K. W. M., zur Fauna und Gäa der Westafrikanischen Küstenländer und Inseln. (Programm.) Homburg. 1850. 4⁰.

Wiedersheim, R., über den Mädelhofener Schädelfund in Unterfranken. (Sep.-Abdr. Arch. Anthrop. Bd. 8.) 4⁰.

— Beiträge zur Kenntniss der Württembergischen Höhlenfauna. Würzburg. (Sep.-Abdr. Verhandl. nat. Ver.) 1873. 8⁰.

— Bemerkungen zur Anatomie des Euproctus Rusconii. (Extr. Ann. Genova. 1875.) 8⁰.

— Salamandrina perspicillata und Geotriton fuscus. Versuch einer vergleichenden Anatomie der Salamandrinen mit besonderer Berücksichtigung der Skelet-Verhältnisse. Würzburg. 1875. 8⁰.

— die ältesten Formen des Carpus und Tarsus der heutigen Amphibien. (Sep.-Abdr.) 1876. 8⁰.

Wiedersheim, R.: das Kopfskelet der Urodelen, ein Beitrag zur vergleichenden Anatomie des Wirbelthier-Schädels. Leipzig. 1877. 8⁰.
— die Anatomie der Gymnophionen. Jena. 1879. 4⁰.
— morphologische Studien. Heft 1. 1880. 8⁰.
— die Anatomie des Frosches. Ein Handbuch für Physiologen, Ärzte und Studierende. Braunschweig. 1882. 8⁰.
— Lehrbuch der vergleichenden Anatomie der Wirbelthiere, auf Grundlage der Entwicklungsgeschichte. Jena. 1883. 8⁰.
— die Stammesentwicklung der Vögel. (Sep.-Abdr. Biol. Centralbl.) 1884. 8⁰.
— das Respirations-System der Chamäleoniden. (Sep.-Abdr. naturf. G.) Freiburg i. B. 1886. 8⁰.
— zur Urgeschichte der Gliedmassen der Wirbelthiere. (Sep.-Abdr. Humboldt. 1886.) 3⁰.
— über den Bau des Menschen als Zeugniss für seine Vergangenheit. (Sep.-Abdr. naturf. Ges.) Freiburg 1887. 8⁰.
— zur Biologie von Protopterus. (Sep.-Abdr. Anat. Anz.) 1887. 8⁰.
Wied, Prinz M., Verzeichniss der Reptilien, welche auf einer Reise im nördlichen Amerika beobachtet wurden. Dresden. 1865. 4⁰.
Wright, E., contributions to a natural history of Teredidae. (Sep.-Abdr. Trans. Lin. 5. Vol. XXV.) 4⁰.
— on an new genus of Terediniae. (Ibid. Vol. 24.) 4⁰.
Wurm, W., das Auerwild. Stuttgart. 1874. 8⁰.
— das Auerwild, dessen Naturgeschichte, Jagd und Hege. 2. Aufl. Wien. 1885. 8⁰.
— Tetraoerythrin, ein neuer organischer Farbstoff. (Sep.-Ab.) 1871. 8⁰.
Zaddach, Beschreibung eines Finnwales, Balaenoptera muscula. CAMP. (Sep.-Abdr.) 8⁰.
Zeller, E., Untersuchungen über die Fortpflanzung und die Entwicklung der in unseren Batrachiern schmarotzenden Opalinen. (Sep.-Abschr. Zeitschr. wiss. Zool. Bd. 29.)
— Untersuchungen über die Entwicklung und den Bau des Polystomum integerrimum. 8⁰.
— Untersuchungen über die Entwicklung des Diplozoon paradoxum. 8⁰.
— über die Befruchtung bei den Urodelen.
— über den Geschlechtsapparat des Diplozoon paradoxum. (Sep.-Abdr. Zeitschr. wiss. Zool. 1888.) 8⁰.
Zipperlen, W., die Landespferdezucht in Württemberg.
Zürn, A., die Schmarotzer- auf und in dem Körper unserer Haussäugethiere. Weimar. 1872. 8⁰.

IIIa. Insekten und Arachniden.

1. Systematische Werke, meist über Insekten.

Ahrens, Aug., Fauna Insectorum Europae. Fortgesetzt durch Germar, fasc. 1—17. Halle. 1812. 8⁰.
Bär, K. E. v., welche Auffassung der lebenden Natur ist die richtige? und wie ist diese Auffassung auf die Entomologie anzuwenden? Berlin. 1862. 8⁰.

Berge, E., Taschenbuch für Käfer- und Schmetterlingssammler. Stuttgart. 1847. 8⁰.

— 50 Tafeln mit Abbildungen von Gallmücken, Gallmilben, Gallläusen und gallenerzeugende Käfer (mit Manuskript). Stuttgart. 4⁰.

Bessels, E., die Landois'sche Theorie widerlegt durch das Experiment. (Sep.-Adr. Zeitschr. wiss. Zoolog. Bd. 18.) 8⁰.

Bonnet, C., Abhandlungen aus der Insectologie. Aus dem Franz. übersetzt von Joh. Aug. Götze. Halle. 1773. 8⁰.

Bouché, P. Fr., Naturgeschichte der Insekten. 1. Lief. Berlin. 1834. 8⁰.

Brahm, N. J., Insektenkalender. Mainz. 1790.

Brullé, coup d'oeil sur Entomologie de la Morée. 1851. 8⁰.

Burmeister, H., Handbuch der Entomologie. Bd. 1—5 mit Abbildungen, nebst deren Erklärung zu Bd. 1. 2. Berlin. 1832. 8⁰.

Charletoni Gualteri, Onomasticon zoicon. London. 1548. gr. 8⁰.

— und Swammerdam, Johann, Historia insectorum generalis. Ex Belgica Latinam fecit Henr. Chr. Henninius.

Charpentier, T. v., Horae entomologicae. Wratislaviae. 1825. 4⁰.

Coquebert de Montbret, Ant. Joan., Illustratio iconographica insectorum, quae in museis parisinis observavit et in lucem ed. Joh. Fabricius, praemissis ejusdem descriptionibus. Fol. Paris. 1807.

Creutzer, C., entomologische Versuche. Wien. 1799. 8⁰.

Cuvier, G. L., le règne animal distribué d'après son organisation, pour servir de base à l'histoire naturelle des animaux et d'introduction à l'anatomie comparée. Tom. 1—4. Paris. 1817. 8⁰.

Dahl, G., Coleoptera et Lepidoptera. (Catalogus.) Viennae. 1823. 4⁰.

Dalmann, Annalecta entomologica. Holmiae. 1823. 4⁰.

Dati, Carlo, Esperienze intorn. gener, degl' Insetti. 1548. 4⁰.

Dufour, L., Lettre sur des excursions au pic d'Anicet et au pic Amoulat dans les Pyrénées. Bordeaux. 1836. 8⁰.

Duméril, A. M., Considérations générales sur la classe des Insectes Paris. 1823. 8⁰.

Eiselt, J. N., Geschichte, Systematik und Literatur der Insektenkunde, von den ältesten Zeiten bis auf die Gegenwart. Leipzig. 1836. 8⁰.

Entomologische Nachrichten, herausg. von Dr. F. Katter, fortg. von Dr. Karsch. Jahrg. 1—17. 1875—90.

Erath, gründliche Anweisung zur Kenntniss und Vertilgung der schädlichen Insekten in der Landwirthschaft. Rottweil. 1847. 8⁰.

Erichson, W. F., Bericht über die wissenschaftlichen Leistungen im Gebiete der Entomologie während des Jahres 1838, 1841, 1842—45. 1847. Berlin. 8⁰.

Fabricius, J. C., Systema entomologiae. Flensburg. 1755. 8⁰.

— Entomologia systematica. Tom. 1—4 und Suppl. Hafniae. 1792. 8⁰.

— Genera Insectorum. Kilonii. 1777. gr. 8⁰.

— Mantissa Insectorum. Hafniae. 1787. 8⁰.

— Species Insectorum. Tom. 1. 2. Hamburgi et Kilonii. 1787. 8⁰.

— Systema Eleutheratorum. Tom. 1. 2. Kiliae. 1801. 8⁰.

— Systema Antliatorum. Brunsvigiae 1805. 8⁰.

— Systema Rhyngotorum, Piezatorum. Brunsvigiae. 1822. 8⁰.

Fabricius, J. C.: philosophia entomologica. Hamburgi et Kilonii. 1778. 8⁰.

Frauenfeld, G., Beitrag zur Fauna Dalmatiens. (Sep.-Abdr. Verb. z. bot. Ver. Bd. 5.) Wien. 8⁰.

Frisch, J. L., Beschreibung von allerlei Insekten in Deutschland. Berlin. 1830. 4⁰.

Füssly, J. C., Verzeichniss der ihm bekannten Schweizer-Insekten. Zürich. 1775. 4⁰.

— Archiv der Insektengeschichte. Heft 1—8. Zürich. 1781—86. 4⁰.

— Magazin für die Liebhaber der Entomologie Bd. 1. 2. Zürich. 1778—79. 8⁰.

— Neues Magazin für die Liebhaber der Entomologie. Bd. 1—3. Zürich. 1781—87. 8⁰.

Geer, baron Charles de, Abhandlungen zur Geschichte der Insekten, aus dem Franz. von Joh. Aug. Goeze. 1—7. Theil. Leipzig 1776. 4⁰.

Geoffroy, E. L., Histoire abrégée des Insectes, qui se trouvent aux environs de Paris. Tom. 1. 2. Páris. 1764. 4⁰.

Germar, E. F., Magazin der Entomologie. Bd. 1—4. Halle 1813—21. 8⁰.

— Zeitschrift für die Entomologie. Bd. 1—5. Leipzig 1839. 8⁰.

— Fauna Insectorum vid. Ahrens.

Gerstaecker, Bericht über die wissenschaftlichen Leistungen im Gebiet der Entomologie während der Jahre 1853—55. 1857—58. Berlin. 8⁰.

Gistel, J., Faunus, Zeitschrift für Zoologie und vergleichende Anatomie, Bd. 1. Heft 1—3. München. 1832—34. 8⁰.

— die jetzt lebenden Entomologen. München. 1836. 8⁰.

Goedart, J., de insectis, in methodum redactus; cum notularum additione. Opera M. Lister, item appendicis ad hist. animal. Angliae. London. 1685. 8⁰.

— Metamorphosis et historia naturalis Insectorum. pars. 1—3. Medioburgi 1667. 8o.

Goeze, J. A., entomologische Beiträge. 1—3. Theil. Leipzig. 1777. 8⁰.

Gurlt, die auf den Haussäugethieren und Hausvögeln lebenden Schmarotzer-Insekten und Arachniden. 8⁰.

Hagen, H. A., Bibliotheca entomologica. Bd. 1. 2. Leipzig. 1863. 8⁰.

Harris, Th. W., occassional papers of the Boston society of natural history. I. Entomological correspondance Ed. by S. H. Scudder. Boston. 1869. 8⁰.

Hegetschweiler, J. J., de genitalibus Insectorum. Turic. 1820. 4⁰.

Helvetische Entomologie, ein Verzeichniss der schweizerischen Insekten. 1. Theil. 1798. 8⁰.

Herrich-Schäffer, nomenclator entomologicus. 1. 2. Theil. Lepidoptera, Hemiptera, Orthoptera und Hymenoptera. Regensburg. 1855. 8⁰.

Hess, W., die Hausgenossen des Menschen unter den Gliedertieren. 1884. 8⁰.

Hofmann, E., die schädlichen Insekten des Garten- und Feldbaues. Esslingen. 1881. 4⁰.

Hoppe, D. H., entomologisches Taschenbuch. Regensburg. 1797. 8⁰.

Illiger, C., Magazin für Insektenkunde. Bd. 1—6. Braunschweig. 1801
—1867. 8⁰.

Jekel, H., Fabricia entomologica. 1. partie. Paris. 1854. 8⁰.

— Specimen Fabricia entomologica. Paris. 1854. 8⁰.

Isis, von Oken, Bd. 21. Heft 1—10. 1828—1831. 4⁰.

Jurine, L., nouvelle methode de classer les Hyménoptères et les Diptères. Genève. 1807. 4⁰.

Kaltenbach, J. H., die Pflanzenfeinde aus der Klasse der Insekten.
Stuttgart. 1872. 8⁰.

Kirby, W. und W. Spence, Einleitung in die Entomologie. Stuttgart.
Bd. 1—4. 1823—53. 8⁰.

Klug, F., Jahrbücher der Insektenkunde, 1. Bd. Berlin. 1834. 8⁰. .

Kolenati, naturhistorische Durchforschung des Altvatergebirges. Brünn.
1859. 8⁰.

Kühn, A. G., kurze Anleitung, Insekten zu sammeln. Eisenach. 1773. 8⁰.

Künstler, G. A., über Getreideverwüster. Wien. 1864. 8⁰.

— die unseren Kulturpflanzen schädlichen Insekten. Wien. 1871. 8⁰.

Lamarck, J. B., Système des animaux sans vertèbres. Paris. 1801. 8⁰.

Latreille, P. A., Considérations générales sur l'ordre des crustacés et
des insectes. Paris. 1810. 8⁰.

— Genera crustaceorum et insectorum, Tom. 1—4. Paris. 1806. 8⁰.

Lesser, F. Ch., Insecto-Theologia, oder vernunft- und schriftmässiger
Versuch, durch aufmerksame Betrachtung der sonst so wenig geachteten Insekten zur Erkenntniss Gottes zu gelangen. Frankfurt.
1738. 8⁰.

Leydig, zur Anatomie der Insekten. (Sep.-Abdr.) Berlin. 1859. 8⁰.

Linné, C., Systema naturae per regna tria naturae, cura J. F. Gmelin.
Ed. XIII. Tom. 1—6. Lipsiae. 1788. 8⁰.

— Fauna Suecica. Stokholmiae. 1761. 8⁰.

Loew, C. A., Naturgeschichte aller durch Vertilgung schädlicher Insekten der Landwirthschaft nützlichen Thiere. Stuttgart. 1847. 8⁰.

Lutz, K. G., der Landwirthschaft nützliche und schädliche Insekten.
Mit einem Anhang: Anleitung zur Anfertigung von Insekten-Samm-
lungen. Stuttgart. 1885. 8⁰.

Meyer, F. A., gemeinnützliche Naturgeschichte der giftigen Insekten.
1. Theil. Berlin. 1792. 8⁰.

Möller, C. H., Lexicon entomologicum, oder Entomologisches Wörterbuch. Erfurt. 1795. 8⁰.

Müller, O. F., Fauna Insectorum Fridrichsdalina. Hafniae. 1764. 8⁰.

Nickerl, O., Bericht über die im Jahre 1879 der Landwirthschaft
Böhmens schädlichen Insekten. Prag. 1880. 8⁰.

Noerdlinger, H., Nachträge zu Ratzeburgs Forstinsekten. Stuttgart.
1856. 8⁰.

— Lebensweise der Forstkerfe oder Nachträge zu Ratzeburgs Forstinsekten. 2. vermehrte Aufl. Stuttgart. 1880. 4⁰.

— die kleinen Feinde der Landwirtschaft. Stuttgart und Augsburg.
1855. 8⁰.

Nomenclator entomologicus von D. H. Schneider. Stralsund. 1785. 8^0.

Panzer, G. W., Fauna Insectorum Germaniae initio. Heft 1—110. Nürnberg 1793. In losen Blättern. Kl. 8^0.

— kritische Revision der Insektenfauna Deutschlands (über Heft 1—96). Nürnberg. 1805. 8^0.

— Index entomologicus, Jahrg. 1—9. Nürnberg. 1793—1809.

— Index entomologicus. Eleutherata. 1. Theil. Nürnberg. 1805. 8^0.

Petagna, V., Specimen Insectorum ulterioris Calabriae. Napoli. 1786. 4^0.

Posselt, C. F., Beiträge zur Anatomie der Insekten. 1. Heft. Tübingen. 1803. 4^0.

Ratzeburg, die Waldverderber und ihre Feinde. Berlin. 1841. 8^0.

— les hyloptheres et leurs ennemis. Edit par le Comte Cobberon. Nordhausen 1884. 8^0.

Raupen, Insekten- und Würmer-Vertilger. Quedlinburg. 1826. 8^0.

Ray, J., Methodus Insectorum. London. 1705. 8^0.

Reaumur, R. A. F. de., Mémoires pour servir à l'histoire des Insectes. Tom. 1—6. Paris. 1734—42. 4^0.

Ritter, B. v., über unfehlbare Verminderung der den Obstbäumen schädlichen Insekten. Wien. 1831. 8^0.

Roesel von Rosenhof, A. D., monatlich herausgegebene Insektenbelustigungen. Theil 1—4. Nürnberg. 1746—61. 4^0.

— Beiträge zur Natur- und Insektengeschichte v. C. F. Kleemann. 1. 2. Theil. 1792—94. 4^0.

Schaeffer, J. Ch., Abhandlungen von Insekten. Bd. 1. 2. Regensburg. 1764. 4^0.

— de Musca-Cerambyce seu Cerambyce spurio, novum insectorum ordinem constituente. Norimbergae. 1753. 4^0. Mit Icones et descriptio fungorum, 1761 und Apus pisciformis. Norimb. 1752. zusammengebunden.

— neuentdeckte Theile an Raupen und Zweifaltern, nebst der Verwandlung der Hauswurzraupe zum schönen Tagfalter mit rothen Augenspiegeln. Regensburg. 1754. 4^0; die Sattelfliege 1753; der Afterholzbock mit einer Nachricht von der Frühlingsfliege mit kurzen Oberflügeln. Regensburg. 1755; vom Regenbogen-Achat. Hamburg. 1755. 4^0.

— opuscula entomologica, oder Nachrichten und Proben von der unter huldreichster Förderung S. K. M. zu Dänemark Norwegen Friederich V. nächstens zu liefernden Herausgabe gewisser unternommener Insektenwerke. Regensburg. 1764; Zweifel und Schwierigkeiten, welche in der Insektenlehre annoch vorwalten. 1766; der wunderbare und vielleicht in der Natur noch nie erschienene Eulenzwitter nebst der Baumraupe. 1761; die Egelschnecken in den Lebern der Schaafe und die von diesen Würmern entstehenden Schaafkrankheit. 1762; Regensburg. 4^0.

Schaum, H., Bericht über die wissenschaftlichen Leistungen im Gebiete der Entomologie während der Jahre 1848—49 und 1851—52. Berlin. 8^0. (s. auch Erichson.)

Schellenberg, J. R., entomologische Beiträge. 1. Heft. Winterthur. 1802. 4^0.

Schindler, F., Beiträge zur Kenntniss der Malpighi'schen Gefässe der Insekten. Leipzig 1878. 8⁰.

Schlesische Beiträge zur Entomologie, von den Mitgliedern der entomologischen Sektion der schlesischen Gesellschaft für vaterländische Kultur herausgegeben. 1. Heft. Breslau. 1829. 8⁰.

Schmid, Versuche über Insekten. Gotha. 1803. 8⁰.

Schmiedlein, B., Insektologische Terminologie. Leipzig. 1789. 8⁰.

Schneider, D. H., neues Magazin für die Liebhaber der Entomologie. 1. Theil. 1—5. Heft. 1791. 8⁰.

— Verzeichniss der Insektensammlung. Stralsund. 1828. 8⁰.

Schrank, F. a Paula, Fauna boica. 1—3. Bd. Nürnberg. 1798. 8⁰.

— Enumeratio Insectorum Austriae indigenorum. Augustae. Vindel. 1781. 8⁰.

Schreber, C. D,, novae species Insectorum. Halle. 1759. 4⁰.

Scopoli, J. A., Entomologia Carniolica. Vindobonae. 1763. 8⁰.

— historico-naturalis. Ann. 1—5 Lipsiae. 1769—72. 8⁰.

Scriba, L. G., Beiträge zu der Insekten-Geschichte. Heft 1—3. Frankfurt. 1790. 8⁰.

Siebke, H., entomologisk Reise 1861. Christiania. 1863. 8⁰.

— entomologiske Undersogelser i Aarene 1864 og 1865. Christiania. 1866. 8⁰.

Silbermann, Enumeratio des Entomologistes vivants. Paris. 1835. 8⁰.

Societas entomologica; Organ für den internationalen Entomologenverein. Zürich. Jahrg. VII.

Spalanzani, M. l'Abbé, nouvelles recherches sur les decouvertes microscopiques. Londres et Paris. 1769. 8⁰.

Sulzer, H. J., abgekürzte Geschichte der Insekten. 1. 2. Theil. Winterthur. 1776. gr. 4⁰.

— die Kennzeichen der Insekten. Zürich. 1761. 4⁰.

Taschenberg, E. L., Einführung in die Insektenkunde. Th. 1. Einführung. Th. 2. Die Käfer und Hautflügler. Th. 3. Schmetterlinge. Th. 4. Zweiflügler, Netzflügler und Kaukerfe. Th. 5. Schnabelkerfe. Flügellose Parasiten. Bremen. 1879—80. 8⁰.

Taschenberg und Lucas, Schutz der Obstbäume und deren Früchte gegen feindliche Thiere und gegen Krankheiten. Stuttgart. 1879. 8⁰.

Thon, T., entomologisches Archiv. 1. Bd. 1—4. Heft. Jena 1827. 4⁰.

Thunberg, C. P., Periculum entomologicum. Upsaliae. 1789. 4⁰.

— Insecta Suecica. Upsaliae. 1784. 4⁰.

Tijdschrift voor Entomologie, Nederl. Bd. 1—33. Gravenhage. 1858—90. 8⁰.

Tidskrift entomologisk. Bd. 1—3. 5. 1880—84. Stockholm. 8.

Tischer, K., encyklopaedisches Taschenbuch. Leipzig. 1804. 8⁰.

Transactions of the entomological society of London. Vol. I. Part. 1—3. London. 1834—36. 8⁰.

Uddmann, I., novae insectorum species. Aboae. 1753. 4⁰.

Walkenaer, Histoire naturelle des Insectes. Aptères. Tom. 3 mit Atlas. Paris 1844. 8⁰.

— Faune Parisienne, Insectes. Tom. 1. 2. Paris. 1802. 8⁰.

Weber, F., Nomenclator entomologicus. Cbilonii et Hamburgii. 1795. 8^0.

Wiener entomolog. Monatschrift Bd. 1—8. Wien 1857—64. 8^0.

Wilde, die Pflanzen und Raupen Deutschlands. 1. Theil. 1860. 8^0.

Wulfen, X., descriptiones quorundam Capensium insectorum. Erlangen. 1786. 4^0.

2. Coleoptera.

Aubé, C., Monographia Pselaphiorum cum synonymia extricata. (Extr. Magaz. Zoolog.) Paris. 1833. 8^0.

Andouin, J. V., Observations sur un Insecte qui passe en grande partie de sa vie sous la mer. (Blemus fulvescens.) 1828. 4^0.

— Lettre d'un cerf-volant femelle. (Lucanus capreolus.) 1836. 8^0.

Berhardt, G., die Käfer (Käferbuch) und Schmetterlinge (Schmetterlingsbuch). Halle. 8^0.

Bonsdorff, G., Historia naturalis Curculionum Sueciae. Upsalae. 1875. 4^0.

Bonvouloir, H. Vicomte de, Monographie de la famille des Eucnémides, Cahier 1—3. Paris. 1870—74. 8^0.

Bose, Fr. Chr., die Käfer Deutschlands. Darmstadt. 1859. 8^0.

Brand, W., Käferfauna Hildesheims. (Jahresb. Gymn. Andreanum.) 1867. 4^0.

Bréme, F., Essai monographique et iconographique de la Tribus des Cossyphides. Paris. 1846. 8^0.

Burmeister, H., Untersuchungen über die Flügeltypen der Coleopteren. (Sep.-Abdr. natur. Ges. Bd. III.) Halle. 4^0.

Calwer's, G., Käferbuch. Herausgegeben von Prof. Dr. G. Jäger. 3. Aufl. Stuttgart. 1876. 8^0.

Chaudoir, M. de, observations. (Bullet. Moscou. 1843.) 1847. 8^0.

Chevrolat, A., description d'un nouvelle espèce de Lamellicorne. (Extr. An. soc. ent. Franc.) 1859. 8^0.

Contarini, N.. sopra il Macronychus quadrituberculatus del Müller. Bassano. 1832. 8^0.

Debey, M., Beiträge zur Lebens- und Entwicklungsgeschichte der Rüsselkäfer. Bonn. 1746. 4^0.

Dejean, le comte P. Fr. M. A., Catalogue des Coléoptères de la collection de M. Dejean. Paris. 1821. 8^0.

— dasselbe, 3. édition. Paris. 1837. 8^0.

— Species général des Coléoptères de la collection de M. le comte Dejean. Tom. 1—5. Paris, 1825—39. 8^0.

— J. A. et Boisduval et Ch. Aubé, Iconographie et histoire naturelle des Coléoptères d'Europe. Vol. 1—4, Les Carabiques; Vol. 5. Les Hydrocanthares par Ch. Aubé. Paris. 1829—40. 8^0.

Duftschmid, K., Fauna Austriae. 1—3. Theil. (Käfer.) Linz. 1805. gr. 8^0.

Dufour, L., recherches anatomiques et considérations entomologiques sur les Insectes Coléoptères des genres Macronychus et Elmys. Paris. 1834. gr. 8^0.

Erichson, G. F., Genera et species Staphylinorum. Berlin. 1829. 8^0.

— Die Käfer der Mark Brandenburg. 1. 2. Theil. Berlin. 1837—39. 8^0.

Erichson, W. F. und H. Schaum, Naturgeschichte der Insekten Deutschlands. 1. Abt. Coleoptera. 1., 2. Hälfte. 1. Lief. Berlin. 1860—68. Bd. 6. Lief. 1. Chrysomelidae bearbeitet von J. Weisse. 1882. 8⁰.

— über Elateriden ohne Bruststachel. (Cardiophorus.) Berlin. 8⁰.

Entomologische Hefte, Beiträge zur weiteren Kenntniss der Insektengeschichte. 1. Heft. Hister. 2. Heft. Haltica. Frankfurt. 1803. 8⁰.

Faldermann, Fr., Species novae coleopterorum Mongoliae et Sibiriae. 1833. 8⁰.

— Coleopterorum ab illustrissimo Bungio in China boreali, Mongolia et mont. Altaicis collect. Petropoli. 1835. 4⁰.

— Fauna entomologica Trans-Caucasia. 1. 2. Theil. 4⁰.

Fischer, . B., Tentamen conspectus Chantharidiarum. Monachii. 1827. 4⁰.

Gemminger, M., systematische Übersicht der Käfer um München. Jena. 1851. 4⁰.

Germar, E. F., Insektenspecies. Vol. 1. Halle. 1824. 8⁰.

Goldfuss, Enumeratio insectorum eleutheratorum capitis bonae spei. Erlangen. 1804. 8⁰.

Göbel, Verzeichniss der im zoologischen Museum der Universität Halle-Wittenberg aufgestellten Rüsselkäfer. Halle. 1869.

Gravenhorst, J. L., Monographia coleopterorum micropterorum. Göttingen. 1806. 8⁰.

Gredler, V., die Käfer von Tyrol nach ihrer horizontalen und vertikalen Verbreitung. Botzen. 1863. 8⁰.

Gyllenhal, L., Insecta suecica. Coleoptera. Tom. 1—4. Scaris. 1808. 8⁰.

Heer, O., Fauna coleopterorum helvetica. Pars 1—3. Turici. 1848. 8⁰.

— observationes entomologicae cont. metamorphoses Coleopterorum. Turici. 1836. 8⁰.

— über Vertreibung und Vertilgung der Laubkäfer und Inger. Zürich. 1843. 8⁰.

Helvetische Entomologie, oder Verzeichniss der Schweizer Insekten. 1. 2. Theil. Zürich. 1798. 8⁰.

Hochhuth, J. H., Nachricht über die Käfersammlung des Grafen G. Mniszek. (Extr. Bull.) Moscou. 1849. 8⁰.

Hoppe, D. H., Enumeratio Insectorum circa Erlangam. Erlangen. 1795. 8⁰.

Jacoby, M., descriptions of new genera and species of phythophagous Coleoptera from the Indo-Malayan and Austro-Malayan subregion. London. 1886. 8⁰.

Jablonsky, C. G., Natursystem aller bekannten in- und ausländischen Insekten. 1—10. Theil. Die Käfer. Berlin. 1785. 8⁰.

Jablonsky und Fr. W. Herbst, Kupfertafeln zur Naturgeschichte der Käfer. 1—9. Bd. mit 177 illum. Tafeln. Berlin. 1785—1806. gr. 8⁰.

— Kupfertafeln zur Erläuterung der insektologischen Terminologie, zu Jablonsky's Natursystem und zu Panzer's Entomologie gehörig. 4⁰.

Illiger, J. C. W., Verzeichniss der Käfer Preussens. Halle. 1798. 8⁰.

Imhof, L., Versuch der Einführung in das Studium der Coleopteren. Basel. 1856. 8⁰.

Keller, Ad., Verzeichniss der bisher in Württemberg aufgefundenen Coleopteren (Sep.-Abdr. Württ. Jahresh.) 1864. 8⁰.

Kellner, A., Verzeichniss der Käfer Thüringens mit Angabe der nützlichen und der für Forst,- Land- und Gartenwirthschaft schädlichen Arten. Gotha. 1873. 8⁰.

Killias, Verzeichnis der Käfer Graubündens. (Sep.-Abdr. Jahresb. Graubünden.) 1889.

Klug, Fr., entomologische Monographien. Berlin. 1824. 8⁰.

Knoch, A. W., neue Beiträge zur Insektenkunde. 1. Theil. Leipzig. 1801. 8⁰.

Kraatz, G., die Staphylinen-Fauna von Ostindien, insbesondere der Insel Ceylon. Berlin. 1859. 8⁰.

Kuhn, L., die Käfer des südbayrischen Flachlandes. Augsburg. 1858. 8⁰.

Kunze, G., entomologische Fragmente. Monographie der Rohrkäfer. 1—4. Heft. Halle. 1818. 8⁰.

Kunze und Müller, P. W., Monographie der Ameisenkäfer. (Scydmaenus Latr.) Leipzig. 1822. 4⁰.

Laicharting, J. N. Edl. v., Verzeichniss und Beschreibung der Tyroler Insekten. 1. Bd. 1. 2. Theil. Zürich. 1781—84. 8⁰.

Leconte, J. L., Classification of the Coleoptera of North America. Part. 1. Washington. 1861. 8⁰.

Lokay, Verzeichniss der Käfer Böhmens. Prag.

Lindemann, Anisoplia austriaca. Petersbourg. 1880. gr. 8⁰.

Malinowsky, v., Elementarbuch der Insektenkunde, vorzüglich der Käfer, Quedlinburg. 1816. 8ᶜ.

Mannerheim, C. G. de, Eucmenis Insectorum genus monographice tractatum iconibusque illustratum. Petropoli. 1823. 8⁰.

— observations sur le genre Megalope. Petersburg. 1824. 4⁰.

— précis d'un nouvel arrangement de la famille des Brachelytres. Petersburg. 1830. 4⁰.

— description de quarante nouvelles espèces de Scarabaeides du Brésil. Moscou. 1829. 4⁰.

Melsheimer, F. E., Catalogue of insects of Pennsylvania. Hannover, York County. 1806. 8⁰.

— of the described Coleoptera of the United States. Washington. 1853. 8⁰.

Monthly-Magazine, entomologists. Vol. 12-15. London. 1878-79. 8⁰.

Museum d'histoire naturelle de Paris. Catalogue de la collection des Insectes: Coléoptères. Tom. 1. 2. Paris. 1850. 8⁰.

Naturalist, Journal des échanges et des nouvelles. Année 1—5. 1879—1883. Année 6. Nr. 49—51. Paris. 4⁰.

Nicolai, E. A., Coleopterorum species agri halensis. Halle. 1822. 8⁰.

Olivier, W. A., Entomologie, ou histoire naturelle des Insectes Coléoptères. Tom. 1—6 Texte, Tom. 7. 8 Planches. Paris. 1789—1808. 4⁰.

Ormay, A., supplementa faunae Coleopterorum in Transsilvania. Nagi-Szeben. 1888. 8^0.

Pallas, P. S., Icones Insectorum, praesertim Rossiae Sibiriaeque peculiarium, quae collegit et descriptionibus illust. Fasc. 1. 2. Erlangae. 1781. 8^0.

Panzer, G. W., Insectenfauna oder entomologisches Taschenbuch. Nürnberg. 1795. 8^0.

— Beiträge zur Geschichte der Insekten. Erlangen. 1802. 4^0.

— Fauna Insectorum Americae borealis prodromus. Norimbergae. 1794. 4^0.

Parry, Sidney, catalogus Coleopterorum Lucanorum. Edit. 3. London. 1875. 8^0.

Paykul, G. de, Monographia Staphylinorum Sueciae. Upsaliae. 1789. 8^0.

Petites nouvelles entomologiques. Vol. 12. (No. 188-216.) 1876-79. 4^0.

Philippi, F., Catalogo de los Coléopteras de Chili. Santiago. 1867. 8^0.

Plieninger, Th., Monographie der Maikäfer, ihrer Verwüstungen und der Mittel dagegen. Stuttgart. 1868. 8^0.

Redtenbacher, L., Fauna austriaca. Die Käfer. Wien. 1849. 8^0.

Riehl, F., Verzeichniss der bei Cassel in einem Umkreise von ungefähr drei Meilen aufgefundenen Coleopteren. Cassel. 1863. 8^0.

Roger, J., Verzeichniss der bisher in Oberschlesien aufgefundenen Käferarten. Breslau. 1857. 8^0.

Rosenhauer, W. G., Broscosoma und Laricobius, zwei neue Käfergattungen. Erlangen. 1846. 8^0.

— die Lauf- und Schwimmkäfer Erlangens. Erlangen. 1842. 4^0.

— Beiträge zur Insektenfauna Europas. Erlangen. 1847. 8^0.

Roser, C. L. F. v., Verzeichniss der in Württemberg vorkommenden Käfer. Stuttgart. 1838. 8^0.

Roth von Schreckenstein, Käfer, welche um den Ursprung der Donau und des Neckars, dann um den untern Theil des Bodensees vorkommen. Tübingen. 1801. 8^0.

Rupertsberger, M., Biologie der Käfer Europas. Eine Übersicht der biologischen Literatur, gegeben in einem allgemeinen alphabetischen Personen- und systematischen Sach-Register nebst einem Larven-Katalog. Linz a. D. 1880. 8^0.

Sahlberg, C. R., Periculum entomographicum species Insectorum nondum descriptas proponens. Aboae. 1823. 8^0.

Schaufuss, L. W., Monographie der Scydmaeniden Central- und Süd-Amerikas. Dresden. 1866. 4^0.

Schenkling, C., Taschenbuch für Käfersammler. Leipzig. 1883. 4^0.

Schmidt-Göbl, H. M., faunula Coleopterorum Birmaniae, adjectis nonnullis Bengaliae indigenis. Prag. 1846. 4^0.

Schoenherr, C. J., Synonymia Insectorum, oder Versuch einer Synonymie aller bisher bekannten Insekten. Nach Fabricii Systema Eleutheratorum geordnet. 1. Bd. 1—3. Theil nebst Append. Stockholm. 1806. 8^0.

— genera et species Curculionidum; cum synonymia hujus familiae. Tom. 1—4. Parisiis. 1833. 8^0.

— Curculionidum dispositio methodica, cum generum characteribus, descriptionibus atque observationibus variis, seu prodromus ad synonymiam Insectorum. Lipsiae. 1826. 8⁰.

S e i d l i t z, G., die Oliorhynchiden nach den morphologischen Verwandtschaftsverhältnissen ihres Hautskelets. (Diss.) Berlin. 1868. 8⁰.

S i e b k e, H., enumeratio insectorum norvegicorum. Fasc. 2. Catalogum Coleopterorum continens. Christianiae. 1874—75. 8⁰.

S i m o n, H., Anleitung zum Sammeln von Paussiden, Clavigeriden, Pselaphiden, Scydmaeniden und Mastigus. Stuttgart. 1879. Fol.

S t u r m, J., Verzeichniss meiner Insectensammlung. Nürnberg. 1808. 8⁰.

— Katalog meiner Insectensammlung. 1. Theil. Käfer. Nürnberg. 1826. 8⁰.

— Katalog der Käfersammlung von Jac. Sturm. Nürnberg. 1843. 8⁰.

— Deutschlands Fauna in Abbildungen nach der Natur mit Beschreibung. V. Abtheilung. Insecten. Bd. 1—23. Mit 424 ill. Kupfertafeln. Nürnberg. 1805—57. 8⁰.

V o e t, J. E., Beschreibungen und Abbildungen hartschaliger Insecten, Coleoptera LIN., übersetzt von G. W. F. Panzer. 1. 2. Theil. Erlangen. 1793—1802. 4⁰.

3. Hymenoptera.

A n d r é, E., species des Hyménoptères d'Europe et d'Algérie. Tom. I. (Tenthredinidae.) Tom. II. (Formicidae. Vespidae 1881.) Tom. III. (Sphegidae No. 27. 30.) Tom. IV. (Broconidae.) 1888—90.

C a n e s t r i n i, G. und A. B e r l e s e, la stregghia degli immenotterà memoria. Padova. 1880. 8⁰.

C h r i s t, J. L., Naturgeschichte, Classification und Nomenclatur der Insecten vom Bienen-, Wespen- und Ameisengeschlecht, oder Hymenopteris. 1—6. Heft mit 60 Kupfertafeln. Frankfurt a. M. 1791. 4⁰.

F o e r s t e r, A., Beiträge zur Monographie der Pteromalinen NEES. 1. Heft. Aachen. 1841. 4⁰.

— Monographie der Gattung Pezomachus GRAV. Berlin. 1851. 8⁰.

F r a u e n f e l d, G., die Linsengallen der österreichischen Eichen. (Sep.-Abdr.) Moskau. 1856. 8⁰.

G r a v e n h o r s t, J. L. C., Monographia Ichneumonum pedestrium, praemisso prooemio de transitu et mutabilitate specierum et varietatum Lipsiae. 1815. 8⁰.

— Ichneumonologia europaea. pars 1—3. Vratislaviae. 1829. 8⁰.

H a r t i g, T., die Aderflügler Deutschlands. Die Familien der Blatt- und Holzwespen. Berlin. 1827. 8⁰.

H u b e r, Recherches sur les moeurs des Fourmis indigènes. Paris. 1810. 8⁰.

K i r c h n e r, L., Catalogus Hymenopterorum Europae. Vindobonae. 1867. 8⁰.

K i r s c h b a u m, C. L., über Hoplisus punctuosus EVERSM. et punctatus n. sp. Wiesbaden. 1855. 4⁰.

K l u g, F., Monographia Siricum Germaniae atque generum illis adnumerat. Berolini. 1803. 4⁰.

M a y r, H., Formiciden, gesammelt in Brasilien von Prof. Trail; die Chalcidier-Gattung Olinx. 1877; Beiträge zur Ameisenfauna Asiens.

1878; Arten der Chalcidier-Gattung Eurytoma durch Zucht erhalten. Wien. 1878. 8⁰.

M a y r, H., Formicidae. (Russisch.) Fol.
— die mitteleuropäischen Eichengallen in Wort und Bild. Wien. 1871. 8⁰.
— die europäischen Cynipiden-Gallen mit Ausschluss der auf Eichen vorkommenden Arten. Wien. 1876. 8⁰.
— die australischen Formiciden. Wien. 1874. Fol.
— die europäischen gallenbewohnenden Cynipiden. 1882.
— die Genera der gallenbewohnenden Cynipiden. (Sep.-Abdr. K. Oberrealschule.) Wien. 1881. 8⁰.
— über Eciton lepidus (Sep.-Abdr. Wien. ent. Zeitschr.) 1886. 8⁰.
— Südamerikanische Formiciden.
— die Formiciden der Ver. St. N.-Amerikas.
— Notizen über die Formiciden-Sammlung des Brit. Museums in London. (Sep.-Abdr. Verh. z. b. V.) Wien. 1886—87. 8⁰.

N e e s v. E s e n b e c k, Ch. G., Hymenopterorum Ichneumonibus affinium monographiae, genera europaea et species illustrantes. vol. 1. 2. Stuttgart. 1834. 8⁰.

L a t r e i l l e, P. A., Mémoire sur le genre d'Anthidie. (Anthidium Fab.) 1809. 4⁰.

R o g e r, einiges über Ameisen. Berlin. 1853. 8⁰.

S a u s s u r e, H. de, description d'une série d'Hyménoptères nouveaux de la tribu des Scoliens. (Sep.-Abdr.) 1859. 8⁰.

S n e l l e n v a n V o l l e n h o v e n, S. C., Schretsen ten Gebruike bij de studie der Hymenoptera. Familie der Ichneumoniden. S. Gravenhage. 1868. quer Fol.
— Pinacographia, illustrations of more than 1000 species of North-West-European Ichneumonidae. S. Gravenhage. 1880. gr. 8⁰.

S p i n o l a, M., Observations sur les Apiaires Meliponides. 1840. 8⁰.
— Insectorum Liguriae species novae aut rariores. Tom. 1—2. Genuae. 1806. 4⁰.

S t e f f e n s, H., Monita quaedum de speciebus nigris Ichneumonum. Vratislaviae. 1829. 4⁰.

T a s c h e n b e r g, E. L., die Hymenopteren Deutschlands nach ihren Gattungen und theilweise nach ihren Arten als Wegweiser für angehende Hymenopterologen etc. Leipzig. 1866. 8⁰.

W a l k e r, F., List of the specimens of hymenopterous insects in the collection of the British Museum. 1. Chalcidites. London. 1846—48. 8⁰.
— Monographia Chalciditum. Vol. 1. 2. London. 1839. 8⁰.

4. Lepidoptera.

A n d o u i n, V., Histoire des Insectes nuisibles à la vigne et particul. de la Pyrale (Tortrix pilleriana.) Paris. 1840. 4⁰.

A u s t a n t, J. L., les Parnassiens de la faune paléarctique. Leipzig. 1889. 8⁰.

B e r h a r d t, Schmetterlingsbuch. Halle. 8⁰.

B e s s e l s, E., Studien über die Entwicklung der Sexualdrüsen bei den Lepidopteren. (Sep.-Abdr. Zeitschr. wiss. Zool. Bd. 17.) 8⁰.

Boisduval, J. A., Icones historique des Lepidoptères d'Europe. Livr.
1—42. Paris. 1832—41. 8⁰.
— Collection iconographique et historique des Chenilles d'Europe.
Livr. 1—42. Paris. 1832—37. 8⁰.
Borkhausen, M. B., Naturgeschichte der Europäischen Schmetter-
linge. 1—5. Theil. Frankfurt a. M. 1788—94. 8⁰.
Brady, C., the Ailant Silkworm: observations on its habits, manage-
ment, food and value etc. Sydney. 1868. 8⁰.
Bramson, K. L., die Tagfalter Europas und des Kaukasus, analy-
tisch bearbeitet. Kiew. 1890. 8⁰.
Charpentier, T. v., die Zünsler, Wickler, Schaben und Geistchen
des systematischen Verzeichnisses der Schmetterlinge der Wiener
Gegend. Braunschweig. 1821. 8⁰.
Coles, E. C. and Swinoe, C., Catalogue of Moths of India. Prt. 1.
Sphingides; prt. 2. Bombyces; prt. 3. Noctues; prt. 4. Geometres.
Calcutta. 1888. 8⁰.
Fischer, Edler von Roeslerstamm, J. E., Abbildung zur Berichtigung
und Ergänzung der Schmetterlingskunde, besonders der Microlepido-
pterologie. 1—20. Heft. Leipzig. 1841—43. 4⁰.
Fleischer, J. M., Taschenbuch für Raupen- und Schmetterlings-
sammler. Leipzig. 1883. 12⁰.
Frey, H., die Lepidopteren der Schweiz. Leipzig. 1880. 8⁰.
Freyer, C. F., Beiträge zur Geschichte europäischer Schmetterlinge.
1—24. Heft. Mit 144 Kupfertafeln. Nürnberg. 1828—31. 8⁰.
— Neuere Beiträge zur Schmetterlingskunde. 1—60. Heft. Mit 360 ill.
Kupfertafeln. Augsburg. 1831—41. 4⁰.
— die schädlichsten Schmetterlinge Deutschlands. Augsburg. 1839. 8⁰.
Froelich, Fr., Enumeratio Tortricum L., regno württembergico indi-
genarum. Tübingen. 1828. 8⁰.
Gesenius, W., Versuch einer lepidopterologischen Encyklopädie. Er-
furt. 1787. 8⁰.
Glaser, L., der neue Borkhausen oder hessisch-rheinische Falterfauna.
Darmstadt. 1863. 8⁰.
Glitz, Verzeichniss der bei Hannover und im Umkreise von etwa einer
Meile vorkommenden Schmetterlinge. Hannover. 1860. 4⁰.
Grälls, description d'un Lepidoptère nouveau (Saturnia Isabellae).
(Ertr. An. Franc.) 1849. 8⁰.
Gruber, A., über nordamerikanische Papilioniden- und Nymphaliden-
Raupen. (Sep.-Abdr. Jen. Zeitschr.) 1884. 8⁰.
Guérin-Méneville, E., Notice sur les Pyrales et particulièrement
sur quelques espèces nuisibles à l'agriculture et aux forêts. Paris.
1839. 4⁰.
Heinemann, H., Schmetterlinge Deutschlands und der Schweiz.
Abth. 1. 2. Braunschweig. 1859—77. 8⁰.
Herrich-Schäffer, Prodromus systematis Lepidopterorum (Rhopa-
locera). (Sep.-Abdr.) Regensburg. 1864—71. 8⁰.
Hofmann, E., der Schmetterlingsfreund. Beschreibung der vorzüglich-
sten mitteleuropäischen Schmetterlinge, nebst Anleitung dieselben zu

fangen, deren Puppen und Raupen aufzuziehen und eine Sammlung anzulegen. Mit 236 Figuren und 23 Tafeln. Stuttgart. 1883. 8^0.

Hofmann, E., der Käfersammler. 20 kolorierte Tafeln mit 502 Abbildungen und begleitendem Texte. Stuttgart. 1883. 8^0.

— die Gross-Schmetterlinge von Europa. 72 Tafeln mit 2000 Abbildungen. Suttgart. 1887. 4^0.

— die Raupen der Schmetterlinge Europas. Mit ca. 44 Tafeln in Farbendruck. Heft 1—6. Stuttgart. 1890. 8^0.

Hübner, J., Verzeichniss d. europäischen Schmetterlinge. Breslau. 1818. 8^0.

— Verzeichniss bekannter Schmetterlinge. Augsburg. 1816. 8^0.

— systematisch-alphabetisches Verzeichniss aller bisher bei den Fürbildungen zur Sammlung europäischer Schmetterlinge angegebenen Gattungsbenennungen. Augsburg. 1822. 8^0.

— Sammlung europäischer Schmetterlinge. Nebst Fortsetz. von C. Geyer. 5 Bände mit 789 color. Kupfertafeln. Augsburg. 1805—41. (1 Bd. Text. Augsburg. 1805.) Nebst 2 Heften von C. Geyer. 1830—34. 4^0.

Jablonsky, C. G., Natursystem aller bekannten in- und ausländischen Insecten. Bd. 1—11. Mit 327 color. Kupfertafeln. Berlin. 1783 —1804. 8^0. Fol.

Jördens, J. H., Geschichte der kleinen Fichtenraupe. Hof. 1798. 4^0.

Jung, E. Ch., Verzeichniss der meisten bisher bekannten europäischen Schmetterlinge mit ihren Synonymen. Frankfurt. 1782. 8^0.

Kalender, Untersuchungen über beschleunigte Entwicklung überwinternder Schmetterlingspuppen. Rostock. 1872. 8^0.

Knoch, A. W., Beiträge zur Insectengeschichte. 1—3. Stück. Leipzig. 1781. 8^0.

Krauss und Eimer, Beobachtungen über das Wandern von Vanessa Cardui L. (Sep.-Abdr.) Stuttgart. 1880. 8^0.

Lang, H. G., Verzeichniss seiner Schmetterlinge in den Gegenden um Augsburg. Augsburg. 1787. 8^0.

Millière, iconographie et description de Chenilles et Lepidoptères. Vol. 1—3. Paris. 1859—69. 8^0.

Moore, F., decriptions of new Indian Lepidopterous Insects. Heterocera prt. 1—3. Calcutta. 1888. 4^0.

Mühlecker, F., der Schmetterlingsabdruck. Stuttgart. 1835. 8^0.

Nickerl, F. A., Böhmens Tagfalter. Prag. 1837. gr. 8^0.

Ochsenheimer, E., die Schmetterlinge Europas. 1—4. Bd. 5—10. Bd. Fortgesetzt von F. Treitschke. Leipzig. 1807—35. 8^0.

Praun, S. v., Abbildung und Beschreibung europäischer Schmetterlingsraupen in systematischer Reihenfolge, zugleich als Ergänzung von dessen Abbildung und Beschreibung europäischer Schmetterlinge, herausgegeben von Dr. E. Hofmann. Nürnberg. 1874—75. 8^0.

Prunner, L. de, Lepidoptera Pedemontana. Augusta Taurinorum. 1798. 8^0.

Repatta, G. B., della larve d'Europa finora descritte. Turino. 1793. 8^0.

Renning, Dr., über ein den Weintrauben höchst schädliches, vorzüglich auf der Insel Reichenau bei Constanz einheimisches Insekt (Conch. ambiguella). Constanz. 8^0.

Reutti, C., Uebersicht der Lepidopteren-Fauna des Grossherzogthums Baden. 1853. 8⁰.

Roser, C. L. F. v., Bemerkungen über die Naturgeschichte des sogen. Wurms an den Rebenblüten. Stuttgart. 1829. 8⁰.

— über den Heu- und Sauerwurm. Stuttgart. 1835. 8⁰.

Roth von Schreckenstein, Fr., Verzeichnis der Schmetterlinge, welche um den Ursprung der Donau und des Neckars, dann um den unteren Theil des Bodensees vorkommen. Sammt Nachträgen und Berichtigungen zu dem Verzeichniss sichtbar blühender Gewächse allda. Tübingen. 1800. 8⁰.

Schneider, enumeratio insectorum Norvegicorum. Fasc. III. Catalogum Lepidopterorum continens. Auctore H. Siebke. Christianiae. 1876. 8⁰.

Sepp, C., Betrachtung der Wunder Gottes in den am wenigsten geachteten Geschöpfen, oder Niederländische Insekten. 1. Theil. Leipzig. 1783. 4⁰.

Snellen van Vollenhoven, Monographie de la Famille des Pierides. La Haye. 1865. 4⁰.

Spanner, A., die wissenschaftlichen Benennungen sämmtlicher europäischer Gross-Schmetterlinge. Berlin. 1888. 8⁰.

Staudinger, Catalogus Microlepidopterorum von Dr. Wocke. 1871. 8⁰.

Steudel, W., Präparation der Microlepidopteren oder Kleinschmetterlinge. (Sep.-Abdr.) Stuttgart. 1879. 8⁰.

Steudel, W. und E. Hofmann, Verzeichnis württembergischer Kleinschmetterlinge. (Sep.-Abdr. Jahresh. Ver. vaterl. Naturk.) 1882. 8⁰.

Strech, illustrations of the Zygaenidae and Bombycidae of North-America. 1872. 8⁰.

Verzeichniss, systemat., der Schmetterlinge der Wiener Gegend, herausgegeben von einigen Lehrern am K. K. Theresianum (Mich. Denis und Ig. Schiffermüller). Wien. 1776. 8⁰.

Wilde, O., die Pflanzen und Raupen Deutschlands. 1. Theil. 1860. 8⁰.

Withe Buchanan., F., on de male genital armature in the European Rhopalocera. (Sep.-Abdr. Lin. soc.) London. 1878. 4⁰.

5. Diptera.

Brauer, Fr., Monographie der Oestriden. Wien. 1863. 8⁰.

— offenes Schreiben als Antwort auf Herrn Baron Osten Sackens »Critical Review« meiner Arbeit über die Notocanthen. Wien. 1883. 8⁰.

Contarini, N. B., Memoria sopra una nuova specie di Cecidomya. Venezia. 1840. 4⁰.

Fallen, C. F., Diptera Sueciae. Lundae. 1817. kl. 4⁰.

Frauenfeld, G., über eine neue Fliegengattung Raymondia. (Sep.-Abdr. Sitzb.) Wien. 1855. 8⁰.

— über Reymondia Fr. und Strebla Wd. (Ebenda.) 1857. 8⁰.

— Beiträge zur Naturgeschichte der Trypeden. (Ebenda.) 8⁰.

Loew, H., Bemerkungen über die in der Posener Gegend einheimischen Arten mehrerer Zweiflügler-Gattungen. Posen. 1841. 4⁰.

— die Dipteren-Fauna Südafrikas. 1. Abt. Berlin. 1860. 4⁰.

Macquart, J., Histoire des Insectes. Diptères. Tom. 1. 2, avec Livr. 1. 2 des Planches. Paris. 1834—35. 8⁰.

24*

Meigen, J. W., systematische Beschreibung der bekannten europäischen zweiflügel. Insekten. 1—7. Theil mit 74 Stein- und Kupfertafeln. Aachen. 1818—38. 8⁰.

— Abbildungen aller bis jetzt bekannten europäischen zweiflügel. Insekten. 1. Heft mit 110 Steintafeln. Hamm. 1830. 8⁰.

Mikan, J. Ch., Monographia Bombyliorum Bohemiae. Prag. 1796. 8⁰.

Murie, J., on the occurrence of Oestrus Tarandi L. in a Reindeer in the Society's gardens. London. 1866. 8⁰.

Nowicki, M., über die Weizenverwüsterin Chlorops taeniopus Meig. und die Mittel zu ihrer Bekämpfung. Wien. 1871. 8⁰.

Osten-Sacken, R., Catalogue of the described Diptera of North America. Washington. 1858. 8⁰.

Rondani, A. C., Dipterologia italica. Prodromus. Vol. 1. Parma. 1856. 8⁰.

— Ditterologia italiana. Nr. 1. 8⁰.

— Ditterologia Memoria Nr. 2. 5. 11—12. 14. Parma. 1840—45. 8⁰.

Roser, C. L. F. v., Verzeichniss in Württemberg vorkommender zweiflügel. Insekten. Stuttgart. 1834. 8⁰.

— erster Nachtrag zu dem im Jahre 1834 bekannt gemachten Verzeichnisse in Württemberg vorkommender zweiflügel. Insekten. Stuttgart. 1840. 8⁰.

— über eine im Fleische der schwarzen Kirschen vorkommende Insekten-Larve. 8⁰.

— Beitrag zur Naturgeschichte der Insekten-Gattung Xylophagus Meig. 8⁰.

Rossi, Fr., systematisches Verzeichniss der zweiflügel. Insekten des Erzherzogthums Oestreich. Wien. 1848. 8⁰.

Sauter, J. N., Beschreibung des Getreideschänders (Tipula cerealis). Winterthur. 1817. 8⁰.

Schneider, Sp., enumeratio insectorum Norvegicorum. Fasc. IV. Catalogum Dipterorum continens. Auctore H. Siebke. Christianiae. 1877. 8⁰.

Schoenbauer, J. A., Geschichte der schädlichen Kolumbatczer Mücken im Banat. Wien. 1795. 4⁰.

Schummel, T. E., Versuch einer genauen Beschreibung der in Schlesien einheimischen Arten der Gattung Tipula. Breslau. 1833. 8⁰.

Schwab, K. L., die Oestraciden der Pferde, Rinder und Schafe. München. 1840. 4⁰.

— als Manuscript für Freunde der Naturgeschichte gedruckt. München. 1858. 8⁰.

Taton, E., note sur les insectes Diptères parasites des Batraciens. (Extr. Bull. Fr.) Paris. 1877. 8⁰.

Wagner, B., Untersuchungen über die neue Getreidegallmücke. Marburg. 1861. 4⁰.

Walser, Spathidopteryx capillata Kal. in der Larvenperiode. 1862;

— Trichoptera bavarica. Die bisher in der Umgebung von Schwabhausen in Oberbayern aufgefundenen Phryganiden, deren bekannte Larven und Gehäuse nebst generellen Notizen über letztere. (Sep.-Abdr.) Augsburg. 1864. 8⁰.

Weinland, E., Beiträge zur Kenntnis des Baues des Dipteren-Schwingers. (Dissertation.) Berlin. 1890. 8⁰.

Winnertz, Beitrag zu einer Monographie der Sciarinen. Wien. 1867. 8⁰.

6. Neuroptera und Orthoptera.

Brauer, Neuroptera austriaca. Wien. 8⁰.

Brunner de Wattenwyl, letter adr. J. E. Gray. 1870. 8⁰.

— Monographie der Phaneropteriden. Wien. 1878. 8⁰.

Genè, G., Saggio di una monografia della Forficule indigene. Padova. 1832. 4⁰.

Gerstäcker, A., die Wanderheuschrecke (Oedipoda migratoria L.). Gemeinverständliche Darstellung ihrer Naturgeschichte, Lebensweise, Schädlichkeit und der Mittel zu ihrer Vertilgung. Berlin. 1876. 8⁰.

Hoeven, M. J. van der, sur un nouveau caractère pour distinguer les Libellules. Paris. 1829. 8⁰,

Mc Lachlan, Rob., a monographly, revision and synopsis of Trichoptera of the European fauna. London. 1874—80. Mit Supplement prt. 1. 2. First additional Supplement etc. 1884. 8⁰.

Müller, A., Auftreten der Wanderheuschrecke am Ufer des Bielersee's. Luzern. 1876. 8⁰.

Pictet, F. J., Description de quelques nouvelles espèces de Neuroptères, Genève. 1835. 4⁰.

— Histoire, naturelle générale et particulière des insectes Neuroptères. Première Monographie: Famille de Perlides, avec 53 pl. lith. et color. Livr. 1—11. (Tom. 1. Texte, Tom. 2. Planches.) Paris. 1841. 8⁰. Seconde Monographie: Famille des Ephémérides. 1—10 Livr. avec 47 pl. color. Paris. 1843—44. 8⁰.

Rostock, M., Verzeichnis der Neuropteren Deutschlands, Oesterreichs und der Schweiz. (Sep.-Abdr. Ent. Nach.) 1881. 8⁰.

Rougemont, Ph., Helicopsyche sperata. (Extr. Bull. Neuchâtel.) 1879. 8⁰.

Schummel, Th., Versuch einer genauen Beschreibung der in Schlesien einheimischen Arten der Gattung Raphidia Lɪɴ. Breslau. 1832. 8⁰.

Selys Longchamps, E. de, Description de deux nouvelles espèces d'Aeschna. Bruxelles. 1840. 8⁰.

Singer, Orthopteren Regensburgs. (Programm.) 1869. 4⁰.

Steindachner und Krauss, Orthopteren vom Senegal. (Sep.-Abdr.) 1877. 8⁰.

Stäl, C., systema Acridiodeorum. Essai d'une systematisation des Acridiodes. Stockholm. 1878. 8⁰.

— recensio Orthopterorum, revue critique des Orthoptères par Linné, De Geer und Thunberg. pt. 1—3. Stockholm. 1873—75. 8⁰.

Zetterstedt, J. W., Orthoptera Sueciae. Lundae. 1821. 8⁰.

7. Hemiptera.

Bohemann, C., nya Suenska Homoptera. 1845. 8⁰.

Brass, A., zur Kenntnis der Eibildung und der ersten Entwickelungsstadien bei den viviparen Aphiden. Halle a. S. 1883. 8⁰.

Donnadieu, A. L., les véritables origines de la question Phylloxérique. Paris. 1887. 8⁰.

Fallen, C. F., Monographia Cimicum Sueciae. Editio nova. Hafniae. 1823. 8⁰.

Foerster, A., Uebersicht der Gattungen und Arten in der Familie der Psylloden. 1848. 8⁰.

Frauenfeld, über Phylloxera vastatrix. (Sep.-Abdr. Verb. z. b. V.) Wien. 1873. 8⁰.

Hahn und Herrich-Schäffer, die wanzenartigen Insekten. 1—3. Bd. mit 108 illum. Kupfertafeln. Nürnberg. 1831—36. 3—9. Bd. fortgesetzt von Herrich-Schäffer mit 126 illum. Kupfertafeln. Nürnberg. 1836—48. 8⁰.

Herrich-Schäffer, Synopsis generum Hemipterorum. Regensburg. 1835. 12⁰.

Heyden, C. H. v., entomologische Beiträge. (Aphidina.) 4⁰.

Kaltenbach, J. H., Monographie der Familien der Pflanzenläuse (Phytophthires). 1. Theil. Die Blatt- und Erdläuse. Aachen. 1843. 4⁰.

Kerner, J. S., Naturgeschichte der Coccus Bromeliae. Stuttgart. 1778. 8⁰.

Kessler, H. F., die Lebensgeschichte der auf Ulmus campestris L. vorkommenden Aphiden-Arten. Cassel. 1878. 8⁰.

Kirschbaum, die Athysanus-Arten der Gegend von Wiesbaden. Wiesbaden. 1858. 4⁰.

Kolenati, Hemipterorum heteropterorum astridalante Caniasi. (Meletemata entomologica.) Mosquae. 1857. 8⁰.

Meyer, L. R., Verzeichniss der in der Schweiz einheimischen Rhynchoten. 1. Theil. Die Familie der Capsini. Solothurn. 1843. 8⁰.

Puton, Catalogue des Hémiptères de la Faune paléartique. 3 Edit. 1887. 8⁰.

Schellenberg, J. R., Cimicum in Helvetiae aquis et terris degentium genus. Turici. 1800. 8⁰.

Schummel, Th. E., Versuch einer genauen Beschreibung der in Schlesien einheimischen Arten der Familie der Ruderwanzen. Breslau. 1832. 8⁰.

Spinola, T., dei generi spettanti alla classe degli Insetti: Rhyngota. Modena. 1850. 4⁰.

Stål, C., Hemiptera africana. Tom. 1—4. Holmae 1864—66. 8⁰.

Staiger, K. T., Phylloxera vastatrix. Brisbane. 1878. 8⁰.

Stiebke, H., enumeratio insectorum Norvegicorum. Fasc. 1. Catalogum Hemipterorum et Orthopterorum continens. Christiania. 1874. 8⁰.

Stoll, C., Représentation exactement colorée d'après nature des Punaises, avec 41 tab. Amsterdam. 1788. gr. 4⁰.

Uhler, P. R., list of Hemiptera of the region West of the Mississippi river, including those collected during the Hayden explorations of 1873. Washington. 1876. 8⁰.

Wolf, J. F., Abbildungen der Wanzen mit Beschreibungen. 1—4. Heft. Beschreibung mit einem Theil Kupfertafeln. Erlangen. 1800—11. 4⁰.

8. Arachnidae.

Audouin, M. V., Observations sur le nid d'une Araignée, construit en terre. Paris. 1830. 8^0.

Hahn, C. W. und Koch, die Arachniden, getreu nach der Natur abgebildet und beschrieben. 1. 2. Bd. mit 563 illum. Kupfertafeln. 3—16. Bd. fortgesetzt von C. L. Koch. Nürnberg. 1844—46. 8^0.

Hering, E., die Krätzmilben der Thiere und einige verwandte Arten, nach eigenen Untersuchungen beschrieben. Bonn. 1838. 4^0.

Koch, C. L., Verzeichniss der in den 16 Bänden des Werkes, die Arachniden, vorkommenden Arten und Synonymen. Nürnberg. 1849. 8^0.

— Übersicht des Arachnidensystems. 1. 2. Heft. Nürnberg. 1837—51. 8^0.

— System der Myriapoden. Regensburg. 1847. 8^0.

Koch, L., Verzeichniss der bei Nürnberg beobachteten Arachniden. Nürnberg. 1878. 8^0.

— Apterologisches aus dem fränkischen Jura. Nürnberg. 1872. 8^0.

— Beitrag zur Kenntniss der Arachnidenfauna Tirols. 1. 2. Heft. 8^0.

— übersichtliche Darstellung der europäischen Chernetiden (Pseudoscorpione). Nürnberg. 1873. 8^0.

— Verzeichniss der in Tirol beobachteten Arachniden. 1876. 8^0.

— Beiträge zur Kenntniss der Arachnidenfauna Galiziens. Krakau. 1870. 8^0.

— Beschreibung einiger in der Oberlausitz und im Riesengebirge entdeckten neuen Spinnenarten. Görlitz. 1874. 8^0.

— ägyptische und abyssinische Arachniden. Nürnberg. 1875. 8^0.

— japanesische Arachniden und Myriapoden. Wien. 1878. 8^0.

Lister, M., Naturgeschichte der Spinnen, insbesondere der englischen Spinnen. Übersetzt von J. A. E. Goeze. Blankenburg. 1778. 8^0.

Raspail, F. V., Naturgeschichte des Insects der Krätze. Aus dem Französischen von G. K. Kunze. Leipzig. 1835. 8^0.

Walkenaer, C. A., Tableau des Araneïdes. Paris. 1805. 8^0.

IV. Botanik.

Andersson, N. v., plantae Scandinaviae. Cyperographie von E. Fries. Holmiae. 1849. 8^0.

Anthophilus, deliciae hortenses. Stuttgart. 1710. 8^0.

Baccarini, P., contribuzione allo studio del colori nei vegetali. 1885. 4^0.

Bardili, C. G., de Diosma crenata. (Dissertation.) Tübingen. 1830. 8^0.

Barth, E. A., über die Umwandlung von Antheren in Carpelle. (Dissertation.) 1836. 8^0.

Bartling, F. G., de littoribus ac insulis maris liburnici. Hannover. 1820. 8^0.

Basiner, Th., über die Biegsamkeit der Pflanzen gegen klimatische Einflüsse. Moskau. 1857. 8^0.

Batsch, A. J. G. C., Botanik für Frauenzimmer. Weimar. 1804. 8^0.

Bauhin, Casp., pinax theatri botanici etc. Basiliae. 1671. 4^0.

Bausch, W., Übersicht der Flechten des Grossherzogthums Baden. Karlsruhe. 1869. 8^0.

Beck, F. J., über die mittlere Zeit der Blüthenentwicklung mehrerer Pflanzen bei Tübingen. (Dissertation.) Tübingen. 1831. 8^0.

Behrens, J., methodisches Lehrbuch der allgemeinen Botanik für höhere Lehranstalten. 2. Aufl. Braunschweig. 1882. 8^0.

Beilreich, Diagnosen der in Ungarn und Slavonien bisher beobachteten Gefässpflanzen. Wien. 1867. 8^0.

— die Vegetationsverhältnisse von Croatien. Wien. 1866. 8^0.

Bereau, A., percés des principales herborisations. 1861—62. 8^0.

Berg, J., Obst und Weintrauben Württembergs. (Dissertation.) Tübingen. 1827. 8^0.

Bertram, W., Schulbotanik, Tabellen zum leichten Bestimmen der in Norddeutschland häufig wildwachsenden und angebauten Pflanzen mit besonderer Berücksichtigung der Ziergewächse. Braunschweig. 1844. 8^0.

Bjäf, F., on floran Skanes Rolforande Bildningar. Först Häftet. Stockholm. 4^0.

Bischoff, G. W., die kryptogamischen Gewächse mit besonderer Berücksichtigung der Flora Deutschlands und der Schweiz. Lief. 1. 2. Nürnberg, 1828. 4^0.

— zur Naturgeschichte der Salvinie (Salvinia natans SCHREB.). Heidelberg. 1826. 8^0.

— Bemerkungen über die Lebermoose vorzüglich aus den Gruppen der Marchantien und Riccieen, nebst Beschreibung mehrerer theils kritischer, theils neuer Arten. (Sep.-Abdr. Nov. Act.) 1835. 4^0.

— Wörterbuch der beschreibenden Botanik. 2. Aufl. Stuttgart. 1857. 8^0.

Blanche, E., école de Botanique de Rouen. 1869. 8^0.

Bluff und Fingerhut, compendium florae germanicae. Tom. 1—4. Norimbergae. 1825—33. 8^0.

Blume, C. L., Museum botanicum Lugduno-Batavum. Tom. 1. 2. Lugduni-Batavorum. 1849—56. 8^0.

Böhrhaave, H., historia plantarum, quae in horto academico Lugduni-Batavorum crescunt cum earum characteribus. Romae. 1727. 8^0.

Boissier, E., Diagnoses plantarum orientalium novarum. Lipsiae. 1846. 8^0.

Braeucker, Th., Deutschlands wildwachsende Rosen, 150 Arten und Formen. Berlin. 1882. 8^0.

Brown, R., on the female flower and fruit of Rafflesia Arnoldi and on Hydnora africana. London. 1844. 4^0.

Brunchorst, J., über einige Wurzelanschwellungen, bes. diejenigen von Alnus und den Elaeagnaceen. 1886. 8^0.

Bührlen, G. S., über die winterliche Färbung der Blätter. (Dissertation.) Tübingen. 1837. 8^0.

Burbidge, F. W., die Orchideen des temperirten und kalten Hauses. Aus dem Englischen von M. Lebl. Stuttgart. 1875. 8^0.

Burvenich, F., die Obstbaumzucht an den Giebelmauern. Stuttgart. 1877. 8^0.

Buton, G., cenni sullo Eucalyptus globulus. Bologna. 1874. 8^0.

Caflisch, Fr., Übersicht der Flora von Augsburg. Augsburg. 1850. 8^0.

C a f l i s c h, Fr., Excursionsflora für das südöstliche Deutschland. Augsburg. 1878. 12⁰

C a l w e r, C. G., Württembergs Holz- und Straucharten mit besonderer Beziehung auf ihre Standörter. Stuttgart. 1853. 8⁰.

C a n d o l l e, de, Organographie der Gewächse. Deutsch v. Meissner. 2 Bände und 1 Bd. Tafeln. Stuttgart. 1828.

— Pflanzen-Physiologie. Aus dem Französischen von Röper. Bd. 1. 2. Stuttgart. 1833—35. 8⁰.

C a r l o t a, M., Memoria sobre el Agave Maximilianea. Mexico. 1865. 8⁰.

C a r u e l, T., Museum botanicum zu Florenz. Firenze. 1881. gr. 8⁰.

C a s p a r y, R., über die Gefässbündel der Pflanzen. Berlin. 1862. 8⁰.

C h a l o n à N a m u r, Structure de la cellule vegetale. 8⁰.

C h r i s t y, Th., new commercial plants and drogs. London. 1872. 8⁰.

C l a r k e, C., Compositae Indicae. Calcutta. 1876. 8⁰.

C o o p e r, E., forest culture of Eucalyptus trees. San Francisco. 1876 8⁰.

D a r w i n, Ch., die Bewegungen und Lebensweise der kletternden Pflanzen. Übersetzt von J. V. Carus. Stuttgart. 1876. 8⁰.

— Insectenfressende Pflanzen. Aus dem Engl. übersetzt von V. Carus. 1876. 8⁰.

— die Wirkungen der Kreuz- und Selbst-Befruchtung im Pflanzenreiche. Aus dem Engl. übersetzt von V. Carus. 1877. 8⁰.

— die verschiedenen Einrichtungen, durch welche Orchideen von Insecten befruchtet werden. Aus dem Engl. übersetzt von V. Carus. 2. Aufl. 1877. 8⁰.

— die verschiedenen Blüthenformen an Pflanzen der nàmlichen Art. Aus dem Engl. übersetzt von V. Carus. 1877. 8⁰.

— das Bewegungsvermögen der Pflanzen. Aus dem Engl. übersetzt von V. Carus. 1877. 8⁰.

D e c a i s n e, M. T., sur les caractères et les affinités des Oliniées. Paris. 1877 8⁰.

D e e c k e, Th., über die Entwicklung des Embryo bei Pedicularis palustris und sylvatica. Halle. 1855. 4⁰.

D e l i s e, D., Histoire des Lichens. Genre Sticta. 1822. 8⁰.

D e r v a u x, programme d'un cours de botanique. 2. Ed. Angers. 1852. 8⁰.

D i e l, A. F. Adr., Versuch einer systematischen Beschreibung in Deutschland vorhandener Kernobstsorten. Heft 1—16. Frankfurt a. M. 1799—1809. 8⁰.

D i e t z, W., über die Wirkungen des Mutterkorns auf den thierischen Organismus und seine Entstehungsart. (Dissertation.) Tübingen. 1831. 8⁰.

D o e n f e l d, Weinbauschule oder Anleitung zur Pflanzung der Rebe und Gewinnung des Weins. Stuttgart. 1859. 8⁰.

D u t a i l l y, M. G., recherches anatomiques et organogéniques sur les Cucurbitacées et les Passiflorées. Paris 1879. 8⁰.

— sur quelques phénomènes detérminés par l'apparition tardive d'éléments nouveaux dans les tiges et les racines des Dicotylédones. 2. Propositions données par la faculté. Paris. 1879. 8⁰.

D u v e r n o y, G. L., de Salvinia natante. (Dissertation.) Tübingen. 1825. 8⁰.

D u v e r n o y, G. L., Untersuchungen über Keimung, Bau und Wachsthum der Monokotyledonen. (Dissertation.) Stuttgart. 1834. 8^0.

E b e r m a i e r, C. H., Plantarum Papilionacearum monographia medica. (Dissertation.) Berlin. 1824. 8^0.

E g e n t e r, J., Beiträge zur Flora von Oberschwaben. (Dissertation.) Tübingen. 1862. 8^0.

E i c h l e r, A. W., zur Entwicklungsgeschichte der Palmenblätter. Berlin. 1885. 4^0.

E i s e n a c h, H., Übersicht der bisher in der Umgegend von Kassel beobachteten Pilze. Kassel. 1878. 8^0.

E n d e r l e, B. J., über den Mittelstock von Tamus Elephantipes L. (Dissertation.) Tübingen. 1836. 4^0.

E n g e l m a n n, G., Cactaceae of the United States and Mexican Boundary. Text and Pl. 1—75. 4^0.

— Icones florum antholyticorum. Francofurti. 1832. 8^0.

— Cacteae of the Boundary. 1858. 4^0.

E t t i n g h a u s e n und P o k o r n y, die wissenschaftliche Anwendung des Naturselbstdruckes zur graphischen Darstellung von Pflanzen. Wien. 1856. Fol.

F a l k e n b e r g, P., vergl. Untersuchungen über den Bau der Vegetationsorgane der Monocotyledonen. Stuttgart. 1876. 8^0.

F e i l, K. Fr., über die Vertheilung der Farben und Geruchsverhältnisse bei den Asperifolien. (Dissertation.) Tübingen. 1838. 8^0.

F i n k h, J. F., de secale cornuto. (Dissertation.) 1830. 8^0.

F i s c h e r, F. E., Beiträge zur botanischen Systematik, die Existenz der Monocotyledonen und der Polycotyledonen betreffend. Zürich. 1812. 4^0.

F l e i s c h e r, F., Beiträge zur Lehre von dem Keimen der Samen der Gewächse. Stuttgart. 1851. 8^0.

— über Missbildungen verschiedener Kulturpflanzen etc. Esslingen. 1862. 8^0.

F l e i s c h e r, F., die Riedgräser Württembergs. (Dissertation.) Tübingen. 1832. 8^0.

F r a n c k, C. A., über die Farben der Blüthen. (Dissertation.) Tübingen. 1825. 8^0.

F r e g e, Ch. A., deutsches botanisches Taschenbuch etc. Theil 1—4. Zeiz. 1809—14. 12^0.

F r i e d r i c h, C., die Flechten des Grossherzogthums Hessen. Riga. 1878. 8^0.

F r i s o n i, E., über die Verbindung der Pflanzenzellen unter einander. (Dissertation.) Tübingen. 1835. 4^0.

F r i t s c h e, J., de plantarum polline. (Dissertation.) Berolini. 1833. 8^0.

G ä r t n e r, C. F., Pflanzenphysiologische Beobachtungen, besonders über das Tropfen aus den Blattspitzen der Calla aethiopica 8^0.

— Beiträge zur Kenntniss der Befruchtung der vollkommenen Gewächse. Stuttgart. 1. Theil. 1844. 8^0.

— Versuche und Beobachtungen über die Bastarderzeugung im Pflanzenreich. Stuttgart. 1849. 8^0.

Garcke, A., Flora von Deutschland. 13. Aufl. der Flora von Nord-
und Mitteldeutschland. Berlin. 1878. 8⁰.

Gartenzeitung, illustrirte, eine monatliche Zeitschrift für Garten-
bau, Obstbau und Blumenzucht. Hg. v. Lebl. Jahrgang 1—31.
1856—87. Stuttgart. gr. 8⁰.

Geiger, K., Entwicklungsgeschichte des Prothalliums von Gymno-
gramme leptophylla. (Dissertation.) Strassburg. 1877. 4⁰.

Geiger, Ph. L., de Calendula officinalis L. (Dissertation.) Heidelberg.
1818. 8⁰.

Gesner, J, Fundamenta botanica. (Dissertation.) Halle. 1747. 8⁰.

Gleditsch, D. J. G., methodus fungorum etc. Berolini. 1753. 8⁰.

Gmelin, J. F., Enumeratio stirpium agro Tubingensi indigenarum.
Tubingae. 1772. 8⁰.

Gmelin, G. J., Reliquias quae supersunt commercii epistolici cum
Carolo Linnaeo, Alberto Hallero. Guilielmo Stellero et al., floram
Gmelini sibiricam ejusque iter -sibiricum potissimum concernentis
curavit G. H. Th. Plieninger. Stuttgartiae. 1861. 8⁰.

Gochnat, F. C., de plantis cichoraceis. Argentorati. 1808. 4⁰.

Göppert, H. R., über botanische Museen, insbesondere über das
an der Universität Breslau. Görlitz. 1856. 8⁰.

— der Hausschwamm; seine Entwicklung und seine Bekämpfung,
herausgegeben von Dr. Th. Poleck. Breslau. 1885. 8⁰.

Grisebach, A., die Vegetations-Gebiete der Erde. (Sep.-Abdr. Petermann's Mittheilungen.) 1866. 4⁰.

— commentatio de distributione Hieracii generis per Europam geographica. Göttingen. 1852. 4⁰.

— Grundriss der systematischen Botanik für academische Vorlesungen.
Göttingen. 1854. 8⁰.

Gümbel, Th., Momente zur Ergründung des Wesens der Trauben-
und Kartoffelkrankheit. Landau. 1854. 4⁰.

Härlin, A. F., über den Bau der vegetabilischen Zellenmembran.
(Dissertation.) Tübingen. 1837. 8⁰.

Hallier, E. und F. Rochleder, die Pflanze. Hildburghausen. 1866. 8⁰.

Harkness and Moore, Catalogue of the Pacific coast Fungi.
1880. 8⁰.

Hartig, der ächte Hausschwamm (Merulius lacrymans). Berlin. 1855. 8⁰.

Hartmann, E., welche Autorität soll den Gattungsnamen beigegeben
werden. (Dissertation.) Tübingen. 1836. 8⁰.

Hartmann, W., Observationes botanicae de discrimine generico Betulae
et Alni. (Dissertation.) Stuttgart. 1794. 8⁰.

— species plantarum florae Württembergicae. (Manuskript.) 1806. 4⁰.

Hartmann, Utricariae vulgaris adumbratio. (Dissert.) Tübingen. 1832.

Hasskarl, C., Commelinaceae indicae, imprimis Archipelagi indici.
Vindobonae. 1870. 8⁰.

Haupt, die Bamberger Gärtnerei, ein Theil der freien Wirthschaft.
Schulprogramm. 1865—66. 4⁰.

Hegelmaier, E., vergleichende Untersuchungen über Entwicklung
dicotyledoner Keime etc. Stuttgart. 1878. 8⁰.

Heldreich, Th., die Nutzpflanzen Griechenlands. Athen. 1862. 8⁰.

Hering und Martens, Amansia jungermannioides und Amphiroa pustulata. (Sep.-Abdr. allg. bot. Zeitschr.) 1836. 8⁰.

Heyer, C. und Rossmann, Phanerogamen-Flora von Oberhessen und insbesondere der Umgebung von Giessen. Giessen. 1860. 8⁰.

Heyne, F. A., Pflanzenkalender. Stuttgart. 1809. 8⁰.

Hibberd, Shirley familiar garden flowers. Part. 1—19. London. 8⁰.

Hinüber, v., Verzeichniss der im Sollinge und Umgegend wachsenden Gefässpflanzen. Wien. 1868. 8⁰.

Hochstetter, Ch. F., plantarum Nubicarum nova genera. 8⁰.

— nachträglicher Commentar zu der Abhandlung: Aufbau der Graspflanze, nebst morphologischen und taxonomischen Andeutungen, einige andere Pflanzenfamilien betreffend. Regensburg. 1848. 8⁰.

— Nova genera plantarum Africae tum australis tum tropicae borealis. Regensburg. 1842. 8⁰.

Hoffmann, Lehrbuch der Botanik. Darmstadt. 1857. 8⁰.

Hoffmann, G. F., Deutschlands Flora, oder botanisches Taschenbuch für das Jahr 1791. Erlangen. 1800. 12⁰.

— dasselbe neue vermehrte Auflage. Erlangen. 1800—1804. 12⁰.

Hoffmann, H., Schilderung der deutschen Pflanzenfamilien etc. Giessen. 1846. 8⁰.

Hoppe, F. C., Abhandlung von der Begattung der Pflanzen. Altenburg. 1773. 8⁰.

Hübner, J. G., Pflanzenatlas. 5. Auflage mit 32 Tafeln. Heilbronn. gr. Fol.

Hüttenschmidt, C. R., die Entwicklung des Korkes und der Borke auf der Rinde der baumartigen Dicotyledonen. (Dissert.) Tübingen. 1836. 4⁰.

Hulme, E., familiar wild flowers. Part. 1—42. London.

Humboldt, Al. v., Ideen zu einer Physiognomik der Gewächse. Tübingen. 1806. 8⁰.

Humboldt, Al. v. und A. Bonpland, Ideen zu einer Geographie der Pflanzen etc, Tübingen. 1807. 4⁰ und Fol.-Taf.

Irmisch, Th., über einige Arten aus der natürlichen Pflanzenfamilie der Potameen. Berlin. 1858. 4⁰.

Jacquin, N. J., Edler v., Anleitung zur Pflanzenkenntniss nach Linné's Methode. Wien. 1785. 8⁰.

Jäger, Georg, über die Missbildungen der Gewächse etc. Stuttgart. 1814. 8⁰.

— Observationes de quibusdam Pini silvestris monstris. 1828. 4⁰.

— de Metamorphosi partium floris Tropaeoli majoris in folia. 4⁰.

— über die Wirkungen des Arseniks auf Pflanzen. Stuttgart. 1864. 8⁰.

— de monstrosa folii Phoenicis dactyliferae confirmatione a Goethio olim observata. Fol. 1837.

Jaeger, H., der Obstbaumschnitt. Neueste Methode zur Behandlung der feineren Obstsorten am Spalier, sowie in allen andern gebräuchlichen Formen. Nach J. A. Hardy. Leipzig. 1867. 8⁰.

Jeffrey, botanical expedition to Oregon. 1854. 4⁰.

Jobst, Fr., neue Nachrichten aus La Guayra und Carracas über die arzneilichen Kräfte der Mikania Guaco. Stuttgart. 1840. 8⁰.

Jobst, J., über javanische Chinarinden und deren Gehalt; über die neueste Importation javanischer Chinarinden im Jahre 1872, 1870. 1872. 8⁰.

Joli, Ch., note sur les Eucalyptus géants de l'Australie. Paris. 1885. 8⁰.

Jordan, A., nouveau mémoire sur la question relative aux Aegilops triticoides et speltaeformis. Paris. 1857. 8⁰.

— de l'origine des diverses variétés ou espèces d'arbres fruitiers et autres végétaux généralement cultivés pour les besoins de l'homme. Paris. 1856. 8⁰.

— Mémoire sur l'Aegilops triticoïdes et sur les questions d'hybridité, de variabilité spécifique. Paris. 1856. 8⁰.

Jussieu, A., introductio in historiam plantarum. Paris. 8⁰.

Kehrer, Flora der Heilbronner Stadtmarkung. Theil 1—4. Heilbronn. 1856—73. 4⁰.

Keller, P., die Rose. Ein Handbuch für Rosenfreunde. Halle a. S. 1885. 12⁰.

Kern, F., Untersuchungen über die Temperaturverhältnisse der Schwäbischen Alb. (Dissertation.) Tübingen. 1831. 8⁰.

Kerner, A., der Bakonyerwald, eine pflanzengeographische Skizze. (Verb. z. B. V.) Wien. 1856. 8⁰.

Kerner, J. S., giftige und essbare Schwämme, mit 16 Kupfertafeln. Stuttgart. 1786. 8⁰.

— Flora Stuttgardiensis oder Verzeichniss der um Stuttgart wildwachsenden Pflanzen. Stuttgart. 1786. 8⁰.

Kielmeyer, R. F., Manuscript der Vorlesungen über Physiologie der Pflanzen. Tübingen.

— de vegetatione in regionibus alpinis. (Dissertation.) Tübingen. 1804. 8⁰.

Kirchner, O., über die Empfindlichkeit der Wurzelspitze für die Einwirkung der Schwerkraft. Hohenheim. 1882. 8⁰.

— neue Beobachtungen über die Bestäubungs-Einrichtungen einheimischer Pflanzen. Stuttgart. 1886. 8⁰.

— Flora von Stuttgart und Umgebung mit besonderer Berücksichtigung der pflanzenbiologischen Verhältnisse. Stuttgart. 1888. 8⁰.

— Beiträge zur Biologie der Blüten. Stuttgart. 1890. 8⁰.

— die Krankheiten und Beschädigungen unserer landwirtschaftlichen Kulturpflanzen. Stuttgart. 1890. 8⁰.

Kirschleger, Fr., Flore d'Alsace. Strassbourg. 1852—58.

Klinsmann, E. F., Clavis Dilleniana ad Hortum Elthamensem. Danzig. 1856. 4⁰.

Klunzinger, B., die Vegetation der ägyptisch-arabischen Wüste bei Kosseir. 1878. 8⁰.

Koch, G., études sur les Broméleacées édit. par Alf. Borre. Gand. 1860. 8⁰.

— notice sur le genre Philadelphus édit. par Alf. Borre. Gand. 1860. 8⁰.

Köhler, F., Untersuchungen über Obst- und Weintraubenarten Württembergs. (Dissertation.) Tübingen. 1826. 8⁰.

Köhler, F. J., über die Vertheilung der Farben und Geruchsverhältnisse in den wichtigeren Familien des Pflanzenreichs. (Dissertation.)
Tübingen. 1831. 8⁰.

Koeler, G. L., descriptio Graminum in Gallia et Germania etc. Francofurti. 1802. 8⁰.

König, K., der botanische Führer durch die Rheinpfalz. Mannheim.
1842. 8⁰.

Köstlin, C. H., de materiis narcoticis regni vegetabilis earumque ratione botanica. (Dissertation.) Tübingen. 1838. 8⁰.

Kotschy, Th., Aedemone mirabilis, ein weisses Schwimmholz vom
weissen Nil. Wien. 1888. 8⁰.

— die Vegetation und der Isthmus von Suez. Wien. 1888. 4⁰.

Kramer, Fr., Phanerogamen-Flora von Chemnitz und Umgegend. Chemnitz. 1875. 4⁰.

Kratzmann, E., die Lehre vom Samen der Pflanzen. Prag. 1839. 8⁰.

Krause, E., die botanische Systematik in ihrem Verhältniss zur Morphologie. Weimar. 1866. 8.

Krauss, F., Abbildung und Beschreibung der Martensia elegans HE-
RING, einer neuen Algen-Gattung. (Sep.-Abdr. Flora. No. 47.)
1844. 8⁰.

— Beiträge zur Flora des Cap- und Natallandes. Ebenda. 8⁰.

Krauss, G., über die Ursachen der Formänderung etiolirender Pflanzen.
Jena. 1869. 8⁰.

Krzisch, J. F., Phanerogame Flora des Oberneutraer Comitates.
Wien. 8⁰.

Kunth, C. S., enumeratio plantarum etc. Stuttgardiae. 1833—35. 8⁰.
und Atlas 4⁰.

Kunze, G., Plantarum acotyledonearum Africae australis recensio nova.
Prs. 1. Filices. Halle. 1836. 8⁰.

Kurr, J. G., Untersuchungen über die Bedeutung der Nektarien in
den Blumen. Stuttgart. 1833. 8⁰.

Kurtz, Fr., Aufzählung der von K. Graf von Waldburg-Zeil im Jahr
1876 in Westsibirien gesammelten Pflanzen. Berlin. 1879. 8⁰.

Kurz, S., on Pandanophyllum and allied genera. 1869. 8⁰.

Lachenmeyr, J. C., Untersuchungen über die Farbenveränderungen
der Blüthen. (Dissertation.) Tübingen. 1833. 8⁰.

Lachmann, H. W. L., Flora Brunsvicensis. 1. 2. Theil. Braunschweig.

Landerer, H., morphologische Beobachtungen über das Sporangium
der mit Gefässen versehenen Cryptogamen. (Dissertation.) Tübingen.
1837. 8⁰.

Lebl, M., die Zimmer-, Fenster- und Balkongärtnerei. Stuttgart.
1878. 8⁰.

Lechler, W., Supplement zur Flora von Württemberg. Stuttgart.
1844. 8⁰.

— Berberides Americae australis. Stuttgartiae. 1857. 8⁰.

Leimer, F., die Flora von Augsburg etc. 1854. 8⁰.

Lejolis, A., Mémoire sur l'introduction et la floraison à Cherbourg
d'une espèce peu connue de Lin de la Nouvelle-Zélande et revue

des plants confondues sous le nom de Phormium tenax. Cherbourg. 1848. 8^0.

Lejolis, A., observations sur les Ulex des environs de Cherbourg. Cherbourg. 1853. 8^0.

— Laminaria digitata. Paris. 1855. 4^0.

Leube, G., über den Haus-Schwamm, sein Entstehen und die Mittel zu seiner Vertilgung. Ulm. 1862. 8^0.

Littjeborg, C. P., conspectus criticus Diatomacearum. (Dissertation.) Lundae. 1830. 8^0.

Lorey, F., über Stammanalysen von Hohenheim.

Lorinser, F. W., die wichtigsten essbaren, verdächtigen und giftigen Schwämme mit naturgetreuen Abbildungen. Wien. 1876. 8^0 und Fol.

Lucas, E., Abbildungen württembergischer Obstsorten. Stuttgart. 1858. 4^0.

— über die verschiedenen Methoden zur Fortpflanzung unserer Obstsorten. 1850. 8^0.

Macedo, M. A., notice sur le palmier Carnauba. Paris. 1867. 8^0.

Majer, C. E., über die Lenticellen. (Dissertation.) Tübingen. 1836. 4^0.

Manz, E. F., Versuche und Beobachtungen über den Kartoffelbau und die Krankheiten der Kartoffeln, besonders im Jahr 1845. Stuttgart. 1845. 8^0.

Martens, G. v., die Gartenbohnen, ihre Verbreitung, Cultur und Benützung. Stuttgart. 1860. 8^0.

Martens v. und Kemmler, Flora von Württemberg und Hohenzollern. 2. Aufl. Tübingen. 1865. 8^0.

— Dasselbe. 3. Aufl. Heilbronn. 1882. 8^0.

Martius, K. F. v., über die diesjährige Krankheit der Kartoffeln oder die nasse Fäule. München. 1845. 8^0.

Masters; M., notes on double flowers 1866; the bitter Cola (Garciniae sp.) 1875; classified list of Passiflorae 1874; monographic sketch of the Durioneae 1875; on a double flowered variety of Orchis mascula 1867. London. 8^0.

Maximovicz, Vegetationsskizzen des Amurlandes. 8^0.

Mayer, G., observationes quaedam botanico-phisiologicae adjectis de tumore albogenu thesibus. (Dissertation.) Tübingen. 1830. 8^0.

Meissner, C. F., synopsis Thymelaearum, Polygonearum et Begoniarum Africae australis. München. 8^0.

Mejer, C., Veränderungen in dem Bestande der hannoverischen Flora seit 1780. Hannover. 1867. 4^0.

Meyen, F. J. F., Bewegung der Säfte in den Pflanzen. Berlin. 1854. 8^0.

Meyer, E., commentariorum de plantis Africae australioris. Vol. 1. Fasc. 2. Leipzig. 1837. 8^0.

Michler, W., Untersuchungen über die anatomischen Verhältnisse des Chlorophylls. (Dissertation.) Tübingen. 1837. 8^0.

Mohl, H., Manuscript der Vorlesungen über Botanik im Sommersemester 1847. 1. Heft. 4^0.

— über die Poren des Pflanzenzellgewebes. Tübingen. 1826. 4^0.

Montagne, C., Phykologie oder Einleitung ins Studium der Algen übersetzt von C. Müller. Halle. 1851. 8^0.

Mohr, C., über die Verbreitung der Terpentin liefernden Pinus-Arten im Süden der Ver. Staaten und über die Gewinnung und Verarbeitung des Terpentins. (Sep.-Abdr. Pharmac. Rundschau.) 1884. Fol.

Morren, E., détermination du nombre des stomates, 1864; la botanique au Pays de Liège; correspondance botanique. Liste des jardins botaniques du monde. Liège. 1874—75. 8⁰.

— liste des jardins, des chaires, des musées, des revues et des sociétés botanique. Liège. 1878. 1879. 8^0.

Müllenhoff, K., über den Ernährungs- und Athmungsprocess der Pflanzen im Vergleich mit dem der Thiere. (Dissertation.) 1874. 8^0.

Müller, Baron F. v., Report on the vegetable Products, exhib. in the international exhibition of 1866—67. Melbourne. 1867. 8^0.

— Australian Vegetation indigenous or introduced, considered especially in its bearings on the occupation of the territory, and with a view of unfolding its resources. Melbourne. 1867. 8^0.

— Annual Report of the Government Botanist and Director of the botanical Garden. Victoria. 1862—63 u. 1864—65. 4^0.

— Plan of the Government House reserve Botanical Garden and its domain. Fol.

— fragmenta phytographiae Australiae. Vol. 1—12. Melbourne. 1859 —81. 8^0.

— analytical drawings of Australian mosses. Fasc. 1. Melbourne. 1864. 8^0.

— the Plants indigenous of Victoria. Melbourne. 1864—65. 4^0.

— forest culture in its relation to industrial pursuits. 1871. 8^0.

— introduction to botanic teachings at the schools of Victoria. Melbourne. 1877. 8^0.

— descriptive notes an Papuan plants. Tom. 1. Melbourne. 1875. 8^0.

— Select plants readily eligible for industrial culture or naturalisation. Melbourne. 1876. 8^0.

— the native Plants of Victoria. Prt. 1. Melbourne. 1879. 8^0.

— Census of the Plants of Tasmania. 1879. 8^0.

— Index perfectus ad Caroli Linnaei species plantarum. 1880. 8^0.

— Suggestions on the maintenance, creation and enrichment of forests. Melbourne. 1879. 8^0.

— plants of North-Western Australia. Perth. 1881. fol.

— systematic. census of Australian plants. Prt. 1. Vasculares. Melbourne. 1882. 4^0.

— Eucalyptographia. A descriptive Atlas of the Eucalypts of Australia. Decade 1—9. 1882—83. 4^0.

— Victorian branch of the geographical Society of Australia. (Proc. Annual Meeting. Jan.) 1886. 8^0.

— description and illustrations of the Myoporinous plants of Australia. II. Lithograms. Melbourne. 1886. 4^0.

— the vegetation of Chatham-Island. Melbourne. 8^0.

— Iconography of Australian species of Acacia etc. Dec. I—XIII. Melbourne. 1887—88.

Müller, M. F. X., über die Vertheilung der Farben und Geruchsverhältnisse in den Rubiaceen. (Dissertation.) Tübingen. 1831. 8⁰.

Müller, O., die Chromatophoren mariner Bacillariaceen aus den Gattungen Pleurosigma und Nitzschia. (Sep.-Abdr.) 1883. 8⁰.

— Bemerkungen zu dem Aufsatze Dr. Flögels: Researches on the
structure of cellwalls of Diatoms. (Sep.-Abdr.) 1884. 8⁰.

— die Zellhaut und das Gesetz der Zelltheilungsfolge von Melosira
arenaria MOOR. (Sep.-Abdr.) 1883. 8⁰.

— die Zwischenbänder und Septen der Bacillariaceen. (Sep.-Abdr.)
1888. 8⁰.

— Durchbrechungen der Zellwand in ihren Beziehungen zur Ortsbewegung der Bacillariaceen. Auxosporen von Terpsinoë musica
EHRB. (Sep.-Abdr.) Berlin. 1889. 8⁰.

Naudin, M. Ch., observations chez quelques plantes hybrides. Paris.
1856. 8⁰.

Nees ab Esenbeck, genera plantarum florae germanicae. Fasc. 9.
Cyperaceae. Bonnae. 1837. 8⁰.

Neilreich, A., Nachträge zu Maly's Enumeratio plantarum phanero-
gamicarum imperii austriaci universi. Wien. 1861. 8⁰.

— Nachträge zur Flora von Nieder-Österreich. 1866. 8⁰.

Neuffer, W., Untersuchungen über die Temperaturveränderungen der
Vegetabilien. (Dissertation.) Tübingen. 1829. 8⁰.

Normann, J. M., quelques observations de morphologie végétale faites
au jardin botanique de Christiania. Christiania. 1857. 4⁰.

Notarisia, commentarium phycologicum. Rivista trimestrale consacrata
allo studio delle Alghe. (Zeitschrift für Algenkunde. Anno 1—5.)
Venezia. 1886—90. 8⁰.

Notarisia, la nuova. No. 1—3. Padova. 1890. 8⁰.

Oltmanns, F., über die Wasserbeimengung in der Moospflanze und
ihren Einfluss auf die Wasservertheilung im Boden. Breslau. 1884. 8⁰.

Palm, L. H., über das Winden der Pflanzen. (Dissertation.) Tübingen.
1827. 8⁰.

Palmer, L. J., de plantarum exhalationibus. (Dissertation.) Tübingen.
1837. 8⁰.

Pappe, L., florae capensis medicae prodromus, or an enumeration of
South African indigenous plants. Cape Town. 1850. 1857. 8⁰.

Parlatore, Ph., les collections botaniques du Musée royal de physique
et d'histoire naturelle. Florence. 1874. 8⁰.

Pflanzenabbildungen, kolorierte. Eine Sammlung Handzeichnungen.

Pomologische Monatshefte, Zeitschrift für Förderung und Hebung
der Obstkunde, Obstkultur und Obstbenützung. Neue Folge. Jahrgang 10—15. 1884—89. Jahrg. 1890. 8⁰.

Presl, repertorium botanicae systematicae. Pragae. 1833. 8⁰.

Pritzel, G. A., Thesaurus literaturae botanicae omnium gentium
inde a rerum botanicarum initiis ad nostra usque tempora. Fasc. 1—7.
Lips. 1872. 4⁰.

Pritzel, G. und C. Jessen, die deutschen Volksnamen der Pflanzen.
Neuer Beitrag zum deutschen Sprachschatz. Hannover. 1882—84. 8⁰.

Pynaert, E., die Fruchthäuser. Eine vollständige Abhandlung über die Treib- und die künstliche Kultur der Obstbäume und der Beerensträucher unter Glasschutz. Stuttgart. 1874. 8⁰.

Rabenhorst, L., botanisches Centralblatt für Deutschland. Jahrg. 1846. Leipzig. 8⁰.

Radlkofer, L., conspectus sectionum specierumque generis Serjaniae, nebst Anhang. München. 1874. 4⁰.

Rajus, J., Methodus plantarum etc. Londini. 1733. 8⁰.

Ramann, G., das Herbarium. Berlin. 1877. 8⁰.

Regel, Einfluss des Wildlings auf das Edelreiss. 1871. 8⁰.

Regel et F. ab Herder, enumeratio plantarum in regionibus Cis- et Transiliensibus a. Cl. Semenovis. Cant. I. III. Moscou. 1864—68. 8⁰.

Reinwardt, über den Character der Vegetation auf den Inseln des Indischen Archipels. Berlin 1828. 4⁰.

Reiser, Fr., die Flora des Hohenzollers. 1871. 4⁰.

Renz, C. F., Untersuchungen über das specifische Gewicht der Samen etc. (Dissertation.) Tübingen. 1826. 8⁰.

Report on the progress and condition of the royal gardens at Kew during 1880—82. 8⁰.

Reuss, Ch. F., compendium botanices etc. Ulmae. 1774. 8⁰.

Ringier, V. A., de distributione geographica plantarum Helvetiae. (Dissertation.) Tübingen. 1823. 8⁰.

Rode, J. C., characteristicon et descriptiones cerealium in horto academico Tubingensi etc. (Dissertation.) Tübingen. 1818. 8⁰.

Römer, J. J., Flora Europaea. Fasc. 1—4. Norimbergae. 1797—99. 8⁰.

Roth, W., Bericht über das Floren-Gebiet des Eulengebirges. Breslau. 1875. 8⁰.

Rühle, G. Fr., über den Einfluss des Bodens auf die Vertheilung der Alpenpflanzen. (Dissertation.) Tübingen. 1838. 8⁰.

Saint-Lager, de, réforme de la nomenclature botanique. Lyon. 1880. 8⁰.

Schabel, Fr. W., über den Bau der getüpfelten Gefässe der Dicotyledonen. (Dissertation.) Tübingen. 1840. 8⁰.

Schimper, W. P. et Bruch, Fragments de la Bryologie d'Europe. Monographies du genre Archidium Brid. et Buxbaumia L. et Diphyscium Web. et Mohr. 4⁰.

Schlayer, Ph., anatomische Untersuchungen über die porösen Zellen von Sphagnum. (Dissertation.) Tübingen. 1837. 8⁰.

Schlitzberger, S., Standpunkt und Fortschritt der Wissenschaft in der Mykologie. Berlin. 1881. 8⁰.

Schmidt und Müller, Flora von Gera. 1. Abt. Phanerogamen. Gera. 1857. 8⁰.

Schneckenburger, C. Th., über die Symmetrie der Pflanzen. (Dissertation.) Tübingen. 1836. 8⁰.

Schnürlen, G., über die Frage: in welchem System des Holzes wird der rohe Nahrungssaft zu den Organen geleitet. (Dissertation.) Tübingen. 1843. 8⁰.

Schomburgk, R., the flora of South Australia. Adelaide. 1875. 8⁰.

Schomburgk, R., botanical reminiscences in British Guiana. Adelaide. 1876. 8⁰.

— catalogue of the plants under cultivation in the Government botanic garden. Adelaide. 1874. 8⁰.

— on the naturalised weed and other plants in South Australia. Adelaide. 1879. 4⁰.

— report on the progress und condition of the botanic garden and goverment plantations during 1877—86. Adelaide. Fol.

Schröter, J. S., die Ästhetik der Blumen oder ihre Philosophie. Weimar. 1803. 8⁰.

Schübeler, F. E., die Culturpflanzen Norwegens. Christiania. 1862. 4⁰.

— die Pflanzenwelt Norwegens. Christiania. 1873. 4⁰. Specieller Theil. Christiania. 1875. 4⁰.

Schübler, G. und Martens, Flora von Württemberg. Tübingen. 1834. 8⁰.

— systematisches Verzeichniss der bei Tübingen und in den umliegenden Gegenden wildwachsenden phanerogamischen Gewächse etc. 1822. 8⁰.

Schüz, E., Flora des nördlichen Schwarzwalds. Heft 1. Calw. 1861. 8⁰.

Schüz, G. E. C. H., Flora des nördlichen Schwarzwaldes. (Dissertation.) Calw. 1858. 8⁰.

Schüz, J. Chr., descriptiones plantarum novarum vel minus cognitarum horti botanici Tubingensis. (Dissertation.) 1825. 8⁰.

Schultz, C. H., natürliches System des Pflanzenreichs etc. Berlin. 1832. 8⁰.

Schultz-Bipontinus, M., Compositae Kraussianae capensi-natalenses vel enumeratio Compositarum a cl. Dr. F. Krauss annis 1838—40 in territorio capensi et natalensi lectarum. (Sep.-Abdr.) Flora. 1844. 8⁰.

Schumacher, Ch. F., enumeratio plantarum in partibus Saellandiae sept. et orientalis. Pars prior. Hafniae. 1801. 8⁰.

Schumann, J., die Diatomeen der hohen Tatra. Wien. 1867. 8⁰.

Seubert, Prof. Dr. M., Grundriss der Botanik zum Schulgebrauch und als Grundlage für Vorlesungen an höheren Lehranstalten, bearbeitet von Prof. P. W. v. Ahles. 5. Aufl. Leipzig.

Sinclair, G., hortus gramineus Woburensis. Stuttgart. 1826. 8⁰.

Sirugusa, F. P. C., l'anestesia nel regno-vegetale; la chlorofilla. Palermo. 1879. 8⁰.

Sorensen, H. E., Beretning om en botanisk Reise i Omegnen af Faemundsoen og i Trysil. Christiania. 1867. 8⁰. .

Sprengel, K., Anleitung zur Kenntniss der Gewächse. In Briefen. 1—3. Samml. Wien. 1805. 8⁰.

Stenhammar, Chr., Schedulae criticae de lichenibus exsiccatis Sueciae. (Dissertation.) Lincopiae. 1825. 4⁰.

Steudel, E. G., de acredine nonnulorum vegetabilium. (Dissertation.) Tübingen. 1805. 8⁰.

— Synopsis Plantarum glumacearum. Pars. I. II. Stuttgart. 1855. 8⁰.

Steudel, E. und C. Hochstetter, enumeratio plantarum Germaniae Helvetiaeque indigenarum. Stuttgart. 1826. 8⁰.

Stitzenberger, Dr., Bemerkungen zu den Ramalina-Arten Europas. (Sep.-Abdr.) Chur. 1891.

Stoll, R., die Veränderungen der Gewebe an der Schnittfläche von Stecklingen. (Sep.-Abdr. Monat. Gartenbaus.) 8⁰.

Ströbele, M., über die Functionen der Blätter. (Dissertation.) Tübingen. 1836. 8⁰.

Sydow, P., die Lebermoose Deutschlands, Österreichs und der Schweiz. 1882. 8⁰.

— die Moose Deutschlands. Anleitung zur Kenntniss und Bestimmung der in Deutschland vorkommenden Laubmoose. Berlin. 1881. 8⁰.

Taschner, Th., de duabus novis Trichomanum speciebus de earum, nec non aliarum hujus generis plantarum structura. (Dissertation.) Jenae. 1843. 4⁰.

Thielens, herborisation dans la Campine Brabaçonne et Anversoire. (Extr. Bull. botan. Belgique); Notice sur l'asparagus prostratus; quatrième herborisation de la société. botan. de Belgique. Bruxelles. 1866. 8⁰.

Thozet, A., Notes on some of the roots, tubers, bulbs and fruits used as vegetable food by the aboriginals of northern Queensland, Australia. Rockhampton. 1866. 8⁰.

Thudichum, G., Traube und Wein in der Kulturgeschichte. Tübingen. 1881. 8⁰.

Thümen, F., die Pilze und Pocken auf Wein und Obst. Berlin. 1885. 8⁰.

Thurmann, J., Essai de phytostatique appliqué à la chaine du Jura et aux contrées voisines. T. I. II. Berne. 1849. 8⁰.

Todaro, A., relazione sulla cultura dei Cotoni in Italia. Text und Atlas, Roma. 1877—75. 4⁰ u. Fol.

Tonrezonineff, N., quelques observations sur les espèces du genre Clethra. Moscou. 1863. 8⁰.

Trautvetter, v., Regel, Maximowicz und Winkler, decas plantarum novarum. Petropoli. 1882. 4⁰.

Tscheppe, F., chemische Untersuchung der Hanfblätter. (Dissertation.) Tübingen. 1821. 8⁰.

Tscherning, Fr. B., über die Entwicklung einiger Embryonen bei der Keimung. (Dissertation.) Tübingen. 1872. 8⁰.

Vaillant, S., Botanicon Parisiense. Leiden et Amsterdam. 1727. Fol.

Valet, F., Übersicht der in der Umgegend von Ulm wildwachsenden phanerogamischen Pflanzen. Ulm. 1847. 8⁰.

Veesenmeyer, G., über die Vegetationsverhältnisse an der mittleren Wolga. St. Petersburg. 1854. 8⁰.

Volckamer, J. G., Flora Noribergensis. Noribergae. 1718. 4⁰.

Walser, E., Untersuchungen über die Wurzelausscheidung. (Dissertation.) Tübingen. 1838. 8⁰.

Walser, F. H., de Atropa Belladonna. (Dissertation.) Monachii. 1839. 8⁰.

»Wattle bark«; report of the board of inquiry together with a statement showing the profit to be derived from the systematic cultivation of Wattles. 1878. 8⁰.

Weber van Bosse, A. Mad., études sur les alges parasites des Paresseux. (Sep.-Abdr. Naturk. Verh.) Amsterdam. 1887. 8⁰.

Wepfer, J. J., historia Cicutae aquaticae etc. Lugduni Batavorum. 1733. 8⁰.

Wernle, Ph. L., Untersuchungen über die Farbenverhältnisse in den Blüten der Flora Deutschlands. 1833. 8⁰.

Wesselhöft, J., der Rosenfreund. 4. Aufl. 1878. 8⁰.

Wichelhaus, H., über die Lebensbedingungen der Pflanze. Berlin. 1868. 8⁰.

Wiesner, J., das Bewegungsvermögen der Pflanzen. Eine kritische Studie über das gleichnamige Werk von Ch. Darwin. Wien. 1881. 8⁰.

— Elemente der Anatomie und Physiologie der Pflanzen und Elemente der Organographie, Systematik und Biologie der Pflanzen. Wien. 1881. 8⁰.

Wiest, A., Untersuchungen über die pflanzengeographischen Verhältnisse Deutschlands. (Dissertation.) Tübingen. 1827. 8⁰.

Wilhelm, G. T., Unterhaltungen aus der Naturgeschichte des Pflanzenreichs. Bd. 1—10. 1810—21. 8⁰.

Willkomm, M., Waldbüchlein. Leipzig. 1879. 8⁰.

Willkomm et Lange, Prodromus florae Hispaniae, seu synopsis methodica omnium plantarum in Hispania sponte nascentium vel frequentius cultarum. Vol. 1—3. 1870—80 8⁰.

Wimmer, F., das Pflanzenreich. 12. Bearbeitung. Breslau. 1876. 8⁰.

Winkler, decas plantarum novarum. Petropoli. 1882. 4⁰.

Winter, A. W., über die Vermehrung der Pflanzenzellen durch Theilung. (Dissertation.) Tübingen. 1835. 4⁰.

Wirtgen, Ph., rheinische Reise-Flora. Coblenz. 1857. 12⁰.

—` Flora der preussischen Rheinprovinz und der zunächst angrenzenden Gegenden. Bonn. 1857. 8⁰.

Wittmack, L., Führer durch die vegetabilische Abteilung des Museums der kg. landwirtschaftlichen Hochschule in Berlin. 1886. 8⁰.

Wittstein, G. C., the organic constituents of plants and vegetable substances and their chemical analysis. With numerous additions by Baron F. v. Müller. Melbourne. 1878. 8⁰.

Wörz, Fr. H., Beobachtungen und Versuche über die Beziehung der Nectarien zur Befruchtung und Samenbildung der Gewächse. (Dissertation.) Tübingen. 1833. 8⁰.

Wolff, E., das Keimen, Wachsthum und die Ernährung der Pflanzen. Bautzen. 1849. 8⁰.

Woods, R., North Australia: its physical, geography and natural history. Adelaide. 1864. 8⁰.

Woolls, W., a contribution to the Flora of Australia. Sydney. 1867. 8⁰.

— the plants of N. S. Wales with an introductory essay and occasional notes. Sydney. 1885. 8⁰.

Wosridto, P., quaedam additamenta ad Palmarum anatomiam. (Diss.) Vratislaviae. 1860. 8⁰.

Zeile, J. Fr., über die männlichen Blüthen der Coniferen. (Dissertation.) Tübingen. 1837. 8⁰.

Zeitschrift für die Pilzfreunde von O. Thümen. Jahrg. 2. No. 1—12. 1884—85. 8⁰.

Zeller, E. A., Untersuchungen über die Einwirkung verschiedener Stoffe etc. auf das Leben der Pflanzen. (Dissertation.) Tübingen. 1826. 8⁰.

Zeller, G., Algae collected by Mr. S. Kurz in Arracan ʔud British Burma. 1873. 8⁰.

Zenneck, Flora von Stuttgart. Sichtbar blühende Pflanzen. Stuttgart. 1822. 4⁰.

V. Mineralogie, Geognosie, Palaeontologie.

Achenbach, A., geognostische Beschreibung der Hohenzollernschen Lande. Berlin. 1857. 8⁰.

Agassiz, L., Tableau général des poissons fossiles rangés par terrains. Neuchâtel. 1844. 4⁰.

Alberti, F. v., Ueberblick über die Trias mit Berücksichtigung ihres Vorkommens in den Alpen. Stuttgart. 1864. 8⁰.

Asten, H. v., über die in südöstlicher Umgegend von Eisenach auftretenden Felsitgesteine nebst bei selbigen beobachteten Metamorphosen etc. Heidelberg. 1873. 8⁰.

Babbage, Ch., Observations on the discovery in various localities of the remains of human art mixed with the bones of extinct races of animals. London. 1859. 8⁰.

Bauer, M., die Braunsteingänge von Neuenbürg. (Dissertation.) Stuttgart. 1867. 8⁰.

— krystallographische Untersuchung des Scheelits. (Sep.-Abdr.) Stuttgart. 1871. 8⁰.

Bäumer, W., Marmor und Mosaik in der Architektur. Wien. 1875. 4⁰.

Bather, F. A., Pentacrini in peculiar beds of great Oolite Age near Basle. (Sep.-Abdr.) 1889. 8⁰.

Beaumont, M. L. E., Note sur les terrains compris entre le grès vert et la calcaire grossier. 1847. 8⁰.

— instructions pour les géologues de l'expedition, qui se rend dans le Nord de l'Europe. 1838. 4⁰.

— instructions pour l'exploration géologique de l'Algérie. Paris. 1838. 4⁰.

Bèche, H. T. de la, recherches sur la partie théorique de la Géologie. 1838. 8⁰.

Bellardi, L. e Giovani Michelotti, Saggio orittografico sulla classe dei Gasteropodi fossili dei terreni terziarii del Piemonte. Torino. 1840. 4⁰.

Benecke, E. W., Lagerung und Zusammensetzung des geschichteten Gebirges am südlichen Abhang des Odenwaldes. Heidelberg. 1869. 8⁰.

Berendt und Dames, geognostische Beschreibung der Umgebung von Berlin. Geologische Karte der Stadt Berlin; herausgegeben von der K. preuss. geolog. Landesanstalt. Berlin. 1885. 8⁰.

Beudant, F., Milne-Edwards, A. v. Jussieu, populäre Naturgeschichte der drei Reiche für den öffentlichen und Privatunterricht. 2. Bd. Mineralogie und Geologie. Stuttgart. 1848. 8⁰.

B e u h a u s e n, L., Beiträge zur Kenntnis des Oberharzer Spiriferen-
sandsteins und seiner Fauna. (Dissertation.) Berlin. 1884. 8⁰.

B e y r i c h, E., die Conchylien des norddeutschen Tertiärgebirges. Lief.
1—3. Berlin. 1853—54. 8⁰.

B l a k e, W., Description of the fossils and shells, collected in California.
Washington. 1855. 8⁰.

B l a n c h a r d, E., de la ditermination de quelques oiseaux fossiles.
1853. 8⁰.

B l a s i u s, W., Spermophilus rufescens Keys. und Bl. fossil in Deutschland. (Sep.-Abdr. Zool. Anz.) 1882. 8⁰.

B o e c k, Chr., Bemaerkninger angaaende Graptolitherne. Christiania.
1851. 4⁰.

B ö k l e n, H., über die Amethyste. (Dissertation.) Tübingen. 1882. 8⁰.

B ö t t g e r, O., über die Fauna der Corbicula-Schichten des Mainzer
Beckens. (Sep.-Abdr. Palaeontologr.) 1877. 4⁰.

— über das kleine Anthrocotherium aus der Braunkohle von Rott bei
Bonn. (Sep.-Abdr. Palaeontologr.) 1877. 4⁰.

B o s q u e t, J., description des Entomostracés fossiles de la craie de
Mastricht. Liège. 1847. 8⁰.

— monographie des Brachiopodes fossiles du terrain crétacé supérieur
des Duché de Limbourg. Prt. Craniadae et Terebratulidae. Harlem.
1859. Fol.

B o u é, M. A., résumé des progrès des sciences géologiques pendant
l'année 1833. Paris. 1834. 8⁰.

B r a u n, W. E., Beiträge zur näheren Kenntniss der sphäroidischen
Concretionen des kohlensauren Kalkes. Halle 1864. 8⁰.

B r o n g n i a r t, A., die Gebirgsformationen der Erdrinde. Aus dem
Französischen übersetzt von E. Th. Kleinschroet. Paris. 1830. 8⁰.

— considérations sur la nature des végétaux, qui ont couvert la surface de la terre aux diverses époques de sa formation. Paris.
1838. 4⁰.

— observations sur la structure intérieure du Sigillaria elegans, comparée a celle des Lepidodendron et des Stigmaria et a celle des
végétaux vivants. Paris. 1839. 4⁰.

— et E. de B e a u m o n t, rapport sur un mémoire de M. Durocher intitulé:
Observations sur le phénomène diluvien dans le Nord de l'Europe.
Paris. 1842. 4⁰.

B r o n n, G. H., Abhandlungen über die gavialartigen Reptilien der
Liasformation. Stuttgart. 1841. Fol.

B u c h, L. v., über den Jura in Deutschland. Berlin. 1839. 4⁰.

— Betrachtungen über die Verbreitung und die Grenzen der Kreide-
bildungen. (Sep.-Abdr. Verb. preuss. Rheinl.) 1849. 8⁰.

— über Productus und Leptaena. Berlin. 1842. 4⁰.

B u c k l a n d, W., die Urwelt und ihre Wunder, oder allgemeine Darstellung oder Geschichte des Erdkörpers. Deutsch von Schimper.
Stuttgart. 1838. 8⁰.

B u f f o n, v., Epochen der Natur. Aus dem Französischen. St. Petersburg. 1781. 8⁰.

Calderon, Salvador, enumeracion de los vertebrados fosiles de Espana. Madrid. 1877. 8⁰.

— los grandes lagos Nicaraguenses. Madrid. 1882. 8⁰.

Capellini, C., sul Felsinoteria. Bologna. 1872. gr. 8⁰.

— l'uomo pliocenico in Toscana. Roma. 1876. 4⁰.

— balenottere fossili e Pachycanthus dell Italia merid. Roma. 1877. 4⁰.

Clarke, W. B., remains on the sedimentary formation of New South Wales. 4. Edit. 1878. 8⁰.

Claussen, P., notes géologiques sur la province de Minas-Geraës au Brasil. (Extr.) Bruxelles. 8⁰.

Clessin, C., der Ampergletscher. (Sep.-Abdr. Correspondenzbl. Regensburg.) 1875. 8⁰.

Congrès géologique international. Rapports des commissions intern. Bologne. 1886. 8⁰.

Cotta, B., ü₊e Thierfährten im bunten Sandstein. Dresden und Leipzig. 1839. 4⁰.ᵇ ʳ

— das grosse Kohlengebirge Südbayerns. (Allgem. Zeitg.) 1857. 8⁰.

Cotta, F. und J. Müller, Atlas der Erdkunde (Geologie und Meteorologie) mit 10 Tafeln. Leipzig. 1874. 4⁰.

Credner, H., die geologische Landesuntersuchung des Königreichs Sachsen Leipzig. 1885. 8⁰.

Cuvier, G., die Umwälzungen der Erdrinde in naturwissenschaftlicher und geschichtlicher Beziehung. Uebersetzt von Dr. J. Nöggerath. 1. 2. Bd. Bonn. 1830. 8⁰.

Dalton, E. und H. Burmeister, der fossile Gavial von Boll in Württemberg. Halle. 1854. Fol.

Darwin, Ch., geologische Beobachtungen über die vulkanischen Inseln. Aus dem Engl. von J. V. Carus. Stuttgart. 1877. 8⁰.

— geologische Beobachtungen über Südamerika und kleinere geologische Abhandlungen. Uebersetzt von J. V. Carus. Stuttgart. 1878. 8⁰.

Daubrée, M. A., notice sur les filons de fer de la région méridionale des Vosges, et la corrélation des gites metallifères des Vosges et de la Forêt-noire. 4⁰.

— Observations sur les alluvions anciennes et modernes d'une partie du bassin du Rhin. Strassbourg. 1850. 4⁰.

— Recherches sur la production artificielle de quelques espèces minérales cristallines particulièrement de l'oxyde d'étain, de l'oxyde de titane et du quartz. Observations sur l'origine des filons titanifères des Alpes. Paris. 1849. 8⁰.

— Note sur le phénomène erratique du nord de l'Europe et sur les mouvements récents du sol Scandinave. Paris. 8⁰.

— Mémoire sur le gisement, la constitution et l'origine des Amas de minerai d'étain. Paris. 1851. 8⁰.

Dauber, H., Ermittelung krystallographischer Constanten und des Grades ihrer Zuverlässigkeit. (Sep.-Abdr. Pogg. Anal.) 8⁰.

Deane, Sandstone fossils of Connecticut river. Philadelphia. 4⁰.

Deffner, E., der Buchberg bei Bopfingen. (Sep.-Abdr. Württ. Jahresh.) 1870. 8⁰.

Deffner, E. und Fraas, die Jura-Versenkung bei Langenbrücken. (Sep.-Abdr. N. Jahrb. Mineral.) 1859. 8⁰.

Deslongchamps, D., Notice présentée a l'institut des provinces sur un genre nouveau de Brachiopodes. Caen. 1855. 8⁰.

Desor, E., l'évolution des Echinides. Neuchâtel. 1872. 8⁰.

Dickert, Th., das Siebengebirge und seine Umgebung im Relief und geognostischer Beziehung. 1842. 8⁰.

Döderlein, L. und Schumacher, über eine diluviale Säugethier-fauna aus dem Oberelsass mit Nachtrag. 8⁰.

— Studien an japanischen Lithistiden. (Sep.-Abdr. Zeitschr. wiss. Zool. Bd. 40.) 8⁰.

Döring, A., geologia de la expedicion at Rio negro (Patagonia). (Extr. Ac. nat. Cordova.) Buenos-Aires. 1882. 4⁰.

Dorn, C., der Liasschiefer und seine Bedeutung als Brennmaterial. Tübingen. 1877. 8⁰.

Dubbers, H., der obere Jura auf dem Nordostflügel der Hilsmulde. (Preisschrift.) Göttingen. 1888. 8⁰.

Dufrénoy et E. Beaumont, recherches sur les terrains volcaniques des deux Siciles, comparées à ceux de la France centrale. 1838. 8⁰.

Dumont, M. et de Koninck, rapports sur un mémoire de M. Nyst, pour le concours de 1845, en réponse a la question suivante: Faire la déscription des coquilles et des polypiers fossiles des terrains tertiaires de Belgique, et donner l'indication précise des localités et des systèmes de roches dans lesquels ils se trouvent. 4⁰.

Ebray, Th., études géologiques sur le Département de la Nièvre. Fasc. 1. Paris. 1858. 8⁰.

Eck, H., Verzeichniss der mineralogischen, geognostischen, urgeschicht-lichen und balneographischen Literatur von Baden, Württemberg, Hohenzollern und einigen angrenzenden Gegenden. Mittheil. der grossh. bad. geologischen Landesanstalt, herausgeg. im Auftr. des Ministeriums des Innern. Bd. I. 1.—2. Hälfte. 1890—91. gr. 8⁰.

Ehlers, E., über eine fossile Eunice aus Solenhofen (Eunicites avitus), nebst Bemerkungen über fossile Würmer überhaupt. (Sep.-Abdr. Zeitschr. wiss. Zool. Bd. XVIII.) 8⁰.

Ehrlich, C., über die nordöstlichen Alpen. Linz. 1850. 8⁰.

— geologische Geschichten. Linz. 1851. 8⁰.

— geognostische Wanderungen im Gebiete der nordöstlichen Alpen. Linz. 1852. 8⁰.

— Beiträge zur Palaeontologie und Geognosie von Oberösterreich und Salzburg. Linz. 1855. 8⁰.

Eichwald, E. v., Beitrag zur geographischen Verbreitung der fossilen Thiere Russlands. Moskau. 1857. 8⁰.

— einige Bemerkungen über die geognostischen Karten des europäischen Russlands. Moskau. 1865.

— naturhistorische Bemerkungen, als Beitrag zur vergleichenden Geo-gnosie auf einer Reise durch die Eifel, Tyrol, Italien, Sicilien und Algier. Moskau. 1851. 4⁰.

— über die Gattungen Cryptonymus et Zethus. Moskau. 1855. 8⁰.

Eichwald, E. v., Nachtrag zu der Beschreibung der Fische des Devonischen Systems aus der Gegend von Pawlowsk. Moskau. 1846. 8⁰.

— Beitrag zur Geschichte der Geognosie und Palaeontologie in Russland. Moskau. 1866. 8⁰.

Endriss, K., Geologie des Randecker Maars und des Schopflocher Riedes. (Sep.-Abdr.) Berlin. 1889. 8⁰.

Ettingshausen, C. v., die Proteaceen der Vorwelt. Wien. 1851. 8⁰.

Fairholme, G., positions géologiques en vérification directe de la Chronologie de la bible. Munich. 1834. 8⁰.

Favre, A., expériences sur les effets refoulements ou écrasements latéraux en géologie. Génève. 1878. 8⁰.

— sur l'origine des lacs alpins et des vallées. Génève. 1865. 8⁰.

— prècis d'une histoire du terrain houllier des Alpes. (Entr. Arch. science.) 1865. 8⁰.

Fischer, H., Nephrit und Jadeit nach ihren mineralogischen Eigenschaften, sowie nach ihrer urgeschichtlichen und ethnographischen Bedeutung. Stuttgart. 1875. 8⁰.

Fletcher, L., über die Ausdehnung der Krystalle durch die Wärme. 1883. 8⁰.

— on the Mexican meteorites, with especial regard to the supposed occurence of Widespreat Meteoritic — the meteoric-iron of Tuscon. 1890.

— on the meteorites, which have been found in the desert of Atacama and its neighbourhood. 1890. 8⁰.

— on crystals of Purcylite, Ceraeolite and Oxychloride of Leade — (Daviesite). 1890. 8⁰.

— on the supposed fall of a meteoric stone at Chartres, Eure et Loire. (Crystallographic notes VIII—X.)

— Felspar from Kilimandjaro. Suppl.

Foster, J. W., and J. D. Whitney, Report on the geology and topography of a portion of the lake superior land district in the state of Michigan. Part. 1. 2. with maps. Washington. 1850. 8⁰.

Fraas, O., die nutzbaren Minerale Württembergs. Stuttgart. 1860. 8⁰.

— Diplobune bavaricum. 1870. 4⁰.

— das Mineralreich. (Sep.-Abdr. aus Rebau's Naturgeschichte. 8. Aufl.) Stuttgart. 1880. gr. 8⁰.

— Squatina acanthoderma. Der Meerengel von Nusplingen. (Sep.-Adr. Zeitschr. d. d. geol. G.) 1864. 8⁰.

— Vorschlag zum Zweck der Erbohrung von Trinkwasser für die Stadt Stuttgart. 1864. 8⁰.

— die geognostische Sammlung Württembergs. Ein Führer für die Besucher derselben. Stuttgart. 3. Auflage. 1887. 8⁰.

— geologisches Profil der Schwarzwaldbahn von Zuffenhausen nach Calw, mit einem colorirten Längenprofil. Stuttgart. 1876. 8⁰.

— die geognostische Profilierung der Württ. Eisenbahnlinien; herausg. vom K. stat.-topogr. Bureau. 3. Lief. Stuttgart. 1885. gr. 8⁰.

— Eduard Desor. Nekrolog. (Kosmos.) 1883. 8⁰.

F r a a s , Eb., die Asterien des weissen Jura von Schwaben und Franken. (Dissertation.) Stuttgart. 1886. 4⁰.

— Thesen, behufs der Erlangung der höchsten akademischen Würden der Philosophie. München. 1886. 4⁰.

—· die Labyrinthodonten der schwäbischen Trias. Stuttgart. 1888. 4⁰.

—· Loliginites (Geoteuthis) Zitteli Eb. Fr. Eine vollständig erhaltene Dibranchiate aus den Laibsteinen des Lias. (Sep.-Abdr. Jahresh.) Stuttgart. 1889. 8⁰.

— über ein Ophiuren-Vorkommen bei Crailsheim. (Sep.-Adr. Jahrb. Mineralog.) 1888. 8⁰.

F r i t z g ä r t n e r , R., die Pentacriniten- und Ölschieferzone des Lias Alpha bei Dusslingen. (Dissertation.) Tübingen. 1872. 8⁰.

F r o m h e r z , C., geognostische Beschreibung des Schönbergs bei Freiburg. Freiburg. 1837. 4⁰.

— die vorweltlichen Seen des Schwarzwaldes. 8⁰.

F u c h s , J. N., über die Theorien der Erde. München. 1838. 4⁰.

G a r d i n e r , M., on practical geodesy. Melbourne. 1876. 8⁰.

G a u d i n , Ch. e C. S t r o z z i , contributione a la flora fossile Italiana. Zürich. 1859. 4⁰.

G e i n i t z , E., Übersicht über die Geologie Mecklenburgs. Güstrow. 1883. 4⁰.

G e i n i t z , W. B., Beitrag zur Kenntniss des Thüringer Muschelkalks. Jena. 1837. 8⁰.

G e n t h , F. A., Corundum its alterations and associated minerals. Philadelphia. 1873. 8⁰.

G i e b e l , C. G., Palaeozoologie. Merseburg. 1846. 8⁰.

— Gaea excursoria Germanica. Leipzig. 1851. 8⁰.

— die silurische Fauna des Unterharzes etc. Berlin. 1858. 4⁰.

G l o c k e r , E. F., Grundriss der Mineralogie. Nürnberg. 1839. 8⁰.

— de Graphite Moravico et de phaenomenis quibusdam originem graphitae illustrantibus. Vratislaviae. 1840. 4⁰. .

— über einige Erscheinungen an Kalkspathformen. 4⁰.

— über einige neue fossile Thierformen aus dem Gebiete des Karpathensandsteins. 4⁰.

— generum et specierum mineralium etc. Halae. 1847. 8⁰.

— Bemerkungen über einige Terebrateln aus dem Jurakalk Mährens und Ungarns. 4⁰.

— Ausflug nach dem Bradlstein bei Mährisch-Neustadt. Wien. 1853. 8⁰.

— über die neu entdeckten Braunkohlenlager· in der Gegend von Lettowitz. Wien. 1853. 8⁰.

— über die Laukasteine. Wien. 1853. 4⁰.

— über die nordischen Geschiebe der Oderebene um Breslau. (Sep.-Abdr. Nov. Act. Vol. XXIV.) 4⁰.

— über einen neuen Eisensinter von Obergrund bei Zuckmantel. 8⁰.

G m e l i n , J. F., Einleitung in die Mineralogie. Nürnberg. 1870. 8⁰.

— Mineralogie und Geognosie. (Manuskript).

G ö p p e r t , R., über ein im k. botanischen Garten zur Erläuterung der Steinkohlen-Formation errichtetes Profil. Breslau. 8⁰.

Götz, Joseph, Untersuchung einer Gesteinssuite aus der Gegend der Goldfelder von Marabastad im nördlichen Transvaal, Süd-Afrika. (Sep.-Abdr. Neues Jahrbuch für Min.) Stuttgart. 1885. 8^0.

Goldfuss, A., der Schädelbau des Mosasaurus, durch Beschreibung einer neuen Art dieser Gattung erläutert. 4^0.

— Beiträge zur vorweltlichen Fauna des Steinkohlengebirges. Bonn. 1847. 8^0.

Groth, F., über das Studium der Mineralogie auf den deutschen Hochschulen. Strassburg. 1875. 8^0.

Gümbel, C. W., vorläufige Mittheilung über Tiefseeschlamm. (Sep.-Abdr. Jahrb. Min.) 1870. 8^0.

Guldberg, G. A., undersogelser over en sub fossil flodhest fra Madagascar. Christiania. 1883. 8^0.

Gutekunst, K., Geognosie und Mineralogie Württembergs. 2. Aufl. Heilbronn. 1880. 5^0.

Haas, H., Monographie der Rhynchonellen der Juraformation von Elsass-Lothringen. (Inaug.-Diss.) Strassburg. 1881. 8^0.

— Beiträge zur Geschiebekunde der Herzogthümer Schleswig-Holstein. (Sep.-Abdr. naturw. Ver. Schlesw.-Holst.) Kiel. 1885.

Haast, J., geology of the provinces of Canterbury and Westland, New Ireland. Christchurch. 1879. 8^0.

Haberlandt, G., über Testudo praeceps n. sp. Wien 1876. 8^0.

Hagenow, F., die Bryozoen der Maastrichter Kreidebildung. Kassel. 1851. 4^0.

Hahn, O., Dr., die Urzelle, nebst dem Beweis, dass Granit, Gneiss, Serpentin, Talk, gewisse Sandsteine, auch Basalte, endlich Meteorstein und Meteoreisen aus Pflanzen bestehen; die Entwicklungslehre durch Thatsachen neu begründet. Mit 30 lithographischen Tafeln. Tübingen. 1879. 8^0.

Hall, J., Contributions to palaeontology, principally from investigations made during the years 1861 and 1862. Albany. 8^0.

— Observations upon some of the Brachiopoda, with reference to the genera Cryptonella, Centronella, Meristella and allied forms. Albany. 1863. 8^0.

Halloy, J. J., Elements de Géologie etc. 3. Aufl. Paris. 1839. 8^0.

Hartlaub, Cl., über Manatherium delheidi, eine Sirene aus dem Oligocaen Belgiens. (Sep.-Abdr. Zool. Jahrb.) 1886. 8^0.

Hartmann, F., systematische Uebersicht der Versteinerungen Württembergs. Tübingen. 1830. 8^0.

Hartmann, Taschenbuch für reisende Mineralogen, Geologen und Hüttenleute durch die Hauptgebirge Deutschlands und der Schweiz. Weimar. 1838. 8^0.

Haug, E., Mitteilungen über die Jura-Ablagerungen im nördlichen Unter-Elsass. (Sep.-Abdr. Mitt. der Commiss. für geolog. Landes-Untersuchung 1. Bd.) Strassburg. 1886. 8^0.

Hauer, F. v., die Cephalopoden des Salzkammergutes aus der Sammlung Sr. Durchlaucht des Fürsten v. Metternich. Wien. 1846. 8^0. und 4^0.

Hauer, F. v., und Fr. Fötterle, geologische Uebersicht des Berg-
baues der österreichischen Monarchie. Wien. 1855. 8⁰.

Haushofer, K., Hülfstabellen zur Bestimmung der Gesteine (Gebirgsarten) mit Berücksichtigung ihres chemischen Verhaltens. München.
1867. 8⁰.

Hayden, catalogue of the publication of the U. St. geol. and geogr.
Survey of the territories 1874. 2. ed. 1877. 3. ed. Washington.
1879. 8⁰.

Heer, O., die Urwelt der Schweiz. Zürich. 1865. 8⁰.

— Beiträge zur näheren Kenntniss der sächsisch-thüringischen Braun-
kohlenflora. Berlin. 1861. 4⁰.

— die Insektenfauna der Tertiärgebilde von Oeningen und von Radoboy
in Croatien. 1—3. Theil. Leipzig. 1847. 4⁰.

Hehl, die geognostischen Verhältnisse Württembergs. Stuttgart. 1850. 8⁰.

Heim, A., über die Stauung und Faltung der Erdrinde. Basel.
1878. 8⁰.

Hilgendorf, F., Planorbis multiformis im Steinheimer Süsswasserkalk.
Ein Beispiel von Gestaltsveränderungen im Laufe der Zeit. Berlin.
1866. 8⁰.

Hiortdahl, Th., om Underberget ved Kongsberg, og om Guldets
Forekomst sammesteds. Christiana. 1868. 8⁰.

Hiortdahl, Th., und M. Irgens, geologiske Undersogelser i Bergens
Omegn. Christiania. 1862. 4⁰.

Hirschwald, J., über die genetischen Axen der orthometrischen Kry-
stallsysteme. (Dissertation.) Berlin. 1868. 8⁰.

— das mineralogische Museum der K. technischen Hochschule Berlin.
Ein Beitrag zur topographischen Mineralogie, sowie ein Leitfaden
zum Studium der Sammlungen. Berlin. 1885. 8⁰.

Hochstetter, P. v., Bericht über geologische Untersuchungen in der
Provinz Aukland. (Neu-Seeland.) Wien. 1859. 8⁰.

— die Fortschritte der Geologie. (Vortrag.) Wien. 1859. 8⁰.

— Beiträge zur Geologie des Caplandes. (Sep.-Abdr. Novara Exp. Geolog.
Theil. Bd. II.) 4⁰.

— die ausgestorbenen Riesenvögel von Neuseeland. Wien. 1862. 8⁰.

— über die fossilen Calosomen. (Sep.-Abdr.) Winterthur. 4⁰.

— das K. K. Hof-Mineralienkabinet in Wien; die Geschichte seiner
Sammlungen und die Pläne für eine Neuaufstellung derselben. (Vortrag.) Wien. 1884. 8⁰.

Hönighaus, F. W., Trilobiten der geognostischen Sammlung. Crefeld.
1843. 8⁰.

Hörbye, J. C., forstat te Jagttagelser over de erratiske Phaenomener. 8⁰.

— Observations sur les phénomènes d'érosion en Norvège. Christiania.
1857. 4⁰.

Hörnes, R., und Aninger, M., die Gasteropoden der Meeresablage-
rungen der 1. und 2. miocänen Mediterran-Stufe in der Österreich-
Ung. Monarchie. Lief. 1—7. Wien. 1884—91. 4⁰.

Holub, E., und M. Neumayr, über einige Fossilien aus der Uiten-
hage-Formation in Süd-Afrika. (Sep.-Abdr.) Wien. 1881. 4⁰.

Hugi, F. J., naturhistorische Alpenreise. Solothurn. 1830. 8⁰.

Huxley, Th. H. and Wright, on an collection of fossil vertebrate from the Jarrow callirg conti of Kilkenny. Ireland. (Extr. Trs. royal s. Dublin.) 1867. 4⁰.

Jackson, Ch. T., geological and mineralogical reports in the State of Michigan. Part. III. Washington. 1849. 8⁰.

Jäkel, O., die Selachier aus dem Muschelkalk Lothringens. (Sep.-Abdr.) 1889. 4⁰.

Jäger, Georg, über fossile Säugethiere aus dem Diluvium und älteren Alluvium des Donauthales und den Bohnerzablagerungen der schwäbischen Alb. Stuttgart. 1853. 4⁰.

— die fossilen Säugethiere Württembergs. Breslau. 1850. 4⁰.

— die fossilen Reptilien Württembergs. Stuttgart. 1828. 4⁰.

— Beobachtungen und Untersuchungen über die regelmässigen Formen der Gebirgsarten. Stuttgart. 1846. 4⁰.

— Bemerkungen über die Sumpfschildkröte (Emys europaea) in fossilem Zustande. Moskau. 1861. 8⁰.

— über die Übereinstimmung des Pygopterus lucius Ag. mit dem Archegosaurus Dechenii Goldf. (Sep.-Abdr.) 4⁰.

Jäger, Gustav, Bericht über einen fast vollständigen Schädel von Palaeapteryx ingens etc. Wien. 1863. 4⁰.

Jahreshefte, Geognostische, herausgegeben im Auftrage des K. Bayr. Staatsministeriums. 1. Jahrg. Cassel. 1880. 8⁰.

Kayser, E., Lodanella mira, eine unterdevonische Spongie. (Sep.-Abdr. Zeitschr. Deutsch. geol. Gesellschaft.) 1885. 8⁰.

— über einige Zweischaler des rheinischen Taunusquarzits. (Sep.-Abdr. Jahrb. geol. Landesanst.) 1885. 8⁰.

Keferstein, Ch., die Naturgeschichte des Erdkörpers in ihren ersten Grundzügen. 1. Theil: die Physiologie der Erde und Geognostie. 2. Theil: die Geologie und Palaeontologie. Leipzig. 1834. 8⁰.

Kenngott, A., Mitteilungen über einige besondere Exemplare des Calcit. Wien. 8⁰.

— Beiträge zur Bestimmung einiger Mineralien. 1850. 8⁰.

— Beobachtungen an Dünnschliffen eines kaukasischen Obsidians. St. Petersburg. 1869. 8⁰.

— Uebersicht der Resultate mineralogischer Forschungen im Jahre 1852. Wien. 1854. 8⁰.

— mineralogische Notizen. 1—17. 8⁰.

— Lehrbuch der Mineralogie. Darmstadt. 1857. 8⁰.

— 60 Krystallformennetze zum Anfertigen von Krystallmodellen. Wien. 1854. 8⁰.

— über die Meteoriten oder die meteorischen Stein- und Eisenmassen. Leipzig. 1863. 8⁰.

Kjerulf, Th., das Christiania-Silurbecken. Christiania. 1855. 4⁰.

— geologiske undersogelser i Bergens Omegn. 1862. 4⁰.

— Veiviser ved geologiske Excursioner i Christiania Omegn med et farvetrykt Kart of Flere Traesnit. Christiania. 1865. 4⁰.

Kjerulf, Th., Jagttagelser over den postpliocene eller glaciale formation i en del af det sydlige Nord. Christiania. 1860. 4^0.

Kilian, W., déscription géologique des environs n. de Maiche. Montbéliard 8^0.

— notes géologiques sur le Jura du Doubs. 4. Part.: Les Foraminifères de l'oxfordien des environs de Montbéliard par W. Deeke. Montbéliard. 1886. 8^0.

— structure géologique des environs des Sistéron, Basses-Alpes. (Sep.-Abdr.) 1888. 4^0.

Kinkelin, F., die Tertiärletten und -Mergel in der Baugrube des Frankfurter Hafens. (Sep.-Abdr. der Senckenb. naturf. Ges.) 1885.

— kurzer Abriss der Mineralogie. Wiesbaden. 1883. 8^0.

— geologische Tektonik der Umgebung von Frankfurt a. M.

— über die Corbicula-Sande in der Nähe von Frankfurt a. M.

— Senkungen im Gebiete des Untermainthales unterhalb Frankfurt und des Unterniedthales.

— die Pliocänschichten im Untermainthal. Ebenda. 1885. 8^0.

Klein, Conchylien der Süsswasserkalkformation Württembergs. (Sep.-Abdr. Württ. Jahreshefte.) Stuttgart. 1853. 8^0.

Klippstein, A. v., Versuch einer geographisch-geognostischen Eintheilung des westlichen Deutschlands. 1836. 8^0.

— über Kontakt - Verhältnisse zwischen vulkanischen Gesteinen und neptunischen Bildungen. 1834. 8^0.

— Beiträge zur geologischen Kenntniss der östlichen Alpen. Bd. I. II. 1—3. Giessen. 1845—83. 4^0.

— und J. J. Kaup, Beschreibung und Abbildungen von dem in Rheinhessen aufgefundenen colossalen Schädel des Dinotherii gigantei, mit geognostischen Mittheilungen über die knochenführenden Bildungen des mittelrheinischen Tertiärbeckens. Darmstadt. 1836. 4^0.

Kloos, J. H., die ältesten Sedimente des nördlichen Schwarzwaldes und die in demselben eingelagerten Eruptivgesteine. (Sep.-Abdr. Verh. Braunschweig.) 1886—87. 4^0.

— Entstehung und Bau der Gebirge, erläutert am geologischen Bau des Harzes. Braunschweig. 1889. 8^0.

— und M. Müller, die Hermannshöhle bei Rübeland; geologisch bearbeitet von Dr. J. K. Kloos, photographisch aufgenommen von Dr. M. Müller. Text und Tafeln. Weimar. 1889. 4^0.

Knochenhauer, B., die Goldfelder in Transvaal mit besonderer Berücksichtigung der Cap-Goldfelder. Berlin. 1890. 8^0.

Knorr, G. W., lapides ex celeberrimorum virorum sententia diluvii universalis testes, oder: Sammlung von Merkwürdigkeiten der Natur und den Alterthümern des Erdbodens zum Beweis einer allgemeinen Sündfluth nach der Meynung der berühmtesten Mäner aus dem Reiche der Steine gewiesen und nach ihren wesentlichen Eigenschaften und Ansehen und Farben ausgedruckt und in Kupffer herausgegeben. Nürnberg. 1750. Fol.

Köllner, K., die geologische Entwickelungsgeschichte der Säugetiere. Wien. 1882. 8^0.

K ö n e n, v., Beitrag zur Kenntnis der Placodermen des norddeutschen Ober-Devons. (Sep.-Abdr. Abh. Göttingen.) 1883. 4^0.

— Miocän Norddeutschlands und seine Molluskenfauna. (Sep.-Abdr.) Marburg. 1872. 8^0.

— über das Mittel-Oligocaen von Aarhus in Jütland. (Sep.-Abdr. Zeitschr. Deutsch. geol. G. 38. Bd.) 4^0.

— über postglaciale Dislokationen. (Sep.-Abdr. Jahrb. geol. Landesanst.) 1886. 8^0.

— über die ältesten und jüngsten Tertiärbildungen bei Kassel. (Sep.-, Abdr. Nach.) Göttingen. 1887. 8^0.

— Beitrag zur Kenntnis der Crinoiden des Muschelkalkes. (Sep.-Abdr.) Göttingen. 1887. 8^0.

K o c h, A., description of the Hydrarchos Harlani. New York. 1845. 8^0.

K o c h, C., und E. S c h m i d, die Fährten-Abdrücke im bunten Sandsteine bei Jena. Jena. 1841. 4^0.

K o n i n c k, L. de, notice sur le genre Davidsonia. 8^0.

— Recherches sur les animaux fossiles. Part. 1. Monographie des genres Productus et Chonetes. Liège. 1847; Part. 2. Monographie des fossiles carbonifères de Bleiberg en Carinthie. Bruxelles. 1873. 4^0.

— mémoire sur les crustacées fossiles de Belgique. 1841. 4^0.

— recherches sur les Crinoides du terrain carbonifère de la Belgique suivies d'une notice sur le genre Woodocrinus. Bruxelles. 1854. 4^0.

— notices sur deux espèces de Brachiopodes du terrain paléozoique de la Chine. 8^0.

— déscription des animaux fossiles, qui se trouvent dans le terrain carbonifère de Belgique. Liège. 1851. 4^0.

— notice sur la valeur du caractère palaeontologique en Géologie. Bruxelles. 1847. 8^0.

K o n i n c k, M. de, notice sur quelques fossiles du Spitzberg. 8^0.

K o p e z k y, B., über die Nothwendigkeit, das naturhistorische Prinzip des Mohs in der Mineralogie beizubehalten. Wien. 1862. 4^0.

K o v a t s, T., erster Bericht der geologischen Gesellschaft für Ungarn. 1852. 8^0.

K r a m b e r g e r, D., Beiträge zur Kenntniss der fossilen Fische der Karpathen. (Dissertation.) 1879. 4^0.

K r a u s s, F. v., über einige Petrefacten aus der untern Kreide des Kaplandes. 4^0.

— Beiträge zur Kenntniss des Schädelbaues von Halitherium. (Sep.-Abdr. Jahrb. Mineralog.) 1858. 8^0.

— der Schädel des Halitherium Schinzi KAUP. Stuttgart. 1862. gr. 8^0.

— die Mollusken der Tertiär-Formation von Kirchberg an der Iller. (Sep.-Abdr. Württ. Jahresh.) 1852. 8^0.

K r e n n e r, J. A., die Tertiär-Formation von Szobb. (Dissertation.) Tübingen. 1865. 8^0.

K r i m m e l, O., über den Braunen Jura Epsilon. (Dissertation.) Tübingen. 1888. 8^0.

K u p f e r, A. T., de calculo crystallonomico. (Dissertation.) Göttingen. 1821. 4^0.

Kurr, G., Beiträge zur fossilen Flora der Juraformation Württembergs. Stuttgart. 1845. 4^0.

Lea, J., Contributions to geology. Philadelphia. 1833. 8^0.

— Oolithic formation in America. 1840. 4^0.

— description of some new fossil Shells from te tertiary of Petersburg. Philadelphia. 1843. 4^0.

— Catalogue of the tertiary testacea of the United States. Philadelphia. 1848. 8^0.

— on the fossil foot-marks in the red sandstone of Pottsville, Pennsylvania. Philadelphia. 1852. 4^0.

— on a fossil Saurian of the new red sandstone formation of Pennsylvania. Philadelphia. 1852. 4^0.

— notes on microscopic crystals included in some minerals; six new species of freshwater shells and descriptions of new species of Unionidae. Philadelphia. 1874. 8^0.

Leonhard, C. K. v., Handbuch der Oryktognosie. Heidelberg. 1821. 8^0.

— Naturgeschichte des Mineralreiches. Heidelberg. 1825. 8^0.

— Agenda geognostica. Hülfsbuch für reisende Gebirgsforscher etc. Heidelberg. 1829. 8^0.

Leonhard, G., Katechismus der Mineralogie. 3. Aufl. Leipzig. 1878. 12^0.

Leube, W. und G., Untersuchungen über das mineralische Material der Umgegend von Ulm. 1843. 8^0.

Lepsius, G. R., Halitherium Schinzi, die fossilen Sirenen des Mainzer Beckens. 1882. 4^0.

Lepsius, G. R. und C. Chelius, einleitende Bemerkungen über die geologischen Aufnahmen und geologische und mineralogische Litteratur des Grossherzogtums Hessen. Nebst einer Karte des Mainzer Beckens. 1884. 8^0.

Leuze, A., die Mineralien und Pseudomorphen des Roseneggs. (Dissertation.) Tübingen. 1889. 8^0.

Liebisch, Th., über eine besondere Art von homogenen Deformationen krystallisierter Körper. (Sep.-Abdr.) Göttingen. 1887. 8^0.

Linnarsson, G. O., on some fossils found in the Eophyton Sandstone at Lugnas in Schweden. Stockholm. 1869. 8^0.

Liversidge, A., the minerals of New South Wales. 1874. 1882. Sydney. 8^0.

Loretz, L., über Schieferung. (Sep.-Abdr. Senkenb. G.) Frankfurt a. M. 1880. 8^0.

Lorie, J., bijdrage tat de Kennis der Javaansche Eruptif-gesteenten. Proetschrift. Rotterdam. 1879. 8^0.

Mandelsloh, F. de, mémoires sur la constitution géologique de l'Albe du Württemberg. Deutsch übersetzt. Stuttgart. 1834. 4^0.

Marcou, J., notice sur la formation keupérienne dans le Jura salinois. Salins. 1846. 4^0.

— le terrain carbonifère dans l'Amérique du Nord. Genève. 1855. 8^0.

— Esquisse d'une classification des chaines de Montagnes d'une partie de l'Amérique du Nord. 1855. 8^0.

Marcou, J., Lettres sur les Roches du Jura et leur distribution géographique dans les deux hémisphères. Livr. 1 et 2. Paris. 1857 —1860. 8⁰.

— Notes pour servir à une. déscription géologique des Montagnes Rocheuse. Genève. 1858. 8⁰.

— sur le Néocomien dans le Jura et son rôle dans la série stratigraphique. Genève. 1858. 8⁰.

— American geology. Zürich. 1858. 8⁰.

— Geology of North America. Zürich. 1858. 4⁰.

— reply to the criticisms of James D. Dana. Zürich. 1859. 8⁰.

— Dyas et Trias ou le nouveau Grès rouge en Europe, dans l'Amérique du Nord et dans l'Inde. Genève 1859. 8⁰.

Marion, A. J., Premières observations sur l'ancienneté de l'homme dans les Bouches-du-Rhone. Aix. 1867. 8⁰.

Martens, E. v., fossile Süsswasser-Conchylien aus Sibirien. (Sep.-Abdr. Zeitschr. geol. Ges.) Berlin. 1874. 8⁰.

Mayer, C., Verzeichniss der in dem Kalk der Insel Baxis bei Porto santo fossil vorkommende Mollusken. 8⁰.

— die Tertiär-Fauna der Azoren und Madeiren. Zürich. 1864. gr. 8⁰.

Meek, F. and Hayden, systematic catalogue with Synonyma of Jurassic, Cretaceous and Tertiary fossils called in Nebraska by the exploring Expedition L. Warren. Philadelphia. 1860. 8⁰.

Merian, P., über die Grenze zwischen Jura- und Kreideformation. Basel. 1868. 8⁰.

Meyer, H. v., neue Gattungen fossiler Krebse aus Gebilden des bunten Sandsteins bis in die Kreide. Stuttgart. 1840. 4⁰.

— Pterodactylus (Rhamphorhynchus) Gemmingi aus dem Kalkschiefer von Solenhofen. 1846. 4⁰.

Meyer, J. R., Examen mineralogico-chemicum strontianitarum, in monte jura, juxta aroviam obviarum. (Dissertation.) Tübingen. 1813. 8⁰.

Michelotti, G., indice ragionato di alcuni testacei de Cefalopodi fossili in Italia, nella Savoja e nel contado di Nizza. 1840. 4⁰.

— monografia del genere Murex, ossia enumerazione della prinzipali specie del terreni sopracretacei dell' Italia. Vicenza. 1841. 4⁰.

— introduzione allo studio della geologia positiva. Torino. 1846. 8⁰.

— Rivista di alcune specie fossili della famiglia dei Gasteropodi. 1840. 4⁰.

Mietsch, H., die E. J. Richter-Stiftung, mineralogisch-geologische Sammlung der Stadt Zwickau. Zwickau. 1875. 8⁰.

Miller, H., notice of some remarks by the late —. Philadelphia. 1856. 8⁰.

Miller, K., das Tertiär am Hochsträss. (Dissertation.) Stuttgart. 1871. 8⁰.

— natürliche Beschaffenheit der Umgegend von Schramberg. 8⁰.

— das Molassemeer in der Bodenseegegend. Lindau. 1877. 4⁰.

— die geologischen Bildungen am Untersee und im Höhgau. Vortrag. gr. 8⁰.

Miller-Endlich, F., das Bonebed Württembergs. (Dissertation.) Tübingen. 1870. 4⁰.

Möbius, K., ist das Eozoon ein versteinerter Wurzelfüsser oder ein Mineralgemenge. (Sep.-Abdr. Natur.) 1879. 8⁰.

Möhl, H., die Urgeschichte des kurhessischen Landes. Cassel. 1863. 8⁰.

— die südwestlichen Ausläufer des Vogelgebirges. Mikroskopische Untersuchungen der Basalte der Mainebene. 8⁰.

— mikroskopische Untersuchung einiger Basalte Badens. 8⁰.

— kleine Beiträge zum Vorkommen des Tridymits, Breislakits und Sodoliths. Cassel. 1873. 8⁰.

— mikromineralogische Mittheilungen.. 1873. 8⁰.

— der Bühl bei Weimar. 1868. 8⁰.

— der Scheidsberg bei Remagen am Rhein. 1872. 8⁰.

Mohr, P., die Petrefacten der Trias und des Jura, sowie der Tertiär- und Diluvial-Bildungen Württembergs etc. Stuttgart. 1847. 8⁰.

Mojsisovics, E. v., E. Tietze und A. Bittner, Grundlinien der Geologie von Bosnien-Hercegovina.. Erläuterungen zur geologischen Übersichtskarte dieser Länder. Wien. 1880. 8⁰.

Mousson, A., geologische Skizze der Umgebungen von Baden im Canton Aargau. Zürich. 1840. 8⁰.

Müller, F. v., new vegetable fossils of Victoria. 1875. Fol.

— observations on new vegetable fossils of the auriferous driftes. Melbourne. 1879. Fol.

— observation on a new genus of fossil Coniferae. Melbourne. 1871. Fol.

Müller, J., Monographie der Petrefacten der Aachener Kreideformation. Abth. 1. 2. und Suppl. Bonn. 1847—59. 4⁰.

Münter, J., über subfossile Wirbelthiere. Fragmente von theils ausgerotteten, theils ausgestorbenen Thieren Pommerns, mit Hinweisung auf einige dem völligen Erlöschen nahe Wirbelthiere. (Sep.-Abdr.) Rügen. 1872. 8⁰.

Murchison, R. T., Siluria, the history of the oldest known rocks containing organic remains. London. 1854. 8⁰.

Nies, Fr., Beiträge zur Kenntniss des Keupers im Steigerwald. Würzburg. 1868. 8⁰.

— die angebliche Anhydritgruppe im Kohlenkeuper Lothringens. Würzburg. 1873. 8⁰.

— der Kalkstein von Michelstadt im Odenwald; der Kalktuff von Homburg am Main und. sein. Salpetergehalt; über ein kobalthaltiges Bittersalz. 1872. 8⁰.

— Photographie eines Titaneisenkrystalls. 1875.

— aphoristische Studien über den Verwitterungsprozess der Gesteine.

— über das Verhalten der Silicate beim Übergang aus dem gluthflüssigen in den festen Aggregatzustand. Stuttgart. 1889. 8⁰.

Nördlinger, M. H., essai sur les formations géologiques des environs de Grand-Jouan. Stouttgart. 1847. 8⁰.

Notes on the geological collection. Sydney. 1875. 8⁰.

Oken, Lehrbuch der Naturgeschichte. 1. Th. Mineralogie. Leipzig. 1813. 8⁰.

Olfers, J. M. v., die Überreste vorweltlicher Riesenthiere in Beziehung zu ostasiatischen Sagen und chinesischen Schriften. Berlin. 1840. 4⁰.

Omalius d'Halloy, éléments de géologie ou seconde partie des éléments d'inorganomie particulière. Paris. 1839. 8^0.

Oppel, A., weitere Nachweise der Kössener Schichten in Schwaben und in Luxemburg. Wien. 1858. 8^0.

— palaeontologische Mittheilungen. 3 Theile. Text und Atlas. Stuttgart. 1863—65. 8^0.

— über die weissen und rothen Kalke von Vils in Tyrol. (Sep.-Abdr. Württ. Jahresh.) 1860. 8^0.

— der mittlere Lias Schwabens. Ebenda. 1854. 8^0.

— die Juraformation Englands, Frankreichs und des südwestlichen Deutschlands. 1856—58. 8^0.

Otto, E. v., Additamente zur Flora des Quadergebirges in der Gegend um Dresden und Dippoldiswalde. Dippoldiswalde. Fol.

Owen, D. D., illustrations to the geological report of Wisconsin, Jowa and Minnesota. Philadelphia. 1842. Fol.

— report of a geological survey of Wisconsin, Jowa and Minnesota. Philadelphia. 1852. Fol.

— report of the geological survey in Kentucky, made during the years 1854—56. Frankfort. 1856—58. 8^0.

— first and second report of a geological reconnoissance of the northern counties of Arkansas, made during the years 1857—60. Philadelphia. 1858—60.

— description of the skull and teeth of the Placodus laticens Ow. etc. 1858. 4^0.

— monographs on the British fossil Reptilia from the Oolitic formation. London. 1862. 4^0.

— Archaeopterix. (Sep.-Abdr. Trans. philos. soc.) 1863.

Pander, Ch. H., Monographie der fossilen Fische des silurischen Systems der russisch-baltischen Gouvernements. St. Petersburg. 1856. 4^0.

— über die Placodermen des devonischen Systems. St. Petersburg. 1857. 4^0 und Fol.

— über die Ctenodipterinen des devonischen Systems. St. Petersburg. 1860. 4^0 und Fol.

— über die Saurodipterinen, Dendrodonten, Glyptolopiden und Cheirolcpiden des devonischen Systems. St. Petersburg. 1860. 4^0 und Fol.

Partsch, P., die Meteoriten, oder vom Himmel gefallene Steine und Eisenmassen im K. Mineral. Kabinet zu Wien. Wien. 1843. 8^0.

Petrik, L., über ungarische Porzellanerden. Budapest. 1887. 8^0.

Portis, A., Bibliographie géologique et palaeontologique d'Italie. Bologne. 1881. 8^0.

»Quecksilberwerk«, das K. K. — zu Idria in Krain. Herausg. von der K. K. Bergdirection zu Idria. Wien. 1881. 8^0.

Quenstedt, F. A., Lepidotus im Lias ε Württembergs. Tübingen. 1847. 4^0.

— über Pterodactylus suevicus im lithographischen Schiefer Württembergs. Tübingen. 1855. 4^0.

— die Schöpfung der Erde und ihre Bewohner. Stuttgart. 1888. 8^0.

mann, G., Leitfaden der Mineralogie. Berlin. 1871. 8^0.

bmann, E. und A. Ecker, zur Kenntniss der quarternären Fauna des Donauthales. (Sep.-Abdr. Archiv für Anthropol. Bd. X.) 4^0.

inwardt, G. C., oratio de geologiae ortu et progressu. Lugduni. 1833. 4^0.

usch, H., silur fossiler og pressede Konglomerater i Bergenskifrena. (Programm.) Christiania. 1883. gr. 8^0.

uss, A. E., die Versteinerungen der böhmischen Kreideformation. Stuttgart. 1845. 4^0.

uss, F. A., Lehrbuch der Mineralogie. 1. 2. Theil. Leipzig. 1801 —1803. 8^0.

uss, G. Ch., Eser's Petrefacten-Sammlung, systematisch verzeichnet. Ulm. 1850. 8^0.

chthofen, F., the natural system of Volcanic rocks. San Francisco. 1868. 4^0.

mer, Ferd., die fossile Fauna der silurischen Diluvial-Geschiebe von Sadewitz bei Oels in Niederschlesien. Breslau. 1861. 4^0.

brer, B., de glaciarorum vera ratione eorumque influxu in sanitatem accolarum. (Dissertation.) Tübingen. 1803. 8^0.

lle, Fr., Beiträge zur näheren Kenntniss einiger an der Grenze der Eocän- und Neogen-Formation auftretenden · Tertiärschichten. 8^0.

über die geologische Stellung der Sotzka-Schichten in Steiermark. Wien. 1858. 8^0.

über einige an der Grenze von Keuper und Lias in Schwaben auftretende Versteinerungen. 1858. 8^0.

über die geologische Stellung der Horner Schichten in Nieder-Österreich. 1859. 8^0.

über einige neue Acephalen-Arten aus den unteren Tertiärschichten Österreichs und Steiermarks. 1859. 8^0.

ppel., E., über fossile Reptilien. Frankfurt a. M. 1845. 4^0.

timeyer, L., über Anthracotherium magnum und hippoideum. Basel. 4^0.

über schweizerische Anthracotherien. (Sep.-Abdr. Verb. Basel.) 1855. 8^0.

Beiträge zu einer palaeontologischen Geschichte der Wiederkäuer, zunächst an Linné's Genus Bos. Ebenda. 1865. 8^0.

über Thal- und Seebildung. Beiträge zum Verständniss der Oberfläche der Schweiz. Basel. 1869. 4^0.

die Rinder der Tertiär-Epoche nebst Vorstudien zu einer natürlichen Geschichte der Antilopen. Theil 1. 2. (Sep.-Abdr. Schweiz. palaeont. Ges.) Zürich. 1878—78. 4^0.

Beiträge zu einer natürlichen Geschichte der Hirsche. Theil 1. 2. Ebenda. 1880—84. 4^0.

Beiträge zur Kenntniss der fossilen Pferde und einer vergleichenden Odontographie der Hufthiere im Allgemeinen. Ebenda. 1883. 8^0.

lleston, G., on the domestic Pig of prehistoric times in Britain and on the mutual relation of this variety of Pig and Sus scrofa, ferus, cristatus, andamanensis and barbatus. (Extr. Tr. Lin. S.) London. 1877. 4^0.

Rominger, C., Beiträge zur Kenntniss der böhmischen Kreide.

Sandberger, F., über die geognostische Zusammensetzung der Umgebung von Weilburg. (Sep.-Abdr. Jahresh.) Nassau. 1852. 8⁰.

Sars, M., jagttagelser over den postpliocene ellor glaciale formation i en del af del Sydlige Norge. 1860. 4⁰.

— geologiske og zoologiske Jagttagelser, anstillede paa en Reise i en Deel of Trondhjems Stift i Sommeren 1862. Christiania. 1863. 8⁰.

— om de in Norge forkommende fossile Dyrelevninger frå Quartärperioden, et Bidrag til vor -faunas historie. Christiania. 1865. 4⁰.

Schalch, E., die Gliederung der Liasformation des Donau-Rheinzuges. Stuttgart. 1880. 8⁰.

Scheerer, Th., Beiträge zur Kenntniss des Sefström'schen Frictionsphänomens. Christiania. 8⁰.

Schenkenberg, F. C. A., die lebenden Mineralogen. Stuttgart. 1843. 8⁰.

Schill, J., die Tertiär- und Quartärbildungen am nördlichen Bodensee und im Höhgau. (Sep.-Abdr. Württ. Jahresh.) 1859. 8⁰.

Schlichter, G. H., über Lias Beta. Tübingen. (Diss.) 1885. 8⁰.

Schlönbach, A., Beitrag. zur genauen Niveaubestimmung des auf der Grenze zwischen Keuper und Lias im Hannoverischen und Braunschweigischen auftretenden Sandsteins. 1860. 8⁰.

Schmidt, F. A., die wichtigsten Fundorte der Petrefacten Württembergs, nebst ihren Kennzeichen. Stuttgart. 1838. 12⁰.

Schottky, A., die Kupfererze des Distriktes von Aron, Venezuela. (Dissertation.) Breslau. 1877. 8⁰.

Schumacher, E., Erläuterungen zur geologischen Karte der Umgebung von Strassburg. 1863. 8⁰.

Schvarcz, J., la géologie antique et les fragments du Clazoménien. Pesth. 1861. 4⁰.

Scopoli, J. A., crystallographia hungarica. Prs. 1. 1874. 8⁰.

Scrope, G. F., die Bildung der vulcanischen Kegel und Krater, übersetzt von C. L. Griesbach. Berlin. 1873. 8⁰.

Selenka, E., die fossilen Krokodilinen des Kimmeridge von Hannover. (Sep.-Abdr. Palaeontogr.) 1867. 4⁰.

Selwyn, A. R. C., a descriptive Catalogue of the Rock specimens and minerals in the National Museum collected by the geolog. Survey of Victoria. Melbourne. 1868. 8⁰.

Sexe, S. A., Maerker efter en Jistid i omegnen af Hardangerejorden. Christiania. 1866. 4⁰.

— Jaettegryder og gamle strandlinier i fast Klippe. Christiania. 1875. 4⁰.

Speyer, O., die palaeontologischen Einschlüsse der Trias in der Umgebung Fuldas. 1875. 8⁰.

Storr, G. C. C., Museum physiognosticum, methodo cujus per partes singulas ratio redditur, digestum descriptumque. Prs. 1. Liber. 1. Idea methodi fossilium. Stuttgartiae. 1807. 4⁰.

Struve, H. v., mineralogische Beiträge, vorzüglich in Hinsicht auf Württemberg und den Schwarzwald. Gotha. 1807. 8⁰.

S t u d e r, M. B. et A. F a v r e, recherches géologiques dans les parties de la Savoie, du Piémont et de la Suisse voisine du Mont-Blanc. (Extr.) 1868. 8⁰.

S t u d e r, Th., Die Thierwelt in den Pfahlbauten des Bielersees. (Sep.-Abdr. Mitth.) Bern. 1883. 8⁰.

S w a l l o w, G. C. geological report of the country along the line of the S. W. Branch of the Pacific railroad, state of Missouri. St. Louis. 1859. 8⁰.

T e i c h m a n n, F., der junge Mineralog. 2. Aufl. 8⁰.

T h o m a e, C., der vulcanische Roderberg bei Bonn. Bonn. 1835. 8⁰.

T h u r m a n n, J., Abraham Gagnebin de la Ferrière. Porrentruy. 1851. 8⁰.

— essai d'orographie jurassique. Genève. 1846; 4⁰.

T r a s k, J. B., report on the geology of Northern and Southern California. 1856. 8⁰.

T u f f e a u, C., esquisse géologique et paléontologique des couches crétacées du Limbourg. Bruxelles. 1859, 8⁰.

U n g e r n - S t e r n b e r g, W. H. C. R. A. v., Werden und Sein des vulcanischen Gebirges. Karlsruhe. 1825. 8⁰.

V e i l, Vogelreste aus dem Cannstatter Sauerwasserkalk für die XIII. Vers. des Vereins für vaterl. Naturkunde abgebildet. (Foliotafel.)

V ö l t e r, Deutschland und die angrenzenden Länder. Esslingen. 1858. 8⁰.

V o g e l, H., über die geognostischen Verhältnisse der Umgebungen von Tübingen. (Dissertation.) Tübingen. 1832. 8⁰.

V o i g t, J. C. W., praktische Gebirgskunde. Weimar. 1797. 8⁰.

V o i t h, J. v., geognostische Beschreibung Regensburgs. 1838. 8⁰.

V o l g e r, O., über die Geradhörner und Donnerkeile. Ein Beitrag zur Kenntniss der Orthoceraten und Belemnitellen. Offenbach. 1861. 8⁰.

V o l z, M., observations sur les Belopeltis ou lamés dorsales des Belemnités. 4⁰.

V o s s l e r, O., die Begründung der landwirthschaftlichen Bodenkunde durch die heutige Geognosie. (Sep.-Abdr.) 1869. 8⁰.

W a g n e r, A., die fossilen Ueberreste gavialartiger Saurier aus der Lias-Formation in der K. palaeontologischen Sammlung in München. 4⁰.

— Beschreibung einer neuen Art von Ornithocephalus, nebst kritischer Vergleichung der in der K. palaeont. Sammlung zu München aufgestellten Arten aus dieser Gattung. (Sep.-Abdr. Abh. Wiss. Bd. 6). 4⁰.

— Beiträge zur Unterscheidung der im süddeutschen Lias vorkommenden Arten von Ichthyosaurus. Ebenda. 1851. 4⁰.

— neu aufgefundene Saurier - Ueberreste aus den lithographischen Schiefern und dem oberen Jurakalke. Ebenda. 1852. 4⁰.

— neue Beiträge zur Kenntniss der fossilen Säugthier-Ueberreste von Pikermi. 1. Abt. Saurier. München. 1857. 4⁰.

W a l z, Beiträge zur Geologie des Rieses. (Sep.-Abdr) 8⁰.

W e i n l a n d, D. F., über Inselbildung. (Sep.-Abdr. Württemb. Jahresh.) 1860. 8⁰.

— über die in Meteoriten entdeckten Thierreste. 1882. 8⁰.

W e r n e r, A. G., von den äusserlichen Kennzeichen der Fossilien. Leipzig. 1774. 8⁰.

Werner, A. G., letztes Mineral-System. Freyburg und Wien. 1817. 8^0.

Wiebel, K. W. M., die Insel Helgoland nach ihrer Grösse in Vorzeit und Gegenwart. Hamburg. 1846. 4^0.

Wiedersheim, R., Labyrinthodon Rütimeyeri. Ein Beitrag zur Anatomie des Gesammtskelets und des Gehirns der triassischen Labyrinthodonten. Lindau. 1878. 8^0.

— zur Palaeontologie Nord-Amerikas. (Sep.-Abdr. Biol. Centralbl.) 8^0.

Wilkinson, C. S., notes on the geology of New South Wales. Sydney. 1882. 8^0.

Winkler, G. G., die Gesteinslehre. München. 1864. 8^0.

Wolf, E., die wichtigeren Gesteine Württembergs, deren Verwitterungsprodukte und die daraus entstandenen Ackererden. III. Der grobsandige Liaskalkstein von Ellwangen. Stuttgart. 1871. 8^0.

Wood, mineral products of New South Wales. Sydney. 1882. 8^0.

Woodword, H., guide of collection of fossil fishes in the department of geology and palaeontology. London. 1885. 8^0.

Wünsche, O., das Mineralreich. 5. Aufl. des 3. Bandes der gemeinnützlichen Naturgeschichte von Prof. Dr. O. Lenze. Gotha. 1887. 8^0.

Württemberger, L., Studien über die Stammesgeschichte der Ammoniten. Leipzig. 1880. 8^0.

Wurstemberger, A. R. C. v., über Lias Epsilon. Stuttgart. 1876. 8^0.

Zakrzewsky, A. J., die Grenzschichten des Braunen zum Weissen Jura in Schwaben. (Dissertation.) Tübingen. 1886. 8^0.

Zelger, C., geognostische Wanderungen im Gebiete der Trias Frankens. Würzburg. 1867. 8^0.

Zepharovich, v., Beiträge zur Geologie des Pilsener Kreises in Böhmen. Wien. 1856. 8^0.

Zeune, A., Gea, Versuch, die Erdrinde sowohl im Lande als Seeboden mit Bezug auf Natur- und Völkerleben zu schildern. Berlin. 1830. 8^0.

Zieten, Major v., Handzeichnungen zu einer (nicht erschienen) neuen Auflage seiner »Versteinerungen Württembergs«.

Zittel, K. A., Beiträge zur Systematik der fossilen Spongien. Stuttgart. 1879. 8^0.

— über Squalodon Bariensis aus Niederbayern. Augsburg. 1877. 8^0.

— Studien über fossile Spongien. Abth. 1—3. 1877—78. (Sep.-Abdr. Abh. Akad.) München. 8^0.

Zittel und Gaubert, note sur le gisement de glos. (Extr. Journ. Conchyl.) 1861. 8^0.

Zittel, K. A. und A. Oppel, Palaeontologische Mittheilungen aus dem Museum des K. Bayerischen Staates. Bd. 2. Abth. 1. Die Cephalopoden der Stramberger Schichten. Stuttgart. 1868. Fol.

VI. Geologische und andere Karten.

Bach, geognostische Übersichtskarte von Deutschland, der Schweiz und den angrenzenden Ländertheilen. 9 Karten mit Begleitwort. Gotha. 1856.

Bechler, G., map of the upper geyser basin of the upper Madison river, Montana. 1 Bl. Fol.
— map of the lower geyser basin on the upper Madison river. 1 Bl. Washington. 1872.
— map of the sources of Snake river. 1 Bl. Fol.

Beiträge zur geologischen Karte der Schweiz, herausgegeben von der geologischen Commission der schweizerischen naturforschenden Gesellschaft. Bern.

1. Abtheilung Texte.

Lief. 1. Geognostische Skizze des Cantons Basel und der angrenzenden Gebiete von Alb. Müller. 1862. 4^0. (Hiezu Blatt II.)

„ 2. Geologische Beschreibung der nordöstlichen Gebirge von Graubünden von Theobald. 1863—64. 4^0. (Hiezu Blatt X. XV.)

„ 3. Geologische Beschreibung der südöstlichen Gebirge von Graubünden und dem angrenzenden Veltlin von Theobald. 1866. 4^0. (Hiezu Blatt XX.)

„ 4. Geologische Beschreibung des Aargauer Jura und der nördlichen Gebiete des Canton Zürich von C. Mösch. 1867. 4^0. (Hiezu Blatt III. und Blatt Brugg.)

„ 5. Geologische Beschreibung des Pilatus von J. Kaufmann. 1864—67. 4^0.

„ 6. Description géolog. du Jura Vaudois et Neuchatelois par A. Jaccard. 1869. 4^0. (Hiezu Blatt VI. XI. XVI.)

„ 7. Supplement à la description du Jura Vaudois et Neuchatelois par A. Jaccard. 1870. 4^0. (Hiezu Blatt VI.)

„ 8. Déscription géolog. du Jura Bernois et de quelques districts adjacents par J. B. Greppin. 1870. 4^0. Hiezu Blatt VII.)

„ 9. Das südwestliche Wallis mit den angrenzenden Landestheilen von Savoyen und Piemont von H. Gerlach. 1872. 4^0. (Hiezu Blatt XXII. und 1 Blatt Profile.)

„ 10. Der südlliche Aargauer Jura und seine Umgebungen von C. Mösch. 1874. 4^0. (Hiezu Blatt VIII.)

„ 11. Gebiete der Cantone Bern, Luzern, Schwyz und Zug von F. J. Kaufmann. 1872. 4^0. (Hiezu Blatt VIII.)

„ 12. Alpes de Fribourg en général et déscription spécial de Monsalvens par Gilliéron. 1873. 4^0. (Hiezu Blatt XII.)

„ 13. Die Sentis-Gruppe. Text von A. Escher v. d. Linth. 1878. 4^0. (Mit 1 Karte und 2 Profilen.)

„ 14. Geologische Beschreibung des Cantons St. Gallen und seiner Umgebungen von Gutzwiller, Kaufmann und Mösch. 1877. 4^0. (Hiezu Blatt IX.)

„ 15. Das Gotthardgebiet von K. v. Fritsch. 1873. 4^0. (Mit 1 Karte und 2 Profilen.)

„ 16. Monographie des Hautes-Alpes Vaudoises par E. Renevier. Bern. 1890. 4^0.

„ 17. Il canton Ticino meridionale ed i paesi finitimi. Spiegazione del foglio XXIV. Duf. colorito geologicamente da Spreafico, Negri e Stoppani per Torquato Taramelli. 1880. 4^0.

Lief. 18. Déscription géologique des territoires de Vaud, Fribourg
et Berne. Compris dans la feuille XII. entre le lac de
Neuchâtel et la Crête du Niesen par V. Gilliéron. 1885. 4⁰.

„ 19. Geologische Beschreibung der Kantone St. Gallen, Thurgau
und Schaffhausen, bearbeitet von Gutzwiller und Schalch.
1883. 4⁰. (Hiezu Blatt IV.)

„ 20. Der mechanische Contact von Gneiss und Kalk im Berner
Oberland von A. Baltzer. 1880. 4⁰. und Fol.

„ 21. Farben- und Zeichen-Erklärungen der geologischen Karte.
V. Verzeichniss von Orts-Benennungen in verschiedenen
Sprachen.

„ 22. Déscription des Préalpes du canton de Vaud et du Chablais
jusqu'à la drause et de la chaine des Dents du midi
formant la partie Nord-ouest de la feuille XVII. par E.
Favre et H. Schardt. 1887. 4⁰.

„ 23. Das südwestliche Graubünden und nordöstliche Tessin,
enthalten auf Blatt XIX. von Fr. Rolle, 1881. 4⁰. (Hiezu
Blatt XIX.)

„ 24. Centralgebiet der Schweiz, enthalten auf Blatt XIII., bearbeitet von A. Baltzer, F. J. Kaufmann und C. Mösch,
nebst einem syst. Verzeichniss der Kreide- und Tertiär-
versteinerungen der Umgebung von Thun von Prof. Dr.
Mayer-Eymar. 1886—88. 4⁰. (Hiezu Blatt XIII.)

„ 25. Höhen der vorzüglichsten Puncte.

„ 26. Domo d'Ossola und Arona, aufgenommen von H. Gerlach
(Karte), bildet die 26. Lieferung ohne Text.

„ 27. Erläuterungen zu den Arbeiten von Gerlach in den Blättern
XVII. XVIII. XXII. XXIII. südlich der Rhone. 1883. 4⁰.

2. Abtheilung Geologische Karten.

Übersichtskärtchen vom Januar 1876 und September 1879.

Blatt II. Basler Jura in 4 Blättern von Jaccard und Müller.
1863. (Zu Lief. 8.)

„ III. Liestal-Schaffhausen. 1867. ditto. 2. Aufl. 1876, von
Mösch, Stutz, Merian und Vogelgesang. (Zu Lief. 4.)
Brugg von Mösch. (Zu Lief. 4. 1867.)

„ IV. St. Gallen, Thurgau und Schaffhausen, bearbeitet
von Gutzwiker und Schalch. Bern.1883. 4⁰. (Zu Lief.19.)

VI. Besançon, le Locle von Jaccard. 1870 (Zu Lief. 6. 7.)

„ VII. Porrentruy, Solothurn par Greppin et Kaufmann. 1870.
(Zu Lief. 8.)

„ VIII. Aarau, Luzern, Zug, Zürich von Kaufmann. 1872.
(Zu Lief. 10. 11.)

„ IX. Schwyz, Glarus, Appenzell, Sargans von Mösch und
Kaufmann. (Zu Lief. 14.)

X. Feldkirch, Arlberg von Theobald. 1864. (Zu Lief. 2.)

„ XI. Pontarlier, Yverdon par Jaccard. 1869. (Zu Lief. 6.)

„ XII. Freiburg, Bern von Jaccard und Bachmann. 1879.
(Zu Lief. 12.)

Blatt XIII. Interlaken, Sarnen, Stanz. 1883. (Zu Lief. 24.)

    „ XIV. Altdorf, Chur. (Zu Lief, 25.)

    „ XV. Davos, Martinsbruck von Theobald. 1864. (Zu Lief. 2.)

    „ XVI. Genève, Lausanne par Jaccard. 1869. (Zu Lief. 6.)

    „ XVII. Vevey, Syon. (Zu Lief. 27.)

    „ XVIII. Brig, Airolo. (Zu Lief. 27.)

    „ XIX. Bellinzona, Chiavenna. (Zu Lief. 23.)

    „ XX. Sondrio, Bormio· von Theobald. 1866. (Zu Lief. 2.)

    „ XXI. Farben- und Zeichen-Erklärung zu Blatt XV. XVIII. Erläuterungen zu den Arbeiten von H. Gerlach in den Blättern XXII. XXIII. südlich der Rhone: Bern. 1883. (Zu Lief. 27.)

    „ XXII. Martigny, Aoste von Gerlach. Mit 1 Blatt Profile. 1872. (Zu Lief. 9.).

    „ XXIII. Domo d'Ossola, Arona. 1882.

    „ XXIV. Lugano, Como par Spreafico, Negri, Stoppani. 1878. (Zu Lief. 17.)

    „ XXV. Höhenangaben.

Geognostische Karte des St. Gotthard mit 3 Profiltafeln, von K. v. Fritsch. 1873. (Zu Lief. 15.)

Geologische Karte des Sentis mit 2 Profiltafeln von Escher v. d. Linth. 1878. (Zu Lief. 18.)·

Carte géolog. de la partie sud des Alpes Vaudoises et des portions limitrophes du Valais comprenant les massifs des Diablerets, Muveran, Dent de Morcles etc. par Renevier. 1875.

Clevelano, W., a working Map for illustrating, by coloration the geographical distribution of life. (Boston soc. natur. hist.) 1868.

Commission de la Carte géologique de la Belgique.

Levé géologique des planchettes XV. 7 et XV. 8 de la carte topographique de la Belgique par O. van Ertborn avec la colaboration de P. Cogels. gr. Fol.

Texte explicatif du Levé géologique des planchettes d'Hoboken et de Contich. Feuille XV. Hoboken planch. No. 7. — XV. Feuill. de Coupes. — XV. Contich planch. No. 8. Bruxelles. 1880. 8⁰.

Levé géologique des planchettes XXXI. 5 et XXXI 1 de la carte topographique de la Belgique par M. G. Velge. Feuille XXXI. Lennick-St. Quintin. Planch. No. 5.

Notice explicative servant de la complément à la carte géologique des environs de Lennick-St. Quintin par M. G. Velge. Bruxelles. 1880. 8⁰.

Levé géologique des planchettes XV. 2, 3, 5, 6 et XXIII. 3, 4 de la carte topographique de la Belgique. St. Nicolas. Feuill. XV. Tamise. Planch. No. 5—6. Hiezu: Texte explicatif etc. par Baron O. v. Ertborn. 2 Hefte. 1880.

Levé géologique des planchettes XVI. 3, 4. 7. Casterlé Feuill, XXII. Planch. No. 4. Lille No. 3. Hérenthals No. 7. Hiezu Texte explicatif etc. 3 Hefte. 1881.

Levé géologique de la planchette XXIX. 8 etc. par E. Delvaux. Renaix Feuill. XXIX planch. No. 8. Hiezu Notice explicatif etc. 1 Heft. 1881.

Czjzek, J., geognostische Karte der Umgebungen von Krems und vom Manhardsberge. 1849.

Dechen, H. v., geologische Übersichtskarte der Rheinprovinz und der Provinz Westfalen. Berlin. 1866.

Eck, H., geognostische Karte der Gegend von Ottenhöfen. Lahr. 1886.

Favre, carte géologique des parties de la Savoie, du Piémont et de la Suisse voisines du Mont-Blanc.

Fötterle, Fr., geologische Übersichtskarte des mittleren Theiles von Südamerika. Wien. 1854. 8⁰.

— geologische Karte der Markgrafschaft Mähren und des Herzogthums Schlesien. Wien. 1866. 2 Blätter.

Geological Sketch-Map of Town-Hobart. 17 Maps and Panorama. Fol.

Geognostische Specialkarte von Württemberg.

a) Begleitworte. 4⁰.

Programm zur geognostischen Specialkarte. 1865. 4⁰.

Besigheim und Maulbronn von E. Paulus und H. Bach. 1865.

Stuttgart von O. Fraas. 1865.

Tübingen von H. Bach und Fr. A. v. Quenstedt. 1865.

Liebenzell von E. Paulus. 1866.

Ulm mit Rammingen von O. Fraas. 1866.

Freudenstadt von E. Paulus. 1866.

Göppingen von Fr. A. v. Quenstedt. 1867.

Heidenheim von O. Fraas. 1868.

Wildbad von E. Paulus. 1868.

Böblingen von H. Bach. 1868.

Giengen von O. Fraas. 1869.

Urach von Fr. A. v. Quenstedt. 1869.

Calw von H. Bach. 1869.

Gmünd von Fr. A. v. Quenstedt. 1869.

Waiblingen von H. Bach. 1870.

Altenstaig, Oberthal (Hornisgründe) u. Kniebis von E. Paulus. 1871.

Aalen von O. Fraas. 1871.

Blaubeuren von Fr. A. v. Quenstedt. 1872.

Ellwangen von H. Bach und O. Fraas. 1872.

Löwenstein von Fr. A. v. Quenstedt. 1874.

Oberndorf von E. Paulus. 1875.

Horb von E. Paulus. 1875.

Ebingen, Biberach, Laupheim, Ochsenhausen von Quenstedt. 1876.

Bopfingen und Ellenberg von Deffner und O. Fraas. 1877.

Balingen und Ebingen von Fr. A. v. Quenstedt. 1877.

Hall von Hildebrand und Quenstedt. 1879—81.

Schwenningen von Hildebrand und Quenstedt. 1879—81.

Tuttlingen von Hildebrand und Quenstedt. 1879—81.

Hohentwiel von O. Fraas. 1879—81.

Ravensburg von Hildebrand und Fraas. 1882—83.

Leutkirch von Hildebrand und Fraas. 1882—83.
Tettnang von Hildebrand und Fraas. 1882—83.
Isny von Hildebrand und Fraas. 1882—83.
Wilhelmsdorf von O. Fraas. 1885.
Friedrichshafen von O. Fraas. 1885.
b) Atlasblätter.

Aalen	Blatt	19	Kirchheim	Blatt	25
Altensteig	„	22	Kniebis	„	29
Balingen	„	38	Laupheim	„	42
Besigheim	„	9	Leutkirch	„	52
Biberach	„	47	Liebenzell	„	15
Blaubeuren	„	34	Löwenstein	„	10
Böblingen	„	24	Maulbronn	„	8
Bopfingen	„	20	Oberndorf	„	37
Calw	„	23	Oberthal	„	21
Ebingen	„	39	Ochsenhausen	„	48
Ehingen	„	41	Rammingen	„	36
Ellenberg	„	13	Ravensburg	„	51
Ellwangen	„	12	Riedlingen	„	40
Freudenstadt	„	30	Saulgau	„	46
Fridingen	„	45	Schwenningen	„	43
Friedrichshafen	„	53	Stuttgart	„	16
Giengen	„	28	Tettnang	„	54
Gmünd	„	18	Tübingen	„	32
Göppingen	„	26	Tuttlingen	„	44
Hall	„	11	Ulm	„	35
Heidenheim	„	27	Urach	„	33
Hohentwiel	„	49	Waiblingen	„	17
Horb	„	31	Wildbad	„	14
Isny	„	55	Wilhelmsdorf	„	50

Geognostische Reisekarte der Umgebung von Heidelberg.
Geognostisches Bild des Harzes.
Geognostische Karten von der Umgebung von Dresden, Baden,
Heidelberg, Engen, Sinsheim.
Glocker, E. F., zwei Karten zur geognostischen Beschreibung der
preuss. Oberlausitz. Görlitz. 1857.
Hayden, F. V., Montana and Wyoming territories, embracing most
of the country about the sources of the Madison, Gallatin and
Yellowstone Rivers. 1782.
— the grotte Geyser of the Yellowstone national park with a descriptive
note and map, and on illustration by the Albert tybe process. gr. Fol.
— geological and geographical atlas of Colorado.
1. Triangulation Map; 2. Drainage Map; 3. Economic Map; 4. General geological Map; 5. Northwestern Colorado; 6. Northern-Central-,
7. Central-, 8. Western-, 9. Southwestern-, 10. Southern-Central-,
11. Northwestern-, 12. Northern-Central-, 13. Central-, 14. Western-,
15. Southwestern-, 16. Southwestern-Central-Colorado; 17—18. Geological Section; 19—20. Panoramic views. Washington. 1877. Fol.

Kaart van de Westkust der Residentie Bantam van af St. Nicolaas punt tot Tjaringin, aangevende den topographischen toestand van die terreinstrook voor en na de eruptie van den Gg. Rakata (Krakatau) op den 26. en 27. August 1883. Schaal 1—100,000. Batavia. 1883.

Marcou, J., über die Geologie der Vereinigten Staaten und der Britischen Provinzen von Nordamerika. Mit Karte. Gotha. 1855. 4⁰.

Mineral-Map and general statistics of New South Wales. Sydney. 1876. 8⁰.

Möhl, H., Wandkarte von Südwestdeutschland, umfassend Württemberg, Bayern, Baden, Hessen, Hohenzollern und Elsass-Lothringen. Kaiserslautern. 1877.

Nicollet, hydrographical basin of the upper Mississippi river. 2 maps.

Tulloch and Brown, map of the Colony of Victoria comprising part of New South Wales. Seaport and Inland Townships, the Gold Fields with the latest discoveries. 1857.

Victoria and Maps of Australia. 1857.

Wies, N., Wegweiser zur geologischen Karte des Grossherzogtums Luxemburg. 9 Atlasblätter. Luxemburg. 1877. 8⁰.

Wies, N. et Siegen, P. M., Carte géologique du Grandduché de Luxemburg.

VII. Chemie, Physik, Astronomie und Meteorologie.

Abbott, Fr., results of five years meteorological observations for Hobarttown. Tasmania. 1872. 4⁰.

Albert, E., über die Aenderung des Farbentons von Spektralfarben und Sigmenten bei abnehmender Lichtstärke. (Dissertation.) Tübingen. 1882. 8⁰.

Albert, L., Württemberg und Hohenzollern. Höhenpunkte und Höhenvergleichungen. Cannstatt. 1860. 8⁰.

Alt, H., über die Chinolinderivate aus metasubstituirten Aminen und eine echte Chinolincarbonsäure. (Dissertation.) Tübingen. 1886. 8⁰.

Antweiler, P. J., über einige Säurecyanide und aus denselben erhaltene Ketonsäuren. (Dissertation.) Tübingen. 1880. 8⁰.

Baer, F. L., chem. Untersuchung der Seidelbast-Rinde. (Dissertation.) Tübingen. 1822. 8⁰.

Bantlin, A., neu Nitroderivate des Phenols. 1875. 8⁰.

Barringer, J. B., Investigations on sorbic and parasorbic acids. (Dissertation.) Tübingen. 1871. 8⁰.

Battershall, J. P., Investigations on some new derivatives of naphthalene. (Dissertation.) Tübingen. 1872. 8⁰.

Bauer, A., über zwei in der Harzessenz vorkommende Butyltoluole. (Dissertation.) Tübingen. 1883. 8⁰.

Bauer, H. v., über Dimethyl-Xylidine, Toluidine und Aniline. (Dissertation.) Tübingen. 1882. 8⁰.

Bauer, H., über die Siedepunktsanomalien der chlorierten Acetonitrite und einiger ihrer Abkömmlinge. (Dissertation.) Tübingen. 1884. 8⁰.

B a u m.a n n, E., einige Vinylverbindungen. (Dissertation.) Tübingen. 1872. 8⁰.

B a u m a n n, Fr., Untersuchungen über monatliche Perioden in den Veränderungen unserer Atmosphäre. (Dissertation.) Tübingen. 1832. 8⁰.

B e c k, C., über das Dioxyldiphenylmethan. (Dissertation.) Tübingen. 1877. 8⁰.

B e c k e r, Th., die Stassfurter Kaliindustrie. (Dissertation.) Tübingen. 1872. 8⁰.

B e n d e r, A., über einige Derivate des Phenylsulfhydrats. (Dissertation.) Tübingen. 1868. 8⁰.

B e n d e r, K., über eine neue Bildungsweise der ätherschwefligsauren Salze etc. (Dissertation.) Tübingen. 1866. 8⁰.

B e n n e r t, K., Beiträge zur Kenntnis der Isomerie von Fumar- und Maleinsäure. (Dissertation.) Tübingen. 1884. 8⁰.

B e n t s c h, D., Untersuchungen über die fetten Oele Deutschlands. (Dissertation.) Tübingen. 1828. 8⁰.

B e n z, E., zur Kenntnis substituierter Carbaminsäurchloride. (Dissertation.) Tübingen. 1889. 8⁰.

B e r t s c h, H., über einige Salze und Verwandlungen der Monochloressigsäure. (Dissertation.) Tübingen. 1870. 8⁰.

B i l f i n g e r, Azodracylsäure und Hydrazodracylsäure. (Dissertation.) Tübingen. 1864. 8⁰.

B i l f i n g e r, A., über Nitrotoluidin. (Dissertation.) Tübingen. 1866. 8⁰.

B i n n e c k e r, Fr., über verschiedene Metallsalze als Sauerstoffüberträger an schweflige Säure. (Dissertation.) Tübingen. 1887. 8⁰.

B i s c h o f, H., das Caryophyllinenroth. 1876. 8⁰.

B l o t n i t s k i, L., Bericht über den Föhn und dessen Einfluss auf die Wasserverheerungen. Bern. 1869. 8⁰.

B o d e w i g, J., über Meta-, Para- und Ortho-Chlorchinolin und Derivate derselben. (Dissertation.) Tübingen. 1886. 8⁰.

B ö h l e r, O., über einige Sulfosäuren des Benzyls etc. (Dissertation.) Tübingen. 1869. 8⁰.

B ö h m e r, G., report of astronomical observatories for 1886. Washington. 1889. 8⁰.

B ö t ș c h, K., unvollständige Verbrennung von Gasen. (Dissertation.) Tübingen. 1881. 8⁰.

B ö t t i n g e r, C., über die Zersetzung der Brenztraubensäure. (Dissertation.) Tübingen. 1873. 8⁰.

B o h n e n b e r g e r, C. H., chemische Untersuchung der ächten Angostura-Rinde. (Dissertation.) Tübingen. 1830. 8⁰.

B o h n e n b e r g e r, M. G. C., fortgesetzte Beschreibung einer sehr wirksamen Elektrisier-Maschine etc. Stuttgart. 1876. 8⁰.

B o n h ö f f e r, O., zur Kenntniss des Diphenylharnstoffchlorids. (Dissertation.) Tübingen. 1887. 8⁰.

B o n u z, A., über die Bildung von Amid aus Ester und Ammoniak und die Umkehrung dieser Reaktion. (Dissertation.) Tübingen. 1888. 8⁰.

B o o t h, on recent improvements in the chemical arts. Washington. 1851. 8⁰.

Bornemann, W., über Chlorjod, Bromjod, Chlorbrom und deren Verhalten gegen Wasser. 1877. 8⁰.

Boye, H., über die Bildung von Farbstoffen aus Tetrahydrochynolin. (Dissertation.) Tübingen. 1890. 8⁰.

Bredt, P., Untersuchungen über die Orthotoluylsäure. (Diss.) 1874. 8⁰.

Breuninger, F., weitere Untersuchungen über gebromte Anetholderivate (Dissertation.) Erlangen. 1880.

Brigel, G., einige Untersuchungen aus der organischen Chemie. (Dissertation.) 1864. 8⁰.

Brix, R., über den Austausch von Chlor, Brom und Jod, zwischen organischen und anorganischen Verbindungen. (Dissertation.) Tübingen. 1882. 8⁰.

Bronner, P., Lehrbuch der Essigfabrikation mit Einschluss der Holzessigfabrikation und der Darstellung der essigsauren Salze. Braunschweig. 1876. 8⁰.

Brotbeck, S., chemische Untersuchung eines lithionhaltigen Glimmers, des Helvins und des Diploits. 1825. 8⁰.

Brügelmann, G., chemisch-analytische Untersuchungen. Wiesbaden. 1877. 8⁰.

Brunk, H., über einige Abkömmlinge des Phenols. (Dissertation.) Tübingen. 1867. 8⁰.

Büchner, E. W., über ein Chlorbromanilin und die Zersetzung des Parabromanilins. (Dissertation.) 1875. 8⁰.

Bühler, W., zwei Materien mit drei Fundamentalgesetzen nebst einer Theorie der Atome. Stuttgart. 1890. 8⁰.

Büscheler, M., Beitrag zur Kenntniss des Pferdeblutfarbstoffs. (Dissertation.) Tübingen. 1883. 8⁰.

Büttner, M., zur Kenntnis einiger Pyridin- und Piperidin-Verbindungen. (Dissertation.) Dresden. 1890.

Burchard, O., über die Oxydation des Jodwasserstoffes durch die Sauerstoffsäuren der Salzbildner. (Dissertation.) Tübingen. 1888. 8⁰.

Caspar, R., Galileo Galilei. Stuttgart. 1854. 8⁰.

Chaptal, Acriculturchemie, übersetzt von Dr. H. Eisenbach, mit Anhang von Dr. G. Schübler. Stuttgart. 1824. 8⁰.

Christlieb, G. C. L., chemische Untersuchnng des Mergentheimer Mineralwassers. (Dissertation.) Tübingen. 1830. 8⁰.

Clausnitzer, F., über einige Schwefeloxychloride. (Dissertation.) 1876. 8⁰.

Collmann, A., über eine neue Darstellungsmethode der Methyldithionsäure etc. (Dissertation.) Tübingen. 1866. 8⁰.

Colnet d'Huart, de, Mémoire sur la théorie mathématique de la chaleur et de la lumière. Luxembourg. 1870. 4⁰.

Cotta, B. v. und J. Müller, Atlas der Erdkunde (Geologie und Meteorologie). Leipzig. 1874. 8⁰.

Coromilas, L. A., über die Elasticitätsverhältnisse im Gyps und Glimmer. (Dissertation.) 1877. 8⁰.

Cranz, C., theoretische Untersuchungen über die regelmässigen Abweichungen der Geschosse und die vortheilhafteste Gestalt der Züge. Tübingen. (Dissertation.) 1883. 8⁰.

C r e d n e r, B., über Sulfofumarsäure und über das Verhalten des Salicyl-
aldehyds beim Erhitzen mit primären Monamiden. (Dissertation.)
Tübingen. 1869. 8⁰.

C z i m a t i s, L., zur Kenntnis der gemischten tertiären Phosphorbasen
und über Phosphorbenzbetain. (Dissertation.) Tübingen. 1883. 8⁰.

C z u d n o w i c z, C., Untersuchungen über Ceroxydulsalze. (Dissertation.)
Berlin. 1865. 8⁰.

D a m m, G., über die Bromnitro- und Bromamidoderivate des Phenols
(Dissertation.) Tübingen. 1879. 8⁰.

D a n z e b r i n k, H., über Lichtbrechung in schwach absorbierenden
Medien. (Dissertation.) Tübingen. 1879. 8⁰.

D a u b r é e, M., mémoire sur la température des sources dans la vallée
du Rhin, dans la chaine des Vosges et au Kaiserstuhl. Strassburg. 8⁰.

D e h n, Fr., Beitrag zur Kenntniss der Sulfinverbindungen. (Dissertation.)
Tübingen. 1865. 8⁰.

D e n z e l, J., über Chlorbromsubstitutionsprodukte des Aethanes und
des Aethylenes. (Dissertation.) Tübingen. 1878. 8⁰.

D i e t r i c h, W., die Anwendung des Vierordtschen Doppelspalts in der
Spectralanlyse. (Dissertation.) Tübingen. 1881. 8⁰.

D i e t z, W., Untersuchungen über die Einwirkung von Cyankalium auf
das bei 56⁰ schmelzende Bromnitrobenzol. (Dissertation.) Tübingen.
1875. 8⁰.

D i l l m a n n, C., der Hagel. Stuttgart. 1872. 8⁰.

D o b b i n, the annular eclipse of Mai 26th, 1854. Washington. 1854. 8⁰.

D ö b n e r, O., Untersuchungen über das Diphenyl. (Dissertation.) 1873. 8⁰.

D ö r k e n, C., über Derivate des Diphenylphosphorchlorürs und des
Diphenylphosphins. (Dissertation.) Tübingen. 1888. 8⁰.

D o n n e r, A., zur Kenntnis der Chinoxaline und ähnlicher Basen.
(Dissertation.) Crefeld. 1889. 8⁰.

D o r n, L., über die Einwirkung von rauchender Bromwasserstoffsäure
auf Fumarsäure und Maleïnsäure. 1876. 8⁰.

D o v e, H. W., über die Vertheilung des Regens in der jährlichen Periode
im mittleren Europa. Berlin. 1870. 8⁰.

D r e c h l e r, A., der Witterungsverlauf zu Dresden. 1879—85. 8⁰.

D u v e r n o y, J., über Pimarsäure und ihre Modifikationen. (Dissertation.)
Tübingen. 1865. 8⁰.

E g e, J. C., über das Mineralwasser zu Neustadt bei Waiblingen.
(Disseitation.) Tübingen. 1839. 8⁰.

E g g e l, W., chemische Untersuchung der heissen Quellen Ammaus am
Galiläer Meere etc. (Dissertation.) 1839. 8⁰.

E h r l e, K., der medicinische Maximalthermometer. 1876. 8⁰.

E h r e n b e r g, A., zur Kenntniss des Knallquecksilbers. (Dissertation.)
Tübingen. 1884. 8⁰.

E i c h l e r, E., Beiträge zur Kenntniss der Octylderivate. (Dissertation.)
Tübingen. 1879. 8⁰.

E i n h o r n, A., über Isopropylpherylketon. (Dissertation.) Tübingen. 1880. 8⁰.

E i s e n l o h r, J., über Nitro- und Bromnitroderivate des Phenols.
(Dissertation.) Tübingen. 1887. 8⁰.

Eiserhardt, A., Untersuchungen über Pimarsäure, Pininsäure und Pininsäure-Äthyläther. (Dissertation.) Tübingen. 1863. 8⁰.

Elben, R., über den therapeutischen Werth des Papaverins. (Dissertation.) Tübingen. 1870. 8⁰.

Ellery, R., notes of the climate of Victoria. Melbourne. 1867. 8⁰.

— monthly record of results of observations in Meteorology, Terrestrial Magnetism. Melbourne. 1872. 8⁰.

Elsässer, E., über die specifischen Volumina der Ester der Fettreihe. (Dissertation.) Tübingen. 1881. 8⁰.

End, W., algebraische Untersuchungen über Flächen mit gemeinschaftlicher Curve. (Dissertation.) Tübingen. 1888. 8⁰.

Fantonus, J., de thermis Valderianis dissertationes duae. Geneva. 1725. 8⁰.

Fellinger, R., über Azoxybenzoesäure und Azobenzoesäure. (Dissertation.) Tübingen. 8⁰.

Feitler, S., über die Molekularvolumina einiger Substitutionsproducte aromatischer Kohlenwasserstoffe. (Dissertation.) Tübingen. 1889. 8⁰.

Fikentscher, F. W., über Benzyl-Äther und ihr Verhalten beim Nitriren. (Dissertation.) Tübingen. 1881. 8⁰.

Fink, K., über windschiefe Fläschen im allgemeinen und insbesondere über solche des sechsten Grades. (Dissertation.) Tübingen. 1889. 8⁰.

Finsterwalder, S., über Brennflächen und die räumliche Vertheilung der Helligkeit bei Reflexion eines Lichtbündels an einer spiegelnden Fläche. (Dissertation.) Tübingen. 1886. 8⁰.

Fischer, J. G., Leitfaden zum Unterricht in der Elementar-Geometrie. Hamburg. 1853. 8⁰.

— Lehrbuch der Elementar-Geometrie. Hamburg. 1855. 8⁰.

Folie, F., douze tables pour le calcul des réductions stellaires (Extr. Mém. soc. scienc. Liège, Suppl. tom. X.) Bruxelles. 1883. 4⁰.

Forchheimer, Ph., über Sanddruck und Bewegungs-Erscheinungen im Inneren trockener Sande. (Dissertation.) Tübingen. 1888. 8⁰.

Frische, P., über nitrirte Kresyl-Benzyl-Äther. (Dissertation.) Tübingen. 1883. 8⁰.

Frohm, W., über die Erzeugung der Kurven dritter Klasse und vierter Ordnung. (Dissertation.) Tübingen. 8⁰.

Fuchs, A., populäre naturwissenschaftl. Vorträge. Pressburg. 1858. 8⁰.

— Vorträge: 1. die Wärme; 2. über Gewitter. Pressburg. 1858. 8⁰.

Fuchs, Fr., über das Verhalten einiger Gase zum Boyle'schen Gesetze bei niedrigen Drucken. (Dissertation.) Tübingen. 1888. 8⁰.

Gehler, physikalisches Wörterbuch. Bd. 1—11. 1825—47. 8⁰.

Geller, W., zur Kenntniss des Piperidins und des tertiären Phenyl-Piperidins. (Dissertation.) Tübingen. 1888. 8⁰.

Gerlach, A. über das Diphenylmethan und das Benzophenon. (Dissertation.) Tübingen. 1881. 8⁰.

Gerlach, E., Licht und Wärme. Leipzig und Prag. 1883. 8⁰.

Giersbach, J., über die Nitrirung des Benzols. (Dissertation.) Tübingen. 1886. 8⁰.

Giglioli, E., la fosforescenza del mare. Firenze. 1870. 8⁰.

Gilmer, L., Untersuchung einiger organischen Verbindungen. (Dissertation.) Tübingen. 1862. 8^0.

Glaser, A., über die Verbindungen des Naphtalins mit Brom. (Dissertation.) Tübingen. 1864. 8^0.

Gleichmann, L., zur Kenntniss der tertiären aromatischen Phosphine. (Dissertation.) Tübingen. 1882. 8^0.

Glöckler, K., über Alpha-Äthylglutarsäure, eine neue isomere Pimelinsäure. (Dissertation.) Stuttgart. 1888. 8^0.

Göbel, H., über die Ortsbestimmung der Nitrogruppen im Dinitro-p-Kresol. Darstellung des symmetrischen Dinitrotoluols und Toluylendiamins. (Dissertation.) Tübingen. 1881. 8^0.

Goll, O., synthetische Darstellung der Leucinsäure. Biberach. (Dissertation.) Tübingen. 1868. 8^0.

Gould, B. A., report to the Smithsonian Institution, on the history of the discovery of Neptune. Washington. 1850. 8^0.

— defence of, by the scientific council of the Dudley Observatory. Albany. 1858. 8^0.

— reply to the »statement of the trustees« of the Dudley Observatory. Albany. 1859. 8^0.

Graham, J. D., annual report on the improvement of the harbors of lakes Michigan, St. Claire, Erie, Ontario and Champlain for the year 1860. Washington. 1860. 8^0.

Gringmuth, H., wie erklären sich Erdmagnetismus und Erdbeben? Dresden. 1883. 8^0.

Gross, W., über die Combinanten binärer Formensysteme, welche ebenen rationalen Curven zugeordnet sind. (Dissertation.) Tübingen. 1887. 8^0.

Grübler, G., über ein krystallinisches Eiweiss der Kürbissamen. (Dissertation.) Tübingen. 1881. 8^0.

Grünzweig, C., über Buttersäuren verschiedenen Ursprungs. (Dissertation.) Tübingen. 1872. 8^0.

Gümbel, Th., die Wirbelbewegung an Stoffen in gestaltlosem Zustand. Landau. 1882. 8^0.

Günther, O., über Bromderivate des Anthols. (Dissertation.) Stuttgart. 1889. 8^0.

Guldberg, C. M., om Cirklers Beröring, Besvarelse af Universitetets Prisopgave for 1859. Christiania. 1861. 4^0.

— et H. Mohr, études sur le mouvements de l'atmosphère. Part 1. Christiania. 1876. 4^0.

Guyot, A., Collection of meteorological tables etc. Washington. 1852. 8^0.

Haag, J., über Dicyandiamid und eine neue daraus entstehende Base. (Dissertation.) Tübingen. 1862. 8^0.

Haarhaus, A., über Hydrazoanilin. (Dissertation.) Tübingen. 1864. 8^0.

Haas, A., Versuch einer Darstellung der Geschichte des Krümmungsmaasses. (Dissertation.) Tübingen. 1881. 4^0.

Hänle, Ch. Fr., die Ursache der inneren Erdwärme etc. Lahr. 1851. 8^0.

Hahn, E., über Siedepunktregelmässigkeiten bei den gechlorten Äthanen. (Dissertation.) Tübingen. 1879. 4^0.

Hahn, W., über Doppelgitter-Erscheinungen. (Dissertation.) Bonn. 1878. 8⁰.

Halder, F. A., Beobachtungen über die Temperatur der Vegetabilien etc. (Dissertation.) Tübingen. 1826. 8⁰.

Hallwachs, Fl., über Amidodicyansäure. (Dissertation.) Tübingen. 1869. 8⁰.

Hansteen, Ch., physikalische Meddelelser ved Arndtsen. Christiania. 1858. 4⁰.

Harbordt, C., Untersuchung des mineralischen Leuchtstoffs der württ. Posidonomyenschiefer. (Dissertation.) Tübingen. 1862. 8⁰.

Hartmann, A., Untersuchung über die Regenverhältnisse der schwäb. Alp und des Schwarzwaldes. (Dissertation.) Tübingen. 1832. 8⁰.

Hauck, C., Grundzüge einer allgemein axonometrischen Theorie der darstellenden Perspective. Dresden. 1876. 8⁰.

Haug, O., chemische Untersuchungen der Cholesterinsäure. (Dissertation.) Tübingen. 1866. 8⁰.

Heck, C., die Hagelstatistik Württembergs nach amtlichen Quellen. bearbeitet. Kirchheim. 1889. 8⁰.

Heim, J. H., über den medicinischen Gebrauch der Molken. (Dissertation.) St. Gallen. 1824. 8⁰.

Helbling, C., Untersuchung eines Benzolvorlaufs und eines neuen Erdharzes. (Dissertation.) Giessen. 1874. 8⁰.

Hempel, C., Untersuchungen der Oxydationsproducte des Terpins. (Dissertation.) Tübingen. 1875. 8⁰.

Henry, J., Meteorology in its connection with agriculture. Washington. 1858. 8⁰.

Herde, J., über die Phosphorsäure im schwäbischen Jura und die Bildung der phosphorsäurereichen Geoden, Knollen und Steinkerne. (Dissertation.) Tübingen. 1887. 8⁰.

Hesse, O., Studien über das Drehungs-Vermögen der wichtigeren China-Alkaloide. 1876. 8⁰.

Hinsberg, O., über Oxalsäurederivate des Metanitroparatoluidins und des Metaparadiamidotoluols. (Dissertation.) Tübingen. 1884. 8⁰.

Hölzer, A., über einige Phenoläther. (Dissertation.) Tübingen. 1881. 8⁰.

Hoffmann, C. A., Tabellarische Bestimmung der Bestandtheile der merkwürdigsten Neutral- und Mittelsalze etc. Weimar. 1791. gr. Fol.

Hoffmann, C. J., über die Einwirkung einiger Reagentien auf ein polymeres Anethol. etc. (Dissertation.) Tübingen. 1873. 8⁰.

Hoffmann, Ph., über Nitroäthylparaoxybenzoësäure aus Äthylparakresol und Salpetersäure. (Dissertation.) Tübingen. 1880. 8⁰.

Hofmeister, F. P., einige Untersuchungen aus der organischen Chemie. (Dissertation.) Tübingen. 1867. 8⁰.

Horn, W., die Logistik und die Trigonometrie der Griechen. (Dissertation.) München. 1877. 8⁰.

Jordan, H., über das Dichydrur des Cinens nebst einigen damit zusammenhängenden Verbindungen. (Dissertation.) Stuttgart. 1891. 8⁰.

Joseph, J., die rationalen Raumkurven sechster Ordnung erzeugt durch geometrische Transformation aus einem Kegelschnitte (Dissertation.) Tübingen. 1881. 8⁰.

Juncker, Fr., über algebraische Korrespondenzen. (Dissertation.) Tübingen. 1889. 8⁰.

Kachel, E., Untersuchungen über die Sorbinsäure. (Dissertation.) 1873. 8⁰.

Kapff, P., Untersuchungen über das specifische Gewicht thierischer Substanzen. (Dissertation.) Tübingen. 1832. 8⁰.

Katz, Fr. Th., Beitrag zur Würdigung der Wirkung des Bromkalium. (Dissertation.) Tübingen. 1871. 8⁰.

Katzerwsky, W., die meteorologischen Aufzeichnungen des Leitmeritzer Rathsverwandten A. G. Schmidt aus den Jahren 1500—1761. Prag. 8⁰.

Kauffmann, A., vom Wachs des Schellacks. (Dissertation.) Stuttgart. 1887. 8⁰.

Keller, E., über Nitrophtalanile. (Dissertation.) Tübingen. 1880. 8⁰.

Keppler, J., opera omnia. Ed. Ch. Frisch. Vol. 1—8. Frankfurti a. M. et Erlangae. 1858—71. 8⁰.

Kerez, C., über die Einwirkung von Halogen-Verbindungen des Aluminiums auf halogensubstituirte Kohlenwasserstoffe. (Dissertation.) Tübingen. 1885. 8⁰.

Kessler, A., die Nitrierung des Benzols in ihrer Abhängigkeit von der Masse der wirkenden Stoffe. (Dissertation.) Tübingen. 1887. 8⁰.

Kielmeyer, A., Untersuchungen über den Gerbsäurezucker. (Dissertation.) Tübingen. 1862. 8⁰.

Kirchhoff, A., die Central-Kommission für wissenschaftliche Landeskunde von Deutschland. (Sep.-Abdr. Verb. deutsch. geogr. Ver. in Berlin.) 1889. 8⁰.

Klaas, A., die Normalfusspunktlinien. (Dissertation.) Wiesbaden. 1871. 8⁰.

Klein, G., der unfreie Stoss vollkommen elastischer Körper. (Dissertation.) München. 1871. 4⁰.

Klein, O., über einige neue substituirte Präcipitate. (Dissertation.) Tübingen. 1879. 8⁰.

Kleinschmidt, F., über Isoindol. (Dissertation.) Tübingen. 1879. 8⁰.

Klercker, Fr. J. E., Studien über die Gerbestoffvakuolen. (Dissertation.) Tübingen. 1888. 8⁰.

Klett, W. F. C., chemische Untersuchung des Tachylyts vom Vogelsgebirge. (Dissertation.) Tübingen. 1839. 8⁰.

Kloss, C., über Dichlortoluole und Dichlorbenzoë-Säuren. (Dissertation.) Tübingen.

Knauss, B., sistens analysin chemicam aquae sulphureae Reutlingensis. (Dissertation.) Tübingen. 1818. 8⁰.

Knublauch, O., über die Produkte, die bei der Einwirkung von Schwefelsäure auf Aceton neben dem Mesitylen entstehen. (Dissertation.) Tübingen. 1872. 8⁰.

Koch, P., Einwirkung weinsaurer Verbindungen auf polarisirtes Licht. (Dissertation.) Tübingen. 1869. 8⁰.

Köhler, H., Derivate des Phosphenylchlorids und des Monophenylphosphins. (Dissertation.) 1877. 8⁰.

Köhnlein, B., über den Austausch von Chlor, Brom und Jod, zwischen unorganischen und organischen Halogenverbindungen über eine neue Darstellungsweise von Grenzkohlenwasserstoffen. Tübingen. 1883. 8^0.

Kölmel, Fr., die Grassmann'sche Erzeugungsweise von ebenen Curven dritter Ordnung. (Dissertation.) Tübingen. 1886. 8^0.

Königs, E., über die nitrobenzoësauren Salze nebst Bemerkungen über die Binitrobenzoësäure. (Dissertation.) Tübingen. 1863. 8^0.

Könyöki, O. G., Untersuchung des Metylengenols. (Dissertation.) Tübingen. 1879. 8^0.

Koęstlin, O., das Klima und sein Einfluss auf den Menschen. Stuttgart. 1879. 8^0.

Kohler, A., über eine neue Verwandlung des Leucins. (Dissertation.) Tübingen. 1863. 8^0.

Kolb, A., über die Konstitution der Nitroderivate des m-Kresols. (Dissertation.) Tübingen. 1889. 8^0.

Kornhuber, G. A., Beitrag zur Kenntniss der klimatischen Verhältnisse Pressburgs. Pressburg. 1858. 4^0.

Kreil, K., Anleitung zu den magnetischen Beobachtungen. 2. Aufl. Wien. 1858. 8^0.

Kopper, F., das Platin als Sauerstoffüberträger bei der Elementaranalyse der Kohlenstoffverbindungen. 1877. 8^0.

Krauss, Th., über die Wirkungen des Santonins und Santonin-Natrons. (Dissertation.) Tübingen. 1869. 8^0.

Krüger, L., die geodätische Linie des Sphäroids und Untersuchung darüber, wann dieselbe aufhört, kürzeste Linie zu sein. (Dissertation.) Tübingen. 1883. 8^0.

Kumpf, G., über Nitrophenyl-Benzyl und Nitrophenyl-Nitrobenzyläther. (Dissertation.) Tübingen. 1882. 8^0.

Kupffer, A. F., Recherches expérimentales sur l'élasticité des métaux etc. St. Petersbourg. 1860. 4^0.

Lachlan, Paper and resolutions in advocacy of the establishment of an uniform system of meteorologic observations. Cincinnati. 1859. 8^0.

Lamparter, H., chemische Untersuchungen einiger Flechtenstoffe. Dissertation. 1864. 8^0.

Landerer, über die Wirkung des Papaverin bei Geisteskranken. (Dissertation.) Tübingen. 1873. 8^0.

Lange, G., zur Kenntnis des Chinolins. (Dissertation.) Tübingen. 1887. 8^0.

Lassale, E., über einen Satz von den Krümmungslinien der Flächen zweiten Grades. (Dissertation.) Tübingen. 1885. 8^0.

Lehrfeld, Th., über die Einwirkung von Ammoniak auf Bibrombernsteinsäure und auf Bibrombernsteinsäureäthylester. (Dissertation.) Tübingen. 1881. 8^0.

Lederer, A., centrische und excentrische Dynamiden. Wien. 1877. 8^0.

Leipprand, M. F., über die Mineralwasser in dem Königreich Württemberg. (Dissertation.) Tübingen. 1831.

Lindenmeyer, O., Beiträge zur Kenntniss des Cholesterins. (Dissertation. Tübingen. 1863. 8^0.

Lindner, J., über Bromitrophenole, Bromitrophenetole und deren Amidoderivate. (Dissertation.) Tübingen. 1885. 4^0.

Löhr, Ph., über die Einwirkung von Alkyljodiden auf Cadmium und Magnesium. (Dissertation.) Tübingen. 1889. 8^0.

Long, J. H., on the diffussion of Liquids. (Dissertation.) Tübingen. 1879. 8^0.

Lorber, Fr., über die Genauigkeit der Längenmessungen mit Messlatten etc. Wien. 1877. 8^0.

Ludwig, C., über einige stickstoffhaltige Derivate des Phenols. (Dissertation.) Tübingen. 1867. 8^0.

Lumpp, G., über Normalbutylmalonsäure, eine neue isomere Pimelinsäure. (Dissertation.) Reutlingen. 1885. 8^0.

Macalpine, Th., on Ethylene-Protocatechuic Acid. Paisley. (Dissertation.) Tübingen. 1872. 8^0.

Mack, C., über das pyroelektrische Verhalten des Boracits. (Dissertation.) Tübingen. 1883. 8^0.

Märklin, G., chemische Untersuchung des körnigen Thoneisensteins von Aalen etc. (Dissertation.) Tübingen. 1825. 8^0.

Mager, E., Beiträge zur Entscheidung der Stellungsfrage in der aromatischen Gruppe. (Dissertation.) 1875. 8^0.

Marquardt, A., über Verbindungen des Wismuths mit den Alkoholradikalen. (Dissertation.) Tübingen. 1888. 8^0.

Marschall, J., the determination of the spectrophotometric constants and the molecular weight of Carbonic oxide Haemoglobin. (Dissertation.) Tübingen. 1882. 8^0.

Matthes, J. Ch., de differentia, quae naturam vis organicae et fluidorum imponderabilium indolem intercedit. (Dissertation.) Tübingen. 1811. 8^0.

Mauch, Fr., chemische Untersuchung der Copalche-Rinde und der Rinde von Drimys chilensis. Göppingen. 1868. 8^0.

Maurer, W., über die Schwefelquelle von Hechingen. (Dissert.) 1838. 8^0.

Maury's, S. M., sailing directions, 3. and 4. edition, Novbr 1851 till August 1852. 4^0.

Mayer, T., zur Kenntnis der normalen Brenzweinsäure (Glutarsäure.) (Dissertation.) Stuttgart. 1887. 8^0.

Mayer, W., über die Einwirkung von molecularem Silber auf Monobromisovaleriansäureaethylester. (Dissertation.) Tübingen. 1887. 8^0.

Medicus, L., Einwirkung der Aldehyde auf die Amyde. (Dissertation.) 1870. 8^0.

Mehmke, N., Anwendung der Grassmann'schen Ausdehnungslehre auf die Geometrie der Kreise in der Ebene. (Dissertation.) Tübingen. 1880. 8^0.

Meissner, C., über die Deformationen eines elastischen isotropen Kegels durch mechanische an seiner Oberfläche wirkende Kräfte. (Dissertation.) Tübingen. 1882. 8^0.

Mente, A., über einige anorganische Amide. (Dissertation.) Tübingen. 1888.

Merkin, M., über Nitroderivate des Orthokresol. (Dissertation.) Tübingen. 1881. 8^0.

Merz, C., über das Verhalten des Alloxans zu Asparagin, Malamid, Caffeïn etc. (Dissertation.) 1865. 8^0.

Messel, R., über Strychninoxäthyl-Verbindungen und über Sulfomalein-säure. (Dissertation.) Tübingen. 1870. 8^0.

Meteorologische Beobachtungen, aufgezeichnet auf Christianias Observatorium. Lief. 1—5. 1837—53. Querfol.

Meteorologiske Jagttagelser paa Christiania Observatorium. 1864. Querfol.

Meteorologische Beobachtungen angestellt auf Veranlassung der naturhistorischen Gesellschaft in Zürich. 1838—46. 4^0.

Meyer, Ch., über Metachlornitro- und Metachloramidosulfobenzole. (Dissertation.) Tübingen. 1883. 8^0.

Meyer, E., über die Affinität der Vitriolmetalle zum Wasser. (Dissertation.) Tübingen. 1886. 8^0.

Meyer, L., die Bewölkung in Württemberg mit Zugrundlegung der Beobachtungen von 1878—82 und mit besonderer Berücksichtigung der meteorologischen Gebiete. (Dissertation.) Tübingen. 1883. 8^0.

Mayercluwen, A., über das Acenaphten. (Dissertation.) 1874. 8^0.

Mieleck, J. B., Untersuchungen über die Constitution der Terebin- und Brenzterebinsäure. (Dissertation.) 1874. 8^0.

Militzer, Tafeln zur Reduction gemessener Gasvolumina auf die Temperatur 0^0 und den Luftdruck 760 mm.

Miller, A., Untersuchungen über die Elasticität dünner Drähte. (Dissertation.) München. 1874. 8^0.

Möricke, C. A., de aere atmosphärico, ejusque vi, quam in organismum animalem exserit. (Dissertation.) Tübingen. 1830. 4^0.

Mohn, H., om Kometbanernes indbyrdes beliggenhed. Christiania. 1861. 4^0.

Morris, J., über den Einfluss der Masse auf chemische Umsetzungen. (Dissertation.) Tübingen. 1879. 8^0.

Mühry, A., über die Lehre von den Meeresströmungen. Göttingen. 1869. 8^0.

— über die richtige Lage und die Theorie des Calmengürtel auf den Continenten. 8^0.

Müllenhoff, K., die Bedeutung der Ameisensäure im Honig. (Sep.-Abdr.) 1884. 8^0.

— über die Entstehung der Bienenzellen. (Sep.-Abdr.) 1883. 8^0.

Müller, Fr., über die Vorherbestimmung der Stürme etc. St. Petersburg. 1864. 4^0.

Müller, H., über die unendliche Potenzkette. (Dissertation.) Tübingen. 1886. 8^0.

Nädele, C. L., zur näheren Kenntniss der Beryllerde. (Dissertation.) Tübingen. 1840. 8^0.

Nafzger, Fr., über die Säuren des Bienenwachses. (Dissertation.) Tübingen. 1882. 8^0.

Naschold, G. F., chemische Untersuchung der Liebenzeller Mineralwasser. (Dissertation.) Tübingen. 1833. 8^0.

Naschold, H., über das Sanquinarin, seine Eigenschaften und seine Zusammensetzung. (Dissertation.) Leipzig. 1869. 8^0.

Neubeck, F., über Molekularvolumina aromatischer Verbindungen. (Dissertation.) Tübingen. 1887. 8^0.

Neumann, K. A., Chemie als natürliche Grundlage wissenschaftlicher Natur- und Gewerbskunde. Prag und Frankfurt a. M. 1842. Fol.

Niethammmer, E. F., chemische Untersuchung des Schwefelwassers bei Sebastiansweiler. (Dissertation.) Tübingen. 1831. 8^0.

Noack, E., über die Phenylester der phosphorigen Säure. (Dissertation.) Tübingen. 1882. 8^0.

Noether, Max, zur Grundlegung der Theorie der algebraischen Raumkurven. Erlangen. 1882. 4^0.

Oeffinger, H., über die Lichtabsorptionen der Uransalze. (Dissertation.) Tübingen. 1866. 8^0.

Oetinger, W., das Narcein als Arzneimittel. (Dissertation.) Tübingen. 1866. 8^0.

Oettingen, A. v. und K. Weihrauch, meteorologische Beobachtungen, angestellt in Dorpat im Jahre 1867-76. Dorpat. 1868—78. 8^0.

Onstein, J. F., Beweis und Erweiterung der von Steiner »Gesammelte Werke«. Bd. II. p. 431 unter No. 1. 2. 3 mitgeteilten Sätze. (Dissertation.) Tübingen. 1888. 8^0.

Opérations géodésique et astronomiques pour la mesure d'un arc du parallèle. Moyen Exécutées en Piemont et en Savoie. Pars une Commission $_{.co}m_p$. d'offic. de l'état major gen. d'astronome. Planches. Mitau. 1827. Fol.

Ostermayer, E., über einen neuen Kohlenwasserstoff im Steinkohlentheeröl. (Dissertation.) Tübingen. 1872. 8^0.

Page, A., the action of Chlorine upon organic bodies in presence of inorganic Chlorides. (Dissertation.) Tübingen. 8^0.

Paul, G., on the identity of certain mixed ethers of oxalic acid. (Dissertation.) Tübingen. 1882. 8^0.

Paul, L., Untersuchungen über die Methacrylsäure. (Diss.) 1876. 8^0.

Pekrun, H., über einige Benzylderivate des Piperidins, Tetrahydrochinolins und Pyridins. (Dissertation.) Dresden. 1890. 8^0.

Perry, A., sur tremblements de terre. 4^0.

Petermann, A., der Golfstrom etc. Gotha. 1870. 8^0.

Peterson, H., über Vergangenheit, Gegenwart und Zukunft unserer Planeten. Wien. 1882. 8^0.

Pfeilsticker, A., das Kinet-System oder die Elimination der Repulsivkräfte und überhaupt des Kraftbegriffs aus der Molekularphysik. Stuttgart. 1873. 8^0.

Pfeilsticker, G., chemische Untersuchung des Fayalits. (Dissertation.) Tübingen. 1839. 8^0.

Philips, B., über einige unsymmetrische secundäre Hydrazine der aromatischen Reihe. (Dissertation.) Tübingen. 1888. 8^0.

Pietsch, C., die Rotationsfläche vom grössten, oder kleinsten Volumen. 1) bei gegebener Länge der Meridiankurve, 2) bei gegebener Oberfläche. (Dissertation.) Tübingen. 1881. 8^0.

Pilgram, L., Theorie der kreisförmigen symmetrischen Tonnengewölbe von konstanter Dicke. (Dissertation.) Stuttgart. 1876. 8^0.

Prätorius, G., über die Salze der Chlorchromsäure. (Dissertation.) Tübingen. 1878. 8^0.

Prätorius, H., über die Nitrirungsprodukte des Benzophenons. (Dissertation.) Tübingen. 1878. S⁰.

Preu, J., über Lactimid und schleimsaure Salze. (Dissertation.) Tübingen. 1864. 8⁰.

Püttbach, W., über Molybdänacichloride. (Dissertation.) Elberfeld. 1878. 8⁰.

Quetelet, M. A., Observations de phénomènes périodiques. 4⁰.

Ramsay, W., Investigations on the Toluic and Nitrotoluic acids. (Dissertation.) Tübingen. 1872. 8⁰.

Rank, J., chemische Untersuchung des Cannstatter Mineralwassers. (Dissertation.) Tübingen. 1834. 8⁰.

Rapp, M., über die Phenyl- und Kresylester der Phosphorsäure und ihre Nitrirung. (Dissertation.) Tübingen. 1883. 8⁰.

Ray, G., Studien über Pharmakologie und Pharmakodynamik des Oleum Pini aethereum. (Dissertation.) Tübingen. 1868. 8⁰.

Regneault, E., essai sur la constitution des corps célestes. Nancy. 1863. 8⁰.

Reichenbach, Fr. v., Aphorismen über Sensitivität und Od. Wien. 1866. 8⁰.

Reiff, R., über den Einfluss der Capillarkräfte auf die Form und Oberfläche einer bewegten Flüssigkeit. (Dissertation.) Tübingen. 1879. 4⁰.

Remy, A., über β-Nitronaphtalin und einige andere Abkömmlinge des Naphtalins. (Dissertation.) Tübingen. 1886. 8⁰.

Renz, C., toxikologische Versuche über Phosphor. (Dissert.) 1861. 8⁰.

Results of the magnetical, nautical and meteorological observations of Victoria. Melbourne. 1859. Fol.

Results of meteorological observations of the United States from te year 1854—59. Vol. 1. 2. Washington. 1861—64. 4⁰.

Reusch, F. E., über gewisse Strömungsgebilde im Innern von Flüssigkeiten etc. Tübingen. 1860. 4⁰.

Reusch, H., zur Kenntnis des Chinolins. (Dissertation.) Tübingen. 1889. 8⁰.

Reuter, F., observations météorologiques faites à Luxembourg. Luxembourg. 1867. 8⁰.

Römer, A., Untersuchungen über den Einfluss der Masse auf die Chlorierung brennbarer Gase. (Dissertation.) Tübingen. 1885. 8⁰.

Römer, P., über die Einwirkung von saurem schwefligsaurem Kali auf einige Diazoverbindungen. (Dissertation.) Tübingen. 1872. 8⁰.

Röser, J., Analysis chemica petalitis et chemica novi alcali lithonis, disquisitio. (Dissertation.) Tübingen. 1819. 8⁰.

Romerio, W., chemische Untersuchung des Kannstadter Mineralwasser. (Dissertation.) Tübingen. 1829. 8⁰.

Rothauer, M., über das Maclurin. (Dissertation.) Tübingen. 1876. 8⁰.

Rügheimer, L., über einen neuen Alkohol (Phenylpropylalkohol) im Storax. (Dissertation.) Tübingen. 1873. 8⁰.

Ruoff, A. J. F., Disquisitiones de fermentatione spirituosa lactis bubali. (Dissertation.) Tübingen. 1833. 8⁰.

Russel, H. C., Results of meteorological observations made in New South Wales during 1873. Sydney. 1875. 8⁰.

— Climate of New South Wales. Sydney. 1877. 8⁰.

Salzer, V. L., Untersuchung über das Wildbad bei Giengen a. d. Brenz. (Dissertation.) Tübingen. 1828. 8⁰.

Sapper, E., über Einwirkung der Halogenwasserstoffe auf zusammengesetzte Äther. (Dissertation.) Tübingen. 8⁰.

Sauer, E., über das α. α β Dioxybenzophenon. (Dissertation.) Tübingen. 1879. 8⁰.

Schaal, E., über einige aus Asparaginsäure entstehende Produkte. (Dissertation.) Tübingen. 1870. 8⁰.

Schad, W., über die aus gewöhnlichem Amylen zu erhaltende Pimelinsäure. (Dissertation.) Constanz. 1886.

Schäuffelen, A., über die Sulfosäuren des Glycerins. (Dissertation.) Tübingen. 1868. 8⁰.

Scheufelen, A., über Eisenverbindungen als Bromüberträger. (Dissertation.) Tübingen. 1883. 8⁰.

Schiler, C. H., chemische Untersuchung der Teinacher Mineralquellen. (Dissertation.) 1831. 8⁰.

Schleich, C., über nitrobenzylierte Malonsäureester. (Dissertation.) Tübingen. 1887. 8⁰.

Schlossberger, J. E., vergleichende chemische Untersuchungen über das Fleisch verschiedener Thiere. (Dissertation.) Tübingen. 1840. 8⁰.

Schmick, J. H., die Gezeiten, ihre Folge und Gefolgeerscheinungen. Leipzig. 1876. 8⁰.

— der Mond etc. Leipzig. 1876. 8⁰.

— Sonne und Mond als Bildner der Erdschale. Leipzig. 1878. 8⁰.

Schmidt, A., über Emulsin und Legumin. (Dissertation.) Tübingen. 1871. 8⁰.

Schmidt, O., über einige Abkömmlinge des Naphtalins. (Dissertation.) Tübingen. 1887. 8⁰.

Schmitz, J. W., Ansicht der Natur. Cöln. 1853. 8⁰.

— das Geheimniss der Farben. 3. Aufl. Cöln. 1853. 8⁰.

Schneider, G. H., über das optische Drehungsvermögen der Apfelsäure und ihrer Salze. (Dissertation.) Tübingen. 1881. 8⁰.

Schönbein, C. F., einige Beobachtungen, über das Verhalten der salpetrichten Säure zu dem Wasser etc. 8⁰.

— neue Beobachtungen über Erregung und Aufhebung der Passivität im Eisen. 8⁰.

Schopp, P., die Änderung der Dampfdichten bei variablem Druck und variabler Temperatur. (Dissertation.) Tübingen. 1886. 8⁰.

Schreiner, L., über den Siedepunkt der Ester und Äther-Ester der Oxysäuren. (Dissertation.) 1878. 8⁰.

Schröder, W. v., über die Bildung der Harnsäure im Organismus des Huhns. (Dissertation.) Tübingen. 1880. 8⁰.

Schrohe, A., über die Einwirkung von concentrirter Schwefelsäure auf das Allylen. (Dissertation.) 1875. 8⁰.

Schübler, E., die Formen der Natur etc. 1. Heft. Halle. 1843. 8⁰.

Schübler, G., Beobachtungen über die Verdunstung des Eises. 8⁰.

Schürmann, E., über die Verwandtschaft der Schwermetalle zum Schwefel. (Dissertation.) Tübingen. 1881. 8⁰.

Schüz, C., vergleichende chemische Untersuchungen des Fleisches verschiedener Thiere. (Dissertation.) Tübingen. 1841. 8^0.

Schulte, C. J., über die Arsenoverbindungen des Benzols und Naphtalins und über Phenylarsensulfide. (Dissertation.) Tübingen. 1881. 8^0.

Schultz, R., über drei Dichlorbenzoësäuren und einige Derivate des Trichlortoluols. (Dissertation.) Tübingen. 1877. 8^0.

Schulz, H. W., chemische Untersuchung des Offenauer Mineralwassers. (Dissertation.) Tübingen. 1867. 8^0.

Schulze, B., über Fettbildung im Tierkörper. Dissertation. Tübingen. 1881. 8^0.

Schumann, O., über die Affinität des Schwefels und des Sauerstoffs zu den Metallen. (Dissertation.) Tübingen. 1877. 8^0.

Schuncke, J., über die Löslichkeit des Äthyloxydes in Wasser und wässeriger Salzsäure. (Dissertation.) Tübingen. 1879. 8^0.

Schuster, A. A., über einige Verbindungen des Anisyl-Aldehyds mit neutralen Amiden. (Dissertation.) Tübingen. 1868. 8^0.

Schwab, L., über Naphtoläther und das Verhalten derselben beim Nitrieren. (Dissertation.) Tübingen. 1881. 8^0.

Schwaderer, R., über Piperidein und Dipiperidein. (Dissertation.) Tübingen. 1889. 8^0.

Schwalb, F., über die nichtsauren Bestandteile des Bienenwachses. (Dissertation.) Tübingen. 1884. 8^0.

Schwartz, A., über lineäre partielle Differential-Gleichungen zweiter Ordnung. (Dissertation.) Tübingen. 1887. 8^0.

Schweizer, C., chemische Untersuchung des Bohnerzes von Nendingen. (Dissertation.) Tübingen. 1825. 8^0.

Schyanoff, A., Essai sur la métaphysique des forces inhérentes à l'essence de la matière etc. Mémoire 1. 2. II. Ed. Kiew. 1868. 8^0.

Seelig, E., Molekularkräfte. Physikalisch-chemische Studie der verschiedenen Körperzustände. Dresden. 1886. 8^0.

— über Benzylacetat und ähnliche Körper, insbesondere ihr Verhalten gegen Chlor und Brom. Habilitationsschrift am Polytechnicum in Stuttgart. 1889. 8^0.

Seifert, R., über die Einwirkung von Natriummerkaptid auf Phenylester. (Dissertation.) Tübingen. 1885. 8^0.

Settegast, H., Beiträge zur quantitativen Spectralanalyse. (Dissertation.) 1878. 8^0.

Seubert, C., über das Atomgewicht des Iridiums. (Dissertation.) 1878. 8^0.

Seue, C., die Windrosen des südlichen Norwegens. Christiania. 1876. 4^0.

Sick, P., Versuche über die Abhängigkeit des Schwefelsäuregehalts des Urins von der Schwefelsäurezufuhr. (Dissertation.) Tübingen. 1859. 8^0.

Siegle, E. A., Untersuchungen über die Löslichkeit des schwefelsauren Baryts in verdünnten Säuren. (Dissertation.) Stuttgart. Tübingen. 1862. 8^0.

Siepermann, O., über eine neue Synthese sauerstoffhaltiger, organischer Basen. (Dissertation.) Tübingen. 1881. 8^0.

Sievert, H., über die Zentralflächen der Enneper'schen Flächen konstanten Krümmungsmaasses. (Dissertation.) Tübingen. 1886. 8^0.

Silberstein, H., über Diazoderviate des symmetrischen Tribrom-anilins und deren Umsetzungsproducte. (Dissertation.) Tübingen. 1882. 8⁰.

Skalweit, J., einige Versuche aus dem Gebiete der organischen Chemie. (Dissertation.) Tübingen. 1870. 8⁰.

Smyth, R. B., intructions for the guidance of meteorological obser-vations in Victoria. Melbourne. 8⁰.

Soden, H. v., über Triphenylphosphine und einige Derivate derselben. (Dissertation.) Leipzig. 1885. 8⁰.

Soutworth, M. S., Investigations on the Isomeric Cresotes with reference to their occurence in Coal-Tar. (Dissertation.) Tübingen. 1873. 8⁰.

Spindler, H., über den Austausch von Chlor, Brom und Jod, zwi-schen organischen und anorganischen Halogenverbindungen. (Disser-tation.) Tübingen. 1885. 8⁰.

Spindler, P., über den Nitrirungsprocess der Benzolderivate. (Disser-tation.) Tübingen. 1883. 8⁰.

Stahl, K., Untersuchungen über die Einwirkung von Bromwasserstoff auf Sorbinsäure und Hydrosorbinsäure. (Dissertation.) 1876. 8⁰.

Stahl, W., über Raffination, Analyse und Eigenschaften des Kupfers. (Dissertation) Tübingen. 1886. 8⁰.

Städel, W., über die Reactionen des Bleiessigs auf Gypslösung. (Disser-tation.) Tübingen. 1865. 8⁰.

Staigmüller, H., die harmonische Konfiguration. (Dissertation.) Tübingen. 1886. 8⁰.

Stickel, C., über Nitrobenzylchloride und Benzylenamidine. (Disser-tation.) Tübingen. 1886. 8⁰.

Steudel, V., über Transpiration von Dämpfen. (Dissertation.) Tübingen. 1882. 8⁰.

Stilling, J., pseudo-isochromatische Tafeln für die Prüfung des Farben-sinnes. Mit 8 Tafeln. Kassel. 1866. 8⁰.

Stolte, L., das Focalaxensystem einer Fläche zweiter Ordnung. (Disser-tation.) Strassburg. 1877. 8⁰.

Stransky, M., Grundzüge zur Analyse der Molekularbewegung. I. II. Brünn. 1867—71. 8⁰.

Strauss, E. G., über einige Bestandtheile des Copaiva-Balsams und über Toluylen-Harnstoff. (Dissertation.) Tübingen. 1865. 8⁰.

Stüber, O., Beiträge zur Kenntniss der aromatischen Amine. (Disser-tation.) Stuttgart. 1872. 8⁰.

Stumpf, M., Beiträge zur Kenntniss der Säuren des Naphtalins. 1876. 8⁰.

Teirich, E., Untersuchungen über die feuchten Zucker der Zucker-Raffinerien. (Dissertation.) Tübingen. 1866. 8⁰.

Tischner, A., ein nicht erklärtes Phänomen bei totalen Sonnenfinster-nissen. Leipzig. 8⁰.

Truchsess, J. L., chemische Untersuchung des Periklins, einer neuen zu der Gattung des Feldspaths gehörigen Species. (Dissertation.) Tübingen. 1824. 8⁰.

Twerdomedoff, S., über die Bestandteile der fetten Öls von Cyperus esculentus und einige Derivate der Myristinsäure. (Dissertation.) Erlangen. 1890. 8⁰.

Übersicht der bei dem meteorologischen Institute zu Berlin gesammelten Ergebnisse der Wetterbeobachtungen auf den Stationen des preussischen Staats etc. 1855.

Übersicht der Witterung im nördlichen Deutschland nach den Beobachtungen des meteorologischen Instituts zu Berlin. Jahrgang 1857 —1860. 4⁰.

Unfried, W. F., chemische Unsersuchung des Mineralwassers bei Stuttgart. (Dissertation.) 1821. 8⁰.

Urbanitzky, A., über die Schichtung des elektrischen Lichtes. (Dissertation.) Tübingen. 1877. 8⁰.

Valet, C., über Phenylsulfopropionsäure, ein Derivat der Zimmtsäure. (Dissertation.) Tübingen. 1869. 8⁰.

Valeur, F., über Chinolindisulfonsäuren und Derivate derselben. (Dissertation.) Tübingen. 1886. 8⁰.

Veiel, O., über die Verwandlung der fetten Säuren in die Alkohole der paralell stehenden Reihe. (Dissertation.) Tübingen. 1866. 8⁰.

Vöhringer, E., chemische Untersuchungen des Schwefelwassers bei Reutlingen. (Dissertation.) Tübingen. 1835. 8⁰.

Vogel, H., über die Einwirkung von p- und o-Toluidin auf Dibrombernsteinsäureaethylester. (Dissertation.) Jena. 1890.

Vollmar, G., über Siedepunkte und specifische Volumina der Halogensubstitutionsprodukte des Äthans. Tübingen. 1882. 8⁰.

Wagner, C. L., Beiträge zur Lehre der Imponderabilien mit Bemerkungen über die elektro-chemische Theorie. (Dissertation.) Tübingen. 1833. 8⁰.

Wagner, C., über die Bewegung einer inkompressibeln Flüssigkeit, welche begrenzt ist von zwei in gegebener Rotation befindlicher Flächen. (Dissertation.) Tübingen. 1888. 8⁰.

Waldbauer, A., Untersuchungen über die Einwirkung des alkoholischen Kalis auf Monobromisobuttersäure etc. (Dissertation.) Stuttgart. 1878. 8⁰.

Walter, V., Beiträge zur Kenntnis der höheren Paraffine. (Dissertation.) Erlangen. 1886.

Walz, E., chemische Untersuchung des Sauerwassers bei Niedernau. (Dissertation.) Tübingen. 1827. 8⁰.

Warth, H., Berechnung der Leistung der Kamine. (Dissertation.) Tübingen. 1866. 4⁰.

Wassermann, M., über die relative Constitution des Eugenols. (Dissertation.) München. 1875. 8⁰.

Wassmann, Th., über Brom-nitro- und Brom-amidosubstitutionsprodukte. (Dissertation.) Tübingen. 1881. 8⁰.

Weidenmüller, über die Witterungsverhältnisse von Fulda, speciell während des Jahres 1873. Fulda. 1874. 8⁰.

Weihrauch, K., zehnjährige Mittelwerthe (1866—75) nebst neunjährigen Stundenmitteln (1867—75) für Dorpat. Dorpat. 1877. 8⁰.

Weihrauch, K.: Privatbeobachtungen der Regenstation Alswig im Jahre 1886. Dorpat. 1887.

Weinberg, M., über Methoden der Messung der Wellenlängen des Lichtes mittelst Interferenzstreifen. (Dissertation.) Tübingen. 1879. 8^0.

Weishaar, J. F., chemische Untersuchung des Wassers von dem Asphaltsee in Palästina. (Dissertation.) Tübingen. 1827. 8^0.

Weiss, C. Fr. A., chemische Untersuchung des Wildbader Mineralwassers. (Dissertation). Tübingen. 1831. 8^0.

Wenz, P. A., chemische Untersuchung des Lepidoliths. (Dissertation.) Tübingen. 1820. 8^0.

Werner, G., Seminum Sorghi vulgaris analysis adjectis thesibus medicochirurgicis. (Dissertation.) Tübingen. 1832. 8^0.

Werner, K. G. H., über Woodöl und einige Äthylenverbindungen. (Dissertation). Tübingen. 1862. 8^0.

Wieland, Th., über Brenzweinsulfosäure. (Dissertation.) Tübingen. 1869. 8^0.

Wieler, A., die Beeinflussung des Wachsens durch verminderte Partiärpressung des Sauerstoffs. (Dissertation.) Tübingen. 1883. 8^0.

Wilson, W., on the cause of the excretion of water on the Surface of Nectaries. (Dissertation.) Tübingen. 1881. 8^0.

Winkelmann, A., über eine Beziehung zwischen Druck, Temperatur und Dichte des gesättigten Wasserdampfes. Stuttgart. 1879. 8^0.

— wie erhält man Regen-Beobachtungen, eine Begrenzung von Prognosenbezirken. Stuttgart. 1881. 8^0.

Wittenstein, E. G., Untersuchungen über ranziges Olivenöl (Tournantöl.) (Dissertation.) Tübingen.

Woelz, A., über einige aromatische Verbindungen. (Dissertation.) Tübingen. 1872. 8^0.

Wölffing, E., über die Hesse'sche Covariante, einer ganzen rationalen Funktion von ternären Formen. (Dissertation.) Tübingen. 1890. 8^0.

Wolff, Th. O. G., die Wirkung des Düngers und Liebigs neuere Beobachtungen. Berlin. 1858. 8^0.

Worshoven, F. J., das elektrische Leitungsvermögen von Kadmiumsalzen. (Dissertation.) Leipzig. 1890. 8^0.

Würthner, E, vergleichende Untersuchungen über das chemische Verhalten aromatischer und fetter Diamine. (Dissertation.) Tübingen. 1884. 8^0.

Wüst, A., Theorie der Centrifugal-Regulatoren. (Dissertation.) Tübingen. 1871. 8^0.

Zehnder, L., über die atmosphärische Elektricität. 1883. 8^0.

Zeller, M., das schwefelsaure Eisenoxyd mit gebrannter Magnesia als Gegenmittel gegen arsenige Säure. (Dissertation.) Tübingen. 1853. 8^0.

Zepharovich, Ritter v., über die Krystallformen des essigsalpetersauren Strontian und des weinsteinsauren Kali-Lithion. Wien. 1860. 8^0.

Ziemsen, H., über einige Abkömmlinge der Toluchinoline. (Dissertation.) Danzig. 1889. 8^0.

Zöppritz, K., Theorie der Querschwingungen eines elastischen, am Ende belasteten Stabes. Tübingen. 1865. 4^0.

VIII. Heilquellen und Brunnen.

Aachen und seine Umgebungen. Aachen. 8^0.

Abele, die Heilquelle von Dizenbach. Kirchheim u. T. 1838, 8^0.

Amburger, der Geilnauer Sauerbrunnen. Offenbach. 1812. 8^0.

Bach, A., Abhandlung über den Codowaer Gesundheitsbrunnen. Striegau. 8^0.

Bley, L. F., Taschenbuch der Aerzte. Leipzig. 1831. 8^0.

Bögner, J., die Entstehung der Quellen und die Bildung der Mineralquellen. Frankfurt. 1843. 8^0.

Brandes, K. und F. Krüger, Pyrmonts Mineralquellen. Pyrmont. 1826. 8^0.

Bruckmann, A. E., der wasserreiche Brunnen zu Isny. Stuttgart. 1851. 8^0.

— über negativ-artesische Brunnen oder absorbirende Bohrbrunnen. Stuttgart. 1853. 8^0.

— die neuesten artesischen Brunnen zu Heilbronn. Stuttgart. 1861. 8^0.

Burckhardt, C., der Curort Wildbad. Wildbad und Stuttgart. 1861. 8^0.

Cannstatt, kurze und gründliche Beschreibung des Cannstatter Salzwassers. (Fons aquevitae Cantstadiensis.) Stuttgart. 1710. 8^0.

Caspar, S., Beschreibung des Sauerbrunnens zum Imnau. Ulm. 1733. 8^0.

Cunäus, A., Oxydrographia Pyrmontana, Beschreibung des Pyrmontischen Sauerbrunnens. Hannover und Wolffenbüttel. 1698. 8^0.

Deinach, Luft, Lage. Tübingen. 1780. 8^0.

Deutsch, J., Bericht des hydrotechnischen Comité über die Wasserabnahme in den Quellen, Flüssen und Strömen. Wien. 1875. 8^0.

Dietenmühle, die Kur- und Wasserheilanstalt zu Wiesbaden. 8^0.

Ehmann, v., das öffentliche Wasserversorgswesen im Königreich Württemberg etc. Stuttgart. 1875. 4^0.

Eissfeld, M. F. L., Abhandlung von dem Nutzen der Schlackenbäder. Quedlinburg. 1766. 8^0.

Ems, gründlicher Bericht von dem Gehalt und den Wirkungen des Curbrunnens zu —. Herborn. 1769. 8^0.

Erhardt, Bad Petersthal im Grossherzogthum Baden mit der neuen chemischen Analyse von Prof. Dr. Bunsen. Karlsruhe. 1854. 12^0.

Eschenreutter, G., Badbüchlein. Strassburg. 1571. 8^0.

Fehling, H., chemische Analyse der Thermen von Wildbad. (Sep.-Abdr. Württ. Jahresh.) Stuttgart. 1866. 8^0.

— chemische Untersuchung der Soolen, des Stein- und Kochsalzes, sowie der Mutterlaugen der K. Württembergischen Salinen. Stuttgart. 1847. 8^0.

Fresenius, Dr., Bad Ems, die König Wilhelms-Felsenquellen. Ems. 1873. Fol.

— das Bad Homburg. Wiesbaden. 1875. 8^0.

— chemische Untersuchung des Kränchens, Fürsten- und Kesselbrunnens und der neuen Badequelle zu Bad Ems. Wiesbaden. 1873.

— chemische Untersuchung der Hunyadi Janos Bittersalz-Quellen. Wiesbaden. 1878. 8^0.

Gmelin, Ch. G., Historia et examen chemicum fontium muriaticorum Sulzensium. Erlangae. 1785. 8^0.

Gmelin, G. F., kurze, aber gründliche Beschreibung aller in Württemberg berühmten Sauerbrunnen und Bäder. Stuttgart. 1736. 8^0.

Graseccius, G., Fons salutis scatebra Petrina; das ist: gründliche Beschreibung der weitberühmten Brunnenquellen des Heils, des genannten Sanct Petersthals und Griessbachers Sauerwassers. Strassburg. 1607. 8^0.

— kurze summarische Beschreibung des Petersthalers und Griessbachers Sauerwassers. Strassburg. 1613.

Hartwig, Bemerkungen über den richtigen Gebrauch der Seebäder Ostende. 1847. 8^0.

— dasselbe mit besonderer Rücksicht auf Ostende, Antwerpen und Ostende. 1850. 8^0.

Hauck, G., Karlsbad. Neun Briefe. Berlin. 1857. 12^0.

Hegetschweiler, J., kurze Nachricht von dem Gebrauche etc. des Stachelberger- oder Braunwalderwassers bei Linththal im Kanton Glarus. Zürich. 1820. 8^0.

Heyfelder, Imnau und seine Heilquellen. Stuttgart. 1834. 8^0.

— die Heilquellen des Grossherzogthums Baden, des Elsass und des Wasgau. Stuttgart. 1841. 8^0.

— die Heilquellen und Molkenkur-Anstalten des Königreichs Württemberg etc. Stuttgart. 1. Auflage. 1840. 2. Auflage. 1846. 8^0.

Hochstetter, F., Karlsbad, seine geognostischen Verhältnisse und seine Quellen. Karlsbad. 1856. 8^0.

— Plan von Karlsbad und dessen Umgebung nebst geognostischer Karte. 1855. 8^0.

Hösslin, J., Beschreibung des Röthelbades. Tübingen. 1749. 8^0.

Hoffmann, C. A., Taschenbuch für Aerzte. Weimar. 1798. 8^0.

Hoffmann, Fr., Selterser-Brunnen. Coblenz. 8^0.

Horst, J. D., kurzer Bericht wie das Sauerwasser zu Langenschwalbach zu trinken. Mainz. 1714. 8^0.

— kurzer doch gründlicher Bericht vom Sauerwasser zu Langenschwalbach. Idstein. 1763. 8^0.

Hoser, C. E., Beschreibung von Franzensbrunn bei Eger. Prag. 1799. 8^0.

Husemann, arsenhaltige Eisensäuerlinge von Val Sinestra. 1876. 8^0.

J. A. G. M. D., historisch physikalische Beschreibung des Bades Liebenzell. Stuttgart. 1748. 8^0.

— historisch-physikalische Nachricht von dem Zaysenhauser-mineralischen Bronnen und Bad. Stuttgart. 1746. 8^0.

Ilgenbad, kurtze Beschreibung des sogenannten Ilgen-Bades in Esslingen. Esslingen. 1745. 8^0.

Instruction, medicinische, von der Beschaffenheit des Danckelsrieder Gesund-Brunnens. Memmingen. 1740. 8^0.

Jung, J. F., württembergischer Wasser-Schatz. Reutlingen. 1721. 8^0.

Kaiser, J. A., die Mineralquelle zu Tarasp im Unter-Engadin. Chur. 1847. 8^0.

Karlsbad, Beschreibung von —. Prag. 1797. 8^0.

Kerner, G., chemische Analyse der heissen Mineralquelle im Badehaus zum Spiegel in Wiesbaden. Wiesbaden. 1856. 8⁰.

— Die Trinkwasser von Frankfurt a. M. Frankfurt a. M. 1861. 8⁰. geb.

Killias, E., die arsenhaltigen Eisensäuerlinge von Val-Sinestra. Chur. 1876. 8⁰.

Kirschleger, les eaux acidules des Vosges et de la Forêt-Noire. Strassbourg. 1863. 8⁰.

Köhler, F. W., historische Nachrichten von dem warmen Bade unter der chursächsischen Bergstadt Wolkenstein. Schneeberg. 1791. 8⁰.

Lang, E. E., Analyse zweier Mineralquellen im nordwestlichen Ungarn. 8⁰.

— Das Trentschin-Teplitzer Thal und dessen Mineralquellen. Wien. 8⁰.

Laucher, C., die Kronenquelle zu Obersalzbrunn in Schlesien. 1890. 8⁰.

Lentulius, R., neue Beschreibung des zu Göppingen berühmt- und uralten Sauer-Brunnen. Stuttgart. 1725. 8⁰.

Leopold, J. D., Beschreibung des berühmten Gesundbrunnens, das Griess-Bad genannt, zu Ulm. Ulm. 1730. 8⁰.

Leporinus, J., dess Dainacher Sauerbrunnens, seiner fürnämbsten Kräften. Stuttgardt. 1620. 8⁰.

Lölius, J. L., Hygia Weihenzellensis, oder Weyhenzellischer Heyl- und Wunder-Bronnen. Onolzbach. 1681. 8⁰.

Ludwigsbrunnen, Nachricht von dem eisenfreien Mineralwasser des Ludwigsbrunnens im Herzogthum Hessen.

Marienbad, das Wichtigste über diejenigen Marienbäder Heilwässer, welche versendet werden. 4⁰.

Marck, Wilh. von der, chemische Untersuchung der Hermannsborner Stahl- und Sauerquellen. Dortmund. 1860. 4⁰.

Meck, Urteile über Imnau und seine Heilquellen aus alter Zeit. 1881. 8⁰.

Meyer-Ahrens und Chr. Gr. Brügger, die Thermen von Bormio. Zürich. 1869. 8⁰.

Mezler, neueste Nachrichten von Imnau. Freyburg und Konstanz. 1811. 8⁰.

Mineralwässer Württembergs. 4⁰.

Monheim, J. P. J., die Heilquellen von Aachen, Burtscheid, Spaa, Malmedy und Heilstein. Aachen. 1829. 8⁰.

Müller, K. F., Beschreibung des Gesundbrunnens zu Teinach. Stuttgart. 1846. 8⁰.

Neubeck, V. W., die Gesundbrunnen. Leipzig. 1809. 8⁰.

Neujahrsgeschenk, von der neuerrichteten Gesellschaft zum schwarzen Garten, enthaltend: Beschreibung des Sauerbrunnens bei St. Moritz. 4⁰.

Nowak, A. E. P., über das Verhältniss der Grundwasser-Schwankungen zu den Schwankungen des Luftdruckes und zu den atmosphärischen Niederschlägen. Prag. 1874. 8⁰.

Oehmb, C., Beschreibung des kalten und warmen Bades oder S. Georgen Brunnens. Breslau und Lignitz. 1705. 8⁰.

Pfäfers, Nachrichten für Kurgäste und Reisende über das Bad —. St. Gallen. 1853. 8⁰.

Planer, J. A., ausführlicher Bericht von dem Deinacher-Sauerbrunnen. Stuttgardt. 1740. 8⁰.

Planta und Arkuli; chemische Untersuchung der Heilquellen zu St. Moritz. Chur. 1854. 8⁰.

Plieninger, die artesischen Brunnen in Württemberg. 8⁰.

Ragaz, Hof-, Gast- und Badehaus bei —. 1853. 8⁰.

Raidt, über die Sauerquellen von Niedernau und ihren Gebrauch. 1815. 8⁰.

Raidt und Ritter, die Kur- und Badeanstalt zu Niedernau. Stuttgart. 1853. 8⁰.

Rampold, über die Bäder und Kurorte des Königreichs Württemberg. Berlin. 1838. 8⁰.

Rehmann, W. A., Rippoldsau und seine Heilquellen. Donauöschingen. 1830. 8⁰.

Rentz, G., kurze und einfältige Beschreibung des Bads Boll. Tübingen. 1616.

Reuss, kurze Uebersicht der Bestandtheile und der arzneilichen Wirkungen des Saidschitzer Bitterwassers. Prag. 1828. 8⁰.

Riecke, V. A., die Heilquellen und Bäder Württembergs. 1839. 8⁰.

Rieckher, Th., chemische Untersuchung einiger Sool-Mutterlaugen von Württemberg, Baden, Hessen und Preussen. Marbach a. N. 1845. 4⁰.

Riethenau, Beschreibung des Baadbronnen-Wassers zu Riethenau. Stuttgard. 1769. 8⁰.

Rippoldsau, die Leopoldsquelle zu —. Heidelberg. 1833. 8⁰.

Ritter, R., Urtheile über Imnau und seine Heilquellen aus alter Zeit. 8⁰.

— die Kur- und Badeanstalt Niedernau. Stuttgart. 1853. 8⁰.

— Geschichte der Kur- und Badeanstalt Imnau. 1869. 8⁰.

— Niedernau und seine Mineralquellen, worunter auch die Karls- und Römerquelle. 1838. 8⁰.

— Niedernau, Kur- und Badeanstalt im Königreich Württemberg. 1869. 8⁰.

— die Kur- und Badeanstalt Imnau vormals und izt. 1880. 8⁰.

Roth, H., das warme Kochsalzwasser zu Wiesbaden. Mainz. 1862. 8⁰.

Saltzmann, G., ein schön und nützliches Büchlein von aller Wildbäder Natur, Würckung und Eygenschafft. Ulm. 1619. 8⁰.

Sauerbeck, C., Rippoldsau, seine Heilmittel und ihre Anwendung. Karlsruhe 1851. 8⁰.

Scharft, D. Ch., neue Beschreibung dess bey Löwenstein reichlich hervorfliessenden Gesund-Brunnens. Heilbronn. 1733. 8⁰.

Schlangenbad, die K. Trink- und Bad-Anstalten in —. 12⁰.

Schröter, L. Ph., Neundorfs asphaltische Schwefelquellen. Rinteln. 1792. 8⁰.

— einige Worte über Neundorfs Mineralquellen und über die Schwefelbäder überhaupt. 1794. 8⁰.

Schutte, J. H., Het recht gebruik en krachtige werking der Cleefse Gezond-Bron. Terinden. 1751. 8⁰.

Schwalbach, die K. Trink- und Bade-Anstalten in —. 12⁰.

Schweinsberg, H., Soden und seine Heilquellen. Gotha. 1831. 8⁰.

Schweizer, C. F., zuverlässige Bestimmung des Principii Martialis, oder eigentlichen Eisengehalts in dem Stahlbrunnenwasser zu Langenschwalbach. Wetzlar. 1775. 8⁰.

Selters, Nachrichten aus dem Selterser Mineralwasser. Wiesbaden. 1831 und 1834. 8⁰.

Sigwart, G. C. L., Übersicht der im Königreich Württemberg befindlichen Mineralwasser. Stuttgart. 1836. 8⁰.

Simon, J. F., die Heilquellen Europas. Berlin. 1839. 8⁰.

Soden, die sieben Mineralwasser zu Bad — im Taunus. Frankfurt a. M. 8⁰.

Teplitz, Beschreibung von — in Böhmen. Prag. 1698. 8⁰.

Textor, J. N., deutlicher Entwurf von dess Langensteinbacher Trink- und Badwassers vortrefflichen mineralischen Gehalts. Carols-Ruh. 1727. 8⁰.

Theobald, G. und J. J. Weilenmann, die Bäder von Bormio. St. Gallen. 1865. 8⁰.

Thiele, J. G. Ph., die Pfeferser Quelle, eine Sammlung von Liedern und Gedichten. Zizers. 1793. 8⁰.

Thilenius, M. G., Beschreibung des gemeinnützigen Fachinger Mineralwassers. 1791. 8⁰.

— Beschreibung des Fachinger Mineralwassers. 1818. 8⁰.

Tritschler, J. O. S., Canstatts Mineralquellen und Bäder. Stuttgart. 1834. 8⁰.

Valentiner, die Kronenquelle zu Ober-Salzbrunn. Wiesbaden. 1884. 8⁰.

Veiel, der Kurort Cannstatt und seine Mineralquellen. Cannstatt. 1867. 8⁰.

Verhäghe, L., les bains de mer d'Ostende. 1843. 8⁰.

— die Seebäder zu Ostende. Berlin. 1851. 8⁰.

Vogel, A., die Mineralquellen des Königreichs Bayern. München. 1829. 8⁰.

Wegeler, F. G., einige Worte über die Mineralquelle zu Tönnisstein. Koblenz. 1821. 8⁰.

Wetistein, J. U., Beschreibung der St. Moritzer Brunnen- und Badeanstalt. Chur. 1854. 8⁰.

Wetzler, J. E., über den Nutzen und Gebrauch des Püllnaer Bitterwassers. Augsburg. 1828. 8⁰.

Wider, D. Ch., Beschreibung des Eger-Sauer-Brunnens. 8⁰.

Wurm, das K. Bad Teinach im Württemb. Schwarzwalde. 5. Auflage. Stuttgart. 1884. 8⁰.

Zittmann, J. F., praktische Anmerkungen von den Töplitzer Bädern etc. Dresden und Leipzig. 1752. 8⁰.

Zsigmondy, Mittheilungen über die Bohrthermen zu Harkany auf der Margaretheninsel nächst Ofen und zu Lippik und den Bohrbrunnen zu Alcsúth. Pest. 1873. 8⁰.

Zückert, J. F., systematische Beschreibung aller Gesundbrunnen und Bäder Deutschlands. Berlin und Leipzig. 1768. 4⁰.

IX. Schriften verschiedenen Inhalts.

Abstracts of specifications of patents from 1854—66. Melbourne. 4⁰.

Archer, W. H., abstracts of english and colonial patent specifications relating to the preservation of food. Melbourne. 1870. 8⁰.

Audouin, M. V., Catalogue des livres d'histoire naturelle. Paris. 1842. 8⁰.

Auer, A., Tafeln zu dem Vortrage: der polygraphische Apparat der k. k. Hof- und Staatsdruckerei zu Wien. Wien. 1853. 8⁰.

Australian handbook and almanac of shippers' and importèrs directory for 1876. Melbourne. 8⁰.

Berg, J., Untersuchungen über Obst- und Weintrauben-Arten Württembergs etc. Stuttgart. 1827. 8⁰.

Betzhold, Fr., Ansichten und Erfahrungen über den Anbau der Zuckerrübe. Wien. 1841. 8⁰.

Birett, W., Catalogus librorum et rariorum et exquisitorum Bibliothecae celebr. Dom. Jos. Pl. Nobilis de Cobres. Augsburg. 1827. 8⁰.

Bleasdale, J. B., on colonial Wines 1867. 8⁰. und übersetzt von B. Methe. Melbourne. 1867. 8⁰.

Bormans, der Naturen Bloeme van J. van Maerlant. 1. Deel. Brüssel. 1857. 8⁰.

Brodbeck, A., Festschrift zum 25jährigen Regierungsjubiläum mit besonderer Berücksichtigung der Protektorats-Anstalten Ihrer Majestät der Königin Olga von Württemberg. Stuttgart. 1889. gr. 8⁰.

Bruchmann, K., psychologische Studien zur Sprachgeschichte. Leipzig. 1888. 8⁰.

Calendar of the Melbourne University; for the academic year. Melbourne. 1877—78. 8⁰.

Cast, J. F., Comitébericht des deutschen Ansiedlungsvereins in Valdivia. Stuttgart. 1851. 8⁰.

Daubenton, traité sur la manière d'empailler les animaux. Paris. 1787. 8⁰.

David, J., Rymbybel van J. van Maerlant. 1—3. Deel. Brüssel. 1859. 8⁰.

— Glossarium op Maerlant's Rymbybel. Brüssel. 1861. 8⁰.

Dernieres heures de la vie de l'empereur Nicolas I. Vienne. 1855. 8⁰.

Detille, J., les Tardins ou l'art d'embellir les paysages poëme. London. 1801. 8⁰.

Documents of the U. St. sanitary commission. Vol. 1—3. New York. 1863—66. 8⁰.

Dombasle, M. d., die Runkeln-Zuckerbereitung. Stuttgart. 1841. 8⁰.

Eifeld, C. J., die Religion und der Darwinismus. Leipzig. 1883. 8⁰.

Engelmann, W., Bibliotheca historico-naturalis. Leipzig. 1846. 8⁰.

Fabbroni, A., Kunst, nach vernünftigen Grundsätzen Wein zu verfertigen. Leipzig. 1790. 8⁰.

Geoffroy Saint-Hilaire, E., Catalogue des livres de science particul. de Zoologie, d'Anatomie comparée etc. etc. Paris. 1845. 8⁰.

Georgenäum, das in Calw. 1870.

Georgii-Georgenau, E. E. v., fürstlich Württembergisches Dienerbuch vom 9. bis zum 19. Jahrhundert. Stuttgart. 1877. 8⁰.

— Heilmittel für die leidende Landwirtschaft. 1884· 8⁰

Gmelin, G. F., Grundsätze der richtigen Behandlung der Trauben.
Tübingen. 1822. 8⁰.

Göriz, K., über flandrische und brabanter Pflüge. Karlsruhe. 1842. Fol.

— Andenken an K. Chr. Knaus. Stuttgart. 1845. 8⁰.

Gold-fields statistics. Melbourne. 1860—63. Fol.

Goppelsröder, über Feuerbestattung. Vortrag, gehalten im naturwissenschaftlichen Verein zu Mülhausen. 1890. gr. 8⁰.

Hahn, O., die Philosophie des Bewussten. Grundzüge der. Naturphilosophie der Gegenwart unter Berücksichtigung der Kirchen-
lehren. Tübingen. 1887. 8⁰.

Halford, G. B., the treatment of Snake-bite in Victoria. Melbourne. 1870. 8⁰.

Haltrich, J., die Macht und Herrschaft des Aberglaubens etc. Schäss-
burg. 1871. 8⁰.

Hayter, H. H., Victorian year-book for 1877—78. Melbourne. 8⁰.

Heaton, J. H., Australian dictionary of dates and men of the time
containing the history of Australasia from 1542. Sydney. 1879. 8⁰.

Heine, A., Abhandlung über das Warrant-System. Tübingen. 1887. 8⁰.

Herings, humoristische Reliquien. Stuttgart. 1878. 8⁰.

Heubner, O., Nekrolog über C. A. Wunderlich. Leipzig. 1878. 8⁰.

Hilger, A. und F. Nies, der Röth Unterfrankens und sein Bezug
zum Weinbau. Würzburg. 1872. 8⁰.

Holmes, H., textile fabrics of ancient Peru. Washington. 1889. 8⁰.

Hornstein, K., amtlicher Bericht über die landwirtschaftliche Reise
nach Württemberg während der Osterferien 1841. Passau. 1842. 8⁰.

Hügel, J. v. und Schmidt, die Gestüte und Maiereien Sr. Maj. des
Königs von Württemberg. Stuttgart. 1861. 8⁰.

Intercolonial Exhibition of Australia. Official Record. 1860—67. 8⁰.

Jester, F. E., über die kleine Jagd. Zum Gebrauch angehender Jagdliebhaber. Königsberg. 1793. 8⁰.

Jewett, construction of catalogues of libraries. Washington. 1853. 8⁰.

Jobst, v., neuere Erfahrungen über den Guano. Stuttgart. 1844. 8⁰.

Johnson, W., correlation, conversion, or allotropism of the physical
ant vital forces. 1864. 8⁰.

Jordan, W., die Zweideutigkeit der Copula bei Stuart Mill. Stuttgart.
1870. 4⁰.

Keekermann, B., contemplatio gemina. Hannoviae. 1811. 8⁰.

Kerner, J., die somnambülen Tische. Stuttgart. 1855. 8⁰.

Köhler, M. E. G B., kurze Beschreibung einer äusserst einfachen
und wohlfeilen Obst- und Kräuterdarre. Stuttgart. 1825. 8⁰.

Köstlin, O., Gott in der Natur. Die Erscheinungen und Gesetze der
Natur im Sinne der Bridgewaterbücher als Werke Gottes geschildert.
Stuttgart. 1851. 8⁰.

Laspeyres, H., Heinrich von Dechen. Ein Lebensbild. Bonn. 1889. 8⁰.

Leonhard, der Förster und Jäger in seinen monatlichen Amtsver-
richtungen. Leipzig. 1828. 8⁰.

Macedo, M. A., über die Bereitung eines wohlschmeckenden, gesunden und nahrhaften Brodes aus Mandioca-Mehl. Von Dr. v. Martius. 1869. 8^0.

Macknight und Madden, true principles of Breeding. 1865. 8^0.

Mantegazza, P., Upilio Faimale. Memòiren eines Tierbändigers. Leipzig und Heidelberg. 1880. 8^0.

Manz, E. F., Erörterungen über die Kartoffelkrankheit im Jahre 1846. Stuttgart. 1847. 8^0.

Metzger, A., bibliotheca historico-naturalis, physico-chemica et mathematica. Göttingen. 1874—76. 8^0.

Mösch, C., die Jagd. (Sep.-Abdr. allg. Beschr. d. Staat. der Schweiz.) Brugg. 1870. 8^0.

Monrad, M. J., det k. Norke Frederiks Universitets Stifteler. Christiania. 1861. 8^0.

Musterpläne zu landwirtschaftlichen Bauwesen für die Provinz Starkenburg. Darmstadt. 1841. Fol.

Normalbestimmungen für die Zusammenstellungen der landeskundlichen Litteratur, herausgegeben von der Centralkommission für wissenschaftliche Landeskunde von Deutschland. 28. April 1886.

Pabst, v., Anleitung zum Kartoffelbau. Stuttgart, 1846. 8^0.

— über die Fortdauer der Kartoffelkrankheit etc. Hohenheim. 1847. 8^0.

Panzer, Bibliotheca e Georg. W. Fr. Panzer collecta. Norimbergae. 1830. 8^0.

Pilling, J. C., Bibliography of the Iroqueian Languages. 1888. 8^0.

— of Muskhogean Languages. 1889. 8^0.

Pirmez, O., jours des Solitude. Paris. 1883. 8^0.

Rehberg, H., die Prinzipien der monistischen Naturreligion. Jena. 1868. 8^0.

Reinhardt, Ch., die landwirthschaftlichen Zustände Württembergs im Jahre 1847. Stuttgart 1847. 8^0.

Report of the select comittee of the legislation council on the Aborigines. Melbourne 1856—59. Fol.

Report of the council of education upon condition of the schools and of the certifed denominational school for the year 1877. Sydney. 1878. 8^0.

Reymond, M., das neue Laienbrevier des Häckelismus. Bern. 1877. 8^0.

— Der Culturkampf der Bronze. Bern. 1877. 8^0.

Ritter, über die Ermittlung von Blut-, Samen- und Exkrementenflecken in Kriminalfällen. 2. Aufl. Würzburg. 1854. 8^0.

Rütimeyer, S., Rathsherr Peter Merian. Programm der Rektoratsfeier der Universität Basel. Basel. 1883. 8^0.

Schattenmann, Ch. H., Mémoire sur la construction de fosses à fumier et sur le traitement des fumiers. Strassbourg. 1847. 8^0.

Schlipf, J. A., Abhandlung über die vollständige Gewinnung und Benützung des thierischen Düngers. Reutlingen. 1843. 8^0.

Snellaert, A., Geesten over J. van Maerlant. 1—2. Deel. Brüssel. 1860—61. 8^0.

— Nederlandsche Gedichten uit de veertiende Eeuw van Jan Boendale, Hein van Aken etc. Brüssel. 1869. 8^0.

Staatsbudget, das, und das Bedürfniss für Kunst und Wissenschaft im Königreich ·Hannover. 1866. 4⁰.

Stanly-Hall, G., the american Journal of Psychology. Baltimore. 1887. 8⁰.

Stassart, C. de, Bibliothèque leguée à l'académie royale de Belgique. Bruxelles. 1863. 8⁰.

Statistical-Register of the Colony of Victoria for 1877. Fol.

Thomas, Cyrus, the circular square and octogonal earthworks of Ohio. 1889.

Vaux, C. d., allgemein verständliche Anleitung zur Verfertigung des Weines. Tübingen. 1801. 8⁰.

Verzeichniss der Bücher, Landkarten, welche in jedem Jahre erschienen sind, herausgegeben von der Hinrichs'schen Buchhandlung. Leipzig. Jahrg. 1839—85. 8⁰.

Walz, Beiträge zur Weinkultur etc. Landau. 1846. 8⁰.

Weber, Th., Metaphysik. Eine wissenschaftliche Begründung der Ontologie des positiven Christentums.

Weinberg, W., das Arndt-Schulz'sche biologische Gesetz und die · Homöopathie. Stuttgart. 1889. 8⁰.

Westermarck, E., the history of human marriage. Helsingfors. 1888. 8⁰.

— the problem of the Ohio mounds. 1889. 8⁰.

Kleinere Mitteilungen.

Riesenammoniten.

Von Dr. Oscar Fraas.

In dem Gesamtregister zu QUENSTEDT's Ammoniten finden sich die „Riesen" des schwäbischen Jura (p. 1140) zusammengestellt. Wir entnehmen daraus, dass gleich der erste und älteste Ammonit des schwäbischen Jura (*A. psilonotus*) ein Riese wird (Taf. 3. 1). Freilich ist der Beweis, dass das abgebildete Windungsstück zu *psilonotus* gehöre, lediglich nur dem Lager entnommen. Das Stück selbst kann aber eben so gut zu *A. angulatus* gehören, zu welchem der grösste schwäbische Ammonit gezählt wird; derselbe hat volle zwei Pariser Fuss oder 650 cm. Noch grösser werden die *Bucklandi*, von welcher Art das Rommelsbacher Exemplar 0,80 m misst. Damit sind die grössten Masse von QUENSTEDT's Ammoniten genannt. Höchstens könnte man etwa noch die flach zusammengedrückten Wohnkammern von *A. heterophyllus* im Posidonienschiefer herbeiziehen, der wegen des Kontrastes zum naheliegenden kleinsten Jura-Ammoniten, dem *A. ceratophagus* QUENSTEDT p. 373, genannt werden mag; dieser misst etwa 1 mm, ist von Nadelkopfgrösse, jener ist 2800 mal grösser. Einen Ammoniten, der 1 m Durchmesser hätte, kennen wir im ganzen schwäbischen Jura nicht. Um so grösser war mein Erstaunen, als ich verflossenen Herbst auf dem anthropologischen Kongress in der Westfalenstadt Münster im dortigen botanischen Garten wirklich den „ungewöhnlich grossen" *A. Coesfeldiensis* SCHLÜTER zu sehen bekam. Wohl hatte ich einst die Riesenquader von Edfu und Sakkára mir angesehen und gemessen, war auch staunend vor den ἱερον τριλιϑον in Baalbek gestanden, den grössten bekannten Steinen der Erde, aber vielmehr noch als diese Steinriesen überwältigte mich der Anblick eines Ammoniten, an dem ich förmlich hinaufschauen musste, ob ich gleich das normale Mass der schwäbischen Körperlänge, 165,1 cm, etwas überschreite. Der aus-

gezeichnete Direktor des zoologischen Gartens, Herr Landois, hatte
zum Schutz des Stücks ein eigenes Dach über dem Ammoniten
errichten lassen, um die Macht der Verwitterung einigermassen zu
brechen, welche unaufhaltsam die Steinmergelgebilde zu zerstören
bestrebt ist. Verspürt ja doch selbst in unsern Sammlungsschränken
die Mehrzahl unserer Fossile den Zahn der Zeit. Hoffen wir, dass
der Riesenammonit von Münster unter seinem Schutzdach nicht bloss
den Anfang des neuen Jahrhunderts, sondern auch dessen Ende er-
lebe und den besuchenden Palaeontologen ebenso grosse Freude bereite, wie dem Schreiber dieser Zeilen.

Triphosa Sabaudiata Dup. in der schwäbischen Alb.

Von Dr. Binder in Neuffen.

Dieser alpine Schmetterling [1] wurde, nach einer Mitteilung von
Professor Hofmann, im Juli 1861 zuerst von Inspektor Hahne am
Rosenstein bei Aalen in einem Exemplär an Felsen gefangen. Seitdem ist von einem Vorkommen der Art bei uns nichts mehr bekannt
geworden.

Der stattliche Spanner ist auf unserer Alb heimisch.
Seit Jahren erbeute ich denselben regelmässig im ganzen Monat
August (voriges Jahr noch anfangs Oktober) im Innern der Tropfsteinhöhlen, an welchen unsere Alb so reich ist. Das Heppenloch
(jetzt Vorhalle der neuentdeckten Gutenberger Höhle), noch andere
neu aufgeschlossene Höhlen bei Gutenberg, bei Schlattstall, die
Schillerhöhle bei Urach, die Höhle bei Hohenwittlingen („Staffa-
höhle" im „Rulaman") sind die mir bis jetzt zugänglich gewesenen
Höhlen, in welchen allen ich den Schmetterling, stets in Mehrzahl und stets in Gesellschaft von *Triphosa dubitata* L. fand.
Freilich verbirgt er sich durch seine dem gelblichen Untergrund trefflich angepasste Färbung und seine Gewohnheit, auch wenn ihn das
Laternenlicht trifft, meist ruhig sitzen zu bleiben, oft lange dem
suchenden Auge; manchmal entwischt er auch noch im letzten
Augenblick durch flinkes Davonlaufen, wobei es ihm in den zer-
klüfteten Steingebilden an Verstecken nicht fehlt. Immer fand ich
die Schmetterlinge tief im Innern der Höhlen, niemals am Ein-

---

[1] Vorkommen: „Auf den Alpen, in Frankreich und in Piemont." Hofmann, Die Schmetterlinge Europas.

gang, wo andere Arten, wie *Vanessa, Libatrix* etc. bei rauher Witterung Schutz suchen, und ebensowenig gelang es mir, an den Felswänden ausserhalb der Höhlen ein Exemplar aufzufinden. Nach der Raupe habe ich noch nicht gesucht, da ich von den oben genannten Fundorten zu weit entfernt wohne.

Zweck dieser Zeilen ist nun, Naturfreunde und Sammler zu veranlassen, namentlich auch die Höhlen der übrigen Albgegenden nach *Sabaudiata* zu durchsuchen und nach der bei uns vermutlich an *Rhamnus*-Arten (in den Alpen auf *Rhamnus alpina*) lebenden Raupe zu forschen.

Leuchtende Pilze.

Von Kollaborator Offner in Wildbad.

Dass es solche in fremden Ländern giebt, hat jeder Pilzfreund als eine mykologische Merkwürdigkeit schon gelesen und dabei gewiss bedauert, dass ihm kein Exemplar eines solchen Lichtträgers zu Gebot steht. Südeuropa hat z. B. den *Agaricus olearius*, Brasilien den *Ag. Gardneri*, Manila den *Ag. noctiluca*, Australien den *Ag. Lampas* und noch einige andere. Bekannt ist dieses Leuchten bei den Rhizomorphen; auch haben es englische Gelehrte an unfruchtbaren Mycelien schon beobachtet. Um so erfreulicher wird für unsere vaterländischen Pilzkenner eine Mitteilung der „Revue mycologique" sein, nach welcher zuerst Professor G. GENTRY in Philadelphia und durch ihn veranlasst der Mykologe J. B. ELLIS in Newfield diese Phosphorescens an einem Pilz entdeckten, der auch bei uns sehr häufig zu treffen ist, bei dem *Panus stypticus* FR.

Nach den Beobachtungen dieser beiden hat die Lichterscheinung ihren Sitz ausschliesslich in den Lamellen dieses Pilzes. Auch soll diese Eigenheit sich nur bei feuchter und gewitterschwüler Luft zeigen. Es wäre nun sehr zu wünschen, dass sich einige Botaniker zu ferneren Beobachtungen herbeiliessen. Diese Lichterscheinung bei den Pilzen ist nach den Forschern TULASNE und FAVRE ein physiologischer Vorgang und zeigt sich nur so lange der Pilz frisch und kräftig vegetiert, ein Umstand, der die Beobachtung nur auf frische Exemplare und womöglich auf ihren Standort selbst beschränkt.

Wer den Pilz kennen zu lernen wünscht und geneigt ist, sich mit der Sache zu beschäftigen, kann von dem Unterzeichneten getrocknete Exemplare beziehen.

Bücheranzeigen.

Dr. EBERHARD FRAAS. Geologie in kurzem Auszug für Schulen und Selbstbelehrung. Sammlung GÖSCHEN. Stuttgart 1890. Preis 80 Pf.

Ein treffliches Büchlein, womit ein junger schwäbischer Geologe auch solchen Dienste leistet, die längst in der Wissenschaft alt geworden sind. Nicht bloss, weil überall, wie sofort zu erkennen ist, die neuesten Entdeckungen und Ergebnisse der Forschung darin verwertet wurden, sondern insbesondere auch wegen der Knappheit und Kürze seiner Zusammenstellung bildet das Werkchen einen vorzüglichen Handleiter. Trotz des riesigen Materials, das heute die Geologie zu bebauen und zu beherrschen hat, ist es, wie uns dünkte, dem Verfasser gelungen, auf kaum 100 Seiten das Wesentliche sämtlicher dahin einschlägigen Disciplinen zu geben und wir wüssten schwer etwas zu nennen, was vergessen worden wäre. Besonders klar und übersichtlich schien uns die Petrographie behandelt; kann man doch nach der einfach gehaltenen Dreiteilung der Gesteine sogar seine Fundstücke in die Kästen ordnen. Die Unterscheidung von Strato- und massigen Vulkanen, die Besprechung der krystallinischen Schiefer, das Kapitel über Gebirgsbildung, Gletschererscheinungen und Erdbeben zeigen, dass der Verfasser durchaus auf der Höhe der gegenwärtigen Wissenschaft steht. Die Übersicht über die Formationen der Erde (historische Geologie) ist freilich kurz, wie bei den Verhältnissen des Buches geboten war, doch so gut dargestellt, dass auch der Laie ganz wohl sich ein allgemeines Bild machen kann von dem Aussehen der Erdoberfläche in den einzelnen Perioden ihrer Entwickelung. Dass der Verfasser seine diesbezüglichen Studien mit dem schwäbischen Jura begonnen und denselben ganz besonders ins Herz geschlossen hat, geht schon aus dem Titelbild (Profil der schwäbischen Alb) zur Genüge hervor. Mit Recht sind alle Hypothesen bei Seite gelassen und beschränkt sich der Inhalt auf die thatsächlich feststehenden Ergebnisse der Wissenschaft. Wenn dabei die Frage, ob das Erdinnere noch jetzt sich in glutflüssigem Zustand befinde, kurzweg bejaht wird, so wäre dies der einzige Punkt, bei dem wir uns erlauben, wenigstens ein Fragezeichen zu machen. Ebenso möchten wir den Wunsch ausprechen, es dürfte bei einer etwaigen zweiten Auflage kurz (in Fussanmerkung) die Übersetzung der unbekannteren Fremdwörter und Erklärung gewisser Mineralien gegeben werden. Es ist ja doch nicht vorauszusetzen, dass der Anfänger den Unterschied zum Beispiel von Plagioklas und Orthoklas, Augit und Hornblende etc. kennt. Um daher wirklich einen Nutzen von der Lektüre des Büchleins zu haben, ist es für den Anfänger in der Geologie jetzt nötig, noch andere Werke zur Erklärung mancher ihm unverständlicher Ausdrücke zu Hilfe zu nehmen oder sich von einem Meister darüber belehren zu lassen. Wir glauben daher fast, dass das Werkchen in seinem gegenwärtigen Gewand mehr Wert hat für den geschulten Geologen als „zur Selbstbelehrung". ENGEL, Eislingen.

GOTTLIEB MARKTANNER-TURNERETSCHER. Die Mikrophotographie als Hilfsmittel naturwissenschaftlicher Forschung. Halle. W. KNAPP. 1890.

Das vorliegende Werk hat, wie der Verfasser in dem Vorwort selbst erklärt, den Zweck: „Denjenigen Gelehrten, welche die Mikrophotographie zu ihren Forschungen und Arbeiten als Hilfsmittel heranziehen wollen, einen Leitfaden an die Hand zu geben, um diesen Zweck mit möglichst geringer Mühe und Zeitaufwand erreichen zu können." Das Buch beginnt mit einer kurzen Übersicht über die Geschichte der Mikrophotographie und einer Darlegung der Anwendbarkeit und der Vorteile derselben, welch letzterer zu entnehmen ist, dass der Verfasser selbst die Ansicht hat, dass sich die Mikrophotographie nur in einer verhältnismässig beschränkten Anzahl von Fällen direkt zur Illustration wissenschaftlicher Publikationen heranziehen lasse, da ja das Mikroskop nur eine ganz bestimmte Bildebene, auf welche scharf eingestellt wurde, scharf abbildet, während alles im Präparat über oder unter dieser Ebene gelegene je nach dem angewandten Objektive mehr oder weniger unscharf erscheint. Daher eignen sich in erster Linie nur sehr feine Schnitte und von Natur flache und dünne Objekte zu dieser Art der Abbildung. Dagegen ist die Mikrophotographie in der Mehrzahl der Fälle vorzüglich geeignet, eine hinsichtlich der Grössenverhältnisse des Objekts äusserst genaue Unterlage für eine Zeichnung zu liefern und damit auch Zeit und Arbeit zu ersparen. Es folgt nun in zwölf Abschnitten die Besprechung aller in Frage kommenden Apparate und Einrichtungen und ihrer Anwendung, zunächst die Behandlung des Mikroskops, insofern seine Benützung zur Mikrophotographie Modifikationen in der Konstruktion und Anwendung bedingt. Hervorzuheben ist der wichtige Passus über die Fokusdifferenz der mikroskopischen Objektive und deren Abhilfe, da nicht jeder in der Lage sein dürfte mit eigens konstruierten mikrophotographischen oder den kostspieligen Zeiss'schen Apochromat-Objektiven zu arbeiten. Die Abschnitte II bis X behandeln die Camera mit Zubehör, es werden vertikale und horizontale Camerae verschiedener Konstruktionen beschrieben und abgebildet, ferner alle optischen und mechanischen Nebenapparate, die Beleuchtung und hierzu nötige Apparate, die Aufstellung des Gesamtinstrumentariums, die Vorbereitungen zur Aufnahme, die Zusammenstellung des Instrumentariums bei Benützung verschiedener Lichtquellen, das Einstellen, specielle mikrophotographische Methoden, worunter Mikrophotographien mit stereoskopischem Effekt und Momentaufnahmen beweglicher Objekte hervorzuheben sind. Es folgt die Besprechung der wünschenswerten Eigenschaften der zu photographierenden Objekte. Die Präparate sollen vor allem möglichst rein und frei von Fremdkörpern und Luftblasen sein, Schnitte möglichst fein und gleichmässig; von Vorteil ist es, wenn letztere mittels Kompressorien etwas gepresst wurden; richtige Färbungsintensität ist notwendig, rot, braun und grün am geeignetsten. Bei Verwendung der orthochromatischen Platten können die Präparate natürlich beliebig gefärbt sein. Bei Versuchen ist Beachtung dieser Punkte dringend anzuraten, um unliebsame Enttäuschungen zu vermeiden. Abschnitt XI handelt von der Art der Entstehung des Bildes bei ungefärbten und gefärbten Präparaten, Abschnitt XII von der Messung der Vergrösserung.

Hierauf folgt in vier Abschnitten die photographische Praxis, Herstellung der Chemikalien, Behandlung der Platten und lichtempfindlichen Papiere in grosser Ausführlichkeit. Von den photographischen Papieren scheint Verfasser zu mikrophotographischen Zwecken dem Platinpapier ganz besonders das Wort zu reden, diesem dürfte aber eher das Eastman-Bromsilberpapier vorzuziehen sein, denn das Platinpapier ist wohl von allen photographischen Papieren in Bezug auf die Güte der zu kopierenden Negative das anspruchsvollste und die wenigsten Praktiker dürften in der Lage sein, stets nur brillante und völlig schleierfreie Platten zu erzielen. Auf anderen Papieren dagegen lassen sich auch von nicht ganz tadellosen Negativen noch gute Bilder kopieren. Ein weiterer Übelstand des direkt kopierenden PIZZIGHELLI'schen Platinpapiers ist der, dass es bei Frostwetter infolge des notwendigen Anhauchens an die Platte anfriert und diese mitverdirbt, daher im Winter nicht wohl zu gebrauchen ist, überhaupt scheint es zum richtigen Kopieren helle sommerliche Beleuchtung nötig zu haben. Der schwärzliche Ton der Kopien, welcher dieselben zum Retouchieren oder Überzeichnen mit Bleistift so geeignet macht, ist dem Eastman- und Pizzighelli-Papier gemeinsam.

Zum Schluss giebt Verfasser ein Verzeichnis der bei den photographischen Manipulationen vorkommenden Fehler und deren Abhilfe und u. a. eine kurze Darstellung einiger Vervielfältigungsmethoden von Photographien für Illustrationszwecke sowie ein Litteraturverzeichnis.

Das Werk, welches 340 Seiten zählt, ist mit der grossen Zahl von 195 instruktiven Abbildungen im Text und mit zwei Lichtdrucktafeln ausgestattet, auf welch letzteren eine Anzahl unter verschiedenartigen Bedingungen aufgenommener Objekte abgebildet ist, welche ein anschauliches Bild von den dem Mikrophotographen erreichbaren Zielen geben.

Es ist zu wünschen, dass die Mikrophotographie auch zur Illustration der wissenschaftlichen Publikationen dieser Hefte mehr und mehr herangezogen werde und das vorliegende Buch, welches zur Orientierung auf diesem interessanten Gebiet und zur Anleitung bei diesbezüglichen Versuchen vorzüglich geeignet erscheint, sei daher allen Interessenten warm empfohlen.

Januar 1891.   Graf G. SCHELER.

Dr. H. G. BRONN's Klassen und Ordnungen des Thierreichs wissenschaftlich dargestellt in Wort und Bild. Fortgesetzt von C. K. HOFFMANN. VI. Band. III. Abteilung: Reptilien. Leipzig. C. F. WINTER'sche Verlagshandlung. 1890. 2089 S. 170 Taf.

Wiederum liegt eine der grossen Monographien abgeschlossen vor, aus denen sich „BRONN's Klassen und Ordnungen" zusammensetzen. Das grosse, wohl in jeder bedeutenderen zoologischen Bibliothek zu findende Werk ist in seiner Vorzüglichkeit längst anerkannt und jeder neue Band ist geeignet dieses Urteil zu befestigen. Von der vorliegenden in drei stattliche Bände zerfallenden Abteilung enthält der erste Teil die Schildkröten, der zweite ist den Eidechsen und Wasserechsen gewidmet, der dritte umfasst die Schlangen und ein Kapitel über Entwickelungsgeschichte der Reptilien. In der Einteilung des Stoffes schliesst sich auch diese Monographie im ganzen und grossen den vorhergehenden an; einzelnes herauszugreifen ist bei dem Umfang des Werkes, von dem die oben angeführten Zahlen einen Begriff geben mögen, schwer thunlich. Es ist eine Fülle wissenschaftlichen Materials in den drei Bänden aufgespeichert; besonders die Anatomie ist sehr ausführlich behandelt. In manchen andern Abschnitten allerdings würde eine weitere Berücksichtigung der Litteratur den Darstellungen des Verfassers nicht zum Nachteil gereicht haben; so vermissen wir, um nur ein paar Proben herauszugreifen, in dem kurzen Abschnitt über Anpassung bei den Sauriern (II. Teil p. 1357) ungern die interessanten hieher gehörigen Angaben, die BÖTTGER über die Reptilien Transkaspiens gemacht und in der Besprechung der Verbreitung der Kreuzotter hätte wohl auch BLUM's grosses Werk über diesen Gegenstand ein Wort der Erwähnung verdient. Die Ausstattung, sowohl in Druck wie in Ausführung der Tafeln ist, wie wir dies von der Verlagshandlung gewöhnt sind, eine vortreffliche. L.

Druckfehler.

Seite 127 Zeile 16, 17, 18 von unten soll es statt 350 m ... **450 m** heissen.

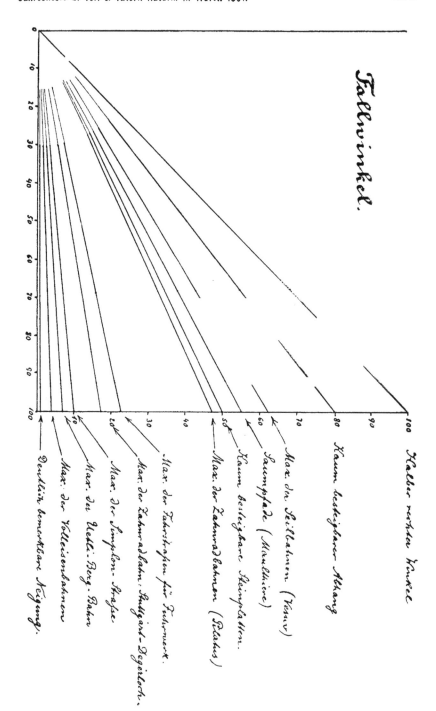

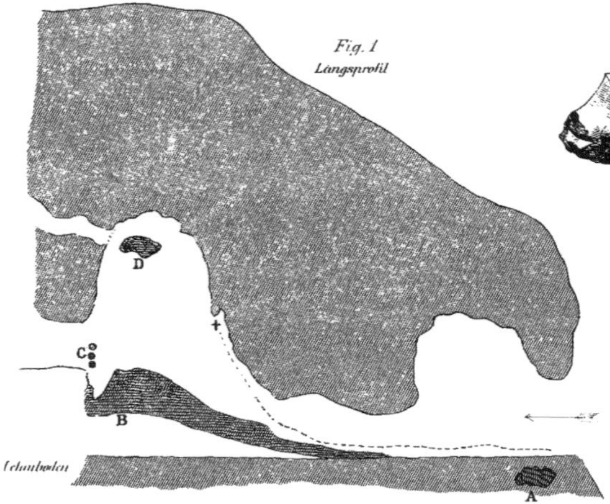

Fig. 1
Langepröhl

Lchnthein

A

B

C

D

+

Fig. 3
Traustaimasser

Maasstab

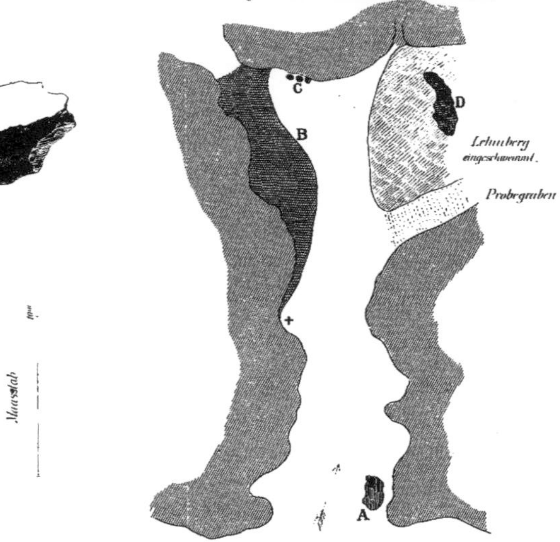

Fig. 5

Lenninger Tal.

Ober-
Unter-
404

Bestnenstein od.
Ochsenweg
Gütenberg

Kraznong

Jungere
Tor

Schopfloch
261.

+

Fig. 4

Lith. Anst. v. A. Eckstein Stuttgart

A

B

C

D

+

Lehnberg
maggelstenssitet.

Prekogentein

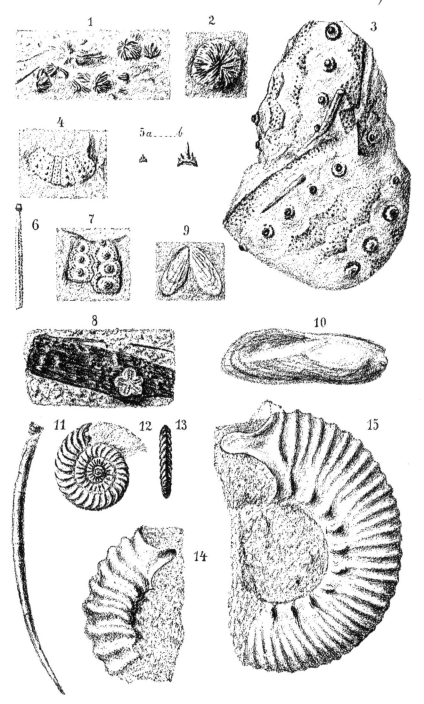

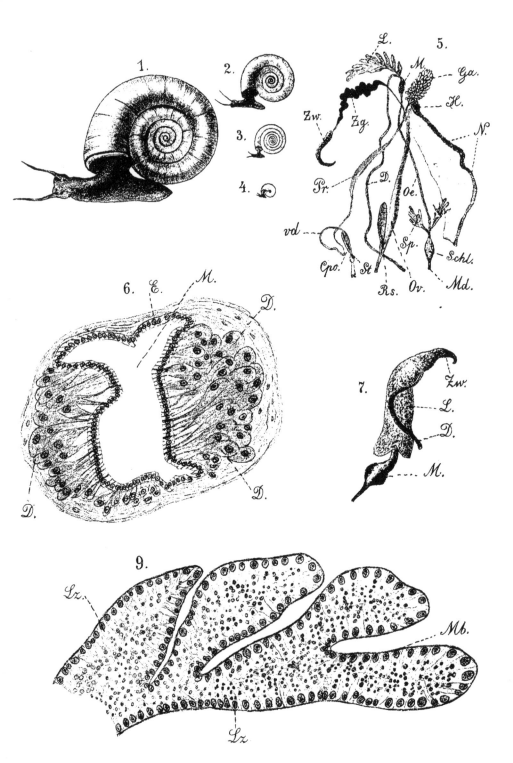

Buchner del.

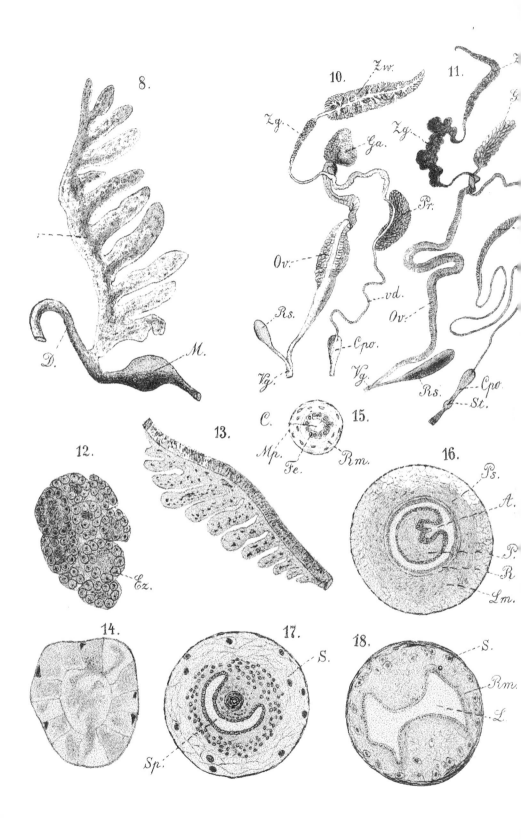

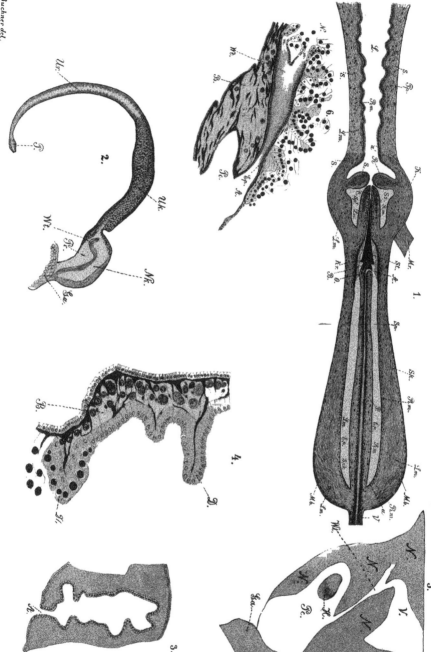

Buchner del.

Taf. V.

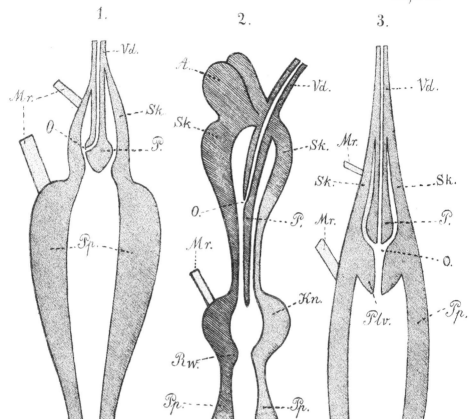

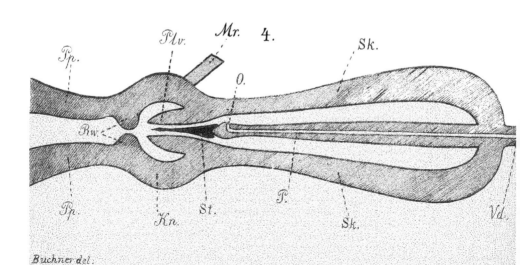

Buchner del.

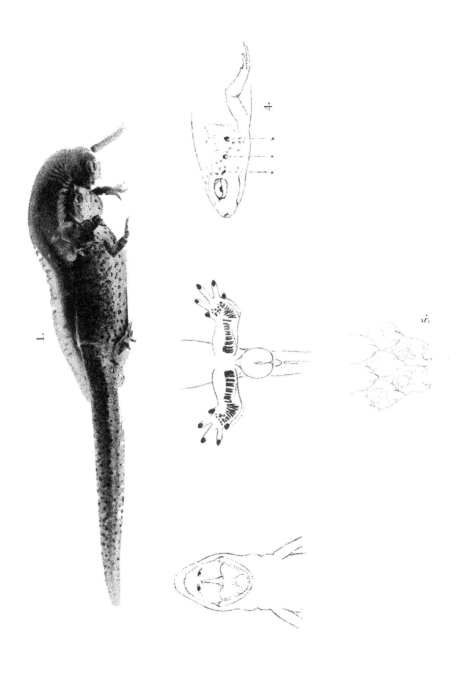

Lichtdruck von Martin Rommel & Co., Hofkunstanstalt, Stuttgart.

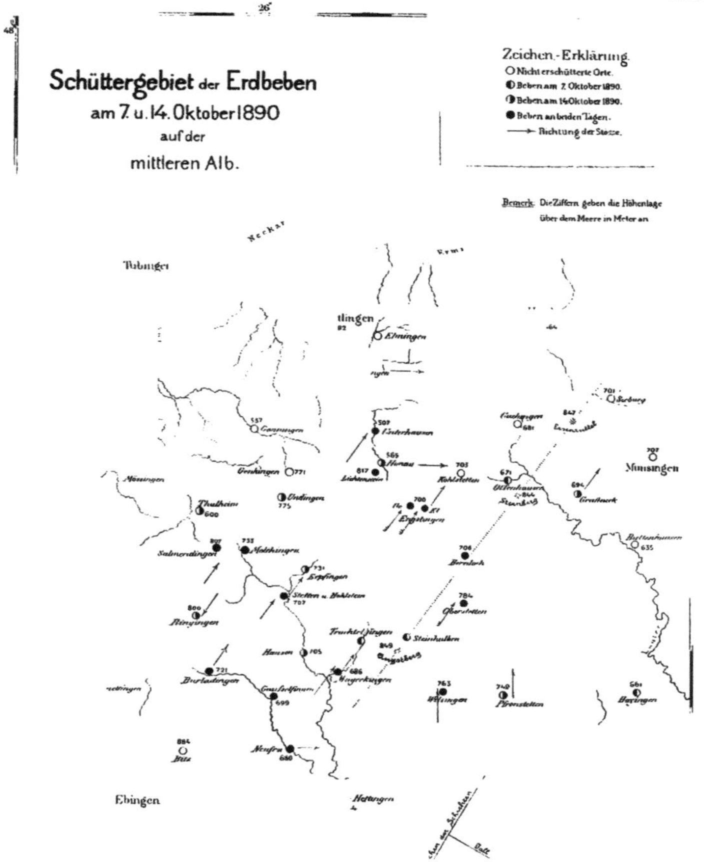

Schüttergebiet der Erdbeben
am 7. u. 14. Oktober 1890
auf der
mittleren Alb.
Zeichen-Erklärung.
Nicht erschütterte Orte.
Beben am 7. Oktober 1890.
Beben am 14. Oktober 1890.
Beben an beiden Tagen.
Richtung der Stösse.
Bemerk. Die Ziffern geben die Höhenlage über dem Meere in Meter an.
Neckar
Tübingen
Münsingen
Ebingen
Hettingen
Gomaringen
Gönningen
Öschingen
Thalheim
Salmendingen
Melchingen
Erpfingen
Stetten u. Holstetten
Ringingen
Burladingen
Gauselfingen
Neufra
Hausen
Trochtelfingen
Steinhulben
Meidelstetten
Oberstetten
Bernloch
Kohlstetten
Honau
Lichtenstein
Unterhausen
Engstingen
Ottenhausen
Gächingen
Gruorn
Buttenhausen
Pfronstetten
Hayingen
Willmandingen
Genkingen
Undingen

In der **E. Schweizerbart'schen Verlagshandlung (E. Koch)** in Stuttgart erschien soeben:

Die

Geognostische Sammlung Württembergs

im

Erdgeschoss des Königl. Naturalien-Kabinets
zu Stuttgart.

Ein Führer

für die Besucher derselben und zugleich ein Führer durch
die geognostischen Schichten des Landes.

Von

Prof. Dr. **Oscar Fraas.**

Dritte Auflage. — Preis 50 Pf.

Die

Labyrinthodonten

der Schwäbischen Trias

von

Dr. Eberhard Fraas.

Mit 17 Tafeln in Photographiedruck.

Preis Mk. 40. —

Die

Korallen der Nattheimer Schichten

von

E. Becker und **Const. Milaschewitsch.**

Mit 16 Tafeln.

Preis Mark 36. —

In der E. Schweizerbart'schen Verlagshandlung (E. Koch) in Stuttgart ist erschienen:

DIE AMMONITEN

des

SCHWÄBISCHEN JURA

von

Friedrich August Quenstedt.

3 Bände mit einem Atlas von 126 Tafeln.

Preis Mk. 210. —

Geognostische Wandkarte

von

Württemberg, Baden und Hohenzollern.

Nach den offiziellen Landesaufnahmen

bearbeitet von

Dr. Oscar Fraas.

Massstab 1 : 280 000.

Vier Blätter.

Zweite Auflage.

Preis roh M. 12.—, auf Leinwand aufgezogen in Mappe M. 14.—; auf Leinwand
lackiert mit Stäben M. 15.—

Geognostischer Wegweiser

durch Württemberg.

Anleitung zum Erkennen der Schichten und zum Sammeln der
Petrefakten

von

Dr. Theodor Engel,

Pfarrer in Klein-Eislingen:

Mit VI Tafeln, vielen Holzschnitten und einer geognostischen Uebersichtskarte.

Preis Mk. 7. 60.

Verlag von RICHARD FREESE in Leipzig.

Zoologische Vorträge.

Herausgegeben von Prof. Dr. William Marshall.

1. Heft: Die Papagäien mit Karte. 1 Mk. 50 Pf.
2. Heft: Die Spechte mit Karte. 1 Mk. 50 Pf.
3. u. 4. Heft: Leben und Treiben der Ameisen (in 4 Vorträgen) 3 Mk.
5. Heft: Die grossen Säugethiere der Diluvialzeit. 1 Mk. 50 Pf.
6. Heft: Unsere Schnecken. 1 Mk. 50 Pf.   (No. 34)

Lightning Source UK Ltd.
Milton Keynes UK
UKHW012357080219
336872UK00005B/348/P